BONNER ABREITEN ZUR DEUTSCHEN LITERATUR
HERAUSGEBER BENNO VON WIESE
BAND 22

# ALFRED DÖBLIN

## WERK UND ENTWICKLUNG

VON KLAUS MÜLLER-SALGET

1972

BOUVIER VERLAG HERBERT GRUNDMANN · BONN

ISBN 3 416 00632 1

Alle Rechte vorbehalten. Ohne ausdrückliche Genehmigung des Verlages ist es auch nicht gestattet, das Buch oder Teile daraus fotomechanisch zu vervielfältigen. © Bouvier Verlag Herbert Grundmann, Bonn 1972. D 5. Printed in Germany. Gesamtherstellung: G. Hartmann KG, Bonn.

Für Elke

„Manche Menschen lernen sich nur auf ein und zwei Weisen, in ein, zwei Formen kennen. Sie verfluchen sich in ihrer gnadenlosen Dummheit dazu, nur ein einziger Mensch zu sein. Sie stolzieren vor andern als grade, festmontierte Charaktere und beißen unablässig und verzweifelt auf den Kaugummi ihres Stolzes.

Andere nehmen das Leid des Wechsels und der Unbeständigkeit in Kauf. Sie wissen, daß sie nicht so stark und hoch wachsen wie die bewunderten Charaktere, aber sie rollen breit und bunt wie eine Wiese, ein üppiges Tuch auf, das immer neue überraschende Bilder aufblitzen läßt."

(ALFRED DÖBLIN, *Verratenes Volk*,

München 1948, S. 355)

# VORBEMERKUNG

Diese Untersuchung hat unter dem Titel „Alfred Döblins ‚Naturalismus' und sein episches Werk" im Frühjahr 1970 der Philosophischen Fakultät der Universität Bonn als Dissertation vorgelegen. Nach dem Abschluß der Arbeit im Oktober 1969 sind folgende Untersuchungen erschienen bzw. mir nachträglich bekannt geworden:

Hans-Peter BAYERDÖRFER, *Der Wissende und die Gewalt.* (K 606) [1],

Timothy Joseph CASEY, *Alfred Döblin.* (K 555),

Joris DUYTSCHAEVER, *Eine Hebbelsatire in Döblins „Berlin Alexanderplatz".* (K 610),

Volker KLOTZ, *Die erzählte Stadt.* (K 615),

Peter DE MENDELSSOHN, *S. Fischer und sein Verlag.* (K 692),

Robert MINDER, *„Die Segelfahrt" von Alfred Döblin.* (K 592),

Heinz D. OSTERLE, *Alfred Döblins Revolutionstrilogie „November 1918".* (K 628),

Ernst RIBBAT, *Die Wahrheit des Lebens im frühen Werk Alfred Döblins.* (K 580),

Monique WEYEMBERGH-BOUSSART, *A. Döblin et F. M. Dostoievski.* (K 585),

DIES., *Alfred Döblin. Seine Religiosität in Persönlichkeit und Werk. (K 586),*

Theodore ZIOLKOWSKI, *Dimensions of the modern novel.* (K 626),

Viktor ŽMEGAČ, *Alfred Döblins Poetik des Romans.* (K 587).

Soweit es mir notwendig schien, habe ich in den Anmerkungen zu diesen Arbeiten Stellung genommen. Für die Dissertationen von Monique Weyembergh-Boussart und Ernst Ribbat verweise ich zusätzlich auf meine Rezension im 90. Band der „Zeitschrift für deutsche Philologie". Diese

---

[1] Zur Zitierweise vgl. S. 1, Anm. 1.

beiden Abhandlungen haben ebenso wie die meine das Ziel, dem landläufigen Bild von Döblin eine Darstellung der Zusammenhänge und Konstanten in seinem Werk entgegenzusetzen. Monique Weyembergh-Boussart geht dabei teleologisch vor und rückt den Zielpunkt der Konversion ins Zentrum, während Ernst Ribbat den genetischen Ansatz gewählt hat und vom Einfluß der Dichtung und Philosophie des „Lebens" auf Döblin ausgeht. Ich habe dagegen Döblins ἀκμή, die „naturalistische" Periode der zwanziger Jahre, in den Mittelpunkt gestellt und von hierher das Phänomen Döblin zu enträtseln getrachtet. Die drei Untersuchungen können einander in manchen Punkten ergänzen und korrigieren.

Die Anregung und geduldige Förderung dieser Arbeit habe ich meinem verehrten Lehrer, Herrn Professor Benno von Wiese, zu danken. Dank gebührt auch den Herren Dr. Hartmut Steinecke und Dr. Norbert Oellers, die mir bei der Beschaffung schwer zugänglicher Texte und in mancher technischen Frage behilflich waren.

Neben der nicht kleinen Schar jener, deren stilles Wirken und deren großzügige Hilfe mir die Arbeit an dieser Untersuchung überhaupt erst möglich gemacht haben, ist vor allem des schöpferischen Einflusses meiner Frau zu gedenken; ihrem Geist und ihrer Seelengröße verdankt dieses Buch viel von seiner Substanz.

Gießen, im November 1970

# INHALTSVERZEICHNIS

VORBEMERKUNG                                                    IX

ABKÜRZUNGSVERZEICHNIS                                           XV

EINLEITUNG                                                       1

    1. Blick auf die Forschung                                 1
    2. Bemerkungen zur Neuausgabe                              3
    3. Zur Zielsetzung dieser Arbeit                           8

I. KAPITEL
„DER GEIST DES NATURALISTISCHEN ZEITALTERS"                     12

II. KAPITEL
BIOGRAPHISCH VERANKERTE GRUNDMOTIVE IN DÖBLINS WERK             16

    A. Die Schule                                             16
    B. Die ambivalente Stellung zu den Eltern                 18
    C. Auswirkungen auf Döblins Religiosität                  20
    D. Ein Dichter mit schlechtem Gewissen                    26
    E. Döblins Frauengestalten                                27
    F. Homoerotische Hassliebe                                34
    G. „Hamlet oder Die lange Nacht nimmt ein Ende"           35
    H. Das jüdische Erbe                                      40

III. KAPITEL
DICHTUNGEN UND THEORETISCHE SCHRIFTEN VOR DER NATU-
RALISTISCHEN WENDE:
DER EINSAME MENSCH IN SEINER NICHTIGKEIT                        44

    A. Die Zerrissenheit der Welt
       und die unheimliche Macht der Sexualität               47
        I. „Der schwarze Vorhang"                             47
       II. „Lydia und Mäxchen. Tiefe Verbeugung in einem Akt"  53
       III. Die Erzählungen I                                58
        Vorbemerkungen                                       58
        „Der Kaplan"                                         61

XI

„Die Segelfahrt"                                                            66
„Das Stiftsfräulein und der Tod"                                            71
„Der Dritte"                                                                72
„Linie Dresden—Bukarest"                                                    73

B.  DIE DEMONTAGE DES SELBSTHERRLICHEN INDIVIDUUMS                          74

   I.  *Die Erzählungen II*                                                 74

       „Die Ermordung einer Butterblume"                                    74
       „Die Nachtwandlerin"                                                 79
       „Astralia"                                                           81

   II.  *„Wadzeks Kampf mit der Dampfturbine"*                              82

C.  VEREINZELTES                                                            93

   *Die Erzählungen III*                                                    93

       „Die Schlacht, die Schlacht!"                                        93
       „Von der himmlischen Gnade"                                          96
       „Die Tänzerin und der Leib"                                          97

D.  DIE ÄSTHETISCHEN SCHRIFTEN VOR 1924                                     100

E.  DEMUT ALS MITTEL DER WELTÜBERWINDUNG                                    116

   I.  *„ . . . daß nur eins hilft gegen das Schicksal: nicht widerstreben."*
       *„Die drei Sprünge des Wang-lun"*                                    116
       a)  Der Erzähler                                                     116
       b)  Der Aufbau. Das Wiederholungsprinzip                            120
       c)  Die Hauptgestalten                                              131
           1.  Ma-noh                                                      134
           2.  Khien-lung                                                  139
           3.  Wang-lun                                                    143
       d)  Die Darstellung der Massen                                      152
       e)  Stilistica                                                      157
       f)  Schlußbemerkungen                                               162

   II.  *„Es ist auch alles gut, hätte er erkannt; man müsse nur wissen*
        *wie."*
        *„Wallenstein"*                                                    165
       a)  Aufbaustrukturen                                                165
       b)  Der Erzähler                                                    169
       c)  Bemerkungen zum Stil                                            177
           Expressive Verknappung                                          177
           Aposiopese                                                      179
           Erlebte Rede und innerer Monolog                                180
       d)  Die Massen und der einzelne                                     182
       e)  Ferdinand                                                       188
       f)  Das Naturreich                                                  199

F. Peripetie: „Berge Meere und Giganten"                                201
  a) „Antikritisches"                                                   201
  b) Entstehung und philosophischer Hintergrund                         203
  c) Die Ambivalenz der Konzeption                                      207
     1. Die beseelte Natur und das Scheitern des technischen
        Impulses                                                        207
     2. Die Bedeutung der Einzelschicksale                              211
  d) Versuch der Synthese: Kylin                                        219
  e) Die Wuchertendenz                                                  222
  f) Der Erzähler                                                       223
G. Zusammenfassendes zum III. Kapitel                                   226

IV. KAPITEL
DAS NEUE MENSCHENBILD IN DER NATURALISTISCHEN THEORIE                    232

A. Die philosophischen Schriften                                        232
   I. „Reise in Polen"                                                  232
   II. „Das Ich über der Natur"                                         235
   III. „Unser Dasein"                                                  241
   IV. Zusammenfassung                                                  247

B. Der naturalistische Gedanke in den politischen Schriften             249
   I. Die Aufsätze der Kriegs- und Nachkriegsjahre                      249
   II. „Wissen und Verändern!"                                          252
   III. „Unser Dasein"                                                  259
   IV. Schriften zum Judenproblem                                       260

C. Betrachtungen zur Kunst und Literatur                                265
   I. Staat und Schriftsteller                                          265
   II. Die Einschätzung der Kunst innerhalb der naturistischen Philo-
       sophie                                                           271
   III. Die neue Romantheorie                                           275

ZWISCHENBEMERKUNG                                                       284

V. KAPITEL
DER EINZELMENSCH ALS BAUELEMENT UND KRAFTZENTRUM.
„BERLIN ALEXANDERPLATZ.
DIE GESCHICHTE VOM FRANZ BIBERKOPF"                                      286

A. Zur Frage der Abhängigkeit und zur Entstehung                        286
B. Bemerkungen zur bisherigen Forschung                                 293
C. Die Sinnstruktur des Romans                                          299
   I. Der Erzähler                                                      299

II. Das Wiederholungsprinzip in der Gestaltung der Phasen  304

III. Die Schaffung der exemplarischen Sphäre  318

    a) Symbolepisoden  318

    b) Beispielerzählungen und Parallelgeschichten  324

    c) Leitmotive  326

    d) Weitere Verweisungszusammenhänge  334

        1. Wetterparallelen  334

        2. Symbolische Zwischentexte  334

        3. Die Transparenz der Großstadt-Episoden  335

        4. Vereinzeltes  339

    e) Zusammenfassende Bemerkung  342

IV. Die Deutung der Schlußkapitel  345

    a) Das politische Thema  345

    b) Wissen und Verändern!  348

VI. KAPITEL
DAS ENDE DES NATURALISMUS  357

  A. Der künstlerische Abstieg  357

    I. Die letzten Jahre der Weimarer Republik  357

    II. Die Werke der Emigration  367

  B. Die Verwerfung des „Promethismus" und die Konversion  379

SCHLUSSBEMERKUNGEN  391

PERSONENREGISTER  395

WERKREGISTER  399

DÖBLIN-BIBLIOGRAPHIE  405

XIV

# ABKÜRZUNGSVERZEICHNIS

A        *Amazonas. Roman.* Olten und Freiburg i. Br. 1963. (D 116)

AzL      *Aufsätze zur Literatur.* Olten und Freiburg i. Br. 1963 (D 573)

BA       *Berlin Alexanderplatz. Die Geschichte vom Franz Biberkopf.* Olten und Freiburg i. Br. 1961. (D 112)

BMG      *Berge Meere und Giganten. Roman.* Berlin 1924. (D 91)

BS       *Bürger und Soldaten 1918. Roman.* Stockholm und Amsterdam 1939. (D 99)

BW       *Babylonische Wandrung oder Hochmut kommt vor dem Fall. Roman.* Olten und Freiburg i. Br. 1962. (D 115)

EB       *Die Ermordung einer Butterblume. Ausgewählte Erzählungen 1910—1950.* Olten und Freiburg i. Br. 1962. (D 45)

ER       *Erster Rückblick. In: Alfred Döblin. Im Buch — Zu Haus — Auf der Straße.* Berlin 1928. (D 504)

FSJ      *Flucht und Sammlung des Judenvolks.* Amsterdam 1935. (D 455)

G        *Giganten. Ein Abenteuerbuch.* Berlin 1932. (D 94)

H        *Hamlet oder Die lange Nacht nimmt ein Ende. Roman.* Olten und Freiburg i. Br. 1966. (D 118)

HF       *Heimkehr der Fronttruppen.* München 1949. (D 101)

IN       *Das Ich über der Natur.* Berlin 1927. (D 353)

JE       *Jüdische Erneuerung.* Amsterdam 1933. (D 454)

KR       *Karl und Rosa.* Freiburg i. Br. und München 1950. (D 102)

L        *Das verwerfliche Schwein / Lydia und Mäxchen / Lusitania.* Wien-Waldheim 1920. (D 48)

LB       *Die Lobensteiner reisen nach Böhmen.* München 1917. (D 41)

M        *Manas. Epische Dichtung.* Olten und Freiburg i. Br. 1961 (D 114)

| | |
|---|---|
| NU | *Der neue Urwald.* Baden-Baden 1948 (D 107) |
| P | *Pardon wird nicht gegeben. Roman.* Olten und Freiburg i. Br. 1960. (D 110) |
| RP | *Reise in Polen.* Olten und Freiburg i. Br. 1968. (D 575) |
| Sch | *Schicksalsreise.* Frankfurt a. M. 1949. (D 519) |
| SV | *Der schwarze Vorhang. Roman von den Worten und Zufällen.* Berlin 1919. (D 89) |
| UD | *Unser Dasein.* Olten und Freiburg i. Br. 1964. (D 574) |
| UM | *Der unsterbliche Mensch.* Freiburg i. Br. 1946. (D 365) |
| VV | *Verratenes Volk.* München 1948. (D 100) |
| W | *Wallenstein. Roman.* Olten und Freiburg i. Br. 1965. (D 117) |
| WD | *Wadzeks Kampf mit der Dampfturbine. Roman.* Berlin 1918. (D 88) |
| Wl | *Die drei Sprünge des Wang-lun. Chinesischer Roman.* Olten und Freiburg i. Br. 1960. (D 111) |
| WV | *Wissen und Verändern! Offene Briefe an einen jungen Menschen.* Berlin 1931. (D 446) |
| Z | *Die Zeitlupe. Kleine Prosa.* Olten und Freiburg i. Br. 1962. (D 572) |

# EINLEITUNG

## 1. Blick auf die Forschung

Zwölf Jahre nach seinem Tode ist Alfred Döblin immer noch der unbekannteste unter den großen deutschen Erzählern der ersten Jahrhunderthälfte. Immer noch gilt der Satz aus der „Schicksalsreise": „Ich hatte irgend einen Namen, der sich an das Wort ‚Berlin-Alexanderplatz' knüpfte." (Sch 454) [1] Bis heute ist es der Forschung nicht einmal gelungen, zu diesem einen Roman eine befriedigende Interpretation zu liefern. Über die anderen Teile von Döblins fast unüberschaubarem Oeuvre kursieren verschiedene Vorurteile, die in hauptsächlich zwei, einander widersprechende, Betrachtungsweisen zusammengefaßt werden können. Die eine glaubt vom „Wang-lun" bis zum „Hamlet" immer denselben Döblin am Werk, entdeckt überall „Wahrhaft Schwache" und eine Opfer-Idee [2] oder schlägt in schon burlesker Weise das Gesamtwerk über einen Leisten, der nicht einmal auf Einzelstücke passen will [3]. Die andere Version kulminiert in der Mär vom Proteus Döblin, der in jedem Werk ein anderes Gesicht zeige [4]; sie wurde vor allem von Walter Muschg, der die Neuausgabe betreute, propagiert und beherrscht heute weitgehend die Diskussion. Auch Hermann Kesten [5] und Fritz Martini [6] ergehen sich über mehrere Seiten hinweg in der Aufzählung vermeintlicher und tatsächlicher Widersprüche in Döblins Leben und Werk, dabei oft genug ein zeitliches Nacheinander in ein logisches Gegeneinander verkehrend. Nichts hilft es dem derart ver-

---

[1] Häufig angeführte Werke werden mit Sigeln zitiert (vgl. das vorstehende Abkürzungsverzeichnis); sonst gilt die Nummer der Bibliographie. Ich zitiere i. a. nach dem an letzter Stelle genannten Druckort; das gilt *nicht* für den nur in der DDR erhältlichen Sammelband „Die Vertreibung der Gespenster" (D 576) und auch nicht für die Linke-Poot-Glossen (die Sammlung von 1921 — D 426 — ist unvollständig und zudem nur in den wenigsten Bibliotheken vorhanden).

[2] vgl. z. B. Fritz Martini, K 618, auch K 559; Erich Hülse, K 613; u. a.

[3] vgl. die Ausführungen über „Wirklichkeitsauflösung" und dergleichen mehr bei Helmut Schwimmer (K 583).

[4] Walter Muschg, EB 431; K 562, S. 113; u. ö.; Albert Bettex, K 638, S. 414; Heinz Graber, K 604, S. 5; u. v. a.

[5] K 415, S. 116 f

[6] K 559, S. 327—329

wirrten Leser, wenn er dann schließlich auf einen Satz stößt wie diesen: „Seine eigentliche Biographie stellten jedoch die Phasen und Stationen einer geistigen Existenz dar, die trotz vieler Widersprüche und Wandlungen zu umfassenderer Einheit mit sich übereinstimmte." [7]

Einen ersten Ansatz zu einer differenzierteren Deutung gaben die Dissertationen von Hansjörg Elshorst [8] und Helmut Becker [9]; ihnen war wenigstens die Hinwendung Döblins zum Ich, wie die Schriften der zwanziger Jahre sie spiegeln, ein buchenswertes Faktum. Inzwischen ist die Monographie von Roland Links erschienen [10], die in dieser Richtung weiterarbeitet und neben den einfühlenden Aufsätzen von Robert Minder [11] die beste Einführung in Döblins Werk darstellt, die wir bisher besitzen. Auf Stilfragen geht Links freilich nur sporadisch ein, und seine primär gesellschaftsbezogene Betrachtungsweise kann dem Gegenstand nicht immer gerecht werden. Im ganzen aber ist er um eine möglichst vorurteilsfreie Darstellung bemüht, und wir verdanken ihm beispielsweise den ersten Versuch, den Roman „Berlin Alexanderplatz" nicht vom eigenen Drang nach Eindeutigkeit und Konsequenz, sondern von den Intentionen des Autors her zu verstehen. — Eine präzise Darstellung der verschiedenen Phasen in Döblins Entwicklung bleibt allerdings auch diese Monographie uns schuldig.

Die Dissertation von Elshorst, die ebenfalls das Gesamtwerk in den Blick faßt, dringt nur in der Betrachtung der zwischen 1934 und 1943 entstandenen Werke zu beachtenswerten Aussagen durch, kommt im übrigen (abgesehen von der zwar interessanten, aber kaum haltbaren Interpretation des „Wadzek") über Inhaltsangaben kaum hinaus. Der Wert dieser Arbeit wird ferner durch eine unglaubliche Zahl von Druckfehlern und durch den oft miserablen Stil erheblich beeinträchtigt.

Auch die meisten anderen mir bekannten Dissertationen sind unbefriedigend. Die Sammlung von Inhaltsangaben und Kritiken anderer, die Henry Regensteiner bietet [12], oder die katholisierenden Einfältigkeiten der Anne Liard Jennings [13] können wohl kaum der Wissenschaft zugerechnet

---

[7] Martini, K 559, S. 356
[8] K 568
[9] K 607
[10] K 558
[11] vor allem K 561
[12] K 579
[13] K 575

werden. Die ebenso anregenden wie fragwürdigen Darlegungen Helmut Liedes [14] werden uns bei der Interpretation der Erzählungen noch beschäftigen, während die Äußerungen zum „Wallenstein" von Charlotte Sommer und Paul Wallenstein [15] größere Beachtung nicht verdienen.

So bleiben die Werk-Monographien von Stefanie Moherndl, Helmut Becker und Heinz Graber [16]. Vor allem dem letzteren ist eine sehr eindringende und kenntnisreiche Arbeit gelungen, die freilich ebenso wie die von Stefanie Moherndl den üblichen Mangel derartiger Unternehmungen zeigt, die Fehleinschätzung nämlich der übrigen Werke [17]. Immerhin ist Grabers Monographie, was den „Manas" selbst betrifft, so profund, daß ich selbst auf eine nochmalige Darstellung des Epos verzichtet habe, weil die sonst notwendige Auseinandersetzung um Nuancen der Deutung zu viel Raum beansprucht hätte. Über die Darlegungen Stefanie Moherndls hinaus wäre dagegen noch manches zu sagen, und auch die Arbeit von Helmut Becker bleibt sowohl im Hinblick auf sachliche Information als auch auf dem Gebiet der Deutung noch viel schuldig; sie zeigt zudem in manchen Widersprüchen Anzeichen einer gewissen Flüchtigkeit. Trotzdem haben die beiden Untersuchungen als Vorarbeiten ihren Wert.

## 2. Bemerkungen zur Neuausgabe

Mit der seit 1960 erscheinenden Auswahlausgabe [18] haben Walter Muschg und der Walter-Verlag sich ein schwer abzuschätzendes Verdienst um eine neue Diskussion der Werke Döblins erworben. Ob die Söhne des Dichters freilich gut beraten waren, der von Robert Minder geplanten historisch-kritischen Gesamtausgabe eine Absage zu erteilen [19], muß man nach Prüfung der bisher erschienenen Bände für mehr als zweifelhaft erklären. Robert Minder, seit 1937 mit dem Dichter befreundet und derjenige Germanist, der Döblins Eigenart am klarsten erkannt und formuliert hat, wäre wohl kaum darauf verfallen, mit dem Vorurteil vom Proteus Döblin und

[14] K 589
[15] K 597, K 598
[16] K 630, 607, 604. Über die inzwischen erschienenen Dissertationen von Monique Weyembergh-Boussart und Ernst Ribbat vgl. meine Besprechung in der „Zeitschrift für deutsche Philologie" Bd. 90; 1971; S. 301—308.
[17] vgl. Graber K 604, S. 9, 11 f, 13 u. ö.; Moherndl zu „Berlin Alexanderplatz" (K 630, S. 54).
[18] D 45, 110—118, 573—575, 604 A
[19] vgl. Minder, K 381; K 561, S. 190

mit Voreingenommenheiten gegen die frühen Romane die Forschung zu präjudizieren. — Ärger als solche, wohl nie ganz zu vermeidenden, Vor- und Fehlurteile trifft den Leser die hier praktizierte Editionsmethode. Bei allem Respekt vor der Leistung des inzwischen Verstorbenen muß im Interesse Döblins klar ausgesprochen werden, daß diese Neudrucke durchaus unzuverlässig sind und so schnell wie möglich durch eine historisch-kritische Ausgabe ersetzt werden sollten. Da eine solche nicht beabsichtigt war [20], hätte der Herausgeber sich darauf beschränken müssen, die Erstausgaben von Druckfehlern zu reinigen und sonstige Veränderungen nur dort vorzunehmen, wo die unmittelbare Druckvorlage ihm zur Verfügung stand und Abweichungen aufwies. Soweit Muschgs wenig präzise Editionsberichte Rückschlüsse erlauben, ist in keinem Fall die direkte Druckvorlage erhalten geblieben [21]; trotzdem sind alle Texte sowohl an Hand von früheren Manuskriptfassungen als auch ohne jede derartige Grundlage verändert und des öfteren verfälscht worden.

Schon Bemerkungen wie: „außerdem haben wir Döblins oft nachlässige und inkonsequente Interpunktion in stoßenden Fällen berichtigt." (BA 528) berühren seltsam. Hinzu kommt die selbstherrliche Praxis des Teildrucks, wie sie in der Verstümmelung der Südamerika-Trilogie, des Essays „Die deutsche Literatur (im Ausland seit 1933)" oder des „Ersten Rückblicks" sichtbar wird [22]; sie beruht, wie für „Amazonas" bereits Elshorst und Links festgestellt haben [23], auf Fehlinterpretationen und provoziert solche. Der Entschluß, in der Art von „Das Beste aus Reader's Digest" Kapitel aus nicht aufgenommenen Romanen in den Erzählungsband einzufügen (EB 236—253, 267—350), muß ebenfalls sehr unglücklich genannt werden.

Auch vor z. T. schwerwiegenden Eingriffen in die Texte scheute Muschg nicht zurück. Im Nachwort zur „Babylonischen Wandrung" teilt er mit, er habe „um der besseren Lesbarkeit willen die Alineas da und dort vermehrt oder anders gelegt" (BW 679). Ein Vergleich mit dem Erstdruck von 1934 zeigt neun Verschiebungen der Absatzgrenze sowie 59 Aufspaltungen eines Abschnitts in deren zwei, sechs in drei und eine in fünf. — Worüber

[20] vgl. Muschgs Nachwort zum „Wang-lun", WI 502.
[21] vgl. Muschg in W 751, M 397, A 654 f; ferner Graber in H 583 ff und Stenzel zum Manuskript von „Berlin Alexanderplatz" (K 625). — In welchem Verhältnis die Handschriften von „Die drei Sprünge des Wang-lun", „Babylonische Wandrung" und „Pardon wird nicht gegeben" zum Erstdruck stehen, wird aus Muschgs Nachworten nicht klar.
[22] vgl. D 116, D 181 und D 504.
[23] K 568, S. 102; K 558, S. 119—121

Muschg aber kein Wort verliert, das sind die ungleich häufigeren Zusammenziehungen von Absätzen; 90mal wurde aus zwei, 15mal aus drei, zweimal aus vier und ebenfalls zweimal aus fünf Absätzen ein einziger.

Noch weiter gehen die Eingriffe im „Amazonas". Hier hält Muschg es nicht einmal mehr für nötig, auf seine Absatz-Veränderungen hinzuweisen; sie sind erheblich. 26mal wurde die Abschnittsgrenze verschoben; einunddreißig Absätze wurden in zwei, drei in drei, zwei in vier und einer in fünf Absätze aufgespalten. Auch hier ergibt die Gegenrechnung höhere Zahlen: 120mal wurde aus zwei Absätzen einer, elfmal zog Muschg drei, zweimal vier Absätze zusammen. Durchschnittlich findet sich also auf jeder dritten Seite eine derartige Änderung; für den „Blauen Tiger" allein ist die Verhältniszahl noch höher (162 Änderungen auf 366 Seiten).

Derartige Feststellungen sind keineswegs müßig, denn an ihnen wird sichtbar, wie Muschg mit seinen „Verbesserungen" auf Schritt und Tritt Stileigentümlichkeiten zerstört. Döblin liebte es schon in den frühen Erzählungen, resümierende oder vordeutende Sätze durch Absatzgrenzen zu isolieren. So standen auch in der Erstausgabe der „Babylonischen Wandrung" unter anderem folgende Sätze für sich allein: „Von der Höhe des Hügels Babil überblickte man die ganze Stadt." (BW 73), — „Machte das Maul zu, blickte verächtlich weg und überließ den Frechen seiner Frechheit." (186) oder, eine später mehrfach rekapitulierte Situation hervorhebend: „Konrad stand an einer großen Brücke." (228) — Muschg schlägt diese Einzelsätze ohne Bedenken zu den vorangehenden oder nachfolgenden Abschnitten. Auch den betonten Absatzbeginn mit „Und" hat er auf solche Weise mehrfach aufgehoben [24]. Parallelkonstruktionen werden rücksichtslos zerstört; in der Erstausgabe liest man: „Während du früher in die Höhe flogst, bist du jetzt in die Tiefe gestiegen, mein Herz? / Während du früher Flüsse und Seen durchquertest, hast du dich jetzt auf dem Lande niedergelassen, mein Herz? / Meine Jugend ist gekommen und dahingegangen wie ein Wind, ihr Geschmack ist auf meinem Gaumen wie Honig geblieben. / Bist du jetzt eine Knospe und Rose geworden, die in fremde Hände übergegangen ist wie ein zerstörter Garten, mein Herz?" [25] In der Neuausgabe bildet der Passus einen einzigen Abschnitt (BW 210) [26].

---

[24] vgl. den Erstdruck (D 95), S. 216 mit BW 210; S. 219 mit BW 212; S. 225 mit BW 219 usw.

[25] D 95, S. 216. Auch im folgenden werden Absatzgrenzen stets durch Schrägstriche gekennzeichnet.

[26] vgl. ebenso BW 413, Abs. 1 mit den drei Absätzen im Erstdruck (D 95, S. 429).

In seinem Drang, einen „besseren" Text zu schaffen als der Autor selbst, ging Muschg noch weiter. Im Nachwort zu „Amazonas" lesen wir: „Alles eindeutig Fehlerhafte oder Flüchtige habe ich verbessert" (A 655) [27]. Eindeutig fehlerhaft erschien ihm offenbar folgender Satz aus dem „Blauen Tiger": „Zunächst wollte er einmal einige große schuppenartige Unterkunftsräume errichten, mit einem normalen Dach, Wand und Boden für die Familien, und dann einige gedeckte Einzelhäuser, nach und nach." [28] Schulmeisterlich macht Muschg daraus: „und dann nach und nach einige gedeckte Einzelhäuser." (A 406) — Auch in dem Satz: „So entstand Siedlung nach Siedlung, mit Wissen der Mamelus." [29] störte ihn die nachgestellte adverbiale Bestimmung, und er schreibt: „So entstand, mit Wissen der Mamelus, Siedlung nach Siedlung." (A 431)

Auf diese Beispiele stieß ich zufällig bei der Überprüfung der Abschnittsgrenzen; es ist anzunehmen, daß sie sich noch erheblich vermehren lassen.

Nach solcher Vorbereitung kann es kaum noch wundernehmen, daß man im Nachwort zur „Babylonischen Wandrung" Ratschläge findet, die man allenfalls einem Herausgeber des vorigen Jahrhunderts zugetraut hätte: „So begnüge ich mich damit, den Leser wenigstens auf die schwächsten Stellen hinzuweisen, die er überspringen darf, um zum ungetrübten Genuß zu kommen." (BW 678) Wenn unter den angeführten Stücken auch „das ganze Buch ‚Zürich' " erscheint, dann ist abermals eine Fehlinterpretation zu konstatieren. Abgesehen davon, daß man auch über die anderen Passagen sehr wohl streiten könnte, hat Muschg ein übriges getan, um den Lesern, soweit sie seinen Ratschlägen folgen, einen unanstößigen Text zu präsentieren: er hat Rückverweise auf die desavouierten Stellen gestrichen, ohne darüber irgendwo ein Wort zu verlieren [30]. So stehen die mißliebigen Passagen noch isolierter da, als Muschg ohnehin glaubt. — Daß er offenbar ursprünglich eine gekürzte Ausgabe plante, geht aus einem Brief Paul Lüths an Max Niedermayer hervor [31].

Wenn Muschg sich immer wieder auf die Manuskripte beruft, die er für die Textrevision herangezogen hat, so sagte ich schon, daß es sich hier nie

---

[27] Von der Handschrift der Trilogie war dem Herausgeber nur das I. Buch des „Blauen Tigers" zugänglich (vgl. A 654).

[28] D 98, S. 146 f; ebenso in D 106, S. 161

[29] D 98, S. 172; ebenso in D 106, S. 189

[30] D 95, S. 557 (Zürich) — vgl. BW 536; D 95, S. 572 (elektrischer Schiffsantrieb) — vgl. BW 550; D 95, S. 616 (der russische Zar) — vgl. BW 593.

[31] K 536

um die unmittelbaren Druckvorlagen handelt, und außerdem ist darauf hinzuweisen, daß Döblin nach eigener Darstellung noch „allerlei" in den Korrekturfahnen änderte [32]. Die Handschriften können also nur mit größter Vorsicht und nur aushilfsweise herangezogen werden.

Ein aufschlußreiches Beispiel für Muschgs Methode bildet schließlich noch seine Ausgabe des „Manas". Hier beruft er sich nicht auf das Manuskript (es ist mit dem Erstdruck nahezu identisch: M 397), sondern auf Döblins Handexemplar; da gibt es Bleistiftstriche, die zum Teil wieder ausradiert, zum Teil aber stehengeblieben sind, und zwar, wie der Herausgeber meint, „entweder aus Nachlässigkeit beim Radieren oder weil Döblin die Striche für seine öffentlichen Lesungen aus dem nur einmal gedruckten Buch beibehielt." (M 398) Muschg sieht hier „Ansätze zu einer Überarbeitung", die er zunächst wenigstens noch „schwer zu deuten" nennt; gleich darauf aber konstatiert er, 29 Streichungen seien „eindeutig", erwägt nicht einmal, ob vielleicht ein Unterschied bestehe zwischen öffentlicher Lesung und Buchform, sondern übernimmt diese „Änderungen letzter Hand" in die Ausgabe, natürlich ohne dem Leser zu verraten, um welche Verse es sich denn handelt. Wenn er die Streichungen „durchwegs künstlerische Verbesserungen" nennt, so sind wir gegen derartige Bekundungen nach unseren Erfahrungen mit „Amazonas" und mit der „Babylonischen Wandrung" etwas mißtrauisch.

Als Fazit dieses keineswegs vollständigen Überblicks ist festzuhalten, daß Muschg eine Editionspraxis betrieben hat, die man im 20. Jahrhundert nicht mehr für möglich hätte halten sollen. Ein wie unglücklicher Zwitter von Nachdruck und kritischer Ausgabe hier entstanden ist, erhellt auch aus dem sehr bemühten Nachwort Heinz Grabers zum „Hamlet"; es versucht, wenigstens summarisch die Textveränderungen gegenüber der Erstausgabe aufzuführen und zu begründen, und kann doch nicht befriedigen, weil der Nachweis im Detail fehlt und in diesem Rahmen auch gar nicht gegeben werden kann.

So hat die Neuausgabe zwar eine nachdrücklichere Beschäftigung mit Döblin erst wieder ermöglicht, gleichzeitig aber die ohnehin schwierige Überlieferungslage noch weiter kompliziert und die Arbeit des Literaturwissenschaftlers letztlich doch nicht erleichtert. Ob die Rücksicht auf ein größeres Publikum sich ausgezahlt hat, darf man bezweifeln. Döblin wird über den „Alexanderplatz" hinaus nie ein Dichter des großen Publikums

---

[32] „Zur Physiologie des dichterischen Schaffens" (D 505).

werden, und Muschgs Anpreisung des „Hamlet" oder auch des Romans „Pardon wird nicht gegeben" als „Meisterwerk" (H 577, P 381) dürfte gutwillige, dann aber enttäuschte Leser eher abgeschreckt haben, während seine Vorurteile gegenüber den frühen Romanen den Blick für Döblins eigentliche Leistung verstellen.

Im folgenden wird überall, wo es möglich ist, nach der Neuausgabe zitiert; etwaige Abweichungen von den Erstdrucken habe ich verzeichnet.

## 3. Zur Zielsetzung dieser Arbeit

Es ging mir in meiner Untersuchung darum, den Klischees vom Proteus Döblin bzw. von Döblin, dem Immergleichen, ein Bild seiner tatsächlichen Entwicklung entgegenzustellen [33]. Die Einzelinterpretationen und Werk-Monographien belehrten mich darüber, daß man ohne Kenntnis dieser Entwicklung bzw. auf dem Hintergrund der gängigen Meinungen auch dem Einzelwerk nicht gerecht wird. Es geht eben nicht an, die frühen Erzählungen an der Naturphilosophie und an den ästhetischen Schriften der späten zwanziger Jahre zu messen [34] oder umgekehrt dem Transportarbeiter Franz Biberkopf mit Zitaten aus dem „Wang-lun" zu kommen [35].

Die Wandlungen Alfred Döblins von der spätpubertären Verzweiflung des „Schwarzen Vorhangs" bis zur Konversion sind sicherlich nicht im strengen Sinne „notwendig" gewesen; noch sicherer aber ist, daß sie nicht auf Zufall und Willkür beruhten. Jeder dieser Schritte ist verständlich und nachvollziehbar. Döblin lebte nicht in Widersprüchen, sondern in einer polaren Spannung, die intellektuell und künstlerisch zu bestehen und zu gestalten ihm in jener Periode gelang, die er selbst die „naturalistische" genannt hat [36]. Vorher und nachher kam es zur Prädominanz eines der beiden Pole. — Weil dem so ist, weil sowohl der frühe als auch der späte Döblin von jener Synthese her begriffen werden muß, die ihm in den zwanziger Jahren gelang, habe ich seinen philosophischen Naturalismus ins Zentrum meiner Untersuchung gestellt, die Linien herausgearbeitet, die auf ihn zulaufen, und die Gründe dargelegt, die für seine Verwerfung bzw.

---

[33] Über die Versuche Ernst Ribbats und Monique Weyembergh-Boussarts, Döblins Entwicklung von seinen Anfängen bzw. von seiner Konversion her zu begreifen, habe ich in der „Zeitschrift für deutsche Philologie" berichtet (s. o. Anm. 16).

[34] so Helmut Liede, K 589, S. 51, 61.

[35] so Martini, K 618, S. 345; Hülse, K 613, S. 92; u. a.

[36] D 350 usw.

Modifizierung in den dreißiger und vierziger Jahren maßgebend wurden. — All das steht freilich nicht für sich, sondern hat die Aufgabe, den geistigen Hintergrund zu erhellen, vor dem die Dichtungen Döblins gesehen werden müssen. Um sie geht es in erster Linie. Der Zielpunkt meiner Arbeit ist daher nicht so sehr das IV. Kapitel mit der Darlegung der naturalistischen Theorie selbst, sondern vielmehr die Interpretation des Romans „Berlin Alexanderplatz". Wesentlich war mir die Darstellung des Wechselspiels von Philosophie, Kunsttheorie und Dichtung.

Daß nur die bis 1933 entstandenen Werke ausführlich behandelt werden, hat neben schlichten ökonomischen vor allem methodische Gründe. Um Einsicht in Döblins Entwicklung zu gewinnen, muß man sowohl die Synthese der zwanziger Jahre als auch den Weg, der zu ihr führte, genau betrachten. Was unter dem Eindruck immanenter Schwierigkeiten und der historischen Ereignisse aus dem Naturalismus hernach wurde, läßt sich kürzer beschreiben und müheloser verstehen. — Hinzu kommt der Umstand, daß Döblin mit keinem der nach 1929 entstandenen Werke den Gipfel, den „Berlin Alexanderplatz" bezeichnet, wieder erreichen konnte. Diese Romane haben als Zeugnisse der deutschen Literatur im Exil sowie als persönliche Dokumente einen achtbaren Rang; als Kunstwerke können sie neben den Epen des frühen Döblin nicht bestehen.

Das Zentrum meiner Darlegungen bilden also die Kapitel IV und V; das III. beschreibt den langen, keineswegs geradlinigen Weg Döblins auf den naturalistischen Lösungsversuch zu, während das VI. die Auflösung und Umformung dieser Position, die Hinwendung zum Christentum, darstellt. Die beiden Anfangskapitel haben eher einleitenden Charakter; das I. versucht vorläufig zu klären, was Döblin unter „Naturalismus" überhaupt verstand, und das II. will den Hauptteil von der Erörterung biographischer Fakten entlasten, zugleich in Andeutungen ein Porträt des Mannes entwerfen, dessen Werk hier in Rede steht.

Die Einschränkung der Optik auf die immanente Entwicklung von Döblins Werk ist methodisch sehr angreifbar. Vor allem die Fragen nach Döblins Zugehörigkeit zum literarischen Expressionismus und nach den Einflüssen verschiedener Philosophen auf seine eigenen Denkbemühungen habe ich bewußt beiseite gelassen bzw. nur am Rande berührt. Der Begriff „Expressionismus" ist noch immer so ungeklärt [37], daß ich mir zum gegen-

[37] vgl. Arnolds Vorwort in „Die Literatur des Expressionsismus" (K 633), S. 7 ff; Hans Mayer, K 691, S. 39; u. a.

wärtigen Zeitpunkt von derartigen Einordnungsversuchen keinen wesentlichen Erkenntniszuwachs versprach. Die augenblickliche Forschungslage spiegelt sich darin, daß Döblin von Martini „der einzige überragende dichterische Erzähler aus expressionistischem Geiste" genannt [38], bei Walter Sokel aber nicht einmal im Register erwähnt wird [39]; Helmut Liede widmet ihm in seiner Untersuchung über „Stiltendenzen expressionistischer Prosa" ein umfängliches Kapitel [40], während die „Studien zur Entwicklung der expressionistischen Novelle" von Inge Jens Döblins Werke lediglich im bibliographischen Anhang aufführen [41].

Was die Einflüsse der östlichen Religionen und der abendländischen Philosophie (Schopenhauers und Nietzsches, Spinozas und Giordano Brunos, Stirners auch und vielleicht Bergsons) auf Döblins Naturalismus betrifft, so können diese Fragen nur in einer Spezialuntersuchung geklärt werden; der Nachweis der verschiedenen Quellen wird mit großen Schwierigkeiten verbunden sein, da Döblin sich alles Gelesene unmittelbar zu assimilieren pflegte („Ich ‚las' die Bücher und später zahllose andere, so — wie die Flamme das Holz ‚liest'." — AzL 340) [42].

Mit welcher Vorsicht man an Fragen der Abhängigkeit herangehen muß, demonstrieren die Antworten der bisherigen Forschung auf die Frage des Einflusses von Marinetti oder Joyce auf Döblins epische Methode. Weder Armin Arnold [43] noch Hermann Pongs [44], um nur diese zu nennen, sind hinreichend mit dem Werk Döblins vertraut und kommen daher zu unhaltbaren Ergebnissen. Über diese Untersuchungen wird später noch mehr zu sagen sein.

Auf dem Hintergrund solcher Erfahrungen erschien es mir als das zunächst wichtigste, die Zusammenhänge in Döblins Werk selbst möglichst exakt darzustellen und zu erklären, soweit das innerhalb einer derart verengten Optik eben möglich ist. Die Einordnung in den größeren philosophie- und literaturgeschichtlichen Zusammenhang kann erst im Anschluß an eine solche Klärung erfolgen.

---

[38] In: „Deutsche Literatur im zwanzigsten Jahrhundert". Hrsg. v. Hermann Friedmann und Otto Mann. 5. Aufl., Bern und München 1967, Bd. I, S. 324
[39] Walter H. Sokel, „Der literarische Expressionismus", München o. J.
[40] K 589
[41] phil. Diss. Tübingen o. J. (1953) (Masch.schr.)
[42] Sehr viel Material zu diesen Fragen bietet neuerdings die Dissertation von Monique Weyembergh-Boussart (K 586). Das Resultat ist eher verwirrend.
[43] K 633
[44] K 705 und 706

Die Argumente gegen die isolierte Betrachtung eines einzelnen Mannes und seines Werks lassen sich leicht in Döblins eigenen Schriften auffinden, in seinen Theorien von der Verflochtenheit alles Seienden und von der unvollständigen Individuation. So lesen wir etwa im Epilog zu der Studie „Die beiden Freundinnen und ihr Giftmord": „Greife ich einen einzelnen Menschen heraus, so ist es, als wenn ich ein Blatt oder ein Fingerglied betrachte und seine Natur und Entwicklung beschreiben will. Aber sie sind gar nicht so zu beschreiben; der Ast, der Baum, oder die Hand und das Tier muß mitbeschrieben werden."[45] — Ich möchte mich nicht auf das Scheinargument zurückziehen, daß hier ein regressus in infinitum droht (denn das ist ein Merkmal aller Bemühungen um Literatur), sondern gerne zugestehen, daß meine Untersuchung in dieser Hinsicht als durchaus vorläufig und ergänzungsbedürftig anzusehen ist; aber, um mit einem anderen Döblin-Zitat zu schließen: „Aber das soll mich meinerseits nicht abhalten, ruhig den Spuren meines kleinen Menschen in Berlin, Zentrum und Osten, zu folgen, es tut eben jeder, was er für nötig hält." (BA 209)

[45] D 380, S. 114

# I. KAPITEL

## „DER GEIST DES NATURALISTISCHEN ZEITALTERS"

Im Dezemberheft von S. Fischers „Neuer Rundschau" erschien 1924 Döblins Aufsatz „Der Geist des naturalistischen Zeitalters" [1]. Dieser von der bisherigen Forschung fast gar nicht zur Kenntnis genommene Essay markiert eine Wende in Döblins Konzeption vom Menschen; erstmals entwickelt er hier die Grundgedanken seines philosophischen Naturalismus, den er später gelegentlich auch „Naturismus" nannte [2]. Der Aufsatz erschien während Döblins Aufenthalt in Polen und ist — neben Andeutungen in den bereits ein halbes Jahr zuvor am gleichen Ort erschienenen „Bemerkungen zu ‚Berge Meere und Giganten' " — ein Beweis dafür, daß die neue Stellung zum Menschen entgegen einer häufig geäußerten Meinung [3] nicht etwa ein Ergebnis jener Reise war, sondern in Polen nur bestätigt und vertieft wurde. Es hat sich hier überhaupt nichts plötzlich und abrupt vollzogen, sondern es handelt sich um eine jahrelange Entwicklung, die Döblin 1926 so beschrieb: „Ich bin seit ein, zwei Jahren merkwürdig innerlich in Fluß. Ich bin dabei, eine neue Stellung zum — Geistigen einzunehmen [...] Der Mensch als Ich, als Seelenwesen, als Geistiges geht mir ganz, ganz langsam auf — der Wollende, der Geistige im Naturplan." (Z 113) [4] Der Aufsatz von 1924 ist der erste zusammenfassende theoretische Ausdruck dieser Entwicklung; was hier skizziert wurde, dann in der „Reise in Polen", in „Das Ich über der Natur" und in „Unser Dasein" sowie in den stärker politisch akzentuierten Schriften „Wissen und Verändern!" und „Flucht und Sammlung des Judenvolks" Fortführung und Erweiterung erfuhr, das blieb bis in die zweite Hälfte der dreißiger Jahre bestimmend für Döblins Bild vom Menschen, für sein politisches Engagement und, nicht zuletzt, für Inhalt und Form seiner Dichtungen. Erst mit der Südamerika-Trilogie und der gleichzeitig verfaßten Abhandlung „Prometheus und das Primi-

---

[1] D 350 (AzL 62—83)
[2] z. B. WV 92 u. ö.; „Erfolg" (D 512), S. 123; usw.
[3] z. B. Hans-Albert Walter, K 565, S. 873; Helmut Becker, K 607, S. 184
[4] Drei Punkte in eckigen Klammern bezeichnen Auslassungen. Ebenfalls in eckige Klammern sind Zusätze von meiner Seite eingefaßt.

tive" kündigt sich eine abermalige Wende an, die schließlich zur Konversion führte.

Der Aufsatz als ganzes stellt eine Attacke gegen die Zivilisationskritiker dar, gegen die Verachtung der Gegenwart seitens der humanistisch Gebildeten, ist weithin ein beredter Preis der Technik, der die Leser der gerade erschienenen pessimistischen Utopie „Berge Meere und Giganten" nicht schlecht verwundert haben mag. In der Tat nimmt Döblin hier eine Detailkorrektur an seinem Roman vor, dessen Tendenz ihn, wie er in den „Bemerkungen" eingestand [5], selbst überrumpelt hatte. War im Roman demonstriert worden, wohin eine absolut gesetzte Technik und die daraus resultierende Antinomie zwischen Mensch und Natur führen können, so stellt Döblin die Technik nun in einen größeren Zusammenhang: sie ist für ihn nur anfänglicher Ausdruck eben jenes naturalistischen Geistes, den er nach dem Erlöschen der alten Jenseitsreligion heraufkommen sieht. Für die Gegenwart konstatiert er auch hier: „Das Bild muß sein Barbarei, Unsicherheit und Pessimismus" (AzL 64); die Geistigkeit des naturalistischen Impulses sei noch unentwickelt, „das heißt materialistisch oder wüst mystisch oder Restweisheit von früher oder anderswo" (66). Auf Grund des mit der Technik entstehenden Imperialismus scheint es ihm weiterhin unvermeidlich, „daß aus der Epoche des jungen naturalistisch-technischen Geistes Riesenkriege hervorstürzen." (76) — Die Großstädte aber werden nicht mehr denunziert, sondern sie erscheinen als adäquater Leib des neuen Geistes (72), nicht als widernatürlich, sondern als Äußerung einer Naturkraft, nämlich des Gesellschaftstriebes, der das Kollektivwesen Mensch forme (73). Auch der utopische Roman war ja ursprünglich als „Hymne auf die Stadt" konzipiert worden [5]. Jetzt, da Döblin die Gegenwart als „technische Vorperiode" (83) glaubt relativieren zu können, ist der Ton optimistisch und selbstgewiß.

Was nun aber den Geist dieses Zeitalters angeht, so kann nicht übersehen werden, daß Döblins Ausführungen sich fast ganz auf einen Satz aus seiner Antwort zur „Technik"-Rundfrage von 1929 reduzieren läßt: „Dieser Geist wird schon noch kommen." [6] Immer wieder konstatiert er das Fehlen einer Vergeistigung im gegenwärtigen Augenblick (AzL 80, 83), aber er bleibt unerschüttert der Meinung, es handle sich um eine Erscheinung der Übergangszeit, um eine von der Einseitigkeit der früheren Epoche hervor-

[5] s. *AzL* 350.
[6] D 357, S. 10

gebrachte Übertreibung in die andere Richtung: „Die seelischen Konsequenzen des Kopernikus sind noch nicht gezogen." (83).

So wäre von diesem Essay in der Tat nicht viel Aufhebens zu machen, wenn sich nicht in einigen programmatischen Sätzen Döblins neuer Blick auf die Bedeutung des Menschen artikulierte. Was ihm vorschwebt, wird deutlich in der Gegenüberstellung der früheren und der gegenwärtigen Epoche. Für die vom Christentum beherrschten Jahrhunderte konstatiert er: „Daß der Schwerpunkt der gesamten weltlichen Existenz im Jenseits lag, war ein Gedanke von tiefer Demut. Und das produktive Elementargefühl dieser metaphysischen Periode konnte nur ein Minderwertigkeitsgefühl, ein Gefühl vom eigenen Nichts sein. Anders gesehen aber war es eine naiv hochmütige, höchstmütige Epoche. Denn ihr Jenseits und ihr Gott war ein Gott für diese Menschen. [...] ein ganzes Jenseits und ein Gott für die gläubigen Menschen Europas. Gleichzeitig Demut und Hochmut. Aber der metaphysische Stolz überwog." (63) — Das Selbstverständnis des „natürlichen" Menschen, dessen Periode gekennzeichnet ist durch beobachtende und auswertende Hinwendung zum Diesseits, zur Natur, sowie durch Abschaffung aller Metaphysik, steht für Döblin unter genau umgekehrten Vorzeichen: „Charakteristisch für die jetzige Epoche muß sein das Kleinheitsgefühl, stammend aus der Einsicht von der verlorenen zentralen Stellung in der Welt, und das der Einsicht in die Belanglosigkeit des tierisch-menschlichen Einzelwesens. Daneben steht das Freiheits- und Unabhängigkeitsgefühl, stammend aus der Gewißheit, nicht für ein Jenseits zu leben und alles von sich aus leisten zu müssen. Mit dem Freiheitsgefühl verbindet sich und aus ihm wächst sofort der Antrieb zu kräftigster Aktivität." (66)

Bemerkenswert an dieser für sich nicht eben originellen Geschichtsdeutung ist die erstmals ausgesprochene Polarität von Döblins Menschenbild. Alle seine früheren Bekundungen laufen auf nichts weiter hinaus als auf „die Belanglosigkeit des tierisch-menschlichen Einzelwesens"; hier nun tritt zum ersten Male der andere Aspekt ans Licht: die neue Würde, die dem Menschen auf Grund seiner „Verweltlichung" [7] zukommt, eine Würde, die ihn gleichzeitig zur Selbstverwirklichung verpflichtet. In „Wissen und Verändern!" steigert sich diese Forderung ebenso wie in den Schriften zum jüdischen Problem zu einer regelrechten Predigt gegen das „Hinterweltler-

---

[7] vgl. zu diesem Terminus *WV* 44, *UD* 383, *FSJ* 86, „Die literarische Situation" (D 183), S. 42; u. ö.

tum", und nicht zufällig wird auch in unserem Essay Nietzsches gedacht (AzL 77).

So deutlich hier schon die Linien auf die Lehre vom „Ich über der Natur" zulaufen, so darf doch nicht übersehen werden, daß Döblin 1924 noch nicht von der Würde des *Individuums* spricht, sondern von der Bedeutung der *Gruppe* Mensch: „Das Kollektivwesen Mensch stellt als Ganzes erst die überlegene Art Mensch dar." (73) Erstmals gefunden und formuliert ist hier lediglich die Erkenntnis, daß der Mensch überhaupt, die Gattung Mensch, gegenüber der Natur, dem Kosmos nicht *nur* unterlegen und zur demütigen Selbstbescheidung verpflichtet ist; erst die „Reise in Polen" und die folgenden Schriften wenden denselben Gedankengang dann auch auf das Verhältnis des Einzelmenschen zu seiner Gattung an. In unserem Aufsatz konstatiert Döblin nur: „Überall besteht der Kampf zwischen dem ganzen Einzelmenschen und dem Trieb der Gruppe, ihn zum Träger einer bestimmten Funktion zu machen." (73)

Trotz solcher Einschränkungen muß man diesen Essay als bedeutende Wegmarke betrachten; erstmals konzipiert er — sehr einfach und sehr angreifbar — Anschauungen, die für mehr als ein Jahrzehnt Döblins Schaffen bestimmten sollten und die sogar — so paradox das an dieser Stelle klingt — zu den Grundbedingungen seiner späteren Konversion gehören.

Bevor wir die Ausbreitung der naturalistischen Kerngedanken in den Schriften der zwanziger Jahre verfolgen können, müssen wir die vorangegangene Entwicklung nachzuzeichnen und zu begreifen suchen.

## II. KAPITEL

## BIOGRAPHISCH VERANKERTE GRUNDMOTIVE IN DÖBLINS WERK

### A) DIE SCHULE

Zwei Erfahrungen haben Döblins Jugend entscheidend bestimmt: die Flucht des Vaters im Jahre 1888 und die Zeit auf dem Köllnischen Gymnasium in Berlin (1891—1900). Beide Erlebnisse haben in seiner Seele Verheerungen angerichtet, die nie ganz verschmerzt wurden. Noch dem Fünfzigjährigen gelang es nicht, über diese beiden Katastrophen mit ruhiger Distanz zu berichten. Getreu seiner Ankündigung von 1927 („Mein Haß gegen sie wird unauslöschlich sein! Wenn ich einmal dazu komme, mir meine Biographie vom Leibe zu schreiben, werde ich ihre Gesichter zeichnen: [. . .] ein Ministerium auf jedem Katheder, das Zarentum der Subalternen." [1]) rechnete Döblin in einer imaginären Szene („Gespenstersonate") innerhalb des „Ersten Rückblicks" [2] mit seinen Lehrern ab.

Unschwer ist freilich zu erkennen, daß viel schlimmer als die Diktatur in der „evangelischen Untertanenschule" [1] der Verrat des Vaters ihn getroffen hat; gerade deshalb hat er, der von sich bekannte: „Bin mir außerdem psychisch ein Rühr-mich-nicht-an" (Z 57), über die Schule öfter und freier gesprochen als über jenes Grunderlebnis. Immer wieder attackierte er die preußische Staatsschule [3], und noch 1932 berichtet er aufgeregt von seinem ersten Besuch in der alten Schule seit dem Abitur: „ich schlage ein Kreuz, mein Herz krampft sich zusammen, einunddreißig Jahre sind um, aber dies ist noch immer das köllnische Gymnasium" [4]. In der Antwort auf die Rundfrage „Was war uns die Schule?" nennt er die Gymnasialzeit eine „Zeit des

---

[1] „Wider die abgelebte Simultanschule" (D 435), S. 821
[2] Hier zitiert nach dem Erstdruck von 1928 (D 504 = ER). Soweit möglich, sind auch die Seitenzahlen aus dem Teildruck in der „Zeitlupe" angegeben. Orthographie und Zeichensetzung nach dem Erstdruck.
[3] vgl. auch „An die Geistlichkeit" (D 406), S. 1276 f; „Die Vertreibung der Gespenster" (D 401), S. 15 und 19; „Erlebnis zweier Kräfte" (D 270), Z 215.
[4] „Altes Berlin" (D 489)

Schauderns und Widerwillens — die Strafe zu 10jährigem Zuchthaus. [...] Die Schule hat mich im ganzen zu hemmen und zu vernichten gesucht." Sie habe ihm „die Schlechtigkeit des gesamten früheren Herrschaftssystems in Reinkultur" vor Augen geführt [5].

Noch viele Jahre später ließ Döblin den Helden seiner Revolutions-Tetralogie, den humanen Studienrat Becker, an der Unmenschlichkeit dieser „Kaserne der Jugend" [6] zerbrechen, und erst die „Schicksalsreise" fand mildere Worte, die freilich im Grunde um so vernichtender wirken: „Man war jung, man nahm alles hin, es waren staatliche Lehren, die zu dem Gymnasium gehörten und für seine Dauer ihre Gültigkeit hatten." (Sch 156)

Die Erbitterung gegen die Schule ist zwar für die expressionistische Generation, vor allem sofern sie in Preußen groß wurde, allgemein kennzeichnend, sie hat aber bei Döblin zusätzlich sehr persönliche Gründe. Als der Vater seine Familie verließ und mit einer zwanzig Jahre jüngeren Frau nach Amerika auswanderte, wurde Döblin aus der Sexta des Stettiner Realgymnasiums genommen und mußte dann in Berlin zunächst drei Jahre lang die Gemeindeschule besuchen; erst 1891 gelang es der Mutter, ihn als Freischüler auf dem humanistischen Gymnasium unterzubringen [7]. Er war also immer drei Jahre älter als der Durchschnitt der Klasse, was seine Situation nicht eben erleichterte. Bis Quarta war er Primus [8], dann sank er allmählich, blieb sogar zweimal wegen Mathematik sitzen, mußte sich schließlich beim Abitur von dem „königlichen Kommissar" anpöbeln lassen, „weil er hörte, daß ich nicht von seiner staatlich konzessionierten Art war." (ER 83) Dieser „Andersartigkeit" des stillen, kurzsichtigen Jungen, der sich für Hölderlin und Kleist, Dostojewski, Nietzsche und Schopenhauer begeisterte (ER 72, 81, 101f; Sch 158f), der in seinem Innern unerkannte, noch namenlose Bilder heraufziehen sah (ER 97—99), diesem unruhigen Fragen und Suchen konnte die preußische Leistungsschule nicht gerecht werden; sie stempelte ihn zum Rebellen: „Aber ich bin nie einer gewesen. Ich bin nicht von Haus aus aufsässig. Ich habe mich immer nur in einer anderen Welt aufgehalten als Sie." (ER 85) — Seine Reaktion war ebenso heftig wie hilflos: „Ich habe beim letzten Verlassen der Schule dort auf den Boden gespuckt. Ich lege Wert darauf, daß dies festgestellt und zu Protokoll genommen wird." (ER 57)

[5] D 507
[6] D 406, S. 1276
[7] Diese Daten aus ER 23, 38, und Sch 155 f.
[8] Diese und die folgenden Angaben aus ER 63 ff.

Zur Erklärung seiner noch Jahrzehnte später auftretenden Alpträume von der Schule greift Döblin — sicherlich beeinflußt durch Freuds Schrift „Jenseits des Lustprinzips", die er 1922 besprochen hatte [9], — zu demselben Bild, das viel später in „November 1918" und dann noch einmal im „Hamlet" das auslösende Handlungsmotiv werden sollte: „Ich — träume von der Schule wie ein anderer nach einem Unfall! Im Krieg sind viele erkrankt nach Erschütterungen, Granatexplosionen, Bombenabwürfen. In ihren Träumen trat immer diese Situation vor sie; beängstigte sie." (ER 69) Und ebenso wie in den beiden Romanen drängt dieses Trauma zur „Frage nach den Urhebern, den Schuldigen, den Verantwortlichen dieser Explosion" (ER 69 f).

Das, was Döblin in der Schule als knechtend und abtötend empfand, läßt sich kaum an bestimmten Einzelereignissen verdeutlichen; auch die im „Ersten Rückblick" erwähnte Ohrfeige („Und ich — die Wut ist noch heute in mir —, ich schlug nicht wieder." — 82) hätte in einem anderen Lebenslauf allenfalls episodische Bedeutung gehabt. Das Grundübel war vielmehr die prinzipielle Unfähigkeit der preußischen Schule, einem schöpferischen Geist gerecht zu werden, ihr Bestreben, „Ausnahmen", von ihr als Unbotmäßigkeit deklariert, auszumerzen. Döblin, schon seines Vaters beraubt, konnte hier keine akzeptable Ersatzautorität finden, wurde von der Schule ebenso zurückgestoßen wie vom Vater; denn auch dessen Flucht deutete er ja als Verwerfung: „er hat mit Taten über uns geurteilt so streng wie möglich: Ihr seid mir schlechte Luft" (ER 25, Z 139). Ebenso wie im Urteil über den Vater ist auch in dem über die Schule viel enttäuschte Liebe im Spiel. Sehr viel später zeichnete Döblin in Friedrich Becker eine Gestalt, die er sich damals herbeigesehnt haben mag: einen Lehrer, der die „Antigone" des Sophokles nicht als totes Bildungsgut behandelt, sondern als verpflichtendes Vorbild ernst nimmt, sein Handeln tatsächlich vom humanistischen Ethos leiten läßt.

## B) Die ambivalente Stellung zu den Eltern

Anders als über die Schule hat Döblin sich nur einmal ausführlich über seinen Vater geäußert, eben im „Ersten Rückblick" von 1928. Von sich zu berichten ist ihm immer schwergefallen; über den Roman „Pardon wird

[9] „Metapsychologie und Biologie" (D 373), S. 1223

18

nicht gegeben" schrieb er später: „ ‚Autobiographisch' sage ich. Das ist ein Fortschritt. Ich wagte mich an den Herd heran." (AzL 392) Die Darstellung des Vaters von 1928 zeigt, wie schwer es ihm wurde, den schon 40 Jahre zurückliegenden Konflikt zu verarbeiten: Drei Anläufe muß er nehmen, und was schließlich entsteht, ist ein faszinierendes psychologisches Porträt — des Sohnes fast mehr noch als des Vaters.

Zunächst versucht er es mit einem forciert unbeteiligten, ironischen Bericht; dann gewinnt die Erbitterung die Oberhand, und wir hören die Geschichte noch einmal, diesmal aus der Sicht der verlassenen Familie, d. h. wohl hauptsächlich der Mutter („Ich müßte nicht Sohn meiner Mutter sein und nicht alles mitgemacht haben, wenn ich diesen Ton unterdrückte." — ER 25; Z 139); dieser Abschnitt gipfelt in dem Satz: „Er war ein Lump, nehmt alles nur in allem." (ER 25; Z 138) — Aber auch mit dieser Sicht kann er sich nicht abfinden, und so folgt noch eine dritte Version, in der er die gegensätzlichen Charaktere und Neigungen seiner Eltern herausstellt und nunmehr zu dem Ergebnis kommt: „Ein Windhund, nehmt alles nur in allem. Aber kein unedles Tier." (ER 28; Z 141) Und abschließend meint er: „Man gelangt zu keinem Urteil. Nur zu einem Kopfsenken." (ER 34; Z 144)

Allzu einfach ist Robert Minders Deutung von Döblins Elternbeziehung als „Vaterhaß und Mutterbindung" [10]; schon Stefanie Moherndl und Helmut Liede haben mit Recht auf die Ambivalenz seiner Gefühle hingewiesen [11]. Gegenüber der völlig amusischen Kaufmannstochter Sophie Döblin verband den Dichter mit seinem Vater, wie er sehr wohl wußte, eine geheime Identität: „Es sind schlimme Dinge, die ich spreche. Ich weiß sie gut, aber ich erinnere mich ungern daran. Es führt geradewegs zu mir." (ER 28f; Z 141) [12] Max Döblin verfügte über „ein ganzes Arsenal von Begabungen. Er spielte Violine, Klavier, ohne Unterricht gehabt zu haben." (ER 27; Z 140), „er komponierte ja, dichtete, zeichnete" (ER 20, Z 135): alles Dinge, die seine Frau herzlich verachtete; sie nannte den schwachen, nachgiebigen Mann „gebildeter Hausknecht" (ER 29; Z 141), und hier konnte Döblin nur auf der Seite des Vaters stehen: „Ein schlimmes Kapitel, dieser

[10] „Alfred Döblin zwischen Osten und Westen" (K 561), S. 169. In seinem Aufsatz „ ‚Die Segelfahrt' von Alfred Döblin" hat Minder diese These inzwischen korrigiert: „Den Vater verleugnen hieß für Döblin sich ins eigne Fleisch schneiden, den Künstler abtöten." (K 592, S. 481)
[11] Moherndl, K 630, S. 106—110; Liede, K 589, S. 36—39
[12] vgl. auch ER 38: „Bei uns allen schlug das Blut des Vaters stark durch."

Kaufmanns- und Geldstolz in der Familie meiner Mutter. [...] Ich kann davon sprechen, denn ich habe diesen Hohn, diese Borniertheit, diese bittere, anmaßende Härte selbst kennengelernt. Ich hätte nicht gewagt, nicht wagen dürfen, meine Schreibereien zu Hause zu zeigen." (ER 29; Z 141) Nach dem Erscheinen des „Wang-lun" noch glaubte seine Mutter fragen zu müssen: „ ‚Wozu machst du das? Du hast doch dein Geschäft.' Sie meinte die ärztliche Praxis." (ER 31; Z 142)

Freilich: diese differenziertere Sicht der Dinge konnte sich erst lange Jahre nach den schlimmen Ereignissen einstellen und dürfte 1928 zusätzlich motiviert worden sein durch die Erfahrungen in der eigenen Ehe mit der Bankierstochter Erna Reiss und durch die ins Jahr 1921 fallende Begegnung mit der blutjungen Yolla Niclas [13]. Für die entscheidenden frühen Jahre dürfte dagegen die Darstellung aus der „Schicksalsreise" gelten: „Wir hielten alle zur Mutter." (Sch 155) Auch die Dissertation von 1905 widmete er „Seiner lieben Mutter" [14].

## C) Auswirkungen auf Döblins Religiosität

Daß Döblins Erfahrung von der Zerstörung der Vater-Autorität wesentlich wurde für sein Verhältnis zur Schule, aber auch für seine zum Teil sehr aggressive Stellung zum Staat, ist leicht einzusehen und bedarf keiner weiteren Untersuchung. Viel wichtiger scheint mir die Auswirkung des Elternbildes auf Döblins religiöse Entwicklung, die — oft verleugnet, aber nie unterbrochen — erst spät und dann mit bemerkenswerten Schattierungen ins Christentum mündete. Auch für ihn waren die „Elternbilder [...] die frühesten Repräsentanten des Göttlichen." (IN 207)

Trotz seiner — freilich nur sehr oberflächlichen — jüdischen Erziehung läßt sich eine frühe Haßliebe zum Christentum feststellen. Im November 1904 schrieb er an Else Lasker-Schüler: „Ich bin gestern zum Hochamt im Münster gewesen, nachmittags bin ich noch einmal allein in das dunkle leere Gewölbe zurückgegangen. Das Beste, was wir können, ist beten." Freilich setzt er gleich hinzu: „Gnädige Frau, aber Sie wollen mich nicht katholisch mißverstehen." [15] *Wie* er verstanden werden wollte, geht aus dem Brief allerdings auch nicht hervor. Da heißt es nur: „Immerfort ge-

---

[13] vgl. dazu Minder, K 561, S. 169 u. ö.; jetzt vor allem K 592.
[14] D 135, S. 3
[15] D 589, S. 47. Jetzt in D 604 A, S. 26

schieht das Wunderbare" (S. 46); das, was ihn beten heißt, kann er nur unklar benennen: „das Unbegreifliche, Dunkle dieser ganzen Erdangelegenheit" (S. 47).

Schon bald mündete diese frühe Annäherung in Enttäuschung, die sich in forcierter Polemik Luft verschaffte, einer Polemik, die gleichermaßen gegen die Institution Kirche wie gegen die Fiktion einer Vater-Gottheit gerichtet war: „Jenseits von Gott!" fordert der Titel einer Schrift von 1919, fordert, denn der Verfasser hat sich selbst noch keineswegs von dem alten Gottesbild befreien können: „Ich selber [...] trage Gott als wirksames Element in mir, weise ihn von mir, schäme mich seiner und der Mythen, die um ihn sind, wüte gegen das Brandmal, fühle mich versklavt, — und er lockt wieder, ist da ist da." [16] Er will die — keineswegs verworfene, sondern für schöpferisch erklärte — Religiosität von dieser Vaterfiktion, „von dieser Etikette, diesem Signum, diesem Pfahl im Fleisch" befreien (385) und suggeriert sich und dem Leser: „Es gibt mit Sicherheit nichts, was ‚Gott' wäre." (387)

Zwei Gestalten aber gibt es in der christlichen Mythologie, von denen Döblin sein Leben lang nicht loskommen wird und die er auch hier gegen den alten Gottesglauben und die Kirche ausspielt: Christus und Maria, der — im Stich gelassene — Sohn [17] also und die Mutter. Wie die Bauern in seinem gerade abgeschlossenen „Wallenstein" (W 349ff) beschuldigt Döblin die Kirche, sie habe die Lehre Jesu verfälscht und überdeckt [18]. In dem Aufsatz „Die Vertreibung der Gespenster" aus demselben Jahr schreibt er: „Religion: dazu ist das erschütternde niemals verschollene Beispiel in Syrien gegeben worden." [19] — Über den Marienglauben aber heißt es in „Jenseits von Gott!": „eine freudige wonnevolle Legende, etwas wie eine christliche Naturreligion." (392) In der Tat erleichterte gerade diese christliche Ausprägung der mütterlichen Naturgottheit (Astarte-Artemis-Aphrodite) Döblins spätere Hinwendung zum Christentum [20]. Madonnenbilder und die ihnen erwiesene Verehrung waren es, die ihn in Polen immer wie-

---

[16] D 345, S. 381 f
[17] In diese Richtung scheint auch Louis Huguets Deutung zu zielen; vgl. Minder, K 561, S. 180.
[18] D 345, S. 389 ff. Noch 1931, in Döblins Beitrag zu dem Sammelband „Dichterglaube", heißt es von Jesus, „daß die Propagatoren der ganz unaussprechbar wegreißenden Erscheinung weniger seine Propagatoren als Staub auf ihm sind." (D 509, S. 73)
[19] D 401, S. 14
[20] Auf diesen Zusammenhang hat inzwischen auch Ernst Ribbat aufmerksam gemacht (K 580, S. 213).

der faszinierten. „Das Bild einer Maria macht mich betroffen: sie schwebt auf einer Silbersichel, einem Mond. So verbinden sie ihre Seele und Gott mit der Natur; die Gottheit dämmert in die Natur hinein. Noch draußen habe ich das zauberische Bild vor Augen: die Göttin auf der Sichel, eine Mondgöttin." (RP 24) [21] Die Krakauer Marienkirche läßt ihn nicht mehr los, wird das Zentrum seiner tastenden Gedanken; denn hier findet er nicht nur die Muttergottheit, sondern auch den leidenden Sohn: „Maria, die gekrönte Königin von Polen" (240) und das Kruzifix des Veit Stoß, das mächtig über dem Kirchenschiff hängt und ihn immer wieder vor sich zwingt: „Davon, davon möchte ich mehr haben." (247) — 1921 noch hatte es in dem Aufsatz „Buddho und die Natur" geheißen: „Christus am Kreuz, Mitleiden in höchster, grausiger Steigerung herausfordernd, war für barbarische, rohe Gemüter" [22]. Auch jetzt und auch sehr viel später noch verkörpern sich für ihn in dieser Gestalt nur Entsetzen, Schmerz und Jammer (RP 239; Sch 127, 180); immer wieder ist von dem „Hingerichteten", dem „Gehenkten" die Rede (RP 237, 248, 261, 262, 306). Der Gedanke an Erlösung liegt noch in weiter Ferne.

Diese Stunden in der Krakauer Marienkirche — er besuchte sie dreimal am Tage (247) — haben sich Döblin tief eingeprägt und auch in der Dichtung ihre Spuren hinterlassen; dort freilich hat Döblin den Ort und das Kreuz diskret getrennt. Auch für den unbußfertigen Gott Konrad wird der Schmerzensmann zum Signal der Umkehr: „Aus den Häusern, Häusern — Spitzen, Spitzen, Spitzen ragen! Ein Schrecken berührte Konrad. Sind das nicht die Häuser, in denen hängt und sich windet —" [23]. Die große Abrechnung Twardowskis mit dem „Promethismus" der Kopernikus, Galilei und Bruno wiederum vollzieht sich in eben dieser Krakauer Marienkirche (NU 6ff) [24]. Daß Christus für Döblin nicht „eines Wesens mit dem Vater" ist, sondern in seiner Menschlichkeit und Leidensbereitschaft eine Gegenkraft zu dem ganz alttestamentarisch als hart und unerbittlich gesehenen Vatergott darstellt, kommt in den „Phantasien über Jesus" zum Ausdruck, die wir in dem Buch „Unser Dasein" finden: „Er ist gekommen, nicht um Frieden zu bringen, sondern den Menschen zu erregen wider seinen Vater." (UD 345) — Auf eben diesen Ton ist auch die merkwürdige

[21] vgl. ferner RP 117, 166, 224, 239.
[22] Hier zitiert nach IN 147.
[23] BW 596, korrigiert nach der Erstausgabe (D 95, S. 620); vgl. außerdem BW 599 und vor allem 546 f und 616 f.
[24] Auch von Twardowski ist schon in der „Reise in Polen" die Rede (245, 247).

Erzählung „Die Flucht aus dem Himmel" gestimmt, die ein Jahr nach dem Aufsatz „Jenseits von Gott!" ebenfalls in Wolfensteins Jahrbuch „Die Erhebung" erschien [25].

Von der Erdenfahrt Christi wird hier erzählt, aber nicht von einem Gott-Vater, der in übergroßer Liebe seinen Sohn zu den Menschen schickt; Gott erscheint vielmehr furchterregend als „eine tiefe schwarze Regsamkeit [. . .], eine mattblinkende Masse, Metallmasse von Blei und Zinn, ungeheuer." (EB 25) Die Inkarnationsthematik umgeht Döblin dadurch, daß er Maria — eine bezeichnende Erhöhung — bereits vor der Erdenfahrt Christi im Himmel sein läßt. Sie und den Sohn jammert die Menschheit, und so steigt er herab, vergißt sich sogar so weit, daß er Tote erweckt: „Er schien eine neue Welt schaffen zu wollen unter den Menschen, den Überwucherten, ein Umschöpfer, Gegenschöpfer." (28) Doch er muß erkennen, daß man ihn, seine und Marias Liebe nicht will, daß er die Welt nicht besser machen kann als der Vater. Da unterfängt er sich eines noch unerhörteren Tuns: *den Vater* will er „ändern", *darum* opfert er sich, *darum* erleidet er die gräßlichen Qualen am Kreuz. Gott fühlt, „daß es für ihn war, was er dort sprach, so wie der Sohn zum Vater spricht, ehrerbietig und stolz, selbständig, Gottes Sohn zu Gott dem Vater." (29) Und tatsächlich vermag Jesu entsetzliches Selbstopfer „das ungeheure Wesen oben" (26) zu erweichen: „ ‚Ich habe dich nicht verlassen', tönte es in seinen Ohren. [. . .] Goldene Blicke auf seinen blutrünstigen gebeugten Schultern, [. . .] ‚Ich habe dich nicht verlassen', tönte es. Er schloß die Augen. Er wußte, die Menschheit konnte gerettet werden." (30)

Mutter und Sohn bilden hier also eine „Partei" gegen den Vater, der aber schließlich „bekehrt" wird. Sehr fragwürdig wird diese Lösung allerdings, wenn man die trostlosen Einleitungsabsätze betrachtet, die ja eine Zeit bereits *nach* der Rückkehr in den Himmel zeichnen. Döblins negatives Vaterbild war offensichtlich doch zu stark, als daß er eine harmonische Lösung hätte gestalten können.

Im Jahre 1940, als der Dichter auf der Flucht vor den Nazis verzweifelt in Frankreich umherirrte, war es wieder ein Kruzifix, diesmal das in der Kirche zu Mende, das seine Denkrichtung entscheidend veränderte, ihn den Weg zur Konversion finden ließ, den er in der Gestalt Friedrich Beckers aus der Revolutions-Tetralogie bereits vorweggenommen hatte [26]. — Auch

[25] D 28; hier zitiert nach EB 25—30.
[26] Bezeichnend ist übrigens der Umstand, daß wir nur Beckers Mutter kennenlernen, daß seines Vaters in diesem Riesen-Opus mit keinem Wort gedacht wird.

nach der Konversion blieb Döblins Religiosität weitgehend auf den Gottes-
sohn fixiert. In dem Religionsgespräch „Der unsterbliche Mensch" heißt
Gott entweder „der schöpferische Urgrund" oder aber Christus; die im
Christentum so beliebte Vaterfigur fehlt.

Wenn mit zunehmender Annäherung Döblins an das Christentum die
Gottesmutter immer seltener erwähnt wird, so hat das einen einleuchten-
den Grund: sie gehörte für ihn nicht eigentlich zur Substanz der christlichen
Religion, war ihm vor allem wichtig gewesen als Bindeglied zwischen
seiner Naturfrömmigkeit und dem Katholizismus. Dieser Bezug zur Naturmacht wird auch deutlich in der — ansonsten unerträglich preziösen, sich
mit „Aufklärung" spreizenden — Erzählung „Mariä Empfängnis" [27].

Überhaupt finden wir die Muttergottes in der frühen Prosa nicht eben
selten [28]. Man schießt wohl auch nicht über das Ziel hinaus, wenn man in
der Novelle „Der Dritte" Bezüge zur Madonna entdeckt, die hier freilich
dem ironischen Kontrast dienen: Die geborene Dirne heißt ausgerechnet
Mary; sie trägt ein blaues Kleid mit weißem Kragen oder auch einen blauen
Rock mit weißer Schürze und weiße Schuhe (EB 76, 77; vgl. auch die Farben
auf S. 81): bei der in Döblins frühen Versuchen so bewußt durchgeführten,
manchmal schon aufdringlichen Farbsymbolik gewiß kein Zufall. Kein Zufall wohl auch, daß Franz Biberkopf seine Sonja in Marie, Mieze umtaufen
wird (BA 282).

Viel stärker freilich als die spezifisch christliche Ausformung jener Identifikation des Mütterlichen mit dem Göttlichen finden sich im frühen Werk
naturmystische Anklänge dieser Art. Auch die Utopie „Berge Meere und
Giganten" sah der Dichter selbst als besänftigenden und feiernden „Gesang auf die großen Muttergewalten." (AzL 351) — Auf die große Rolle,
die das Wasser, vor allem das Meer in Döblins Dichtungen spielt, hat schon
Robert Minder hingewiesen [29]. Noch 1946 sprach Döblin selbst von seiner
geheimen großen Liebe zum Wasser [30]. Nie wurde er müde, dieses mütterliche Element — (in der Traumsymbolik wird es bekanntlich mit der Geburt
in Verbindung gebracht [31]; auch im Christentum kommt diese Beziehung

[27] D 11
[28] vgl. *EB* 24, 69, 74, 201.
[29] K 561, S. 164
[30] „Zwölf Jahre" (D 583)
[31] vgl. Sigmund Freud, „Die Traumdeutung" (in Gesammelte Werke, Bd. II/III, London 1948), S. 404—406; ders., „Vorlesungen zur Einführung in die Psychoanalyse" (in:
Gesammelte Werke, Bd. XI, London 1949), S. 154.

zum Ausdruck im Beinamen der Gottesmutter als „maris stella") — zu feiern. Man denke an die Rolle, die das Meer als unheimliche, tötende, aber auch liebreich erlösende Macht in den Erzählungen „Die Segelfahrt", „Der Ritter Blaubart", „Die Verwandlung" spielt, an die begeisterten Schilderungen der Meere und Ströme in „Berge Meere und Giganten" (BMG 341f, 346f, 523 usw.), an die Meerfahrt des Manas (M 284—289), die wonnetrunkenem Untertauchen den Sieg über die gierig saugende Macht folgen läßt; man denke an die faszinierende Darstellung des Amazonas (A 19—21), der im Wassergeist Sukuruja, der „Mutter des Wassers" (A 250), Las Casas ebenso bezaubert und zum Tode erlöst wie am Ende der Trilogie die Tausende, die vergeblich das Land ohne Tod suchen (NU 193f); noch im „Hamlet" erscheint an bedeutsamer Stelle wiederum das Meer (H 513). Schon im gegensätzlichen Verhältnis Gustav Adolfs und Wallensteins zum Meer wird ihre Gegnerschaft deutlich; die suggestive Schilderung der schwedischen Landung (W 489) kontrastiert wirkungsvoll zu Wallensteins Widerwillen gegen „dies wäßrige grüne Gespenst" (317), das er mit Recht als „Verhängnis" empfindet (375).

Was Döblin am Wasser faszinierte, war neben seiner Vielgestaltigkeit das Absinken der Teile zu tiefer Anonymität (IN 25), die Ruhe und Erlösung, die ihm lange Zeit im Aufgeben des Ich, im Eintauchen ins Elementare zu liegen schien. Hier treffen sich Sehnsucht nach der Geborgenheit des Kindes und Sehnsucht nach der Sprengung, ja Tötung des Ich, und so verwundert es nicht, daß Wallensteins und Tillys Tod mit Geburtsmetaphern umschrieben werden (W 571; 720). Im „Wang-lun" gehören Wangs Erinnerungen an die Kindheit und das Meer eng zusammen (Wl 443f).

Nicht ohne Ironie hat Döblin selbst im „Ersten Rückblick" diese Zusammenhänge beim Namen genannt: „Ohne greifbare Gedanken zu haben, war ich schon als Kleines in mir beschäftigt, von etwas unterhalten, das wohlig und ruhig in einer Art Halbdunkel agierte. Da liegen ja für Sie die Schablonen bereit von den Erinnerungen an die Mutterbrust, der mütterliche Uterus, das Plantschen in Wonne und Fruchtwasser. O selig, o selig ein Embryo zu sein." (ER 99) Trotz dieser Abwehr von allzu einfachen Identifikationen schiebt er in die Darstellung seiner eigenen Sicht den Satz ein: „ohne übrigens die Mutterbrust von mir zu stoßen" (100). Arnold Zweig reagierte damals: „Also hatte er doch recht, der kluge unzünftige Briefschreiber an die ‚Vossische Zeitung', einmal hinweisend auf die Mutterbindung des Dichters, dem die Namen aller Helden mit ‚Wa' und ‚Ma' anfangen" [32].

## D)  Ein Dichter mit schlechtem Gewissen

Wieweit wir solche „Belege" ernst nehmen wollen, steht dahin; kein Zweifel kann freilich daran bestehen, daß Döblins frühe Naturreligion stark vom mütterlichen Prinzip beherrscht ist, daß sein Kampf gegen das Christentum sich weitgehend auf einen Kampf gegen die Vaterautorität reduzieren läßt und daß seine Konversion nur möglich wurde über die Gestalten der Gottesmutter und des leidenden Sohnes.

Kein Zweifel kann allerdings auch darüber herrschen, daß die starke Betonung des Mutter-Prinzips nicht etwa Reflex einer ungetrübten Mutter-Sohn-Beziehung ist — ich erinnere an Döblins bittere Worte über die Kaufmannsmentalität der Familie Freudenheim —, sondern daß wir es hier mit einer ebenso verzweifelten wie trotzigen Idealisierung zu tun haben. Dem Zehnjährigen blieb ja gar nichts anderes übrig, als sich der Mutter anzuschließen; sie aber, von deren Haltung gegenüber dem Vater es heißt: „Sie trug mit sich Legitimität, Pathos, Ansprüche" (ER 21; Z 136) und der Döblin folgerichtig die Überschrift widmet: „Ehre, dem Ehre gebührt" (ER 35), sie begegnete der „Andersartigkeit" des Sohnes mit derselben Verständnislosigkeit wie die Schule. Die Geborgenheit, nach der er sich sehnte und die seine Dichtungen in immer neuen Variationen zu evozieren suchten, fand er nicht, schon darum nicht, weil er mit dem Verdammungsurteil über den Vater auch die Abwertung seiner eigenen, von jenem ererbten Talente übernehmen mußte. Was hieraus unmittelbar folgt und an zahllosen Zitaten belegt werden kann: Döblin ist zeitlebens ein Dichter mit schlechtem Gewissen gewesen. Im „Ersten Rückblick" schildert er, wie er sich gegenüber Mauthner nicht zu seinem Erstlingsroman zu bekennen wagte: „Ja, ich weiß, woher ich diese Scheu habe. Ich hatte also schon ein schlechtes Gewissen vor meinen Arbeiten. So hatte sich das eingeprägt. Bis ins zweite Glied." (ER 30; Z 142)

So hat er nie daran gedacht, freier Schriftsteller zu werden; es scheint so, als habe er den Arztberuf geradezu als Rechtfertigung für die Ausschweifungen seiner Phantasie gebraucht. 1927 schrieb er am Ende des

---

[32] Arnold Zweig, „Alfred Döblin 50 Jahre?" (K 346), S. 454

Aufsatzes „Arzt und Dichter": „Ich versichere: ich werde, wenn die Umstände mich drängen, eher, lieber und von Herzen die Schriftstellerei in einer geistig refraktären und verschmockten Zeit aufgeben als den inhaltsvollen, anständigen, wenn auch sehr ärmlichen Beruf eines Arztes." (AzL 367) — Auch die Spiegelskizze „Döblin über Döblin" ist auf diesen Ton gestimmt (AzL 359—361).

Die bekämpfte und doch halbwegs geteilte Verachtung der Mutter für die Kunst („übrigens finde ich jetzt, wo sie nicht mehr lebt: die Frau hatte nicht so unrecht. Eigentlich — hätte ich's lassen sollen" — ER 31; Z 143), — diese höhnische Ignoranz ist die Quelle für die zahlreichen heftigen Angriffe des Künstlers Döblin auf die Kunst, für seine qualvollen Überlegungen, wozu dies alles gut sei, für seine Vorstellung von der sozialen Verpflichtung des Schriftstellers, für sein nie zum Schweigen gebrachtes Schuldgefühl. Immer wieder aber trat seine unerhörte Phantasie, seine Lust am Sprachspiel, ja am „Blödeln", wie seine — der Mutter innerlich verwandte — Frau indigniert konstatierte [33], gegen diese Skrupel auf; es gab Synthesen, deren gelungenste der „Alexanderplatz" darstellt, und es gab Ausrutscher in die eine wie in die andere Richtung: „Pardon wird nicht gegeben", ein schwächliches Tendenzwerk mit Stilanleihen aus dem tiefen 19. Jahrhundert, und „Babylonische Wandrung", eine Eruption an Einfällen und Sprachkunststücken, die keiner ordnenden Hand mehr gehorcht und die Ludwig Marcuse im Titel seiner Rezension treffend charakterisierte: „Döblin über Gott und die Welt und einiges mehr" [34].

Döblins Stellung zu seinem Tun als Schriftsteller wird uns noch ausgiebig beschäftigen. Angesichts der gegensätzlichen Positionen seiner Eltern und angesichts seiner eigenen Zwiespältigkeit wird man Eindeutigkeit und Kontinuität von Anfang an nicht erwarten.


## E) DÖBLINS FRAUENGESTALTEN

Wie ambivalent Döblins Haltung zu seiner Mutter war, zeigt nicht nur die scharfe Verurteilung in „Pardon wird nicht gegeben", dieser Geschichte vom verhinderten Leben, sondern läßt sich auch allgemein aus der Konzeption seiner Frauengestalten ablesen.

---

[33] vgl. Kreuder, „Ohne Schleife und Lorbeer" (K 533), S. 19.
[34] K 163

Nach sehr verquälten Anfängen im „Schwarzen Vorhang" und nach allerlei Experimenten in den frühen Erzählungen schrieb Döblin mit dem „Wang-lun" und dem „Wallenstein" zwei Romane mit ausschließlich männlichen Hauptfiguren. Der dazwischen liegende „Wadzek" gehört noch in den geistigen Umkreis der Erzählungen und läßt in der ekelhaften Karikatur der Frau Wadzek, in der dem Autor selbst als Maske dienenden Herta und in der recht blassen Gabriele kein Bild von der Frau deutlich werden. Bezeichnend für die damalige Haltung sind die „Memoiren des Blasierten" [35] — übrigens Döblins einzige Ich-Erzählung außer dem Erstling „Jagende Rosse" [36] und der „Sommerliebe" von 1933 [37]. Wie Johannes im „Schwarzen Vorhang" schwankt auch der Blasierte zwischen schon unsinniger Verklärung der Frau und sadistischer Zerstörungswut. Die „Memoiren" lesen sich fast wie ein Kommentar zu diesen Passagen im „Schwarzen Vorhang", lassen freilich sowohl in der Überschrift als auch im Stil schon eine größere Distanz erkennen. Hatte Johannes geschwärmt: „Rätselhafte, unfaßbare Menschen waren die Frauen, kaum Menschen, zarter, erlesener, [. . .] die Blume vom Weine Mensch." (SV 31), so geht die Ehrerbietung des Blasierten sogar so weit, daß er den Feminina der Sprache besondere Achtung entgegenbringt (EB 91). Sein Mitleid mit den allmonatlich blutenden Frauen gipfelt bezeichnenderweise in dem Satz: „Gibt es ein Geschöpf, das elender wäre als eine Mutter?" (ebd.) — Noch Wadzek hält dem Maschinisten eine Rede darüber, daß die Frau „etwas Ideelles, Ideales" sei (WD 406). In zerstörenden Haß schlägt diese vom Mutterideal bestimmte Verehrung deshalb um, weil die Frau sich als Geschlechtswesen in einen Bereich einordnet, den der Autor wie seine Personen nur mit dem Gefühl der Sündhaftigkeit betreten. Döblins starke Bindung an die Mutter trägt wesentlich dazu bei, daß die Sexualität in seinen frühen Werken als etwas Böses erscheint. Höchste Verehrung und abgrundtiefe Verachtung haben so in ein und derselben Grunderfahrung ihre Wurzel.

Mit Schuldgefühlen reagiert Johannes auf die erste Pollution (SV 28), und beim Anblick einer stillenden Frau gerät er in eine den Leser schon belustigende Panik (40). Seine Beziehung zu Irene ist von beiderseitigem Sadismus und Masochismus geprägt; im Urteil über die Geliebte schwankt er zwischen forcierter Betonung ihrer Reinheit und hassender Verachtung

[35] D 12
[36] vgl. AzL 356.
[37] D 30

28

für die Gefährtin seiner Schande. — Der Blasierte, der sich mit wissenschaftlicher Akribie auf Entdeckungsreise nach der Liebe begibt [38] und natürlich nichts als seelenlose Sexualität findet, erklärt die Frauen zum Feind, „der im Dunkeln mordet, jahrhundertelang" (EB 88, 96). Die Liebe, so glaubt er, haben sie erfunden, um den Mann zu schwächen (95). In einer an Dostojewskis „Raskolnikoff" und „Dämonen" erinnernden Szene rächt er sich für seine enttäuschten Überspanntheiten an einem buckligen Aufwartemädchen: „An der Quintessenz der Frau, an dem niedrigsten Weibe schmauste ich mit höhnenden Worten und schändete sie." (97) Bei all diesem verzweifelten Tun übersieht er geflissentlich, daß er einer Reihe Frauen ängstlich aus dem Wege gegangen ist, weil ihr Anblick ihn mit „Bängnis" erfüllte (92, 94, 97), „denen ich glaubte etwas sagen zu müssen; aber ich rührte keinen Finger um sie." (92) Er sieht zwar auch am Ende noch nicht, daß nur hier Liebe hätte entstehen können, aber wenigstens bemerkt er, „daß ich mich verlaufen habe." (98)

Als diese Erzählung 1913 erschien, hatte Döblin zumindest in theoretischen Äußerungen längst einen neuen Standpunkt eingenommen. In einer für ihn bezeichnenden Wendung hatte er den Gegenstand seiner Furcht zu dem seiner Bewunderung gemacht, und dies in unverkennbarer Anlehnung an Wedekind [39] — den er gleichwohl 1919 bereits wieder verspottete: „Der Mann ist imstande, die solideste Zote zu einem metaphysischen Vorgang zu versaubeuteln." und: „der Venusberg aus den Memoiren Septimus des Langwierigen" [40]. 1912 aber wandelt er noch brav auf den Spuren des — nicht genannten — Meisters und geriert sich wie jener als Bürgerschreck, wenn er etwa Jungfräulichkeit definiert als „Ausdruck einer Hemmungsmißbildung oder eines Kokotteninstinkts" [41] und verkündet: „Faun und Kokotte die vollkommenen Heiligen" [42], wenn er über Goethes Gretchen räsonniert: „Uebrigens dumm, aber schadet nichts; faselt von Ewigkeit der Liebe zu dem momentanen Objekt. Anrüchige Sache, peinlich für Objekt und Subjekt. Angebliche Tragik, faktisch Intelligenzdefekt. Aber schadet nichts. Alle Menschen müssen sterben." [43]

---

[38] Hier scheint auch ein Stück Kritik an der öden Systematik verborgen zu sein, mit der der Held der „Jagenden Rosse" das Leben zu erobern trachtet. Vgl. dazu AzL 356 f.
[39] Man denke auch an die damals allgemeine Verehrung des „starken Weibes", an die Begeisterung der Zeitgenossen für Maeterlincks Monna Vanna und Wildes Salome.
[40] „Dionysos" (D 403), S. 888
[41] „Ueber Jungfräulichkeit" (D 394), S. 121
[42] „Jungfräulichkeit und Prostitution" (D 395), Nr. 125/126, S. 142
[43] ebd., Nr. 127/128, S. 152

In diesem stilistisch ziemlich forcierten Aufsatz heißt es: „Grundaxiom: Jede spezifische Beziehung zwischen Mann und Weib gleich Prostitution. [. . .] Denn in den Genitalien Hinweis auf das andere Geschlecht, nicht aber auf den anderen Menschen. [. . .] Die naturgegebene Unbestimmtheit und ein naturgegebenes Dirnentum." [44] — Was hier erstmals anklingt, wird in den späteren Dichtungen eine große Rolle spielen; man denke an die „Heilige Prostitution" im „Wang-lun", an die Lehre der „Schlangen" und an Venaska in „Berge Meere und Giganten", auch an Sawitri, die auf ihrer Wanderung zu Manas über der sexuellen Faszination durch einen anderen beinahe ihren ursprünglichen Plan vergißt (M 111). — Auch von den Amazonen, die sehr viel später in der Südamerika-Trilogie auftreten werden, ist schon hier als von einem besonders faszinierenden Typus die Rede: „Die Amazone gleichgültig, nicht verachtungsvoll zu dem Akt, über den hinaus keine Beziehung zum Triebträger statthaft. Unbegreifliche, erschreckende, massive Erscheinung." [45] — Scharf grenzt Döblin gegen dieses naturgegebene Dirnentum die Geldprostitution ab, deren Erfindung er gleichwohl „unendlich tiefsinniger und würdevoller als die von Dampfmaschine und Telefon" nennt [45]. Auch solche Dirnen zweiter Klasse sind ja im Werk Döblins nicht eben selten; für die Geliebte Copettas („Die Segelfahrt") bleibt die Prostitution allerdings ebenso Episode wie für Alice Allison („Hamlet"); die Hauptvertreterinnen dieses Typus, zugleich Neugestaltungen der traditionellen „edlen Dirne", sind Mieze im „Alexanderplatz" und Alexandra in der „Babylonischen Wandrung".

Das masochistisch verehrte Dirnentum der übermächtigen Amazone begegnet uns andeutungsweise schon in den „Gesprächen mit Kalypso". Diese merkwürdige, an die Odyssee wie an Shakespeares „Sturm" sich anlehnende Arbeit des jungen Assistenzarztes [46] präsentiert uns die beim allgemeinen Kehraus der Olympier vergessene Göttin, wie sie einen gefangenen Musiker peinigt: durch seine Nase ist ein Ring gezogen, und sie spielt mit dem daran befestigten Strick. Als er sich trotz solcher Behinderung auf sie stürzt, läßt sie ihn gewähren und beobachtet ihn kalt aus halb geschlossenen Augen [47]. — Mit dem Schauspiel „Die Nonnen von Kemnade" nahm Döblin 1923 diesen Faden wieder auf, und zwar expressis verbis: der fanatische Ambrosius sagt von der unbändigen Äbtissin Judith:

[44] ebd., Nr. 125/126, S. 141
[45] ebd., Nr. 125/126, S. 142
[46] vgl. „Epilog", AzL 386.
[47] D 330, Nr. 6, S. 42

„Bei den Heiden gibt es ein Märchen von einer Zauberin, die Männer anlockte und sie in Tiere verwandelte. Euch braucht keine Zauberin verwandeln." [48] In diesem Nebenwerk wird auch schon der Weg sichtbar, auf dem Döblin die Frau „beim Griff" [49] zu bekommen glaubte: die weitgehende Ausschaltung des sogenannt spezifisch Weiblichen und die Annäherung an das männliche Prinzip. Cyrill schwärmt: „Eine Frau — (erschüttert) — ist — ein Mensch — (faßt ihn an:) Weißt du das." und: „Ein Mensch, ein Mann, wie ich." [50] — Konsequent wird in den „Bemerkungen zu ‚Berge Meere und Giganten' " die „richtige" Frau definiert als „das simple elementare Biest, die andere Artung Mensch, Mann-Weib." (AzL 355) Dem entsprechen im Roman die Ansätze zur Frauenherrschaft und Gestalten wie Melise von Bordeaux, Marion Divoise, Kuraggara, White Baker, auch Djedaida und teilweise Elina. Aber in der Gestaltung Elinas setzt sich schließlich schon eine neue Sehweise durch, die für die folgenden Werke bestimmend wurde: die Frau als das eben doch andere, aber nicht mehr hämisch bekämpfte oder forciert glorifizierte, sondern das erlösende Prinzip. Ansätze hierzu finden sich hier und da in den frühen Erzählungen, dann in wüster Verhöhnung im „Wadzek"; Gestalt gewinnt dieses Bild erstmals, wenn auch noch undeutlich, im „Wallenstein", und zwar in der Figur der Kaiserin Eleonore — undeutlich deshalb, weil sie dem Kaiser die ersehnte Erlösung eben nicht schenken kann. In Ferdinands Angsttraum vom übermächtigen, widerwärtigen Tausendfuß erscheint Eleonore als Gegenmacht (W 220f), aber in der Realität ist sie dieser Rolle nicht gewachsen. — Wenn dieser Aspekt (die Frau als Erlöserin) dann gegen Ende der Arbeit an „Berge Meere und Giganten" dominant wird, so darf man wohl mit einigem Recht annehmen, daß hierfür die Begegnung mit Yolla Niclas ausschlaggebend war.

Die beherrschende erlösende Gestalt in diesem Roman ist Venaska. Sie, deren Name wohl nicht zufällig an ‚Venus' anklingt, erscheint als Verkörperung der fruchtbaren südfranzösischen Landschaft. Auch ihr, der sanften „Mondgöttin" (!) (BMG 534), haften allerdings noch amazonenhafte Züge an. Nach der Schilderung der rauschhaften geschlechtlichen Vereinigung heißt es: „Und während noch der andere Körper rauchend lag, hob sich Venaska mähnenschüttelnd von ihm ab"; „spöttisch lächelnd" kehrt sie zurück (537). Sie ist bloße Naturkraft und verströmt dieselbe Faszination

[48] D 50, S. 62
[49] „Bemerkungen zu ‚Berge Meere und Giganten' ", *AzL* 355
[50] D 50, S. 49 und S. 50

wie die Turmalinschleier, in denen die uralte Lebenskraft der Erde gefangengehalten wird (535), dieselbe Faszination der Naturmacht, der der Kaiser Ferdinand erliegt und die uns wiederbegegnet in der Verzauberung des Mönchs Mariana (A 349ff). Darum nennt Kylin sie den „Nebel" (BMG 545) und seine „Besinnungslosigkeit" (575), darum muß er sie, die Süße und Sanfte, verstoßen, — darum aber ist sie auch fähig, die künstlich, aber mit natürlichem „Material" aufgetriebenen Giganten zu erlösen: sie ruft eben jene Naturelemente im Leib der hindämmernden Riesen an, gegen die sie sich mit letzter Kraft wachhalten; sie vermag den Krampf des Wollens in jenen Unglücklichen zu lösen, ihnen die Lust der Hingabe an die Elemente zu suggerieren, und so zerfließen, zerkrachen sie: eine Erlösung zum Tode also, die Aufgabe des Ich, das Zurücktauchen ins Anonyme. Von dieser Sehnsucht sprachen wir schon im Zusammenhang mit Döblins Mutterbild, und so kann es uns nicht verwundern, wenn wir in der Schilderung der leidenschaftlichen Umarmung lesen: „Venaskas Augen fingen an, sich zu weiten, tiefschwarz mütterlich leidend zu gluten. Ein Erliegendes hatte sie an ihrer Brust." (BMG 536)

Für den Anhänger des „naturalistischen Zeitalters" kann diese lustvolle Auflösung ins Elementare freilich nicht mehr letzte Gültigkeit haben, und so findet sich denn auch schon im utopischen Roman eine Gestalt, die über dieses Bild von der Frau hinausweist: Elina. Die wenigen Sätze, die ihrer Liebesbegegnung mit Marduk gewidmet sind, sprechen zwar auch noch von der Aufhebung des Ich in der absoluten Hingabe, aber als einem Erlebnis beider, und vor allem wird hier auch schon der andere Pol der Liebe deutlich: die Entdeckung des Du und die unermeßliche Steigerung des Ich: „Wie sie sich im Stroh umarmten, sah er die ersten Augen Arme. Sie, den harten sehnigen behaarten Leib umklammernd, stammelte: ‚Nichts an mir, was nicht dir gehörte. Laß nichts an mir. Alles, nimm alles weg. Laß nichts zurück.' Sie tauchte in ihm unter, erweichte verwehte. Er atmete: ‚Sag nicht Marduk zu mir. Wer ist das.' / Sie starb fast in der Umarmung, wünschte zu sterben. Er stammelte an ihrem Hals: ‚Ich lebe ewig. Ich lebe ewig.' " (BMG 257)

Hier kündigt sich das an, was dann der „Manas" erreicht: die Versöhnung jener anfangs so feindlichen Pole des Mütterlichen und des Sexuellen, eine Verbindung, die nun nicht mehr, wie bei Venaska, auslöschend wirkt, ins Elementare zurückleitend, sondern lebensspendend, aufrichtend, ichschaffend, all das ins Bild gebannt in jener Szene, da Sawitri den Schatten des toten Gemahls an sich zieht und ihn in der Liebesvereinigung wieder

zum Leben erweckt: „War Manas, den sie gebar aus sich, / Im Liebesringen aus sich gebar." (M 226) Freilich, mehr als das bloße Leben kann
auch sie ihm nicht schenken; seinen Platz in der Welt findet er erst in der
Auseinandersetzung mit Schiwa.

Aus der symbolischen Bilderwelt in die profane Realität übertragen finden wir das Motiv noch einmal in „Berlin Alexanderplatz": Franz Biberkopf, soeben der Totenwelt des Zuchthauses entronnen — und noch weit
vor seinem umstürzenden Gespräch mit dem leibhaftigen Tod —, findet
sich in der fremd gewordenen Welt nicht zurecht, ist „Noch immer nicht
da" (BA 17); erst bei Minna, die ihm die getötete Ida ersetzen muß, findet
er sich wieder: „Franz Biberkopf ist wieder da! Franz ist entlassen! Franz
Biberkopf ist frei!" (40) Auch hier ist nichts gegeben als ein Anfang; noch
dreimal muß die „dunkle Macht" zuschlagen, ehe Franz wirklich weiß, wer
er ist.

Döblin behauptete zwar in seinen „Bemerkungen zu ‚Berge Meere und
Giganten' " in bezug auf die Frauen: „Ich bin bisher nicht wie die Katze
um den heißen Brei gegangen. Sie waren mir einfach nicht wichtig genug."
(AzL 355), aber die vorstehende Analyse dürfte gezeigt haben, daß die
Dinge so einfach nicht liegen, daß Döblin tatsächlich Schwierigkeiten hatte,
diese „andere Art Mensch" zu begreifen und ihr einen angemessenen Platz
in seinem Werk anzuweisen, Schwierigkeiten allerdings nicht nur aus persönlichen Gründen, sondern auch solche ästhetischer Art. In seiner Abkehr
von „einer unter Erotismen, Hypochondrien, Schiefheiten und Quälereien
berstenden Literatur" (AzL 9), in seiner Polemik gegen die Vereinfachung
der gedichteten Welt „auf das geschlechtliche Verhältnis" (AzL 18) hatte er
das Kind mit dem Bade ausgeschüttet und dekretiert: „Es gibt auch Knochen, Muskeln, Lungen, Nieren, nicht nur Geschlechtsorgane. Der Tages-
roman wird sich nicht eher erholen, als der Grundsatz zum Durchbruch
kommt: mulier taceat, zu deutsch: die Liebe hat ein Ende." (AzL 23) Diese
aus dem Überdruß an impressionistischer Seelenzergliederung fließende
und sicherlich auch dem Futurismus verpflichtete Radikalität diente Döblin
gleichzeitig dazu, seine damalige Schwäche zu kaschieren. Noch war ihm die
Gestaltung der Frau nicht möglich, noch hatte er die Furcht: „Dazu tut sich
leicht, wo Frauen auftauchen, die Idylle oder Psychologisches, Privates auf;
sie sterilisieren das Epische." (AzL 355)

## F) Homoerotische Hassliebe

Auch nach dem Durchbruch in den frühen zwanziger Jahren ist Döblins Welt weiter von Männern beherrscht geblieben. Geblieben ist auch die auffällige Eigentümlichkeit der Personenkonstellation, die immer wieder das zwischen Haß und Liebe schwankende Mit- und Gegeneinander zweier Männer vorführt [51]. So stehen einander Wang-lun und Ma-noh, Wadzek und Rommel, Wallenstein und Ferdinand, noch viel signifikanter allerdings Wallenstein und Slawata gegenüber, ferner Marduk und Jonathan, Manas und Schiwa, Biberkopf und Reinhold, Konrad und Georg, Karl und Paul (in „Pardon wird nicht gegeben"). Meist ist der eine der beiden jünger, feiner strukturiert, gefährdeter, anhänglicher (Wang, Wadzek, Slawata, Jonathan, Manas, Biberkopf), der andere älter, kühler, eher Machtmensch, zumindest machtlüstern (Ma-noh, Rommel, Wallenstein, Marduk, Schiwa, Reinhold, Georg). — Der starke homoerotische Einschlag dieser Beziehungen findet sich übrigens auch in Verhältnissen zwischen Frauen, so etwa bei Herta und Gaby im „Wadzek", in mannigfachen Spiegelungen in „Berge Meere und Giganten" (White Baker und Ratschenila, Melise und Betise usw.), stark gemildert dann bei Mieze und Eva im „Alexanderplatz" (BA 302f).

Unverhüllte Homosexualität hatte Döblin im „Schwarzen Vorhang" dargestellt; auch daß sich in ihr ein Weg auftat, der Identifikation mit dem Vater — dem männlichen Prinzip — zu entgehen und in die Rolle der Mutter zu schlüpfen, blieb hier nicht verschwiegen: „Johannes schenkte ihm Konfekt und Bonbons, litt dankbar, in seiner mütterlichen Angst ihn zu verlieren, unter seinen Launen." (SV 20) [52] Im „Wallenstein" heißt es von Ferdinand: „daß er dem Böhmen in einer Weise und mit rätselhaftem Drang vertraue, wie bisher keinem Menschen, wie vielleicht eine Frau ihrem Mann vertraute." (W 223)

Daß diese immer wiederkehrende Konstellation tatsächlich auf Döblins ambivalentes Verhältnis zum Vater zurückgeführt werden muß, wird ganz deutlich in „Berge Meere und Giganten". Die Verbindung zwischen Marduk und dem sanften Jonathan wird dadurch besiegelt, daß der Usurpator bei seiner Machtübernahme neben anderen Technikern auch Jonathans

---

[51] vgl. dazu u. a. Robert Minder, K 561, S. 174; Stefanie Moherndl, K 630, S. 88; Fritz Martini, K 559, S. 336.
[52] Auch Ma-noh ist gegenüber Wang-lun von „mütterlicher Angst" erfüllt (Wl 116).

Mutter umbringen läßt; Jonathan fühlt sich seitdem in unentrinnbarer Haßliebe an den Älteren gefesselt. In einem letzten Versuch, diese ihm selbst unheimliche Faszination zu erklären, sagt er zu Elina: „Ich habe dir von meiner Mutter erzählt. Die hat er umgebracht. Aber mir ist nie, als ob er sie umgebracht hätte. [. . .] Mir ist, als ob er mit ihr zusammen etwas wäre, als ob er mit meiner Mutter verbunden wäre, wie mein Vater, den ich nicht kannte! Er. Er. So ist er mit ihr zusammen. Ich kann nur bei ihm ruhig werden. Bin ich von ihm, bin ich zerrissen." (BMG 231) Bei allem Leid und Haß schimmert auch hier wieder ein Stück von jenem geheimen Einverständnis mit dem Handeln des Vaters durch, von dem ich oben sprach (S. 19 f). Wenn Döblin im „Ersten Rückblick" die dritte Version jener Katastrophe erzählt, heißt es: „Zu Haus wächst die Kälte, die Unfreiheit, der Streit. Da — rückt er einfach aus. Endlich, endlich. — Was sagst du: endlich? — Es kam mir so." (ER 33; Z 143)

Nicht zu übersehen ist der wechselseitige Sadismus in diesen Beziehungen. Marduk braucht, solange es ihm an eigener menschlicher Substanz gebricht, den Anblick Jonathans, um sich an dessen Schmerz aufzurichten (BMG 152); „mit Wonne und Seligkeit" wird Slawata sich seiner Absicht bewußt, den Herzog von Wallenstein zu töten (W 626): „ ,Ich habe dir ein gutes Grab bereitet', flüsterte er vor sich, streichelnde Blicke herüber" (W 711). Schließlich wird sich jeder Leser von „Berlin Alexanderplatz" der unheimlichen Szene erinnern, in der Reinhold sich mit makabrer Freude Biberkopfs Armstumpf vorführen läßt (BA 324f).

## G) „Hamlet oder Die lange Nacht nimmt ein Ende"

All die bisher angesprochenen Probleme und Motive versammeln sich noch einmal in Döblins letztem Roman, der ja auch im Hinblick auf andere Zusammenhänge die Summe aus teilweise schon sehr lange zurückliegenden Erfahrungen zu ziehen sucht. Das Proserpina-Bild Rembrandts, das Linke Poot erstmals entdeckte und bewunderte [53], das in den „Totengerichten" der Melise von Bordeaux eine erste Paraphrase fand (BMG 49f), gibt hier den Anstoß zu einer der eindringlichsten Exempelerzählungen (H 310—337). — Das Motiv vom Kriegsversehrten, vom Heimkehrer, der Rechenschaft fordert, im „Ersten Rückblick" erstmals skizziert, wird nach „No-

[53] „Male, Mühle, male" (D 342), S. 875

vember 1918" noch einmal zur Auslösung der Handlung benutzt. „Professor Mackenzies Wahrheiten" (H 198) kennen wir aus dem „Wang-lun", das Bild vom schneebedeckten Baum (H 205) aus dem „Ersten Rückblick" (ER 109). Mit eben der Nuance, auf die es Gordon Allison bei seiner Geschichte von Jaufre de Rudel ankommt, schrieb Döblin 1930 in dem Aufsatz „Deutsche Frauentragödie in Italien": „Dort war im Mittelalter, in der Provence, der Troubadour aufgeblüht, die Poesie der Liebeshöfe ist bekannt, dort ist unsere heutige Liebe erfunden." (Z 183) — Der bisherigen Forschung ist entgangen, daß die „Lange Nacht" auch als Terminus der jüdischen Liturgie eine Rolle spielt: sie bezeichnet den Tag vor dem Versöhnungsfest, der dem Gebet geweiht ist. Auch hier kennen wir den ersten Anstoß. In „Flucht und Sammlung des Judenvolks" schrieb Döblin: „Mir ist schon lange an dem ‚Versöhnungstage' die Schwere, das furchtbare Dunkel des Schuldgefühls aufgefallen, das sich da ausweint und stöhnt" (FSJ 162). Das Fest selbst hatte er schon im Bericht von der Polenreise geschildert, und dort hieß es: „der jüdische Gerichtstag naht, den Menschen ist auferlegt zu bereuen, sich zu reinigen." (RP 88) Eben dies ist ja die Grundstimmung des „Hamlet".

Noch manches andere Motiv aus früheren Jahren hat seinen Weg in dieses letzte große Werk gefunden [54], dessen Mangel ja, abgesehen von stilistischen Entgleisungen, gerade in der Überfülle der Bezüge liegt.

Auch die Form des Romans ist innerhalb von Döblins Oeuvre nicht ganz so neu, wie die Kritik meist behauptet; hier wurde nur die alte Übung zum Prinzip gemacht, einer Person durch eine andere „aufhellende" Beispielgeschichten erzählen zu lassen. Man denke an die Geschichte von der Frau Hia im „Wang-lun" (Wl 461—463), an Ratschenilas Märchen von der hochmütigen Prinzessin (BMG 274—276) und an die Vorführungen der Fulbe (BMG 287—298 und 304—315), ferner an die Geschichte vom Zannowich und die vom Ball, mit denen die beiden Juden Franz Biberkopf die Augen öffnen wollen (BA 20—28; 45): stets handelt es sich um Einkleidungen der Situation, in der die Erzähler den Zuhörer glauben; stets geht es darum, dem Zuhörer zur Einsicht in seine Lage zu verhelfen. Hierhin gehören aus dem „Hamlet" die Rudel-Paraphrase Gordons, in etwa auch Mackenzies Umformung der Lear-Sage. Der überwiegende Teil der Geschichten (Der Löwe und sein Spiegelbild; Pluto und Proserpina; Michelangelo; Theodora; die beiden Erzählungen von der Mutter) dient allerdings der Selbstdarstel-

---

[54] vgl. dazu Stefanie Moherndl, K 630, S. 41—43.

lung, sei es der Maskierung oder der Entblößung. Der Perspektivenreichtum, der ja über die Erzählungen hinaus noch durch eine Unmenge anderer Identifizierungen (u. a.: Ödipus, Hamlet, Edward, Kierkegaard; Salome, Medea, Dejanira, Daphne) sowie durch die Austauschbarkeit mancher Bilder vervielfältigt wird (der Eber Lear kann sowohl Gordon als auch Edward meinen), läßt freilich kaum noch Erkenntnis zu, dient — entgegen den einer Exempelerzählung immanenten Absichten — nicht mehr der Aufklärung, sondern der Einsicht, daß niemand sich oder andere kennen kann („Wieviel war Kostüm, wieviel waren sie?" — 398). So bleibt nur eine gewaltsame „Lösung": in einem wenig überzeugenden Kolportageschluß läßt der Autor die Hauptpersonen bequemerweise sterben.

Der Ersatz von selbsterfundenen Geschichten durch Paraphrasen zu Stoffen der Weltliteratur — ein im übrigen ja weitverbreiteter Vorgang in der Moderne — begegnet bei Döblin bereits in der Erzählung „Der Oberst und der Dichter"; dort führt der Poet dem verstockten Tatsachenmenschen die Schicksale des Orpheus und der Niobe vor, um die Möglichkeiten des menschlichen Herzens zu demonstrieren. Neu ist im „Hamlet", daß die Mythen und Legenden nun nicht mehr brav nacherzählt werden, sondern sich — z. T. radikale — Umformungen gefallen lassen müssen. So treten die Erzählungen von Jaufre de Rudel und vom wilden Eber Lear ja gerade mit dem Anspruch auf, hinter die verfälschenden späteren Versionen zu leuchten und zu berichten, „wie es wirklich war". Ganz glücklich wird der Leser zumindest im Fall des Königs Lear auch dabei nicht; zwar erweckt nun die Erzählung für sich ein größeres Interesse, gleichzeitig aber verliert sie ihre urbildliche Strahlkraft. Die ausgewogene Balance etwa der Josephs-Romane Thomas Manns wird nicht erreicht. Hinzu kommt, daß Döblin seiner eigenen Fähigkeit, Sinnbezüge herzustellen, nicht mehr traut und vieles allzu deutlich herausstreicht. So begnügt er sich ja auch nicht mit der auffälligen Namensgleichheit, sondern zitiert noch ausdrücklich die Edward-Ballade in der Herderschen Nachdichtung (H 397 u. ö.).

Die Skala des Stils reicht vom krassesten „Expressionismus" in Döblins Oeuvre überhaupt bis zur „Kunstlosigkeit" der „Kahlschlag-Literatur". Auch in dieser Hinsicht versucht der Roman also die Summe zu ziehen.

Zu diesem Streben nach Zusammenfassung gehört auch, daß Döblin sich hier erstmals an die Gestalt des Vaters heranwagt. Im „Schwarzen Vorhang" fand sich ein schwacher Reflex („eine herrische, starkknochige Mutter mit kühlem Blick, ein fügsamer, gedrückter Vater, der nicht klagte, stillstilles Alräunchen, das langsam vertrocknete und einging." — SV 14);

auch Wadzeks Flucht mit Gabriele gehört hierhin. Aber erst im „Hamlet"
wird der so lange verdrängte Streit zum Thema. Allzu einfach wäre es
freilich — und leicht als unsinnig nachzuweisen —, wenn man Gordon und
Alice Allison schlicht mit Döblins Eltern und Edward mit ihm selbst identifizieren wollte. Unzweifelhaft hat Döblin in Gordon *auch* sich selbst gezeichnet, und in Edward mag man *auch* den als französischen Soldaten
gefallenen Wolfgang Döblin vermuten, von dessen Tod die Eltern erst 1945
erfuhren, zu jener Zeit also, als Döblin an diesem Roman arbeitete. Ganz
sicher steckt in der Gestalt Gordons ein großer Teil Abrechnung mit der
eigenen Existenz als Dichter, eine Verwerfung der Phantasie, eine radikale
Infragestellung der Dichtung überhaupt, noch einmal also der Protest der
Mutter gegen die Talente Max Döblins und seines zwiespältigen Sohnes,
der sich nun, nach den Erfahrungen des Hitler-Reiches und des II. Weltkrieges, nach der Konversion zum Katholizismus, wenigstens in dieser
Hinsicht endgültig auf ihre Seite schlägt. Unverkennbar wagt Döblin sich
hier viel näher an den Herd heran als in „Pardon wird nicht gegeben";
dort hatte er seine eigene Person bewußt ausgespart, den Konflikt ins Politische gewendet und an seinem Bruder Ludwig (im Roman: Karl) demonstriert. Der Vater trat gar nicht in Erscheinung. Döblin ließ ihn, der in
Wahrheit ja „nur" ausgewandert war, vor Beginn der Handlung sterben;
eine Auseinandersetzung fand nicht statt. Wenn man in Betracht zieht, wie
schwer Döblin sein Leben lang an jenem Grunderlebnis getragen hat, an
seinem Haß auf den Vater, dem er sich gleichzeitig so ähnlich wußte, dann
muß man die Konstellation im „Hamlet" als der inneren Wahrheit angemessener bezeichnen.

Die alte Haß-Liebe-Beziehung zweier Männer bekennt sich hier endlich
zu ihrem Ursprung, wird freilich fast allzu schulgerecht auf einen Ödipus-
Komplex Edwards und auf Eifersucht Gordons zurückgeführt (H 430, 477,
491). Das Dritte, um das die beiden kreisen, heißt nun nicht mehr Kraft
zur Selbstentäußerung („Die drei Sprünge des Wang-lun"), wirtschaftliche
oder politische Macht („Wadzek", „Wallenstein"), auch nicht Elina („Berge
Meere und Giganten") oder Mieze („Berlin Alexanderplatz"), sondern es
ist die Mutter, die mit dem Vater in einer „Strindberg-Ehe" lebt (H 471)
und die vom Sohn abgöttisch geliebt wird, mit deutlichem Vortasten ins
schon Unerlaubte [55], und von der er schließlich erkennen muß, daß sie ihn
als Werkzeug ihrer Rache mißbraucht hat. Stefanie Moherndl, die anson-

[55] vgl. hierzu Stefanie Moherndl, K 630, S. 115—126.

sten mit Identifizierungen und mit der Übertragung Freudscher Erkenntnisse allzu schnell bei der Hand ist, hat mit Recht darauf aufmerksam gemacht, daß auch die in diesem Zusammenhang zu erwartende homoerotische Komponente nicht fehlt und sich in Edwards Bindung an den gefallenen Freund Jonny Meadow manifestiert [56]. Zusätzlich sei noch hingewiesen auf den symbolischen Sinn des Nachnamens und auf den Anklang an Jonathan Hatton aus dem utopischen Roman. Die Feminisierung solcher Gestalten, wie sie am deutlichsten bei Jonathan und Slawata zu beobachten war, ist hier nicht mehr nötig; denn den Gegenpol gegen den übermächtigen, gewalttätigen Vater bildet jetzt ohnehin eine „zarte, feine Frau": Alice, die Mutter (H 77). Immer wieder betont der Erzähler ihre Jugendlichkeit — sie ist 38 Jahre alt, Edward 20 — und nennt sie mädchenhaft (13, 16): deutlich ist sie die einzige Frau, der gegenüber Edward zur Liebe fähig wäre. Gleichzeitig fürchtet er sich vor ihr und flieht sie; das zeigt sich nicht nur in der reservierten, ja mißtrauischen Haltung, die er ihr gegenüber zu Beginn der Handlung einnimmt, sondern auch in seinem Widerwillen gegen das Meer, gegen jenes mütterliche Element, das Alice und den Marineoffizier Glenn verband (452): „Ich kann das Meer nicht leiden" (20, 452).

Dieser letzte Roman, mit dem Döblin die Summe seines so wechselvollen Lebens ziehen wollte, kann als Ganzes nicht befriedigen. Man darf wohl feststellen, daß seine Bedeutung als document humain größer ist als die künstlerische. Wenn wir daran zurückdenken, wie Döblin die Haltung des Vaters gegenüber der Familie gesehen hatte („Ihr seid mir schlechte Luft" — ER 25; Z 139), so erscheint Alice Allisons letzter Brief an Edward wie die ersehnte Zurücknahme dieses Urteils: „Oh, von Dir hat er gesprochen in den letzten Tagen, ja am letzten Tag, Edward, in Liebe, in großer Liebe und in Schmerz und immer noch in der Hoffnung, Deine Hand nehmen zu können, um Dir zu sagen, wie gut er Dir ist und wie gut er Dir immer war und daß alles Schlimme ja doch nicht gegen Dich ging." (H 564f) — Viel zu stark war Döblins persönliches Engagement, als daß ihm eine glaubwürdige Darstellung der Versöhnung zwischen Gordon und Alice hätte gelingen können. Wer aber seine Biographie kennt, liest diese Seiten nicht ohne Bewegung; Friedrich Becker und auch der Ältere im Religionsgespräch hatten ihre Gebete noch an Christus, den gepeinigten Sohn, gerichtet [57]; hier aber finden sich die beiden Zerbrochenen endlich in einem Gebet an den Vater-Gott: im „Vaterunser" (H 561f).

[56] a.a.O., S. 87; vgl. H 22—24, 452 u. ö.
[57] vgl. HF 296, 401; UM 258.

## H) Das jüdische Erbe

Wenn bisher von Döblins jüdischer Herkunft kaum die Rede war, so hat das seinen Grund in der Geringschätzung dieses Faktums durch den Dichter selbst. Über seine Jugend berichtete er später: „Ich hörte zu Hause, schon in Stettin, meine Eltern wären jüdischer Abkunft und wir bildeten eine jüdische Familie. Viel mehr merkte ich innerhalb der Familie vom Judentum nicht." (Sch 156f) Die Eltern feierten noch das Neujahrs- und das Versöhnungsfest mit einem Besuch im Tempel; Sophie Döblin konnte auch noch Hebräisch lesen, und an Feiertagen las sie halblaut in der Bibel: „Wenn ich an Jüdisches denke, steht dieses Bild meiner Mutter vor mir." (Sch 158) Für sich selbst aber konstatierte er: „Keinerlei Gefühl kam dabei auf, keine Bindung stellte sich ein." (157) Im Jahre 1927 schrieb er: „Und wenn man mich fragt, zu welcher Nation ich gehöre, so werde ich sagen: weder zu den Deutschen noch zu den Juden, sondern zu den Kindern und den Irren." (AzL 362) [58]

Wenn er — was selten geschah — zur sogenannten Judenfrage allgemein Stellung nahm, so tat er das vom Standpunkt des ,Assimilanten' aus. Als Linke Poot spottete er sarkastisch über den Antisemitismus und zog aus der These, die lästige Überlegenheit der Juden in Wirtschaft und Geistesleben sei „größtenteils ein Druck- und Verdrängungssymptom", den Schluß: „Ergo man lasse die Juden im Westen reich werden und sie werden bald ausgerottet sein." [59] Auf denselben Ton ist der Aufsatz „Zion und Europa" gestimmt. Dort diagnostiziert Döblin, Antisemitismus trete nur in gewissen Schichten auf, denen man ihn getrost lassen solle, „weil sie sonst die letzte Spur von Geist verlieren und das Leben ihnen reizlos wird"; „Was diese an ,Geistigkeit' produzieren, hat Kuriositätswert und verdient aufgeschrieben zu werden." [60] Auch für den westeuropäischen Zionismus hatte er nichts übrig; er war für ihn „eine Form jüdischer Verärgerung und Nervosität" (ebd.). Von den Westjuden erwartete er, daß sie auf dem Wege der Assimilierung „irgendwo hier verschwinden" würden, und hinsichtlich der jüdischen Minderheiten, etwa in Polen, hielt er das Selbstbestimmungsrecht der Völker für ausreichend (ebd., S. 342).

---

[58] Nach den Angaben Hugo Biebers war Döblin „gegen Ende des Weltkrieges aus dem Judentum ausgetreten" (K 487, Sp. 172).
[59] „Revue" (D 412), S. 263 und 264
[60] D 422, S. 341

Erst als es Anfang der zwanziger Jahre in Berlin zu antisemitischen Ausschreitungen kam und er zu zionistischen Versammlungen eingeladen wurde, schien ihm, „ich müßte mich einmal über die Juden orientieren. Ich fand, ich kannte eigentlich Juden nicht. Ich konnte meine Bekannten, die sich Juden nannten, nicht Juden nennen." (Sch 164) So kam es zur Reise nach Polen, die weitgehend solcher Orientierung gewidmet war und die ihn die Juden als Volk sehen lehrte [61]. Sosehr er auch der außenstehende Zuschauer blieb, so tief waren doch die Eindrücke, die er empfing: „Ich habe auf meiner Polenreise bei den sogenannten Juden, womit man den Rest des Judenvolkes bezeichnet, Männer gesehen und gesprochen, die zu den feinsten, schärfsten und tiefsten gehören, die mir begegnet sind." (Z 110)

Einen Reflex dieser Begegnungen finden wir in den Anfangsszenen von „Berlin Alexanderplatz": zwei Juden sind die ersten Menschen, die sich des entlassenen Sträflings annehmen und ihm zu raten versuchen; daß Biberkopf ihre Mahnungen in den Wind schlägt, wird er später bereuen. — Noch Friedrich Becker trifft in einem wichtigen Augenblick auf zwei Ostjuden (VV 412ff): allzu früh wollte er einen „Sieg" über seine Verwundung feiern, lange bevor er das „Tor des Grauens und der Verzweiflung" (HF 175) durchschritten hat; als er stürzt, hilft auch ihm, dem quasi auf Bewährung vom Tod Entlassenen, ein Jude wieder auf die Beine. Er freilich erzählt keine aufmunternde „Geschichte vom Zannowich", sondern berichtet fatalistisch vom Lemberger Pogrom, dem er entronnen ist, und dieser Fatalismus wird von Becker, ebenso wie Döblin selbst es schon 1933 in der Schrift „Unser Dasein" getan hatte, als masochistischer Hochmut gerügt. Auch hier geht ein „Licht" von den beiden Juden aus, nun aber gerade umgekehrt wie im „Alexanderplatz" deshalb, weil Becker seine eigene Verstocktheit in ihnen gespiegelt sieht (VV 421).

Den Grund für diese Kritik und für die Tendenz der Ausführungen Döblins in „Unser Dasein" und in den Schriften der Emigration werden wir erst später, auf dem Hintergrund des „Naturalismus", klären können. Hier mag die Feststellung genügen, daß der in Deutschland immer militanter werdende Antisemitismus Döblin zu sehr intensiver Beschäftigung mit dem jüdischen Problem veranlaßte, und zwar sowohl in theoretischen Schriften als auch in der Dichtung („Babylonische Wandrung"). Während der Emigration wurde er sogar ein Vorkämpfer der Territorialisten (die ein eigenes Staatsgebiet für die Juden forderten, aber nicht unbedingt Pa-

---

[61] vgl. „Ein Brief" (D 592). Jetzt in D 604 A, S. 127—129

lästina) und gab — nach einer Angabe Ludwig Marcuses [62] — in Paris die Monatsschrift „Freiland" heraus. In „Flucht und Sammlung des Judenvolks" widerrief er jenen Satz von 1927 und schrieb über die Juden: „ich wußte schon lange, daß, wenn ich schon zu einem Volk gehören soll, ich zu ihnen gehöre." (FSJ 104), und einen Brief an Kesten unterzeichnete er am 5. 7. 1933 trotzig: „Schönste (jüdische!!) Grüße" [63]. Aber all das war wohl auch eher ein „Druck- und Verdrängungssymptom", ebenso wie der marxistische Sozialismus in „Pardon wird nicht gegeben": die Verteidigung der Angegriffenen und Verfolgten, schon in den zwanziger Jahren der Anstoß zur Beschäftigung mit der Judenfrage, trieb Döblin in Positionen, die letztlich abseits von seinem Wege lagen. Mit Recht konstatierte er in der „Schicksalsreise": „Aber ich blieb draußen. [. . .] Wieder eine Fahne, die ich nicht halten konnte." (Sch 165)

Wenn wir zu unserer Ausgangsfrage zurückkehren, so können wir Döblins jüdische Abkunft doch nicht in dem Maße als quantité négligeable betrachten, wie er selbst das lange Zeit tat. Wesentlich wird dieser Umstand freilich kaum von einer bewußten und übernommenen jüdischen Tradition her — „das sogenannte Blut" und „die Nasen" [64] erst gar nicht zu erwähnen —, sondern vielmehr im Zusammenhang mit dem allgemeinen jüdischen Schicksal im Deutschland des 20. Jahrhunderts. Was steckt wohl alles hinter einem so bewußt leichtgewichtigen Satz wie: „Draußen begegnete mir der Antisemitismus, wie selbstverständlich" (Sch 157)? Wir wissen ja, wie sehr der junge Döblin schon unter seiner dem Vater nachschlagenden „Andersartigkeit" litt; die Zurückstoßungen, die er auf Grund seiner „Abstammung" erfuhr, kann man sich leicht ausmalen; sie dürften jenes fast schon schuldhafte Gefühl, ein outsider zu sein, noch erheblich verstärkt haben, und sicherlich darf man diese seelische Situation zur Erklärung für den belfernden Nationalismus in Döblins Artikeln zum Ersten Weltkrieg heranziehen: ebenso wie er ein Leben lang nach der Macht suchte, vor der er sich beugen konnte, ebenso sehnte er sich nach einer Gruppe, einem Volk, einer Gemeinschaft, der er sich einreihen durfte. 1914 war es das deutsche Volk, 1933 waren es die Juden und die Sozialisten und schließlich — wirklich „schließlich"? — die katholische Kirche. Auf dem Grund solcher, oft ziemlich forcierter, Parteinahmen blieb immer eine un-

---

[62] „Döblin greift ein" (K 470) S. 783. — Vgl. jetzt D 604 A, vor allem S. 569 und 572.
[63] D 595, S. 49
[64] „Revue" (D 412), S. 264

gelöste Frage zurück, die Ahnung, daß er auch hier letztlich „draußen" bleiben werde. Nie hat sein kritischer Verstand sich lange täuschen lassen.

Wenn von Döblins Schuldgefühl angesichts seiner outsider-Rolle die Rede war, so sei, abschließend zu diesem Komplex, noch eine Mutmaßung angefügt, die zu erhärten oder zu widerlegen einem besseren Kenner des Judentums vorbehalten bleiben muß.

Ich zitierte schon Döblins Worte über das jüdische Versöhnungsfest, an dem ihm „das furchtbare Dunkel des Schuldgefühls" auffiel, das dem Menschen aufgibt, „zu bereuen, sich zu reinigen" (s. o. S. 36). Was hier angesprochen wird, ist aber zugleich ein Grundgefühl Döblins selbst. Immer wieder kreisen seine Phantasien um die Motive „Schuld" und „Versöhnung", und es bleibt ein unumstößlicher Grundsatz, daß diese Versöhnung, der Weg zur Gemeinschaft, zum Einklang mit der Welt nur möglich sei über die demütige Selbstaufhebung, des „schuldigen" Individuums [65], erst sichtbar werde hinter dem „Tor des Grauens und der Verzweiflung" (HF 175). Diesen Weg haben Wang-lun, Ferdinand, Kylin, Manas, Biberkopf und Friedrich Becker gemeinsam; auch Gordon und Alice Allison gehören hierhin, und selbst der babylonische Gott Konrad gibt schließlich seinen trotzigen Widerstand auf.

Mir scheint, daß dieses so grundlegende, unausrottbare Schuldgefühl nicht nur individualpsychologisch und auch nicht nur aus Döblins Haltung zum politisch-sozialen Leben seiner Zeit zu erklären ist, sondern daß hier eine metaphysische, religiöse Unterströmung zutage tritt, die letztlich aus jüdischer Überlieferung sich herleitet. Nirgends in der deutschen Literatur dieses Jahrhunderts spielen die Begriffe „Schuld" und „Buße" eine so beherrschende Rolle — mit der einen, bezeichnenden Ausnahme: Franz Kafka.

[65] vgl. UD 476.

III. KAPITEL

DICHTUNGEN UND THEORETISCHE SCHRIFTEN VOR DER
NATURALISTISCHEN WENDE:
DER EINSAME MENSCH IN SEINER NICHTIGKEIT

„Ich wollte keine bloße Philosophie und noch weniger den lieben Augenschein der Kunst. Ich hatte schon schwere Dinge erlebt und mochte den
Spaß der gutsituierten Leute nicht und das Künstlertum, wenigstens das
was ich sah, widerte mich an." (Sch 161): So schilderte Döblin im Rückblick
die Situation, der er sich nach Abschluß der Schule (September 1900) ge-
genübersah. Abstrakte Begriffe (seine eigene „Philosophie" blieb immer
sehr bilderreich und „konkret") waren ihm ebenso zuwider wie Literatur
und Kunst der Gründerjahre. Im Kreise um Herwarth Walden mokierte
man sich „über die damaligen Götzen der Bourgeoisie, Gerhart Hauptmann und seinen unechten Märchenspuk, über die klassizistische Verkrampfung Stefan Georges. Es gab schon damals den Autor der ‚Buddenbrooks', er kam nicht in Frage." (AzL 385)
    Da für Döblin ein Leben als „freier Schriftsteller" schon auf Grund sei-
ner persönlichen Geschichte unmöglich war, bezog er die Universität, zunächst in Berlin, dann in Freiburg i. Br., hörte zwar Philosophie-Vorlesun-
gen, u. a. bei Max Dessoir und Adolf Lasson [1], studierte aber im Haupt-
fach Medizin: „Weil ich Wahrheit wollte, die aber nicht durch Begriffe
gelaufen und hierbei verdünnt und zerfasert war." (Sch 161); auch 1933
nannte er als Grund: „ ‚erkennen, was die Welt im Innersten zusammenhält,' und ich finde noch immer, nicht die Philosophie, sondern Biologie
und Medizin — breit genommen — ist der richtige Weg dazu." [2] In Freiburg legte er das Staatsexamen ab und promovierte bei Hoche über ein
psychiatrisches Thema. Zunächst in Regensburg, später in Berlin (Haus
Buch) assistierte er in Irrenanstalten, wandte sich dann (1908/09) der
inneren Medizin zu, weil er auf dem Wege über Drüsen- und Stoffwechsel-

---

[1] vgl. Döblin, „Gedächtnisstörungen bei der Korsakoffschen Psychose" (D 135),
S. 63, und Oskar Loerke, „Alfred Döblins Werk 1928" (K 423), S. 567.
[2] „Erfolg" (D 512), S. 123

untersuchungen den von der Psychoanalyse nicht zu klärenden Geistes-
krankheiten auf die Spur zu kommen hoffte (AzL 362). Er arbeitete in verschiedenen Abteilungen des Städtischen Krankenhauses Am Urban und
behielt seinen Laboratoriumsplatz zunächst hier, dann in der Charité auch
bei, nachdem er 1911 geheiratet und am Halleschen Tor (Blücherstraße 18)
eine Praxis eröffnet hatte. Noch vor Ausbruch des I. Weltkrieges verlegte
er die Praxis in den Berliner Osten (Frankfurter Allee 194, später 340), wo
er bis 1931 blieb. Die Kliniktätigkeit gab er auf, aber keineswegs nur aus
äußeren Gründen.

Vielmehr begann mit Eintritt in die ärztliche Praxis die wissenschaftliche
Medizin ihm fragwürdig zu werden; nur wenig von dem Gelernten, so
fand er, war brauchbar: „Es war Gelehrsamkeit, aber es waren keine wirklichen Kenntnisse." (AzL 363f) Das rein Konstatierende der Diagnostik
empfand er als unzulänglich; wichtiger seien „Behandlungen, Einfluß", die
man ihn eben nicht gelehrt habe (AzL 364). Als er sich 1920 aus ihm zunächst selbst noch unklarem Anlaß wieder einige Monate mit biologischen
und anderen naturwissenschaftlichen Problemen befaßte, verstärkte sich
seine Skepsis: „Ich erlebte die Natur als Geheimnis. Die Physik als die
Oberfläche, das Deutungsbedürftige [. . .] Ganz anders, verblüfft, sah ich
jetzt in die Lehrbücher, vor denen ich sonst Respekt hatte. Ich suchte und
fand nichts. Sie wußten nicht um das Geheimnis." (AzL 348) Das blieb
sein Vorwurf gegen die Naturwissenschaften: sie seien naturfern und einseitig mechanistisch, darum steril und bankrott [3]. In der Schrift „Das Ich
über der Natur" gibt es ein Kapitel „Die Verirrung der mathematischen
Naturwissenschaft" (IN 16ff); 1935 nannte er die abendländischen Naturwissenschaften „eine Naturahnungslosigkeit" (FSJ 36); die „sogenannten
objektiven Naturwissenschaftler" waren ihm „die Eckensteher und Frösche
von heute" (Sch 375), und noch in dem späten Aufsatz „Die Dichtung, ihre
Natur und ihre Rolle" kehrt der alte Vorwurf wieder: „Die Wissenschaft,
ich meine hier besonders die Naturwissenschaft, hat es längst verlernt,
sich beim Suchen, Finden und Entdecken das große, nie weichende Geheimnis aller Existenz vor Augen zu halten — das Geheimnis, das sich auch in
der Natur, in ihrem Sinn und Übersinn äußert." (AzL 238) — Auf diesem
Hintergrund wird klar, daß in der Ärztesatire am Schluß von „Berlin
Alexanderplatz" auch ein Stück Selbstironie und Persiflage auf die hohen

---

[3] vgl. „Mehrfaches Kopfschütteln" (D 167), S. 6, und „Blick auf die Naturwissenschaft" (D 378), S. 1134.

Erwartungen steckt, die er einstmals in die medizinische Wissenschaft gesetzt hatte: die Schilderung von Franz Biberkopfs Zustand, den der Oberarzt mit dem Begriff „katatoner Stupor" erfassen zu können glaubt (BA 470), erinnert in manchen Einzelheiten an den Fall jener Frau, den Döblin selbst 1907 — ebenfalls in Buch — beobachtete und 1908 unter dem Titel „Zur perniziös verlaufenden Melancholie" veröffentlichte; damals diagnostizierte auch er: „Wie eine Katatonische in Mimik, Unbeeinflußbarkeit." [4]

Auch die praktische Naturwissenschaft konnte also für Döblin letztlich nicht die Aufgabe erfüllen, zu erklären, „was die Welt im Innersten zusammenhält"; ein ungeklärter Rest, das „Geheimnis", blieb, und es war der Dichter Döblin, der Achtung vor diesem Geheimnis forderte, der es in seinen Werken, jede Lösung immer wieder in Frage stellend, umkreiste und ahnungsvoll beschwor.

Denn mochte er auch, nach eigener Darstellung, von seinem Schreiben etwa so viel halten, „wie ein Mensch, der an einem chronischen Schnupfen leidet, von dem Schnupfen etwas hält" (AzL 362), so ließ er doch selbst während des Studiums und während der Tätigkeit als Assistenzarzt nicht davon. Damals entstanden „Der schwarze Vorhang" [5], „Lydia und Mäxchen", die „Gespräche mit Kalypso" sowie die später in dem Band „Die Ermordung einer Butterblume" gesammelten Erzählungen [6]; darüber hinaus arbeitete er seit 1908 mit an den von Herwarth Walden herausgegebenen Zeitschriften, vor allem — seit 1910 — am „Sturm".

Diese Werke, sehr uneinheitlich in Inhalt und Form, zeugen von einem unruhigen Suchen nach eigenem Ausdruck; z. T. noch der geschmähten Literatur der Zeit, etwa der Neuromantik, verpflichtet, weist doch manche Skizze schon auf den Expressionismus voraus, werden erstmals Motive angeschlagen, die im Werk Döblins bestimmend bleiben sollten.

[4] D 137, S. 363
[5] Nach dem Vermerk in der Buchausgabe und nach der Angabe im „Ersten Rückblick" (ER 113) wurde der Roman in den Jahren 1902/03 geschrieben. Die Angabe im Gespräch mit Bergel, er habe das Buch im Alter von 19 Jahren verfaßt (D 582, S. 27), dürfte sich auf „Jagende Rosse" beziehen.
[6] Zwei nicht veröffentlichte Novellen aus dem Jahre 1902 („Erwachen") liegen im Nachlaß.

## A) Die Zerrissenheit der Welt und die unheimliche Macht der Sexualität

### I. „Der schwarze Vorhang" [7]

Von der verquälten Liebesgeschichte, die hier erzählt wird, war schon die Rede. Wichtiger ist es, das ihr zugrunde liegende Weltverständnis zu analysieren, das sich schon im Untertitel artikuliert: „Roman von den Worten und Zufällen". Die Welt erscheint als ein Chaos beziehungsloser Einzelheiten und Einzelwesen, deren etwaige Berührung nur zufällig, nicht sinnvoll ist: „Ein bitterer Abweg von Tod zu Tode ist das Leben. / Eine grausame Unbegreiflichkeit ist es." (SV 151f) sagt Johannes und: „Zufälle sind die gespenstigen Schritte des Lebens." (69) Die Herrschaft der Zufälle wird durch die Worte gestützt, durch die Begriffe, die das Flüchtige, Herangewehte verfestigen und ihm einen Zwangscharakter verleihen. Den Versuch, eine solche Tyrannei der Worte in der Entwicklung der Beziehung zwischen Johannes und Irene darzustellen (das von Beobachtern geflüsterte Wort „Liebe", von Johannes erst spielerisch übernommen, gewinnt „befehlende Kräfte" (84) und verursacht letztlich Brunst und Lustmord), — diesen Versuch wird man nicht eben als gelungen empfinden. Ernst zu nehmen aber ist jenes Gefühl, einer höhnischen, unangreifbaren Übermacht ausgeliefert zu sein, jener Macht, deren „Krallenhände" Johannes immer wieder spürt, deren „gellendes Gelächter" ihm immer wieder in die Ohren schlägt (28, 42, 104, 109, 116, 137f, 163). Das Leben ist ihm nichts als ein „schwarzer Vorhang", der nur unvollkommen die eigentliche Realität zu verbergen sucht: Tod und Zerstörung (154). „Ich habe nie gelebt; soll nie leben. Worte und Zufälle lebten für mich, starre Gewalten" (140).

Fühlt Johannes sich schon gegenüber dem Welträtsel um das eigene Sein betrogen, so ist Liebe ihm erst recht nicht möglich. Er kann sie nur als Fluch empfinden, als Zwang, der aus dem „Kainszeichen der Geschlechtlichkeit" (41) folgt, der ihm — im Angewiesensein auf einen anderen Menschen — seine Würde als Einzelmensch nimmt: „Oh, wie verstand er das Wort, daß der Mensch nicht allein sein solle; oh, wie verstand er, daß es das Wort eines mitleidlosen, menschenstolzhassenden Gottes war." (42; vgl. 109) Liebe als personale Bindung ersehnt er zwar, doch scheint sie ihm unmög-

---

[7] Der Roman erschien erstmals 1912 im „Sturm", dann — mit nur sehr wenigen, unerheblichen Änderungen — 1919 in Buchform, nach der hier zitiert wird.

lich: „Man soll in ein Menschenleben wie in ein Meer hinabsteigen, von einer Welle, die ihre Bahn läuft, von einer großen Zuckung bis an den Strand getragen, über Steine und Zufälle hinweg. / Wasser aber sind nicht da, das Leben graust wie ein unbewegliches Steinfeld. / Zwischen den Steinen redet keine Welle." (68) und nochmals: „Zwischen uns Zufallssteinen redet keine Welle." (93), denn: „Monaden sind wir und haben keine Fenster." (ebd.) — Liebe also überwindet die Vereinzelung nicht, sondern macht sie im Gegenteil erst schmerzhaft bewußt („die unersättliche Verlassenheit. / Liebe: ihr bester Biß und gelles Gelächter." — 109).

Die makabre Verschwisterung von Liebe und Tod werden wir in „Lydia und Mäxchen" wiederfinden und auch in den Erzählungen „Die Segelfahrt", „Das Stiftsfräulein und der Tod", „Die Verwandlung", „Der Ritter Blaubart". Im späteren Werk gewinnt der Tod dann eine eher noch größere Bedeutung, bezeichnet nun aber nicht mehr das Lebensende, die Vernichtung, sondern meint demütige Entsagung, Selbstbescheidung, Vernichtung des Stolzes, die erst die Basis schaffen für sinnvolle Aktivität.

Um die Jahrhundertwende war Döblin freilich noch weit von einer solchen, ja von jeder Sinngebung entfernt. Noch schien ihm die Welt ein wirres Durcheinander, wenn schon von einer lenkenden Macht beherrscht, dann von einer solchen, die dem Menschen unbegreiflich bleibt und ihm feindlich gesinnt ist. Weil der einzelne sich von diesem Unbekannten, das „aus dem weißen Ungefähr" (69, 76) auf ihn fällt, verspottet und gepeinigt sieht, artet sein Verhältnis zu anderen Menschen, erst recht zu untermenschlichen Lebewesen (der Hund, die Wicken), in sadistische Quälerei aus. Gegenüber der Weltqual kann er sich nur behaupten, indem er selbst Macht über andere gewinnt und sofern ihm diese Macht durch das Leiden des anderen bewiesen wird [8]. Daher die fast schon erlösende Lust, mit der Johannes die unappetitliche Prügelszene in der Schule (!) beobachtet; denn hier erspäht er einen Ausweg aus seinem Unterlegenheitsgefühl: „etwas Fremdes und aus sich heraus Wachsendes auf Leben und Tod zu besitzen." (33f) Aus diesem qualvollen Zwang zur Selbstbehauptung erwächst schließlich die trostlose „Liebes"-geschichte zwischen Johannes und Irene; beide sind zur Hingabe unfähig — es sei denn in der Form masochistischer Unterwerfung; beide können sich nur behaupten, indem sie den andern vernichten: „Ich habe sie zerstört; sie ist mein in alle Ewigkeit. Eine Menschenseele

[8] Auf ähnliche Weise ist ja noch, in „Berge Meere und Giganten", Marduk an Jonathan gebunden, s. o. S. 35.

ist mein und muß sich vor mir krümmen: ja das ist Liebe, wie ich sie begehre." (124) Mit größter Verdichtung heißt es nach dem Mord: „Dich hat einer erwürgt. Wer liebte dich so?" (160)

Die Zerstörung des Unterworfenen beweist zwar im höchsten Maße die Macht des Herrschenden, zugleich aber entzieht sie ihm sein Instrument für immer. So glaubt Johannes denn auch auf den Lippen der Toten ein Hohnlächeln zu sehen und erkennt: „Ich selbst bin mit ihr gestorben. Leer bin ich, allein." (161) Ihm bleibt nichts als der Selbstmord.

„Liebe" ist hier also nichts als der quälende Zwang des Sexus bzw. ein Mittel des Machttriebes, der im Dienst der Selbstbehauptung steht. Das Angewiesensein auf den anderen bedeutet Niederlage, die Abhängigkeit des andern dagegen Steigerung des eigenen Selbst, die allerdings nur so lange empfunden werden kann, wie die Qual des anderen seine Abhängigkeit dokumentiert. Diese Konstellation läßt schon in sich auf die Dauer keinen anderen Weg offen als den gegenseitiger Vernichtung.

Der höhnenden Zusammenhanglosigkeit der Welt entspricht der Verlust der personalen Einheit bei den Figuren. Immer wieder verselbständigen sich Körperteile („ihre Kehle lachte", 69, „ihre Augen sahen", 70, „ihre Lippen sprachen", 118 usw.) oder Bewußtseinszustände („seine Qual dachte", 143, „schrien seine Begierden nach ihr", 112, „Plötzlich waren diese Gedanken in ihn gekommen." — 100). Diese Verselbständigung von Dingen, Organen, Gedanken findet sich auch im späteren Werk Döblins noch häufig als Mittel zur Darstellung hochgradiger Erregungs- oder gar Krankheitszustände, als Veranschaulichung eines Nicht-bei-sich-Seins. Auch in dieser Beziehung ist beim Schritt vom „Schwarzen Vorhang" zu den frühen Erzählungen eine wachsende Distanzierung des Erzählers von den Figuren zu beobachten, wie wir sie schon anläßlich der „Memoiren des Blasierten" konstatieren konnten (s. o. S. 28). Energisch abzuweisen ist daher der dilettantische Versuch Helmut Schwimmers, aus solchen, stets auf bestimmte Figuren und Situationen zielenden Textstellen oder gar aus Äußerungen der fiktiven Personen ein gestörtes Verhältnis zur Wirklichkeit bei Döblin selbst zu erschließen [9]. Helmut Becker und Hansjörg Elshorst [10]

---

[9] Helmut Schwimmer, „Erlebnis und Gestaltung der Wirklichkeit bei Alfred Döblin" (K 583), passim. Schwimmers Methode, wenn man denn von einer solchen sprechen will, stellt sich sehr schön in folgenden Sätzen dar: „Auch der Katholik Döblin hat an dieser Einstellung festgehalten. So meint Gordon Allison ..." (S. 37 f). — Helmut Liede zieht in seiner viel fundierteren Arbeit (K 589) leider des öfteren ähnlich falsche Schlüsse. Vgl. hierzu unten S. 65.
[10] Becker, K 607, S. 11—13; Elshorst, K. 568, S. 143—152

haben dieser pseudowissenschaftlichen Etüde längst die gebührende Abfuhr erteilt [11]. Dabei schoß Elshorst allerdings insofern über das Ziel hinaus, als er für Döblin *jeden* Zweifel am Sinn der Welt leugnete und nur „Vertrauen zu einer immer wieder anders benannten Macht" glaubte feststellen zu können [12]. „Der schwarze Vorhang" erbringt den Gegenbeweis [13], und schon die Tatsache, daß Döblin später immer wieder Figuren schuf, denen die Wirklichkeit fragwürdig wird oder gar abhanden kommt, ferner seine ausgiebige Beschäftigung mit dem Phänomen des Selbstmordes [14] sollten uns vor allzu planen Aussagen bewahren. Zweifellos hat Döblin seit Beginn der zwanziger Jahre immer stärker einen die Welt durchwaltenden Sinn zu erkennen geglaubt — und diese Entwicklung ist Schwimmer völlig entgangen —, zweifellos auch finden sich schon sehr früh Ansätze zu dieser Weltsicht, aber wir können darum nicht leugnen, daß am Anfang dieses Weges eine große Ratlosigkeit, ja Verzweiflung stand, daß gerade diese Verlorenheit der Motor wurde für die Suche nach dem „Ursinn". Schon der Held der „Jagenden Rosse" hatte nach diesem Sinn gefahndet [15]. Damals flüchtete Döblin sich allerdings offenbar noch in ein wenig überzeugendes Happy-end. Wie wenig er selbst den dort beschworenen Weg „zu den Menschen, meinen Brüdern, meinen Schwestern und Geliebten" (AzL 357) offen sah, zeigt ja der Roman „von den Worten und Zufällen", der wenige Jahre später entstand und der mit dem resignierten Satz endet: „Die Welt ist zerklüftet, es gibt nirgends Brücken." (SV 160)

In wie hohem Maße hier die eigene Situation des Autors reflektiert wird, zeigt sich auch in der Scheu des Helden vor den „starren Worten" (29): „er entsetzte sich vor der grenzenlosen Sicherheit, mit der sie über Menschen und Dinge sprachen; er hatte Furcht vor der unerbittlichen Bestimmtheit der Worte, wo er stumm den Dingen lauschte und sich ihnen hingab." (24) Kurz vor dem Ende, noch einmal den Dingen ganz nah, versinkt er wieder in diese ahnungsreiche Stummheit: „Er lauschte starr hinein, wie als Kind, wo er fürchtete, die Dinge mit den rohen Händen der Worte zu

[11] Das hinderte Schwimmers Doktorvater, Hermann Kunisch, freilich nicht daran, die unzutreffenden Ergebnisse seines Schülers in einer jüngst erschienenen Literaturgeschichte nochmals vorzutragen (K 673, S. 56).

[12] K 568, S. 151

[13] Interessant nur, daß Schwimmer diesen einzigen Roman, der seine These stützen könnte, mit keinem Wort erwähnt.

[14] vgl. vor allem die im VI. Buch der Schrift „Unser Dasein" gesammelten Aufsätze (UD 310—340).

[15] vgl. „Stille Bewohner des Rollschranks", AzL 357.

zerbrechen." (151) — Sehr ähnlich klingt der Bericht, den Döblin 1928 von sich selbst gab: „Ich habe die Gabe des Dichters — zu schweigen!" und: „Allem Singen geht ein Schweigen voraus. In mir schwieg es eben lange, furchtbar lange. Was ich sprach, war alles schief und falsch. Verzerrt. Es war nicht ich." (ER 97) — Unser Roman zeigt deutlich, mit welchen Mühen Döblin die „Worte" eroberte. Später fand er — Johannes ahnt es schon — in der Hingabe an die Dinge den Weg zum Sprechen; damals aber war er noch weit von diesem Ziel entfernt, und so stoßen wir auf manche Hilflosigkeit, die sich nicht selten hinter einem unerträglich preziösen Stil zu verbergen sucht. Daß ein solches Versagen vor allem in der Darstellung Irenes häufig zu beobachten ist, kann nach dem im II. Kapitel Gesagten nicht verwundern:

> „Sie reichte zum Gruß und Abschied ihre kühle Hand; nackte, stolze Mädchenhände waren die vertrauten Dienerinnen ihres Leibes, schlanke Finger, die die Augen mit gelblicher Blässe trösteten. Man fühlte, daß eine schwache Süße immer von diesen Händen ausgeatmet wurde: da wurden alle Blicke auf die Hände zu feinen Gedichten. Wenig wallte ihr Inneres, wenn sie die Augen schloß; sie achtete still, glättete sich ohne Zagen und sicher, weder von außen noch von innen beirrt, reihte sich in das Bunte ein, die Klare.
> So träumte sie auch nicht oft. Ihre Träume spielten in ganz zarten Farben, die manchmal ins Traurige hinübergrauten. Das machte ihre Mädchenreife.
> So war Irene kühl und süß wie Milch." (69f)

So unfreiwillig komische Sätze wie: „Immer wieder dachte er von ihr weg, inzwischen fühlte und liebte es unten weiter" (47) oder: „Johannes ging stumm durch den Garten und die Straßen mit breiter Stirn und schluckte oft" (148) lassen es kaum begreiflich erscheinen, daß Döblin 1919 seinem Verlag das alte Manuskript zur Veröffentlichung übergab.

In den Bereich des Preziösen gehört auch die Verschwendung, die hier mit Farbwörtern getrieben wird. Der offenbar beabsichtigte Symboleffekt wird in dieser Überfülle kaum noch greifbar. Immerhin läßt sich noch erkennen, daß „grün" wohl den Bereich des Unbewußt-Triebhaften bezeichnet (15: die Eidechsen im Grün; 18, 122: die grünen Augen der Triebe u. a.) und daß „schwarz", wenig originell, Bedrohliches signalisiert („Der schwarze Vorhang"; 37: schwarze Kobolde; 90: schwarzes Wasser; 140: schwarze Baumwipfel). Andere Farben (grau, blau, rot) sind nicht so eindeutig, und „weiß" kann geradezu Entgegengesetztes bezeichnen: „weißer Wein" ist das Symbol für die Sehnsucht des Johannes (12, 44), von weißer Lebensleichtigkeit ist die Rede (65), aber auch von weißen Leichnamen (13, 71) und vom weißen Ungefähr, aus dem die unbekannte Macht die zerstörenden Zufälle schickt (69, 76); immerhin wäre hier noch eine Interpretation möglich, daß nämlich mit „weiß" das Undefinierte, das jenseits der Erfahrung Liegende, folglich auch das nur Ersehnte bezeichnet werde, und hier ließe sich mit sehr viel Toleranz sogar noch die weiße Nixe mit den weißen Augen (91) unterbringen. Jedenfalls wird hier des Dekors entschieden zu viel getan. Ein ähnliches Übermaß an Farbwörtern finden wir auch noch in einigen späteren Erzählungen, so vor allem in „Mariä Empfängnis", „Der Ritter Blaubart", „Die Verwandlung" und „Das Krokodil". Anschaulichkeit wird auch in diesen Fällen nur selten erreicht, da der Leser einen derartigen Schwall von Farbvorstellungen zu realisieren kaum in der Lage ist.

Hilflos wirken auch die Versuche des Erzählers, sich durch ironische Bemerkungen vom Geschehen und von seinem Helden zu distanzieren: „Es wäre eine leichte Fortführung, wenn"; „Dieser Mann ist ja nur erdacht" (10); „fing [...] auf die hergebrachte Art zu schluchzen an." (11) Auf S. 32 kritisiert er zwar noch die unmäßige Verehrung, die Johannes der Frau entgegenbringt, aber schon auf S. 38 befindet er sich mit seiner Reflexion über den Zufall ganz im Fahrwasser seines Helden und bleibt konsequenterweise fortan stumm. Es ist ja auch ganz unsinnig, in einem Roman, der den Menschen als hilflosen Spielball unbekannter Mächte zeigt, den Erzähler im Sinne der romantischen Ironie bramarbasieren zu lassen: „Wenn ich gelaunt bin, fallen alle Steine nach oben, singen alle meine kleinen Hexchen: fair is foul and foul is fair." (11), — es sei denn, der Erzähler verstünde sich als Vertreter jener Macht, als schadenfrohen Marionettenspieler; in Wahrheit aber ist seine weitgehende Identität mit dem Helden unverkennbar; die Distanzierung, wohl nur aus Schamgefühl unternommen, mißglückt.

Aber wie im Inhalt findet sich auch im Stil keineswegs nur Rückständiges und Überholtes. Großen Raum nimmt schon hier der „innere Monolog" ein, den Döblin später immer wieder verwendete und der viele Partien von „Berlin Alexanderplatz" beherrscht. Oft sind diese „Selbstgespräche" allerdings noch durch Abschnittsgrenzen vom Kontext getrennt (z. B. 34—36, 62—64, 90, 137 f) oder wenigstens durch Alinea abgesetzt (Z. B. 92—94, 123, 135, 139, 151). Interessant ist die Behandlung dieser Fälle im Vorabdruck des „Sturm", der weniger Absätze hatte als die Buchausgabe: dort wurden diese inneren Monologe durch ein vorangestelltes Anführungszeichen gekennzeichnet [16]; nur ausnahmsweise stand auch am Ende ein solches [17]. Dieses Experimentieren zeigt, wie neu die Technik damals noch war. — Am Ende des Romans finden wir ein Selbstgespräch, das noch stärker als die anderen von Assoziationen geleitet wird und das man wohl mit einigem Recht als einen Vorläufer des „stream of consciousness" bezeichnen darf, mag es auch noch konventionell eingeleitet sein („Auf seine Lippen trat unwillkürlich: [. . .]" — 157f).

So bleibt dieser Roman zwiespältig in Inhalt und Form. Vieles findet noch nicht den rechten Ausdruck und wirkt damit prätentiös, ja lächerlich. Auch der Schluß, offensichtlich der bewunderten „Penthesilea" [18] nachempfunden, vermag nicht zu überzeugen. Noch allzusehr gehört dieses Werk jener „unter Erotismen, Hypochondrien, Schiefheiten und Quälereien berstenden Literatur" an, die Döblin 1913, während der Arbeit am „Wanglun", erleichtert verhöhnte (AzL 9). Für uns ist „Der schwarze Vorhang" deshalb wichtig, weil er exakt den Punkt bezeichnet, von dem Döblins Ich- und Sinnsuche ihren Ausgang nahm, und weil er zeigt, von welchem stilistischen Ballast der Dichter sich befreien mußte, ehe die großen Romane ihm möglich wurden. Schon bald suchte er sich von dem Alptraum der hier dargestellten Welt zu befreien, sei es in der Form der Parodie, sei es in der Einengung des Problems: die den Roman beherrschende Sehweise wird zur — meist neurotischen — Perspektive bestimmter Personen umgedeutet und damit kritisierbar gemacht, vorläufig freilich noch ohne daß eine Gegenposition sichtbar würde.

## II. „Lydia und Mäxchen. Tiefe Verbeugung in einem Akt" [19]

Den ersten Weg, den der Parodie, beschreitet diese, freilich sehr komplexe, Farce, deren Vergleich mit dem frühen Roman nicht ohne Interesse ist.

[16] „Der Sturm", Nr. 115/116, S. 82, 83, 85
[17] ebd., Nr. 117/118, S. 94
[18] vgl. „Kannibalisches" (D 402), S. 756; ER 101; Sch 158.
[19] Das Stück wird hier nach dem Zweitdruck zitiert (L). Die dort vorgenommene leichte Abänderung des Schlusses ist in unserem Zusammenhang nicht von Bedeutung.

Das Stück, das sich im Motto selbst als „Salat" bezeichnet und den zeitgenössischen Literaturbetrieb verhöhnen will [20], ist in so hohem Maße reines Spiel — Spiel mit der Illusion, mit dem Zuschauer, mit der „Aussage" —, daß eine in sich gerundete Interpretation kaum möglich scheint [21]. Deutlich aber wird bei allem Übermut, allem „Tohuwabohu" (26), daß Döblin damals immer noch vor den ungelösten Problemen des „Schwarzen Vorhangs" stand. Dichtung (die „Worte" des Romans) könnte zwar die Dinge zu ihrem wahren Sein erlösen — der Stuhl meint: „Wir sind lebendig, von großem Einfluß, und ich glaube, er hilft uns zu unserm Recht, der Dichter." (13) —, demonstriert wird aber gerade der umgekehrte Fall: Dichtung als Verfälschung der Wahrheit. Das Stück, das da aufgeführt werden soll, ist offensichtlich verlogen, weil es ein vom Dichter forciert entworfenes Gegenbild zu seinen tatsächlichen Erfahrungen darstellt: „die Güte kehrt wieder, die Güte lebt, die herbstreife, verschollene; sie lebt und lacht und hebt sich mit dem königlichen Herzen. Die tiefe Liebe hat die starken Arme und nicht die wilde Brunst, und nicht die kranken Klagen und die heißen Lieder." (18) — Seine Gestalten, Max und Lydia, wissen es besser und führen eine Haßliebe vor, die sich von der zwischen Johannes und Irene in nichts unterscheidet. Jene höhnisch lachende, mit ihren Krallenhänden immer wieder zupackende Macht heißt hier Astarte (L 21, 24); Lydia fordert: „Du mußt mir schwören, daß du sterben wirst, wenn du mich berührt hast, daß du mit eigenen Händen den Scheiterhaufen schichten wirst für uns" (24) und schwärmt: „Du wirst mir die weiße Brust aufreißen, das Herz zerquetschen und malmen, — aus eitel, eitel Liebe. So stark wie der Tod ist deine Liebe." (26) Auch Max nennt die Geliebte „Feind der Feinde" (25). Zu einer melodramatischen Mordszene wie am Schluß des Romans läßt Döblin es hier allerdings nicht mehr kommen: als Max Lydia erwürgen will, knallt der Klabautermann ihn und die Heldin mit dem Donnerstein ab (27): auch der Blutrausch des „Schwarzen Vorhangs" ist zur Farce geworden.

Der Dichter, von Döblin nach dem eigenen Bild gezeichnet („Der schlanke Herr, der, der magere mit dem Kneifer" — 13), muß schließlich seine Proteste gegen die Wendung in Todessucht und Geschlechterhaß

---

[20] „Bei verdorbenem Magen wirkt Salat oft in jeder Form erfreulich (Eigene Beobachtung)" (L 12).
[21] Eine zusammenhängende Deutung dieses Einakters fehlt bisher; bei Horst Denkler wird er lediglich in seiner Eigenschaft als ein Stück Antitheater gewürdigt (K 645, S. 38—42).

zurücknehmen: „Die Meute, die hier gebellt hat — ich bin es. Doch! Der Kot, der alte Kot — bin ich. Umsonst gekämpft, umsonst gerungen, es lebt noch!" (27); mit dem Ruf: „Rettung. Rettung. Erbarmen." stürzt er an die Rampe (28) [22].

Was „Wahrheit" und „Wirklichkeit" hier meinen, ist nicht leicht zu sagen. In bezug auf Lydia und Mäxchen ist offenbar eine „innere" Wahrheit gemeint: die vom Dichter geschaffenen Gestalten beharren darauf, seine Gestalten zu bleiben, d. h. seine wahren Gedanken und Gefühle zum Ausdruck zu bringen; sie weigern sich, die ihnen aufgezwungene Schönfärberei mitzumachen. So rebellieren sie weniger gegen den Dichter als vielmehr gegen seinen Versuch, sich selbst zu belügen. Freilich — und damit wird diese Deutung wieder fragwürdig — vermag uns die „wahre" Geschichte der beiden ebensowenig zu befriedigen wie den Klabautermann, und wir sind geneigt, dem um Rettung flehenden Dichter eine wenig freundliche Antwort zu geben. Damit täten wir ihm aber wohl doch unrecht, denn immerhin gewinnen seine Figuren ja Gestalt, er hat ja recht mit seiner Herausforderung an den Regisseur: „Sehen Sie hin, ob es lebt, was ich geboren." (16): es lebt so sehr, daß es sich sogar gegen ihn selbst wenden kann.

Dieser Fähigkeit, Lebendiges zu schaffen, ist eng verwandt die andere, scheinbar Totes, die „Sachen", zum Leben zu erwecken. Diese Verbindung wird besonders klar, wenn der Stuhl den Dichter nach dem eben zitierten Satz begeistert umarmt (16). Er, der Ideologe unter den erwachenden Dingen, fühlt eine neue Zeit anbrechen und hofft auf die Hilfe des Dichters. Tatsächlich ist es ja wohl die Aufführung seines Dramas (zu Beginn stehen wir in der Pause nach dem 2. Akt), die beim Stuhl und seinen Gefährten jenes Zucken und Kribbeln in „Beinen und Fingern" hervorruft (13); der Dichter ist es auch, der als einziger die Unruhe der Gegenstände bemerkt, und nach dem Verschwinden seiner Helden stehen auch die Sachen wieder „starr und steif" da (27). Aber ebenso wie in seinem Stück sind ihm auch gegenüber den Dingen nur Halbheiten möglich. Der Stuhl bemerkt schon bald, daß der Dichter sie fürchtet (13); wir sehen ihn mißtrauisch herumschleichen und die Dekorationsstücke überprüfen (20). So kann es nicht verwundern, daß die Dinge sich getreu der Losung des Stuhls („Was die Gespenster können, können wir auch. Der Dichter unterschätzt uns." — 17)

---

[22] In der Erstfassung unternimmt er statt dessen einen Selbstmordversuch (D 47, S. 52).

ebenso wie die Helden des Stückes gegen den Autor erheben, als er persönlich den blutigen Schluß verhindern will: Max verwundet ihn mit dem Schwert, der Kandelaber wirft ihm die Glocke nach, der Stuhl versetzt ihm einen Tritt (25).

Die merkwürdige Rolle, die die Dinge hier spielen, war schon im „Schwarzen Vorhang" angedeutet und in den „Gesprächen mit Kalypso" weiter erörtert worden. Hier erscheint die Gegenkraft, die Döblin gegen jenes Bild der heillos zerklüfteten Welt, gegen das Bild vom Menschen als einer fensterlosen Monade beschwor: der Gedanke vom beseelten Zusammenhang alles Seienden — ein durchaus expressionistischer Gedanke [23], der für die Herausbildung von Döblins philosophischem Naturalismus entscheidend wurde und den er am prägnantesten in den Ausführungen zum Phänomen der „Resonanz" zusammenfassen sollte (UD 168ff).

Schon im „Schwarzen Vorhang" ist von der Kraft der stummen Dinge die Rede (SV 15), und als es Johannes kurz vor dem Ende noch einmal gelingt, ganz nahe an sie heranzukommen, da stellt sich die sonst so zusammenhanglose Welt ihm plötzlich ganz anders dar: „Mit eins war Alles so grenzenlos, verschwommen, und doch eng zusammengeschlossen und verbunden." und: „Jeder Ton im Liede klingt und lehnt an den andern, auch Farbe hebt sich gegen Farbe, nichts ist ohne das andere. Nichts gelöst und einsam: Verflochtenheit." (151) So ruht er zwischen den Dingen „Schulter an Schulter", doch dann reißt er sich wieder los: eine Übertragung dieser traumhaften Versenkung auf das Leben, gar auf das Leben mit einem anderen Menschen, scheint unmöglich. Daß hier hinter dem Augenschein das wahre Bild der Welt aufblitzt, deutet der einleitende Satz an: „Dann ging über den grauen Augen der Vorhang wieder auf." (150); mehr als diese dunkle Ahnung aber konnte Döblin damals noch nicht geben, weil er selber noch keine Klarheit gewonnen hatte.

Zu deutlicheren Thesen kam er in den „Gesprächen mit Kalypso". Dort bekennt der Musiker: „um das Singen der Dinge bin ich schon manchmal geschlichen. Aber die Dinge enthüllen sich nicht gern." [24] Ebenso wie im „Schwarzen Vorhang" geht Döblin auch hier vom Ton aus, allerdings nicht von der Eingebundenheit des Einzeltons in die Melodie, sondern, noch eine Stufe zurück, von der Entstehung des Tones selbst; denn zu tönen begin-

---

[23] vgl. Wolfgang Wendler, „Carl Sternheim. Weltvorstellung und Kunstprinzipien" (K 729), S. 256. Sowohl Horst Denkler (K 645, S. 38—42) als auch Ernst Ribbat (K 580, S. 27 f) haben diesen vitalistischen Aspekt übersehen.

[24] D 330, Nr. 8, S. 58

nen die Dinge nicht aus sich, sondern erst, wenn zwei einander berühren: „immer ist der Ton das Zeichen der Gemeinsamkeit. [. . .] Und dies besagt, daß der Stoff und die Einsamkeit nicht ist, daß das Tote nicht ist; gut und licht sind die Wege, die der Ton uns führt. In der Bewegung, im Kampf, in der Beziehung erweisen die Stoffe ihre Wirklichkeit" [24]. Freilich schießt Döblin nun in die andere Richtung über das Ziel hinaus, wenn er meint: „das Ding erschöpft sich in seinen Beziehungen, ist nichts hinter den Beziehungen, nichts mehr." (11, 84) [25]. Bei solchen Beteuerungen blieb es, denn: „Ich erkenne Gleichmaß, Wiederkehr und Zusammenhang an; einen Sinn hat die Welt, den ihr der Satz der Beziehlichkeit leiht, — weiter aber kann ich nicht, oh Kalypso, nur preisen Gleichmaß und Beziehlichkeit und immer preisen den Baum, von dem — mir kein Apfel herunterfällt." (ebd.) Solches Ahnen hilft dem Menschen nicht, weil er sich nicht einbezogen fühlen kann und weil er nur sehr partielle Einsichten in das Wesen der Welt hat: „Das Ineinander des Vielfältigen, Gereihten, die Wurzel der Verflochtenheit ist gut verschüttet, kein Dichter hat sie je berührt." (8, 59) — Mögen auch die Dinge untereinander Zusammenhang haben, der Mensch ist letztlich ausgeschlossen, solange es bei der Feststellung aus dem „Schwarzen Vorhang" bleibt: „So liegt alles still, seellos, aber verflochten, eins ins andere." (SV 153)

Der Gedanke nun, daß auch die Dinge nicht „seellos" seien, ein Gedanke, der z. B. in dem Aufsatz „Die Natur und ihre Seelen" (1922) breit ausgeführt werden sollte, dieser Versuch, die Brücke zwischen dem Menschen und den „Dingen" zu schlagen, findet seinen ersten, wohl absichtlich verschrobenen Ausdruck in „Lydia und Mäxchen". Ein Stuhl, ein Spind, ein — ohnehin menschenähnlicher — Kandelaber, ein gemalter Klabautermann: diese buntscheckige Gesellschaft vertritt die „Dingwelt", und selbst innerhalb dieser Gruppe gibt es Meinungsverschiedenheiten; wenn der Stuhl dekretiert: „wir sind beseelt und haben uns anständig zu benehmen", so gähnt das Spind: „Ich mag den Pantheismus nicht. Das Leben ist solch Quatsch." (L 14) — Auch daß diese Lebendigkeit offenbar zumindest teilweise vom Dichter bzw. vom Bereich des Fiktiven abhängt, trägt zur Relativierung der Lehre von der Allbeseeltheit bei. Trotzdem haben wir hier, in Döblins erster belletristischer Veröffentlichung, die erste Äußerung jener pantheistischen Grundstimmung vor uns, die für seine Philosophie

---

[25] Die erste Ziffer nennt die Nummer, die zweite die Seitenzahl im „Sturm".

lange Zeit bestimmend war und selbst nach der Konversion bedeutsam blieb.

Daß die beseelten Dinge sich hier mit den makabren Liebenden verbinden, die keine andere Beziehung zueinander finden als die gegenseitiger Vernichtung, das zeigt, auf wie schwachen Füßen die Erkenntnis noch stand; zwei „Wahrheiten", die einander konsequenterweise hätten ausschließen müssen, beanspruchen noch nebeneinander Gültigkeit.

Zweifellos wollte Döblin in der Gestalt des Dichters auch die zeitgenössische Literatur ironisieren (ihr gilt sicherlich die „Tiefe Verbeugung"), aber hauptsächlich versuchte er in einem wenig verhüllten Selbstporträt die Widersprüche der eigenen Situation darzustellen. Jene Lehre von der Beseeltheit aller Dinge war noch nicht begriffen und konnte darum auch ihre tröstende und aufrichtende Funktion noch nicht erfüllen. Lange noch blieb „die Welt" ein bedrohliches Gegenüber, lange auch der andere Mensch, vor allem der andersgeschlechtliche Mensch, ein furchteinflößender Feind. Döblins Figuren fühlen sich von einer unbegriffenen Welt attackiert, in die Verteidigung gedrängt; darum sind sie unfähig zu liebender Hingabe, sei es an die Welt der Dinge, sei es an den anderen Menschen; sie müssen, um sich zu behaupten, das andere, den anderen angreifen. Am deutlichsten wird dieser Mechanismus in der Geschlechterliebe, die darum viele der frühen Erzählungen Döblins beherrscht. Ein weiterer Grund für diese Themenwahl lag in der ungeklärten Stellung des Menschen und des Dichters Döblin zur Frau, von der schon die Rede war. Die Furcht vor der Sexualität läßt seine Gestalten nicht nur den „Gegner" im Liebesringen, sondern auch sich selbst, die eigene Leiblichkeit, attackieren. So gewinnt das Bild vom Kampf des Menschen gegen seine feindliche Umwelt eine zusätzliche Dimension.


## III. *Die Erzählungen I*

### Vorbemerkungen

Wenn in den folgenden Abschnitten, ungeachtet des zeitlichen Abstandes, die Erzählungen aus beiden Sammelbänden („Die Ermordung einer Butterblume", 1913; „Die Lobensteiner reisen nach Böhmen", 1917) gemeinsam behandelt werden, so hat das nicht nur formale Gründe. Es ist vielmehr leicht zu sehen, daß die meisten „Lobensteiner"-Erzählungen gegenüber den früheren keinerlei Fortschritt erkennen lassen. Das gilt sogar weitgehend noch für den 1918 erschienenen Roman „Wadzeks Kampf mit der Dampfturbine"; deshalb soll auch von ihm schon hier die Rede sein. „Die drei Sprünge des Wang-lun" (1915) fanden erst im „Wallenstein" (1920) ihre geistige und formale Fortsetzung, während der „Wadzek" wie eine künstlich zum Roman aufgetriebene Erzählung in der Art der „Ermordung" wirkt. Der Weg von Wang-lun zu Ferdinand dem Anderen führt nicht über den Berliner Fabrikanten.

Eine Teilerklärung für den Rückfall in Positionen, die bereits der chinesische Roman hinter sich gelassen hatte, gibt Döblin selbst in der „Autobiographischen Skizze" von 1922: „1913/14 schrieb ich den Novellenband ‚Die Lobensteiner' als Erholung von der ‚Wang-lun'-Arbeit." (Z 57) Oskar Loerke zufolge befand Döblin sich nach Abschluß des ersten großen Romans „in einem Zustand der Apathie und Indifferenz." [26] Der Absicht, sich zu erholen, war der Rückgriff auf schon durchprobierte Muster natürlich angemessener als die weitere Bemühung um die neuerrungene Form, die überdies nach einem großen Vorwurf verlangte. So kehrte Döblin anfangs wieder zu kleinen Erzählungen zurück; dann faßte er offenbar den Plan, aus einem geistig in den Umkreis der „Ermordung" gehörigen Sujet ein Gegenstück zur Geschichte der „Wahrhaft Schwachen" zu formen, jene Welt der modernen Technik darzustellen, vor der er in der Zueignung zum „Wang-lun" das Fenster geschlossen hatte. Der westliche Großstadtmensch sollte gezeichnet werden, dem Aktivität als solche schon eine Tugend ist, der sicher dies nicht kann und nicht will: „Schwach sein, ertragen, sich fügen" (Wl 471) [27]. — Trotz wochenlanger Studien in den Hallen der AEG [28] gelang es Döblin aber nicht, um die wenigen Figuren herum Welt sichtbar zu machen; es entstand nicht das Seitenstück zum „Wang-lun", sondern noch einmal die Geschichte des Herrn Michael Fischer bzw. die des Privatgelehrten Adolf Götting. In der kleinen Erzählung „Von der himmlischen Gnade" steckt mehr Berliner Atmosphäre als in dem ganzen Roman, der sehr zu Unrecht die Dampfturbine im Titel führt.

Eine Datierung der Erzählungen hat bisher niemand versucht, und sie scheint auch kaum möglich. Ohne jeden Beleg behauptet Links, in den „Lobensteiner"-Band habe Döblin nicht nur nach dem „Wang-lun" ent-

[26] „Alfred Döblins Werk 1928" (K 423), S. 577
[27] Martinis Behauptung, in der Gestalt Wadzeks sei eine „Variation des Wanglun-Themas" zu sehen (K 559, S. 333), ist unhaltbar.
[28] Hiervon berichtet Loerke in „Alfred Döblins Werk 1928" (K 423, S. 577).

standene, sondern auch frühere Stücke aufgenommen [29]. Angesichts mancher Exemplare dieser Sammlung, deren preziösen Ton Walter Muschg als nach dem chinesischen Roman „kaum begreiflich" empfand [30], würde man das zwar gerne glauben, aber es fehlt jeder Anhaltspunkt. Vor April 1914 („Die Nachtwandlerin") ist meines Wissens keine dieser Novellen veröffentlicht worden; Döblins Angaben über die Entstehungszeit des gesamten Bandes (s. o.) dürften also wohl zutreffen.

Noch unsicherer ist die Datierung der ersten Sammlung. Alle Erzählungen — mit Ausnahme von „Das Stiftsfräulein und der Tod" und „Die Memoiren des Blasierten" — erschienen 1910 und 1911 im „Sturm". Im „Ersten Rückblick" ist als Zeitraum des Entstehens „1904/11" angegeben (ER 113); eine genauere Aufschlüsselung gibt es nicht.

Döblin experimentierte damals mit sehr unterschiedlichen Stoffen und Stilen; er scheute sich auch nicht, die unerträglich larmoyante Erzählung „Die Verwandlung" Erna Reiss zu widmen, ein ziemlich trostloses Verlobungsgeschenk, sollte man meinen [31]. Anregungen im „Sturm"-Kreis, der sich auf dem Weg zur reinen Wortkunst befand [32], mögen ihn hier und da fehlgeleitet haben. Manches, was die Zeitgenossen freudig akzeptierten, ist heute kaum mehr erträglich. So erschien „Mariä Empfängnis", eine Erzählung, die es trotz pseudo-aufklärerischer Geste fertigbringt, katholische Madonnensüßlichkeit noch zu überbieten, 1917 mit vier Zeichnungen von Georg Tappert in „Die schöne Rarität" und, nach Angaben von Wolfgang Peitz, obendrein noch als Sonderdruck [33]. Wir werden uns eine genauere Beschäftigung mit dieser spätnazarenischen Etüde ebenso ersparen wie die mit den langatmig berichteten Schildbürgerstreichen der Lobensteiner (LB 206ff) oder mit den sehr unklaren Taten des „Gespenstes vom Ritthof" (LB 185ff). Die Erzählungen „Der vertauschte Knecht" (LB 195ff) und „Die falsche Tür" (EB 99ff) können wohl nur insoweit Interesse beanspruchen, als sie mit ihren Schlüssen die Erwartungen des Lesers düpieren. Im „Ritter Blaubart" (EB 63ff) versammeln sich alle möglichen Themen zu undurchsichtigem Treiben: Märchenhaftes, Naturmystisches, Christliches und Sexualpathologisches; das Ganze spielt zu einer Zeit, da man zur Fortbewegung sowohl Rappen (63) als auch Automobile (67) benutzt und

[29] Roland Links, K 558, S. 49
[30] EB, Nachwort, S. 427
[31] Zu den Hintergründen vgl. jetzt Robert Minder, K 592.
[32] vgl. dazu Döblin im „Epilog", AzL 386.
[33] „Alfred Döblin Bibliographie" (K 554), Nr. A 65

im Kampf gegen heidnische Indianer sein Leben läßt (75). Wen wundert's, da auch die hoffnungslos zeitentrückten Herrschaften in der „Verwandlung" über Telephone verfügen [34]? In Miß Ilsebill zeichnet Döblin wieder einmal ein verquältes Bild der Frau; sie muß ihre sündhafte Lust mit Auflösung im Mantel der Mutter Gottes bezahlen (74), was immer das sein mag. Innerhalb der Erzählung selbst ist gar nicht so recht verständlich, was der Bauer sagt: „Wäre nicht bei den Frauen jetzt die Unzucht und Gottlosigkeit so groß, so wäre der arme Ritter längst befreit von dem Tier." (71f), aber hier wird in der Tat das Grundmotiv dieser mißglückten Märchenadaption, symbolisch verschlüsselt, angesprochen. — Während „Das Femgericht" (EB 119ff) das Kohlhaas-Motiv auf der Lumpen-Ebene durchspielt, lehnt die im Chronistenton erzählte Revenant-Geschichte von der „Helferin" (EB 55ff) sich auch stilistisch an Kleist an; leider wird die Chronisten-Fiktion am Schluß zerstört, denn nur ein allwissender Erzähler könnte berichten, was vor der Feuersbrunst im Gerichtssaal geschah [35].

So bleiben uns, da von den „Memoiren des Blasierten" und von der 1920 selbständig publizierten „Flucht aus dem Himmel" bereits die Rede war, noch vierzehn Erzählungen, die entweder für sich oder im Zusammenhang mit späteren Werken einige Aufmerksamkeit verdienen. Die meisten von ihnen nehmen, ebenso wie die „Verwandlung", der „Blaubart", die „Memoiren" und die „Helferin", das Motiv der Geschlechterliebe und des Geschlechterkampfes wieder auf.

### „Der Kaplan"

Das Grundmotiv dieser Novelle erscheint schon im „Schwarzen Vorhang"; dort hatte Döblins ambivalente Haltung zur Sexualität sich in den Gestalten des Mönchs und der Nixe manifestiert (SV 90f, 129f, 135f), und es hieß: „sollte der Mönch sie einmal küssen — wären dann beide erlöst" (135f). Ähnliches scheint Döblin auch in dieser Erzählung vorzuschweben [36], die Muschg mit Recht schwer verständlich genannt hat (EB 127).

[34] D 40, S. 60
[35] Diese Kritik findet sich jetzt auch bei Ernst Ribbat (K 580, S. 67 und 69), der mehreren der hier nur erwähnten Erzählungen ausführlichere Bemerkungen widmet.
[36] Dafür sprechen auch die Mitteilungen Muschgs über das Manuskript „Gang eines Mönches nach Berlin" (EB 427).

Der Schauplatz ist Berlin, die Stadt, die Döblin schon 1910 in einem ironischen Artikel als „Das märkische Ninive" apostrophiert hatte, „eine sonderbare Lust- und Sündenstadt", in deren nächtlichen Straßen der Wolf, „das magere Tier der Lust", heule [37]. Von diesem Artgenossen der Hure Babylon, die in „Berlin Alexanderplatz" eine so wichtige Rolle spielen wird, ist im „Kaplan" freilich nur ein schwaches Kläffen zu hören. Die Stadtschilderung bleibt ganz impressionistisch [38]; dem Inhalt entsprechend ist die Szene des öfteren in Nebel gehüllt (EB 181, 201). Eine auf Reinholds Machenschaften im „Alexanderplatz"-Roman vorwegweisende Frauentauschgeschichte (187—192) wirkt nicht recht eingearbeitet [39]. — Was die Beweggründe der Personen anlangt, so ist der Leser weitgehend auf Vermutungen angewiesen.

Offenbar durch eine Beichte neugierig gemacht (181), sucht der Kaplan die Bekanntschaft der Halbweltdame Alice Dufoult. Verträumt geht er zu dem Schuhgeschäft zurück, vor dem er sie angesprochen hat, und kauft Schuhcreme; den Rausch nachempfindend, steht er unter dem Schirm, den er über sie gehalten hat. Die Creme und der Schirm werden geradezu Fetische (192, 196). Neugier und noch unbewußte Faszination treiben ihn schon am nächsten Tag, Alice zu besuchen. Dort sitzt er mit dem schmierigen Leutnant Robert von Wahlen und betrachtet alles mit „unsäglicher Dankbarkeit" (184): „Ich bin nur froh, daß ich hier sitzen und alles mit ansehen darf." (186) Noch hält er auf Distanz und bittet Alice, ihn nicht anzufassen. Der vulgäre von Wahlen merkt trotzdem, was vorgeht, und schlägt dem Geistlichen vor, ihm eine abgehalfterte Geliebte, Bertha, abzunehmen: so gedenkt er den merkwürdigen Heiligen von Alice fernzuhalten und ihn „durch den Sumpf" zu ziehen (198). Anselm sagt zu, nachdem er sich mit einem bettelnden Blick — er weiß im Grunde, daß der andere lügt — Roberts Liebe zu Alice hat versichern lassen: Hilfsbereitschaft und Neugier mischen sich. Als Bertha in ihrer vulgären Herzlichkeit vermutet: „Und weil Sie schüchtern sind mit Damen, ist Ihnen ganz paß, daß der Filou Sie so deichselt. Was?", da meint er: „Ich will Ihnen sagen, mein

---

[37] D 470

[38] Allein aus diesen Passagen hat Helmut Becker, der das Bändchen von 1926 (D 43 fälschlich für den Erstdruck hielt, auf frühe Entstehung geschlossen (K 607, S. 155 f).

[39] Ein gewisses Mißtrauen gegen die Tragkraft des Hauptmotivs scheint auch in „Vor der himmlischen Gnade" (Emma) und „Die Lobensteiner reisen nach Böhmen" (Kinzelheim) am Werk.

Fräulein, in gewissem Sinne haben Sie ganz recht. Ihre Vermutung ist zum Teil nicht unbegründet." (190)

Trotz seiner Besuche bei Bertha bleibt Anselm offenbar auf Alice fixiert, spricht darum auch in seiner Beichte (192) nur von ihr. Er wehrt die Bezeichnungen „Liebe" und „Begehren" ab, nennt es eine „sanfte Empfindung", die nach seinem unabweisbaren Gefühl nicht gegen die heiligen Vorschriften verstoße. Obwohl er Robert inzwischen durchschaut, läßt er sich zu dem Maskenfest einladen, denn: „Er wollte Alicen sehen." (194) Es kommt zu einem Auftritt, der an Thomas Manns „Luischen" erinnert [40]; allerdings ist hier nicht die Frau die treibende Kraft: Alice zögert deutlich, als sie auf Roberts Geheiß ihr Nachthemd und anderes für Anselm bereitlegt, und sie reißt ihn aus dem Zimmer, versucht ihm das Unnatürliche seines Verhaltens klarzumachen, schickt ihn fort. Er aber ist ihr völlig verfallen, läßt alles mit sich geschehen, weil er glaubt, so ihren Beifall zu erringen: „lachte, weil alle lachten, und hätte gern gesehen, daß sie mitlachte." (195)

Der Schluß der Geschichte ist kaum eindeutig zu interpretieren. Anselm fleht zwar Gott um ein Ende an, findet sich aber am Morgen schon wieder „voll inwendiger Sehnsucht nach Alice" und fährt in seinem Priestergewand zu ihr. Die Szenerie des Anfangs erscheint wieder, aber bedeutsam verändert: „Kein Nebel, jedes aufblühend, schmelzend, hinfließend, alles du und du." (196) Offenbar will Anselm jetzt in voller Bewußtheit sein Priestertum und seine Liebe zu Alice miteinander verbinden; deshalb auch weigert er sich, seinen Mantel abzulegen: „Ich bin Priester. Fürchte dich nicht." (198) Trotzdem scheint seine Sicherheit nicht ganz echt; wenn er endlich seine Liebe gesteht, heißt es: „Der Taumel berührte sein Gehirn. Er hielt nicht mehr stand." (198) Die Ambivalenz seiner Empfindungen ist nicht zu übersehen: „Ich weiß, ich bin dir gut, Alice. Und gleichzeitig höre ich dich gar nicht. [. . .] Ich bin dir gut, und du verschwindest vor mir." (ebd.)

Alice hängt sich wohl nur deshalb an ihn, weil sie von ihm Hilfe gegen Robert erwartet. Nur mit Hemmungen macht sie sich fertig, und während der Verfolgungsjagd drängt sie plötzlich von ihm weg, weiß nicht mehr: „Was will der von mir, und was will der von mir?" (200) Anselm versucht die Geliebte zu retten, aber jene andere, ältere Strömung erweist sich als stärker: „In seine Arme aber kam ein blinder Wille: weg von Alice, weg

[40] Thomas Mann, „Sämtliche Erzählungen", Frankfurt a. M. 1963, S. 144 f

von ihr." (200) Nachträglich interpretiert er diesen Willen offenbar als Wink Gottes, denn er duldet nicht, daß Totenmessen gelesen werden: „Die Frau sollte brennen in der Hölle, das legte er sich auf." (201) Wenn er dann, Wochen später, doch die Messe für Alice liest, stellt das für ihn „ein Opfer für Maria" dar — man darf vielleicht vermuten: mit der Erlösung der Frau verdammt er sich selbst, opfert sich Maria als dem Inbegriff des Weiblichen.

Wieder einmal spricht Döblin von Askese und Genuß, jenem Zwiespalt, der schon die „Jagenden Rosse" bestimmte und eng verbunden ist mit seiner unglücklichen Stellung zur Frau und mit dem Sündengefühl, das damals noch stets die Sexualität begleitete. Eben weil er selbst noch keine Lösung gefunden hatte, nur tief beunruhigt war vom Problem der Geschlechtlichkeit, ist diese Novelle so schwer verständlich und läßt den Interpreten weitgehend auf Mutmaßungen angewiesen sein. Als gelungen wird man die mit Klischeefiguren (Mönch und Dirne) arbeitende Erzählung wohl kaum bezeichnen können.

In den anderen Novellen, die dieses Thema umkreisen, erscheint die Liebe entweder als verschwistert mit mythischen Gewalten („Die Segelfahrt", „Das Stiftsfräulein und der Tod", „Das Krokodil", „Die Nachtwandlerin"), oder sie wird in einen satirischen Zusammenhang gestellt („Der Dritte", „Linie Dresden-Bukarest"). Beides sind Versuche der Bewältigung, sei es durch die Verschiebung des Problems ins letztlich nicht Begreifbare, sei es durch Entdämonisierung und Profanierung (die Liebe als Mittel der Unterdrückung, im „Schwarzen Vorhang" mit tödlichem Ernst vorgeführt, wird ironisiert).

Interessant an den Erzählungen der ersten Gruppe ist die wie selbstverständliche, stilistisch nicht im geringsten vom betonten Realismus abgehobene Hereinnahme des Un- und Überwirklichen, die nahtlose Einpassung des Surrealismus in den Realismus [41]. Meist erfolgt der „Umschlag" ins Surreale freilich erst am Schluß („Die Segelfahrt", „Das Stiftsfräulein und der Tod", „Die Nachtwandlerin", „Der Ritter Blaubart"), und auch rationale Erklärungen sind möglich (Phantasien frustrierter Frauen, Wahnsinn); aber dieser Stil bleibt doch bezeichnend für die Gestaltung jener Einbrüche der „Überwelt", die in Döblins Werk immer wieder begegnen. Man denke an den Fledermausdämon, die Jadepuppe, den Selbstmord-

---

[41] Diese Beobachtung macht auch schon Liede (K 589, S. 32); seine Schlußfolgerungen sind allerdings abzulehnen.

dämon im „Wang-lun" (104—106, 329—331, 352—357), an die Teufels-erscheinungen im „Wallenstein" (344—349, 710) und in dem ironischen Seitenstück „Das verwerfliche Schwein" (EB 202ff), an die Sperlinge und die Engel, überhaupt an die Schlußszenen von „Berlin Alexanderplatz", an die mannigfachen Verkleidungen des Satans und die Erscheinungen Johannes Taulers in der Revolutions-Tetralogie.

Die Point-de-vue-Technik in Döblins frühen Werken, die weitgehende Ausschaltung des persönlichen Erzählers und das Berichten aus der Perspektive der Personen, erleichtert dieses nahtlose Übergehen ins Un- und Überwirkliche (in „Berlin Alexanderplatz" handelt es sich dagegen überwiegend um bewußte Überhöhung seitens des Erzählers). Der in der frühen Prosa entwickelte Stil erlaubte es Döblin später, mit der selbstverständlichsten Miene von seinem verschimmelten Gott Konrad oder auch von den grönländischen Ungeheuern zu berichten. Ebenso wie nach seiner Grunderfahrung die Welt, so blieb auch sein Werk stets offen für das Geheimnis und für das Wunderbare.

Wenn man diese Einstellung irrational nennt und Flucht vor der Realität, den Sprung ins Irreale konstatieren zu können meint [42], so sollte man sich darüber im klaren sein, daß man einen Begriff von Realität zugrunde legt, den Döblin ablehnte, eben den nämlich, der sich auf die Erkenntnisse der Erfahrungswissenschaften stützt. Demgegenüber polemisierte Döblin unermüdlich gegen die Anmaßung der Naturwissenschaft, die *ganze* Wirklichkeit erfaßt zu haben, gegen „unser pseudorationalistisch verblödetes Zeitalter" (AzL 105), gegen „diese lütte lütte Verwechslung: Realität ist Dinglichkeit" (AzL 11); noch 1949 behauptete er: „Ich bin rational wie nur einer. Wie verhalten sich aber die Herren vor der jenseits jeder Rationalität liegenden Realität? Sie drehen ihr den Rücken." (Sch 458) Höchst ärgerlich muß es jeden Rationalisten anmuten, wenn er Döblins Berufungen auf Gefühle liest: „Ob die Welt, das große Weltwesen Ziele hat, weiß ich nicht; aber daß ich Ziele fühle, weiß ich." (RP 320); den Sinn seiner Schrift „Das Ich über der Natur" umschreibt er so: „Ich will keine Wahrheit und keine Erkenntnisse übermitteln, sondern nur ein einfaches und ursprüngliches Gefühl." (IN 16) Er behauptet sogar: „Die Elektrische ist nicht realer, als was ich fühle." (RP 237, 262) Die hinter alledem stehende Grundhaltung wird deutlich in einem Satz aus der Schrift „Unser Dasein": „Wir werden immer die schlechten leeren Worthüllen wegwerfen und die Realität be-

---

[42] vgl. z. B. Hans-Albert Walter, K 565, S. 870; Helmut Liede, K 589, S. 31, 48.

schreiben und zu verstehen suchen (wir werden sie bestimmt immer nur teilweise verstehen; denn die Welt ist ihrer Struktur nach nicht zum Verstehen, sondern zum Erleben da)." (UD 186) — Natürlich ist all das angreifbar, und die Eindringlichkeit, mit der Döblin vom Geheimnis der Welt sprach, das anzuerkennen und dem sich zu beugen es gelte, konnte auf der Seite des Marxismus, auf der Seite jedes Aktivismus nur schärfsten Widerspruch zur Folge haben. Man sollte dann aber nicht selbst in Unklarheiten verfallen und eine Grundsatzkritik für Interpretation halten oder als solche ausgeben. Interpretiert werden können Döblins Werke nur von seinem eigenen Realitätsbegriff aus, der eine geahnte — später: geglaubte — „Überrealität" einschloß [43].

In den frühen Erzählungen wird mit diesem letztlich religiösen Hintergrund noch gespielt, sei es auf dem bequemen Weg ins bloß Märchenhafte, sei es in der unaufgelösten Doppeldeutigkeit des Geschehens, die aus der Point-de-vue-Technik folgt und, etwa im Fall der Titelerzählung der ersten Sammlung, auch kontroverse Deutungen hervorgerufen hat.

## „Die Segelfahrt"

Diese Erzählung beschreibt einen magischen Zirkel. Wiederholung und Variation sind die Aufbauprinzipien. Nicht nur in der zyklischen Geschlossenheit der ganzen Novelle, sondern auch in kürzer gespannten Wiederholungen (der Geschehnisse wie der Sätze) wird hier eine Technik vorgeführt, die Döblin sehr gerne anwandte, weil sie ohne Einschaltung des Erzählers Überblick und Vergleich provoziert, zugleich dem Erzählten eine besondere Eindringlichkeit verleiht und geeignet ist, den Eindruck des Notwendigen zu erwecken oder zu verstärken.

Einige dieser Wiederholungen dienen hier dazu, das Bild des Meeres als eines ewig gleichbleibenden, monoton großartigen Wesens zu suggerieren. Dreimal ist vom unablässig brausenden Meer die Rede (EB 7, 8, 14), dreimal wirft der Wind mit — feinen, dünnen, einem Hagel von — Stiletten (7, 8, 13); die Menschen werden in diesen magischen Rhythmus einbezo-

---

[43] Zu Unrecht glaubt Graber, von der „Überrealität" könne erst bei dem Döblin des „Manas" gesprochen werden (K 604, S. 10). Den Begriff selbst finden wir zwar erst in „Der Bau des epischen Werks" (AzL 103), aber schon im „Offenen Brief" an Marinetti heißt es in eben diesem Sinne, die Kunst könne auch „über und unter die Wirklichkeit zeigen" (AzL 11). Die frühen Erzählungen und Romane sprechen hier eine genügend deutliche Sprache.

gen: dreimal sieht Copetta die Frau, bevor er ihr schreibt, dreimal begegnen sie einander (einmal im Hotel und zweimal auf dem Meer), dreimal erhält sie eine Nachricht von ihm (9, 10, 13); in drei Abschnitte zerfällt die ganze Erzählung, und wenn auch das verzweifelte Prostituiertenleben in Paris den deutlich abgesetzten Mittelteil dieses Rondos bildet, so ist doch die Funktion des schwerfälligen Schiffertanzes (12f) als Erinnerungsbild, aber auch als Vorwegnahme des Kommenden nicht zu übersehen. Verstärkt wird die Wirkung solcher Wiederholungen noch durch — ohnehin dem gleichen Prinzip folgende — Alliterationen, wenn z. B. fünfmal vom „graugrünen" Meer bzw. Wasser die Rede ist (7, 10, 13, 16).

Diese Mittel bilden die formale Entsprechung zum Thema der Novelle: der Faszination durch die Elementargewalt, die in aller Wiederholung sich ewig gleich bleibt. Wie die Fenster der Strandhäuser im Widerschein des Meeres „zärtlich" auffunkeln (7, 14), so streift auch Copetta „mit einem freudigen Blick das graugrüne Wasser." (7) Scharf kontrastiert zu dieser schon erotischen Anziehungskraft und verbindenden Macht des Meeres das beziehungslose Verhalten der Menschen: sie „lachten und gingen an einander vorüber." (ebd.) Copettas enge Beziehung zum Meer kommt auch in der Rückblende zum Ausdruck, wenn wir erfahren, er sei „auf seiner Jacht aus der Heimat über den Ozean gefahren" (ebd.); fast schon allzu deutlich wird dieser Zusammenhang, wenn der Brasilianer sich zwei Eimer mit Meersand bringen läßt und ächzend darin wühlt (9).

Warum er die Frau als Zeugin — Gefährtin? — seines Selbstmordes, seiner Rückkehr ins Elementare, mitnimmt, wird nicht ganz deutlich. Auch seine Vorgeschichte gibt da nur wenig Aufschluß. Immerhin kann man einem auffälligen Ausdruck entnehmen, daß Copetta sein gesichertes Leben im Reichtum nicht mehr ertragen konnte: er floh „aus einem hoffnungslosen Glück" (7). Paris, offenbar nur eine Steigerung der luxuriösen Verarmung seines Lebens, gibt ihm nichts, und so zieht es ihn aus unklaren Gründen, aber unwiderstehlich, zurück ans Meer, in das er schließlich rauschhaft und beseligt eintaucht. Vorher tut er seine Vergangenheit von sich ab: er zerreißt die Bilder der Kinder und zerstört den Trauring (9), und in diesem Zusammenhang muß man wohl auch seine kurze Verbindung mit dem späten Mädchen sehen: sie steht stellvertretend für die Frau, für jenes „hoffnungslose Glück"; sie, deren Anblick ihn zu beunruhigen und sogar zu erschüttern vermag (10, 11), diesen letzten Prüfstein für seinen Entschluß, muß er vor Augen haben, wenn er all das hinter sich läßt. Für diese Deutung könnte sprechen, daß die Frau anonym bleibt, daß wir nur „ihren Namensbuchstaben L" (= „Liebe" oder „Leben"?) erfahren (10) [44]. Sie mißversteht die Segelfahrt als erotisches Abenteuer, und in der Abwehr ihrer Annäherungsversuche („er wiegte den Kopf verneinend hin und her." — 11) könnten wir eine sublime Rache am Weiblichen überhaupt sehen, wie sie in viel krasserer Form in den „Memoiren des Blasierten" begegnete (s. o. S. 29). Mit einem „verschlossenen Blick" verschwindet er (11).

Auf dieses Frustrationserlebnis bleibt das „alte Mädchen" (10) fixiert. Ihre lange verschüttete Sexualität bricht gewaltsam hervor; diese Entwicklungsstufe manifestiert sich in der Sprengung familiärer Fesseln und der Reise in eine mit einschlägigen Assoziationen behaftete Stadt: „verließ ihre Mutter, fuhr nach Paris." (12) Die Fixierung auf Copetta äußert sich in der Wiederholung jener entscheidenden Zurückstoßung und Erniedrigung: mit besonderer Lust gibt sie sich den rohesten Subjekten hin; ihr Tanz ahmt die Segelfahrt nach und drückt gleichzeitig ihren Wunsch aus, dem Versunkenen zu folgen. Mit Recht also nennen die jungen Männer sie die „Hyäne" (12): ein Tier, das sich von Totem nährt. Ohnehin bildet ihr Pariser Aufenthalt (allerdings wohl ohne ihr Wissen) ein Seitenstück zu dem Copettas. Hatte er Paris, vor allem „die bestialischen Tänze" (!), kaum „ertragen" (7), so läßt sie ein Jahr „über sich ergehen" (13). Wie es ihn motivlos notwendig nach Ostende zog, so folgt sie — „Sie schien wie erleuchtet" (13) — dem Brief, von dessen Absender wir nichts erfahren, der aber durch die wörtliche Wiederholung mit der Einladung Copettas zur Segelfahrt identifiziert wird [45]. Ebenso wie an jenem Morgen vor einem Jahr kleidet sie sich in dünne Bastseide (10, 13); seinem freudigen Blick auf das Meer entsprechen ihre Schreie „vor Heimweh und Seligkeit" (13).

Mit einem betonten, am Anfang des Absatzes stehenden „Und" leitet die Erzählung zur Reprise über (13) [46]. Die Frau erwartet die Wiederholung

---

[44] Robert Minders Deutung, die Doppelschleife des L stehe für den Willen zur Paarung (K 592, S. 465), scheint mir überzogen.

[45] S. 10: „Sie drehte den mächtigen Briefbogen in der Hand hin und her" — S. 13: „drehte sie lange den mächtigen Bogen in ihren gepflegten Händen hin und her." — Auch die Abweichung ist wichtig.

[46] Ganz abwegig ist Martinis Behauptung, diese „Und"s deuteten Döblins im Grunde absatzloses Erzählen, den ununterbrochenen epischen Strom an (K 618, S. 360). In Wahrheit läßt sich in fast allen Fällen, die „Und", „Aber" oder gar „Bis" am Anfang von Absätzen zeigen, nachweisen, daß im folgenden etwas besonders Wichtiges berichtet wird, daß Höhe-, Umschlags- und Erfüllungspunkte auf diese Weise signalisiert werden. Bei der Betrachtung des „Wang-lun" wird hiervon ausführlicher die Rede sein.

und Korrektur jenes Erlebnisses vom Vorjahr, und natürlich behandelt sie den, dem sie verfallen ist, auch anderen, z. B. dem Portier, gegenüber als einen Lebenden. Sie übernimmt selbst die Rolle des Abwesenden, wenn sie am Strand nicht etwa seinen, sondern ihren eigenen Namen ruft (14), eben den Namen also, der uns unbekannt bleibt. Der einzige innere Monolog in dieser Erzählung, ihr entsetzter Gedanke: „Er ist voraus." (14), beruht zwar auf jenem wahnhaften Wiederholungszwang, gibt aber den Bewegungsablauf der Novelle zutreffend wieder: in der Tat kann sie seinen Weg von Paris nach Ostende und ins Meer erst in einem Abstand von einem Jahr nachvollziehen, in der Tat ist er ihr vorausgegangen und wartet auf sie. Gingen sie damals noch „an einander vorüber" (7), so sucht sie jetzt die endgültige, erlösende Vereinigung — mit dem Geliebten und mit dem auslöschend umarmenden Meer.

Aber sie wird auf eine harte Probe gestellt. Anders als an jenem Morgen herrscht diesmal rauhes Wetter; nur ein Ruderboot steht zur Verfügung, und in betonter Entgegensetzung heißt es: „aber jetzt schlüpften nicht zahme Hündchen über den Bord" (15; vgl. 11). Der Brasilianer wird genau so geschildert wie zu Anfang, nur daß er jetzt „unförmig geschwollen" ist wie eine Wasserleiche, mit Tang behangen und von Sand überrieselt: die realistischen Details verstärken noch die Suggestivkraft der unwirklichen Erscheinung. Auch das ältliche Mädchen hat sich verändert; Copetta sieht, daß sie eine Frau geworden ist. Trotzdem wehrt er sie wieder ab, blickt an ihr vorbei, wieder lehnt er sich an die Welle, sinkt zurück — aber jetzt bleibt sie nicht mehr allein: er wendet ihr seinen Kopf zu, und nicht von einem „verschlossenen", sondern von einem „aufgeschlossenen" Blick wird sie getroffen (15): sein Rausch ist auch der ihre, sie springt ihm nach, und seine Arme umschlingen sie; jung werden ihre Gesichter, und mit umfassender Gebärde schleudert das Meer sie wolkenhoch, um sie dann in sich zu begraben.

Dunkel spricht Döblin hier von Liebe und Tod, von der Faszination durch die Elementargewalt. Der geheime Generalnenner bleibt noch unausgesprochen: die Aufhebung der Individuation, das Eintauchen in die Anonymität. Unausgesprochen und vielleicht auch gar nicht bewußt ist schon hier das Leiden an der Vereinzelung des Menschen die Triebfeder der Erzählung [47]; schon hier bedeutet der Tod eigentlich Wiedergeburt (die Gesichter werden jung): ein Motiv, das in mannigfacher Abwandlung, in

[47] vgl. hierzu Liede, K 589, S. 48.

taoistischer wie in christlicher Ausformung, Döblins Werk bis ans Ende bestimmen wird. Mit Recht also stand diese Etüde, die inhaltlich noch Ungeklärtes, erst dunkel Geahntes in der suggestiven Variationsform zu beschwören suchte, 1913 am Anfang des ersten Erzählungsbandes [48].

Die Faszination durch das Element Wasser ist, wie wir wissen, ein Grundmotiv in Döblins Werk und begegnet auch in den frühen Erzählungen mehrfach, so im „Ritter Blaubart", in der „Verwandlung", in dem betulich erzählten Märchen „Vom Hinzel und dem wilden Lenchen", dessen Held die Oberwelt flieht und Molch wird. Auch die etwas konfuse Geschichte „Das Krokodil", die wieder in Farbwort- und Alliterationsfülle zurückfällt, spielt auf diesem Hintergrund: Da dem Ostindienfahrer und Seelord „ein Alligator lieber war als eine Tochter" (EB 129), wird aus Julie ein Zwitterwesen, das vergeblich versucht, sich ganz auf eine Seite, sei es Tier oder Mensch, zu schlagen. Beide Wesensseiten sind durch einen Mann vertreten: den Dragoner von Wetzling, der das Halbtier verhöhnt und nur den Menschen Julie liebt, und den dumpf-animalischen Ziwel, der mit dem Krokodil Julie ein Kind zeugt. Schließlich wohnt sie bei dem alten Kauz, der es versteht, „liebevoll mit dem Wasser, den Tieren und Gewächsen umzugehen" (133), und den sprechenden Namen „van der Meeren" trägt; Julie wird, ihrer Doppelnatur entsprechend, eine Dienerin an Mensch und Tier [49].

Vom Gegensatz zwischen Städtern und Naturwesen handelt auch die Geschichte des „Riesen Wenzel" (LB 152—158), die für uns — neben dem ironischen Gebrauch von Ausdrücken der Umgangssprache („Quarig", „sabberte", „latschte", „schrammte" — 152, usw.) — nur deshalb interessant ist, weil in der Versteinerung des Riesen und der Verwandlung der Mutter in einen warmen grünen Rasen (157, 158) Motive anklingen, die Döblin später für den Schluß von „Berge Meere und Giganten" verwendete.

---

[48] Eine ganz abwegige Interpretation dieser Erzählung hat Walter Falk geliefert (K 655, S. 78), während Robert Minders inzwischen erschienene Deutung (K 592) mit der meinen im wesentlichen übereinstimmt, sich allerdings mehr auf die biographischen Hintergründe konzentriert.

[49] Muschgs Behauptung, das Mädchen falle zuletzt „endgültig der animalischen Natur" anheim (EB 427), trifft nicht zu. Der Bottich wird zerschlagen, ein Kleid angefertigt (144); zumindest der Intention nach findet Julie also zur Bejahung ihrer Zwischenexistenz.

## „Das Stiftsfräulein und der Tod"

Viel wichtiger, auch hinsichtlich des Stils, ist diese nicht ohne sadistisches Behagen erzählte psychiatrische Studie. Anders als in der „Verwandlung" und in der „Segelfahrt" findet hier nicht die Liebe ihre Erfüllung im Tode, sondern das Grauen vor dem Tod erzeugt eine makabre, der Beschwichtigung des Entsetzlichen dienende Erotik. Begleitet wird diese Entwicklung vom frühlingshaften Erwachen der Natur. Das Gesicht der Jungfrau Maria, vor dem das Fräulein in seiner Todesangst vergeblich gebetet hatte (EB 32), wird mit Frühlingszweigen verhängt, damit die Madonna das frivole Spiel nicht beobachten kann. Aber umsonst ist diese ganze spätjüngferliche Hingabe: in einer glänzenden, brutalen Pointe, die auch die Erwartungen des Lesers schockierend zerstört, läßt der Erzähler den Tod als bäurisch rohen Schänder das Fräulein erschlagen.

Ähnlich wie im Schlußabsatz dieser Erzählung hat Döblin auch später immer wieder Höhepunkte kenntlich gemacht: durch ein Stakkato kurzer Sätze, denen teilweise das Subjekt oder das Prädikat fehlt („Sie schlief ein. Wachte im Finstern auf. Wuchtige Schritte im Zimmer. Das Bett krachte." — 34), durch expressive Wiederholungen („Da fiel die geballte Faust auf ihre Brust, den Leib, den Leib, und wieder auf den Leib."), durch die Wiederkehr rhythmisch ähnlicher Kola („Sie schlief ein." — „Das Bett krachte." — „Sie stieß um sich." — „Ein Würgen kam." — „Sie streckte sich." — Der erste und der letzte der hier zitierten Sätze bilden Anfang und Ende des Abschnitts auf S. 34f). — Formal interessant sind auch die genaue, hier: höhnisch genaue Detailbeobachtung (der linke Ellenbogen, die Hyazinthengläser usf.) und die diesmal sinnvolle Farbsymbolik: das schwärzliche Schmelzwasser im weißen Schnee, das schwarze Kleid (31), die schwarzen Sträucher und schwarzen Bäume (32) stehen für den Tod; der Umschwung wird sichtbar in den grünen Blättchen, der hellblauen Bluse (33), den weißen Handschuhen und den Blumen (34); die Spitze dieser sündig-verschämten Gegenbewegung symbolisiert der rote Klee (34). — Zu Unrecht glaubt Muschg die Erzählung „wegen des konventionellen romantischen Gewandes" abwerten zu können (EB 423); in Wahrheit ist Döblin hier weit über den preziösen Stil von „Mariä Empfängnis" und ähnlichen Produkten hinaus und hat zu einer schon klinischen Genauigkeit der Beobachtung gefunden, die ihn mitleidlos die Veränderungen im Gehabe des Fräulein konstatieren läßt: wie sie ihr Gezeichnetsein in Auserwählung umzulügen sucht, ihr Blick „etwas stechend Überlegenes" bekommt (33), sie den anderen „mit einer protzenhaften Miene" begegnet (34). Für den Erzähler ist das wimmernde Fräulein nur „der Klumpen" (32).

Da die Erzählung erst 1913 veröffentlicht wurde, könnte man eine relativ späte Entstehung vermuten; doch finden sich ähnliche Züge auch schon in einigen der Novellen, die 1910 und 1911 im „Sturm" erschienen. Eine geradlinige Entwicklung läßt sich an Döblins Erzählungen eben nicht nachweisen [50].

Die Novelle „Die Nachtwandlerin", von der an dieser Stelle eigentlich die Rede sein müßte, erweist sich in mancher Beziehung als Seitenstück zur „Ermordung einer Butterblume" und soll deshalb in anderem Zusammenhang besprochen werden.

## „Der Dritte"

Döblin hat die Dämonie des Geschlechtlichen, wie schon gesagt, nicht nur ernsthaft und leidend, sondern auch, wie hier, satirisch und parodistisch dargestellt. In der Figur des berühmten Frauenarztes Dr. William Converdon, der dem Pfarrer gesteht, er „sei Frauenarzt und daher mit Psychologie nicht vertraut" (EB 85), ironisiert Döblin seinen eigenen Stand, darüber hinaus allerdings den Spießer überhaupt. Converdon wird letztlich nicht damit fertig, daß er eine Jungfrau verführt hat, und das auch noch ohne allzugroße Mühe. Die von ihm ursprünglich vorgehabte beiläufig-geschäftsmäßige Erledigung der Angelegenheit spiegelt sich in der Sprache, die „unsentimentales" Papierdeutsch imitiert („der beschäftigte Arzt freute sich aber herzlich über den raschen Ablauf des Vorgangs"; „und duzte sie sofort in Vorbedacht der kommenden Situationen" — 77; „im Verfolg seiner notwendigen Bemühungen an dem Fräulein" — 78; usw.). Sein Besieger, in derber Eindeutigkeit „Parterregymnastiker", befleißigt sich ähnlicher Ansichten und derselben Sprechweise, und die Unterhaltung der beiden über die Opportunität einer etwaigen Erschießung Wheatstrens seitens des Doktors gerät zum Kabinettstück (84). Auch der Pfarrer kleidet seine inhuman-sachlichen Darlegungen, die immerhin für Converdon das Todesurteil bedeuten, in die Sprechweise eines klinischen Berichts (85). Wie schon die anfangs zitierten Beispiele zeigen, soll hier nicht etwa die Sprech-

---

[50] Wie ich nachträglich der Untersuchung von Ernst Ribbat entnehme, stammt das Manuskript dieser Erzählung tatsächlich bereits aus dem Jahre 1905 (K 580, S. 223, Anm. 9). Eine Anmerkung Heinz Grabers in dem jüngst erschienenen Briefband belehrt mich ferner, daß die Novelle auch im Januar 1908 bereits gedruckt worden ist (D 604 A, S. 516).

weise einzelner Personen persifliert werden; auch der Erzähler benutzt diese Sprache ja ausgiebig (z. B.: „Mitten im Gebüsch stehend, bemerkte er, daß er in seiner Freude den Revolver zuhause gelassen hatte, und hängte sich daher nicht ohne Schwierigkeiten an seinem Schlips auf." — 86). Es geht vielmehr darum, ein ganzes Milieu zu treffen: das gehobene Bürgertum, das sich „vorurteilslos" und „praktisch" glaubt, angesichts einer tatsächlich von Vorurteilen freien naiven Existenz aber die Fassung verliert. Auch der Parterregymnastiker schimpft ja bereits nach einer Woche „auf die Heimtücke des Dr. Converdon" (87) und entgeht einem gleichen Schicksal nur deshalb, weil er eben nicht die Fessel primae noctis trägt.

Mary Walter, die, wie schon erwähnt, blasphemisch mit der Jungfrau Maria in Beziehung gesetzt wird (s. o. S. 24), ist eine offensichtlich Wedekinds Lulu nachempfundene Gestalt. Ihr bedenkenloses Eingehen auf die geschäftsmäßigen Zärtlichkeiten des Arztes überraschen und erschrecken ihn schon, „der Befund einer unzweifelhaften Jungfräulichkeit" (78) aber entsetzt ihn, da er hier einen unüberbrückbaren Widerspruch sieht. Er wird nicht fertig mit diesem „Verbrechen an seiner Seele". Schließlich versucht er, mit den obszönsten Bestialitäten ihre unschuldig-triebhafte Keuschheit zu zerstören, ohne daß es ihm aber gelänge, auch nur „eine einzige kleine Spur" (81) in ihr zu hinterlassen. Als er sie allen hinwirft, erträgt er auch das nicht und heiratet sie. So vernichtend dann die Begegnung mit Wheatstren auch ist, so gibt sie ihm doch die Möglichkeit, dem Joch seiner verdrehten Sexualmoral — er meint: dem Joch Marys — zu entkommen, und so stirbt er fröhlich. Sie vergießt zwar reichlich Tränen, ergibt sich aber sogleich mit solcher Routine dem Neuen, daß der sich entsetzt auf die Verwaltung ihres Vermögens beschränkt, sie, aus diesem Grunde, zwar heiratet, ihr aber, zu ihrer Zufriedenheit, jede Freiheit läßt.

Auf die Verwandtschaft von Döblins Ausführungen über „Jungfräulichkeit und Prostitution" mit Auffassungen Wedekinds habe ich schon hingewiesen (s. o. S. 29); die Erzählung „Der Dritte" stellt den Versuch dar, diese beiden Pole in einer Gestalt zu vereinigen, und da auch diese Mary Walter von der Ironie des Erzählers nicht verschont bleibt, ist sie leichter erträglich als manche ihr verwandte Figur bei Wedekind.

## „Linie Dresden-Bukarest"

Das Motiv vom betrogenen Betrüger finden wir in dieser Gaunergeschichte wieder. Die amüsante Erzählung vom Hochstapler Fortunescu, der keine Fortüne hat, fällt auf durch die reiche Verwendung des inneren Monologs [51] und durch die ironische Sprunghaftigkeit der Erzählführung, die der täppischen Gelenkigkeit des Ganoven angepaßt ist (z. B.: „Er redete von Aufgaben, denen manche Menschen nicht gewachsen wären, ein liebes Wesen sei ihm vor einem Jahr gestorben, vor etwa einem Jahr. Plötzlich erklärte er, daß er schwitze." — EB 116). Die Meinung Roland Links', in der Raffinesse Cesarines — sie durchschaut Fortunescu und überläßt sich ihm trotzdem, weil sie erkennt, daß er sie nicht wird kompromittieren können — enthülle sich die Moral einer ganzen Klasse [52], mag den objektiven Tatbestand treffen, nicht aber die Intentionen Döblins. Denn innerhalb der Erzählung verfolgt der Leser durchaus mit Vergnügen, wie die gescheite Frau den arroganten Springer besiegt, und am Ende sind sie und ihre Tochter Matilda es, die ein abenteuerliches und offenbar auch sexuell zufriedenstellendes Erlebnis hinter sich haben, während der erfolglose Gauner sich leeren Magens der trüben Prophezeiungen seiner Mutter erinnert.

Abgesehen von der karikierten Sprechweise Fortunescus und dem sprunghaften Stil des Ganzen zieht die Erzählung einen großen Teil ihrer Wirkung aus der Wiederholungsstruktur, die bis in den Satzbau hinein erkennbar ist, so etwa wenn die von Zensur und Schicklichkeit diktierten Aposiopesen durch Verbwiederholungen und Kleistsche Gedankenstriche gekennzeichnet werden: „Sie packte ihn bei den Hüften, ließ ihn nicht los, ließ ihn nicht los. — " (112) und: „Sie lachte und seufzte und lachte. —" (116)

## B) Die Demontage des selbstherrlichen Individuums

### I. Die Erzählungen II

#### „Die Ermordung einer Butterblume"

In der berühmten Titelerzählung des ersten Sammelbandes wird die Spießersatire, die uns schon in „Der Dritte" begegnete, scharf zugespitzt und im Tonfall eines Vivisekteurs dargeboten, mitleidloser noch als in der

---

[51] In der Erstausgabe standen diese Monologe allerdings noch in Anführungszeichen; die unzulässige Modernisierung stammt von Walter Muschg, der über diese Manipulation kein Wort verliert.
[52] Roland Links, K 558, S. 50

Geschichte vom Stiftsfräulein. Dieser Novelle sind als einziger mehrere ausführliche Interpretationen zuteil geworden; niemand freilich hat bisher gesehen, daß das Grundmotiv auch hier letztlich sexueller Natur ist [53]. Es geht Herrn Michael Fischer mit der geköpften Butterblume, die er Ellen tauft, nicht anders als dem Dr. Converdon mit Mary Walter, und auch er schwankt nach der „Tat" zwischen Zerstörungswut („Butterblumen; Butterblumen sind mein Leibgericht." — EB 52) und abgrundtiefer Verzweiflung („Ja, an Selbstmord dachte er, um diese Not endlich zu stillen." — 51). Die Symbolik ist auch nicht eben schwer zu entziffern („Das dünne Spazierstöckchen wippte in der Rechten über Gräser und Blumen am Wegrand und vergnügte sich mit den Blüten." — 42), und verräterisch sind die Verwandtschaftsbeziehungen, die Fischer am Schluß herstellt: Als die Haushälterin die Ersatzblume, die für ihn Ellens Tochter darstellt, in den Müll geworfen hat, triumphiert er: „Die Alte, die Schwiegermutter, konnte jetzt fluchen und sagen, was sie wollte." (54): eine Aussage, die nur verständlich wird unter der Voraussetzung, daß er sich als mit der zweiten Blume verheiratet betrachtet, dies offensichtlich als Sühne für die „Vergewaltigung" Ellens. Schon die Physiognomie Fischers („eine aufgestellte Nase und ein plattes bartloses Gesicht, ein ältliches Kindergesicht mit süßem Mündchen" — 42), sein „Tänzeln, Wiegen der Hüften" (47; vgl. 42, 43) deuten auf eine unter- bzw. fehlentwickelte Sexualität. Der Bericht über seinen Umgang mit den Lehrlingen, die ihm die getöteten Fliegen der Größe nach sortiert vorzeigen müssen (43), seine ohnmächtig-bombastischen Chefallüren bestätigen diesen Verdacht; ebenso wie der nach seinem Bilde geschaffene Valentin Priebe in der „Nachtwandlerin" kaschiert auch er seine nicht nur sexuelle, sondern umfassende Impotenz durch grundlose Aggressivität.

Ebenso wie Priebe wird auch Fischer vom Erzähler stets als „Herr" apostrophiert; dieser „Titel", diese eingebildete Bedeutung innerhalb der bürgerlichen Gesellschaft, ist alles, was ihn, der über Persönlichkeit nicht verfügt, zusammenhält. Daher sein entsetzter Gedanke, daß ihn bei seinem schlimmen Treiben „jemand sehen könnte, etwa von seinen Geschäftsfreunden oder eine Dame." (43; vgl. 44) Da er keinen persönlichen Kern hat [54], der seine Wahrnehmungen und Handlungen auf ein Zentrum

[53] Bestätigt wurde mir diese These inzwischen durch eine von Robert Minder mitgeteilte Äußerung Döblins (K 592, S. 481).
[54] vgl. dazu auch Helmut Liede, K 589, S. 8.

sammeln bzw. von dort aus steuern könnte, verselbständigen sich seine Gliedmaßen ebenso wie seine Gedanken, und ein kleiner Anstoß — der Widerstand des Unkrauts — genügt, um die totale Anarchie hereinbrechen zu lassen [55]. Vergeblich sucht er nach einem Halt in dieser Wirrnis, indem er beispielsweise seine Schritte zählt (42, 43), sich „Selbstbeherrschung" predigt (44), sich an Sprachklischees klammert: „In meiner Firma ist solch Benehmen nicht üblich." (44); „Ich weigere mich, ich weigere mich auf das entschiedenste, mit Ihrer Firma irgendwelche Beziehungen anzuknüpfen." (45); „Der Arzt hat ein Recht auf den Kranken. Gesetze müssen eingebracht werden." (48) Auch die Anlage eines Kontos und die Kompensation nach § 2403 Absatz 5 stellen solche Versuche dar, scheinbar feste Institutionen gegen die allgemeine Auflösung zu bemühen. All diese äußeren Stützen können ihm aber nicht helfen. Zwar erkennt er in einem klaren Augenblick: „Er hatte sich nicht zusammengenommen" (46) — das muß hier ganz wörtlich verstanden werden —, aber trotz allen Zuredens will der Wahn nicht weichen: „Zugleich warf sich hinterrücks Angst riesengroß über ihn." (46), und während er sich geistig gegen die Bedrohung zu wappnen sucht, „gingen seine Füße weiter." (ebd.): Jeder Versuch, einen Teil seines Selbst zu fixieren, führt zur Verselbständigung eines anderen. Mit beklemmender Überzeugungskraft schildert Döblin diese hoffnungslose Verfallenheit an den Wahn, wenn Fischer über einen etwaigen Steckbrief spöttelt, sein Spott sich aber unmerklich verschiebt von der Lächerlichkeit einer solchen Vorstellung überhaupt auf die wahrscheinliche Ergebnislosigkeit der Fahndung (44f), wenn also die zur Beruhigung ersonnene komische Idee unversehens als Realität auftritt und nun ihrerseits zur Drohung aufwächst: wieder wird Fischer von der Vision der blutenden Butterblume heimgesucht (45). Dieses Wahnbild überträgt die Ursache-Wirkung-Relation des Geschehens ins Optische: die gänzlich unwichtige Blume erscheint riesengroß, ihr schleimiges Blut brandet als Strom gegen Fischers Füße (44). Wegen solcher, auch schon im Titel manifestierter, Diskrepanzen hat Werner Zimmermann diese Novelle mit Recht eine Groteske genannt [56].

Der Erzähler begleitet seinen traurigen Helden mit interessierter Verachtung. Nur die beiden Abschnitte, die Fischers Panik nachzeichnen, werden aus seiner Perspektive erzählt: „der Baum weint", „Die Bäume treten

---

[55] Die Belege für diesen Zerfall in selbständige Teile sind im Text leicht aufzufinden und auch von den bisherigen Interpreten großenteils schon gesammelt.
[56] K 591, S. 177

zum Gericht zusammen" usw. (49) Sie stehen denn auch zum Zeichen, daß wir hier mit Fischers Augen sehen, im Präsens. Überall sonst aber kommt die ironische Distanz des Erzählers ja schon dadurch zum Ausdruck, daß er seinen Helden stets den „Herrn" oder „Herrn Michael", auch „den Kaufmann" nennt. Den vollständigen Namen erfahren wir an drei Stellen, die aber gerade von der Zerstörung dieses Mannes sprechen. Unvermittelt heißt es „Herr Michael Fischer", als das Bild der blutenden Blume ihn erstmals übermannt (43); „Herr Michael Fischer" ist es auch, der sich in die Brust wirft und sich, vergeblich, „an seiner Haltung" aufzurichten sucht (44); „Herr Fischer" setzt eine kühle, ablehnende Miene auf und steigert sich in unechte Überlegenheit hinein (ebd.). Am Schluß, als er endgültig den Verstand verliert, nicht nur räumlich „in dem Dunkel des Bergwaldes" verschwindet, wird er noch einmal, und nun mit allen Attributen präsentiert: „der dicke, korrekt gekleidete Kaufmann Herr Michael Fischer" (54).

Liedes Kritik an diesem Schluß als einer willkürlichen, unentschiedenen Lösung [57] ist nicht haltbar. Zwar wird die Erwartung des Lesers wieder einmal gründlich getäuscht, wenn Fischer auf die Mitteilung der Wirtschafterin mit Entzücken statt mit Entsetzen reagiert, der Verlauf der Psychose aber ist durchaus konsequent. Da Fischer selbst „nicht die Fingerspitze eines Gedankens" (54) zu dieser Wendung geboten hat, er gänzlich unschuldig an dem neuen Mord ist, fühlt er sich befreit, befreit von Ellen und der ganzen „Butterblumensippschaft", aber befreit wozu? Keineswegs zu einer endlich wahnfreien bürgerlichen Normalexistenz, sondern — zu neuen „Morden": „Blumen, Kaulquappen, auch Kröten sollten daran glauben." Der Vorgang ist derselbe, den wir oben schon beim Spott über den Steckbrief beobachteten, nur diesmal definitiv: in dem Augenblick, da er sich befreit glaubt, hat der Wahn ihn endgültig. Dieser paradoxe Umstand erhellt aus zwei unmittelbar aufeinander folgenden Sätzen: „Er konnte morden, so viel er wollte. Er pfiff auf sämtliche Butterblumen." (54) Eben im Wort „morden" kommt seine heillose Fixierung zum Ausdruck, und er pfeift auf das alles so wenig, daß er sofort losstürmt, um den Wald zu verwüsten.

Mit Recht hat Werner Zimmermann Muschgs Kennzeichnung dieser Novelle als „exakte Beschreibung einer Psychose" (EB 425) zu eng genannt und, wie vor ihm schon Liede und Links, auf die gesellschaftskritischen

---

[57] K 589, S. 24 f und 28

Aspekte der Erzählung hingewiesen [58]. In der Tat ist nicht zu übersehen, daß mit der merkantilen Abwicklung der Sühneaktion, mit Fischers Chefgehabe der deutsche Spießbürger karikiert werden soll; unbestreitbar sind aber auch Liedes einschränkende Bemerkungen, daß Döblin „primär den Sonderfall einer singulären Geistesverwirrung" darstelle und dadurch die Stoßkraft der allgemeineren Kritik schwäche [59]. Wenn er freilich eine Auflösung der Erzählung in bloßen Ulk konstatieren zu können meint — hier wirkt sich sein Irrtum hinsichtlich des Schlusses aus — und von „einer jegliche Realitätsbindung destruierenden Haltung" spricht [60], so kann ich ihm nicht beipflichten. Er widerspricht sich überdies selbst, wenn ihm das eine Mal Fischers Wirklichkeitserfahrung so dominierend scheint, „daß die Objektivität und Sicherheit des Bestehenden grundsätzlich in Frage gestellt ist" (S. 10), während er kurz darauf sehr wohl sieht, daß Döblin Fischers Visionen deutlich als irreal, sein Verhalten als psychopathologisch kennzeichnet (S. 12). Auf die in dieselbe Richtung zielenden Äußerungen Schwimmers einzugehen lohnt nicht [61]. Zuzustimmen ist dagegen Links, der den Leser durchaus gerüstet sieht, „von den kranhaften Sonderfällen, von den geschilderten pathologischen Gestalten auf den Zustand der ganzen Gesellschaft zu schließen", aber mit Recht einschränkend bemerkt, auf diese Weise werde eben nur ein Krankheitszustand festgestellt und nichts darüber gesagt, welcher „Art diese Krankheit ist und was ihre Ursachen sind" [62]. Über gesellschaftliche Zusammenhänge war Döblin sich damals in der Tat noch nicht im klaren, und so kommt in dieser Novelle auch nur eine recht allgemeine Aversion gegen pedantisch-diktatorisches Spießbürgertum zu Wort und keineswegs eine gezielte Kritik an bestimmten gesellschaftlichen Mechanismen.

Wesentlich scheint mir noch ein anderer Zusammenhang, der sich hinter Fischers wahnhaftem Schuldgefühl verbirgt. Jenes Bild der riesigen Blume nämlich, die mit ihrem Blut den Frevler zu ertränken droht, ist offensichtlich mehr als Ausdruck bloßen Irrsinns. Es nimmt schon die gräßlichen Ungeheuer aus „Berge Meere und Giganten" vorweg, die das geschändete Grönland gegen die europäische Menschheit aussendet. Ebenso versteckt wie in „Lydia und Mäxchen" melden sich hier die ersten Ansätze zu Döb-

[58] Zimmermann, K 591, S. 181
[59] Liede, K 589, S. 24
[60] ebd., S. 29. Über Liedes inadäquaten Realitätsbegriff s. o.
[61] vgl. K 583, S. 37 und 50.
[62] Roland Links, K 558, S. 19

78

lins späterer Lehre von der Allbeseeltheit der Welt [63]. Auch in Fischers Verfolgungswahn kommt schon eine Art Rache der Natur zum Ausdruck; denn er benutzt sie nur als Mittel gegen Nervosität, mißachtet sie im Grunde: „achtlos" zieht er seines Weges; auf das blendende Abendrot reagiert er mit entrüsteten Abwehrbewegungen; „verletzt" sieht er sich nach dem Unkraut um, auf das er dann tobsüchtig einschlägt (42); zur Beruhigung fächelt er „die Tannenluft auf seinen Schopf" (43). Die Vermutung, daß hier ein Protest der Natur gegen die bloße Nutzung und Ausnutzung seitens des Menschen vorliegt, erfährt eine gewisse Bestätigung durch Wolfgang Wendler, der in seinem Buch über Sternheim unsere Novelle als ein Beispiel „für das auf alles Seiende ausgedehnte Schuld- und Verantwortungsgefühl" zitiert, das viele Expressionisten zu gestalten suchten (z. B. Werfel in seinen Gedichten) [64]. Wendlers kurze Deutung ist zwar allzu einseitig und läßt sowohl Fischers Wahnsinn als auch die Ironisierung der Figur durch den Erzähler außer acht, aber man darf wohl doch festhalten, daß auch in dieser frühen Erzählung bereits die Ansätze zu Döblins Naturfrömmigkeit zu erkennen sind.

### „Die Nachtwandlerin"

In diesem späteren, konventionellen Seitenstück zur „Ermordung einer Butterblume" spielt Naturmystisches allenfalls eine solche Rolle, wie man sie aus Verdi-Opern kennt: Antonie Kowalski ist das uneheliche Kind eines Zigeuners, der, damit nicht genug, auch noch Kesselflicker war und sie eines Nachts bei Vollmond gewaltsam gezeugt hat: darum nachtwandelt sie; bei Mondschein stürzt sie zu Tode, bei Mondschein verliert Priebe den Verstand.

Auch in anderer Beziehung bleibt „Die Nachtwandlerin" hinter der Geschichte des Michael Fischer zurück. Links' Beobachtung, daß Döblin nun das Milieu ausführlicher schildere, trifft zwar zu, nicht aber seine Behauptung, der Leser könne „in den äußeren Umständen die Ursachen für die eintretende Katastrophe entdecken" [65].

---

[63] Auch Liede sieht diesen Zusammenhang (K 589, S. 46). Gerhard Schmidt-Henkels Meinung, der Demiurg Döblin mache sich in unserer Erzählung zum Anwalt der unberührten Natur und weise den Unordnung stiftenden Spaziergänger mythisch drohend aus seiner Werkstatt (K 582, S. 162 f), schießt über das Ziel hinaus.
[64] Wolfgang Wendler, K 729, S. 257
[65] Links, K 558, S. 50

Döblins damalige Auffassung von Liebe kennen wir allmählich zur Genüge; die Sexualität ist immer noch des Teufels, und wenn Priebe sich seiner Geschlechtskrankheit freut, so deshalb, weil nichts sonst ihm beweisen kann, was für ein Kerl er ist. Das für die Erkrankung ursächliche Ereignis hat er nämlich bereits am folgenden Tage kläglich beweint (EB 159). Antonie ihrerseits schlägt sich, nachdem Priebe sie verführt hat, schon gleich zu den Huren (164) und lokalisiert ihre verlorene Unschuld in einer Puppe aus Zeuglumpen (165); wenn Valentin gegangen ist, bestreicht sie ihren Spiegel mit Seife, weil sie sich nicht ins Gesicht sehen kann (164). Die inhuman-„medizinische" Beschreibung des Verhaltens Liebender (158) hat Döblin schon in „Der Dritte" (77) und in den „Memoiren des Blasierten" (93f) geübt, und auch im „Wadzek" ist er noch nicht weiter.

Aus der „Ermordung einer Butterblume" werden die ironische Apostrophierung des Helden als „Herr Valentin Priebe", das schwächliche Gebrüll im Büro (155, 166), die stumpfsinnig-klischeehafte Redeweise („Wir werden das den Leuten heimzahlen mit Zins und Zinseszins." — 167), das Motiv des ausbrechenden Wahnsinns übernommen. Bis in Kleinigkeiten ist das Selbstzitat durchgeführt. So biegt auch Priebe sich in den Hüften (153); dem — zu Unrecht [66] — so oft zitierten Satz Fischers: „Man wird nervös in der Stadt. Die Stadt macht mich nervös" (43) entspricht Priebes ebenso unbedeutende, weil klischeehafte Behauptung: „Das Großstadtleben bekommt einem auf die Dauer nicht. Ich werde doch noch nach Friedrichshagen ziehen." (155) [67] Die Ironie ist freilich viel grobschlächtiger als in der „Ermordung": „Seine sanft gebogenen Beine schritten zierlich einher in weißen Tennishosen"; „Herr Priebe wedelte anmutig das Taschentuch gegen den Staub" (153) usw. Von der „Unheimlichkeit Poes", die Muschg entdeckt haben will (EB 427), kann keine Rede sein. Nur die letzten Seiten, auf denen die Genese der Puppe vom Lumpenbündel zum mörderischen Riesen gestaltet wird (eine Abwandlung der Butterblumen-Vision; auch hier erschlägt die „Sünde" den Frevler), vermögen ein größeres Interesse zu erwecken. Eine gelungene Pointe in dieser Gogol nachempfundenen Szene bilden die Sätze des Schutzmanns, an dem „sie" — die Puppe mit Valentin auf dem Rücken — vorbeirasen; denn seine, eines objektiven Beobachters, Worte sind doppeldeutig; es ist ihnen nicht zu entnehmen, ob er wirklich

[66] Schließlich handelt es sich um das damals noch recht beschauliche Freiburg i. Br.
[67] vgl. dazu seine spätere Meinung: „Der Landaufenthalt ist nichts für Berliner, wenigstens nicht für mich." (167)

zwei Wesen sieht oder ob Valentin im Wahn Reitbewegungen imitiert: „Was hat der Mensch für einen Gang am Leibe! Hoppa, hoppa, Reiter." (169)

## „Astralia"

Spießersatire ist schließlich auch die Absicht dieser parodistischen Skizze. Ebenso wie die Ärztefarce „Das verwerfliche Schwein" wird sie ganz im Präsens erzählt und beginnt mit einer ironisch übergenauen Einführung der Hauptperson (EB 36, vgl. 202); mit ähnlicher Exaktheit setzt „Der Dritte" ein (76), während Döblin sonst meist unvermittelte Anfänge bevorzugt (31, 42, 99, 107, 128, 153 usw.). Nicht nur in dieser ironischen Geste der Präsentation, sondern auch in direkten Bemerkungen tritt der Erzähler hier etwas mehr hervor als bei Döblin sonst üblich, so wenn Frau Götting das „aufgeschwemmte liebevolle Nichts" genannt wird (37) oder dem Choral „Ich weiß, daß mein Erlöser lebt" die Weiterführung folgt: „und er ist nahe, mit einer Fußsohle steht er schon auf der Erde." (38); ein sarkastisch abwertender Ton durchzieht das Ganze, und von Götting ist stets als von dem „Männlein" und folglich als von einem Neutrum die Rede.

Döblin scheint in diesem satirischen Kabinettstück eine Idee zu verspotten, die dem Expressionismus sehr teuer war und die ihn selbst ein Leben lang faszinierte: die Idee der Verwandlung [68]. Bei näherem Zusehen erkennt man freilich, daß nicht diese Idee selbst verhöhnt wird, sondern ihre Verquickung mit alter Religion und neuem Aberwitz (hier: der Ölung des Gemüts durch Most). Schon der offensichtlich bewußt gewählte Name des Privatgelehrten — mit dem oft pejorativen, stets verkleinernden Suffix ‚-ing' aus ‚Gott' abgeleitet — ist reiner Hohn und enthält in sich bereits die Situation des Schlusses: den Heiland in Strümpfen.

Diese Studie schildert, wie aus Göttings forcierter Erwartung, daß eine wunderbare Verwandlung ihn seiner Misere überheben werde — immer wieder, sich und andere überredend, betont das Männlein, „es wisse, was es sage" (36) [69] —, wie aus dieser Erwartung mit Hilfe des Mosts die wahnhafte Identifizierung mit Christus hervorgetrieben wird: „In den Wolken stünde schon der Heiland" — „Es geht langsam seines Weges fürbaß, so selig, leidvoll, getragen von einer schweren, dunklen Wolke. In den Wol-

---

[68] Ernst Ribbat sieht gerade in der Verwandlung das Generalthema der frühen Erzählungen Döblins (K 580, S. 32 ff).
[69] vgl. S. 39: „Es versichere die Brüder, es sei so."

ken steht es" (39); „mit einer Fußsohle steht er schon auf der Erde."
(38) — „Mit beiden Sohlen steht er auf der Erde." (40). Glänzend zusammengefaßt erscheinen die Heimkehr vom Gelage und die Wiederkunft
des Herrn in Göttings stolzem Satz: „Nun bin ich wiedergekommen." (40)
Der Schluß zeigt keineswegs, wie Götting „aus der Borniertheit in die
Verrücktheit überschnappt" [70], sondern im Gegenteil den Zusammenbruch
der Illusion. Nach dem Scheitern seiner Erwartungen ist er dem Gelächter
der anderen wieder ebenso schutzlos preisgegeben wie damals, bevor jene
große „Gewißheit" in ihn einzog, es werde ihn verwandeln (38); der
krampfhafte Versuch, mit Hilfe von Hirngespinsten der eigenen Banalität
zu entkommen, ist gescheitert.

## II. „Wadzeks Kampf mit der Dampfturbine"

Dieser Roman nimmt eine ganze Reihe von Motiven aus den drei zuletzt betrachteten Novellen wieder auf, stellt seiner Konzeption nach eine
aufgeschwellte Erzählung vom Schlage der „Ermordung einer Butterblume"
dar und verlangt nicht schon vom Stoff her die große Form wie die anderen
Romane seit dem „Wang-lun". Döblin selbst hat diese strapaziöse Groteske offensichtlich wenig geschätzt und sich nur einmal, im „Epilog" von
1948, über sie geäußert. Aus diesen Bemerkungen wird deutlich, daß der
„Wadzek" in der Tat nicht als Fortsetzung des „Wang-lun" gedacht war
und daß dem Autor überdies der ursprüngliche Plan ebenso aus der Hand
glitt wie später noch zweimal (in „Berge Meere und Giganten" und in
„Babylonische Wandrung"): „Ich wollte mich auch nicht vom Schweren
und Finstern fesseln lassen. Und da schlug ich um und geriet ohne Absicht,
ja völlig gegen meinen Willen ins Lichte, Frische und Burleske." (AzL 387)
Daß von der im Titel erwähnten Dampfturbine kaum die Rede ist, daß
überhaupt das Thema Technik ganz zurücktritt, haben schon die ersten
Rezensenten bemerkt [71]. Der Grund für diesen Umstand dürfte in der
Tatsache zu suchen sein, daß Döblins Stellung zur Technik damals noch
völlig ungeklärt war und es noch Jahre brauchte, bis er dieses Phänomens
innerhalb der naturalistischen Theorie Herr wurde. Von technischen Einrichtungen fasziniert war er früh; mehrmals berichtet er von dem tiefen
Eindruck, den die Dynamomaschine im Keller der Kroll-Oper ihm mach-

---

[70] so Muschg im Nachwort (EB 426).
[71] vgl. K 24 u. a.

te [72]; die „Zueignung" zum „Wang-lun" aber erteilt der Welt der modernen Technik eine Absage. Als Linke Poot schrieb er 1920: „Was in der Großstadt, den Industrien gewaltig pulsiert, wird keine Verachtung tot machen." [73] — Ein Jahr später hieß es in dem Aufsatz „Der Epiker, sein Stoff und die Kritik": „Zu ungeheuren Verbänden haben sich die Völker ausgewachsen, Verbänden, in denen neben anderen Krankheiten die Industrie wütet, der entfesselte, durch nichts dirigierte und alles, alles absorbierende Erfindergeist, der die ineinander gefugten europäischen Nationen zu dem Ideal der Sprungfedermatratze und der Zahnpasta geführt hat." (AzL 335) — So konnte der „Wadzek" weder ein Lobgesang auf die Technik werden noch eine reaktionäre Kampfansage; er drückte sich um das Thema herum.

In Wadzeks Reflexionen gewinnt das Thema der nicht dirigierten Technik allerdings an einigen Stellen doch eine gewisse Bedeutung. Er, der anfangs die Arbeit vergötzte („Wir sind Könige, gleichsam Könige, wenn wir arbeiten; alles andere unterwirft sich, muß dienen, Familie, Haus, Tochter." — WD 18), erkennt nach der Reinickendorfer Katastrophe: „Der Kernpunkt ist: man arbeitet nicht für die Arbeit, sondern für das Leben. Für Menschen." (292), und daraus folgt: „Technik kann nicht ohne Moral betrieben werden" (293), man müsse sie zähmen, „sie nicht üppig werden lassen. Sie wird sonst zu einer Geißel." (294) Er bemüht sich sogar um eine Stelle in einem privaten Technikum, wo er Vorlesungen halten will über „tollgewordene Technik und so weiter, sagen wir, inhaltslose, nicht dirigierte Technik" (376). Die Maschine überhaupt und in jedem Betracht zu verdammen fällt ihm ebensowenig ein wie seinem Autor, und er kommt schon sehr in die Nähe von Döblins späterem Naturismus, wenn er sie als „Blut von unserm Blut" bezeichnet (408) und ihr das Verdienst zuerkennt, die Freiheit, ja „menschliche Religion" in die Welt gebracht zu haben (409).

Obwohl es also zwischen Wadzeks Bemerkungen und Döblins eigenen Äußerungen wörtliche Entsprechungen gibt, dürfen wir nicht den Stellenwert dieser Reflexionen im Romanganzen übersehen: sie dienen Wadzek dazu, ihm seine Niederlage gegen Rommel zu versüßen. Gleich nach seiner Kritik an nicht dirigierter Technik heißt es: „Die Regierung [...] muß das Recht, Erfindungen zu machen, einschränken." (376), und das zielt ganz

[72] „Berlin und die Künstler" (Z 59); „Bemerkungen zu ‚Berge Meere und Giganten'" (AzL 347); „Großstadt und Großstädter" (Z 234).
[73] „Revue" (D 412), S. 266

offensichtlich auf Rommels Dampfturbine, die der Wadzekschen „Loko-mobil- und Dampfmaschinenfabrik" (19) das Lebenslicht ausbläst. Dieser Zusammenhang relativiert Wadzeks Äußerungen in starkem Maße.

Höchstwahrscheinlich — und auch der ursprüngliche Plan, noch einen „Kampf mit dem Ölmotor" folgen zu lassen (AzL 387), spricht dafür — ging es Döblin anfänglich um die Darstellung des Konkurrenzkampfes in einer Welt wildgewordener Technik, eines auf Privatinitiative ruhenden Kapitalismus; aber die zitierten Äußerungen Wadzeks stehen allzu isoliert da, der gesellschaftliche Hintergrund bleibt zu schemenhaft, als daß Wad-zek ein exemplarisches Opfer der Industriegesellschaft genannt werden könnte. Bezeichnend für die Verschiebung ins Private ist das mangelnde Interesse des Fabrikanten am Tun des Erfinders — der schließlich die Wunderwaffe gegen Rommel schaffen soll — und die Konzentrierung auf persönliche Rachegefühle (66f). So gerät der Roman zur psychologischen Studie, die überdies — schon Franz Herwig stellte das fest [74] — insofern mißlungen ist, als wir dem zappligen Wadzek den Fabrikdirektor nicht so recht glauben können. Er ist ein Bruder der Michael Fischer, Valentin Priebe und Adolf Götting. Sogar das Schaukeln in den Hüften hat er mit Fischer und Priebe gemeinsam (397); auch er hat ein kindliches Gesicht (9).

Schon sein erster Auftritt zeigt uns seine Unsicherheit, sein Bemühen, sich in die Berührung wenigstens mit Möbeln zu flüchten: „Er schien sich nur im Schutze eines Gegenstandes wohl zu fühlen" (9). Auch die auf Schwäche beruhende Aggressivität teilt er mit seinen Vorgängern; man denke an sein diktatorisches Gehabe gegenüber Schneemann oder an den hysterischen Ausbruch gegenüber dem Jungen der Frau Litgau (117ff); zu Gaby sagte er noch am Schluß: „Liebe will ich nicht, ich verzichte auf Zärtlichkeit. Ich will Gehorsam" (401). Der Erzähler weiß um die Zu-sammenhänge: „Er war furchtsam und suchte durch ein beleidigtes Wesen zu entwaffnen." (11) So will er auch im Lesesaal seine schmerzliche Isola-tion durchbrechen, indem er mit seinem Stock „ein paar befehlende Schlä-ge" über die Platte legt (29); doch das erregt nur kurz Aufsehen, dann sieht er wieder hilflos zu, wie die andern miteinander flüstern, also nicht einsam sind wie er; er hat „das peinliche Gefühl, daß die Menschen und Möbel sehr weit von ihm entfernt waren", und meint: „er mußte versu-chen, einmal hier jemanden etwas zu fragen" (ebd.) — ein Versuch, der

[74] K 25, S. 96

sich schon in seiner sprachlichen Unbeholfenheit als sinnlos enthüllt und zu dem es dann auch gar nicht kommt.

Im Mittelpunkt des I. Buches stehen der Diebstahl und die Verfälschung von Rommels Brief an Abegg: dies ist Wadzeks Butterblumenmord. Sehr deutlich kann man hier beobachten, wie ein der Novelle entstammendes Motiv aufgeschwellt wird: wurde Fischer an der entscheidenden Stelle erstmals mit vollem Namen genannt, so geht hier dem Briefdiebstahl eine mehrere Seiten lange Schilderung von Wadzeks Äußerem, vor allem seines Gesichts, voraus (71—73). Der Einschub kommt ziemlich überraschend, da wir dem Mann bereits auf der ersten Seite des Romans begegnet sind und seitdem sein Tun verfolgen; trotzdem steht das Porträt mit gutem Grund an dieser Stelle: als minuziöse Präsentation eines Menschen, dessen Zerstörung wir anschließend miterleben. Diese Schilderung ist übrigens keineswegs auf den kalt verächtlichen Ton abgestellt, den wir in der „Ermordung" und in der „Nachtwandlerin" beobachteten, sondern der Erzähler sympathisiert spürbar (wenn auch nur in diesem I. Buch) mit dem Helden, den er als zwiespältige Existenz darstellt: von seiner „Zerrissenheit" ist die Rede (72f), von seinen strahlenden Augen („sie waren schön, ja unvergeßlich." — 71), deren „warmes entschiedenes Licht [. . .] augenblicklich alle Urteile über den Mann verschob." (72)

Nach dem Diebstahl hat Wadzek „einen aufflutenden Wahnsinnsanfall" zu überstehen (76); ebenso wie Michael Fischer wird er von Halluzinationen heimgesucht, die gerade Erlebtes noch einmal ablaufen lassen („Mit einer grauenhaften, drängenden, immer heftiger dringenden Deutlichkeit schwammen durch seinen Kopf, über seine Augen Bilder, die Bilder von eben, Geldverlieren, Fahrt in der Elektrischen, Haustür." — 78); auch er fühlt sich als „Ausgestoßener, Verbrecher" (81), aber er entgeht dem Wahnsinn: er interpretiert seine „Tat", den kläglichen Auftritt mit dem Botenjungen und die Verfälschung des Briefes, nachträglich als Protest gegen die Gesellschaft. Er kann sich seines Schuldgefühls nur dadurch erwehren, daß er die Bedeutung seines „Verbrechens" gewaltig übertreibt, es zum „Kampf des Einzelnen gegen die Masse, die Macht" deklariert (110) und in konsequenter Fortführung seines pseudorevolutionären Treibens den Entschluß faßt, sich in seinem Reinickendorfer Haus zu verschanzen und damit „dieser ganzen Welt" einen Affront anzutun (92). Das klägliche Ende dieses Unternehmens, der Untergang in Lächerlichkeit, läßt sich schon am Schluß des I. Buches ahnen, wenn Schneemanns Kummer von seiner Frau als Rachenkatarrh, von seinen Kollegen als Kehlkopf-Tuberkulose fehlgedeutet wird (93, 94).

In Reinickendorf steigert Wadzek sich immer mehr in maßlose Selbstüberschätzung hinein („Vor einem Kaiser macht das Gesetz halt. Das Kaisertum ist keine vereinzelte Erscheinung auf der Erde." — 122), die zu den überaus lächerlichen Ereignissen in diesem Schrebergartenmilieu in schon schmerzlichem Kontrast steht. Schließlich sehnt Wadzek sich geradezu nach dem Gendarm, und als es ihm tatsächlich gelingt, das Interesse der Polizei auf sich zu lenken, als er großartig vom „Kampf des einzelnen gegen das Monopolwesen, gegen das Trustsystem" spricht (210), da fällt das ganze Kartenhaus von der Bedeutung des Revolutionärs Wadzek in sich zusammen, genau so wie das des vermeintlichen Heilandes Adolf Götting: nicht nur existiert kein Steckbrief gegen ihn, sondern Rommel hat überhaupt nichts gegen ihn unternommen (217, vgl. 370). Wadzek bricht zusammen. Er gibt sich auf; seinen Spiegel, der ihm zu Unrecht immer noch den alten Wadzek zeigt — bzw. den Schneemann von Stettin (236 f), d. h. einen noch nicht zerbrochenen Menschen —, zertrümmert er, kann sich freilich in sentimentaler Anhänglichkeit von den Scherben nicht trennen (238 f).

Wie der verzweifelte Götting sich in die Arme seiner dumpf-liebevollen Frau warf („Da hat sie nur das zitternde halbnackte Männlein zu halten." — EB 41), so fühlt Wadzek eine ihm selbst unerklärliche „bräutliche Liebe" (301) zu seiner Frau entstehen, einem vom Erzähler mit genüßlichem Ekel abkonterfeiten Monstrum (131—133). Diese letzte Hilfskonstruktion [75] zerbricht, als die widerwärtig betrunkenen Freundinnen Paulines sich über Wadzeks Spiegelscherben hermachen, sozusagen also Leichenschändung betreiben (Pauline kreischt: „Er ist tot." — 364). Nun geht er sich auf dem Friedhof ein Grab suchen (371).

In einer wenig glaubwürdigen Wendung — die gleichwohl Brechts Beifall fand [76] — entschließt Wadzek sich dann, Gaby nach Amerika zu begleiten. Ihr, die ihm für frühere Hilfe stets dankbar blieb (40), ist es fraglos klar, „wenn er sich ihres Körpers bedienen wollte, daß er es durfte." (401) Er fühlt zwar „gläubige, stützende Kräfte" von ihr ausgehen (413), aber angesichts der an Dr. Converdon gemahnenden Schlußsätze wird es

---

[75] Diese Deutung schon bei Elshorst, K 568, S. 25.
[76] Bertolt Brecht, Gesammelte Werke (K 492), Bd. VIII, S. 10: „Der Held läßt sich nicht tragisieren. Man soll die Menschheit nicht antragöden."

einem schwer, an den Erfolg des Unternehmens zu glauben: „Er nippte stolz an ihrer Stirn, während sie ohne weiteres gegen seinen Mund glitt, der gleich darauf bemerkte: ‚Sehen Sie. Es funktioniert alles.' " (414)

Die Parallelen im Ablauf dieses Romans zu den erwähnten Erzählungen sind augenfällig. Neu ist das Motiv der Technik, das aber auch hier ja nur auslösende Funktion hat, schon vor dem Briefdiebstahl kaum noch eine Rolle spielt. Durch die Umdeutung der „Untat" in eine revolutionäre Handlung gewinnt der Erzähler die Möglichkeit, einer Geschichte in der Art der „Ermordung einer Butterblume" eine solche à la „Astralia" folgen zu lassen; ein gewisser Leerlauf in den beiden letzten Büchern, die sich nicht mehr an ein solches vorgegebenes Schema halten können, ist nicht zu übersehen.

Auch in der Zahl der Personen besteht ein deutlicher Unterschied zu den anderen Romanen Döblins. Um allenfalls sechs Hauptgestalten (die Familie Wadzek, Gaby, Schneemann, Rommel) gruppieren sich einige Nebenfiguren (Schneemanns Frau, die Damen Kochanski und Litgau, der Sohn der letzteren, Abegg u. a.), die kaum eigenes Profil gewinnen. Das Personenregister ist von der „Ermordung einer Butterblume" über die „Nachtwandlerin" bis zum „Wadzek" stetig, aber gemächlich umfangreicher geworden. Nichts findet sich hier von den Menschenmassen des chinesischen Aufstandes oder des Dreißigjährigen Krieges.

Die Gestalt der Frau Wadzek hat lediglich die Funktion, die groteske Demontage des Helden zu unterstreichen. Wenn Wadzek sich in letzter Verzweiflung in Liebe zu dieser seellosen Fleischmasse hineinsteigert, so fühlt nicht nur Herta, sondern auch der Leser sich angeekelt, allerdings nicht nur von der Gestalt selbst, sondern auch von der Darstellung des Erzählers, der schließlich in gröbste Karikatur abrutscht („Die voluminöse Gestalt der Wadzekfrau zog sich nach der Begrüßung blökend zwischen die Fauteuils zurück." — 350). Ziemlich unkontrolliert entlädt sich hier Döblins furchtsamer Frauenhaß, vor allem in der Schilderung des widerlichen Besäufnisses, das die drei Freundinnen bei Wadzeks veranstalten (348ff).

In Hertas ambivalenter Stellung zu ihrem Vater sind deutlich autobiographische Züge erkennbar. Zwar belustigt sie sich über den Schlag, der ihn getroffen hat, aber sie hängt doch zu sehr an ihm, um seine lächerliche Situation in Reinickendorf ertragen zu können. Seine Beziehung zu Pauline erregt ebenso ihre Eifersucht wie die zu Gabriele. Nach seiner Flucht, die der Mutter nur rechthaberische und entrüstete Kommentare entlockt, bricht sie zusammen. — Ihre geheime Identität mit dem Vater wird darin angedeutet, daß auch sie die Katastrophe auf einen Brief zurückführt, allerdings nicht auf den von ihm gefälschten, sondern auf den Gabrieles, den sie ihm hatte überbringen sollen (51, 260). Damals fühlte sie sich sowohl von Gaby als auch von Wadzek ausgenutzt („Die Sorte, welche andere zu Sklaven ihrer Zweck machen." — 52) und hatte sich in eine trotzige Bewunderung für Rommel hineingesteigert; später aber fühlt sie sich wegen der Fehlleitung des Briefes geradezu als „Mörderin" (263) und richtet ihren Haß auf Gaby, weil die sie in Versuchung geführt hat (260, 262).

Schneemann ist in etwa der Sancho Pansa Wadzeks, den er als „Heros" verehrt (17) und der den feigen Dickwanst in so heftigen Kampfeifer zu versetzen vermag, daß er sich Rommel gegenüber schon als der Ritter Georg fühlt (37). Die Figur hat zwei Funktionen: einmal wird an diesem Kampfgefährten schon sehr früh die Unsinnigkeit des ganzen Unternehmens deutlich, zum anderen nimmt sein Schicksal das Wadzeks vorweg: ihm ist eine Erfindung gestohlen worden, und ihm blieb nur die Arbeit als kleiner Ingenieur bei Rommel (15f); diesen Weg sieht auch Wadzek vor sich, und nach dem kläglichen Ende der Reinickendorfer Belagerung identifiziert er sich mit Schneemann (236f).

In noch stärkerem Maße ist Rommel eine reine Komplementärfigur. Im Gegensatz zu dem kleinen unruhigen Wadzekt ist er riesengroß (24), aber so äußerlich wie dieses Merkmal ist auch seine geschäftliche Überlegenheit; der Ölmotor hätte ihn wohl ebenso in die Knie gezwungen, wie seine Turbine es mit Wadzek tut [77]. Er erscheint kaum weniger gespalten als Wadzek; auch sein Gesicht zerfällt in widersprüchliche Bestandteile: „schön, bezaubernd mußte sein, wer Mund und Wangen zu dieser Nase besaß." (307) — Übertrieben ist es freilich, wenn Wadzek sich und seinen Gegner als geheime Bundesgenossen hinstellt: „Wir schätzen einander. Wir lassen aufeinander nichts kommen" (394). Hier meldet sich nur Wadzeks Wunsch, von Rommel doch nicht gar so sehr verachtet zu werden, wie der Verzicht auf Anzeige es erkennen ließ.

In Gabriele wird das Motiv der „Heiligen Prostitution" aus dem „Wanglun" wiederaufgenommen [78]; sie ist in mancher Beziehung eine Vorläuferin der Venaska, Mieze, Alexandra, „weich und übergut zu allen" (308), un-

---

[77] vgl. dazu Döblins eigene Deutung: „Im ‚Wadzek' zappelte der Mensch atemlos hinter der Technik her, er strampelte, schrie, stolperte, lag und streckte alle Viere aus, dann kam ein anderer, lief, rannte, keuchte." (AzL 387)
[78] Diese Parallele sieht auch Elshorst (K 568, S. 29).

erschütterlich in ihrer Dankbarkeit gegenüber Wadzek, dessen Werk sie vergeblich zu retten sucht; als sie sich endgültig auf eine Seite schlagen muß, verläßt sie Rommel. Was sie zur Hingabe an Wadzek veranlaßt, ist freilich weniger Liebe als eine Art Pflichtgefühl; ganz klar wird das innerhalb des zwiespältigen Schlusses nicht. Ohnehin ist Gabriele selbst keineswegs einseitig gezeichnet. Für ihre Spionage verlangt sie die Bekanntschaft Hertas, was Schneemann übertrieben, aber nicht ganz zu Unrecht als „Menschenopfer" empfindet (18). Sie versteht sich auch durchaus darauf, ohne jedes Verantwortungsgefühl in den Tag hineinzuleben. Zwar verzichtet Rommel ihr zuliebe darauf, Wadzek anzuzeigen, gerade das aber ist es — wie Gaby scharfsinnig erkennt (321) —, was Wadzek seelisch zerschmettert. — Ein abgerundetes Bild entsteht nicht; die Vereinigung von Mutter und Geliebter, von Jungfräulichkeit und Prostitution wollte noch nicht gelingen.

Das Thema des Romans, das groteske Aufbegehren des Menschenatoms gegen seine Nichtigkeit, findet seine formale Entsprechung in einer Reihe von Schilderungen, die ich als „Großaufnahmen" bezeichnen möchte und die den Zeitgenossen nichts weiter anzuzeigen schienen als eine Verliebtheit ins Detail [79]. In Wahrheit spiegelt sich in diesen umständlichen Beschreibungen banalster Einzelheiten (Wadzeks Mund, 223f; Schneemanns Mimik, 230; Wadzeks Gehtechnik, 397; Schiffsbewegungen, 403; usw.) nichts als Wadzeks krampfhaftes Bemühen, die lächerlichen und unerheblichen Geschehnisse, die er in Gang setzt, in weltbewegende Taten umzulügen. Noch seine Flucht kommentiert er mit dem Satz: „Napoleon fährt auf Sankt Helena" (398). In dieser verzweifelten Selbstüberschätzung mißt er zwangsweise auch den Taten anderer übermäßige Bedeutung zu, hält den kleinen Albert ebenso wie die Kochanski für Spione und merkt nicht, daß er gegen Windmühlen kämpft. Die Nichtigkeit solcher angemaßter Bedeutung zu entlarven ist die Funktion jener langwierigen Detailschilderungen. Nirgends wird das deutlicher als in der wundervoll grotesken Szene, die Wadzeks vergebliches Bemühen vorführt, zwei Gläser Weißbier aus der Wirtschaft zu holen (140—146): wie er sich eine Skizze von den störenden Ästen auf dem Weg machen will, wie Schneemann die Uhr zückt, „um sich ein ungefähres Bild davon zu machen, wann das Weißbier im Haus sein könnte" (143), wie die beiden zu allerletzt auf die Idee kommen, statt des blessierten Wadzek könnte ja auch Schneemann gehen, wie sie sich

[79] z. B. Herwig, K 25, S. 96

nach dem schließlichen Erfolg zunächst „stumm" (145) und dann noch einmal „ernst" (146) die Hände schütteln: das ist von großer Komik und spiegelt die lächerliche Selbstüberschätzung dieser Menschen. Vor allem das II. Buch ist voll von derartigen Szene, die den — durchaus inhumanen — Standort des Erzählers erkennen lassen: er steht auf der Seite der Macht, die den einzelnen zerschlägt, und er tut das nicht mit der fatalistischen Ergebenheit, die im „Wang-lun" als wahre Stärke gepriesen wurde, sondern mit sarkastischer Schadenfreude, dies darum, weil der europäische Kult des Individuums ihm als klägliche Anmaßung erschien, die es zu decouvrieren gelte [80].

Diese Deutung ergibt sich freilich nur ex negativo und nur dann, wenn man die Stellung des Romans zwischen dem „Wang-lun" und dem „Wallenstein" beachtet. Im Gegensatz zu diesen beiden Romanen fehlt hier die Gestalt, die das Nichts des Ich in ihren Willen aufnähme und sich auf diese Weise erlöste. Uns wird nur wieder, wie schon in „Astralia", ein aufgeblasenes Individuum vorgeführt und seine eingebildete Bedeutung zerstört. Die aus den früheren Spießersatiren übernommenen Motive und Erzähltechniken verdecken den Wandel, der sich inzwischen vollzogen hat: Döblin, der im „Schwarzen Vorhang" die dunkle Macht noch anklagte, die mit dem schwachen Menschen ihr höhnisches Spiel treibt, der in den Erzählungen diesem seinem Grundthema durch Flucht ins Märchenhafte oder Komische auswich oder sich auf den Teilaspekt „Sexualität" beschränkte bzw. jenes Unterworfensein als Wahn zu rationalisieren suchte: Döblin sagt inzwischen ja zur Nichtigkeit des Menschen, stellt sich auf die Seite der vernichtenden Macht, sucht ihr durch diese Anheimgabe den Stachel zu nehmen. Was es denn sei, was so unerbittlich über den Menschen herrscht, wußte Döblin selbst nicht zu sagen. Im „Wang-lun" hatte er es „Schicksal" genannt; im „Wadzek" wurde die Unklarheit dadurch verstärkt, daß Döblin selbst den technischen Fortschritt zwiespältig beurteilte, ihn folglich weder als eine neue Ausformung jener Über-Macht preisen noch als Ausgeburt menschlichen Wahns verdammen konnte. Das letztere freilich hätte in der Konsequenz gelegen, die von der Verwerfung des Ich gefordert wird. Es hätte gezeigt werden müssen, daß Wadzeks Gegner, der über Leichen gehende industrielle Fortschritt, letztlich identisch ist mit

---

[80] Ernst Ribbats Deutung, diese Detailanalysen hätten die Aufgabe, „das Wissen von der Allgegenwart des ‚Lebens' " zu erweitern (K 580, S. 198), scheint mir unangemessen, da sie den Horizont dieses Romans sprengt. Vgl. dazu meine Besprechung in der „Zeitschrift für deutsche Philologie", Bd. 90; 1971; S. 307.

dem, was sein Selbstverständnis ausmacht: beides basiert auf der westlichen Lehre von der Heiligkeit des Individuums; die Antithese Wadzek — Technik ist eine nur scheinbare: dieser Mensch erliegt seinem eigenen Prinzip. — Bis zu dieser Klarheit hat Döblin die Konzeption nicht vorgetrieben. Eine Gegenmacht wird nicht sichtbar, es bleibt nichts als der Eindruck einer allseitigen Negation. Erst in der Zusammenschau mit dem „Wang-lun" gewinnt der Roman eine größere Bedeutung als die einer überlangen Groteske.

Zu einseitig ist es also, wenn Elshorst in seiner durchaus lesenswerten Interpretation dieses Romans als Thema nennt: „Konkurrenzkampf der kapitalistischen Wirtschaft in seinen Auswirkungen auf die darin verwickelten Menschen" [81] oder wenn Links von einem „Hohngesang auf die gesellschaftlichen Verhältnisse" spricht [82]. Elshorst ist sich denn auch durchaus bewußt, daß seine Deutung die Intention des Romans übersteigt, daß die Begründung für die von Döblin gezeichneten Zustände zwar gesellschaftlicher Natur ist, vom Autor aber nicht als solche durchschaut wurde, und so flüchtet er sich in die Beschwörung einer „geheimnisvollen Wechselwirkung Kunst-Gesellschaft" (S. 29). Damit wird der Roman als historisches Dokument genommen und nicht mehr auf sein eigenes Wollen hin befragt. Tut man das, so wird klar, daß die gesellschaftliche Thematik hier wie fast stets bei Döblin überstiegen bzw., vom marxistischen Standpunkt aus, verfehlt wird. Der Gegner Wadzeks ist nicht die Gesellschaft und schon gar nicht eine bestimmte Gesellschaftsordnung; er ist nicht ein Opfer des Kapitalismus oder höchstens insofern, als auch der Kapitalismus eine Folge der abendländischen Einschätzung des Individuums darstellt. Auch meine eigene Deutung geht ja schon ein wenig über das hinaus, was der Roman selbst hergibt, hat aber den Vorzug, von der deutlicheren Gestaltung im „Wang-lun" und im „Wallenstein" gestützt zu werden, und kann sich innerhalb des Romans auf Wadzeks Stilisierung seines Tuns als „Kampf des Einzelnen gegen die Masse, die Macht" (110) bzw. als „Kampf des einzelnen gegen das Monopolwesen" (210) berufen; auch seine Identifizierung mit dem Kaiser (122) bzw. mit Napoleon (398) gehört hierhin. Wie gering Döblin damals vom Einzelmenschen als Romanhelden dachte, bezeugen seine theoretischen Aufsätze aus dieser Zeit [83];

[81] Elshorst, K 568, S. 27
[82] Links, K 558, S. 47
[83] vgl. *AzL* 18, 21.

schon in den „Gesprächen mit Kalypso" war von der „kindlichen Besessenheit" vom Ich die Rede [84]. Wenn er dann trotzdem einen auf so wenige Personen gestellten Roman schrieb, dann nur, um in der Großaufnahme des Einzelmenschen dessen Nichtigkeit noch schärfer herauszuarbeiten.

Nicht nur läßt er seinen Helden über die lächerlichsten Kleinigkeiten stolpern, sondern er zeigt auch, wie wenig der Mensch, mit Freuds Formel, „Herr im eigenen Haus" ist: Körperteile, Gedanken, Handlungen verselbständigen sich, führen ein vom „Urheber", „Besitzer" nicht mehr zu kontrollierendes Eigenleben. Bezeichnend sind die zahlreichen Anfälle halber Bewußtlosigkeit, die vor allem Wadzek heimsuchen. Besonders eindringlich ist jener Ringkampf geschildert, in den Schneemann und Wadzek sich zwanghaft hineinsteigern (88—91). Wie hier etwas Fremdes Eigenleben gewinnt und sonst herrschende Kontrollinstanzen ausfallen, das faßt Döblin in einem paradoxen Ausdruck zusammen, wenn er von Schneemann sagt, er sei von „einer Bewußtlosigkeit überflammt und überdunkelt" (88). Schneemann ist „wehrlos gegen die Hände", die Wadzek attackieren; der wiederum denkt traumhaft abgerissen an den Botenjungen, Abeggs Dienstmädchen, seine eigene Frau und steigert sich in einen Vernichtungswillen gegen den anderen, der ihm nun all das verkörpert, und gegen sich selbst hinein: „daß nichts von Schneemann übrigbliebe und nichts von Wadzek übrigbliebe." (89) Wenn sie voneinander ablassen, sind sie „tief erstaunt" (ebd.). — Wadzeks verzweifelte Hinwendung zu seiner Frau geschieht ebenfalls zwanghaft („Bewußtlos tat er, was es wollte." — 280), und auch Gaby umarmt er wie eine Marionette: „In einer Bewegung, die ihm geboten war, ging er unmerklich um den Tisch, stand dicht bei ihr. [. . .] Der rechte Arm brachte es schneller, als Wadzek gedacht hatte, dazu, sich ihrer rechten Schulter von rückwärts zu nähern." (413) Der letzte Satz ist wieder ein Beispiel für die satirische Großaufnahme; auch in der Erzähloptik wird die Verselbständigung des Arms faßbar.

Mit Recht hat man anläßlich solcher Passagen von Selbstentfremdung gesprochen [85], von der Dekomposition des Menschen [86], war sich freilich nicht einig über die Deutung dieses Phänomens. Schwimmer überträgt auch Wadzeks Sicht wieder bedenkenlos auf den Autor selbst [87], während Elshorst und Links dazu neigen, die Gesellschaft für diese Auflösung des

---

[84] D 330, Nr. 8, S. 58
[85] Liede, K 589, S. 39; Elshorst, K 568, S. 26, 28; Links, K 558, S. 47
[86] Martini, K 559, S. 333
[87] vgl. z. B. K 583, S. 41—44.

Menschen verantwortlich zu machen, „Entfremdung" also im marxistischen Sinne zu verstehen [88]. Zu welchen Gezwungenheiten eine solche Sehweise führt, zeigt sich bei Links, der Wadzeks Hypernervosität auf die „Hast der Stadt" zurückführt — und dabei natürlich wieder das überstrapazierte Freiburg i. Br. des Herrn Michael Fischer bemüht [89]; demgegenüber muß angemerkt werden, daß dem geplagten Helden die gröbsten Fehlleistungen nicht in der Stadt, sondern im durchaus idyllischen Reinickendorfer Milieu unterlaufen, in jenem Abschnitt also, der ihn auf der höchsten Spitze der Selbstüberschätzung zeigt. Diese Selbstüberschätzung als solche zu entlarven, den Glauben an das Ich, den einzelnen zu zertrümmern: das ist die Aufgabe dieser Dekomposition.

Zweifellos kamen Döblin bei der Darstellung solchen Zerfalls seine psychiatrischen Kenntnisse zugute; seine Arbeit in den Irrenanstalten hatte ihm die Abhängigkeiten des Ich so deutlich vor Augen geführt, daß er 1927 im Rückblick auf diese Zeit behauptete: „ich will sagen, mir persönlich hat Freud nichts Wunderbares gebracht." (AzL 362) — Ob die Leser damals in der Lage waren, hinter dem grotesk-pathologischen Einzelfall die allgemeine Kritik zu sehen, diese Frage stellt sich hier ebenso wie schon anläßlich der „Ermordung einer Butterblume". Die Rezensenten jedenfalls waren offensichtlich überfordert [90].

## C) Vereinzeltes

### Die Erzählungen III

Wenn der „Wadzek" zwar in der Erzähltechnik und in vielen Einzelzügen noch den Stand der frühen Erzählungen widerspiegelt, andererseits in der Verallgemeinerung des Angriffs und in der mitleidlosen Zerschmetterung des einzelnen doch schon neue Züge trägt, so sind zwei Erzählungen aus der „Lobensteiner"-Sammlung für uns gerade unter formalen Aspekten interessant.

### „Die Schlacht, die Schlacht!"

Mit dieser Skizze reagierte der Erzähler Döblin erstmals auf den Weltkrieg. Gezeigt wird, wie ein Zivilist in der Frontatmosphäre Geschmack am

---

[88] Martini schweigt sich über Sinn und Funktion der von ihm mitgeteilten Stilelemente aus.
[89] Links, K 558, S. 47
[90] vgl. K 24 — K 29.

Krieg gewinnt — daher der euphorische Titel —, und das bedeutet auch: Geschmack am Tod: „Gar nicht traurig ist Armand über den Tod Poinsignons [. . .] Kaputt muß doch alles gehen, es liegt hier so in der Luft. Ran woll'n wir alle an den Tod." (EB 228); von den angreifenden Soldaten heißt es: „Sie sind wie Katzen, die in den Sumpf springen und ertrinken vor Durst, vor Durst." (233) [91] Armand gelingt es denn auch wirklich, zu Tode zu kommen, allerdings auf noch kläglichere Weise als sein Freund; war er, vom Heldentod-Mythos infiziert, schon sehr enttäuscht gewesen, daß Louis an simplem Typhus gestorben war, so wird er selbst beim Sturmangriff von einem Kameraden, den er in Schwierigkeiten gebracht hat, hinterrücks erstochen. So groß aber ist die Fixierung, daß er noch im Sterben an nichts anderes zu denken vermag als an das Gelingen des Angriffs.

Die Tätigkeit als Lazarettarzt in Saargemünd hat Döblin offenbar sehr rasch von dem grotesken Chauvinismus kuriert, der sich in dem Aufsatz „Reims" ausgetobt hatte [92]. Nur angesichts der drohenden deutschen Niederlage fand er sich noch einmal zu törichten Durchhalteparolen bereit [93], aber inzwischen war ihm wenigstens die innerdeutsche Misere bewußt geworden. — Wenn die Erzählung unter Franzosen spielt, so wohl kaum deshalb, weil Döblin „den Feind" hätte verspotten wollen, sondern weil die Front in Frankreich stand und ein deutscher Zivilist nicht mit solcher Leichtigkeit dorthin gelangen konnte; der schneidende Kontrast zwischen Normalexistenz und Soldatenleben wird aber ja umso augenfälliger, je einfacher der Übergang vom einen zum anderen ist. Wichtiger als der Inhalt ist uns freilich der Stil; denn manches ist hier schon in nuce enthalten, was später in „Berlin Alexanderplatz" beherrschend werden sollte — und was manche Interpreten immer noch unverdrossen auf den Einfluß von Joyce und Dos Passos zurückführen.

Die Erzählung ist — wie auch der größte Teil des späteren Romans — im Präsens gehalten und zeigt im ganzen einen dem Thema und dem aufgeregten Titel entsprechenden abrupten, gedrängten Stil. Prädikat- oder subjektlose Sätze, auch sonst nicht eben selten bei Döblin, häufen sich hier und

---

[91] Diese makabre Todessüchtigkeit wird später ein wesentliches Thema der „Amazonas"-Trilogie werden. Vgl. auch unten S. 218.

[92] D 396. — Robert Minder berichtet von unveröffentlichten Briefen Döblins an Herwarth Walden, die den Wandel erkennen lassen (K 561, S. 177). Vgl. jetzt D 604 A, S. 61 ff.

[93] „Drei Demokratien" (D 398), S. 257 f

bewirken einen Telegrammstil: „Mütze in die Ecke, Rock in die Ecke, ein Bad genommen. Nach Hause. Sieben Uhr abends." (217) oder: „Der verliebte schlanke Pioupiou im Bergmannsmantel, Laterne im Knopfloch, Feldgendarm neben ihm." (231) [94] Einmal beginnt sogar ein Absatz mit einem subjektlosen Satz: „Wird nach fünf Minuten von vier Mann angefaßt" (230); ein Nebensatz wird durch eine Konstruktion in der Art des lateinischen Ablativus absolutus ersetzt: „Wald nach rückwärts bis zur Eisenbahnböschung gebrochen, trampelt Armand [. . .] in die Schleusenkneipe" (230). Diese beschleunigende Verknappung des Erzählens wird auch in der Behandlung der direkten Rede sichtbar. Auf die Rundfrage „Welche stilistische Phrase hassen Sie am meisten?" antwortete Döblin 1926 kurz und bündig: „Er sagte" [95]. In der Tat hat er sich im frühen Werk nach Kräften bemüht, dieser farblosen Redeeinführung aus dem Wege zu gehen. In unserer Erzählung heißt es denn auch nur ein einziges Mal: „Sie sagt", und zwar gerade in dem Augenblick, da man keineswegs darauf gefaßt ist, daß jemand so einfach zu sprechen beginnt (224). Sonst heißt es: „keucht", „brabbelt" (220), „schreit" (222), oder aber — und diese Variante bildet Döblin später virtuos aus — die begleitende Geste oder Miene muß der Einführung dienen: „dann nimmt er sie unter den Arm:" (225) oder: „Ihr Gesicht leuchtet auf:" (226). Meist aber verzichtet Döblin völlig auf das einführende Verb, läßt die Person ganz unvermittelt sprechen [96].

Vor allem ist auf die Weiterentwicklung des inneren Monologs hinzuweisen, der hier meist *ohne* Einführung (in der Art von „sagt er sich" — 217) in die Erzählung eingebaut ist: „Nasser Gischt in der Luft, freie Äcker. Preußen, Bayern, wenn ihr Louis habt, gebt ihr ihn her. Weißer zappelnder Laternenkreis immer zwei Schritt vor den Stiefelspitzen. Marschieren. Der Lehm saugt an den Stiefeln. Marschieren." (218) Auch das Marschmotiv aus dem „Alexanderplatz" ist hier also schon vorgebildet [97], ebenso die rhythmische Wiederholung von Sätzen, sei es zur Kennzeichnung der Bewegung („Dies ist der Weg zu Louis Poinsignon. [. . .] Das Pferd trägt ihn zu Louis Poinsignon, der nicht da ist. [. . .] Louis Poinsignon ist nicht da. [. . .] Hier kann kein Louis Poinsignon existieren, es ist unmöglich." — 223), sei es

---

[94] vgl. außerdem z. B. S. 218, Abs. 2—4; S. 222, Abs. 3; S. 226, Abs. 2 usw.
[95] D 287
[96] s. S. 217 f; S. 218, Abs. 4; S. 219, Abs. 3 ff; S. 221; S. 222, Abs. 4 ff; S. 226 f.
[97] vgl. auch S. 217: „Pfeifen, Trompeten, Trommeln, dann sollen sie mal trommeln, bumberum bumm bumm, titiliti." — Für Biberkopf spielen Weltkriegs-Erinnerungen ja eine große Rolle; auch er stand als Soldat in Frankreich (BA 88).

im Dienst der Autosuggestion („oder eben: er ist nicht tot. Oder er ist eben nicht tot. Er ist eben nicht tot. Ist nicht tot. Louis ist nicht tot." — 217).

Wichtiger noch als die nahtlose Einpassung des inneren Monologes sind die Ansätze zur Collage-Technik, die dann in „Berlin Alexanderplatz" so großen Raum einnehmen wird: die Hereinnahme von optischen Eindrücken und Zitaten in den inneren Monolog bzw. in den Erzählerbericht. Gemessen an dem Strudel der Eindrücke und Assoziationen in dem großen Roman wirken diese Ansätze natürlich noch sehr bescheiden: „Armands Augen lesen die Schilder des Städtchens ab: Féréol Gide, Drogerie; Witwe Walter, Kostüme; Camille Ticeuze, Pfandleihe. Nun ade, du mein lieb Heimatland." (217) Sein umgekehrt verlaufender Weg aus der Stadt hinaus wird so paraphrasiert: „An den roten Wirtshausfenstern geduckt vorbei. Witwe Walter, Kostüme; Féréol Gide, Drogerie; Metzgerei vom dicken Camille." (218) Unbestreitbar haben wir hier bereits alle Elemente jener Straßenschilderungen vor uns, die den „Alexanderplatz" beherrschen; dort fand nur noch eine — allerdings einschneidende — quantitative Verschiebung statt: der Umfang solcher Passagen und ihr Anteil am Gesamttext wurden erheblich vergrößert.

Daß Döblin diese Mittel hier noch recht unbeholfen verwendet, soll nicht bestriten werden; aber der Fortschritt gegenüber den impressionistischen Schilderungen im „Kaplan" und im „Wadzek" (WD 387 f) ist doch unverkennbar, auch in der folgenden Passage, die Bericht, inneren Monolog, Assoziationen und direkte Rede ineinandermontiert: „Zunächst Dizennes; geschlossene Fensterläden. Dann der Besitz von Herrn Uzaire; durch den gesperrten Wildpark; alles tot; die Vögel runtergeholt; kein Wächter; ah, Kaninchen. Chaussee nach Craor. Ein Leiterwagen. ,Nehmt ihr mich mit nach Roye?' ,Wenn du blechst, bis Craor.' ,Und nach Roye?' ,Geht nicht weiter.' " (EB 218)

## „Von der himmlischen Gnade"

Nicht nur stilistisch, sondern auch inhaltlich ist diese Erzählung mit der Geschichte vom Franz Biberkopf verbunden. In diesem Bericht vom Elend der alten Naßkes, von diesen Existenzen am Rande der Legalität, wird erstmals im Werk Döblins Berlin wirklich lebendig; erstmals artikuliert sich auch sein Mitgefühl mit den Armen und Ausgestoßenen, denen er sich immer zugehörig empfand: „Ich habe immer zu den Armen gehalten; dies eine ist mir sicher." (Sch 163) — Emma und ihr Lude, der dufte Rutschinski, könnten ebensogut im „Alexanderplatz" auftreten; Emma wird genau so gräßlich verprügelt wie Mieze. Nicht einmal der satirische Hieb auf die beamteten Mediziner fehlt (EB 174 f). Erstmals läßt Döblin die Personen Berliner Dialekt sprechen. Auch die deutlichen Erzähler-Kommentare weisen auf den Roman voraus. Am Anfang steht ein deutender Vorspruch, der nach dem kläglichen Ende Naßkes wiederaufgenommen wird (170, 178) und von dem es keinen weiten Weg braucht bis zu Kapitelüberschriften in der Art von „Da lobte ich die Toten, die schon gestorben waren" (BA 425). In der Erzählung ist es auf den Kontrast abgesehen zwischen diesen salbungsvollen Worten (bzw. dem Titel) und den grausam-banalen Ereignissen. Das gilt natürlich auch für den instinktlos fröhlichen Stieglitz, der an die feindseligen Sperlinge im „Alexanderplatz" erinnert (BA 425f) und am Schluß ungerührt schmettert: „Und bitte Gott gar eben, er wolle weiter Gnade geben." (EB 180)

Diese wenigen Hinweise mögen genügen, um deutlich zu machen, wie lange Döblin Motive und Erzählformen des „Alexanderplatz"-Romans mit sich herumtrug, bevor es zur Niederschrift kam. Angesichts dieser langen Zeit der Sammlung und Klärung kann es nicht verwundern, daß die Geschichte vom Franz Biberkopf letztlich doch alle übrigen Werke ihres Schöpfers überragt.

### „Die Tänzerin und der Leib"

Eine einzige Erzählung Döblins ist dem Thema gewidmet, das die Brüder Mann und viele andere unablässig bewegte: dem Thema des Künstlertums. Es mag sein, daß diese vor allem in der Nachfolge Nietzsches damals sehr moderne Problematik ihm nicht in dem Maße zusetzte wie jenen „entlaufenen Bürgern", weil er ja, um mit seiner Mutter zu reden, sein „Geschäft" hatte [98]: „den inhaltsvollen, anständigen, wenn auch sehr ärmlichen Beruf eines Arztes" (AzL 367). Die Frage nach dem Sinn seines künstlerischen Tuns stellte sich ihm in voller Schärfe erst während der Emigration, als er seinen „eigentlichen" Beruf nicht mehr ausüben konnte.

Für die hier in Rede stehende frühe Zeit läßt eine tatsächliche Künstlerproblematik sich nicht unterstellen. Döblins antikünstlerischer Affekt richtete sich allemal gegen die etablierten Tagesgrößen und hinderte ihn nicht, hier und da sogar für eine Kunst im Sinne des l'art pour l'art einzutreten.

[98] s. o. S. 20.

Es überrascht nicht, daß diese Äußerungen gerade in die Zeit fallen, da er noch mit dem Gedanken spielte, Medizin als Wissenschaft weiterzubetreiben, als sein eigenes Schreiben also noch viel stärker als später eine Nebenbeschäftigung war.

In den „Gesprächen mit Kalypso", die — ungeachtet des renaissancistischen Brokathintergrundes [99] — eine „Erkenntnistheorie der Musik" geben wollen (8, 59) [100], propagiert Döblin in scharfer Frontstellung gegen romantische Gefühlsschwelgerei eine absolute Musik und definiert: „Musik heißt das Spannungsverhältnis der abfolgenden Töne" (12, 93). Ein Jahr später fordert er in der Besprechung der „Toten von Fiametta" von der Kunst die „Reduktion auf die sachlichste Formel", spricht er von der Affinität der Kunst zur Mathematik [101]. Auch die „Gespräche" beschränken sich keineswegs auf die Musik, sondern beziehen die übrigen Künste mit ein. Überraschend für den Kenner der anderen Schriften Döblins ist die schroffe Absage an den später so verehrten Arno Holz, dessen Theorie als „das Gefasel von einer Kunst, die zur Natur werden soll" abgetan wird (21, 167). Zwar war auch für Döblin „die Welt" „die weiteste und tiefste Musikantin" (8, 58), aber er hielt es für unsinnig, dem doch nicht erreichbaren Vorbild nachzueifern, sah die spezifische Würde der Kunst vielmehr gerade in dem Maße wachsen, in dem sie sich von der Natur abwandte und ein eigenes System entwickelte. Daher stellte er die „Sprechkunst" an die Spitze, weil die Sprache den Weg vollendet habe, „den die Kunst gehen mußte, da sie nicht verdoppeln konnte, den Weg von der Nachbildung [Theater, Bilhauerei] über die Scheinbildung [Malerei] und Umbildung [Teile der Musik] zum bloßen Zeichen." (15, 119) Als — nur theoretisch konstruierbare — Konsequenz dieses antinaturalistischen Weges erkennt er: „die Kunst könnte sich auch jenes feinsten Zeichenwertes begeben und völlig bezugslos in selbstherrlichen Neubildungen ergehen. Die Wirklichkeit überwinden, ihre Herrin, und ihrer spotten." (ebd.) [102] Ganz in diesem Sinne nennt er die Tanzkunst eine „hoheitsvolle, strenge Kunst, die die Zähmung des Willens betreibt, die Unterjochung des Leibes unter den Willen, — darin eine gottvolle, tieffromme Kunst, — die Willenskunst." (19, 150) Damit

[99] vgl. z. B. das dritte Gespräch („Auf purpurnen Decken"), D 330, Nr. 7, S. 50 f.
[100] Zur Zitierweise s. o. S. 57, Anm. 25.
[101] D 204, S. 531
[102] Diesen Satz zieht auch Liede heran (K 589, S. 30), ohne freilich den Zusammenhang zu beachten (die Ablehnung der Nachahmungstheorie) und ohne den Charakter dieser Ausführungen als Gedankenexperiment zu erkennen.

ist das Thema der letzten Erzählung angeschlagen, die wir noch betrachten wollen: „Die Tänzerin und der Leib". Deutlich bildet die Theorie der „Gespräche" das Zentrum dieser Skizze. Umso interessanter ist es, daß Döblin hier das Scheitern des dort aufgestellten Prinzips vorführt.

In drei parallel konstruierten Einleitungsabschnitten („Sie wurde mit elf Jahren" — „Mit achtzehn Jahren" — „Mit neunzehn Jahren" — EB 17) werden Beginn, Höhepunkt und Ende der künstlerischen Karriere darge- stellt; das Hauptgewicht der Erzählung liegt nicht hier, sondern im Ringen der Tänzerin mit ihrem kranken Körper. — In den „Gesprächen" hieß es: „Jede Kunst soll ihre Wege gehen, ihrem Stoffe, dem Ton, der Farbe, dem Stein nachgehen und sie belauschen; die Eigentümlichkeit, Selbstwilligkeit und Freiheit des Stoffes erfassen und zur Kunst gedeihen lassen." (13, 101). Dem scheint es zu entsprechen, wenn von der Tänzerin gesagt wird: „sie schlich sich behutsam und geduldig in die Zehen, die Knöchel, die Kniee ein und immer wieder ein" (EB 17); aber erfaßt sie wirklich die „Selbstwilligkeit und Freiheit des Stoffes"? Formeln wie „lernte [. . .] zwingen", „überfiel habgierig", „wachte lauernd" sprechen dagegen, und dieses Moment des Zwanges läßt auch den von Muschg des öfteren heran- gezogenen Vergleich mit Kleists Aufsatz „Über das Marionettentheater" [103] fragwürdig erscheinen. Döblins eigene Haltung zu dieser Komponente ist nicht eindeutig. Wenn er die Unterjochung des Leibes gottvoll und tief- fromm nennt, so kommt hier die leibfeindliche, auf Furcht vor der Frau beruhende Haltung zum Vorschein, die wir seit den „Jagenden Rossen" immer wieder feststellen konnten und die der Geschlechterliebe den Stem- pel des Verbotenen aufdrückte. Daß dieser Zusammenhang tatsächlich auch hier gegeben ist, beweist der Kontext in den „Gesprächen": der Äl- tere, dem der ganze Passus in den Mund gelegt ist, spottet darüber, daß die an sich männliche Tanzkunst eine Angelegenheit der Frauen geworden sei; dies beweise, „daß die Männer des Weibes voll sind und nicht des Kampfes." Er beschließt seine Darlegungen mit höhnischen Worten über Liebesgefasel und Geschlechtlichkeit (19, 150).

Über den Erfolgen, die der Tänzerin auf Grund ihrer Verachtung für den Leib möglich sind („Es gelang ihr, über den üppigsten Tanz Kälte zu sprühen." — EB 17), sollte man aber die Einbuße an menschlicher Substanz nicht übersehen: ihr Gesicht ist scharfgeschnitten, ihre Stimme abgehackt,

---

[103] vgl. Muschg im Nachwort (EB 424) und in „Der Zauber der Abstraktion in der Dichtung" (K 696), S. 232.

der Gang ungeduldig: „Sie war lieblos" (ebd.). Sie ist nichts als „die Tänzerin", und folgerichtig erfahren wir ihren Namen erst, als die Krankheit diese Laufbahn beendet: „Ella" ist die leidende Frau, der es nicht mehr gelingt, zur Einheit zu finden. Sie begreift nicht, was ihr geschieht, spürt nur verzweifelt ihre Machtlosigkeit (18); im Krankenhaus gilt die Tänzerin nichts, ihr Leib alles. Sie haßt diesen revoltierenden Sklaven und die Ärzte, die ihn „mit einem maßlosen Ernst" behandeln (18). Die Spaltung wird immer tiefer: „Sie führten getrennte Wirtschaft" (19). Ein mit Musik vorbeimarschierender Zug Soldaten reißt sie aus ihrer Lethargie (ihre Affinität zum Soldatentum liegt in der Beherrschung des Körpers, in seiner Verwendung als bloßes Mittel). Sie will wieder tanzen, „ihren Willen wieder fühlen", die Herrschaft des kranken Leibes abschütteln (20). Nur ein Weg bleibt dafür offen, und so bringt sie „ihn" um, im Angesicht des Arztes, der ihn so wichtig nahm. Den letzten Satz: „Noch im Tode hatte die Tänzerin den kalten, verächtlichen Zug um den Mund." (21) mag man als Triumph des Willens deuten — ebensogut kann man eine krankhaft Selbstentzweiung, die Selbstzerstörung einer menschlichen Mißform konstatieren. Döblin läßt bewußt beide Möglichkeiten der Interpretation offen. Die Kunst bedarf der Selbstverleugnung, des Un-Menschlichen, aber wiegen die Ergebnisse die menschliche Verarmung auf? Schon in den „Gesprächen" hieß es: „ohnmächtiger und vermessener ist kein Mensch als der Künstler." (14, 108)

### D) Die ästhetischen Schriften vor 1924

In diesem Abschnitt soll gezeigt werden, auf dem Hintergrund welcher ästhetischer Anschauungen die Romane vom „Wang-lun" bis zu „Berge Meere und Giganten" gesehen werden müssen. Die politischen Aufsätze dieser Jahre lasse ich vorläufig beiseite, um sie in größerem Zusammenhang behandeln zu können. Einige wenige andere Skizzen aus der „Sturm"-Zeit bleiben, wenngleich sie zum Teil Kabinettstücke Döblinscher Prosa darstellen, außer Betracht; vor dem Weltkrieg stand die Beschäftigung mit ästhetischen Problemen fraglos im Vordergrund.

Was schon in den „Gesprächen" spürbar wurde, zeigt sich in anderen Aufsätzen noch deutlicher: Döblin, der in seinen Dichtungen immer wieder die Ohnmacht des Einzelmenschen, seine Bedeutungslosigkeit für den Weltlauf darstellte, sah offenbar in der Kunst doch noch eine Möglichkeit für das Ich, Größe und Allgewalt zu erreichen. Augenscheinlich hatte auch für ihn persönlich die Kunst in diesem Sinne den Charakter eines Refugiums. Unter dem Einfluß der „Sturm"-Künstler und dann der Futuristen kam er zu Äußerungen über die Selbstherrlichkeit der Kunst und des Künstlers, die sich in seinem Gesamtwerk sehr befremdlich ausnehmen. Vor allem der Aufsatz „Die Bilder der Futuristen" von 1912 ist auf diesen Ton gestimmt. Da heißt es: „Was ist alle Wirklichkeit, zum tausendsten Male, wo es sich um Kunst handelt, um eine andere, freiere, stolzere Realität, um die des triumphierenden Menschen?" (Z 10) und: „Worauf kommt es doch an? Nicht auf die entseelte blöde Szene, das Objekt, sondern auf — mich, auf mich, auf mich und auf nichts weiter." (8f) Getreu dem Satz: „Das Alpha des Futuristen: écrasez l'infâme, nämlich den Zuschauer." (8) polemisiert er gegen die Masse; ihr müsse eingebleut werden, „daß sie ist, was sie ist, nämlich dumm, kaum fähig aufzunehmen, zum Kretinismus geneigt, ein Greuel jedes Musischen; daß die einzigen Menschen die Könner jeder Art sind, an die sie sich zu drängen hat, hinter denen sie herzukriechen hat, selbst wenn sie sie anspeien und treten." (7f)

Wenigstens für sich selbst wollte er auch noch 1918 nichts von der Ohnmacht des Individuums wissen und proklamierte die „Freiheit eines Dichtermenschen" [104]. In diesem Aufsatz versuchte er, sich von der expressionistischen Bewegung abzusetzen, und behauptete, unbekümmert um den Geist, der seine Dichtungen beherrschte: „die Entscheidung letzter Stunde liegt bei der Persönlichkeit. An dieser Stelle ist es Zeit, Fanfaren zu blasen. Es ist das Kapitel von der menschlichen Freiheit." (AzL 27) Dieser Freiheitsbegriff schrumpft allerdings doch wieder erheblich zusammen, wenn die Verschiedenheit der Individuen auf Vererbung, Umwelt und Erziehung zurückgeführt wird (28). Auch den Zuschauer will Döblin nun nicht mehr einfach eliminieren, denn er hat die Unsinnigkeit einer solchen Forderung erkannt: „Michelangelos Deckenmalerei ist Anstrich ohne den Herrn Müller und seine beiden Töchter, die sich die Sache besehen." (30) Und wie immer, wenn er mit einem Konflikt noch nicht ins reine gekommen war, verteilt er den Nachdruck auf beide Pole und läßt abschließend auch zum Lob der Massen Fanfaren blasen (32).

Die verwirrende Unentschiedenheit in diesem Aufsatz läßt erkennen, daß es für Döblin auf die Dauer unmöglich war, sich mit der Nichtigkeit des Ich abzufinden. Er wußte damals zwar noch kein Gegenargument, aber

---

[104] „Von der Freiheit eines Dichtermenschen" (D 160).

sein eigenes Urteil erbitterte ihn tief: ein bloßes Massenpartikelchen zu sein, das konnte er, einer der originellsten Geister der Zeit, zumindest für die eigene Person nicht lange akzeptieren. So umkreiste er leidend seine zerstörerische Grunderfahrung, suchte sie eine Zeitlang in seinen Willen aufzunehmen, bemühte sich, den persönlichen Erzähler aus seinen Romanen zu eliminieren, — und konnte dennoch nicht verhindern, daß seine Epen gerade wegen ihrer Originalität bewundert wurden, konnte auch selbst von der Behauptung seiner Eigenständigkeit nicht abgehen, sprach stolz von seinem „Döblinismus" (AzL 15). Zu der Esoterik jenes Aufsatzes über die Futuristen ist er allerdings nie mehr zurückgekehrt.

Allzu schnell hat Walter Muschg Döblins Ausführungen über eine absolute Musik („Gespräche mit Kalypso") mit seiner gesamten Ästhetik gleichgesetzt (EB 424). In Wahrheit herrscht in seinen Bemerkungen über Musik und Musiker ein ähnliches Spannungsverhältnis wie in der „Freiheit eines Dichtermenschen". Die „Gespräche" zwar hatten das Wesen der Musik rein formal erfassen wollen, Döblin selbst aber war offensichtlich nicht in der Lage, Musik so zu hören; auch hier suchte er nach einer persönlichen „Aussage" und Ansprache. So kritisiert er den „Pennälergott" Haydn: „In alle Poren drang mir die Süße ihres Tones, der in einem unaufhörlichen Gesang aus ihren Instrumenten brach. Aber wenn ich die unbeschreibliche Stimme fragte: ‚Was willst du?', dann wandten sich mir zwei leere Blauaugen zu." (Z 14, 15) Und umgekehrt: „Nun lastete der furchtbare Schatten Beethovens über dem Saal; ich blühte darunter fast auf. Ich verstehe; hier verstehe ich. [...] Ja, hier war ich Mensch, hier konnt ichs sein." [105] — Daß Döblin Anhänger einer Art „engagierter" Musik war, zeigen auch die „Bemerkungen eines musikalischen Laien" von 1920: da wettert er gegen die „gebildete Musik" und rühmt „die Wacht am Rhein, die Marseillaise, ein feste Burg ist unser Gott"; ergriffen habe ihn — nicht das Weihnachtsoratorium, sondern seine Aufführung in der Garnisonskirche: Inmitten der betenden Gemeinde, vor dem Bild des Heilandes habe es „eine tiefe Wahrheit" gehabt [106].

Döblins Urteile über Komponisten entspringen dem damals fast allgemeinen Affekt gegen sogenannte Klassiker; vor allem Mozart und Haydn lehnte er ab [107]. Noch schärfer ging er allerdings mit zeitgenössischen Pu-

[105] „Antikritisches" (D 331), S. 280
[106] D 341, S. 25
[107] vgl. D 331, S. 280, und Z 14 f.

blikumslieblingen ins Gericht, und hier hatte es ihm besonders die „unver-
blümte Gedankenlosigkeit" eines Richard Strauß angetan [108]. Strauß zu
verhöhnen wurde er nicht müde [109]; er verglich ihn sogar mit Sudermann [110]
und Leo Fall, nannte ihn „ein wahrer Ueberfall" [111]. Noch 1920 polemisierte er gegen „die Makartstücke des talentierten Eklektikers und glatten
Routiniers Richard Strauß" [112]. — Lobend sprach er über Lieder Herwarth
Waldens, von denen er allerdings kaum mehr mitzuteilen wußte als den
recht unpräzisen Eindruck, daß sie „metaphysisch irisieren" [108]. Im übrigen
aber bewies er Sinn für das Zukünftige, sowohl hinsichtlich Schönbergs als
auch besonders in bezug auf Bela Bartok [113].

Was die Literatur betrifft, so gehörten für ihn auch hier die Klassiker
„ein für allemal auf die Denkmäler und in den Grunewald, an die frische
Luft." (Z 15) Unter den Zeitgenossen war neben Sudermann vor allem
Gerhart Hauptmann Zielscheibe seiner Kritik, aber wohl nur mit bestimmten Werken. So heißt es in einer Besprechung von Sudermanns „Strand-
kindern": „Das ‚braune Kind' [. . .] gehört zum eisernen Bestand der Dramatik; es war einst eine totblasse Mignon und Bettlerin vom Pont des
Arts, erbräunte dann zur Zigeunerin im Florian Geyer und wird im Fortschritt der Literatur schwarz werden. Sie singt in weher Erinnerung ein
Lied aus der Zeit, als sie noch Rautendelein hieß." [114] — Hauptmanns
„unechten Märchenspuk" (AzL 385) lehnte er ebenso ab wie peinliche Be-
kenntnisse in der Art des „Gabriel Schilling" [115]; die rühmenden Publikationen zu Hauptmanns sechzigstem Geburtstag übergoß er mit Hohn
(Z 51). Daß hier Randerscheinungen getroffen werden sollten, zeigt der
Aufsatz „Staat und Schriftsteller" von 1921, in dem er Hauptmann „einen
wirklichen und menschlichen Dichter" nennt (AzL 50).

Eine deutliche Wendung ist in seinem Verhältnis zu Goethe zu beobachten. 1912 hieß es noch: „Was den verflossenen Wolfgang Goethe anlangt,

[108] „Zwei Liederabende" (D 335)
[109] vgl. außerdem die Aufsätze „Menagerie Richard Strauß" (D 329) und „Der Rosenkavalier" (D 334).
[110] D 334, S. 422. Über Sudermann hatte er schon ein Jahr zuvor geschrieben: „Er
ist belanglos, man kann ihn loben." (D 200)
[111] D 335. Seine Verachtung für Leo Fall hatte Döblin im „Theater" artikuliert:
D 189, S. 55; D 197.
[112] „Der Knabe bläst ins Wunderhorn" (D 210), S. 766
[113] „Arnold Schönberg" (D 339); „Blendwerk, Feuer und Pharaonen" (D 211), S. 646;
„Der Knabe bläst ins Wunderhorn" (D 210), S. 766 f
[114] D 200
[115] s. „Gabriel Schillings Flucht in die Öffentlichkeit" (D 207).

so wissen wir, daß ihn Erich Schmidt trefflich interpretiert, und damit soll man ihn auf sich beruhen lassen." (Z 15), aber schon 1919 weiß er es besser: „Mit Ehrfurcht denke ich an den Mann, den ich viel angegriffen habe, ich wie viele andere, und von dem ich jetzt und noch oft reden werde, weil er mir oft gegenwärtig ist, nämlich Goethe." [116] Er spricht nicht von den Dichtungen, sondern von der Farbenlehre, der „Metamorphose der Pflanze", den Briefen und Gesprächen, die er auch 1922 als Stilmuster, d. h. als Beispiele für genaue Beobachtung und genauen Ausdruck, rühmte [117]. Sein „Bekenntnis zum Naturalismus" beschloß er, „reaktionär, wie ich bin", mit einem Goethe-Zitat [118].

Die anfängliche Abneigung gegen den Weimarer Geheimrat hat Döblin selbst auf die Schule zurückgeführt, die ihn „zum Götzen für den trüben deutschen Mittelstand" gemacht habe [119]. Da hielt er es lieber mit Kleist und Hölderlin, vor allem auch mit Dostojewski, den er immer wieder dem „Klassiker" gegenüberstellte [120] und der ihm „ganz unliterarisch" schien (Z 215). Im Jahre 1921 aber, als er einen Aufsatz zum 100. Geburtstag des Russen schrieb, hatten sich die Vorzeichen bereits verkehrt: Goethe wurde nun nach dem eigenen Bilde als „Östler" gezeichnet, als frei vom europäischen Provinzialismus [121]; Dostojewskis nationalistische Religiosität, der „russische Christus", erschien dagegen als Rückschritt und wurde abgelehnt (ebd., S. 91). Der Leidensweg des Russen bleibe großartig, aber: „Religiöser, tiefer ethisch ist doch — Goethe." (S. 92)

Einen spiegelbildlich umgekehrten Anti-Geburtstagsartikel lieferte Döblin dann 1949, als er den alten Aufsatz für das Goethe-Jahr umarbeitete [122]: nun trat Dostojewski wieder in den Vordergrund; die nationalistische Verengung seines Christentums wurde zwar nach wie vor getadelt, schwerwiegender aber war der Vorwurf gegen den anderen: Goethe habe das Gefühl von Sünde und Schuld nicht gekannt (AzL 319f). Der Konvertit Döblin tadelt also 1949 eben den Zug an Goethe, den er 1921 als verwandtschaftlich empfunden hatte [123].

---

[116] „An die Geistlichkeit" (D 406), S. 1277
[117] „Meister des Stils über Sprache und Stillehre" (D 166), S. 18
[118] D 163, S. 1601
[119] „Goethe und Dostojewski" (D 269); 1921; S. 88; vgl. Z 215.
[120] vgl. Z 15, 16; „Es ist Zeit!" (D 397), S. 1011; D 269, D 270.
[121] „Goethe und Dostojewski" (D 269), S. 89
[122] Diese Fassung in AzL (312—321).
[123] Eine umfangreiche Zitatsammlung zu Döblins Goethe-Bild gibt Peter Stehlin (K 717).

Wichtiger als die verstreuten Äußerungen Döblins über diesen oder jenen Künstler — bestimmend für diese Urteile war stets der Haß auf das damalige Bildungsbürgertum — sind uns die größeren programmatischen Schriften, deren Reihe 1913 mit dem „Offenen Brief an F. T. Marinetti" („Futuristische Worttechnik") eröffnet wurde.

Armin Arnold spricht in seinem Buch „Die Literatur des Expressionismus" ausführlich über den Einfluß des Futurismus, namentlich Marinettis, auf Döblin [124]. Die Überschätzung dieses Einflusses, die Behauptung, Marinettis Proklamationen hätten eine schlagartige Änderung in Döblins Schreibweise zur Folge gehabt (S. 80), die recht dubiosen Bemühungen, den „Wang-lun" im ganzen und in vielen Details aus Marinettis „Mafarka" abzuleiten (S. 84 ff), beruhen auf mangelhafter Kenntnis der vor 1912 entstandenen Werke [125]. Greifbar wird diese Unkenntnis in der Behauptung, die frühen Erzählungen seien allesamt auf denselben Ton gestimmt wie der „Schwarze Vorhang" (S. 80). Auch in sich selbst ist Arnolds Darstellung widersprüchlich; einerseits will er Döblins Kritik an Marinettis assoziativen Substantiv-Reihungen („Hintereinander unverbundener Substantive, die blank vorübertreten wie geschorene Pudel" — AzL 13) gegen den Kritiker selbst wenden: „Interessant, daß gerade dieses Aufreihen von Substantiven ohne trennende Kommata ein Stilmerkmal Döblins vom ‚Wang-lun' bis zum ‚Berlin Alexanderplatz' sein wird." (S. 83); andererseits weist er selbst auf den Unterschied zwischen Marinettis und Döblins Reihungen hin: dem Futuristen gehe es um Substantive, die durch ‚Analogie' miteinander verbunden seien („Mann-Torpedoboot", „Frau-Hafen"), während Döblin solches nicht beabsichtige (S. 23). Döblins Reihungen, um das erklärend hinzuzufügen, dienen der Aufzählung („Geschenke Gegengeschenke Besprechungen Banketts Zechereien des Gefolges, Ausritte Karussells" — W 47) oder der Nuancierung („Herr Anton Wolfrath, Mönch Abt Bischof Fürst Nichts." — W 13). Nicht gegen die asyndetische Reihung als solche wandte er sich also, sondern gegen die Reduktion von Sätzen auf die in ihnen enthaltenen Substantive („Köpfe-Fußbälle" = „Köpfe rollten wie Fußbälle."): „Sie überschätzen nämlich den Hörer, Leser; Sie schieben Ihre Aufgabe, dies Bildmaterial zu formen, ihm zu." und: „Sie haben Assoziationen, und das sind Bindungen, und Sie vermögen diese Bindungen auf keine Weise zum Ausdruck zu bringen." (AzL 13)

[124] K 633
[125] Kritik an Arnolds Darstellung hat inzwischen auch Ernst Ribbat angemeldet (K 580, S. 225, Anm. 8).

Viele gute Einzelbeobachtungen macht Arnold durch seinen höchst fragwürdigen Umgang mit dem Wort „gigantisch" wieder zunichte (z. B. S. 84—87); ausgerechnet den Roman von den „Wahrhaft Schwachen" als die Geschichte eines gigantischen Menschen zu deuten, dazu bedarf es schon beachtlicher Unbekümmertheit. Der Versuch, die Giganten des utopischen Romans als Ausformung der expressionistischen Idee vom „neuen Menschen" hinzustellen (S. 59, 99—101), zeigt endgültig die Absurdität von Arnolds Versuch auf, Döblin als expressionistisch-futuristischen Zauberlehrling einzustufen. Die Manie, überall Marinettis Spuren entdecken zu wollen, führt zu unfreiwillig komischen Behauptungen wie: „Für Marduks Freund Jonathan ist das Fliegen eine futuristische Wonne" (S. 104); liest man nämlich die angegebene Stelle im Roman nach, so stellt sich heraus, daß Jonathan dort von einem Traum berichtet, und zwar, wie man bei auch nur geringer Kenntnis der Traumsymbolik ohne weiteres bemerkt, von einem bisexuellen Koitus-Traum (BMG 133) [126].

Auch die Wendung gegen die Psychologie im Roman, die der Aufsatz „An Romanautoren und ihre Kritiker" artikuliert, geht entgegen Arnolds Ansicht (S. 92) keineswegs auf Marinetti zurück. Schon in den „Gesprächen mit Kalypso" heißt es: „Ich höhne auch der Dichtkunst, die sich sättigt im Seelenentwickeln — alles nur verstehen heißt alles erniedrigen." [127] Für die Propagierung eines „Kinostils" (AzL 17) gilt ähnliches; schon 1909 erklärte Döblin die Kino-Technik für „sehr entwicklungsfähig, fast reif zur Kunst." [128]

Auch Walter Muschg neigt in seinem Nachwort zu „Berlin Alexanderplatz" dazu, Marinettis Einfluß zu überschätzen; die Geschichte vom Franz Biberkopf ist ihm die „reifste Frucht des Berliner Futurismus" (BA 510). Sein Satz: „Er teilte die Begeisterung der Futuristen für die Großstadt" (BA 509) verkennt die tatsächliche Zwiespältigkeit in Döblins Haltung. Ihm persönlich bedeutete die Großstadt zwar das notwendige Lebenselement [129], aber er wußte auch um ihre Schattenseiten. Im utopischen Roman geißelte er die Hybris der „Stadtschaften", und auch die Figur der Hure

---

[126] Hierhin gehört auch Arnolds Bemerkung, in „Berge Meere und Giganten" habe Döblin Marinettis Analogie-Beispiel „Frau-Hafen" „wörtlich" übernommen (S. 23). Für Elinas Satz: „ich bin dein Hafen." (BMG 232), für diese schon banale Metapher braucht man wohl kaum Marinetti gelesen zu haben.

[127] D 330, Nr. 22, S. 173

[128] „Das Theater der kleinen Leute" (D 328), S. 191

[129] vgl. „Ostseeligkeit" (D 424), S. 994; „Berlin und die Künstler" (D 494); „Großstadt und Großstädter" (D 490) u. a.

Babylon im „Alexanderplatz" sollte man nicht ganz vergessen. Die spießige Ablehnung der Stadt seitens jener Dichter, die er einmal die „Herren vom allzu platten Lande" genannt hat [130], verhöhnte er noch 1949 [131], aber er meinte auch, mit dem Nationalsozialismus habe sich die in der Stadt Berlin hausende Macht entlarvt (Z 240). Marinetti, der Anbeter von Großstadt und Technik, hatte sich ja in der Tat dem italienischen Faschismus angeschlossen. Döblins schwankende Haltung zur Großstadt, speziell zu Berlin, kommt auch in seiner Antwort auf die Rundfrage „Berlin und die Künstler" zum Ausdruck: „Ich müßte ein Lügner sein, wenn ich verhehlte: öfter möchte ich auskneifen, das Geld fehlt; aber ebenso oft würde ich zurückkehren. Simson, der nach seinen Haaren verlangt." (Z 59)

Die tatsächlich wichtigen Einflüsse des Futurismus scheinen mir doch eher formaler als inhaltlicher Natur gewesen zu sein. Die Sprengung der konventionellen Syntax, die Auslassung von Konjunktionen, die asyndetische Reihung und anderes hat Döblin zwar sicherlich dem „Mafarka" nicht abgeschaut oder aus dem „Technischen Manifest" sich angelernt, aber die futuristischen Bestrebungen dürften ihm geholfen haben, seinen eigenen Stil schneller zu finden, und insofern ist Marinetti eben doch nicht ganz so unbeteiligt am „Döblinismus". Von dem Italiener dürfte ähnliches gelten wie von Joyce, dessen Einfluß Döblin selbst 1932 so formulierte: „es war ein guter Wind in meinen Segeln." (BA 507): Beide — und Marinetti wohl doch stärker als Joyce — haben Stilentwicklungen bei Döblin zwar nicht veranlaßt, wohl aber beschleunigt. Wenn Döblin trotzdem das „Supplement zum technischen Manifest der Futuristischen Literatur" mit einem „Offenen Brief" attackierte, so offensichtlich vor allem aus Ärger über Marinettis diktatorischen Ton, seine doktrinäre Einseitigkeit. Döblin fühlte sich bemüßigt, sich und andere seiner Eigenständigkeit zu versichern, ebenso wie er das 1918 gegenüber dem Expressionismus tat („Von der Freiheit eines Dichtermenschen"). So betont er einerseits: „Sie sagen uns nichts Neues damit" (AzL 9f) und wehrt andererseits überspitzte Forderungen als nicht für alle verbindlich ab: „aber darum keine kategorischen Erlasse an uns" (12): „vergessen Sie nie, daß es keine Kunst, sondern nur Künstler gibt, daß jeder auf seine Weise wächst", kurz: „Pflegen Sie ihren Futurismus. Ich pflege meinen Döblinismus." (15) Er fühlte sich nicht als Epigone Marinettis und wollte es darum auch vor anderen nicht scheinen.

[130] vgl. „Bilanz der ‚Dichterakademie' " (D 444) und Walter von Molo, „So wunderbar ist das Leben" (K 542), S. 319.
[131] in „Einige Gedichtbände" (D 265), S. 404

Der Hauptgegenstand von Döblins theoretischen Bemühungen war damals die Form des Romans bzw. des Epos, die er mit dem „Wang-lun" zu erobern und umzugestalten begann. Es handelt sich um die Aufsätze „An Romanautoren und ihre Kritiker" (1913), „Bemerkungen zum Roman", „Über Roman und Prosa" (beide 1917) und „Reform des Romans" (1919) [132]. In diesen Essays zog Döblin nun auch für den Künstler die Konsequenz aus seinem damaligen Menschenbild: jetzt kommt es nicht mehr an „auf — mich, auf mich, auf mich" (Z 9), sondern es heißt: „Der darstellende Autor [. . .] verwandelt sich gänzlich in den sehr konkreten Vorgang." (Marsyas 215), „Der Autor verschwindet so total im Roman wie im Drama, in der Lyrik; im Roman muß alles sich selbst überlassen werden." (ebd., 214), „Die Hegemonie des Autors ist zu brechen; nicht weit genug kann der Fanatismus der Selbstverleugnung getrieben werden." (AzL 18), „man hat sich jeder Äußerung der Teilnahme, des Wohlgefallens, Mißfallens zu enthalten" (Marsyas 214).

Dieses Aufgehen des Autors im Gestalteten glaubte er auch bei Goethe konstatieren zu können: „Es ist bei ihm unzählige Male nur ‚Objektivität' zu finden; aber dies ist nicht, natürlich nicht, Teilnahmslosigkeit und Entferntheit, sondern Beseelung, ungestörtes Überfließen." [133]

Die Eliminierung des persönlichen Erzählers stellt den Leser vor eine schwierige Aufgabe: „Der Leser, allein gelassen, muß durch wirkliche Straßen gehen, in denen er sich zu orientieren, zurechtzufinden hat. Vor einer eisernen, stummen Front muß er stehen." (Marsyas 215); zugespitzt formuliert: „er mag urteilen, nicht der Autor." (AzL 17) Wie schwer das manchmal fällt, zeigt etwa die ganz verfehlte Deutung von „Berge Meere und Giganten" bei Arnold; auch auf den Fehler Paul Wallensteins, aus der Perspektive der Figuren stammende Urteile über Ferdinand und Wallenstein für solche Döblins selbst zu nehmen, sei beiläufig hingewiesen [134].

Die von Otto Flake angestrebte Reform des Romans, den Versuch, „ ‚Denken, Verstand, Reflexion für die Epik [zu] erobern' " (AzL 34), muß Döblin konsequenterweise ablehnen: „das Reflektive ist nichts, die anschauliche Gestaltung und die Durchblutung des Gedankengangs mit dem Affekt ist alles." (AzL 35) Im „Marsyas" gestand er zwar, er persönlich

[132] Mit Ausnahme von „Über Roman und Prosa" (D 159) finden wir diese Essays in dem Band „Aufsätze zur Literatur". „Über Roman und Prosa" wird im folgenden als „Marsyas" zitiert.
[133] „Goethe und Dostojewski" (D 269), S. 90
[134] K 598, S. 69—75

habe Freude an manchen Werken, in denen die Autoren sich „in amüsanten und interessanten Räsonnements" ergingen, im Prinzip aber glaubte er derartiges ablehnen zu müssen (214f). Es ging ihm nicht etwa um eine Ausschaltung des Gedanklichen, sondern um seine Umschmelzung ins Anschauliche. So bemerkt er zu Nietzsches und Whitmans Dichtung: „Das Entscheidende ist da allemal das Hervortreten der affektiven Wurzel [. . .] und die sinnlich anschauliche Gestaltung." (AzL 36), — bildlich ausgedrückt: „Kommt alles auf das Vermögen an, seinen Überfluß im Roman auf wirklich tragfähige Esel abzuladen." (Marsyas 215) Die Vermischung von Kunst und Wissenschaft lehnt er ab: „Im Kunstwerk ist man verpflichtet, sinnlich anschaulich und affektiv zu gestalten." (AzL 35) Noch 1948 polemisierte er, offenbar mit dem Blick auf Broch und Thomas Mann, gegen „die feuilletonistische, essayistische Degeneration des Romans." (AzL 390)

Der Erzähler darf sich also weder mit Reflexionen noch überhaupt persönlich bemerkbar machen (etwa in Formeln wie „unser Freund"). Was er geben soll, ist der anschauliche Vorgang, in dem er selbst verschwindet; nur mittelbar kommt er zu Wort, nämlich in der Gestaltung des Vorgangs (Marsyas 214). Wenn er das Geschehen doch wertet, so muß er sich an die Perspektive der Personen halten: „Die Ägis des Homer aber wird schrecklich genannt, weil sie Schrecken erregt unter den Handelnden; er fällt damit nicht aus dem Darstellerischen." (ebd.) Hier gibt Döblin also die Begründung für seine eigene Point-de-vue-Technik, die uns schon in den Erzählungen begegnete und von der anläßlich der Romane noch zu sprechen sein wird.

Mit der Ausschaltung des persönlichen Erzählers deckt sich die Ablehnung von „Stil", wobei unter „Stil" zu verstehen ist: „Verschönerung", „Schmuck", „Äußerliches" (vgl. AzL 9): „Der Stil soll über der Darstellung nicht einmal wie ein nasser Flor liegen. Stil ist nichts als der Hammer, mit dem das Dargestellte aufs sachlichste herausgearbeitet wird." (AzL 22) Ganz in diesem Sinne empfahl er 1922 in dem Sammelband „Meister des Stils über Sprache und Stillehre", an die Stelle von Stilübungen die Verfeinerung der Gegenstandsbeobachtung zu setzen [135]. — Wenn er an Marinetti schreibt: „wir freuen uns über jeden originellen und kraftvollen Stil" (AzL 12), wenn er selbst einen „Kinostil" oder einen „steinernen Stil" fordert (17, 18), so liegt hier nur scheinbar ein Widerspruch vor. In den letzten

[135] D 166

Zitaten ist nicht das sprachlich Dekorative gemeint, sondern die Methode der Darstellung.

Das Bemühen um weitestmögliche Annäherung des Kunstprodukts an die Wirklichkeit kommt in dem Begriff „Tatsachenphantasie" zum Ausdruck (AzL 19): „Das Ganze darf nicht erscheinen wie gesprochen, sondern wie vorhanden. Die Wortkunst muß sich negativ zeigen in dem, was sie vermeidet, ein fehlender Schmuck: im Fehlen der Absicht, im Fehlen des bloß sprachlich Schönen oder Schwunghaften, im Fernhalten der Maniertheit." (AzL 17 f) Hier liegt Döblins Berührungspunkt mit dem Naturalismus, für den er auch später immer wieder eintrat. Die Polemik aus den „Gesprächen" (s. o. S. 98) war überholt. Er verstand Marinettis Manifest als die Forderung: „dichter heran müssen wir an das Leben." (11) und bemerkte: „wir sind noch lange nicht genug Naturalisten." (9) Eine wie große Rolle dabei die Ausschaltung des Erzählers spielt, zeigen die folgenden Sätze: „Der Naturalismus ist kein historischer Ismus, sondern das Sturzbad, das immer wieder über die Kunst hereinbricht und hereinbrechen muß. [. . .] Entselbstung, Entäußerung des Autors, Depersonation." (18) Nachdrücklich wendet er sich gegen die Interpretation eines solchen Naturalismus im Sinne eines Protokolls, einer Imitation der hör- und sichtbaren Welt (10); naturalistisch schreiben bedeutet ihm: dem jeweiligen Gegenstand sprachlich gerecht werden, ihn Sprache werden lassen (vgl. Marsyas 216). So wird erklärlich, daß er sogar Vers und Rhythmik gegen Marinetti verteidigt (AzL 10).

Daß Döblin sich nicht nur gegen den allwissenden Erzähler, sondern auch gegen den herkömmlichen Einzelhelden wendet, ist selbstverständlich, da es unmittelbar aus seinem damaligen Bild vom Menschen folgt. Noch 1924 schreibt er: „Zum Epischen taugen Einzelpersonen und ihre sogenannten Schicksale nicht." (AzL 352) Von diesem Grundsatz her werden sowohl der psychologisierende Romancier (AzL 16, 18, 21; Marsyas 217) als auch das Thema der Geschlechterliebe (AzL 9, 15, 18, 23; Marsyas 218) abgelehnt. Beides, Psychologie und Erotik, engt den Gesichtskreis auf das Persönliche ein, ganz abgesehen davon, daß für Döblin die Psychologie im Roman nichts mehr ist als „dilettantisches Vermuten, scholastisches Gerede, spintisierender Bombast, verfehlte, verheuchelte Lyrik." (AzL 16)

Neben diesen philosophisch motivierten Überlegungen verdient noch eine rein ästhetische Unterscheidung unsere Aufmerksamkeit, die nämlich zwischen Epik und Dramatik. Der zentrale Begriff ist der der Spannung: „Eine einseitige Bevorzugung erfährt in der gegenwärtigen Romanliteratur der

Zielroman, der Spannungsroman. [. . .] Das Ganze ist notwendig dramatisch fortschreitend, gut verdaubar, rasch zu kapieren." (Marsyas 213) Während hier noch nur gegen die einseitige Bevorzugung einer an sich legitimen Form polemisiert wird, heißt es in den „Bemerkungen" mit größter Schärfe: „die Spannung ruiniert den Roman" und: „Es scheint auf eine Romanform, — die es gar nicht gibt und so nicht geben darf, — abgesehen mit Grundriß, Gerüst, Architektur." (AzL 19) Nach Döblins Überzeugung hat der Roman mit Handlung nichts zu tun: „Vereinfachen, zurechtschlagen und -schneiden auf Handlung ist nicht Sache des Epikers. Im Roman heißt es schichten, häufen, wälzen, schieben; im Drama, dem jetzigen, auf die Handlung hin verarmten, handlungsverbohrten: ‚voran!' Vorwärts ist niemals die Parole des Romans" (19f). Als Vorbilder gelten Homer, Dante, Cervantes, auch Dostojewski (AzL 21, Marsyas 216): „Sie zeigen, daß Moment um Moment sich aus sich rechtfertigt, wie jeder Augenblick unseres Lebens eine vollkommene Realität ist, rund, erfüllt. ‚Hier stehe ich, hier sterbe ich', spricht jede Seite. Wenn ein Roman nicht wie ein Regenwurm in zehn Stücke geschnitten werden kann und jeder Teil bewegt sich selbst, dann taugt er nichts." (AzL 21) Auch im Aufsatz über Flakes „Stadt des Hirns" heißt es: „Im guten Roman trägt sich jede Seite selbst"; auch dort polemisiert Döblin gegen die Spannung, „dieses pöbelhafte Verachten des Vorhandenen und Werfen an ein Ende" (AzL 46). Noch 1928, in seiner Antrittsrede vor der Preußischen Akademie der Künste, dient ihm der Begriff der Spannung zur Abgrenzung eigentlicher Epik, diesmal nicht vom Drama, sondern vom „Roman": „Es ist nicht uninteressant, zu bemerken, daß der Romanschriftsteller nach Art des Dramatikers arbeitet und keinen Sinn für das Anlagerungswachstum im Epischen hat." (AzL 96); Spannung stehe „im Gegensatz zu dem Merkmal, das das epische Werk auszeichnet: Figuren und Vorgänge des epischen Werks erwecken an sich und außerhalb jeder Spannung unsere innere Teilnahme. Sie fesseln an sich." (97)

Natürlich wußte Döblin: „Zehn Novellen machen keinen Roman." (AzL 22) Ihm war durchaus bewußt, daß die relative Selbständigkeit der Teile nicht zur Sprengung des Gesamtzusammenhanges führen dürfe: „Man muß balancieren zwischen der Ariensammlung der alten Oper und der unendlichen Melodie Wagners." (ebd.) Daß manches in „Berge Meere und Giganten" sich dann doch zur Soloarie auswuchs, hat er selbst bemerkt und in der späteren Überarbeitung zu bereinigen gesucht (vgl. AzL 372). — Wenn er übrigens in dem Aufsatz von 1917 mehrmals darauf hinweist, daß auch das antike Drama ursprünglich nichts mit Handlung zu tun gehabt habe (19, 20), so wird verständlich, warum Brecht anläßlich seiner Theorie vom epischen Theater auf die Unterstützung durch Döblin hinwies [136].

Die „Bemerkungen" lassen auch ein stärkeres Abrücken von Marinetti erkennen. 1913 hatte Döblin noch einen „Kinostil" verlangt: „In höchster Gedrängtheit und Präzision hat ‚die Fülle der Gesichte' vorbeizuziehen. [. . .] Der Erzählerschlendrian hat im Roman keinen Platz; man erzählt nicht, sondern baut." (AzL 17) Nun aber wird neben der Zeitung eben der Film für die „Vereinfachung des Romans auf jene fortschreitende eine Handlung hin" verantwortlich gemacht: „Es ist das völlige Debakel des Romans." (20) Der Widerspruch ist allerdings wohl nicht so kraß, wie er auf den ersten Blick scheint; soweit der „Kinostil" abrupte Einsätze, Szenenwechsel und Zeitsprünge erlaubt, hat Döblin ihn stets akzeptiert und angewandt; seine Kritik wendet sich lediglich gegen die Reduktion auf ein simples Bauschema und eine einsträngige Handlung.

Wenn wir den Roman kennzeichnen sollten, der Döblin vorschwebte, so würden wir zu etwa folgender Zusammenfassung kommen: eine nicht einsträngige, sondern polyphone, so weit wie eben möglich „Wirklichkeit" suggerierende, eben darum auf erklärende Einschübe informativer oder psychologischer Art verzichtende, anschauliche Darstellung von Massenschicksalen; hinzu kommt eine weitgehende Selbständigkeit der Teile, der Einzelszenen, ein Verzicht auf die Zielspannung.

Mit der Theorie, der Roman müsse wie ein Regenwurm zerschnitten werden können, hängt zusammen, daß die Schlüsse mancher Romane Döblins so unbefriedigend, so wenig „abschließend" wirken. Er selbst bemerkte in einer Rezension von Wassermanns nachgelassenem Roman: „Die Lösung, das Ende ist in allen Büchern, entgegen der Meinung professioneller Romanleser, etwas Unwesentliches, den Autor sogar meist Ärgerndes (ein Überbleibsel aus der Periode, wo der Erzähler eben einfach nicht aufhörte)." [137] — Die Forschung hat sich bisher damit begnügt, Döblins „Schwäche" bezüglich der Schlüsse zu konstatieren, ohne sich weiter nach den Gründen zu fragen [138].

---

[136] Bertolt Brecht, Gesammelte Werke (K 492), Bd. VII, S. 221. Schon 1909 bezeichnete Döblin die Spannung als den Verderb des Theaters und diagnostizierte: „Das Verkehrte an dem Dogma des Dramatikers, welches lautet: Im Anfang war die Tat." (D 155)
[137] „Jakob Wassermanns letztes Buch" (D 254), S. 523
[138] vgl. Walter Muschg, BA 528, BW 674; u. a.

In der Tat sind ja die Schlüsse etwa der „Babylonischen Wandrung"
oder des „Hamlet" alles andere als überzeugend, und von dieser Tatsache
ausgehend, haben manche Interpreten den leichten Weg gewählt, auch die
Schlüsse anderer Romane, etwa des „Alexanderplatz", schlicht als mißglückt zu bezeichnen und sich auf diese Weise Problemen der Deutung zu
entziehen.

Namentlich zwei Umstände sind wohl dafür verantwortlich, daß Döblins Romane in dieser Hinsicht einige Schwierigkeiten bereiten. Zunächst
einmal hatte er für die meisten der ihn bewegenden Fragen tatsächlich
keine Lösung bereit, die ihn selbst ganz befriedigt hätte. Damit hängt der
Gesamtaufbau der Romane zusammen, die Experimentalstruktur dieser
Werke, die im Prinzip der variierten Wiederholung sichtbar wird. Man
denke an die „Sprünge" des chinesischen Aufrührers, an die zweimalige
Bestallung Wallensteins, an den zweimaligen Anlauf der westlichen Stadtschaften, der einmal in den Uralischen Krieg, dann in die Grönland-Kata-
strophe führt, schließlich an die drei Schläge, die Biberkopf treffen: immer
wieder stehen Döblins „Helden", unter mehr oder weniger veränderten
äußeren Bedingungen, vor demselben Problem; die vorgeschlagenen Lösungen variieren, halten aber an einer bestimmten Grundkonstellation fest,
und diese umzustürzen ist meist die Aufgabe des Schlusses: da es so nicht
geht, muß es anders gehen. — Mit Recht bemerkte Axel Eggebrecht 1932:
„Döblin könnte, mehr noch als Kaiser, ein Denk-Spieler heissen." [139] Letztlich waren ihm alle Lösungen fragwürdig, und nur aus einer Art Pflichtgefühl bog er den eigensinnigen Gott Konrad am Ende doch noch um,
versuchte er den hoffnungslosen Fall Allison doch noch versöhnlich aus-
klingen zu lassen. Seine Romane sind nie vom Schluß her konzipiert, sondern ziehen ihre Bewegungsenergie aus einer anfänglichen, auf Lösung
dringenden Konfliktspannung; meist wußte der Autor zu Beginn selber
noch nicht, wohin die Fahrt gehen würde. Über die „Babylonische Wandrung" schrieb er: „Ich setzte nun, um das Problem zu ergründen, [...],
abermals einen Menschen in Bewegung" (AzL 391), und allgemein: „der
eigentliche Prozeß der Besinnung und Feststellung erfolgt im Schreiben
selbst. Das Eigentümliche, Bittere, Fatale ist dann: jedes Buch endet (für
mich) mit einem Fragezeichen" (AzL 389).

So erklären sich jene Schlüsse, die, wie in „Berge Meere und Giganten",
„Manas", „Berlin Alexanderplatz" und „Hamlet", den Beginn eines neuen,

---

[130] Axel Eggebrecht, „Döblins neuer Giganten-Roman" (K 159)

veränderten Lebens suggerieren, den „Helden" auch tatsächlich im Besitz einer neuen Erkenntnis zeigen, ohne aber die praktischen Folgerungen noch darstellen zu können: „Jedes Buch wirft am Ende einem neuen den Ball zu." (AzL 389)

Am bezeichnendsten scheint mir in dieser Hinsicht der Schluß des „Wallenstein". Döblin berichtet selbst, er habe das unfertige Manuskript aus dem Krieg mitgebracht und nun in sich herumgesucht, „wie ich ihn enden sollte. Am besten, dachte ich manchmal, gar nicht." (AzL 345) Für den Abschluß der Ferdinand-Handlung wurde dann das Bild der schwarzen Baumstämme entscheidend (ebd.), die Gesamthandlung aber fließt über die Romangrenze hinaus: „Im Westen hatten sich die Welschen gesammelt. Sie warteten in frischer Kraft auf ihr Signal, um sich hineinzuwerfen." (W 739) Mit einem in gleicher Weise den Ausschnittscharakter des ganzen Werkes betonenden Satz hatte der Roman begonnen: „Nachdem die Böhmen besiegt waren, war niemand darüber so froh wie der Kaiser." (W 9) — Diese Methode des offenen Schlusses und des offenen Anfangs macht deutlich, daß hier keine in sich geschlossene Welt mit nur für sie selbst bedeutsamen Problemen ringt, mit Problemen also, die auch innerhalb dieser fiktiven Welt ihre Lösung finden können, daß vielmehr nur ein Ausschnitt der Welt gezeigt, ein grundsätzlicher Konflikt dargestellt wird, daß allenfalls ein Fingerzeig, ein Anstoß in Richtung auf die Lösung erwartet werden darf, nicht aber diese selbst [140]. In einer Besprechung des „Ulysses" von Joyce wertete Döblin die herkömmlichen Romane ab als „Dinge mit einem richtigen Anfang und einem richtigen Ende, als ob es so was gäbe" (AzL 287).

Zu dieser ersten Begründung tritt eine weitere, die sich aus der Döblin eigentümlichen Form der Imagination herleitet. Offensichtlich dachte er mehr in Bildern als in Abläufen. Optischen Eindrücken bzw. „geschauten" Phantasiebildern verdankte er oft den ersten Anstoß zu seinen Werken; für den „Wallenstein" und für „Berge Meere und Giganten" hat er das selbst mehrfach mitgeteilt (AzL 339, 345, 119 f), aber man darf auch an die Anregung zum „Manas" denken (ein „Reisebericht aus Indien mit vielen Bildern und mancher Historie" — AzL 389) sowie an den Beginn der Arbeit am „Amazonas": er vertiefte sich in Atlanten und „herrlich bebilderte

---

[140] Wenig ästhetisch, aber zutreffend schrieb Max Krell 1924 über die Erzählungen, „daß die Ein- und Ausgänge förmlich bluten vom Muskelfleisch beziehungsreicher Umwelt." (K 53)

Ethnographien" (AzL 393). Innerhalb der Romane sind es immer wieder die Einzelszenen, die ins übergreifende Bild zusammengerafften Vorgänge, die faszinieren, die sagen: „Hier stehe ich, hier sterbe ich" (AzL 21; s. o. S. 111).

Wenn die Romane trotzdem weitgehend den Eindruck des rastlos Forttreibenden erwecken, so besteht hier nur scheinbar ein Widerspruch.

Das Vorgangshafte in Döblins Romanen speist sich aus hauptsächlich drei Quellen. Für die historischen Romane ist auf die vorgegebenen Geschehnisse innerhalb des geschichtlichen „Materials" zu verweisen. Zweitens muß der Eigenart Döblins gedacht werden, alle Romane mit einem Konflikt einsetzen zu lassen, der schon von sich aus auf Lösung, also auch auf Handlung drängt. Es wäre ihm beispielsweise kaum möglich gewesen, ein Buch in der Art der „Buddenbrooks" zu schreiben, das allmähliche Entstehen und Wachsen eines Konflikts darzustellen. Er bedurfte eines kräftigen Motors, der das Geschehen von Anfang an in Bewegung hielt, gerade weil seine Phantasie zur Episodenbildung, zum Ausmalen und Verweilen neigte. — Der dritte Anstoß ist formaler Natur und beruht auf einem Gefühl für Dynamik und Proportion. Am Beispiel des „Wang-lun" entwickelt Döblin, wie sich aus einem bestimmten Romananfang formale Notwendigkeiten ergeben; Bewegungen wie Ruhepunkte seien nicht allein, ja nicht einmal primär inhaltlich motiviert, sondern seien einem musikalischen Gesetz unterworfen (AzL 126f). — Formale Gründe sind auch dafür verantwortlich, daß die Beschreibungen immer wieder Gegenständliches, Statisches in Bewegtes umwandeln: die Sprache als eine Darstellungsform, die sich nur im zeitlichen Ablauf verwirklicht, zieht ihren Gegenstand mit in ihre Eigenbewegung hinein.

Keineswegs also widerspricht diese Bewegung dem oben konstatierten Bilddenken Döblins. Es ist eine andere Art von Bewegung als die, die einleuchtende und eindeutige Schlüsse produziert. Dargestellt wird das zeitliche Nacheinander, das Zeiterleben — auch dies nur ein Abbild der (zeitlichen) Welt, nicht aber ein zielgerichteter, logisch-kausaler Ablauf.

## E) Demut als Mittel der Weltüberwindung

### I. „... daß nur eins hilft gegen das Schicksal: nicht widerstreben."
### „Die drei Sprünge des Wang-lun" [141]

Dieser erste große Roman Döblins entspricht den inhaltlichen Forderungen der romantheoretischen Schriften in hohem Maße: erzählt wird von einer Massenbewegung, die nur deshalb von einem einzelnen, Wang-lun, ausgelöst werden kann, weil er tief verankerte Gefühle und Gedanken wieder wachruft; einmal ins Laufen geraten, kann die Bewegung nicht einmal von Wang selbst noch aufgehalten werden, mag sie auch auf ihn, zumindest als symbolische Gestalt, angewiesen bleiben: sie gestattet ihm nicht den Rückzug ins Private. — Was dagegen die Darbietungsform betrifft, so lassen sich noch manche Abweichungen von der radikalen Theorie feststellen.

In meinen Darlegungen zur Struktur und zum Stil des „Wang-lun" werde ich, um Wiederholungen zu vermeiden, die nachfolgenden Romane schon weitgehend mit heranziehen: Vom „Wang-lun" bis zum „Manas" ist eine deutliche Entwicklungslinie zu erkennen, eine stetige Intensivierung der stilistischen Mittel, die schließlich in den freien Rhythmus mündet.

### a) Der Erzähler

Im „Wang-lun" ist der „Fanatismus der Selbstverleugnung" (AzL 18) noch keineswegs in dem Maße am Werk, das nach den theoretischen Schriften zu erwarten wäre. Da gibt es Floskeln im konventionellen Chronistenton („Was [...] besprochen wurde, [...] ist kurz berichtet." — Wl 82; „Es erübrigt sich, zu berichten" — 125), ferner Formeln, die historische Authentizität beteuern („Der weitere Verlauf ist bekannt." — 216; „Dieses Fest ist vielfach beschrieben worden" — 224; „Viel ist später über die Fahrt dieser fünf einfältigen Brüder [...] gefabelt worden. Wahr ist sicher, daß [...]" — 366; usw.); der Erzähler meldet sich sogar mit eigenen Wertungen, wenn er etwa von Ma-nohs „gemachter Entschiedenheit" spricht (182) oder konstatiert: „Der weitere Verlauf dieser recht gewöhnlichen Angelegenheit ließ an Banalität nicht zu wünschen übrig." (178) Es gibt auch explizite Vordeutungen: „Die Stadt Yang-chou-fu sah den Bettler und

---

[141] Das Zitat stammt aus Wang-luns Rede über das Wu-wei: S. 79 f.

beachtete ihn nicht; sie sah nicht lange später Anhänger dieses Mannes Entsetzliches in ihren Mauern leiden, fiel halb in Schutt. Er setzte über große Flüsse, über den Kaiserkanal und übernachtete einmal in Lint-sing, der Stadt, in der er sterben sollte." (87f) Auch auf die psychologische Analyse verzichtet Döblin hier noch keineswegs; mehr als vier Seiten widmet er Ma-nohs seelischer Entwicklung (50—55). — All diese Reste konventioneller Techniken weisen den „Wang-lun" als ein Werk des Beginns aus.

Eine recht unscheinbare Wortmeldung des Erzählers, ein Mittel, das uns in Döblins Oeuvre immer wieder begegnet, ist in den betont mit „Und", „Aber" oder sogar „Bis" einsetzenden Abschnitten zu sehen. Dieses Instrument muß scharf unterschieden werden von jenem besonders bei Fontane sehr häufigen Typus, der nur den zeitlichen oder gedanklichen Anschluß herstellt, meist das Eintreffen einer Vermutung oder einer Ankündigung bestätigt: „Und so geschah es" [142], „Und Marcell schrieb wirklich" [143], „Und da war nun die Jugend wirklich allein" [144] oder aber schlicht den zeitlichen Fortgang andeutet: ‚Und nun hatte die Prinzessin samt Gefolge den Tiergarten erreicht" [145]; dieser letztere Typus, Vertreter des naiv epischen „Und dann", findet sich am reinsten in Schleppegrells bewußt archaisierender Erzählung von der Seeschlacht gegen die Schweden [146], und auch Döblin hat ihn gelegentlich verwendet, z. B. in der Erzählung von der Mutter auf dem Montmartre (H 117ff).

Die für Döblin bezeichnenden „Und"-Sätze aber heben das Folgende hervor, signalisieren eine vom Erzähler für besonders wichtig erachtete Partie.

Schon in den Novellen war dieser Kunstgriff zu beobachten. Ein mit „Und" beginnender Absatz leitet die große Reprise der „Segelfahrt" ein (EB 13), markiert den Zusammenbruch Göttings (41), auch den aufrührerischen Entschluß des Gottessohnes in „Die Flucht aus dem Himmel" (28), usw. Auch der letzte Satz der „Ermordung einer Butterblume" beginnt mit einem „Und" (54); „Und eines Abends" lesen wir zur Einleitung der Katastrophe in „Das Stiftsfräulein und der Tod" (34), und gegen Schluß von „Die Tänzerin und der Leib" heißt es mit unüberhörbarem Sforzato: „Und stieß sich, die Decke abwerfend, die Nähschere in die linke Brust."

[142] Theodor Fontane, Sämtliche Werke. München 1959, Bd. III, S. 133
[143] ebd., Bd. VII, S. 158
[144] ebd., S. 173
[145] ebd., Bd. V, S. 85
[146] ebd., S. 134 f

(21) — Wir sehen an den letztgenannten Fällen, daß die Stellung am Anfang eines Absatzes nicht verbindlich ist, sondern nur eine besonders hervorgehobene Variante darstellt. Sehr deutlich wird die Absichtlichkeit solcher Konstruktionen, wenn die gesamte Syntax wegen der betonten Konjunktion umgestellt wird wie in folgendem Abschnittbeginn aus dem „Kaplan": „Und zu einer japanischen Frühlingslandschaft war die kleine Wohnung der Mademoiselle gestutzt worden." (194) — Die Herkunft dieses Aufbaumittels aus dem Stil gedanklicher Analyse wird klar, wenn wir die Fülle der mit „Und", „Und so", „Aber", auch „Zwar" beginnenden Sätze und Absätze in den pseudowissenschaftlichen „Memoiren des Blasierten" betrachten.

Im „Wang-lun" beginnen sogar zwei wichtige Kapitel [147] mit „Und"; das eine hat die verhängnisvolle Politisierung der „Gebrochenen Melone" zum Inhalt (199), das andere Khien-lungs Schreiben an den Taschi-Lama und dessen Aufbruch (294). Aus der Fülle der übrigen Beispiele seien angeführt der Entschluß zur Ermordung des Tou-ssees („Und die Verzweiflung" — 43), Wangs Erleuchtung in der Einsiedelei („Und mit einer aufschließenden Erschütterung" — 50), ferner die Wendemarken im Leben Wang-schens („Und am Morgen" — 17; „Und hell schrien sie auf" — 18; „Aber einmal", „Und dem Kranken half nichts mehr." — 20), schließlich die Entdeckung der tödlichen Krankheit bei Jische („Bis am fünften Tage das Fieber ausbrach" — 336).

Sicherlich ist das nicht der kommentierende Erzähler alter Couleur, aber diese Signale lenken doch spürbar die Aufmerksamkeit des Lesers und lassen einen souveränen, die Geschichte überblickenden Spiritus rector ahnen.

Noch deutlicher wird das bei einem anderen indirekt wirksamen Gestaltungsmittel: in der bildlichen Einkleidung, der symbolischen Durchleuchtung der Vorgänge.

Unüberhörbar ist die Kritik, wenn der Erzähler über die allgemeine Liebesnacht sagt: „ihre Gebete verwirrten sich im Dunkeln. Es waren keine Schmetterlinge, die sich aus dem Gras erhoben, sondern zwei Fäden, die sich nach oben gerade zogen, jetzt sich verknäulten und zu keiner Weberei mehr taugen konnten." — und gleich danach: „In dem Sumpf von

---

[147] Als „Kapitel" bezeichne ich hier wie auch im „Wallenstein" und in „Berge Meere und Giganten" die unbezeichneten Großabschnitte, die in den Erstdrucken durch fettgedruckte Initialen, in der Neuausgabe durch Majuskel-Schreibung des jeweils ersten Wortes hervorgehoben sind.

Ta-lou wuchsen die Lotosblumen." (149) In ähnlich versteckter Weise, wenn auch noch ohne diesen kritischen Unterton, war schon zuvor der Heiligen Prostitution präludiert worden, in der suggestiv sexualisierten Beschreibung nämlich jener Sumpflandschaft: „Die dicken braunen Knorren schwellten in buschigem grünen Zweigwerk auf [. . .] Jedes der herzförmigen Blätter trug ein glänzendes Grün zur Schau, zeigte ohne Scham das engmaschige Aderwerk seiner Eingeweide [. . .] die nackten Blättchen [. . .] drängten sich verliebt aneinander. [. . .] wie bräunliche sich windende Regenwürmer, die vom Fall erschlagen wurden und das schöne Moos befleckten. [. . .] wucherte der ornamentale Mikanthus, der mannshohe starre Halm, [. . .] an dem sich die Kugeln der blassen Regentropfen mit ihren Spektren aufspießten." (126)

Den Aufbruch des Pantschen-Lama, der in China sterben wird, umranken gehäufte Todessymbole: Trommeln aus Menschenschädeln, „Trompeten aus Menschenknochen", „Spuren des weißen Todes", denen der Zug im Gebirge fortwährend begegnet (299).

Die Verwendung der Zeichensprache reicht von der simplen Wetterparallele [148], von wohlbekannten Metaphern [149] bis zu versteckten Hinweisen, die sich erst bei mehrmaligem Lesen erschließen. So wird die Sehnsucht der Aufrührer nach der Wiederkunft der Ming-Dynastie schon mehrere Seiten vor der Erzählung von der Geburt des ersten Ming (393f) im Bild paraphrasiert: „Dicht unter das Dach kroch ein Tier pfeileraufwärts, schmiegte sich mit gestrecktem Bauch an, dicht unter dem Dach lockerte es die schillernden Flügel, grub den weißen Schnabel in das Holz, rotgold glitzernder Rücken: Vogeltier, der Phönix." (387)

Die Unterredungen des Kaisers mit seinem ungeduldig-ehrgeizigen Sohn erhalten ihren Akzent durch das stolze Auftreten eines Pfaus und eines Silberfasans (282, 360). Die Krise des Kaisers (die Erschütterung durch die Ereignisse in Yang-chou-fu und die vergebliche Befragung des Lamas) wird von diesen beiden Gesprächen eingerahmt, die am Anfang und am Ende des III. Buches stehen. Dieser Stellenwert als Klammer wird noch unterstrichen durch den wörtlichen Anklang in der Schilderung der Vögel: „Ein grünschillernder Pfau stolzierte über die Marmorbalustrade einer weißen Brücke." und: „Ein Silberfasan stolzierte vor ihnen auf den wasserbetropf-

---

[148] „Eine breite Hand schob mit einer abweisenden Geste die grauen Dämmermassen am Himmel beiseite. Feierlich zogen die weißen Schwäne des Lichts am Himmel. / Wie da der Frauenhügel zu zittern anfing." (145; vgl. auch schon S. 143)
[149] die Egge als Phallus-Symbol, S. 149.

ten Marmorplatten." Symbolisiert wird mit diesen stolzen Tieren offensichtlich das Herrscherbild, das Kia-king vorschwebt und das menschliche Anwandlungen wie die Khien-lungs nicht zuläßt. Diese Thematik wird noch einmal aufgegriffen, als der wiedererstarkte Kaiser beim Angriff auf die Rote Stadt die Unruhe des Sohnes verspottet und seine Überlegenheit demonstriert: „ ‚Das Lärmen ist langweilig. Erzähl mir von deinen Pfauen.' " (419)

Symbol für das Kaiserbild, dem Khien-lung selbst nachstrebt, sind nicht diese hochtrabenden Vögel, sondern ist die Riesenschildkröte, die er im Park von Mukden hält (276f) [150]. Ihre Leidenschaftslosigkeit, ihre spöttische Ruhe sind sein Vorbild: „Er suchte der Schildkröte nachzukommen, ihr nachzuahmen" und: „Aus irgendeinem Grunde beugte er sich hinter dem Tiere." (276, 277) Khien-lungs drückendes Verantwortungsgefühl gegenüber den Ahnen, der Zwang, sich würdig in die Tradition einzureihen: auch das spielt mit in der Schilderung dieses uralten Tieres, dessen mühseliger Gang mit gutem Grund als einziges Geschehnis des ganzen Romans im Präsens dargestellt wird (276, Abs. 5): dieses Schreiten atmet Ewigkeit, ist nicht jetzt, sondern immer — ein Sinnbild des Kaisertums, das keine Veränderung dulden darf: „Ich bin Herrscher des größten Reiches der Welt, und ich verlange keine Verwandlung. Ich bin als Sohn des Himmels geboren und werde auf dem Drachenthron sterben." (309)

Schon Muschg (Wl 494f) hat darauf hingewiesen, daß manchmal die Landschaft oder das Geschehen ganz in Bilder verwandelt werden, und nannte als Beispiele die Schneelandschaft (109), das brennende Peking (422) und die Schlacht bei Ying-ping (426). In gleicher Weise läßt Döblin die kämpfende Menge in Schan-hai-kwang zu einem tausendarmigen Buddha zusammenwachsen (449f), läßt er das Gerücht von der Erkrankung des tibetanischen Papstes als schwarze Katze aus dem Krankenzimmer schleichen, sich in eine Fledermaus und schließlich in eine den Himmel bedeckende Wolke verwandeln (336f).

### b) Der Aufbau. Das Wiederholungsprinzip

Diese durchgängige symbolische Gestaltung, auf die vor allem Links bereits aufmerksam gemacht hat [151], umfaßt auch den Gesamtaufbau. Die

---

[150] Diese Feststellung trifft auch schon Muschg (Wl 485).
[151] Roland Links, K 558, S. 39 f

bisherige Forschung hat zwar immer wieder auf die Lehre vom Wu-wei hingewiesen, aber nicht bemerkt, daß die hier ausgesprochene Naturverehrung („Angeschmiegt an die Ereignisse, Wasser an Wasser, angeschmiegt an die Flüsse, das Land, die Luft, immer Bruder und Schwester" — 471), daß diese Einbettung des Menschen in die Naturvorgänge schon formal in der Parallelität der Ereignisse mit dem natürlichen Rhythmus der Jahreszeiten zum Ausdruck kommt.

Die Handlung umfaßt, den Bericht über Wang-luns Kindheit beiseite gelassen, nicht ganz vier Jahre, in denen immer wieder der Wechsel von Aufblühen und Vergehen sich vollzieht. Im Frühling verläßt Wang sein Heimatdorf, im Winter erlebt er den grausamen Überfall auf Pa-ta-ling. Im nächsten Frühjahr wandert er nach Schan-tung, um sich des Beistandes der „Weißen Wasserlilie" zu versichern. Hier weist der Erzähler mit besonderem Nachdruck mehrmals auf die Jahreszeit hin („brach dann der Frühling an" — 87; „Während es Frühling wurde", „Als der erste Regen fiel, begannen sie die Aussaat auf den Feldern" — 88); ausdrücklich wird der Symbolbezug hergestellt: „er hörte die Leute aus, warf seine Saat mit großer Kraft." Im selben Frühjahr verlassen auch Ma-noh und die übrigen das Gebirge. — Der Herbst bringt den gräßlichen Untergang der „Gebrochenen Melone" in Yang-chou-fu; die Parallele zwischen Yang-chou-fu und Pa-ta-ling findet sich schon in den dunklen Ahnungen der beiden Liu (193). — Eine neue Hoffnung knüpft sich im nächsten Frühjahr an die Ankunft des Pantschen-Lama, aber er stirbt im Herbst, und der Winter bringt die Ausrottungserlasse des Kaisers. — Im „herrlichsten Frühling" (367) wandert Wang-lun zurück zu den Bündlern, aber der Herbst sieht die Vernichtung der Wahrhaft Schwachen, der „sanfte Herbst" steht auch am Schluß des Buches (477), das mit einer Frage ausklingt.

Dieser jahreszeitliche Rhythmus wird noch unterstrichen durch die Einteilung des Romans in vier Bücher, deren jedes etwa ein Jahr erzählter Zeit umfaßt. So herrscht auch im Aufbau das Tha-mo, „das gute Gesetz von den Welten, den atmenden Wesen, der Zerstörung und Erneuerung der Welten." (52) [152]

In den Sommer fallen jeweils Ereignisse, die für Wang oder seine Anhänger Wendepunkte darstellen, so vor allem der Tod Su-kohs (38), der

---

[152] Schon dieser Einklang von Naturgeschehen und menschlichem Handeln hätte Martini daran hindern müssen, von einer „zerstörerischen Naturwelt" zu sprechen (K 559, S. 331).

Abfall der „Gebrochenen Melone" vom Keuschheitsgelübde (126), Wangluns Wandlung vom Dulder zum Kämpfer (162), schließlich das Toleranz-Edikt, das für kurze Zeit eine Atempause im Ringen der Behörden mit der Sekte schafft (318).

Leitmotivisch erscheint immer wieder die Stadt Tsi-nan-fu, in der Su-koh ermordet wurde. Auf dem Weg zur „Weißen Wasserlilie" schickt Wang einen Boten in die Stadt, der den Bonzen Toh grüßen soll (89f); auf dem Rückweg wird er dort, halb mit seinem Willen, verhaftet und unterliegt fast der Versuchung, ein Ende mit sich machen zu lassen (162f). Im dritten Jahr fehlt Tsi-nan-fu nur scheinbar. An seine Stelle tritt Ho-kien: Nach dem grausigen Ende der Gruppe um Ma-noh wirft Wang alles fort, verwirft sich selbst und versucht, in seine Existenz vor dem Su-koh-Erlebnis zurückzuschlüpfen; war er als Gehilfe des Bonzen Toh-tsin der Stadtnarr von Tsi-nan-fu gewesen (32f), so entdeckt jetzt Ngoh verwundert: „Ein bäurischer Spaßmacher, ein anderer Mensch mit anderer Stimme schlenderte neben ihm." (317) Hatte er beim Einzug in Tsi-nan die Torwache durch gespielt vertrauliches Gehabe düpiert (24; vgl. 162), so rempelt er die hiesige zur Freude der kleinen Hure an (317)[153]. — Die Doppeldeutigkeit dieser Stadt, in der eine Wandlung sich anbahnte, die also sowohl den alten als auch den neuen Wang-lun gesehen hat, diese Ambivalenz wird auch in den Ereignissen des vierten Jahres sichtbar. Als Wang in Verleugnung seiner eigenen Lehre zum bewaffneten Aufstand rüstet, zieht er „achtlos" an der Ebene von Tsi-nan-fu vorbei (380); das andere Tsi-nan-fu wird ihm dann in Schan-hai-kwang wieder lebendig: „In einem Gefühl von Schwäche begehrte er wieder Stadtnarr zu sein." (430) Die Piratenkomödie (433—436) und der Auftritt als Brautwerber in der Höhle des Löwen (437—439) erinnern an die Richter-Maskerade, mit deren Hilfe Wang-lun seinerzeit Su-koh zu retten suchte (35f). Er geht im Treiben der Stadt auf, „imitierte fast mit Bewußtsein seine Jugend in Tsi-nan." (443)

Die Aufenthalte in dieser Stadt bzw. in ihren Vertretern Ho-kien und Schan-hai-kwang stehen also immer in der Mitte zwischen den von Frühling und Herbst (Winter) bezeichneten Polen und werfen in der variierenden Wiederholung ein Schlaglicht auf Wangs Zustand: zweimal bereitet sich hier eine Wandlung vor, zweimal markieren diese Partien Flucht-

---

[153] Diese Szene spielt zwar im Gegensatz zu den anderen Tsi-nan-fu-Erlebnissen nicht im Sommer, sondern im Spätherbst des zweiten Jahres (vgl. S. 313), wird aber in die Schilderungen vom Kaiserhof zu eben der Zeit eingeschoben, da die dortige Handlung tatsächlich im Sommer des dritten Jahres angelangt ist.

versuche, das Streben zurück in die Verantwortungslosigkeit der frühen Jahre. Dabei hat Schan-hai-kwang allerdings eine doppelte Funktion; denn Wangs Streben, waffenlos in die Stadt zu gehen, wird *auch* in Parallele gesetzt zu jener Versuchung, die ihn auf dem Rückweg zur „Gebrochenen Melone" befiel: „Er wußte nicht, daß das Bild des alten Tsi-nan-fu vor ihm stand, daß das Wu-wei ihm aus allen Poren schwitzte. Dulden, dulden, leiden, ertragen! Nicht widerstreben! Su-koh!" (430)

Dieser deutlichen Einteilung in vier Abschnitte übergeordnet ist die Gliederung in zwei Bewegungsabläufe: Die Bücher I und II erzählen von der Gründung des Bundes und vom Untergang ihrer wesentlichsten Gruppe, die beiden letzten haben die Umstrukturierung der „Wahrhaft Schwachen" in einen politischen Kampfverband und die Vernichtung des ganzen Bundes zum Inhalt.

Die Parallelen zwischen ihrem eigenen Schicksal und dem Ma-nohs bzw. der „Gebrochenen Melone" beschwören Wang und seine Anhänger immer wieder; Wang meint sogar einmal: „Er hat rasch alles getan, während ich lief [. . .] Es ist schon alles geschehen." (406) Ausdrücklich wird darauf hingewiesen, daß die Zahl der Bündler vor dem allgemeinen Untergang ebenso groß ist wie die der Anhänger Ma-nohs (468). — Daß hier trotz allem wesentliche Unterschiede bestehen, wird gerade im scheinbar Gleichen sichtbar. Die Todgeweihten feiern ebenso wie die „Gebrochenen Melonen" (224ff) das Fest der königlichen Mutter des westlichen Paradieses (472), und auch hier kommt es zu Selbstopfern. Was jetzt aber ein Ausbruch rein religiöser Inbrunst ist, war damals zugleich eine politische Demonstration: Ma-noh ließ die gefangenen Mandschusoldaten von seinen „Wahrhaft Schwachen" zerfleischen (230). Mit dem Fehlen dieses Moments wird die Parallel-Szene zum Kommentar.

Ein kleiner Epilog zeigt dann, daß trotz dieses umfassenden Untergangs nichts zu Ende ist, daß die Bewegung weiterschwingt: Hai-tang, die Frau des kaiserlichen Generals Chao-hoei, die der Kampf gegen die Bündler beide Kinder gekostet hat, besucht Ma-nohs altes Kloster Pu-to-schan, und mit Mas Starrsinn, mit seiner Anmaßung, den Göttern etwas abfordern zu können, verlangt sie den Frieden für sich und ihre Kinder, für Wang-lun aber ewige Folter — und muß die Ohnmacht allen Wollens erkennen; die Göttin selbst erscheint ihr: „Stille sein, nicht widerstreben, oh, nicht widerstreben." (480)

Es soll nun allerdings nicht einer fragwürdigen Symmetrie zuliebe unterschlagen werden, daß die Parallelbewegung zur Gründung des Bundes und zum Untergang in Yang-chou-fu auf das IV. Buch beschränkt bleibt; es umfaßt den gesamten Zeitraum von der Reorganisation des Bundes bis zu seiner Vernichtung. Das III. Buch nimmt eine Sonderstellung ein, sowohl was den Schauplatz als auch was die Personen betrifft: es berichtet von der Krise des Kaisers Khien-lung. Es bildet mit seinen wenigen Hauptgestalten und seinem kostbaren Rahmen trotz der schlimmen Intrigen um Khien-lung einen Ruhepunkt vor der endgültigen Katastrophe. Das Gegeneinander von Religion und staatlichem Machtanspruch, das über Leben und Tod der Massen bestimmt, findet hier seine höchsten Repräsentanten: den tibetanischen Papst und den Kaiser. Hier wie dort siegt schließlich das harte Prinzip der Staatsautorität.

Das Stilmittel der — meist variierenden — Wiederholung, das wir im Viererrhythmus des Werks beobachten konnten, läßt sich auch im kleinen Maßstab überall in diesem Roman nachweisen.

Mehrmals sind solche Wiederholungen als eine Art Klammer eingesetzt, die Rückgriffe einschließt und es dem Erzähler erlaubt, den zeitlichen Anschluß wiederherzustellen, ohne sich selbst zu Wort melden zu müssen. So werden der vorgreifende Charakter des ersten Kapitels von Buch I und seine Stellung im zeitlichen Zusammenhang erst dann ganz deutlich, wenn man den Anfang des II. Buches als variierte Wiederholung jener Einleitungssätze erkennt (11; 103). Ähnlich wird der Abschnitt, der uns die Ermordung des Tou-ssees nachträglich in Wang-luns Sicht vorführt, eingerahmt von zwei eng aufeinander bezogenen Sätzen: „Im Grunde wartete er und befühlte sich innerlich, ob nun alles gut sei, ob er nun alles gemacht hätte." (42) und: „So lag er auf dem Gneisschutt, befühlte sich mißtrauisch und abgekühlt, ob nun alles gut sei, ob nun genug geschehen sei." (44) — Auf eben diese Weise wird der allgemeine Bericht über die politischen Geheimbünde eingeklammert: „Er zog weiter, südlich und östlich, umging das brausende Tsi-nan." (88) und: „Wang umging die grünen Weinberge am Westfuß des Taingan." (89) — Diese Struktur läßt sich bis in sehr kleine Textabschnitte verfolgen, so wenn die bestürzten Fragen und Ausrufe der Männer gegenüber Ma-noh mit „Was willst du?" beginnen und enden (137f).

Hier stoßen wir wieder auf Döblins Streben nach zyklischem Aufbau, das uns erstmals in der „Segelfahrt" begegnete. Auch im großen läßt der „Wang-lun" diese magische Form wenigstens andeutungsweise erkennen. Kurz vor dem Ende liegt Wang am Meer und erinnert sich seiner Kindheit

(444), und nach der Ausrottung der Bündler läßt Khien-lung das Heimatdorf des Aufrührers einäschern, die Leichen seiner Eltern ausgraben und zerstückeln (476). So scheint die ganze Bewegung sinnlos ins Nichts zurückzuschlagen, aber die letzten Seiten, jener schon erwähnte Epilog, bilden ein Gegengewicht: erfuhren wir zu Beginn des Romans von Ma-nohs fruchtlosen Versuchen, im Kloster Pu-to-schan der Erleuchtung teilhaftig zu werden, so sind wir jetzt Zeugen einer „Bekehrung" an eben diesem Ort: die Kreisbewegung führt zwar zum Anfangspunkt zurück, erreicht aber zugleich eine höhere Stufe — auch dies eine Beobachtung, zu der bereits die „Segelfahrt" Gelegenheit bot.

Die Möglichkeit der indirekten Interpretation, die im Prinzip der variierten Wiederholung liegt und die wir schon in den Schilderungen der beiden ekstatischen Feste verwirklich sahen, wird besonders deutlich in den Parallelszenen zu jenem schauerlichen Sturm der Wegelagerer auf Pa-ta-ling (56f). Bei der Erstürmung des Frauenhügels heißt es: „Sie liefen mit der Sicherheit von Waldtieren." (144), und in klarer Bezugnahme auf diese Szene wie auch auf das Rasen der Räuber („sie liefen besinnungslos" — 56) wird der Schluß jenes Festes auf der „Insel der Gebrochenen Melone" geschildert: „Man stürmte den Abhang herunter, riß sich um und ließ sich treten, ohne es zu merken. [. . .] losgelassen fluteten die Brüder, Schwestern und Städter über die blutgesättigte Ebene hin zu dem Hügel, den sie unter besinnungslosem Rufen umgaben" (234). In dieser Parallelschaltung der beiden späteren Szenen mit jenem grausamen Mordgeschehen, das Wang-luns Wandlung maßgeblich mit herbeiführte, artikuliert sich das Urteil des Erzählers über Ma-nohs Handlungen: die Sexualisierung und die Politisierung des Bundes stehen im Widerspruch zum Wu-wei und werden den Untergang beschleunigt herbeiführen. In eben diesen Zusammenhang gehört es, wenn Ma-noh vom Westlichen Paradies, dem Gipfel der Kaiserherrlichkeit, phantasiert: „Sie rannten auf den Gipfel wie Pfeile." (250) — Umgekehrt leitet Wangs besinnungsloser Lauf über eben die Klippen von Schönn-i, über die vorher die Räuber in das unglückselige Dorf eingedrungen waren (56), seine verängstigte Flucht zu Ma-noh (66), in der räumlichen Gegenbewegung auch die seelische Umkehr ein: Wang wird die Führerposition, vor der ihm hier noch graut, bewußt auf sich nehmen und die Verbrecher vom Sinn der Gewaltlosigkeit überzeugen. — Als das Wu-wei schon zu Beginn einen politischen Akzent zu bekommen droht, heißt es von Wang-lun: „Er sah schon sie alle mit Messern zwischen den Zähnen den Berg herunterlaufen." (79)

Andere Wiederholungen betonen den tiefen Eindruck bestimmter Erlebnisse, die Fixiertheit einer Person. So blitzen vor Wangs Augen immer wieder die fünf Säbel, die Su-koh erschlugen (38, 39, 43, 47, 66, 70, 73, 74); in immer denselben Wendungen ist von Ma-nohs Buddha-Figuren die Rede (49, 51, 66, 129): sie symbolisieren die ewig gleichbleibende, stoische Ruhe des Weisen vor dem starren Weltlauf, die Wang-lun intuitiv erfaßt und um die Ma-noh ohnmächtig kämpft, bis er die Vergeblichkeit seines Strebens akzeptiert (129) und in der Auseinandersetzung mit Wang die Buddhas zerstört (157).

Diesen Wiederholungen stehen in Technik und Wirkung jene nahe, die in direkter Wortrepetition die Erregung einer Person widerspiegeln, sei es in der direkten Rede wie etwa in Wangs Hilfeflehen vor Ma-noh („Warum [. . .] Warum [. . .] Sie sollen es nicht wollen; sie sollen es nicht wollen. Sie sollen [. . .] ich habe [. . .] Ich bin [. . .] Ich bin [. . .] Ich lasse [. . .] Ihr sollt mir helfen [. . .] hilf mit [. . .] hilf mir [. . .] — 66 f), sei es in erlebter Rede („Sollte man sterben? Sollte man sterben?" und: „War man gerüstet? Aber war man gerüstet?" — 190), sei es innerhalb des Berichts („er mußte ihn, er mußte ihn bewältigen." — 198), der auch schadenfroher Kommentar werden kann („nutzen nichts; [. . .] nutzte nichts. [. . .] nutzte nichts. [. . .] half nichts" — 41f).

Hierhin gehört auch ein weiteres, von Döblin gern angewandtes Stilmittel, die Eigenart nämlich, herausragende Ereignisse durch eine anaphorische Absatz-Regie zu unterstreichen. So beginnen bei der Schilderung jenes Mordes vier Absätze, die zudem jeweils nur eine Zeile ausmachen, mit „Su-koh" (38); im atemlosen Bericht von der Erstürmung des Frauenhügels wechseln alternierend Absätze, die mit „Wie" beginnen, und solche, denen diese Konjunktion elliptisch fehlt (145f). Ähnlich wechseln in der Szene, die Ma-nohs folgenschweren inneren Kampf darstellt, berichtende Absätze mit solchen, die erlebte Rede bringen:

„Sollte man denn sterben, [. . .] Sollte man sterben? /
Ma-noh [. . .] bemerkte den Rosenkranz in seiner Hand [. . .] /
Es wäre gut zu sterben [. . .] gut gerüstet [. . .] /
War man gerüstet? Aber war man gerüstet? /
Ma-nohs Hand tastete nach dem Rosenkranz. [. . .] /
Man war nicht gerüstet." (190f)

Eindringlichkeit und eine gewisse archaische Erzählhaltung beabsichtigen die Wiederholungen in den ersten drei Abschnitten des II. Buches: „Durch das westliche Tschi-li [. . .] / Durch das westliche und südliche Tschi-li [. . .] / Das westliche und südliche Tschi-li [. . .]" (103).

Das zuerst genannte Beispiel darf übrigens als erste, noch unbeholfene und allzu pedantische Vorform jener epischen Additionstechnik gelten, die später im „Manas" herrschend wird. Dort wird z. B. an einem Wendepunkt der Handlung ein Satz mit quälender Beharrlichkeit wiederholt und immer mehr aufgefüllt:

„Wie lange soll ich stehn,
Wie lange soll ich stehn am Fenster,
Wie lange soll ich stehn an diesem Fenster,
Wie lange soll ich stehn an diesem blassen gläsernen verhaßten Fenster"
   (M 10).

Im „Wang-lun" wird umgekehrt eine mehrgliedrige Aussage aufgespalten:

„Su-koh, sein ernster Bruder, lag ungerettet auf der Straße.
Su-koh war sein Bruder.
Su-koh war ungerettet geblieben.
Su-koh lag auf der Straße." (Wl 38)

Dieser Passus widerlegt Grabers Theorie, daß „einzig und allein" die Versform Gebilde wie die „Manas"-Passage habe entstehen lassen kön- nen [154]. Formfragen sind für Döblin immer sekundär gewesen und müssen stets in engem Zusammenhang mit dem jeweiligen Inhalt gesehen werden. Inhaltliche Anlässe für eine Auflösung der Prosa in Einzelzeilen gab es aber auch vor dem „Manas" schon in großer Zahl. Auch im „Wang-lun" werden Höhe- und Umschlagspunkte bereits in ein Stakkato kurzer Zeilen gefaßt:

„Dann kam ein Zittern in die willenlose Masse.
Ein tiefes, ausholendes Atmen.
Das Platzen eines Kessels.
Die Front der Berittenen im Nu zerrissen." (Wl 424)

Im „Wallenstein" wird Tillys Tod so geschildert:

„Dumpf wetternd, zermalmend, niederklafternd.
Niederklafternd.
Zusammengezogen lag er, auf die Seite gestoßen.
Verröchelte, die Arme schützend vor der Brust." (W 571),

[154] K 604, S. 84

und die erste Sprengung auf Island, der Anfang der großen Schändung, stellt sich so dar:

„Da Riß Schlag Schlag Knall.
Zerschleudert die Bergmasse, zerstäubt Krabla und Leirhukr.
Glühendes erdweites Auflohen, feuriges Anblaffen des Himmels.
Fliegende Basalt- und Granitblöcke, auf- und abschießende Lavabomben.
Unter Tosen Absinken der Bergmassen. /" (BMG 359f) [155].

In diesem Zusammenhang müssen auch jene Partien erwähnt werden, die zwar nicht eine so weitgehende rhythmische Auflockerung zeigen wie die bisher zitierten, aber in auffälliger Weise einen einzigen Satz, d. h. oft eine einzige Zeile, durch Absatzgrenzen hervorheben [156].

Schon Gerhard Schmidt-Henkel hat auf zwei derartige Stellen hingewiesen („Die Toten froren dünn und steif auf dem Wege." — Wl 57; „Dann saß keiner der Mandschuren mehr auf seinem Pferd." — 230) und mit Recht von einer retardierenden Funktion, von einer Fermate nach dem Accelerando der Massenszenen gesprochen [157]. Im letzteren Beispiel fehlt übrigens die vordere Absatzgrenze; sie ist hier durch ein anderes Mittel der Hervorhebung ersetzt: der zitierte Satz verfügt erstmals wieder über ein Prädikat.

Die Akzentuierung durch Einzelzeilen ist übrigens keineswegs auf die Massenszenen beschränkt. Dem aufgeregten Tun einiger Dörfler beim Schlaganfall Wang-schens kontrastiert der Absatz: „Und dem Kranken half nichts mehr." (20), und in der Erzählung „Das verwerfliche Schwein" wird ebenso der Gegensatz zu Stricks Getobe markiert: „Der bewegt sich nicht." und: „Das Stuhlbein bleibt stehen." (EB 206) In derselben Erzählung finden wir auch das Grundmodell dieser rhythmischen Figur: „Hohes tönendes Luftziehen, Sekunde Stille, dumpfes Krachen, Hinklatschen, Poltern, Bersten, Splittern, Stille. Stille." (EB 205)

Dieses Einhalten nach der höchsten dramatischen Zuspitzung ist für Döblins Kompositionsweise auch in größerem Zusammenhang bezeichnend. Nach eben diesem Modell hat ja er selbst den Aufbau des „Wanglun" gedeutet: „Die revolutionäre Bewegung im Lande ist auf einer gräßlichen Höhe. Die Farben dieser Szenerien sind schon unerträglich grell, es

---

[155] Über diesen Passus vgl. auch Gerhard Storz, K 602, S. 261 ff.
[156] In der Einleitung war bereits anläßlich der „Babylonischen Wandrung" von diesen Sätzen die Rede (S. 5).
[157] K 582, S. 170

128

werden ruhige feierliche Töne erfordert." (AzL 127): das ganze III. Buch also als Retardation, als große Fermate.

Dieses rhythmische Prinzip entwickelt übrigens über die Spiegelung des Inhalts (Forcierung und Stocken der Bewegung) hinaus ein gewisses Eigenleben; zwei schlagende Beispiele dafür bietet der „Wallenstein".

Zunächst eine Raumschilderung: „Die Stube lag zu ebener Erde, gewölbt war sie, Figuren hatte Peter Candro an die Wände gemalt, blau und weiß war der Boden gepflastert; auf dem Sims im Umkreis prächtige Köpfe in Bronze, Marmor." (W 40) Viermal nimmt der Satz einen Anlauf über zwei Jamben und zwei Anapäste („gewölbt", „Figu-", „blau und weiß", „auf dem Sims"), um dann in zwei Daktylen und zwei Trochäen die Bewegung umzukehren und sich beruhigen zu lassen („prächtige Köpfe in Bronze, Marmor").

In dem anderen Beispiel nimmt der Erzähler das erste Zusammentreffen Tillys und Wallensteins zum Anlaß, Charakter und Geschichte jedes der beiden in symbolische Bilder zu fassen; im Kontrast dazu steht die nüchterne Angabe dessen, was diese Männer trägt:

„Der Brabanter [. . .] /
Hinter ihm vierzehn Regimenter zu Fuß und sechs zu Pferd. /
Der Friedländer [. . .] /
Hinter ihm vierundzwanzigtausend Männer. / " (W 243f)

Hier wird auch das Prinzip der variierenden Wiederholung nochmals sichtbar, von dem wir ausgegangen sind und zu dem wir nach diesen Betrachtungen der auf den „Manas" vorausweisenden Strukturen zurückkehren wollen.

Denn gerade unter dem Aspekt der suggestiven Wirkung verdient das im „Wang-lun" sehr häufig verwendete Mittel der Alliteration Beachtung. Schon der Name jenes politischen Geheimbundes, die „Weiße Wasserlilie", ist eine Schöpfung Döblins; Muschg wenigstens hat in den historischen Quellen nur einen „Weißen Lotos" entdecken können (Wl 483). Gerade die weichen Alliterationen auf „w" sind sehr zahlreich: „Wenn der warme Wind von den Bergen über sie fuhr" (24), „wie wenn ein leichter Wind über eine Weidenpflanzung fegt." (50), „Hinter den weißen westlichen Wolken" (465) usw. Daß die Lehre des Wu-wei, der Wahrhaft Schwachen, die Sehnsucht Wang-luns nach dem Westlichen Paradies sich ähnlich artikuliert, verwundert nicht: „Nicht handeln; wie das weiße Wasser schwach und folgsam sein" (80), und vor allem die pantheistische

Ausformung der Lehre gerät, in einer Komposition von diesen und verwandten Alliterationen (auf „b"), verbunden mit Assonanzen (auf „ee"), zur einschmeichelnden Sprachmusik: „Unser, unser Buddha blickt uns aus Himmel, Bergen und Bächen an; die Donnerschläge grüßen ihn besser als Pauken und Gongs; sein Weihrauch sind Wolken und Wind; er trinkt seinen Tee aus den fünf Seen und den vier Meeren und horcht auf das Rauschen der Wipfel und Äste, das Rauschen seiner geschwungenen Banner. Wir haben keinen Buddha, als warmen Wind und Regen" (389). In die Nachbarschaft dieser weichen, schon im Klang Nachgiebigkeit und Anschmiegen suggerierenden Kompositionen gehören auch die gleitenden Verbindungen mit „sch": „Aus dem Flußtal schleiften Nebelschlieren. Von einem drehenden Windstoß gerafft, zogen sie sich schlangenartig rasch hoch und pufften, breitschleiernd, über Wang und die lange Bergstraße." (69)

Gewalttätiges wird dagegen mit scharfen Lauten gekennzeichnet: „ein Stöhnen des tastenden, suchenden, sicheren Hasses" (43), „zahnwetzende Wut" (118). Anläßlich der „schrecklichen Töne" der Posaunen, die das blutige Fest der „Gebrochenen Melone" ankündigen, heißt es: „in starre Steinwände die Stadt eingemauert." (228)

Wenn wir den ganzen Komplex überblicken, den Bereich des Wiederholungsprinzips, das vom jahreszeitlichen Viererrhythmus des Gesamtaufbaus hinabreicht bis in die Wort- und Lautrepetition, so sei abschließend darauf hingewiesen, daß hier so deutlich wie nirgends sonst das Musikalische in Döblins Poesie sichtbar wird, das Musikalische, von dem er gerade anläßlich des „Wang-lun" ja selbst sprach (s. o. S. 115) und dem er von seinen Anfängen an „Modellcharakter" für die Literatur zuerkannte (Z 158) [158]. Daß die Wiederholungsstruktur eine sehr einfache Form darstellt, „primitiv" ist, wußte er sehr wohl; aber gerade diese Primitivität war es ja, die ihn die Kunst allgemein als Bewegung des vereinseitigten Menschen auf die ihn umgebende, ihn bedingende „natürliche" Welt hin verstehen ließ: „Die Kunst stellt einen Durchgriff der nichtmenschlichen — tierisch-pflanzlich-anorganischen — Welt auf menschliche Erzeugnisse dar. [. . .] Der Anteil am Kunstwerk und die menschliche Förderung durch

[158] Auf die der Musik analogen Kompositionsprinzipien von Döblins Romanen hat jetzt auch Ernst Ribbat hingewiesen (K 580, S. 115 u. ö.). Vgl. auch Robert Minder, K 592, S. 461.

Kunst beruht auf der Wiedererinnerung und lebhaften Berührung mit den nicht menschlichen starken Aufbaukräften des Menschen. Wir gewinnen eine Ausweitung und Sicherung durch diese Berührung." (UD 242f), und speziell auf die Musik bezogen: „Man kann sich an Hand der Musik ein Bild machen, wie etwa ein Kristall oder das Wasser denkt" (258). — Auf der anderen Seite hat das Kunstwerk den Sinn, die Natur zu überhöhen: „Im Kunstwerk legen wir unsere Ansprüche an die Natur nieder und legen sie auf eine Weise nieder, daß die Natur sie versteht. Es geht auf Übergipfelung und Formung. Sehr deutlich zeigt die Kunst, auf welche Weise wir zugleich Stück und Gegenstück der Natur sind." (248f).

Welchen Stellenwert diese Gedankengänge innerhalb des „Naturalismus" haben, wird später zu erörtern sein. Hier sollen die Zitate nur dazu beitragen, die Bedeutung dieser so breit angewandten Technik für den chinesischen Roman selbst klären zu helfen: Das Wiederholungsprinzip ist einerseits primitiv, „anorganisch", „natürlich", — andererseits ermöglicht es, wie wir sahen, dem Erzähler eine indirekte Kommentierung der Ereignisse. So wird in dieser Struktur nicht nur Döblins Forderung nach „Durchgriff der nichtmenschlichen Welt" einerseits und nach Überhöhung der Natur andererseits verwirklicht, sondern in ihr spiegelt sich auch die paradoxe Lehre der Wahrhaft Schwachen selbst: die Hingabe an die Natur, den starren Weltenlauf (mit Nietzsche zu reden: die ewige Wiederkunft des Gleichen) — mit dem Ziel aber, diese Starre, das Schicksal, den Kreis der Wiedergeburten zu überwinden: „Ich habe es auf allen Wegen, auf den Äckern, Straßen, Bergen, von den alten Leuten gehört, daß nur eins hilft gegen das Schicksal: nicht widerstreben." (79f) Diese Grundspannung im Werk Döblins: das Erlöschen vor der Welt und der Wille, sie zu überwinden — dies findet in jener scheinbar „natürlichen", in Wahrheit der Interpretation durch den Erzähler dienenden Struktur die formale Entsprechung.

### c) Die Hauptgestalten

Wenn oben von Döblins Streben nach zyklischer Abrundung die Rede war, so haben wir dabei die augenfälligste Ausformung dieser Tendenz vorläufig beiseite gelassen: die schon im Titel angesprochenen „drei Sprünge". Diese Wandlungen des Titelhelden stehen im rhythmischen Widerspiel zu der übergeordneten Viererstruktur und verhindern einen allzu starren Schematismus. Der zweite „Sprung", Wangs Abkehr von seiner Lehre und seinen Anhängern, gibt Raum für das III. Buch. Döblin selbst hat diese Wandlung später rein formal begründen wollen; im Anschluß an den schon oben zitierten Passus (S. 128 f) sagt er: „Da kann ich meinen Helden nicht mehr brauchen. Ich lasse ihn eine innere Umkehr machen, er verläßt seine Sekte, verschwindet im Land." (AzL 127) — Bevor wir diese denn doch allzu einseitige Darstellung zurechtrücken können, müssen noch einige Anmerkungen über die Bedeutung der Führergestalten in diesem Buch vorausgeschickt werden.

Muschg und seine Nachredner haben behauptet, Wang-lun habe „im Grund kein Gesicht", das Buch handle von einem „kollektiven Helden" [159]. Hier wird zwar eine dem Roman immanente Tendenz getroffen, nicht aber seine tatsächliche Struktur. Zwar räumt Wang-lun über weite Strecken das Feld, aber nur, um für andere Platz zu machen, deren Konflikte in noch viel stärkerem Maße persönlicher Natur sind als die seinen: für Ma-noh und für den Kaiser.

Was Wang-lun betrifft, so ist Döblin in der Tat bemüht, seine Wandlungen mit äußeren Ereignissen, mit ohnehin vorhandenen Unterströmungen bei seinen Freunden und Anhängern wenigstens zu synchronisieren. Wenn es heißt: „Und mit einer aufschließenden Erschütterung hörte Wang, was diese Fos lehrten: daß man keinen Menschen töten dürfe." (50), so ist kurz zuvor bereits erzählt worden, welche Ehrfurcht die Strolche vor dem Leiden haben, daß in ihrem Grundgefühl schon die Lehre vom Nichthandeln schwingt (48). — Wenn Wang-lun später als „verwandelt in einen Kriegs- und Rachedämon" erscheint (313), so hat das zunächst gar keine Folgen; er besinnt sich dann auch anders und sucht in ein verantwortungsfreies Normalleben zu fliehen; wenn er dann zurückkehrt und sich mit der „Weißen Wasserlilie" zum politischen Aufstand entschließt, haben die Gelbe Glocke und Ngoh den Boden schon bereitet (381), hat der Traum von der Rückkehr der Ming-Kaiser schon ohne ihn seine Wirkung getan (392ff). — Sein zweites Erweckungserlebnis, sein dritter „Sprung", findet wenig später, unter dem Eindruck zweier weiterer Niederlagen und im Angesicht des Untergangs, bei den Bündlern die Entsprechung: „Die Freunde von der Weißen Wasserlilie schienen verschwunden; unter der Schwere der letzten Ereignisse hatten sie sich aufsaugen lassen von den Wahrhaft Schwachen." (468)

Trotz solcher Zusammenhänge darf zweierlei nicht übersehen werden: Zum einen handelt es sich in der Tat weitgehend um bloße Gleichzeitigkeit;

---

[159] Muschg, *Wl* 488; vgl. Links, K 558, S. 37; u. a.

wichtig für Wang-luns Handeln sind in erster Linie sehr persönliche Erlebnisse: Su-kohs Ermordung, die Begegnung mit Ma-noh und seinen Buddhas, der Überfall auf Pa-ta-ling, seine Zuneigung zu Ma-noh und sein Haß auf die, die ihm den Freund verbogen und vernichteten, schließlich die Begegnung mit dem Mörder. Seine Wirkung beruht darauf, daß er Unbewußtes und dunkel Gewolltes in den anderen wachruft; er selbst aber ist durchaus nicht auf die Einflüsse der „Massenseele" angewiesen, befindet sich seiner Anlage nach sogar in völligem Gegensatz zur Lehre des Tao, wie der Erzähler ausdrücklich betont: „Er kannte von Haus aus nicht die pflanzliche Geduld seiner Landsleute." (46) — Außerdem ist die Bewegung eben doch auf ihn angewiesen; nur er hat das Charisma des Führers: „Du mußt uns führen, Wang. Tu, wie du willst." (80) Seine persönliche Ausstrahlung ist es, die den Rachedurst der Vagabunden in das Wu-wei umlenkt („Ma [...] fühlte, wie Wang innerlich diese rasenden Tiere an sich zog, furchtlos begütigte und küßte" — 78); ihn sucht und holt man, als die kaiserlichen Erlasse den Bund mit Ausrottung bedrohen.

Dem widerspricht nicht, daß die Bewegung, einmal ins Rollen gekommen, sich selbst perpetuiert, daß die Idee des Nichtwiderstrebens, einmal manifest geworden, eine geradezu magische Anziehungskraft gewinnt. Denn die Unbestimmtheit dieser Idee, die einerseits den starken Zulauf ermöglicht, verleiht andererseits gerade dem Umstand, wer den Bund führt, entscheidende Bedeutung. Unmißverständlich klar wird das am Schicksal der „Gebrochenen Melone", das sich hauptsächlich aus den Unzulänglichkeiten ihres Anführers, des verquält-ehrgeizigen Ma-noh, herleitet.

Auf die Psychologie dieses Mannes hat der Erzähler viel Mühe verwendet, und wenigstens angesichts dieser Figur bleibt unverständlich, wie Links schreiben kann, hier seien „nicht Individuen, sondern Typen, nicht Menschen, sondern Figuren, dem Menschenbild täuschend ähnlich nachgestaltete Puppen" entstanden [160], unverständlich auch, wieso Muschg an Stelle von Menschen nur „bewegte farbige Schatten" wahrgenommen haben will (Wl 492). Hier kommt ein der neueren Döblin-Literatur gemeinsames Vorurteil zu Wort, dahingehend, daß man es im „Wang-lun" mit einer bloßen Phantasmagorie zu tun habe [161], — eine bequeme These, die dem Interpreten aus mancher Verlegenheit zu helfen geeignet ist. Daß hier

<hr />

[160] K 558, S. 36. Nur spaßeshalber sei auf die ins gleiche Horn stoßende Rezension von Halperin (K 312) hingewiesen, der zwar nicht den Roman, dafür aber Muschgs Nachwort gelesen hat.
[161] Muschg, Wl 490; Links, K 558, S. 37, 38; Martini, K 559, S. 332.

in der Tat nicht von Unklarheiten im Roman, wohl aber von Nachlässigkeit der Kritiker die Rede sein muß, wird sehr deutlich an der Inhaltsangabe, die Muschg in seinem Nachwort überflüssigerweise mitliefert (Wl 484–487): sie enthält nicht nur Schiefheiten, sondern schlicht Falsches („Wanglun [. . .] treibt sich wieder als Verbrecher umher" — 485; die beiden Sätze über den Aufenthalt des Taschi-Lama — 486; „das demütige Nichthandeln, das die ‚Gebrochene Melone' ins Verderben geführt hat" — 487); kein Wunder, wenn man den Roman als „Gaukelwerk" (491), „Blendwerk" (500) oder auch als „Seifenblasen" (491) glaubt klassifizieren zu können. — Auch bei Links finden sich merkwürdige sachliche Fehler („Aber während der monatelangen Verhandlungen zerfällt der ‚Bund der Wahrhaft Schwachen' " — S. 31; „kehrt zurück in sein Heimatdorf" — S. 32; „ihn beschwören, mit ihnen gemeinsam das Schwert zu ergreifen." — S. 33 u. a.), die nicht eben von genauem Lesen zeugen.

Im folgenden möchte ich versuchen, ohne Rücksicht auf die genannten Vorurteile die Konturen der angeblich so schemenhaften Hauptfiguren nachzuzeichnen.

## 1. Ma-noh

Schon Ma-nohs erstes Auftreten steht im Zeichen hektischer Betriebsamkeit: „prallte eine hohe Stimme gegen ihn", „riß eine Hand", „Ein spitzes Gesicht fuhr dicht an seines" (49); schon hier ist von seinen unsicheren Augen die Rede, „die vor jedem Gegenstand zurückwichen wie aufschlagende Gummibälle." In dem nachfolgenden ausführlichen Porträt wird im Grunde das spätere Schicksal der „Gebrochenen Melone" bereits vorweggenommen. Wie die Bündler dem Druck der Verheißung nicht gewachsen sind und, allzu kurz denkend, die Seligkeit in sexueller Erfüllung und politischer Separation suchen, so heißt es hier über Mas Klosterjahre: „Statt Versenkung nach Versenkung, Überwindung nach Überwindung zu klimmen, wie die Lehre fordert, wartete er auf die letzten höchsten Zustände, wie ein Verliebter auf das Rendezvous." (52) Er wartet freilich nicht in stolzer Hoffnung, sondern mit dem immer wieder halbwegs verdrängten Wissen, daß die ersehnte Erfüllung ihm versagt bleiben wird. Der Erzähler scheut sich nicht vor klaren Urteilen, nennt Ma „im Inneren aufgebläht" (69) und kommentiert die Flucht aus dem Kloster und das Einsiedlerdasein: „Er umschlich den heiligen Wu-tai-schan, konnte sich nicht losreißen von diesen Dingen, an die ihn nur seine Unzulänglichkeit bannte." (53) Diese

Unzulänglichkeit wird bestimmend für sein Verhältnis zu Wang-lun. Einerseits ist er neidisch auf den Strolch, der auf ihm unerklärliche Weise Kontakt zu den Buddhas gewinnt (51, 53), andererseits gibt es Augenblicke, in denen er seine Unterlegenheit leidlos akzeptiert, dies allerdings gleich mit einem sinistren Einschlag von Masochismus: „zart und schlecker dachte es in ihm hin zu Wang unter kniebrechender Knechtung" (54). Die ungesunde Komponente dieser Bindung („er hätschelte eine schlimme Sehnsucht nach der tiefen, harten Stimme Wangs." — 116) tritt auch in jener Szene hervor, die seine endgültige Hinwendung zu Wang-lun bringt: „Ma-noh hielt den großen Wang an den Schultern umschlungen; er flüsterte heiß" (81), — ungesund nicht etwa wegen der deutlichen Homoerotik, sondern wegen der Forciertheit und letztlichen Unzuverlässigkeit solcher Wallungen. Die Ambivalenz seiner Haltung gegenüber Wang-lun faßt der Erzähler in ein glänzendes Oxymoron: „In ihm rüstete sich alles, die Waffen zu strecken." (55)

Mas neidvolle Bewunderung hat freilich nicht nur mit Wangs intuitiver Religiosität zu tun, sondern auch, vielleicht hauptsächlich, mit seiner Macht über Menschen. Der Mönch gibt sich in dem Augenblick an Wang verloren, als er sieht, wie jener den schäumenden Haß der Verbrecher sänftigt; auch diese Hingabe ist emotionell überzogen: „In ihm war keine Besinnung. Was lag an ihm! Was lag an dem Prior, an den Buddhas, an den Freudenhimmeln! Versagen aller Bremsen, Niederschmettern aller Widerstände." (78)

Was hier auf wenigen Seiten angedeutet wird, findet seine tragische Erfüllung im Buch von der Gebrochenen Melone. Der kleine gebückte Mann ist der Führerposition, in die er während Wangs Abwesenheit geschoben wird, nicht gewachsen. Denn ihn fasziniert nicht die Lehre vom Wu-wei, sondern der Lehrer selbst, ohne den die ganze Unternehmung ihm nichts sagt. Nach anfänglichem Widerstreben überwindet er dann doch das Gefühl, eine „Unsauberkeit" zu begehen (118), gewöhnt sich an seine Rolle, die freilich über Organisatorisches nicht hinausreicht: „er nahm nicht teil an dem wachsenden Ring der Frommen." (129)

Das Fest des Cakya-muni bringt dann den Zusammenbruch. Ma erkennt, daß er unrettbar an das Rad des Daseins geflochten ist, und will den Bund verlassen. Aber er bringt nicht die Demut auf, ergeben in seine Unzulänglichkeit wegzugehen, sondern er gibt das Stichwort „Freiheit" (138, 139), spricht mit einem hitzigen Lachen von seinem Plan, sich eine Frau zu holen, und nicht zu überhören ist der Unterton von Rachsucht und Schadenfreude gegenüber Wang-lun, der ihn allein gelassen hat, der „mir den Kessel und die Bohnen gab und nicht mehr Zeit fand zu sagen, wie ich kochen sollte." (139) Sicherlich hat er nicht damit gerechnet, daß die anderen sich auf seine Seite schlagen, aber seine Abschiedsrede ist nicht frei von Hochmut und Lockung. Der Anhänglichkeit der Brüder ist er dann schon gar nicht mehr gewachsen: nun interpretiert er sein Versagen als erlösende Tat: „Brüder, sind wir frei?" (143) Einen Augenblick zwar fühlt er sich noch als „ein Fürst der Unterwelt", aber sein Stolz siegt: „ächzte, stemmte sich hoch, balancierte die Last." (146) Halb entsetzt spürt er „ein gleißendes Machtgefühl" aus sich hervortreten, glaubt Wang-lun überwunden zu haben.

In der Tat bewahrt er jenem gegenüber seinen Gleichmut und findet zu seiner eigenen Verwunderung sogar die Kraft zu hämischen Sticheleien (153). Eisenhart reagiert Wang auf seine sophistischen Erklärungen: „Du liefest zu der Frau, nach der dich hungerte. Dann nahmst du sie und gingst deiner Wege [. . .] Nicht wahr, so tatest du?" (156) Aber Ma ist unfähig, sein persönliches Problem und die Belange des Bundes auseinanderzuhalten: er spricht vom Klosterleben, das ihn für den gleichgültigen Umgang mit Frauen verdorben habe (157). Wenn er umgekehrt Wang wegen seines kriegerischen Aussehens und Tuns glaubt angreifen zu können, so wird gerade hier der Unterschied zwischen den beiden deutlich. In der Tat ist auch mit Wang eine Veränderung vorgegangen: er hat die Rolle eines kämpfenden Verteidigers seiner Brüder übernommen (162, 165f); damit verzichtet er bewußt zugunsten der anderen auf sein persönliches Seelenheil, aber vergeblich sucht er bei Ma-noh eine ähnliche Einstellung: „Du sollst nicht deinen Bohnenbrei essen und dich neben ein Weib werfen und nach dem Westlichen Paradiese laufen. Ich dachte, das wüßtest du schon. Uns ist das alles versagt. Uns ist etwas anderes gegeben, nämlich dies alles zu wissen." (154f) Ma aber will selbst auf den „Gipfel der Kaiserherrlichkeit" gelangen (160), kann in seiner Eitelkeit und Herrschsucht nicht anders als die andern mit in seinen Abgrund ziehen. Diese Egozentrik [162] ist letztlich für die Katastrophe verantwortlich. So sieht es auch der Erzähler, der zu Beginn des II. Buches, das Ende vorwegnehmend, sagt: „Aber weder die Aufnahme der Frauen noch die Zersplitterung wurde von so großer Bedeutung für das Schicksal der Wahrhaft Schwachen wie die Veränderung, die Ma-noh erlitt. Dieser ehemalige Fopriester von der Insel Pu-to-schan,

[162] vgl. hierzu auch Jennings (K 575, S. 110, 116) und Elshorst (K 568, S. 18).

Sonderling und Krähenfreund auf Nan-ku, hob sich draußen mit einer fürstlichen leidenschaftsvollen Gebärde auf, begrub unter dem Wallen und Stampfen seines entfesselten Stolzes einen großen Haufen der Wahrhaft Schwachen und sich selbst in der nördlichen Ebene von Tschi-li." (115f)

Schon am Abend des ereignisreichen Tages am Sumpf von Ta-lou fällt durch den Selbstmord eines verzagten jungen Mannes ein Schatten auf die Umwandlung des Bundes (150). Einen Anklagepunkt gegen Ma-noh stellt es dar, wenn wir lesen: „Der Ruf der heiligen Prostitution verbreitete sich weit in diesen Landschaften. Vielleicht trug nichts so dazu bei, die Sekte bekannt zu machen." (179): die Gebrochene Melone fällt auf, erregt Unwillen und Ärgernis bei den Machthabern und beschwört auf diese Weise weitere Verfolgungen herauf.

Mit eiserner Beharrlichkeit besteht Ma-noh auf dem Grundsatz des Nichtwiderstrebens, stößt Uneinsichtige aus, die sich einer Rache- und Befreiungsaktion rühmen (174). Dieses formale Festhalten am Prinzip des Wu-wei dürfte Muschg zu der falschen Interpretation verleitet haben, das demütige Nichthandeln sei es, was die Gebrochene Melone ins Verderben führe (Wl 487). In Wahrheit erfolgen Überfälle seitens der Präfekten und der Konfuzianer erst nach der Einrichtung der heiligen Prostitution (180), die das Augenmerk auf die Bündler lenkt und zudem mit der Entzweiung zwischen Ma und Wang-lun die Gebrochene Melone des Schutzes durch die Weiße Wasserlilie beraubt (183). Deutlich stellt die Sexualisierung des Bundes also den ersten Schritt ins Verderben dar. Der zweite folgt aus der Notlage, die sich nun ergibt: mit Recht will man sich nicht einfach abschlachten lassen, und so schließt Ma-noh jenen unseligen Bund mit den aufständischen Bauern, der den allgemeinen Untergang letztlich nur beschleunigt. Aus der Tatsache, daß man zum Sterben noch nicht gerüstet ist, zieht er nicht etwa den Schluß, daß man sich bis zu einem gewissen Grade auflösen müsse — was Wang seinen Anhängern erlaubt —, sondern er verlangt: „Ruhe, Zeit, Eindringen, Vertiefung, Mauern, Mauern!" (191), und das Erscheinen jener Landleute ist der Wink, den er erwartet hat (210). Während Wang-lun „Mord und Totschlag auf seine Seele" nimmt (190), hält Ma seine eigenen Hände rein — unter Mißbrauch anderer Menschen: „Wozu anders sollte man diese Bande von Salzsiedern, Lastenträgern verwenden als zum Herumstellen, zu dienen als wandelnde Ziegelsteine, elastische Gräben, vortrefflich schließende Tore für die Gebrochene Melone!" (211) Auch der Erzähler betont den Unterschied zwischen Wangs Demut und Ma-nohs Eitelkeit: „während Wang es ängstlich vor sich verborgen hätte, daß zum Erschrecken etwas eintraf, was er voraussagte, fuhr es Ma mit einer warmen füllenden Sattheit in den Schlund und Bauch." (210)

Mit grausamer Härte regiert er als selbsternannter Priesterkönig über die kurzlebige „Insel der Gebrochenen Melone". Nun sehnt er sich nicht mehr kraftlos nach der Seligkeit, sondern „er begehrte, heischte kalt den Eintritt für sich und seine Bündler", betrachtet das Paradies als „etwas Erkauftes, etwas Gekauftes und zehnfach Überbezahltes, das ihm keiner vorenthalten konnte." (218) Mit eben diesem Anspruch wird er auch in den Tod gehen: „Im Hintergrund warf und wühlte sich etwas: das Westliche Paradies, nach dem er seine vertrocknete Hand ausstreckte. Er ging seine Schuld unbarmherzig und glatt einziehen." (249) Ausdrücklich widerspricht der Erzähler der Annahme Wangs, Ma wäre reif geworden für die schwere Schicksalslehre; im Gegenteil: „Er glaubte, Wang-lun hätte sich zu ihm bekehrt." (249) „Er war ganz in sich eingesponnen." heißt es zu Beginn eines Absatzes, in dem, zur Bekräftigung solcher Fixierung auf das eigene Ich, sieben Sätze, davon vier unmittelbar hintereinander, mit „Er" beginnen (248f). — Einen Augenblick selbstzerstörerischer Klarsicht, die Erkenntnis, daß er alles nur um seinetwillen inszeniert habe und auch das umsonst, diese Einsicht verdrängt er wieder, mischt sich unter seine ehrfurchtsvollen Anhänger und suggeriert sich: „Wenn das Westliche Paradies geöffnet wurde, so ihm und diesen." (250) Es sollte nicht übersehen werden, daß er sich hier wie in dem früheren Zitat an die erste Stelle setzt, sich vor seinen Anhängern nennt. Noch in den Todesphantasien verläßt sein forcierter Hochmut ihn nicht: „ ,So kommt sie doch; die Königliche Mutter kommt selber.' Lächelte stolz wie ein Befehlender." (271)

Dieser Hochmut speist sich aus einem tiefsitzenden Unwertgefühl: Manoh kann es bis zum Schluß nicht verwinden, daß er als Mönch auf Pu-to-schan versagt hat (51f); in dem besetzten Kloster wähnt er Zimmer und Gänge „mit kleinen Geistern, rufenden stichelnden Geistern angefüllt" (189), und kurz vor dem Ende, in jener augenblickshaften Erleuchtung, gesteht er sich: „Pu-to stand noch wie eine Festung, die er nicht besiegte, als er an ihr vorüberjappste." (249) Aus diesem Gefühl, letztlich versagt zu haben, erwächst die Ambivalenz in seinem Verhältnis zu Wang. Er kann von seinem Ich deshalb nicht absehen, weil er es noch sucht, seiner selbst nicht sicher ist [163].

---

[163] Für Links ist er merkwürdigerweise „der lange Zeit sichere, allen seinen Anhängern überlegene Ma-noh" (K 558, S. 42).

Sosehr der Erzähler auch um eine einfühlende Durchleuchtung dieser seelischen Zusammenhänge bemüht ist, so klar lehnt er dann doch das Tun dieses Verlorenen ab. Wenn Wang-lun eine Legende um den Toten zu spinnen beginnt, nennt der Erzähler diese Versionen „schmachtend" und kritisiert: „er unterschlug die sichere Tatsache, daß Ma-noh von einem gemeinen Soldaten erwürgt war" (409). Auch Wangs späte Identifizierung mit dem Freund beruht mehr auf der Ähnlichkeit der äußeren Situation als auf innerer Übereinstimmung; Wang selbst nennt Mas Handlungen immer noch schlecht (465). — So mildert sich zwar im letzten Buch der Ton, das Urteil selbst aber bleibt bestehen. Ma-noh deshalb gleich mit dem Teufel zu identifizieren, wie Anne L. Jennings das in ihrer merkwürdig einfältigen Arbeit tut [164], geht nun doch nicht an, schon deshalb nicht, weil auf dem Wege solcher Interpretation die aufwendige psychologische Motivierung gänzlich ignoriert würde. Zwar fühlt Ma sich an einem wichtigen Punkt der Handlung augenblickshaft als ein Fürst der Unterwelt (146), aber auch der von Jennings in schon unangenehmer Weise zu einer Christusfigur stilisierte Wang-lun fürchtet: „der Name Wang-lun wird den Klang eines Höllengottes bekommen" (427) [165]. — Kein Zweifel kann freilich darüber herrschen, daß der Erzähler dem ehemaligen Mönch die Schuld an der Katastrophe von Yang-chou-fu gibt. Döblin gesteht hier also dem einzelnen eine weitaus größere Bedeutung zu, als das nach den theoretischen Äußerungen zu erwarten gewesen wäre. Es meldet sich hier wie auch in mancher anderen Vertiefung in Einzelschicksale — man denke z. B. an die ausführliche Analyse der Vaterbindung Liang-lis (120—124; 271) — jenes Interesse am Einzelmenschen, jene lange Zeit verleugnete Unterströmung, die schließlich mit der Wende um 1924 zutage trat.

## 2. Khien-lung

Der Kaiser ist in seiner Ichbezogenheit eine dem geschraubten Mönch Ma-noh sehr ähnliche Gestalt. Träumt jener vom Sturm auf den „Gipfel der Kaiserherrlichkeit", so kennt dieser nichts Wichtigeres als seinen Seelenfrieden im Angesicht der Ahnen. Sofort nach seiner Rückkehr aus dem Norden begibt er sich in ihren Tempel, und das erste Vorzeichen kommenden Unheils, der vom Ahnentempel herabstürzende Stein, gibt Anlaß zu

[164] K 575, S. 111
[165] Eher belustigend ist es, wenn Jennings ihre eigene schematische Einteilung in Gute und Böse schließlich Döblin zum Vorwurf macht (S. 123).

folgendem Kommentar: „Die Ahnen lasteten auf Khien-lung; sie peitschten ihn. Der hitzige rastlose Mann vermochte, je älter er wurde, seinen Vorfahren nicht gerecht zu werden. Ihn schüttelte, daß er in die furchtbare Verantwortung des Nachfolgers geboren war." (285) — An eben diesem Tag trifft der Bericht über die Geschehnisse in Yang-chou-fu ein [166]. Wenn er auf dieses Ereignis mit fassungslosem Weinen und schlotterndem Entsetzen reagiert, so nicht etwa aus menschlicher Anteilnahme, sondern weil er im Auftreten solch ungewöhnlicher Geschehnisse ein für ihn persönlich bestimmtes Zeichen der Unzufriedenheit seiner Ahnen erblickt; eine Überschwemmung oder eine Viehseuche hätte wohl denselben Effekt gehabt. Khien-lung weiß in seiner konfuzianischen Staatsfrömmigkeit, daß nichts bedeutungslos ist (285) [167], und so sucht er auch jetzt nach „Zusammenhängen, Winken, Stimmen" (289). Kein einziges Mal fragt er nach den Motiven der Bündler, sondern er forscht lediglich: „was ich getan habe, daß solches Ungeheuer am Abend meiner Regierung sich zeigt. Ich muß erkennen, wessen ich bezichtigt werde durch eine so offensichtliche Anklage." (305) Auch dem tibetanischen Papst weiß er auf die Frage nach dem Grund der Verfolgungen nichts Rechtes zu antworten (310), und religiöse Unterweisung lehnt er ab: „Ich will keine Wege zum Buddha gehen" (306), denn „man kann nicht Kaiser und fromm sein." (304) Was er von Jische will, das sind handfeste politische Ratschläge, die zur Versöhnung mit den Ahnen führen sollen. Er ist unfähig, sich den allgemeinen Problemen oder den besonderen Nöten jener Sekte zuzuwenden, klebt an seinem persönlichen Konflikt mit der Mandschu-Tradition.

Als die Wirkung der Toleranzedikte von den Konfuzius-Anhängern, die dem Lamaismus ebenso feindlich gesonnen sind wie den Wahrhaft Schwachen, ins Gegenteil verkehrt wird, als ihnen mit Hilfe von Provokationen und Unterwanderung „eine entsetzliche Umwandlung des Bundes" gelingt (320), fragt der Kaiser wiederum nicht nach den Zusammenhängen, sondern macht den Lama für den Aufruhr verantwortlich (339). In dieselbe Zeit fällt der Mordversuch seines verhaßten Sohnes Mien-kho, und abermals verdächtigt Khien-lung den Falschen, seinen Liebling Pou-ouang

---

[166] Wie bewußt der Roman komponiert ist, wird deutlich, wenn man sich hier der Schilderung vom Eindringen der Soldaten in die Mongolenstadt erinnert: „Im Augenblick, wo sich das Tor öffnete, sauste von dem Torbogen ein abgelöstes Mauerstück herunter" (270).

[167] vgl. hierzu Döblins Ausführungen in "The living thoughts of Confucius" (D 364), insbesondere S. 1 und S. 12—15.

(332). Daß er an dieser fixen Idee mit greisenhafter Beharrlichkeit festhält (348), ist als versteckter kritischer Hinweis des Erzählers zu werten, denn er und der Leser wissen es besser. Wie wenig es dem Kaiser um das Wohl seines Landes und seiner Menschen geht, wie sehr er auf sich selbst fixiert ist, tritt besonders kraß in den Szenen um den Tod des Lamas hervor. Unbeeindruckt vom schrecklichen Leiden Jisches, unbeirrt durch „das ungeheure Ereignis, das sich hier vorbereitete, die Trennung des Buddhas von seinem jüngsten Körper" (340), bestürmt er den Sterbenden um eine erlösende Formel, die — und das ist der tiefere Sinn der erzwungenen Stummheit Jisches — er nur in sich selbst hätte finden können. Khien-lung aber fühlt sich betrogen, steigert sich in sinnlosen Zorn und empfindet den gräßlichen Tod des Lamas in abergläubischer Kurzsichtigkeit als Beweis für die Falschheit seiner Ratschläge. Auf sich selbst zurückgeworfen, verzweifelt er und unternimmt einen Selbstmordversuch; auch hier spielen die Ahnen wiederum die Schlüsselrolle: Khien-lung steckt den Kopf in dem Augenblick in die Schlinge, als der Dämon das Laken von der verhüllten Ahnentafel herunterreißt und sie lebendig zu werden scheint (356). Auch hier identifiziert der Kaiser den Falschen als Täter, glaubt sich von Kia-king überfallen (358). Die schließliche Wendung, die zu den Ausrottungserlassen führt, basiert wiederum auf Khien-lungs fixer Idee: es gelingt Kia-king, den Vater davon zu überzeugen, daß der Zorn der Ahnen nicht etwa der Vernichtung der Bündler, sondern der Schwäche des Angriffes gelte (360, 361f). Es spricht sehr gegen den Kaiser, daß er dem Manöver des Prinzen so prompt zum Opfer fällt.

Wie wichtig dem Erzähler dieser Charakterzug ist, zeigt sich auch in Khien-lungs späteren Auftritten. Der erste Satz, den wir im IV. Buch von ihm hören, lautet: „Als der Taschi-Lama riet, die religiösen Sekten zu dulden, Schonung zu üben, wußte ich nicht, ob ich recht tun würde im Sinne meiner Ahnen." (417), und ganz am Schluß lesen wir: „Khien-lung sonnte sich. Dem Hohen Rat gab er bekannt, daß er Kia-king, seinen Sohn, der ihn mit seinen Ahnen versöhnt hatte, zu seinem Nachfolger ernenne." (477)

Diese egozentrische, neben der eigenen Person allenfalls noch die „Reine Dynastie" ins Auge fassende Haltung rückt den Kaiser in die Nähe Manohs, und sein Verhältnis zu dem Pantschen-Lama ist denn auch dem des Mönchs zu Wang-lun recht ähnlich.

Der Lama selbst, Lobsang Paldan Jische, ist in der Tat keine plastische Gestalt, sondern eher ein Prinzip, eine Atmosphäre, und genau das soll er auch sein. Denn er ist nichts, will nichts sein als eine Verkörperung des wandernden Buddhas; ihm gelingt, was der Kaiser vergeblich erstrebt: das Aufgehen in der ihm zugefallenen Rolle. In dieser Figur, dem tibetanischen „Weisheitsozean" (294), nimmt der Erzähler noch einmal deutlich Partei für die Lehre der Wahrhaft Schwachen; denn der Lama, für den Erzähler unter bewußter Aufhebung jeder Reserve „der wunderbare Mensch" (335), deutet die Welt ebenso wie die Anhänger des Wu-wei: wie Wang-lun (80) glaubt er an den starren Weltlauf (297), wie jener wird er vom Leiden der anderen gewaltsam erschüttert, und auch sein Credo lautet: „Milde sein, still sein heißt die Hand, die alle Riegel hebt." (312) Sein Verhältnis zur lebenden Natur ist wie das der Bündler ehrfurchtsvoll-liebend; „in einem strahlenden Entzücken" durchschreitet er die Wälder (333), schaudernd weigert er sich, über den Blumenteppich zu gehen, den die barbarischen Chinesen zu seinem Empfang hergerichtet haben; mit segnenden Händen berührt er die Lilienleichen (301): schon hier wird seine Opposition zum Kaiser bildhaft klar. Jische erkennt die Wahrhaft Schwachen ausdrücklich als Brüder der Lamas an (335). Sein Standort in diesem Kampf zwischen dem Kaiser und den Bündlern wird noch von einer Äußerlichkeit zusätzlich erhellt: ebenso wie von Ma-nohs Buddhas (49 usw.) heißt es auch von ihm, seine Ohren seien „groß, lang ausgezogen" (298). — Auch ihn rafft das Schicksal hinweg, auch für ihn wird die Begegnung mit dem Kaiser tödlich, auch seinen Tod mißdeutet man als Widerlegung seiner Lehre, und auch er wirkt nach: vor seinem Selbstmordversuch ruft Khien-lung jammervoll nach dem Lehrer: „Beten, beten. Paldan Jische, beten." (355)

So verkörpert sich in dem Lama die Lehre vom Wu-wei, eingebettet freilich in den ganzen Pomp einer traditionsreichen Kirche. Nicht von vornherein und selbstverständlich bildet der Kaiser die Gegenposition, aber er fühlt sich verpflichtet, sie einzunehmen. Jische erkennt das: „Grauenvoller Widerspruch; der Kaiser ahnte, wie er ein Nichts wäre, und ließ die morden, die es noch tiefer ahnten, die es inniger bekannten." (334) Wenn ich oben versuchte, den Hauptzug in Khien-lungs Wesen herauszuheben, so mußte das Bild notgedrungen einseitig werden. Er ist ja auch ein sehr feinsinniger Literat (279f), dessen Theorien sich in einigen Punkten durchaus mit denen Döblins decken, und seine Überlegenheit gegenüber seiner Umgebung ist nicht zu leugnen. Er ahnt tiefere Zusammenhänge als seine Berater, ist allerdings nicht fähig, mehr als halbe Konsequenzen aus diesen Ahnungen zu ziehen: zwar schickt er nach Jische, dann aber will er doch nur einen politischen Rat; Menschlichkeit und Kaisertum zu verbinden gelingt ihm nicht, und der Lama muß die Fruchtlosigkeit seiner Bemühungen einsehen: „Wenn ich das Lichtlein, das in Ihnen brennt, anfachen wollte: verzeihen Sie mir." (309) Instinktiv weiß Khien-lung, daß in den Lehren Jisches die Lösung und Erlösung für ihn läge, deshalb bedrängt er ihn bis in den Tod; aber er steht sich selbst im Wege, fühlt sich schließlich erniedrigt und sucht Aufrichtung und Befriedigung im Anblick der grausigen Leiche, ohne aber zu finden, was er sucht: „es brach aus den Augen öfter etwas Hilfloses, Jammerndes, Ängstliches, das an Khien-lung neu war." (348)

Nach dem Selbstmordversuch freilich überläßt er sich ganz den Einflüsterungen Kia-kings, der ihn in seiner Schwäche gesehen hat. Beim Sturm auf Peking schließlich hat er längst seine kalte, unmenschliche Ruhe wiedergefunden und rächt sich für die damalige Bloßstellung durch eine spöttische Demonstration seiner Überlegenheit gegenüber dem Prinzen; seine angeblichen Rücktrittsabsichten sind nichts als Komödie. Der Augenblick der Umkehr ist unwiderruflich versäumt.

## 3. Wang-lun

Wenden wir uns nun endlich dem Titelhelden zu und seinen drei „Sprüngen". Hier bestehen in der bisherigen Forschung erhebliche Unklarheiten. Die meisten Rezensenten und Interpreten gehen erst gar nicht auf die Dreiergestalt ein oder bescheiden sich mit nichtssagenden Formeln wie: „die Lebensphasen, die drei Bewußtseinsdurchbrüche, die drei dialektischen Sprünge des Wang-lun" [168]. Muschgs Deutung wiederum ist zu einfach: „dem Sprung aus dem gewalttätigen Handeln in das demütige Nichthandeln, das die ‚Gebrochene Melone' ins Verderben geführt hat, dem zweiten in das gewöhnliche Dasein zurück, wo er um den Preis der Blindheit glücklich war, dem dritten in die Niederlage vor den Mächten dieser Welt." (Wl 487) — Die Dinge werden dadurch kompliziert, daß jede Phase recht unterschiedliche, ja scheinbar widersprüchliche Haltungen einschließt. Wir müssen uns daher, um hier klarer zu sehen, Wang-luns Lebensweg etwas genauer vor Augen führen.

Er ist ja die einzige Figur, deren Leben wir von der Kindheit bis zum Tode verfolgen, insofern eben doch noch ein herkömmlicher Held. Daß in den Jugendszenen, in dem Gegeneinander der grämlich-arbeitsamen Mut-

---

[168] Fritz Martini K 559, S. 331. Eine schon erstaunlich verfehlte Deutung hat neuerdings Leo Kreutzer vorgetragen (K 557A, S. 50—54).

ter und des bramarbasierenden, vor harter Arbeit in einträgliche Scharlatanerie flüchtenden Vater, ein ironisches Abbild von Döblins Elternhaus zu sehen ist, hat schon Links bemerkt [169]. Dem Vater, diesem ehemaligen Dorfclown, späteren Wind- und Wettermeister, verdankt Wang-lun sowohl die ersten religiösen Unterweisungen als auch seine Neigung zu Narrenstreichen. Während der Alte seine Austreibungen in der Maske eines Tigers vornimmt (20), vollführt Wang seine Possen in einer Hirschmaske (32f); der zum Tode führende Schlaganfall, den Wang-schen unter der Maske erleidet, ist offenbar das unausgesprochene Vorbild für die Ermordung des Tou-ssee: „die Maske gefaßt und über den Kopf des Tou-ssee gestülpt, erdrosselt, weggeworfen. Dies war gut." (44) — Vom Vater dürfte auch die Neigung zur Hinterlist stammen, und ihm verdankt er ja auch die Anleitung zum Diebstahl, den er schnell aus einer symbolischen Handlung in einen Brotberuf ummünzt (21f). Wang, dessen eindringlichste Kindheitserinnerung sich auf einen Raubüberfall und das qualvolle Sterben des Schulzen bezieht (14f), der seinen Spielgefährten mit bösartigen Späßen zusetzt, wird, da er obendrein mit einer ganz gedankenlosen Körperstärke gesegnet ist (21), zum Streuner und Wegelagerer. Ein Kind kommt durch seine Schuld zu Tode, und nur seine Faulheit hindert ihn an einem regelrechten Mord.

Was in diesem wenig verheißungsvollen Anfang sichtbar wird, ist zunächst noch nichts als ein gänzlich unreflektiertes Mißbehagen über die „Verhältnisse", das schon den Vater auszeichnete und vorläufig nichts weiter bewirkt als asoziales, ja kriminelles Verhalten.

In dem Bonzen Toh-tsin findet der „rohe Patron" (22) dann seinen ersten Lehrmeister. Die Begegnung mit diesem weltklugen Mann wird wichtig für Wangs spätere Führerrolle unter den Ausgestoßenen im Gebirge: „Daß er kräftig und unverbraucht war, hätte ihm in diesem gewalttätigen Kreise allein nicht viel geholfen. Den Ausschlag gab seine spielende Art, Menschen zu behandeln. Er hatte dies bei seinem alten Toh gelernt" (48). Darüber hinaus klingt, wenn auch noch unverstanden und kaum vernehmbar, in der Diebstahl-Komödie — die Brecht bekanntlich für die 2. Szene des Stückes „Mann ist Mann" benutzte — die geheime Grundmelodie des Buches an: Wangs Erkenntnis, dies sei eine Sache, „bei der er immer gleichzeitig gewann und verlor" (30), erinnert uns an die Abwer-

---

[169] Roland Links, K 558, S. 30

144

tung von „Gewinnen, Erobern" in der Zueignung (8) und weist voraus auf die Lehre vom Wu-wei: „Die Welt erobern wollen durch Handeln, mißlingt." (48)

Das wesentliche, den Umschwung in Gang setzende Erlebnis in Tsi-nan-fu ist aber die Verfolgung und Ermordung des Mohammedaners Su-koh. Die Hochschätzung, die Wang-lun diesem „klugen, wenn auch eingebildeten Mann" entgegenbringt (34), das Entsetzen über seinen Tod, der Zwang zur Rache: all das wird dem Leser hier noch nicht recht verständlich. An späterer Stelle gibt der Erzähler einen Fingerzeig: „Wang hatte das schwerlastende Empfinden, daß man ihn selbst, etwas in ihm von einer schaurigen Verborgenheit, angriff. Und es war nicht die Roheit des Eingriffs, die ihn erschreckte, sondern das Entsetzen vor dem Verborgenen, das ihm vor Gesicht kam, das er nicht sehen wollte, nicht jetzt schon, vielleicht später, viel viel später." (73f) Die Rache wird hier „etwas Erdachtes, Erzwungenes" genannt: „Er wollte sich noch einmal wegtäuschen über die Zukunft, vor der er sich schämte und graute." (74) Wenn man den gesamten Roman ins Auge faßt, so erkennt man, daß Su-kohs Geschick tatsächlich das des Bundes vorwegnimmt: auch er wird aus keinem anderen Grunde verfolgt als wegen seines religiösen Bekenntnisses, auch er wird, selber waffenlos, von der Soldateska erschlagen. Diese geahnte Identität also ist es, die Wang-lun an diesen Mann bindet. Ebenso wie auf dessen Ermordung wird er auch auf den Untergang der Gebrochenen Melone, vor allem auf den Tod Ma-nohs, der ihm als Bruder noch teurer ist als Su-koh (242), mit einer letztlich unbefriedigenden Rachehandlung antworten, dann freilich in viel größerem Maßstab.

Bevor Wang auf den Grund dieser quälenden Unruhe sehen kann, bedarf es freilich einer weiteren Begegnung. In die Berge geflohen, führt er ein Doppelleben: als Kumpan der Gestrandeten und als Schüler des Einsiedlers. Der Bonze Toh-tsin erweist sich jetzt als Vorläufer Ma-nohs. Schon den ersten Auftritt benutzt der Erzähler zum Hinweis auf diese Beziehung: „Beim Anblick der Umgebung klopfte Wang das Herz; sie erinnerte ihn an den dunklen Tempel des Musikfürsten Hang-tsiang-tse in einer fernen Stadt." (49) — Auch Ma-noh wird zum Lehrer des Umgetriebenen, auch er bemerkt bald, daß er dem Schüler unterlegen ist. Schon von Toh-tsin hieß es: „Der Priester, dieses verlogene betrügerische Wesen, wurde weich und fromm vor seinem Schüler und ertappte sich dabei, wie er ihn in einem hingenommenen Gefühl segnete." (40) Anders als der Bonze wirkt Ma-noh nicht durch seine Persönlichkeit, sondern durch

145

Vermittlung überkommener Lehren, deren Wirkung auf Wang ihn selbst erstaunt (50). Ihr volles Gewicht gewinnen diese Lehren allerdings erst nach der blutigen Erstürmung des Dorfes Pa-ta-ling. In jener Schilderung steht ja ein Satz auffällig hervorgehoben als Zeile für sich: „Die Toten froren dünn und steif auf dem Wege." (57): Wangs Erschütterung über die Lehre des Buddhas („daß man keinen Menschen töten dürfe" — 50) wird jetzt zum beherrschenden Antrieb, und der inzwischen in die Rolle des Bandenführers Genötigte verkündet: „Daß nichts schrecklicher sei, als wenn Menschen sich töteten, und der Anblick nicht zu ertragen." (59) Damit ist der erste „Sprung" vollzogen: sowohl der Tod Su-kohs als auch die eigene Rache erscheinen endgültig als sinnlose Geschehnisse, und als die anderen Rache für den Überfall der Soldateska verlangen, als Chu verallgemeinernd gegen die Mandschus hetzt, wehrt Wang-lun ab: „Das nutzt alles nicht. Das nimmt kein Ende [. . .] Es wird Mord auf Mord kommen." (79) Mit den Händen einen Buddha berührend, sich Kraft von ihm holend, spricht er seine neue Einsicht aus: „Man hat nicht gut an uns getan: das ist das Schicksal. Man wird nicht gut an uns tun: das ist das Schicksal. Ich habe es auf allen Wegen, auf den Äckern, Straßen, Bergen, von den alten Leuten gehört, daß nur eins hilft gegen das Schicksal: nicht widerstreben. Ein Frosch kann keinen Storch verschlingen. Ich glaube, liebe Brüder, und will mich daran halten: daß der allmächtige Weltenlauf starr, unbeugsam ist, und nicht von seiner Richtung abweicht. [. . .] Ich muß den Tod über mich ergehen lassen und das Leben über mich ergehen lassen und beides unwichtig nehmen, nicht zögern, nicht hasten. Und es wäre gut, wenn ihr wie ich tätet. Denn alles andere ist ja aussichtslos." (79f) Und wieder: „man soll nichts Lebendiges töten." (80)

Wie unvollkommen die anderen den Sinn dieser Lehre begreifen, darüber läßt der Erzähler keinen Zweifel; deutlich sind die fragwürdigen Motive dieser Männer herausgehoben. Man fragt „lüstern", was man denn erreichen werde (83); die eine Gruppe wertet der Erzähler selbst ab als „die verlässigste Avantgarde jeder, jeder Lehre" (84), eine andere glaubt ihren Rachedurst wenigstens in der Form stillen zu können, daß sie als Angehörige eines Geheimbundes Furcht erregen werden („die Rolle des Anklägers verlockte sie" — 84), eine dritte fühlt sich beglückt durch die Verbrüderungsidee, die ihre Einsamkeit aufzuheben verspricht (85). Nur sehr wenige verstehen den wahren Sinn der demütigen Lehre. Kein Wunder, da auch Wang-lun selbst und die anderen Anführer keine sehr präzise Vorstellung haben. Man ergeht sich in Träumen von der Seligkeit, und auch da verstummt Wang bald, wendet seinen Kopf „wie beirrt suchend zur Seite zu Ma-noh." (87) Ausdrücklich spricht der Erzähler von „Wangs nicht ganz klaren Gedanken" (99f).

So ist man sich eher einig in dem, was man ablehnt und vermeiden will, als in irgend einem faßbaren positiven Inhalt. Für den späteren Zulauf wird das bloße „Eingeständnis der Not" verantwortlich gemacht (103). Dies allein genügt freilich auf die Dauer nicht, und so entsteht einerseits eine phantastische Legende um den abwesenden Wang-lun, zum anderen die Vorstellung vom „Ring der Frommen": „Man meinte, man könne allmählich in dem geschlossenen Ring der Wahrhaft Schwachen durch die Gewalt der Versenkung jenes Letzte erreichen, das man bald das Westliche Paradies auf dem Kun-lun nannte, bald den fünften Maitreya, bald das Kin-tan-Pulver, welches ewiges Leben gewährt." (119)

Man wird — über den Roman hinausgreifend — fragen dürfen, ob überhaupt eine Massenbewegung Bestand haben kann, die keine bestimmten Ziele verfolgt, sondern gerade den Verzicht auf alle Ziele, das Nichthandeln zum Inhalt hat. Schwer läßt sich jener Satz widerlegen, mit dem Wang später, nach dem zweiten „Sprung", das Wu-wei kritisiert: „Ein Wahrhaft Schwacher kann nur Selbstmörder sein." (403) In der Tat rechnen ja die frömmsten Anhänger Ma-nohs mit dem baldigen Untergang (193), und auch Wang selbst findet erst angesichts der Niederlage zum Wu-wei zurück. Die Selbstopfer der Bündler — auch Wang hat ja zweimal derartige Anwandlungen (163, 430) — gehören ebenfalls hierhin. Daß man mit dieser Lehre *leben* kann, mag auch der Erzähler nicht behaupten, und hier dürfte der Grund dafür zu suchen sein, daß wir im II. Buch so wenig, im Grunde gar nichts von den Gruppen hören, die nicht unter Ma-nohs Führung stehen; auch Wang spricht bei der Darstellung dieser Lebensphase nur von Ma-nohs Taten (465).

Es ist angesichts dieser Unklarheiten verständlich, daß die Wahrhaft Schwachen sich später ihre Ziele halbwegs von außen vorschreiben lassen, mag es sich um die heilige Prostitution oder um die Wiedereinsetzung der Ming-Kaiser handeln. Die Politisierung des Bundes leitet Wang-lun selbst ein, indem er den oppositionellen Geheimbund der „Weißen Wasserlilie" um Beistand bittet. Auch hier setzt der Erzähler bereits im I. Buch Fragezeichen. In seinem historischen Exkurs spricht er bemerkenswert positiv über die Mandschus (89), und das üppige Gelage der Herren von der Weißen Wasserlilie (94f) vermittelt den Eindruck, daß man es mit bloßen Salonrevolutionären zu tun hat.

Bei seiner Rückkehr findet Wang-lun den Bund verwandelt vor, aber auch er ist nicht mehr der alte. Seine Veränderung ist allerdings nicht grundsätzlicher, sondern nur einschränkender Natur, stellt keinen „Sprung" dar. Das erste, was Ma-noh bemerkt, ist das Schwert des Freundes (152), der „Gelbe Springer", ein Geschenk Chen-yao-fens, das die Verbindung zur Weißen Wasserlilie sinnfällig macht. Noch hält Wang auf Trennung der Wahrhaft Schwachen von dem politischen Bund (170), aber er hat den Wirkungskreis des Wu-wei schon eingegrenzt: „Was außerhalb des Bereichs meiner Brüder geschieht, unterliegt anderen, eigenen Gesetzen. Ich bin arm, leidend nur unter ihnen." (165) So schließt er sich, um zu Ma-noh zu gelangen, wieder einer Räuberbande an, zieht von Verbrechen zu Verbrechen: „Keine Unruhe befiel ihn." (166) Damit verzichtet er für sich persönlich auf den „Gipfel der Kaiserherrlichkeit", begreift sich als Kämpfer „für die Ausgestoßenen seines Landes." (162) Er selbst übernimmt also jene Rolle, die Ma-noh den aufständischen Bauern zuschieben wird. Freilich ist auch seine Lösung recht fragwürdig und sophistisch, und am Ende läßt die Trennung sich auch nicht mehr aufrechterhalten. Es ist aber wohl zu beachten, daß Wang-lun an der Lehre des Wu-wei selbst ohne Einschränkungen festhält.

Seine Bemühungen um Ma-noh bleiben fruchtlos: die Auflösung des Bundes, die allein die Rettung bringen könnte, lehnt der Priester ab. Wang aber kann den Gedanken nicht ertragen, daß die Bündler von den kaiserlichen „Metzgersoldaten" (239) abgeschlachtet werden sollen, und faßt in einer „furchtbaren Nacht" (245) den ungeheuren Plan, dann lieber alle zu vergiften, den im Delirium Sterbenden das Gräßlichste auf diese Weise zu ersparen. Entsetzlich trifft ihn darum der Bericht Ngohs, daß ausgerechnet Ma-noh doch noch lebte, als das Militär eindrang, daß ein gemeiner Soldat ihn erwürgt hat (271f, 314, 409).

Hier ist sein zweiter „Sprung" anzusetzen, die Abwendung vom Wu-wei: „Und als Ngoh ihm vom Tod Ma-nohs erzählte, wurde die Decke der Rachsucht mit einem grausamen Ruck weggezogen; besiegt war er, vernichtet, schlimmer erwürgt als der Tou-ssee. Der Ekel kam, zu Ende war es mit dem Wu-wei!" (430) Er streckt die Waffen, gibt sogar Ma-noh recht (316), läßt sich fallen. Er flüchtet in ein normales Fischerleben, kehrt also zu seinen Anfängen zurück [170], heiratet auch.

---

[170] Ich wies schon darauf hin (s. o. S. 122), daß diese Rückkehr sich fast pedantisch genau über die Zwischenstufe Tsi-nan-fu (Ho-kien) vollzieht. Wieder erscheint Wang als bäurischer Spaßmacher.

Als dann die Boten ihn aufspüren, den Kopf ausgerechnet des alten Chu mit sich führend, da setzt er sich zwar noch scheinbar zur Wehr, aber er weiß schon, daß er zurückkehren und sterben wird (374f). Das alles geschieht aus einer Art Pflichtgefühl (406), bedeutet keineswegs eine Rückkehr zur Lehre des Wu-wei, sondern beruht im Gegenteil auf einem Gefühl der Schuld darüber, daß er diese „unsinnige" Lehre verkündet und so den Tod über viele gebracht hat: „Und das ist Unsinn, Ngoh, und das kann ich nicht mit anschauen, und darum bin ich wieder hergekommen, weil ich schuld daran bin, und es kann doch nicht so endlos weitergehen. Es sollen alle zu Grunde und auf einmal hingeschlagen werden, und ich mit ihnen auf einem Haufen." (403)

Nur aushilfsweise und halbherzig übernimmt er die politischen Ziele der Weißen Wasserlilie; sein Zorn auf den Kaiser (430) ist wohl echt, aber auch seine eigenen früheren Absichten hält er nun für verfehlt. Seine Stimme hat „einen militärisch hellen, scharfen Klang" bekommen (398), und er setzt die Bewaffnung der Bündler durch. Daß sich an seiner Haltung seit Ho-kien nichts geändert hat, wird in einer Reminiszenz deutlich: „Und dabei bellte er so laut, frei, ungeniert, daß es Ngoh eben an das Gelächter Wangs mit der Dirne unter dem Torweg erinnerte." (398) Seine Auseinandersetzung mit Ngoh läßt die ganze Schwäche seiner Position erkennen. Er versucht zwischen menschlichen und Naturgewalten zu unterscheiden: nur die letzteren seien als Schicksal hinzunehmen [171]; daß er sich dabei ausgerechnet auf Chu beruft (401), stellt wieder einen der versteckten Winke des Erzählers dar: Chu hatte damals zwar gegen die Mandschus gehetzt, sie aber ausdrücklich und beharrlich mit Naturgewalten, mit Springfluten usw., verglichen und identifiziert (76f). Wang verliert die Beherrschung und beklagt sich über mangelndes Vertrauen: „Es genügt nicht, daß ich komme und sage, so und so und so; es muß auch bar auf den Käsch bezahlt werden, begründet von fünf Seiten, daß nur nichts verloren geht." (402) — verräterische Sätze, denn genauso hatte Ma-noh gesprochen, als es um die Teilnahme an der Rebellion ging: „Aber ihr seid ohne Vertrauen in mich. Was ich nicht ausschäle wie einen Zwiebelkern, habe ich erlogen" (214). Schließlich bricht es aus Wang heraus: „Es — ist — uns — nicht — beschieden —, Wahrhaft Schwache zu sein, — es ist — uns — nicht beschieden" (402) und: „Ich hab mich geirrt auf den Nan-ku-Bergen" (403).

---

[171] Daß Roland Links diesen Sinneswandel positiv beurteilt (K 558, S. 33), ist verständlich, geht aber an der Absicht des Buches vorbei.

Hin und wieder versucht er zwar an einen möglichen Erfolg des politischen Aufstandes zu glauben, aber im ganzen behandelt er ihn sehr lässig, entfernt sich gelangweilt von Truppenübungen, hintertreibt auch die Aufnahme neuer Soldaten, um sie dann doch zuzulassen: „Man wußte in diesen Wochen nie recht, wessen man sich von ihm zu versehen hatte; der Wind blies aus dieser, aus jener Ecke." (407) Daß er ein Mädchen zu seiner Geliebten macht, daß er sich später von den Frauen der eroberten Städte nimmt, was ihm gefällt, ist nur ein weiteres Indiz für seine Abkehr von der alten Lehre. Er selbst weiß oft nicht, was das alles soll, „dachte an die Sanftheit des Nichtwiderstrebens und sah sich in einem endlosen, hoffnungslosen Morden. Er fand nicht zu sich." (430) So kämpft er halb bewußtlos, „ohne Gefühl seiner automatisch gehobenen und hämmernden Arme", in Peking (423), läßt nach der Niederlage Panikmacher köpfen. — Andererseits fühlt er in Schan-hai-kwang wieder den unklaren Trieb, waffenlos in die Stadt zu gehen: „Er wußte nicht, [. . .] daß das Wu-wei ihm aus allen Poren schwitzte." (430) Auch seine ursprüngliche Absicht, einfach mit alledem ein Ende zu machen, verliert er aus den Augen. Nun klammert er sich krampfhaft an das politische Ziel, die Wiedereinsetzung der längst ausgestorbenen Ming-Dynastie: „An dieser eisernen Stange beiß ich mich fest", denn: „Das darf nicht über mich fallen, daß alles nichts gewesen ist." (428) So verfolgt er ernsthaft den abenteuerlichen Plan, den angeblichen Ming mit der Tochter des kaiserlichen Generals zu verheiraten, imitiert aber gleichzeitig bewußt seine verantwortungsfreie Existenz als Stadtnarr von Tsi-nan-fu, und noch in Tung-chong wird niemand aus ihm klug: „einige behaupteten sogar, daß er mitten in den Kämpfen den Ernst verliere" (456).

Hier aber wird er auch von jener Begegnung getroffen, die ihn seinen dritten „Sprung" tun läßt. Wieder wird ihm, dem unsicher Tastenden, ein Zeichen wie damals in den grausamen Geschehnissen um Pa-ta-ling: man bringt einen Räuber vor ihn, „einen zerlumpten, finster blickenden Halunken, der sich als Wahrhaft Schwacher vor Bauern ausgegeben hatte und dann, eingelassen, über die Wehrlosen hergefallen war" (457). Schlagartig erkennt Wang-lun in dem starkknochigen Kerl sein Ebenbild: „So alt wie dieser war Wang auch; dieses Schicksal also hätte er gefunden ohne den und jenen Zwischenfall" (ebd.), „Sein Bruder, sein Bruder! Wie gelogen, so wahr geredet; kein Wahrhaft Schwacher, aber sein Bruder." (458) Geradezu neidisch wird er auf den dumpfen Verbrecher, besucht ihn und die anderen Lumpen im Gefängnis. Da aber packt ihn das Entsetzen: „Nicht

Verbrecher sein, kein Mord, kein Mord! Wie soll man das ertragen, zu morden! Helfen den andern, verstümmelten, helfen! [...] Sein Bruder, seine Brüder, oh, so wäre er geworden! Nicht morden, nicht morden!" (459)

Wie in Pa-ta-ling ist es also wieder das Entsetzen vor dem Töten, das die Wende bringt; der dritte „Sprung" ist vollzogen, das Gespräch mit der Gelben Glocke bringt die letzte Klärung. Endgültig ist die Abkehr von den politischen Zielen: „Ich will doch kein Königreich gründen" (460). Nun will er nur noch „unser Wu-wei auf den Händen tragen" (464).

Das heißt allerdings nicht, daß er bereit wäre, sich und die Seinen wehrlos abschlachten zu lassen. Sein dritter Sprung hat zwar denselben Sinn wie der erste, und beide führen auf dieselbe Seite des Baches (465), aber Wang sagt: „bringe meinen Gelben Springer mit, denn hier muß gekämpft werden." (466) Es zeigt sich, daß nicht der Entschluß zum Kampf das Wesen des zweiten Sprungs ausmachte (auch das friedliche Fischerleben im Hia-ho gehört ja dazu), sondern der verlorene Glaube an das Wu-wei. Trotzdem bleibt hier eine Unklarheit, da nicht recht einzusehen ist, wie man mit Waffen die Lehre vom Nichtwiderstreben ver-‚fechten' will. Döblin bemüht sich, den veränderten Charakter dieses Kampfes darzutun, indem er die Dame Pei auftreten läßt, die schon in den Anschlag mit der Jadepuppe verwickelt war. Auch dem Rebellenführer bietet sie die Ermordung der Mandschu-Führer an. Wang-lun zögert vor dieser letzten Versuchung: „Sollte man zugreifen, mußte man nicht?" (466), aber dann erkennt er, daß all das äußerlich und sinnlos ist: „Nicht morden. Die Wege lagen alle eben da." (467) — Wenn jetzt noch gekämpft wird, so nicht mehr um eines Zieles willen, nicht mehr im Angriff, sondern nur noch zur Selbstverteidigung: das soll uns gesagt werden. Und doch wird uns nicht recht wohl dabei, eine Unklarheit bleibt bestehen. Vielleicht wollte Döblin auch die historische Wahrheit nicht umbiegen. Jedenfalls müssen wir es hinnehmen, daß Wang-lun die Dinge offenbar klarer sieht als wir: „Es ist beschlossen, vollendet, jauchzte Wang." (467) Nach der Einschließung in Lin-tsing, den sicheren Untergang vor Augen, stottert er begeistert: „Bruder wir sind besiegt. Es ist zu Ende. Bruder, die Tore sind zu. Wem soll ich danken?" (470)

Er fühlt sich einig mit dem Welt-Sinn. Symbol für diese wiedererrungene glückliche Übereinstimmung ist sein Traum von der Sykomore: „Über seinen Kopf wuchs der Wipfel des Baumes in die grüne Breite und Höhe, so daß er, als die schweren Äste sich senkten, ganz eingehüllt und versunken im kühlen Blattwerk war und niemand ihn mehr sehen konnte von den vielen Menschen, die vorüberspazierten und sich an dem unerschöpflichen Wachstum ergötzten." (467) [172] Manchmal fühlt er sich „ganz aufgesogen" von der reichen Pflanze (472). Mit Recht sah schon Ernst Blass in diesem Traum den versöhnlichen Hinweis auf die Fortdauer der Lehre [173]; denn ganz ähnlich spricht Wang-lun vom Wu-wei: „Es würde sich nach ihnen ausbreiten in heimlicher, wunderstrotzender Weise" (471).

In großer freudiger Ruhe geht er durch die Stadt, lobt „mit großer Eindringlichkeit" das Schicksal (471). Als ihm am Vorabend seines Todes der Doppelgänger erscheint, ist er, der das Zeichen zu deuten weiß, entsetzt und verstört (474); aber hier ist kein Widerspruch zu seiner Todesbereitschaft zu sehen, sondern nur eine untergeordnete Furcht „für sein Fleisch", die auch der Taschi-Lama zu überwinden hatte (296). Wang stirbt ohne den Gelben Springer und nicht von der Hand der Soldaten. Ihm, der sich zusammen mit einigen anderen selbst verbrennt (475), bleibt der schmähliche Tod Ma-nohs erspart.

Ob man von dieser lebensvollen Gestalt wirklich sagen kann, sie habe „im Grund kein Gesicht" (Muschg, Wl 488), wird man bezweifeln dürfen. Die immer wieder aufgestellte Behauptung, die frühen Romane hätten einen „kollektiven Helden" (ebd.), wird auch dadurch nicht richtiger, daß Döblin sie gegen Ende seines Lebens selbst vertrat [174]. Wir sahen ja, in wie hohem Maße der Gang der Dinge von einzelnen, z. B. von Ma-nohs Entscheidungen, abhängig ist und wie ausgiebig der Erzähler noch mit individualpsychologischen Erklärungen arbeitet.

### d) Die Darstellung der Massen

In der Abwehr allzu simpler Deutungen möchte ich nun freilich nicht die große Rolle leugnen, die vor allem in Döblins frühen Romanen den Massen zukommt. Es gibt im gesamten Werk Thomas Manns keine einzige Szene

[172] Auch dieses Symbol widerlegt aufs klarste Martinis Theorie von der „zerstörerischen Naturwelt" (K 559, S. 331).

[173] K 5, S. 344. — Das Bild von der Baum-Metamorphose nimmt das Ende des Kaisers Ferdinand symbolisch vorweg und ist uns auch sonst wohlbekannt: „Ich möchte mit Äpfeln vollhängen. Vögel sollen auf mir nisten. Im Winter will ich im Schnee stehen, die Engerlinge zwischen meinen Wurzeln." heißt es im „Ersten Rückblick" (ER 109), und ein letzter Widerhall tönt aus dem Gespräch des Baumes mit dem Schnee im „Hamlet" (H 205). In der Erzählung „Die Flucht aus dem Himmel" kommt Jesus die Erleuchtung, während er unter einer Sykomore ruht (EB 28).

[174] Brief an Henry Regensteiner vom 28. 5. 1950 (D 600, S. 638 bzw. S. 20)

wie die von der Erstürmung des Frauenhügels (Wl 144—146), und in solcher Perspektive kann die grundsätzlich andere, „östliche" Auffassung Döblins von der Bedeutung des Einzelmenschen nicht übersehen werden. Schon sein verehrend-demütiges Verhältnis zur Naturwelt hat ihn immer daran gehindert, im Sinne der abendländischen Überlieferung oder gar der französischen Aufklärung den Menschen als das Maß aller Dinge zu betrachten [175]. Aber selbst die Darstellung der Massen in diesem und in den folgenden Romanen läßt deutlich werden, daß die forcierte Ablehnung des Einzelmenschen nicht zufällig in den zwanziger Jahren einer neuen Betrachtungsweise Platz machen mußte, daß von Massen auf die Dauer auch gar nicht berichtet werden kann ohne stützende Episoden, die von Einzelschicksalen erzählen. Die höchste Zuspitzung dieser sowohl philosophischen als auch ästhetischen Problematik werden wir in der Utopie „Berge Meere und Giganten" beobachten können.

Bei der Schilderung der Massen beginnt Döblin stets mit Einzelgeschichten, so gleich am Anfang des I. Buches, wenn er das Wesen der Wahrhaft Schwachen darstellt: „Da war ein frischer junger Mann aus Schan-tung", „Ein Bohnenhändler", „Tsin war ein reicher Mann" (11); dann erscheinen Gruppen („Junge Wüstlinge zusammen mit Dirnen", „Sechs Freundinnen vom nördlichen Kaiserkanal" — 12), und dann erst wird der Bericht allgemein: „kam es alle paar Tage vor", „Es ging hie und da", „Dies waren die Leute" (13). — Ähnlich beginnt das Buch von der Gebrochenen Melone nach allgemeiner Einleitung mit der ausführlich erzählten Geschichte Ngohs (104—112), es folgt die Erzählung von Liu, der die erste Frau zu den Bündlern bringt (112f), sodann die Geschichte von der Frau des Schmiedes (114f), und endlich folgt das allgemeine Resümee: „Nonnen, Pilgerinnen, Bettlerinnen, Verunglückte jeder Art nahm der Bund in großer Zahl auf." (115) — Es sei noch auf die Geschichte der Liang-li verwiesen (120—124), ferner auf die Berichte von der Frau Ching (124f), von dem Fräulein Tsai (176—179), von Nung, der eine Frau für sich alleine haben will und schrecklich endet (220—224): immer wieder verdeutlicht Döblin den Stand der Dinge, die Stimmung im Bund, vor allem auch die Vielfalt der Motive an solchen genau gezeichneten, einprägsamen Einzelschicksalen, die auch keineswegs im Strudel der Masse unterzugehen brauchen, sondern, wie das Ngohs oder das Liang-lis, an späterer Stelle ihre Fortsetzung finden. Hierhin gehört auch der Offizier Hai, der als „Gelbe Glocke" be-

---

[175] Auch nach der Konversion blieb diese Position unverändert; vgl. *UM* 208.

stimmenden Einfluß gewinnt. Für den Erzähler ist er „der feinste und weichste der Brüder", das Gegenstück zu Ngoh („der Schwächste von allen, von seinem Elend langsam zermahlen" — 477).

Die solchen Einzelbildern immanente und von Döblin in bewußter Opposition zum „Spannungsroman" noch geförderte Tendenz zur eigenständigen Episode wird besonders deutlich in der lang ausgesponnenen Erzählung von den Geschäften des Herrn Hou (199—207), die zwar letztlich verantwortlich sind für den Aufstand der Salzpfänner, von denen aber weitaus kürzer hätte berichtet werden können. Einige derartige Episoden wurden sogar aus dem Manuskript gestrichen und erst später in Zeitschriften publiziert [176].

Döblins Technik bei der Aufgliederung von Massenszenen ist besonders gut auf den letzten neun Seiten des II. Buches zu beobachten. Das große Sterben in Yang-chou-fu wird uns in drei Phasen und aus drei Blickwinkeln geschildert: den Anfang erleben wir selbst mit (264—269), dann schwenkt die Kamera hinüber zu den verängstigten Bürgern, die sich das Toben in der Mongolenstadt nicht erklären können oder allenfalls rasende Dämonen vermuten (269f), und schließlich dringen wir mit den Soldaten ein, sehen die Toten und Sterbenden aus ihrer Perspektive (270—272). Der erste Abschnitt folgt dabei wieder der uns schon bekannten Methode, vom einzelnen zum allgemeinen fortzuschreiten.

Nur in besonders herausgehobenen Momenten, solchen der Massenhysterie, der besinnungslosen Verzweiflung oder des halb bewußtlosen Kampfes greift Döblin zu anderen Mitteln. Es sind jene, die wir schon aus den frühen Erzählungen kennen, die dort benutzt wurden, wenn es galt, Anfälle des Wahns, des Persönlichkeitsverlustes darzustellen: die Verselbständigung von Körperteilen oder Handlungen, die freilich in so große Maßstäbe übertragen eine noch viel stärkere Wirkung hervorruft. Auch in den „Drei Sprüngen" dient dieses Stilmittel noch des öfteren der Gestaltung individueller Erregungen. Ich verweise auf die Zustände Wang-luns nach Su-kohs Ermordung (38), bei seiner Flucht zu Ma-noh („Er freute sich, daß etwas ihn mitgenommen hatte und mit ihm davonlief." — 66) und beim Kampf um Peking („Dann bogen sich die Scharniere der eisernen Knie, Schultern und Ellenbogen keilten die Massen auseinander." — 423). Die Flucht zu Ma-noh stellt nicht nur, wie schon gesagt (s. o. S. 125), räumlich und inhaltlich eine Umkehrung jenes schrecklichen Sturms auf Pa-ta-

[176] D 83—85

ling (56f) dar, sondern die beiden Szenen sind auch durch zahlreiche wörtliche Reprisen eng miteinander verknüpft, Reprisen, die sehr deutlich die Gleichartigkeit der Stilmittel hier wie dort bezeugen: „das Springen von Menschen über die Schönn-i genannten Felsenklippen" (56) — „Er sprang über die Schönn-i genannten Klippen" (66); „Hände, die im Schwung wie Keulen hin und her schaukelten. Körper, die empfindungslos liefen. Rümpfe, die steif auf Schenkeln saßen, welche wie Pferde ritten." (57) — „hatten seine Arme das Schwingen der Keulen angenommen [. . .] Sein Körper lief schon empfindungslos weiter; er ritt ruhig atmend auf federnden Schenkeln." (66) — Deutlich wird in dieser Gegenüberstellung allerdings auch, daß die Depersonation in den Massenszenen entschieden weiter getrieben wird; immerhin haben zwei der Vergleichssätze aus der späteren Passage die handelnde Person zum Subjekt: „er".

Der Sturm auf Pa-ta-ling stellt die erste Massenszene des Romans dar und ist, wie schon erwähnt, zugleich das Vorbild für zwei weitere. Die Verselbständigung von Handlungen und Körperteilen ist konsequent durchgeführt: „ein unaufhörliches Schreien, Zusammensinken, Wimmern um Mitnehmen" (56), „das Trappen, das ungleichmäßige Knistern und Knarren, weitausgreifendes Bewegen", „Gesichter", „Hände", „Körper", „Rümpfe", „Das Kreischen", „Ein Heulen", „ein Gebrüll" (57): so lauten die Subjekte dieser Sätze; die Bewohner des Dorfes sehen denn auch nicht Menschen auf sich einstürmen, sondern „das Springen von Menschen [. . .], das Fallen und Aufraffen immer neuer Menschen." (56) — Natürlich finden sich eingestreut auch Sätze mit persönlichen Subjekten, vor allem, als das Dorf erreicht ist und das Unternehmen sich in Einzelaktionen auflöst („Die ersten Räuber", „Die nächsten", „Die Lebenden", „Nachzügler" — 57). Bemerkenswert ist, daß nach dem Sturm, nach dem Rausch nur noch Personen als Subjekte fungieren: „Die Lumpen", „Die rohen Gesellen", „Sie" (58) [177].

Dieselbe Technik herrscht auch in den anderen Massenszenen, ob wir den Sturm auf den Frauenhügel betrachten (145f) oder die Massenhysterie, die ihm vorausgeht (140f), ob das blutige Reiterspiel (229f) oder die besinnungslose Gemeinsamkeit, die das Fest beendet (234); den Höhepunkt des Kampfes um Peking zitierte ich schon in anderem Zusammenhang (s. o. S. 127).

[177] Der einzige Satz, der dem zu widersprechen scheint („Die Starken und Schwachen befiel ein Schütteln." — 58), zeigt bezeichnenderweise das Subjekt nicht in Spitzenstellung.

Die wohl großartigste Szene dieser Art, die auch auf kürzestem Raum nochmals die Technik der Klimax vorführt, von der zu Anfang dieses Abschnitts die Rede war, gibt Döblin in der Schilderung des Kampfes in Schan-hai-kwang; hier beschränkt er sich nicht auf die Beschwörung der gleichförmigen Bewegungen, der gleichtönenden Schreie, sondern er läßt die Masse selbst sich zu einer neuen Gestalt zusammenschließen: „Einzelne Menschen schossen wie Bälle aus den Seitengassen. Dann warfen die Straßen größere Fetzen einer Menschenmenge über den ungeheuren Platz. Schließlich stand diese Menge selbst, gleichzeitig aus allen umliegenden Straßen aufwachsend, ein tausendarmiger Buddha schwarzen Gesichts vor der stummen Präfektur, dem Gefängnis, der Stadtkaserne. / Trübe Laternen glommen verstreut, schwammen wie Boote über eine Brandung. Die stummen Gebäude umgürteten den rotäugigen Buddha, dessen Leib schwoll; sie stachelten seine Haut." (449) — Wenn dann die aufgestaute Spannung sich wild entlädt, heißt es: „Als der weiße Flammenbogen über das Präfekturdach und den Torweg des Gefängnisses stieg, tanzte der besessene Riese, johlte gleichmäßig, verzückt, brünstig: ‚Feuer! Feuer! Niederschlagen! Zerreißen!' " (450)

Schon die Tatsache, daß Döblin vorzugsweise Momente der Hysterie und der Gewalttätigkeit darstellt und sich darüber hinaus eben jener Darstellungsmittel bedient, die früher und auch jetzt noch die drohende oder vollzogene Zerstörung des Menschen anzeigen, sollte uns mißtrauisch stimmen gegen die Behauptung zahlreicher Interpreten, Döblin habe in den frühen Werken die Masse verherrlicht. Gerade auf dem Hintergrund zeitgenössischer Werke wie etwa Rubiners Drama „Die Gewaltlosen" läßt sich leicht nachweisen, daß dem nicht so ist. Zwar glaubte Döblin damals nicht an den Einzelmenschen, zwar war ihm nur das Kollektivwesen Mensch als Ganzes die überlegene Art Mensch (AzL 73), aber nur die theoretischen Werke jener Zeit schwingen sich zu einer rückhaltlosen Bejahung dieser Einsicht auf; in den Dichtungen überwiegt deutlich die Furcht vor der zerstörenden und blinden Gewalt, die von den Massen ausgeht. Nirgends findet sich eine von der Masse getragene bewußte und aufbauende Aktion.

Auch im „Wang-lun" gehen die wesentlichen Anstöße von Einzelpersonen aus; nicht zufällig treten im III. Buch, das dem Kaiser und seinem Kampf gegen sein besseres Selbst gewidmet ist, Massen überhaupt nicht in Erscheinung. — Trotzdem ist all das weit entfernt vom europäischen Glauben an die Macht der Persönlichkeit, denn hinter den Personen bleiben übergreifende Mächte sichtbar, Traditionen, die ihr Handeln ermöglichen

156

und einschränken. Paldan Jische ist nichts als der augenblickliche Wohnsitz des Buddha, Khien-lung vor allem ein Glied in der Ahnenreihe; die Konfuzianer sind stärker als seine Toleranzedikte. Auch Wang-luns Wirkung beruht ja eben darauf, daß er im Grunde nichts Neues verkündet, sondern „diese alten herzlichen Dinge" (85); und er muß scheitern, weil nicht diese Lehre des Lao-tse Staatsreligion geworden ist, sondern die seines geistigen Widerparts.

### e) Stilistica

Höchster Ehrgeiz der Prosa sei es, die Plastik des Vorgangs erscheinen zu lassen, schrieb Döblin im „Marsyas" [178]. Daß ihm dies in unserem Roman gelungen sei, ist oft bestritten worden, so etwa von Muschg, Martini oder Links [179], die, wie schon erwähnt, vom unwirklichen, schemenhaften Eindruck einer Phantasmagorie sprechen. Die Beweisführung dieser Kritiker, soweit sie überhaupt vorhanden ist, vermag freilich nicht zu überzeugen. Als Beleg für Döblins halluzinatorische, nur andeutende Sprechweise zitieren Muschg und Links — und übrigens auch der uninformierte Halperin, der sie bei Muschg abschrieb [180] — dieselbe Stelle aus dem II. Buch:

„Atemlose Stille. Offene Bühne, Kreischen der gebundenen Schwestern, Entblößen der zarten Leiber, knallende Stockschläge auf die Köpfe der Brüder, Gebrüll, trappelnde Pferde, unsicheres Wimmern der Kranken, leere Ebene, Regen." (Wl 173)

Hier wird in der Tat kein Vorgang dargestellt, aber wer den Absatz im Zusammenhang liest, wird bemerken, daß dies auch gar nicht beabsichtigt war. Der eigentliche Überfall wird bereits vorher geschildert (171f), und der zitierte Passus will nicht ein Ereignis gestalten, sondern das Erleben der entsetzt zuschauenden Bündler nachzeichnen, die „qualheischend", feierlich kniend, das Schreckensbild in sich aufzunehmen und sogar „gut zu finden" sich zwingen wollen (173). Was hier noch an Fakten gegeben wird, ist also mit den Augen jener Verzweifelten gesehen, somit in der Tat „halluzinatorisch" verzerrt, aber eben nicht vom Erzähler, sondern von seinen Gestalten her. Der Begriff „Bühne" hätte aufmerksam machen sollen.

[178] D 159, S. 215
[179] Muschg, Wl 492; Martini, K 559, S. 332; Links, K 558, S. 38.
[180] K 312

Auf weitere Kritik der Kritik sei verzichtet zugunsten einer kurzen Darstellung der Mittel, die Döblin anwendet, um jene „Plastik des Vorgangs" zu erreichen.

Zunächst einmal versucht er, tatsächlich alles in Geschehen umzuformen, auch das „eigentlich" Zuständliche und scheinbar Tote. Besonders deutlich wird das bei der Beschreibung von Bauwerken: „Acht glatte Holzpfeiler warfen das Dach hoch, dessen vier Kiele, gewaltsam nach oben gezerrt, über der Traufe endeten, als sollte die Bewegung, die von oben lautlos herunterrollte, mit einem Anprall wieder in die Höhe." (Wl 387) Noch stärker zeigt sich diese Tendenz im „Wallenstein": „Breit fußte neben dem Augustinerkloster an der Mauer das riesige Massiv der Burg, viereckig, ellbogenartig die Ecktürme ausstemmend, drei hohe Stock ragend." (W 68) oder: „dicht unter der Decke, an den Pfeilern der von zwanzig Fenstern aufgerissenen Längswandungen spießten Hirschgeweihe hervor" (515), und schließlich, schon überzogen: „Der Saal war klein, die Wand schulterhoch mit brauner Verschalung bekleidet, an der blauen Decke rangen riesenleibige Dämonen mit Armen, Balken, Bergen gegeneinander, spien einen stählernen Kronleuchter gegen den Boden, stießen hölzerne Säulenblöcke auf das Parkett." (269)

Diese Dynamisierung des Zuständlichen, seine Anpassung an die Eigenart epischer Darstellung, an das zeitliche Nacheinander, schafft ein Gegengewicht zu Döblins Neigung, Vorgänge ins Bild zu transponieren; beiden Stilmitteln gemeinsam ist die Verlebendigung durch die unerwartete, ungewöhnliche Übertragung in eine andere Seinsweise.

Oft gelingt die Veranschaulichung eines Vorgangs, das Einfangen einer Stimmung mit Hilfe eines einzigen Adjektivs oder — meist — Partizips, wenn der Erzähler etwa sagt: „Es war ein schöner, einhüllender Abend." (Wl 111) oder wenn er von der „Ruhe des händerieselnden Sandes" spricht (444); die Szene auf dem Meer wird sofort über bloße Beschreibung hinaus bildhaft gegenwärtig, wenn wir lesen: „Sie warfen draußen das verschlungene scharfriechende Netz aus" (15).

Der Gebrauch solcher kennzeichnender Partizipien — man denke auch an Verbindungen wie „zahnwetzende Wut" (118) oder „augensperrendes Grausen" (146) — erreicht seinen Höhepunkt im „Wallenstein" mit Wendungen wie „kleiderscharrend" (W 16), „kopfgebeugt" (54), „hutbedeckt" (65, 515), „mordgewaffnet" (567), ja sogar „bettgeworfen" (91), „kellergepfercht" (150) und „fußgetreten faustgeworfen" (152); „kopfsenkend" ist hier (357, 707, 721 u. ö.) wie auch noch in „Berge Meere und Giganten"

(z. B. 90) ein Lieblingswort. In der Utopie werden allerdings in nochmaliger Steigerung diese Partizipien meist durch Verben ersetzt: „donnerschmetterte eisentoste" (BMG 65), „flutwogte" (67), „blutflammte" (100), „sprudelwallte" (103), „haßwütete" (137), „fluttoste" (441), „donnerbrüllte" (565) usw. Natürlich wirken diese Wendungen, aus dem hochexpressiven Kontext herausgerissen, eher überspannt; innerhalb der Romane verfehlen sie nur selten den Zweck, den Vorgang bildhaft zu suggerieren.

Der Wille zum treffenden, dabei möglichst kurzen Ausdruck zeigt sich auch in der Einführung der Personenrede. Von Döblins Aversion gegen „Er sagte" sprach ich schon (s. o. S. 95). Welche Lösungen er statt dessen wählte, läßt sich am leichtesten aus dem „Wallenstein" ersehen. Natürlich finden wir viele Verben, die das „Sagen" spezieller umschreiben (‚brummen', ‚schreien' usw.); sonst wird meistens die begleitende Geste benutzt: „Er bat auch um das Kissen des Kanzlers: ‚Ihr seid ein verständiger Mann.' " (W 48), „Nun, rekelte sich der Kaiser, ihm sei da nicht ersichtlich" (136), „Der im Wolfspelz drehte ihm schräg mit Wackeln den Kopf zu, den dünnen Mund offen, blinzelte mißtrauisch:" (44). Auch hier begegnen Manierismen wie „Ihm fehle, klammerte stolz Strahlendorf seinen Degen zwischen die Knie, die Munterkeit und der leichte Sinn" (416) oder, um ein Beispiel aus „Berge Meere und Giganten" zu nennen: „ ‚Was willst du?' hob Marduk die pelzbeladenen Schultern" (BMG 236). — Seltener sind andere Lösungen wie etwa der mitgelieferte Erzählerkommentar in: „ ‚Es war ein schöner Winter dies Jahr', gönnte er den Ratsherren" (W 567) [181].

Die Behandlung der Personenrede selbst ist sehr kunstvoll. Der reiche Gebrauch der indirekten Rede fällt auf. Sie erlaubt ein schnelleres Fortschreiten und kann im übrigen, wenn sie entgegen dem normalen Gebrauch den Duktus der direkten Rede übernimmt, lebendiger wirken als die direkte Wiedergabe selbst: „Er hätte auf einem frischen, völlig frischen, eben gefallenen weißen Schneehaufen, sie sollten einmal denken und sich das vorstellen, einen großen verschlossenen Lederbeutel mit dem kaiserlichen Kriegssiegel gefunden" (Wl 63 f) oder: „fragte heiser, warum man aber, warum aber der wohledle Herr Bartholomäus Richel [. . .]" (W 89). Im übrigen hält Döblin die Grenzen durchaus fließend. Zwischen der direkten und der indirekten Rede gibt es noch zwei Zwischenformen: die eine geht innerhalb der indirekten Rede in den Indikativ über, hebt auf diese Weise

---

[181] Für „Wadzeks Kampf mit der Dampfturbine" hat jetzt auch Ernst Ribbat auf diese „Regieanmerkungen" aufmerksam gemacht (K 580, S. 200, 201 f).

dem Sprecher besonders Wichtiges hervor, die andere gibt, ebenfalls im Indikativ, ein Resümee des Gesprochenen. Für das letztere finden wir im „Wallenstein" eine Fülle von Beispielen, etwa die Zusammenfassung von Slawatas Darlegungen (W 392), von den Reden der Jesuiten (261), von Maximilians Vorwürfen gegen den Kaiser (401) usw. — Auch für die erstere Abart liefert der „Wallenstein" die schlagendsten Belege: „Denn das sei zuerst zu bedenken: wer ist dieser Mann eigentlich? Haben Edle, gefürstete und gekrönte Häupter wie sie es wirklich nötig, sich mit einem Böhmen aus dem Hause Wallenstein zu befassen, Häuser, die es zu vielen Dutzenden in Böhmen, zu Hunderten im Reich gäbe, noch bessere als Wallensteins? Wenn er auch jetzt Herzog von Friedland sei oder von Sagan." (305) oder: „Ferdinand: in Regensburg sei das Reich geordnet worden; der Streit der Kurfürsten sei beendet worden; das Reich habe sich gefestigt wie niemals. Friedland hat auf Festigung und Sicherung des Reichs gedrungen; was komme man mit Regensburg" (630).

Solche schematischen Aufgliederungen wie die hier versuchten geben keinen rechten Eindruck von der Lebendigkeit, die ein so variables Instrumentarium den Personenreden verleiht. Ich verweise hierfür auf die Jesuitenreden (W 603f) und auf die Predigt des Dominikaners (635f): beide beginnen indirekt und münden nach mehreren Einsprengseln jener Zwischenformen in die direkte Rede.

Das Streben nach Verlebendigung ist auch der Grund für die zahlreichen prädikatlosen Sätze, die sich in mehrere Gruppen aufteilen lassen. Manche entstehen einfach dadurch, daß Hilfsverben oder andere farblose Verben wie ‚kommen', ‚gehen', ‚liegen' usw. ausgelassen sind: „ihre Not belanglos gegen das, was in Wang vorgeht" (Wl 78), „Zu fünf nebeneinander Mönche [. . .] Alle unter schwarzen vierzipfligen Mützen. [. . .] In Sänften zuletzt die Priester aller Weihen [. . .] Zwischen den höchsten Priestern Lehrlinge mit Polstern in den Händen, darauf die Altarstücke und die sieben Kleinodien" (187). — Eine zweite Gruppe bilden die Substantivreihen, die meist der ruhigen szenischen Vergegenwärtigung dienen: „Helle kalte Luft, freies weites Grasland, Gebirgsschluchten, zerrissener Durchblick." (275) oder: „Besonnte Zacken der Granitberge. Träumerische Landschaften eingesenkt. Schlanksäulige Fächerpalmen mit hellen Stimmen. Kamelien hunderttausend. Hauchende Teiche, schwimmende Lotos. Zwischen Hecken, hinter steinigen Wegen Tempel am Fuße des Hanges. Starrgespannter Himmel." (478) Diese Reihungen mit ihren zahlreichen Beiwörtern unterscheiden sich grundsätzlich von jenen raschen Aufzählungen bloßer Substantive, wie sie uns im „Wallenstein" und in „Berge Meere und Giganten" begegnen werden: geht es dort um schnelles Durchjagen („Koppeln hinterdrein, Pferde hinterdrein, Jäger obenauf. Flechtwerk, Furten, Dickicht." — W 19), so hier gerade umgekehrt um Betrachten und Verweilen; man denke auch an die Schilderung des Meeres (Wl 444), die bezeichnenderweise mit dem Satz schließt: „Kleine schläfrige Augen machte Wang-lun, wand seine Zopf auf."

Ganz anders steht es mit der Reihung substantivierter Verben, von denen schon anläßlich der Absatz-Stichomythie und anläßlich der Massenszenen die Rede war. Die Stoßkraft dieser Verben ist so stark, daß auch die eingestreuten Substantive mit in den Strudel gezogen werden, nicht mehr ruhiges Verweilen, sondern heftige Bewegung ausdrücken: „Blitzen von Schwertern, krachende Dreschflegel, langgezogenes Stöhnen der Gespießten, Beile, die durch die Luft flogen, schon träumende Brüder, Bauern bei der Arbeit, Röcheln, Wiehern, stumme Grimassen" (230) usw. Dieses bloße Nennen ist, wie wir sahen, in besonderem Maße geeignet, Zustände der Ekstase, der Besinnungslosigkeit, des Kampfes wiederzugeben.

Eine letzte Gruppe schließlich verzichtet bei perfektischen Partizipien auf die Hilfsverben und erreicht damit einen eigentümlichen Effekt. Von Döblins Vorliebe für kennzeichnende Partizipien sprach ich schon; nun können wir das Motiv für diese Vorliebe klarer erkennen. Da heißt es etwa: „Tang-schao-i erkannt, im Nu erwürgt und zerfleischt." (Wl 449) oder: „Die Hellebarden der Soldaten niedergetreten, die Blaujacken umfaßt und verschlungen, zerrieben von der mit sich ringenden Menge." (448) Der beabsichtigte Effekt ist klar: „erkannt" klingt abschließender, stärker als „wurde erkannt", zugleich aber dynamischer, eher Handlung suggerierend als „war erkannt worden". Gerade diese ‚Mittel-wörter' sichern der Diktion ein hohes Maß an Expressivität, weil sie — und das gilt auch für den attributiven Gebrauch — den Gegenstand, den Menschen kennzeichnen, zugleich aber dieses Sein wieder in Handlung, in Vorgangshaftes auflösen; ein „schöner, einhüllender Abend" ist nichts Zuständliches, sondern ein Geschehen. Im „Wallenstein" heißt es z. B., resümierend und doch zugleich wieder Handlung evozierend: „Die Welle der Kaiserlichen und Ligisten wühlte sich in ihr Bett. Ersäuft unter ihrem Bauch das Wahlkönigreich Böhmen, die Pfalz; der Bund der Fürsten zerdrückt, sein Haupt, der glanzvolle Friedrich, über die französische Grenze geschleudert. Steinern die katholische Macht vom Main bis zur Adria." (W 182) Döblin nimmt dem Leser die Entscheidung zwischen „war" und „wurde" nicht ab, sondern macht sich die Doppelnatur des Partizips als eines verbalen Adjektivs zunutze, um Vorgang und Ergebnis in eins zu fassen.

Wenn Gerhard Schmidt-Henkel im „Wang-lun" ein Überwiegen nominaler Fügungen konstatieren zu können glaubt und in diesem Zusammenhang von einem „Stil des Benennens und Beschwörens" spricht [182], so trifft er in mancher Beziehung das Rechte, rückt aber das verbale Element entschieden zu stark in den Hintergrund, verstellt sich damit den Blick auf das ausgewogene Gegeneinander von Ruhe und Bewegung, das in diesem Roman angestrebt und erreicht ist, getreu jenem rhythmischen Gesetz, das, wie wir sahen, die kleinen Bewegungsabläufe in gleichem Maße beherrscht wie den Gesamtaufbau.

## f) Schlußbemerkungen

Dieses Buch, geschrieben am Vorabend der ersten großen Katastrophe, in der Atmosphäre einer allmählich tobsüchtig werdenden nationalen Überheblichkeit, erschienen mitten im Wüten des Weltkriegs, legte einen stillen Protest ein, — indem es sich abwandte. Man darf vermuten, daß nicht allein die Zeitungsnotiz über das Elend chinesischer Goldwäscher in Sibirien den Anstoß zu diesem Werk gab (vgl. Wl 481), sondern auch der Boxeraufstand von 1900 und das Ende der Mandschuherrschaft im Jahre 1911; wesentlich war gleichwohl nicht die chinesische Historie, sondern die Lehre vom Tao, und einem ihrer Denker, dem Philosophen Lie-tse, ist der Roman ja auch gewidmet (8) [183]. Wie sich im heutigen Amerika wieder eine Hinwendung zum Buddhismus beobachten läßt, so bekannten sich auch in jenen Jahren viele Philosophen und Dichter zu den östlichen Weisheitslehren; man denke etwa an Hermann Hesse oder den Grafen Keyserling. Immer scheint eine bestimmte Schicht der Intelligenz auf das Säbelrasseln der Mächtigen mit einem Bekenntnis zu jenen fatalistischen Religionen zu antworten. Zur Not könnte man in den Befürchtungen Khien-lungs, ein unzulänglicher Epigone der großen Vorfahren zu sein, eine versteckte Kritik an Wilhelm II. vermuten, eine leise Vorwegnahme jener virtuosen De-

---

[182] K 582, S. 177. Vgl. jetzt auch die ausgezeichneten Bemerkungen Ernst Ribbats (K 580, S. 137—168).

[183] Keineswegs handelt es sich um Lao-tse selbst, wie Gerhard Schmidt-Henkel mit frappierender Selbstverständlichkeit behauptet (K 582, S. 165). Die Schreibung ‚Liä Dsi' übernahm Döblin von Richard Wilhelm, dessen Edition Muschg im Nachwort ausdrücklich erwähnt (Wl 487).

couvrierung des Kaisers als eines Schauspielers eigener Scheingröße, wie der wenig später geschriebene „Untertan" Heinrich Manns sie lieferte; wahrscheinlich gehen aber auch solche Vermutungen schon zu weit. In Wahrheit dürfte hier überhaupt kein Bezugspunkt auf Details der Gegenwart versteckt sein; das Buch wendet der eigenen Zeit, dem Geist der eigenen Zeit den Rücken, jenem Geist, der äußere Veränderungen für Fortschritt hält und seit Jahrtausenden seinen unseligen Eigenschaften treu blieb (7), jenem Geist, der auf „Gewinnen, Erobern" aus ist (8): vor ihm schließt der Erzähler das Fenster, stellt ihm „mit diesem ohnmächtigen Buch" seinen Widerpart entgegen; die Ohnmacht, die Schwäche gegenüber dem Schicksal, das Nichtwiderstreben ist eine vielleicht unmögliche, aber jedenfalls menschenwürdigere Haltung, als die „Grimassen der Habgier, die feindliche Sattheit des bläulich rasierten Kinns, die dünne Schnüffelnase der Geilheit, die Roheit, an deren Geleeblut das Herz sich klein puppert, der wässerige Hundeblick der Ehrsucht" (7) sie darstellen. — Döblin ist allerdings zu ehrlich, um einfach ein Hohes Lied des Tao zu singen, er zeigt vielmehr die ganze Zwiespältigkeit auf, in die der Anhänger einer solchen Lehre gerät. So steht am Ende auch hier eine ungelöste Frage, aber das ist mehr als die Sicherheit jener, die alle Fragen gelöst glauben, weil sie nicht zu fragen verstehen.

Wenn Walter Muschg in seinem Nachwort schreibt, während der Arbeit am „Wang-lun" habe sich für Döblin der Schwerpunkt aus dem Sachlichen ganz ins Formale verschoben (Wl 490), nur als Kriegserklärung an die bürgerliche Kunst des Jahrhundertbeginns sei das Buch ganz ernst gemeint (491), so resultiert dieses Fehlurteil aus der Muschg eigenen, manchmal schon bigotten Betrachtungsweise, von der bereits andeutend die Rede war (s. o. S. 134), die den späten Döblin vielleicht gefreut hätte, ganz sicher aber ungeeignet ist, dem Frühwerk gerecht zu werden [184]. Ebenso unzutreffend wie über den „Wang-lun" urteilt Muschg auch über den „Wallenstein", wenn er schreibt, der Dreißigjährige Krieg habe Döblin nur als Material für ein ästhetisches Experiment interessiert (W 743), und in konsequenter Zusammenfassung prangert er im Nachwort zu „Manas" den angeblichen zynischen Materialismus der „heidnischen Naturepen" an (M 382). Aus seiner eigenen Erkenntnis: „Und doch, wie täuschte man sich über diesen Zauberer! Wir starrten auf seinen Mantel und achteten

---

[184] Auf Niederländisch sind diese Urteile nachzulesen bei Carlos Tindemans, dessen Aufsatz aus übersetzten (und gekürzten) Muschg-Nachworten besteht (K 564).

nicht auf seine beschwörenden Gebärden."[185] hat Muschg offensichtlich nicht die Konsequenzen gezogen oder aber die falschen; Döblins frühe Gedankenwelt anzuerkennen war ihm unmöglich, es sei denn dort, wo sie ihm auf die spätere Konversion hinzudeuten schien. So war ihm „Berlin Alexanderplatz" „Döblins erste christliche Dichtung" (BA 519) — und allzuviel anderes eben „Gaukel-" oder auch „Blendwerk"[186]. — Um eine extreme Gegenposition zu nennen, sei abschließend das Urteil Ludwig Rubiners zitiert: „Das Buch ist, über Erzählung und Kunst hinaus, das bedeutendste religiöse Werk, das seit Jahren in Europa veröffentlicht wurde." und: „Aus diesem Buch bricht Wissen um eine höhere Weltordnung und der verantwortliche Wille zu ihr."[187]

Wie Döblin in „Wadzeks Kampf mit der Dampfturbine" das Gegenbild zu zeichnen suchte, das Streben jener Menschen, von denen er sich in der „Zueignung" abgewandt hatte, und wie ihm dieses Bild zur Karikatur mißlang, haben wir bereits gesehen. Wir können uns daher gleich dem Roman zuwenden, der stilistisch und gedanklich den „Wang-lun" fortsetzt, zugleich eine Antwort Döblins auf den I. Weltkrieg darstellt.

[185] K 562, S. 115
[186] vgl. K 562, S. 129; W 750 und die Zitate oben S. 134.
[187] K 17

II. „Es ist auch alles gut, hätte er erkannt; man müsse nur wissen wie."
„Wallenstein" [188]

Eigentlich, schrieb Döblin 1948 im „Epilog", habe der Roman „Ferdinand der Andere" heißen müssen: „Aber ‚Wallenstein' bezeichnet die Zeit und die Umstände." (AzL 387) So trägt dieses Buch den Namen des Feldherrn mit eben der Berechtigung wie die Geschichte vom Franz Biberkopf den Namen der Bahnstation Berlin Alexanderplatz [189].

Schon die Buchtitel im „Wallenstein" lassen erkennen, daß eben doch der Kaiser die Hauptperson ist: das I. Buch heißt nach Maximilian von Bayern, nennt also jenen unerbittlich auf ein unbedachtes Versprechen pochenden Verbündeten und Verwandten, der Ferdinand zur Verzweiflung treibt; das letzte Buch aber trägt den Namen des Kaisers selbst ohne jeden Zusatz: schon hierin deutet sich an, welchen Bogen dieser Selbstfindungsprozeß beschreibt, den man mit eben den Worten kennzeichnen könnte, die Döblin später dem Gott Konrad widmete: „sein Aufstieg zu einem armen Menschen" (BW 527).

a) Aufbaustrukturen

Was den Aufbau im ganzen betrifft, so können wir abermals die experimentelle Wiederholungsstruktur beobachten, die für Döblins Romane bis zum „Alexanderplatz" verbindlich bleibt, übrigens nicht nur für die Romane, wie eine Untersuchung der Studie „Die beiden Freundinnen und ihr Giftmord" lehrt [190]: auch dort werden die drei Phasen der Ehe, die jeweilige Steigerung des Elends nach den beiden Fluchtversuchen der Elli Link, genau herausgearbeitet. Ebenso wie dort wäre es auch im Falle unseres Romans unsinnig, die „Tatsachen" für das Aufbauprinzip verantwortlich zu machen. Denn einerseits begegnet uns diese Struktur ja auch im „Wang-lun", in „Berge Meere und Giganten", in „Berlin Alexanderplatz", zum anderen ist sie in erster Linie abhängig von der Akzentsetzung seitens des Autors, beim „Wallenstein" auch von der Wahl des historischen Zeitabschnittes. Auch Schillers Held erinnert sich sehr wohl der Entlassung in Regensburg; dieser Vorgang kann aber nicht strukturbildend werden, weil er bloße Reminiszenz bleibt.

[188] Das Zitat findet sich auf S. 732.
[189] vgl. AzL 390.
[190] D 380

Döblins Roman setzt kurz nach der Schlacht am Weißen Berg ein (8. November 1620) und endet einige Wochen nach Wallensteins Ermordung (Frühjahr 1634). Er gliedert sich in drei Gruppen zu je zwei Büchern. Die beiden ersten haben eher einleitenden Charakter, stellen die beiden Kontrahenten vor, die beiden eigennützigen Helfer des Kaisers: Maximilian von Bayern und Eusebius Albrecht von Wallenstein. Will Ferdinand sich nicht endgültig dem machthungrigen Kurfürsten ausliefern, so bleibt als einziger Ausweg die Berufung des undurchsichtigen Geschäftemachers aus Böhmen. — Die Bücher III und V bzw. IV und VI stehen dann in jenem Verhältnis von Wiederholung, Variation und Steigerung, das uns geläufig ist: In III und V herrschen die Kriegsszenen vor, Wallenstein ist in seinem Element, Mansfeld und Christian von Dänemark werden geschlagen, Gustav Adolf greift ein und fällt; die Bücher IV und VI bringen die beiden Absetzungen Wallensteins, scheinbare Niederlagen Ferdinands, der in Wahrheit über sein Amt hinausgehoben wird, den Zwängen der Welt schließlich nicht mehr unterworfen ist.

Auch die beiden Kollegialtage in Regensburg stehen in einem Verhältnis der Wiederholung und Variation zueinander. Beide scheinen einen Triumph Maximilians über den Kaiser zu besiegeln, und beide Male wird denn auch, mit fast denselben Worten, an jene unselige Unterredung des eben Gekrönten mit dem Bayern erinnert, die Maximilian die Führung im Krieg und die Zusage bezüglich der pfälzischen Kur einbrachte (W 40, 420). Tatsächlich aber siegt beim zweitenmal Ferdinands Souveränität, und das spöttische Mitleid, mit dem er dem raffgierigen Schwager das Generalat überträgt (481), erweist sich als hellsichtig: Bayern und sein Kurfürst werden an dieser allzu schweren Aufgabe fast zugrunde gehen. Ironisch umspielt Döblin den Charakter dieses Pyrrhus-Sieges, wenn er ausgerechnet einen Leutnant Regenspurger die Nachricht von der Breitenfelder Niederlage überbringen läßt (518). Auch Tilly stöhnt nach der Katastrophe auf dem Lechfeld: „Regensburg! Regensburg!" (570) War vor jenem ersten Kurfürstentag Ferdinand in seiner Verzweiflung über die Unerbittlichkeit des Bayern, war er später aus Entsetzen über Wallensteins Kriegsführung mit dem Narren Jonas zu widerlichen Sauforgien in den Keller der Burg geschlichen (80ff, 327f), so ist es nach dem schwedischen Sieg bei Breitenfeld der tief getroffene Maximilian, der seinen Narren die wohl ekelhafteste Szene im gesamten Werk Döblins aufführen läßt (525f).

Dem Mittel der zyklischen Formung begegnen wir ebenfalls wieder. So wird der stolze Schiffskatalog, der das V. Buch einleitete (489), nach dem

Tode Gustav Adolfs kurz rekapituliert (591), Anfang und Ende dieses Kriegsabschnittes (und des V. Buches) markierend. — Die erste Präsentation Tillys, der in surrealer Überhöhung als leichenbedecktes Monstrum erscheint, kommentiert der Erzähler: „und doch sollte er damit erscheinen vor Gericht einmal, samt ihren Pferden und Hunden, die über ihm hingen kreuz und quer" (243); bei seinem Tod heißt es: „Da löste sich das Gespensterheer von dem warmen blutsickernden kleinen Körper. Zappelnde Rümpfe der gemetzelten Türken Franzosen Pfälzer, die jaulenden hängenden zertretenen Hunde, kletternden Pferde, die mit den Hufen sich an ihn hielten. Zwischen ihnen gezogen matt, noch naß, seine eigene erstickte Seele." (571) — Der Kreis des ganzen Buches wird umspannt, wenn Ferdinand bei seiner endgültigen Abkehr vom kaiserlichen Amt (699) an die Szene zurückdenkt, da Graf Paar, seine geheimen Gedanken erratend, die Flucht ermöglichen wollte (22f).

Zu der Funktion, Anfang und Ende zu akzentuieren, kann, wie wir schon anläßlich der „Segelfahrt" und vor allem des „Wang-lun" sahen, die andere treten, gerade durch Wiederholung des gleichen eine Veränderung deutlich zu machen, im Extremfall sogar den Gegensatz. So wird der Beginn des II. Buches, die Schilderung der aufgespießten Köpfe am Altstädter Brückentor (147), nach der Einnahme Prags durch Arnim wiederholt (550f); nun aber nimmt man die Schädel herab und bestattet sie: „Plötzlich war die Schlacht am Weißen Berge — nicht geschlagen." (551) — Ebenso wird die Schilderung der Trauung Ferdinands mit Eleonore (119) wiederholt, wenn sie ihn auf Anraten des Pater Joseph aus „pädagogischen" Gründen zeitweilig verläßt (450). Hier ist die Wiederholung allerdings umständlich motiviert: der Kaiser selbst erinnert sich jener Szene angesichts der Schärpe, die er ihr damals schenkte. Reminiszenz Ferdinands ist auch die zweite Wiederaufnahme (628), die der letzten Krise im Verhältnis der Gatten ihren Akzent gibt.

Überhaupt sind die Wiederholungen und Reminiszenzen in diesem Roman viel deutlicher als bewußte Gliederungsmittel eingesetzt als zuvor. Es entsteht nicht mehr der magische Kreis der „Segelfahrt" oder der „Drei Sprünge". Es ist eine ganz diesseitige, noch enger: eine ganz auf die menschliche Sphäre eingegrenzte Welt, die uns hier vorgeführt wird. Der selbstverständliche Ton, in dem von Teufelserscheinungen berichtet wird (342—344, 344—349, 710) oder auch von der Legende um Hoheneich (14), darf nicht darüber hinwegtäuschen, daß all das eng auf das Verständnis der damaligen Zeit bezogen bleibt, die derartiges zu erleben glaubte bzw.

christlichen Legenden zugänglich war. Die Naturwelt, erst am Ende dominierend, dämmert nur hier und da als ungreifbares Gegenüber auf, so in Wallensteins Widerwillen gegen das Meer (317, 375) oder in der Lethargie des Heeres, das in den ungarischen Sümpfen verkommt (257); teilnahmslos sehen „sanfte Wälder [. . .] träumende Wiesen zwitschernde Gärten" die Zerschmetterung des badischen Heeres (96). Der Einklang zwischen natürlichem und menschlichem Geschehen, den wir im „Wang-lun" beobachten konnten, fehlt.

Auch die den chinesischen Roman weitgehend beherrschende symbolische Gestaltung tritt sehr in den Hintergrund. Allenfalls ist an Ferdinands leitmotivisch wiederkehrenden Alptraum vom Tausendfuß zu erinnern (220f usw.) oder auch an seinen Abtstuhl (520, 541, 561, 633), dessen figürliche Schnitzereien wohl für das Menschengewimmel stehen, über das der Kaiser seit Regensburg hinausgehoben ist. Sonst aber finden sich nur sehr durchsichtige, auch den Personen bewußte und überdies aus einem schon menschlich geformten Bereich, dem der Malerei nämlich, stammende Parallelen: Lamormain vergleicht sich und sein Handeln mit den Märtyrern, deren Bilder die Bibliothek schmücken (107, 109), Friedrich von der Pfalz betrachtet voller Scham über seine Rolle als Fremdenknecht ein Esther-Bild (572), und im Hauptsaal des Wallenstein-Palastes in Prag hängen Bilder der Feldherren Cäsar, Alexander und Hannibal, ferner eine Schilderung der Geschichte des ägyptischen Joseph (201): auch dieser war ein Spekulant und ein Emporkömmling wie der Böhme. Ein schwacher, nur noch dekorativer Abglanz jenes Symbolzusammenhanges im „Wang-lun" ist es, wenn Döblin den Triumph des Kaisers mit Pfauen, Häherschreien und anderem Vogelsang in Verbindung setzt (113).

Im ganzen stimmt also, was Döblin 1948 über den Roman notierte: „Hier ließ ich mich los. Ich planschte in Fakten. Ich war verliebt, begeistert von diesen Akten und Berichten. Am liebsten wollte ich sie roh verwenden." (AzL 387) Das freilich tat er nun doch nicht, aber dem Buch fehlt gegenüber dem „Wang-lun" eine Dimension; es wirkt darum härter, unversöhnlicher, hoffnungsloser. Keine Transzendenz, nicht einmal ein Zusammenhang der natürlichen Welt mit der menschlichen tut sich auf. Dem einzelnen zwar ist der Sprung in die Naturwelt möglich, aber nur unter weitgehendem Verzicht auf spezifisch Menschliches. Außerhalb dieser Schlußwendung, die Döblin selbst als zwar notwendig, aber die Konzeption sprengend betrachtete (AzL 346), bleibt der Mensch rettungslos seiner chaotischen Welt verhaftet, jenen „Grimassen der Habgier", dem „Hunde-

blick der Ehrsucht" verfallen, von denen die „Zueignung" zum „Wang-lun"
sich angeekelt abwandte: „ihre Kehlen haben die Jahrhunderte durchkläfft
und sie angefüllt mit — Fortschritt." (Wl 7) So endet denn auch dieses
Buch nicht wie der chinesische Roman wenigstens noch mit einer Frage,
sondern mit dem höhnisch resignierten Hinweis auf das Forttreiben des
Krieges (W 738f).

Schon Armin Arnold hat auf die Mosaik-Struktur des „Wallenstein"
hingewiesen und zutreffend bemerkt, daß die Steine keineswegs zufällig
liegen, daß mehr Aufbau dahintersteht, als auf den ersten Blick ersichtlich
ist [191]. Auch hier frönt Döblin wieder seiner Vorliebe für abrupte Einsätze.
So springt er von den französischen Eroberungen in Lothringen weg und
läßt das nächste Kapitel mit einem Nebensatz beginnen: „Indessen mit aller
Ruhe der Friedländer sein ungeheures Heer in Mähren auf den Fuß stellte."
(574) Sahen wir eben noch den geschlagenen Pfälzer nach Sedan auf-
brechen, so versetzt uns der nächste Satz unvermittelt in eine ganz andere
Szene: „Zu Lamormain, seinem Beichtvater, sagte der Kaiser: ‚Ich werde
gedrängt, abzudanken.' / Erschreckt schloß der Pater den roten Teppich-
vorhang" (98). Nach der Schilderung des waffenklirrenden Papstes Urban
heißt es: „Sie krochen aus Erdhöhlen herauf" (409), und wir wissen weder,
wo wir sind, noch, von wem die Rede ist. Erst 26 Zeilen später folgt das,
was man einen „normalen" Kapitelanfang nennen könnte: „Aus der Lau-
sitz, in Böhmen sammelten sich wandernde zigeunerartige Scharen" (410).


## b) Der Erzähler

Diese überraschende Schnitt-Technik ist natürlich nicht Selbstzweck, sondern hat die Funktion, die Vielschichtigkeit und die Gestaltenfülle der
Geschehnisse vor Augen zu führen oder auch, wie im letzten Beispiel, im
schneidenden Kontrast der unmittelbar aufeinander folgenden Szenen den
Leser zu einem Urteil zu provozieren. Auch komische Effekte werden auf
diese Weise erzielt. So heißt es im Anschluß an die ersten sieben Kapitel
des Romans, die allesamt in Wien bzw. in der Umgebung spielen und
Ferdinand zur Hauptperson haben, urplötzlich: „Eines Morgens wandte
sich König Jakob mit wegwerfender Miene von dem eleganten Dialektiker
und Lüstling ab, seinem Kanzler Buckingham, dessen feine rosa Seiden-
strümpfe ihn reizten" (27). Auch diese Einschaltung ist keineswegs willkür-

[191] K 633, S. 96

lich, vielmehr liefert dieses 8. Kapitel im Rückgriff die Begründung für Dighbys Erscheinen am Wiener Hof, an das der Kaiser jetzt seine Hoffnungen knüpft.

Selbst derartige Rückgriffe sind überaus selten. Nur sparsam werden wir über Ferdinands (13), Wallensteins (188—190), Slawatas (191f) Vorgeschichte aufgeklärt, wird uns nachträglich von den Motiven und Vorbereitungen Gustav Adolfs berichtet (493). Wie stets bei Döblin herrscht ein „natürliches" zeitliches Nacheinander, und Rückgriffe beschränken sich, wie im klassischen Drama, auf notwendige Erklärungen zu Gegenwärtigem. Die überraschenden Szenenwechsel sind genau kalkuliert, und nie verliert der Regisseur die Übersicht. Die Eigenart dieses Erzählers hat Kasimir Edschmid schon 1918 sehr treffend ins Bild gefaßt: „Döblin ist ein langer Maurer, er geht immer hin und her mit Steinen, Mörtel tut er keinen dazwischen." [192]

Ein Beispiel für die Methode des indirekten Kommentars findet sich auch am Anfang des IV. Buches: Wallensteins Gespräch mit Vico steht zwischen den an Dostojewskis „Großinquisitor" gemahnenden Lehren des Münchner Priesters vom gleichgültig-fernen Gott und der Höllenmaskerade in Bubna, auf der am Ende Satan persönlich erscheint: in solchem Zusammenhang fällt ein höchst bedenkliches Licht auf den Herzog.

Keineswegs freilich beschränkt der Erzähler sich auf solche indirekten Akzentsetzungen. Zwar finden wir nicht mehr explizite Vordeutungen und die anderen konventionellen Floskeln des „Wang-lun", aber auch davon, daß der Leser vor einer stummen Front stünde und sich ganz allein sein Urteil bilden müßte, kann keine Rede sein [193]. Auffällig gegenüber dem chinesischen Roman ist ein Ton von beißender Schärfe, der oft an die Linke-Poot-Glossen gemahnt und auch in dem Aufsatz „Der Dreißigjährige Krieg" von 1921 [194] wiederkehrt. Wir kennen derartiges bereits aus einigen frühen Erzählungen und aus dem „Wadzek". Mit vernichtendem Hohn wurden die aufgeblasenen Individuen Michael Fischer, Valentin Priebe, Adolf Götting und Franz Wadzek bedacht. War dort das Motiv in einem antibürgerlichen Affekt sowie in der Ablehnung des persönlichen Ich überhaupt zu suchen, so tritt jetzt ein weiteres Moment hinzu: der Weltkrieg bedeutete für Döblin neben vielem anderen auch den endgültigen Bankrott aller Heldenverehrung. Diese vier Jahre hatten ihn die Hohlheit jenes Pathos

[192] K 398, „Frühe Manifeste", S. 110
[193] vgl. zu Döblins theoretischen Ausführungen oben S. 108.
[194] D 429. Döblin resümiert hier das dem Roman zugrunde liegende Geschichtsbild.

durchschauen gelehrt, dem er selbst anfangs noch zum Opfer gefallen war, hatten ihn empfindlich gemacht gegen schöngeistige Begründungen für Massaker, hatten ihm vor allem auch das Versagen der etablierten Kirchen grell vor Augen geführt. Die Bitterkeit in den Aufsätzen „Jenseits von Gott!", „Die Vertreibung der Gespenster" und „An die Geistlichkeit" [195] kommt nicht von ungefähr. Über die Rolle der Kirchen im Krieg heißt es: „der Himmel war ein Börsenlokal geworden. War das ein Gaudi." [196] — Kein Wunder also, daß der grundsätzlich auf alle „Helden" des „Wallenstein" bezogene Sarkasmus bei den Vertretern der Römischen Kirche am schärfsten angreift. Kardinal Rocci, „der kreischende Purpurträger" (W 475), umarmt „mit hahnenmäßigem Geschrei" (468) den angewiderten Lamormain; von den Ordensbrüdern, die nach dem Sieg über den Dänen ihre Stifter wiederhaben wollen, heißt es: „Wie Gläubiger schwirrten sie um die Wiener Burg, schnarrten vor dem ernsten träumenden Kaiser." (355) Derselbe Kontrast prägt die Audienzszene mit dem Nuntius: „Im spanischen Saal, matt in den Armlehnen hängend, wie ein Wundervogel ohne Begierde durch die Käfigstangen den Schnabel steckend, hörte Ferdinand milde und still neugierig den vor großem Gefolge im Kardinalspurpur gestikulierenden Italiener an." (359) [197] — Am härtesten geht Döblin mit dem Papst ins Gericht, mit Urban VIII., der ihm noch in der Südamerika-Trilogie als Widerpart zum wahren Christentum der Jesuväter galt (A 462). So wird er uns vorgestellt: „In Rom residierte im goldenen Vatikan ein Panther, Maffeo Barberini, der achte Urban. Man konnte nicht sagen, er verstünde seine Zeit nicht. Zur Macht war er gekommen, indem er beim Konklave beiden Parteien schwor, er sei der Todfeind der andern." (W 358) Spöttisch berichtet der Erzähler von der Bulle „In coena domini", „verfluchend Ketzer, Hussiten, Wiklifiten, Lutheraner, Zwinglianer, Calvinisten, Hugenotten, Trinitarier, Wiedertäufer und die Meerpiraten." (ebd.) Von Urbans goldenem, waffenklirrenden Hof ist die Rede (368), und wir sehen den „tollwütigen verfinsterten Papst" als Soldaten: „Außerhalb Roms sprengte der Papst, auf seinem schwarzen riesigen Gaul ragend unter einer goldgestachelten Stahlkappe, in einem schwarzen Panzerhemd mit Samtkragen und Ringpanzerbeinkleid, Bronzeplatten vor dem gewölbten Leib, vor den Knien Platten mit Stacheln, seine Stimme tobte, er drängte

---

[195] D 345, 401 und 406.
[196] D 406, S. 1276
[197] vgl. auch: „Ferdinand, freundlich still auf seiner purpurbezogenen Bank dem kloßigen Redner zuhörend, küßte ihm aufstehend die behaarte Hand." (601)

vorwärts." (409) In dem Kapitel, das der grausam detailliert geschilderten Judenverbrennung folgt, tritt uns wieder das Oberhaupt jener Kirche entgegen, die derartiges veranstaltet (446f); auch hier spricht bereits die Anordnung für sich, und es bedürfte gar nicht der erstaunlich macchiavellistischen Ausführungen Urbans (447). In der Verbrennungsszene selbst erreicht die Kritik an der Kirche einen Höhepunkt; „mit wissenschaftlicher Kälte folgten Scholaren und Patres dem Gebaren des Scharfrichters, prüfend, nachdenkend, erwägend." (442) Einem Scholaren wird übel, und „beschämt" muß er sich vorhalten lassen: „Du mußt an Gott, Jesus und Maria denken. Du hast an die Menschen gedacht, nicht wahr?" (ebd.) In entsetzlicher Zuspitzung sagt es jener Priester in München: „Ich bin Priester der Kirche; was gehen mich Menschen an." (338) — Was Urban betrifft, so werden schließlich sogar Vertreter seiner eigenen Kirche an seiner skrupellosen Machtpolitik irre; mit „Scham und Erschütterung" reagiert Kardinal Pazmany auf die Ablehnung des Wiener Hilfeersuchens (542). Ob es sich um die Belehnung Maximilians handelt oder um das Restitutionsedikt, ob um Mantua oder München, ob um Wallensteins Berufung oder um seine Absetzung: stets handelt die Kirche, handeln Papst wie Jesuiten — im übrigen einander spinnefeind (446) — nach Maßgabe der eigennützigsten Motive: „jedes Wasser auf ihrer Mühle war recht." (705) — Offensichtlich ist es aber nicht die Machtpolitik als solche, die der Erzähler dem Klerus zum Vorwurf macht, sondern die heuchlerische Bemäntelung handfester Interessen mit frommen Scheingründen. Er steht hinter der Ansicht Wallensteins, „der Krieg habe nichts mit Religion zu tun" (357) und „Sie hätten einen kaiserlichen und keinen katholischen Krieg zu führen." (610) Auch im „Feldzeugmeister Cratz", einem wenig bedeutenden Nebenprodukt der Arbeit am „Wallenstein", wendet sich Graf Fahrensbach gegen die These vom Religionskrieg und meint, „daß es um Land und Gut geht und um weiter nichts" [198], und im Aufsatz über den Dreißigjährigen Krieg stellt Döblin selbst lakonisch fest: „Einigen wir uns darauf: Raufboldigkeit, Händelsucht, Diebsbegierde, gemildert durch Phrasen und Wahnideen. Mit anderen Worten: das alte Lied." [199]

Die vernichtende Kritik an jenen, die Machtpolitik mit Religion vermengen, ist freilich nicht nur gegen Rom gerichtet, sondern macht auch vor dem Lieblingshelden des protestantischen Deutschland, vor dem Schweden-

[198] D 43, S. 17
[199] D 429, S. 53

denkönig Gustav Adolf, nicht halt. Döblin, der schon unter der „evangelischen Untertanenschule" gelitten hatte [200], sah auch das Versagen des Protestantismus während des Weltkrieges: „Und dann das Zweite, wie ein Blitz zündend, das schauderhafte Bild: der Deutsche Kaiser mit seinem Hofstaat und Generalen bei Kriegsbeginn in den Dom ziehend. Anrufung Gottes in Siegestelegrammen. Der Schluß des Krieges: das englische Parlament mit jenem schauerlichen Lloyd George marschiert in die Kathedrale, Gott nicht zu danken für die Beendigung des Krieges, sondern für den Sieg." [201] Sehr viel später, im I. Band der „November"-Tetralogie, schildert Döblin jenen Dankgottesdienst und läßt Gott antworten: „ ‚Ich traue Euch nicht. Ich traue Euch nicht.' Er schrie nochmal: ‚Ich traue Euch nicht!' " (BS 253)

Wenn Döblins Erinnerung nicht trügt, so verdankt er den ersten Anstoß zur Arbeit am „Wallenstein" einer in diesen Zusammenhang durchaus passenden Veranstaltung: er las in der Zeitung die Ankündigung eines Gustav-Adolf-Festspiels (AzL 339); leicht kann man sich vorstellen, worauf derartiges im Jahre 1916 abzielte. Er selbst war von seiner Initialvision („Gustav Adolf mit zahllosen Schiffen von Schweden über die Ostsee setzend." — ebd.) bezwungen und erinnert sich: „eigentlich zur Feier, zum Lob und zur Verkündigung dieser Situation will ich ein Buch schreiben." (AzL 120) Die Leuchtkraft dieses inneren Bildes ist am Eingang des V. Buches noch spürbar, aber schon gebrochen, weil Gustav Adolf hier eben nicht als der oft besungene Retter des deutschen Protestantismus erscheint, sondern als „der junge ehrsüchtige dicke Schwede" (W 381). Ein Bramarbas und Schreihals ist er, und auch ihm sagt der Erzähler „hahnenlautes Gekräh" nach (493). Wenn es heißt: „Seine Stimme ertönte metallisch von dem Religionskrieg, den er führte." (509), so glauben wir ihm nicht, denn kurz zuvor haben wir dem Abschluß des Paktes mit Charnacé beigewohnt (495f), und auch hier erfahren wir, daß der König „mit gutem französischen Geld" zahlt (509). Mit spürbarer Zustimmung vermerkt der Erzähler Tillys Urteil über den Schweden: „Er hatte einen tiefen Ekel vor dem Mann, der die Religion ohne Unterlaß im Munde führte und ohne Unterlaß den frommen katholischen Glauben schmähte, er, der Kriegsmann, den es anwiderte, daß der andere kein ehrlicher Krieger war." (510) Auch die Schilderung seines Verhaltens gegenüber Charnacé und Kuttner paßt

[200] D 435, S. 821
[201] D 401, S. 14

schlecht in das Bild des strahlenden Helden, wie etwa Schiller es in seiner „Geschichte des Dreißigjährigen Krieges" gezeichnet hat: „Und darauf rülpste er stark. Sie sollten bald Bescheid erhalten. Er verabschiedete sich herzlich und immer wieder menschenfresserisch lachend und schnatternd von ihnen, die er seinem Kanzler empfahl." (W 532) Trotzdem ist der Erzähler dem Schwedenkönig entschieden freundlicher gesonnen als dem römischen Papst; er betont die Ernsthaftigkeit seiner Religiosität (537) [202] und läßt ihn selbst seinen Fehler, die Vermengung des Religionskrieges mit reiner Machtpolitik, erkennen: „Ich bin zu groß daher gefahren. Es hat dem Herrn nicht gefallen. Ich war eitel. Ich habe seine Sache nicht rein gehalten." (585) Im ganzen freilich ist auch diese Gestalt von der allgemeinen antiheroischen Tendenz des Buches betroffen.

Die Sarkasmen des Erzählers gelten nicht nur den eigentlichen „Helden" jenes Krieges, sondern überhaupt allen Mitspielern auf der politischen Bühne [203]. So müssen sich alle diese „Kulissenschieber der Historie" (AzL 387) ins Tierreich versetzen lassen. Caraffa ist ein Büffel (W 9), der spanische Botschafter ein Wisent (12), Michna ein blinder Eber (176), Tilly eine kleine Dogge (244), Urban, wir hörten es schon, ein Panther (358), Wallenstein ein Drache (243f, 251, 473, 588) usw. Häufiger als diese direkten Identifizierungen ist die Charakterisierung mit Hilfe von Verben, die gemeinhin tierisches Verhalten bezeichnen: „Entzückt kläffte Rusdorf dagegen." (33), „Aus seinem Bau, um den herum er mit Schonung fraß, stöberte das bayrische Heer den Bastard von Mansfeld." (92), „sein Gesandter bellte, der Kurfürst müsse über den Vorschlag mit seinen ligistischen Freunden beraten, dann biß er nach dem Spanier" (210), „Auf dem baumbestandenen Hradschin über der breitfließenden Moldau kauerte der Böhme." (544) usw. Derartiges kann sich auch zu einer ganzen Bilderfolge auswachsen: „Der Schritt des Schwedenkönigs taprig schwer hinter ihm, langsam. Rechts schlürfte er, links fraß er; er kaute, spie, schnüffelte. Er legte sich über Nürnberg; der Hohe Rat wischte eingezogenen Schweifs zu ihm heraus vor das Tor" (567) oder: „In München, in der Residenz, saß der Melancholiker Maximilian, äugte nach allen Seiten. Saß über seiner Beute. Er konnte sie nicht wie ein wildes Tier in eine Ecke schleppen, sie allein schlingen. Aber während er sich mit rasselnder Brust an ihrem Besitz

---

[202] Dieselbe Tendenz zeigen Döblins Ausführungen in „Der Dreißigjährige Krieg" (D 429), S. 54 f.

[203] vgl. auch D 429, S. 51: „Ich tue keinem der so berühmten Feldherren den Gefallen, ihn beim Namen zu nennen, mögen das die Generäle unter sich tun."

sättigte, funkelten seine Augen. Er knurrte fauchte sprühte. Das Blut troff in zwei Rinnsalen aus seinen Mundwinkeln, bildete Lachen auf dem Boden, indessen seine Hinterbeine schon zum Sprung eingezogen waren, die Vorderpranken locker; der Atem rauschend." (143)

Die Allseitigkeit dieser herabsetzenden Ironie führt nun freilich fast schon wieder zu einer neuen Objektivität, und es ist, wie schon erwähnt, ganz falsch, mit Paul Wallenstein nur die Stellen heranzuziehen, die den Titelhelden als Drachen und Untier darstellen, und daraus eine Stellungnahme des Erzählers abzuleiten [204]; denn Wallensteins Gegner werden von solchen metaphorischen Verunglimpfungen genauso getroffen wie er selbst. Überdies ist in vielen Fällen kaum zu entscheiden, ob tatsächlich der Erzähler selbst spricht oder ob er sich die Perspektive einer fiktiven Person oder einer Gruppe von solchen zu eigen macht. Wenn es heißt, der Friedländer trete als „ein erschreckendes Wesen" auf den Plan (188), so ist an Döblins Ausführungen im „Marsyas" zu erinnern: „Die Ägis des Homer aber wird schrecklich genannt, weil sie Schrecken erregt unter den Handelnden" [205].

Von einer homerischen Objektivität kann gleichwohl keine Rede sein. In der Beurteilung der einzelnen Personen bleibt der Leser zwar tatsächlich ziemlich allein; klare Stellungnahmen wie die zu Ma-nohs machtlüsternem Treiben im chinesischen Roman fehlen. Andererseits aber spüren wir den Erzähler in seinem Antiheroentum, seiner Antikirchlichkeit, in seiner Gesamteinstellung zu den berichteten Vorgängen deutlich heraus, empfinden ihn sogar stärker als Person, als das im „Wang-lun" der Fall war. Hier wird nicht einzelnes kommentiert, erläutert, vorhergesagt; aber wir sind gezwungen, das ganze Geschehen von Anfang an durch eine bestimmte Optik zu betrachten, die unverhohlen von persönlichem Grimm gefärbt ist. Auch hinsichtlich dieses Romans kann also keine Rede davon sein, daß der Erzähler sich „jeder Äußerung der Teilnahme, des Wohlgefallens, Mißfallens" enthielte [206], — was nicht nur Döblin selbst forderte, sondern was dem „Wallenstein" von einigen Forschern auch tatsächlich nachgesagt wird [207]. Der Unterschied zur Erzähltradition des 18. und 19. Jahrhunderts oder auch zur Erzählweise etwa Thomas Manns ist freilich trotz solcher

---

[204] vgl. K 598.
[205] s. o. S. 109.
[206] s. o. S. 108.
[207] Rasch, K 596, S. 40 f (in K 362); Links, K 558, S. 58—60; Martini, K 559, S. 335; Muschg, W 745.

175

Einschränkungen nur allzu augenfällig, und auf diese Abgrenzung kam es Döblin wohl an.

Auch in den humoristischen Episoden wird die Gegenwart eines persönlichen Erzählers spürbar, etwa in den Kapiteln 12 und 13 des I. Buches, die den burlesken Ambitionen des alten Pfalzneuburgers gewidmet sind (43—62). Die Schilderung seines Einzugs in Wien erinnert nicht nur im Satzbau („Sein muskulöser Gehilfe, halbnackt wie er war, kam hinzu." — 53), sondern auch in der komischen Wirkung an die Abdecker-Szene in Kleists „Michael Kohlhaas"; über den Aufbruch hieß es schon mit ironischer Paradoxie: „So zog er stattlich durch die Grafschaft Scheyern-Pfaffenhofen. Dort brach die Achse des Gepäckwagens vor dem Krug." (47) — Man denke auch an den Auftritt seines Sohnes sowie des „Buckelhans" von Zweibrücken-Birkenfeld in Regensburg (139f), an die Zusammenkunft der kurfürstlichen Vertrauensmänner (304—307), an die Verhandlungen Tillys mit dem sächsischen Kurfürsten (506f), die als komischer Dialog gestaltet sind, usw. Sehr hübsch ist auch der knappe Bericht über den — protestantischen — Bischof von Halberstadt: „Er kam stracks von Paderborn, wo er in der Kirche die Silberstatue des heiligen Liborius umarmt hatte, dem Heiligen dankend, daß er auf ihn gewartet hatte; er münzte ihn aus zu Trutztalern auf die Pfaffen." (96f)

Zusammenfassend läßt sich sagen, daß der Erzähler des „Wallenstein" sich erheblich unterscheidet von dem des chinesischen Romans. Ausgemerzt ist er der Theorie zum Trotz nicht, aber die konventionellen Reste sind beseitigt, die Kommentare und Vordeutungen sowie die psychologisierenden Erklärungen. Dafür tritt dieser Erzähler an den Stoff mit einem leidenden Sarkasmus heran, der vor allem in der Personengestaltung deutlich wird und den Herbert Ihering schon damals zutreffend kennzeichnete: „Döblin hat den bösen Blick." [208] So ist der Erzähler des „Wallenstein" objektiver und subjektiver zugleich als der des „Wang-lun", übt im einzelnen Zurückhaltung, hat aber schon zu Beginn eine dunkle Linse in die Kamera gesetzt und gibt uns so betont *sein* Bild dieser Zeit, „die gallige Färbung einer ganzen Welt" [209].

[208] K 39
[209] Knipperdolling, K 40, S. 531

## c) Bemerkungen zum Stil

### Expressive Verknappung

Was die übrigen Elemente der Darstellung betrifft, so haben wir schon gesehen, daß die auf Anschaulichkeit, Suggestion, Verlebendigung zielenden Stilmittel des chinesischen Romans hier gesteigert wiederkehren. Viel weiter fortgeschritten ist die expressive Umgestaltung der Syntax. Konstruktionen in der Art des lateinischen Ablativus absolutus — schon anläßlich der etwa zur gleichen Zeit entstandenen Novelle „Die Schlacht, die Schlacht!" war hiervon die Rede [210] — begegnen nun öfter: „Das Jahr um, die Vertragszeit abgelaufen, beschloß das Konsortium [...]" (174); „er schwamm hingenommen, die Erde versunken, im Fahrwasser des Bastards." (255); „Das Keifen zu Ende, fragte Wallenstein, [...], was sie ihm brächten" (577) usw. — Die Tendenz zur Verkürzung, zum geballten Ausdruck zeigt sich auch in Satzumstellungen, die wie eine Weiterentwicklung Kleistscher Nebensätze anmuten; aus dem Typus „Der Burgvogt, indem er sich noch eine Weste über seinen weitläufigen Leib zuknüpfte, kam" [211] wird: „Leuker in heller Wut lächelte" (W 126) oder: „Sein Herz im Sterben erzitterte vor Freude" (503). Auch Kleists Kunstgriff, das Unglaubliche in der verschobenen Syntax widerzuspiegeln („und knurrend und bellend, grad als ob ein Mensch auf ihn eingeschritten käme, rückwärts gegen den Ofen weicht er aus." [212]), kehrt wieder: „Da gab Kollalto nach, bevor eine kaiserliche Instanz mit der Sache befaßt wurde. Auffallend rasch nach anfänglichem Grimm gab er nach" (W 245).

Großen Raum nehmen beschwörende Wortwiederholungen ein, in ihrer nacktesten Form beim Brand von Magdeburg: „Flammen, Flammen, Flammen, Flammen, Flammen." (503), oft mit Variation des Schlußgliedes: „Tilly floh, floh, tat nichts als fliehen." (511) oder: „Fürchtete sich, fürchtete sich: begriff mit einmal, daß er sich fürchtete." (568), schließlich in atemloser Steigerung: „so stießen die Schweden aus vierundfünfzig Geschützen eine Feuerwoge über die Deutschen, eine Viertelstunde, eine halbe Stunde, eine Stunde, zwei Stunden, die Luft anfüllend mit Fünfpfündern Zehnpfündern, anwachsend und nicht nachgebend mit halben Kartaunen, stampfend stampfend mit ganzen Kartaunen." (511).

[210] s. o. S. 95.
[211] Heinrich von Kleist, Sämtliche Werke und Briefe. Hrsg. v. Helmut Sembdner. München 1965, Bd. II, S. 10
[212] ebd., S. 198

In diesen Zusammenhang gehört auch die große Zahl der kommalosen Aufzählungen, die Döblin nur hier und in „Berge Meere und Giganten" verwendete [213] und mit deren Hilfe er der Fülle des Gegenständlichen Herr zu werden suchte. Der Fortfall der Kommata macht den Anprall des „Stoffes" noch unmittelbarer, steht freilich auch in gefährlicher Nähe zum Manierismus.

Im „Wang-lun" hieß es: „Groß und unübersehbar war das Gewirr der Straßen. Kaufladen stieß an Kaufladen, Garküchen, Herbergen, Teehäuser, überladene Tempel; an der Mauer klingelten die Glöckchen zweier schöner Pagoden, die den Weg der obdachlosen Geister ablenkten." (Wl 24) Eine Idylle, sollte man meinen, wenn man folgenden Passus aus dem großen Wien-Kapitel des „Wallenstein" danebenhält: „Umeinander trieben in Häusern Spelunken Kellern lärmende stille kranke Menschen, Haushälter Schaffner Kellermeister Küchenjungen Rauchfangkehrer Goldmacher Gewandschneider Spengler Kalendermacher Brauknechte Messerschmiede Wanderburschen Kaufherren Ratsschreiber Kerzengießer Hökerinnen Witwen, die nach einem Mann schnappten, Dragoner, die nicht dienen wollten, Lumpen, die das Leben in der Sackgasse schön fanden, Bauern, denen der Viehhändler um die Ohren schlug, Pergamentmacher Riemer Häutekäufer Messingschläger Kuppler mit Halseisen, eilige dünne Juden, Advokaten Kommissionäre quarrende Kinder im Sand, wandernde Buchhändler aus Sachsen, Böhmen mit bemalten Brieflein in Umhängekästen." (W 67), ganz zu schweigen vom Chaos des Uralischen Krieges, wie der utopische Roman es darstellt: „Auf Pferden Wagen Karren, die Flüsse herunterschleifend auf Schiffen Booten Kähnen, rollten strömten von Osten nach Westen, spülten drangen quollen von Norden nach Süden Menschen- und Tierleiber. Bestürzte klagende verwirrte Menschen, Männer Frauen Kinder Pferde Rinder Schweine, die sie trieben, Hühner, die getragen gejagt wurden. Jammernde schreiende zerlumpte nackte Einzelläufer. Große stumme drängende Horden, Dorfgemeinschaften, die sich nicht fragen ließen. Betäubt, die Gesichter Decken Kleider schmierig." (BMG 97f) — Das Chaos ist übrigens durchaus kalkuliert. Beide Zitate zeigen die Auflockerung durch Relativsätze; deutlich ist auch das rhythmische Abklingen im „Wallenstein", wo einer ausgedehnteren Figur („quarrende Kinder im Sand") nach einmaliger Wiederholung („wandernde Buchhändler aus Sachsen") eine noch ausführlichere Variante als Schlußklausel folgt. Hier wie auch zu

[213] und keineswegs „vom ‚Wang-lun' bis zum ‚Berlin Alexanderplatz'", wie Arnold behauptet (K 633, S. 83); s. o. S. 105.

Anfang des Zitats, vor allem aber in dem Passus aus „Berge Meere und Giganten" wird Döblins Vorliebe für Dreiergruppen sichtbar. Obgleich die Zahl der Glieder grundsätzlich unbegrenzt ist und neben Substantiven auch Partizipien, Adjektive und Verben begegnen, läßt sich ein klares Übergewicht dreigliedriger asyndetischer Substantivreihungen erkennen, die manchmal um ein mit „und" angeschlossenes viertes Glied erweitert werden.

Einigen dieser Aufzählungen möchte man eine schon apoplektische Geschwätzigkeit nachsagen („In den Rentämtern Küstereien Stuben der Amtleute Vögte Kellerschultheiße Räte Bürgermeister lagen Kornetts Spielleute Korporale mit wallenden Hüten, spähten zum Fenster hinaus." — W 149), und manchmal verkümmert der Rhythmus zu einem lahmen Hundetrab („Stiere Kühe Schafe konnten hier nicht weiden; Weizen Roggen Hafer konnte nicht wachsen" — BMG 198). Die — auf Kommata *nicht* verzichtende — Aufzählung der schwedischen und deutschen Regimenter (W 590) zeigt schon eine Tendenz zur reinen Klangkomposition, die dann in „Berge Meere und Giganten" teilweise herrschend wird: „Hinter ihnen lagen Munkle Roon und Toul, die zackigen Inseln Yell Haskosea Samphyra Fellar Uya Umst." (BMG 342) oder gar: „Der Torsukatak Assatak Tuarparsuk Tasarmiant Umartorsik Kangardluksuak Itliarsuak Alangordlak." (418)


Aposiopese

Im Gegensatz zur sonstigen Mitteilsamkeit des Erzählers, die gerade in den manchmal hypertrophierten Aufzählungen zum Ausdruck kommt, steht die Beobachtung, daß einige besonders wichtige Ereignisse nur indirekt berichtet oder ganz ausgespart werden. Von dem so folgenreichen Gespräch des eben gekrönten Kaisers mit Maximilian hören wir nur im Rückblick, in der Reminiszenz eines Dritten, des Grafen Trautmannsdorf, der selbst nicht einmal der Unterredung beiwohnte, sondern sich aus den Geräuschen, die ins Vorzimmer drangen, ein Bild machen mußte (40). — Sehr überraschend ist es für den Leser, daß er, nach den langen Berichten über Wallensteins Machenschaften, über seinen Einzug in Wien und seine dortigen Transaktionen, von der Audienz bei Ferdinand, die doch das Ziel all dieser Bemühungen war, ausgeschlossen bleibt; dieses Ereignis fällt sozusagen in den Zwischenraum zwischen zwei Absätzen: „als er bartstreichend wartete, stand nur der naserümpfende Obersthofmeister bei ihm; keiner der hohen Räte hatte sich ihm in diesen Tagen genähert. / Und als er wieder im Vorzimmer stand [. . .]" (220): Der große Auftritt ist vermieden, alles Licht fällt auf Ferdinands Alptraum-Erinnerung, die unmittelbar folgt und die Essenz der Begegnung ins Bild faßt (220f). Kein farbenprächtiges Ausmalen kann in diesem überreichen Buch so stark die Aufmerksamkeit des Lesers fesseln wie diese bewußte Aussparung, diese tönende Stille.

Eher auf die antiheroische Grundtendenz und auf die Abkehr von herkömmlichen Darstellungen des Stoffes dürfte es zurückzuführen sein, daß Döblin die Schlacht bei Lützen, dieses vielbesungene Ereignis, mit wenigen Sätzen abtut (590f); zum Ausgleich verfehlt er nicht, die Trauerfeier für Gustav Adolf zu schildern und insbesondere das Zerfließen des verwesenden Leichnams minuziös auszumalen (592).

## Erlebte Rede und innerer Monolog

Von der lebendigen, sehr variablen Wiedergabe der Personenrede in diesem Roman sprach ich schon (S. 159 f). Ähnliches ist im Bereich der „inneren Rede" zu beobachten, hinsichtlich der „erlebten Rede" also und des „inneren Monologs" [214]. Die erlebte Rede, die am Präteritum und an der dritten Person, folglich am vermittelnden Erzähler, festhält, begegnete uns im bisherigen Werk sehr oft, während der innere Monolog nach dem „Schwarzen Vorhang" nur sparsam angewandt wurde und erst in „Linie Dresden-Bukarest" und vor allem in „Die Schlacht, die Schlacht!" wieder größere Bedeutung gewinnt.

Sofern die sprechende (denkende) Person nicht sich selbst erwähnt, beschränkt sich der Unterschied zwischen erlebter Rede und innerem Monolog formal auf das Tempus, und so ist es nicht weiter erstaunlich, daß eine durchweg im Präsens gehaltene Erzählung wie „Die Schlacht, die Schlacht!" oder später auch „Berlin Alexanderplatz" den Anteil des inneren Monologs gegenüber dem der erlebten Rede entschieden größer erscheinen läßt, als das bei einem „normal", also präterital erzählten Roman der Fall wäre. — Diese Variation des Tempus nun eignet sich (ebenso wie in der indirekten Rede der Wechsel des Modus) zur Betonung emotional oder intellektuell besonders akzentuierter Inhalte. In dieser Funktion begegnet der innere Monolog auch in den „Drei Sprüngen" mehrmals. So sind in Ma-nohs unruhigen Überlegungen vor dem entscheidenden Festtag einige Sätze durch die präsentische Form hervorgehoben (Wl 128); dasselbe gilt

[214] Zur Terminologie vgl. Gero v. Wilperts „Sachwörterbuch der Literatur", Stuttgart 1955, S. 149 f und 243 f.

für die Folgerungen, die Wang-lun aus dem zweiten Tsi-nan-fu-Erlebnis zieht (165), sowie für die umstürzende Erleuchtung nach der Begegnung mit dem Mörder (459).

In keiner dieser Passagen sagt die Person „ich", und noch für den „Wallenstein" gilt, daß in diesem Fall der innere Monolog entweder durch ein verbum sentiendi eingeleitet oder aber mit Anführungszeichen gekennzeichnet werden muß: „dachte und träumte er: ich werde den Friedländer mit dem jungen Knaben umwinden" (607) oder: „ ,Herr, führe mich nicht in Versuchung!' " (270)

Für den hervorhebenden, Akzente setzenden Übergang von der erlebten Rede zum inneren Monolog, vom Präteritum zum Präsens [215], gibt es eine ganze Reihe von Beispielen, von denen ich zwei anführen möchte: „Oder sie — konnten — auch das wagen. Er fletschte die Zähne. Es wäre das Richtigste. Er würde es tun in ihrer Lage. Dem Feind den Knebel in den Mund stecken. Ihn noch bezahlen lassen. Werden sie es? / Werden sie es? / " (471) und: „Nun war es klar. Es sollte wieder etwas wie Krieg geben; er mußte sich einen Augenblick wirklich besinnen, gegen wen; dachte im ersten Moment an den Bayern. Also jetzt ist der Schwede an der Reihe. Dieser Herzog hat es auf den abgesehen. Er wird ihn wahrscheinlich besiegen." (564)

Im ganzen darf man sagen, daß auch im „Wallenstein" das Mittel des inneren Monologs noch sehr sparsam angewendet wird, daß er vor allem keineswegs in dem Maße in den Erzählerbericht einmontiert wird, wie wir es in „Die Schlacht, die Schlacht!" beobachten konnten und wie es für „Berlin Alexanderplatz" so bezeichnend ist. Die Entwicklung verläuft nicht geradlinig, vielmehr können wir für „Berge Meere und Giganten" ein fast völliges Fehlen von erlebter Rede und innerem Monolog konstatieren, wie dort ja auch die Personenrede auf weite Strecken ganz zurücktritt: Hier hat Döblin seine Methode, Menschen und Ereignisse von außen zu schildern, psychologische Erklärungen zu vermeiden, auf die traditionelle Fähigkeit des Gedankenlesens zu verzichten, am weitesten getrieben. Für die Wiederaufnahme der längst beherrschten Technik in „Berlin Alexanderplatz" ist dann sowohl das Sujet als auch die neue Auffassung vom Ich verantwortlich.

---

[215] Hier ist auf Harald Weinrichs Untersuchungen zur Funktion derartiger Tempuswechsel — von ihm „Tempusmetapher" genannt — hinzuweisen: „Tempus. Besprochene und erzählte Welt", Stuttgart 1964, S. 106 ff.

## d) Die Masse und der einzelne

Auffällig in unserem Roman sind einige Passagen, die man vielleicht als kollektive innere Monologe bezeichnen darf. So heißt es innerhalb der Szene, die den Exodus der böhmischen Emigranten schildert: „Neben ihnen die ruhigen freien Bekenner, die sich wiegten in ihrer Hoffnung; ihr Huß in Konstanz verbrannt auf dem Konzil; wer wollte an sie heran? Was wäre aus der Welt und der menschlichen Seele geworden, ohne das Heil, das Huß in Böhmen erneut hat? Jesuiten und ihr Kaiser Ferdinand haben Kelch und Schwert [. . .] herabgerissen; [. . .] die körperliche Stärke kann sich in alle Ewigkeit nur an der Materie vergreifen, nur an der Materie." (155) oder: „Man sah mit Angst und Unruhe, wie dies geschah: wie sie sich von der Spitze zurückzogen. Bald werden sie verschwunden sein, nach Böhmen hinein, zurück in die liebe Heimat, sie werden die grünen Matten wiedersehen, und wir stehen draußen." (159)

Dieser Zusammenfassung der Massen zu einer kollektiven Person, die uns in ganz anderer Form bereits im „Wang-lun" begegnete (der riesige Buddha), dient auch die ausgedehnte Wasser-Metaphorik, deren Ansatz sich ebenfalls schon im „Wang-lun" fand („Die rote Welle schlug über das Tal." — Wl 141). Das Wasser als das Massenwesen, in dem die Teile zu tiefer Anonymität absinken, hat Döblin ja von jeher fasziniert. So heißt es von den vertriebenen Böhmen: „Sie wurden wie von Meereswellen nach vorne gespült, schwammen drängten schoben sich rückwärts." (160) und: „Über ihre Heimat, über das Erzgebirge, spannten sie sich wie eine furchtbare Wolkenbank, die sich von Jahr zu Jahr schwärzer färbte." (166) — Meist aber fällt auch die Vergleichspartikel weg: „Die Welle der Kaiserlichen und Ligisten wühlte sich in ihr Bett. Ersäuft unter ihrem Bauch das Wahlkönigreich Böhmen, die Pfalz" (182) oder, breit ausgemalt: „Die Menschenmassen ließen sich nicht halten. Sie schwappten und rieselten von Böhmen her nach Westen, von Norden gegen Thüringen, vom Rhein herunter. Gurgelten unablässig. Aus Bayern schwollen sie an, gespeist aus allen Teilen des Landes. Die Quellen fanden die tosenden Söldner, das Brunnenrohr schlug die Einquartierung ein, Erpressung und Drangsalierung, Hungersnot und Verzweiflung trieben die Wasser zum Anschwellen." (726)

Wenn auf diese Weise das überall herrschende Elend die verzweifelten Massen zu einer neuen — im Grunde freilich einfluß- und wirkungslosen — Einheit zusammenpreßt, so erscheint andererseits der einzelne Mensch als ein Konglomerat widerstreitender Bestandteile. Wir kennen diesen Zerfall des Menschen aus den früheren Werken zur Genüge; hier aber dient diese Technik nicht der Beschreibung von Zuständen der Bewußtlosigkeit, der Ekstase, der Verzweiflung usw., sondern diesmal ist es tatsächlich auf die Zerstörung des Menschen überhaupt abgesehen. Hierhin gehören nicht nur die Darstellungen von Ferdinands Kauen und Schlucken (9) oder vom Zerfließen des königlichen Leichnams (592), sondern vor allem die Schilderung der stolzen Hofdamen, die ganz sicher mit sich selbst nicht uneins sind, vom Erzähler aber grausam seziert werden: „Köpfe", „Hälse", „Schultern", „die fleischstrotzenden Arme", „die geschwellten Brüste", „Die Knie [. . .], Schleppen hinter sich lassend, wie Hündinnen ihren Geruch", „Leiber", „das verwöhnte begierige Herz, die tiefatmenden Lungen, der weinsüchtige Magen, der lange weiße Darm", „die heißen kostbaren Verstecke und Wege der Zeugung", „Augen", „Münder", „Ohren" (515f). Wenn es zum Schluß heißt: „Das kniewiegende stolze Chaos heranschreitend, das der Sonne, der Luft, den Blumen, Gewittern trotzt." (516), dann ist schon nicht mehr von diesen Damen allein die Rede, sondern vom Menschen überhaupt, und in diesem Detail bestätigt sich wieder unsere Feststellung, daß diesem Roman der tröstende Hintergrund eines umfassenden, und sei es auch unverstandenen, Sinns fehlt [216]; die Erfahrungen des großen Krieges haben bewirkt, daß Döblin die Welt und den Menschen tatsächlich eine Zeitlang als Chaos sah, auf andere Weise in die Resignation des „Schwarzen Vorhangs" zurückzusinken drohte. Der „Wallenstein" ist in mancher Hinsicht Döblins hoffnungslosestes, ein tieftrauriges Buch, das am Schluß ratlos vor dem Riesenpanorama steht mit der bedrückenden Frage nach dem Sinn dieser gewaltigen Ereignisse.

Die entschiedene Abwertung des Menschen und des Menschlichen in diesem Roman hat manche Interpreten dazu verführt, auch den „Wallenstein" in beklagenswerter Einfallslosigkeit ein Buch der Kollektivgewalten, der Massen zu nennen [217]. Döblin selbst hat dagegen wiederholt auf die Zentralfigur hingewiesen, den Kaiser Ferdinand nämlich [218], und formulierte zugespitzt: „leuchtet diese Sonne nicht, so ist mein Buch Kunst-

---

[216] Insofern ist Elshorsts These von Döblins „Vertrauen zu einer immer wieder anders benannten Macht in oder hinter der Welt" (K 568, S. 151; s. o. S. 50) zu korrigieren.
[217] vgl. Loerke, K 423, S. 584 ff; Links, K 558, S. 57 f; Graber, K 604, S. 11; z. T. auch Martini, K 559, S. 335.
[218] AzL 343 f, 387

gewerbe und ich kann Tassen malen gehen." (AzL 343) Nur knapp werden Bauernunruhen dargestellt (W 349—352, 533—535, 726f). Wir wissen, daß Döblin damals einen Roman über die Bauernkriege plante (AzL 358) [219], und später wird von diesem Aufstand als einer ungenutzten Chance der Deutschen, sich aus dem Untertanentum zu erheben, noch die Rede sein [220]. Deutlich ist auch hier die Sympathie Döblins für die Auffassung der Bauern, Christus müsse gegen die Verfälschung von seiten der Kirche in Schutz genommen werden (W 349—352); ich erwähnte schon die Ähnlichkeit dieses Impulses mit dem Grundgedanken der Schrift „Jenseits von Gott!" [221] Trotz dieser eindeutigen Parteinahme kann aber von einer bestimmenden Rolle der Bauern oder anderer Massen keine Rede sein [222]. Auch die böhmischen Emigranten drohen in Lethargie zu versinken, und erst die wütende Verbissenheit des Grafen Thurn vermag ihnen wieder Energie und Zielbewußtsein zu geben (W 164f) [223].

Überdies fällt auf, daß Döblin manche Konflikte ohne Not auf ein privates Motiv zurückführt. Die Problematik des I. Buches beruht auf dem Gegeneinander des unerbittlich fordernden Maximilian und seines weichen Vetters Ferdinand, und die Motivierung für Maximilians Feindseligkeit wiederum reicht in die Kindheit beider zurück: „der Vater wußte wohl, daß sein Sohn nur unter dem Stolz litt, sein Leben lang von nichts beherrscht wurde, als daß ein Haus im deutschen Reich sich anmaßen konnte, über dem Wittelsbacher zu stehen. Von Kind an, von jenem Kirchgang an, wo Ferdinand in Ingolstadt den jungen Bayern aus der ersten Bank fortgewiesen hatte, und seit da ohne Ruhe weiter." (226)

Viel deutlicher noch wird diese Tendenz in der Figur des Grafen Slawata, der einzigen Gestalt neben dem Kaiser Ferdinand, die Döblin gegenüber

[219] Unsinnig ist allerdings die Behauptung, die Erzählung „Das Femgericht" bilde eine Vorstufe zu diesem Roman (Links, K 558, S. 53). Links hat hier einen Satz von Muschg (EB 428) mißverstanden.
[220] *WV 49*
[221] s. o. S. 21. Vgl. auch „Der Dreißigjährige Krieg" (D 429), S. 55: „Wer die damaligen Dinge überblickt, fragt: Wo ist das so viel berufene Christentum geblieben? Es war durch die — Theologie verdrängt worden."
[222] Über die Bauern heißt es in „Der Dreißigjährige Kriege": „Sie hatten aber nicht mehr die alte Kraft, [...], das evangelisch-kommunistische Manifest von 1525 war verschollen, der Bundschuh erbarmungslos niedergeknüttelt." (D 429, S. 52)
[223] In „Überfließend von Ekel" bemerkt Döblin innerhalb eines historischen Exkurses zu Wallenstein und seiner Zeit, damals habe ein einzelner Mensch noch entscheidend eingreifen können (D 418, S. 1327).

dem historischen Vorbild wesentlich verändert hat [224]. Dieser Mann, in der Historie bekannt als eines der Opfer des Prager Fenstersturzes, ein weitläufiger Verwandter Wallensteins, gewinnt in Döblins Darstellung einen überraschenden Rang; er nämlich ist es, der den Mord von Eger veranlaßt. Dieser Pointe widmet der Erzähler eine weitläufige Motivierung, die auf eine neue Variante der bei Döblin so häufigen Haßliebe zweier Männer hinausläuft.

Der schöne braunlockige Slawata, ein feinsinniger Ästhet, der „keine Frau und kein Kind" liebt (W 192), hat zu Martinitz und den anderen kaisertreuen Böhmen gehalten, „weil er den Tumult verabscheute" (ebd.), und nach jenem Sturz in den Graben hegt er einen verzehrenden Haß gegen sein Land, „weil ihn Rebellion anwiderte und die Rebellion ihn, als er sich gegen sie stellte, mit ihren schmutzigen Händen angefaßt hatte." (ebd.) Es verlangt ihn nach völliger Unterwerfung Böhmens unter den Kaiser, nach Demütigung der Rebellen, und seinem Vetter hat er dabei die Rolle des Henkers zugedacht (191). Wallenstein aber ist in dieser Hinsicht völlig gleichgültig, spöttelt über Slawatas Rachsucht (193), will seinerseits zwar zum Kaiser, aber nicht aus politischen Gründen oder auf Grund privater Emotionen, sondern einfach deshalb, weil er auf Sieg spekuliert und, so sieht es Slawata, weiter „raffen scharren schlucken gewinnen" will (194).

Slawata hat sich eine Blöße gegeben und ist abgewiesen worden. Er antwortet mit Haß, begibt sich schließlich nach Wien und beginnt gegen Wallenstein zu konspirieren, bedient sich dabei sogar bayrischer Agenten (392f), will den mächtigen Vetter mit den von ihm angeregten maßlosen Forderungen an den Kurfürstentag zum Äußersten verlocken (418). Mit Glück und Entsetzen erkennt er schließlich seine Absicht, Wallenstein zu töten (607). Die erotische Wurzel dieser Verstrickung wird sichtbar, wenn von seiner „Sehnsucht zu Wallenstein" die Rede ist (418), wenn er sich gesteht: „Wieviel fehlt dazu, daß ich ihn anbete." (607) Diese Komponente wird noch verstärkt durch die Gestalt des knabenhaften Kuttner, dessen Slawata sich bedient und der ihm bald ganz verfallen ist (658). Kurz vor der Bluttat wirft der Graf „streichelnde Blicke" auf Wallensteins Sänfte (711) und verspottet sich selbst ob seiner „Leidenschaft" (713).

---

[224] Slawata starb in Wahrheit am 19. 1. 1652 in Wien. — Natürlich ist auch der Selbstmord der Kaiserin (W 723) unhistorisch und eine Folge der Veränderungen an der Gestalt Ferdinands. Eleonore Gonzaga von Mantua lebte bis 1655.

Das Ganze wird für ihn mehr und mehr zum ästhetischen Spiel; er entzückt sich angesichts der Bitte Trautmannsdorfs, dem Herzog beizustehen, ganz ähnlich wie Ferdinand in Regensburg an der Wahlfreiheit, die er zu haben glaubt: „In ihm winselte, zwitscherte es: ich will mit dem Grafen dem Herzog helfen, wir spielen zusammen mit ihm, ich muß ihn doch beseitigen." (626) Hier wird klar, was Döblin meinte, als er in seinem Kommentar darauf hinwies, daß er auch den anderen Figuren „das Kaiserliche, ich meine das Ferdinandische" gegeben habe (AzL 344): die Freiheit von Zwängen, den Standort jenseits von Gut und Böse, die Gleichgültigkeit gegenüber sogenannten tragischen Konflikten. Slawata freilich erkennt gerade in diesem Augenblick seine wahre Absicht, und schon vorher hat er das unklare Gefühl von einer Art Vorbestimmung („Es ist sonderbar, die Dinge sind in dem Laufe, gerade in diesem Laufe." — W 607), das Gefühl, ein „Werkzeug der Fügung" zu sein (623). Die Doppeldeutigkeit seines Verhaltens zwischen Zwangsvorstellung und freiem Spiel wird nochmals gespiegelt, wenn er sich gegenüber Ognate allen Ernstes, aber spielend (im Glücksspiel nämlich), ruiniert, um ihn für geharnischte Anweisungen an Feria zu gewinnen, die ihrerseits Wallenstein provozieren müssen (661). In der Szene mit Trautmannsdorf findet sich ein Satz, der wohl nicht zufällig an Nietzsches und der Brüder Mann Klagen über die Lebensferne des Künstlers erinnert: „Und Slawata sog den aufrichtigen Schmerz und die Sorge des andern wie einen starken leidenschaftlichen Geruch ein." (627): Er selbst ist zu derartigem gar nicht fähig, ekelt sich nur, daß die Jesuiten sich an „seinem" Wallenstein vergreifen (622), das faszinierende Spiel stören. Als er alles in die Wege geleitet hat, am Tage vor der Mordnacht, fällt die ganze Angelegenheit von ihm ab (718). Ihm war es gar nicht wichtig, Wallenstein tatsächlich zu töten, sondern nur, es zu können; nicht des Gewinnes halber spielte er, sondern wegen der Spannung und des Machtgefühls. Würgender Ekel vor dem widerwärtigen Ergebnis des so geistvollen Spiels ist es dann, was ihn den verzweifelten Versuch unternehmen läßt, die Bluttat im letzten Augenblick doch noch zu verhindern (720).

So groß die Aufmerksamkeit auch ist, die der Erzähler dieser interessanten Figur zuwendet, so darf man doch nicht der Version aufsitzen, die von Wien her aus Gründen der Selbstexkulpation so eifrig verbreitet wird: „Der sonderbare Familienhaß hatte die Hauptrolle bei dem Unglück gespielt, es erleichterte sie alle." (722) In Wahrheit scheitert Wallenstein auch bei Döblin in erster Linie am Widerstand sowohl der deutschen Fürsten als auch der Jesuiten gegen seine Ideen von einem überkonfessionellen absoluten Kaisertum. Darüber hinaus ist der Herzog in einem derartigen Maße Gläubiger des Hauses Habsburg, daß er ohnehin auf keine Weise mehr geduldet werden kann: „ ‚Aber wenn der verdienstvolle Mann nichts verbricht?' ‚Wir müssen ihn reizen dazu; er muß ins Garn.' " (665) — So ist Slawata bei aller scheinbaren Freiheit doch nur ein ausführendes Organ. Trotzdem bleibt die Umgestaltung dieser Figur keineswegs bloßes Ornament: Slawatas Wirken läßt das Motivationsgeflecht zwar noch komplizierter, gleichzeitig aber auch persönlicher und lebendiger werden.

Es wäre noch von einer ganzen Reihe ähnlich eindringlicher Porträts zu sprechen, von Maximilian oder von Tilly und dem Mansfelder, von dem verwachsenen Grafen Trautmannsdorf, von Lamormain, dem Beichtvater des Kaisers, oder von Rusdorf, der unermüdlich für die Sache des Winterkönigs ficht, und von vielen anderen. Es stimmt ja nicht, wenn Links schreibt, in diesem Roman komme es Döblin nur noch auf die Chargen an („Der einzelne geht in die Masse als blinde Ameise ein") [225]. Wir haben es mit einer ganzen Galerie höchst genau gesehener, sehr verschieden gearteter einzelner zu tun — nur daß ihr Handeln letztlich sinnlos bleibt, kein Ziel sichtbar wird, das sie erreichten oder das zu erreichen verlohnen könnte. Von einer handelnden Masse aber kann noch viel weniger gesprochen werden [226].

Diese Galerie zu würdigen fehlt hier der Raum, und auch den Titelhelden möchte ich übergehen. Man hat oft auf den Kontrast des hier entworfenen Wallensteinbildes zu dem von Schiller gezeichneten hingewiesen [227], dabei allerdings offenbar nur die Trilogie im Auge gehabt; denn zwischen dem Wallenstein der „Geschichte des Dreißigjährigen Krieges" und dem unseres Romans finden sich kaum nennenswerte Unterschiede, vielmehr des öfteren schlagende Übereinstimmungen [228]. Allerdings fehlt Schillers Ton scharfer Verurteilung. Döblin stellt Wallensteins Gedanken über Kaiser und Reich sowie seine Absicht, den Frieden herzustellen, als durchaus ernstgemeint hin [229]; daß mit diesen Zielen Raffgier und Machthunger sich verbinden, stellt keinen Widerspruch dar, sondern trägt bei

[225] K 558, S. 58
[226] In „Der Dreißigjährige Krieg" nennt Döblin diese Zeit eine „heißblütige, von Individuen strotzende Periode" (D 429, S. 55).
[227] zuletzt Hans-Albert Walter, K 315, S. 430.
[228] Ob Döblin Schillers Abhandlung gelesen hat, ist mir nicht bekannt.
[229] vgl. W 280, 470, 610 f, 645, 652 f, 717 u. ö.

zur Lebendigkeit dieser unberechenbaren Gestalt, die Freunden wie Gegnern rätselhaft bleibt.

Im folgenden möchte ich meine Betrachtung ganz auf die Figur konzentrieren, die nach Döblins Aussage das „Zentrum meiner innerlichen Arbeit an diesem Buche" darstellte (AzL 342), die den Impetus des chinesischen Romans weiterzutragen sucht: auf den Kaiser, Ferdinand den Anderen.

### e) Ferdinand

Schon recht früh ist von den Kaisern Matthias und Rudolf die Rede (W 13, 135), jenen abseitigen, versponnenen Vorgängern des zweiten Ferdinand: die Räte fürchten von dem Nachfolger ähnliche Verwirrtheiten und sehen sich schließlich in ihren Besorgnissen bestätigt (586). — In der Tat hat Döblin dem geistig unbedeutenden, bigotten und den Jesuiten hörigen Kaiser Ferdinand II. ein neues Gesicht gegeben, ein Gesicht, das wir zu erkennen glauben; es erinnert tatsächlich stark an Rudolf II., so nämlich, wie Grillparzer ihn im „Bruderzwist" gezeichnet hat, und Joseph Roth wird in seinem „Radetzkymarsch" mit Franz Joseph II. noch einmal diesen Typus lebendig werden lassen. Kennzeichnend für dieses literarische Bild der Habsburger ist die Einsicht der Kaiser in die Fragwürdigkeit ihrer Rolle. Ferdinand freilich findet erst auf dem Umweg über den Machtrausch zu dieser Haltung, verwirklicht sie dann allerdings viel radikaler als jene anderen.

Ferdinands Entwicklung hat Döblin selbst so zusammengefaßt: „ein latenter Kaiser, von anderen irdischen Gewalten, Maximilian von Bayern, niedergehalten, leidet in dieser irdischen Schicht, wird von einem andern tellurischen Gesellen, aber der Potenz aller Potenzen, Wallenstein, mit dem Ultramaximum der Kraft gefüllt und über das Tellurische hinausgeschoben. [. . .] Das Gefühl, allen Reichtum in sich und also unter sich zu haben, verläßt ihn nicht mehr. So verstärkt es sich in ihm, daß er zum Schluß ohne Bewegung — alles von sich abtut." (AzL 343) — Wir müssen versuchen, diesen keineswegs so leicht erkennbaren, von Rückfällen, Abwesenheiten, Widersprüchen komplizierten Weg etwas heller zu beleuchten.

Auf den grundlegenden Konflikt werden wir gleich mit der Überschrift des I. Buches und mit seinem ersten Satz gestoßen: „Maximilian von Bayern" und „Nachdem die Böhmen besiegt waren, war niemand darüber so froh wie der Kaiser." (9) Beides steht, wie sich bald herausstellt, in

Widerspruch zueinander, denn der eigentliche Sieger ist der Bayer, dem Ferdinand in einem unbedachten Augenblick den Kurhut des geächteten Pfälzers versprochen hat: diese Mißachtung der anderen Kurfürsten stürzt Kaiser und Reich, kaum daß sie aus der böhmischen Rebellion gerettet sind, in neue, noch gefährlichere Konflikte. Ferdinand ist sich dieser Sachlage von Anfang an bewußt, und sein genußvolles Schmausen dient nur der Ablenkung und Verdrängung. Schon im dritten Kapitel hören wir von seinen Verdüsterungen (13). Auf verschiedene Weise sucht er aus der Falle zu entrinnen, in die der Wittelsbacher ihn gelockt hat. Zunächst spielt er, einer häufig an ihm zu beobachtenden Schwäche folgend [230], mit dem Gedanken, sich dem allem durch Flucht zu entziehen, eine Möglichkeit, die sein Stolz ihm verbietet, sobald er sich von seinem Liebling, dem Grafen Paar, durchschaut sieht (23). Als er sich wenige Monate später in der gleichen Situation befindet, läßt er den gefesselten Grafen vor sich bringen und sieht ihn bettelnd an (85); jetzt aber versagt Paar sich den uneingestandenen Wünschen des Kaisers und beharrt auf seiner Reue über die damalige „Voreiligkeit". — Eine ganze Zeit lang hängt Ferdinand seine Hoffnung an den englischen Sondergesandten Dighby, dem er in völliger Verkennung seiner aufgeblasenen Nichtigkeit das Geschick zutraut, dem unerbittlichen Maximilian durch gutes Zureden den Kurhut wieder abzuschmeicheln. Als diese Hoffnung sich als Illusion erweist, bricht der Kaiser zusammen. In verzweifelter Selbsterniedrigung besäuft er sich mit dem Narren Jonas im Keller der Burg (80ff), läßt, eine jammervolle Ersatzhandlung, jenen eine Katze töten und sich das blutige Fell um die Schultern legen (83). — Gefesselt an sein kaiserliches Wort sieht er nun keine andere Möglichkeit mehr als die seiner Absetzung seitens des Hofes. Vergeblich sucht er den Räten und Lamormain den Gedanken andeutungsweise nahezulegen. Als niemand darauf eingeht, glaubt er sich aller Verantwortung ledig, steigert sich in ein Triumphgefühl hinein, jagt den Narren, den Zeugen seiner Schmach, in die Brunnenstube (113): „Sie hätten mich beseitigen müssen." (114) Diese nur scheinbare Überlegenheit wird von Lamormain sofort wieder zerstört: feige, sündhaft, hochmütig und grausam nennt er sein Beichtkind (116); er enthüllt Ferdinands Schwäche: der Kaiser hätte zu Maximilian gehen und ihm die Zusage wieder abringen müssen; Ferdinand gesteht: „Ich hätt' es nicht gekonnt. Ihn niederwerfen! Ich hätt' es nicht getan." (115)

[230] vgl. W 628: „Seine alte Neigung, Schwierigkeiten durch die Flucht zu entgehen, erwachte gelegentlich."

Nachdem so alle Versuche, den Forderungen des Bayern zu entgehen, fehlgeschlagen sind, bleibt dem Kaiser nichts übrig, als auf die peinliche Erfüllung seines Versprechens zu dringen, und mit kaltem Haß wirft er dem Vetter hin, was der wollte (142). Die Feindseligkeit der anderen Mächte gegen Bayern erfüllt ihn mit Genugtuung: „er wollte Rache nehmen an Maximilian, den er den Feinden als ersten opfern wollte, selbst um den Preis, daß Habsburg verloren ging." (188) Auf Maximilians Versuche, Habsburg mit in den Krieg gegen Christian von Dänemark zu ziehen, reagiert Ferdinand zunächst mit Spott. Aber sosehr der Kaiser und seine Berater dem ehrgeizigen Kurfürsten die Niederlage gönnen, so sehr fürchten sie den umgekehrten Ausgang: „Es konnte das Furchtbare eintreten, daß er den Dänen allein besiegte." (210) So sieht man keinen anderen Ausweg mehr, als auf Wallensteins Angebote einzugehen, sich in die Hände des Mannes zu geben, vor dessen Theorie, das Reich müsse für die Versorgung des kaiserlichen Heeres aufkommen (199, 201, 203), ihnen graut. Man beschließt also, den Teufel mit Beelzebub auszutreiben, und wiegt sich in der Hoffnung, ihn beizeiten wieder wegjagen zu können (211).

Ferdinands Einstellung zu dem böhmischen Renegaten ist keineswegs eindeutig. Wir hören, daß er den Verräter nach der Schlacht am Weißen Berg angewidert abschieben ließ (188), und auch jetzt ist seine erste Reaktion Entsetzen (220 f). In dem Alptraum, an den Wallensteins Auftritt ihn erinnert, gewinnt sein Bild vom ohnmächtigen Kaisertum Gestalt: er reitet unablässig, ohne auf Richtung und Geschwindigkeit Einfluß zu haben („Sein Zerren am Zügel, seine Sporen, Aufreißen hatten keine Macht." — 220). Als tröstliches Gegenbild erscheint seine junge Frau, Eleonore von Mantua; sie, die dem Kaiser „dienstbar" sein möchte (135), könnte helfen gegen die Bedrohung, aber sie „fährt auf dem Prunkschiff drüben von ihm ab" (221). Dieser kurze Traumpassus wirft ein Schlaglicht auf die Beziehung der beiden: immer wieder wird Ferdinand Schutz, Hilfe und Geborgenheit bei ihr suchen, und immer weniger wird sie fähig sein, ihm zu geben, wonach er sich sehnt. — So trägt ihn das führerlose Pferd unter den Bauch eines eklen Untiers, halb Mensch, halb Drache, ein „Tausendfuß", der ihn überwältigt („Tiefer mußte er sich krümmen auf dem wogenden rastlosen Pferderücken." — 221), ihn schlägt, ihm den Atem benimmt. Hier verdichten sich Ferdinands Ängste vor dem energisch-rücksichtslosen Wallenstein und vor dem blutigen Krieg, ohne daß ihm selbst der Zusammenhang schon klar wäre. Später, als er auf die Linie des Herzogs einzuschwenken beginnt, findet sich eine verwischte Reminiszenz: „eine nicht scharf erkenntliche, halbschattenhafte wilde Jagd raste durch seinen Körper, er litt es, es schwang hin und her, schwang, seine Muskeln bebten mit." (270) Deutlicher wird die Beziehung, als Ferdinand den Friedländer ein zweites Mal mit dem Generalat betraut: „nach den ersten heiseren Worten des Herzogs veränderte sich dessen Bild vor ihm, und in ihm tauchte wieder auf der unersättliche regsame Lindwurm, der kriechende langschweifige tausendfüßige Leib. Den hatte er einmal gefürchtet. Nun war es klar. Es sollte wieder etwas wie Krieg geben" (564). Wenig später, in Reflexionen über Wallenstein und Gustav Adolf, wird die Identifizierung vollzogen: „Und plötzlich schüttelte er sich, erinnerte sich des dicken Tausendfußes, des Drachens Wallenstein; umpackten sich diese zwei da, an den weißen Hälsen, an den Knien, den glatten widrigen Bäuchen. Ihn ekelte so, daß das Wasser ihm im Schwall aus dem Mund hervorquoll." (588) Noch einmal, als Lamormain ihn über Wallensteins wahre Absichten aufklärt, wird er von dem Schreckbild heimgesucht (632f), und erst die Flucht in die Anonymität bringt die Befreiung: „Er sah auf, kein Tausendfuß, kein ekler Bauch war über ihm" (699)

Unterstützt wird dieses Leitmotiv von den übrigen Identifizierungen Wallensteins mit einem Drachen (s. o. S. 174). Ferner ist zu beachten, daß in einer Predigt, die ironischerweise Propaganda *für* Wallenstein macht, der Teufel jenem Tausendfuß sehr ähnlich geschildert wird: „Ein Tier ist da und kriecht herum, dessen Bauch an hundert Quadratmeilen mißt" (278). Wenig später erscheint der menschenfressende Teufel beim Fest auf Wallensteins Gut Bubna (343). Eleonore nennt den Friedländer ohnehin mehrfach einen Teufel (566, 632), und auch im Kontext der Jeremias-Rede erscheint er wieder als Satan (672).

Dieser Aspekt vom Drachen, ja vom Satan Wallenstein ist aber nicht nur allgemein, sondern auch in Ferdinands persönlicher Sicht mit dem Gesamtbild keineswegs identisch. Schon von der zweiten Audienz heißt es: „der Kaiser hatte auf einmal den Eindruck absoluten Entschlusses und der Macht, jeden Entschluß durchzuführen. In Ferdinand wogte es nicht mehr. Er freute sich. Er entschied sich für Wallenstein." (223) Er vergißt jetzt manchmal schon Maximilian und seinen eigenen Rachedurst, er wird also frei von der demütigenden Fixiertheit auf den Bayern: „er hatte urplötzlich den Eindruck, den Faden seines Handelns zu verlieren; fühlte mit einer unklaren Freude, daß er dem Böhmen in einer Weise und mit rätselhaftem Drang vertraue, wie bisher keinem Menschen, wie vielleicht eine Frau ihrem Mann vertraute. / Es war dieser Gewinn, für den er mit dem Herzogtitel wider den Rat seiner Begleiter dankte. Ferdinand mußte den Augenblick zeichnen, in dem solch geheimnisvolles Licht in ihn fiel." (223) Zweierlei kennzeichnet diese Begegnung: Wallenstein vermittelt dem Kaiser das Gefühl der Macht, der Aufrichtung nach den niederdrückenden Geschehnissen um Maximilian; zum anderen spürt Ferdinand etwas von Wallensteins absolutem Kaiserbild auf sich überströmen, etwas von jenen Ideen, die Meggau und andere als „Phantastereien" abtun wollen (204); jener Moment in Nikolsburg ist der Anfang seines Aufstiegs vom „latenten" zum wirklichen Kaiser.

Das III. Buch ist dem Krieg gegen den Mansfelder und gegen Christian von Dänemark gewidmet sowie den zwiespältigen Reaktionen des Kaisers auf die Unternehmungen seines Feldherrn. Die Klagen der mährischen Stände lassen ihn noch von „Untaten" des Friedländers sprechen, gegen den er eine Untersuchung einleiten will (268). Später sagt er im Rückblick auf diese Zeit: „Damals wollte ich ihn wegschicken. Er bot es selbst an, meine Zweifel erschienen ihm komisch. Alle Räte widersprachen mir, die frommen Patres. Ich habe mich gewöhnt daran." (513) In der Tat setzt man ihm zu mit machttrunkenen Parolen von Kaiser und Reich (269f), aber hauptsächlich unterliegt er doch deshalb, weil „urplötzlich der Gedanke Bayern" ihn überkommt (269): Wallensteins Diktatur bietet die ersehnte Möglichkeit, sich an dem habgierigen Schwager zu rächen. Diese Reaktion zeigt, wie sehr er immer noch im „Tellurischen" steckt, wie klein er noch ist. Um sich nicht nur gegen Maximilian, sondern auch gegen den Herzog zu behaupten, läßt er sich in Prag krönen, bestellt er den Böhmen in Budweis zur Audienz, die er zu einer Macht- und Prunkdemonstration benutzt (298).

Immer wieder meldet sich sein schlechtes Gewissen, so in dem hemmungslosen Ausbruch gegen die Klage führenden Niedersachsen (301) oder in seiner Erschütterung über Wallensteins Vorschlag, eine Militäraristokratie zu schaffen und die Offiziere mit konfisziertem Land zu belohnen (304). Verwirrt und beschämt reagiert er auf Lamormains Anregung, den „ungläubigen" Mecklenburgern einfach ihr Land zu nehmen (302): im Gegensatz zu den skrupellosen Jesuiten sieht er sich nicht nur als ausführendes Organ der Römischen Kirche, sondern ist sich seiner Verantwortung für das Reich bewußt. Der Klagebrief der Kurfürsten über den Böhmen erfüllt ihn zwar mit Schadenfreude und Stolz, aber auch mit schlotterndem Entsetzen (310). „Machttriefend, ungeheuer, unmäßig schluchzend nach Herrschaft, Sieg" nennt der Erzähler ihn (325), und wieder wird auf den seelischen Zusammenhang hingewiesen, wenn wir von Eggenberg erfahren: „er wußte, wie wohl dem Kaiser war, wie er beglückt war nach der schweren bayerischen Affäre." (ebd.) Sein übles Gewissen sucht er mit maßlosen Schenkungen an die Kirche zu beruhigen: „Nur durch Gebete und Verehrung konnte man den Himmel versöhnen für die Sünden, die man ohne Unterlaß beging" (326).

Die quälende Zwiespältigkeit entlädt sich schließlich in einer zweiten Saufszene mit dem Zwerg. Ferdinands bohrende Selbstanklage: daß er im Augenblick nicht „der Schützer, der Mehrer des Reichs" ist (269), und sein noch uneingestandenes Widerstreben gegen die opportunistische Politik der Kurie verdichten sich in den Worten des Trunkenen: „Ich bin ein Heide, Herr Papst. Taufe er mich, Herr Papst." (328) Auf dem Gipfel der Macht fühlt Ferdinand sich als Verräter an seinem Amt, in einem unlösbaren Zwiespalt zwischen seiner Verantwortung für das Reich und dem Gehorsam gegenüber der Kirche.

Das IV. Buch bringt die entscheidende Wende. Zunächst freilich schraubt der Kaiser sich noch in eine fast blasphemische Höhe: „Ihm aber, dem Kaiser Ferdinand, war alles durchsichtig; für seine Frömmigkeit hatte ihm die Mutter Gottes diese Menschen und das unterjochte Deutschland verliehen." (353) Er versteht sich als Werkzeug Gottes, dem eine himmlische Macht die Siege zuweist (354). Aber schon die Auseinandersetzungen um das Restitutionsedikt zeigen, wie er, der sichtbar Gesegnete, sein Amt auffaßt: „Ich bin nicht Kaiser für die Benediktiner und Prämonstratenser." (356) und: „Je mehr ich Kaiser wurde, um so mehr wurde von mir genommen, liegt nun da. Ich hab' es alles zu verwalten, gut zu versehen, recht abzugeben." (363) Rückblickend auf jene Stunden, da er die Räte mit Urban im Bunde glaubte, sagt er zu Eleonore: „ ,Ich wäre heute bald aller Schwierigkeiten Herr geworden.' — ,Ich wäre', flüsterte er später, ,bald so gegangen wie mein spanischer Vorfahr, der fünfte Karl.' " (362) Diesmal läßt er es noch geschehen, daß man ihn „von dem Wege der Kaiserlichkeit, auf dem er ging", abdrängt (364): er gibt der Kirche — und Eleonore — nach, weil er glaubt, sein Seelenheil verlange das (366). Aber schon sieht er in Urban den Versucher (362), schon hegt er Rachegefühle gegen die Mantuanerin (366): beiden wird er schließlich den Rücken kehren.

Um den Schlag zu verwinden, redet er sich ein, mit diesem Akt Wallenstein, den schärfsten Gegner des Edikts, besiegt zu haben (369). Immer noch sieht er sich also in Relation zu jenen „tellurischen Gesellen": „Er hatte Maximilian von Bayern ganz vergessen. Er war der Kaiser [...] Er stand über Wallenstein, seinem Diener und Untertan." (370) — Gegen den umgekehrten Zwang, den die Kurfürsten und Eleonore mit dem Ziel einer Absetzung Wallensteins auf ihn auszuüben suchen, setzt er sich mit der gleichen Schärfe zur Wehr. Dann aber, als der Herzog ihn darauf aufmerksam macht, daß das Heer ihm gegen die Kurfürsten beistehen werde, bemerkt er, daß er erstmals von allen Zwängen frei ist; die Kräfte halten sich die Waage, die Entscheidung liegt allein bei ihm: „Er fühlte, in der Nacht sich aufrichtend, daß er satt war, daß er Sieger war, Kaiser durch Wallenstein, und daß er sich wenden könne, nach welcher Seite auch immer, es war die rechte Seite. Es stand in seiner Gewalt, zu wählen, es konnte auf keine Weise fehlgehen." (438) Mit Verachtung schaut er auf die Franzosen, die Spanier, den Papst, die alle noch begehren (439).

Es ist dies der Augenblick, da er sich, mit Döblin zu sprechen, über das Tellurische erhebt, endlich frei, Herr seiner Entschlüsse, einer, der, wenigstens für einen Augenblick, die chaotisch-zwanghafte Welt überwunden zu haben scheint. Auch Lamormain erkennt: „Wie ein Kind, das nach langer Abwesenheit reif und klug und überraschend schon zurückkehrt, oder wie ein Kirschbaum, der nach einem Mairegen plötzlich sich in einen weißen lieblichen Blütenträger verwandelt, so war dieser Habsburger geworden" (455). Und Ferdinand beharrt auf seiner Erfahrung des quasi geschichts-losen Augenblicks: „Ich kann mich ohne Zwang nach beiden Seiten entscheiden." (462) Schließlich, zum Entsetzen des Paters, der doch eben dies Ziel verfolgte, verkündet er, er werde Wallenstein entlassen (465) [231]. Er glaubt, damit den Fürsten und Wallenstein zugleich wohlzutun, indem er jeden an seinen Platz führe. Offensichtlich überschätzt er zumindest die Loyalität des Friedländers, und der Erzähler redet etwas unbestimmt von Ferdinands „Blindheit" (466). Die übrigen, seien es die Räte oder Maximilian, legen den Entschluß, wie vom Kaiser nicht anders erwartet, als Schwäche aus. Daß er recht und Maximilian unrecht hat, zeigt sich auch hinsichtlich der

---

[231] Daß diese Entscheidung historisch auf Lamormain und die Kurie zurückgeht, war Döblin durchaus bewußt; vgl. „Der Dreißigjährige Krieg" (D 429), S. 54. — Auch im Roman finden wir Sätze, die in merkwürdigem Widerspruch zur sonstigen Konzeption stehen; von Lamormain heißt es: „Er ging mit dem Kaiser in einer Weise liebreich um, daß der Kaiser in seinen eigenen Willen aufnahm, was der Pater ihm zutrug, und meinte von sich aus alles zu finden und von sich aus den Weg zu gehen, den man ihn zwang." (W 455) — Dem Pater Joseph gegenüber behauptet Lamormain dann wieder, die Entlassung sei allein Ferdinands Entschluß gewesen (468). — Es ist nicht ausgeschlossen, daß im zuerst genannten Zitat Reste einer früheren Konzeption durchschimmern, von der mir freilich sonst nichts bekannt ist.

Ernennung des Bayern zum General: Ferdinand nimmt Maximilians Ehrgeiz, wenn auch halb ironisch, als Opfer (478, 479, 481), und Tillys Fiasko im V. Buch wird dieses Urteil bestätigen. Schließlich macht er alle an sich irre, wenn er wieder zu tafeln und zu pokulieren beginnt (482f): er ist wieder herabgestiegen in den Fluß des „Geschehens", macht sich auch bewußt klein, um keinen Anstoß zu geben und den Frieden zu erhalten. Lamormain erinnert sich später: „wie ein Begnadeter legte dieser Kaiser alle Macht von sich, legte ihre Schwäche und Kleinheit bloß." (629)

Das V. und das VI. Buch zeigen parallel zum Krieg mit Schweden und zu dem Konflikt zwischen Wien und dem Herzog jenes „Ausbreiten", „Deutlicherwerden", „Differenzieren" in Ferdinands Haltung, von dem in Döblins Kommentar die Rede ist (AzL 343). Zunächst spricht er noch von den Pflichten seines Amtes (W 513, 564), aber mehr und mehr verinnerlicht sich dieses Kaisertum, löst sich von der äußeren, Freiheit eben auf die Dauer doch nicht gestattenden, Institution: „daß er manchmal nicht wußte, in wessen Kleidern er hier herumging, er auf zwei hebenden fühlenden Beinen, mit einem beweglichen Kopf; daß ihn die Unterschriften tief fesselten, die seine eigenen Hände zogen; manu propria, hieß es, mit eigener Hand. Sieh da, sieh da, der Ferdinand." (565) Daß hier nicht etwa ein Prozeß der Selbstauflösung und des Identitätsverlustes beschrieben wird, sondern gerade umgekehrt ein solcher der Selbstfindung, wird deutlich in Ferdinands erklärenden Worten zu Eleonore: „An mich kommt nichts heran. Alles beglückt mich. [. . .] Als wenn ich um mich eine Schale zugemacht hätte." (567) Er schlüpft in eine Handwerkertracht, geht „wie ein gewöhnlicher Mann" durch Wien (566) und wünscht wie ein gewöhnlicher Mann die Nähe seiner Frau.

Schwer verständlich scheinen zunächst die nächtlichen Entzückungen des Kaisers, sein glückseliges Stampfen auf dem Teppich, sein „Gebt Raum!" (585—587, 633f). Wir müssen uns hier einer früheren Stelle erinnern, in der von seinem Widerstand gegen die Restitution die Rede war: „Er sträubte sich gleichermaßen gegen den Nuntius, wie gegen seine Räte, wie gegen dieses Wien überhaupt, diese Dichtigkeit der Häuser um ihn, dieses Zudringen und Bedrängen" (364). Damals wollte er aus der Enge nach Wolkersdorf fliehen, — jetzt genießt er hier die Freiheit von Zwängen, die Weite des Raumes, die sich ihm äußerlich und innerlich aufgetan hat. Die zweite dieser Entrückungen folgt unmittelbar dem quälenden Gespräch über Wallenstein. Später erinnert Ferdinand sich dieser Abende: „Sanftheit und Stille, worin er Platz nehmen wollte." (730) Nun ahnt er, wo er die Stille wird finden können: „Träumend, gierig, fast lüstern legte er sich in das offene schmale Fenster, sah in die scharf gezackte raschelnde Blättermasse." (587) Seinem Traum vom widerwärtigen, niederdrückenden Tausendfuß tritt jetzt ein anderer entgegen: der von den freundlichen Elementarwesen, die ihn führen und mit ihm fliegen (587, 699).

Das Naturreich, das sich ihm hier auftut, bildet aber nicht nur den Gegenpol zur Institution des Kaisertums und seinen Aufgaben, sondern — und das hat die Forschung bisher merkwürdigerweise übersehen — auch die Gegenwelt zum kirchlichen Christentum. Die sarkastischen Angriffe auf die Kirche sind nicht einfach nur Ausdruck persönlicher Aversionen des Autors, sondern sie haben eine Funktion im Entwicklungsgang Ferdinands selbst. Ich sprach schon von seiner Erschütterung über Roms Forderungen nach der Niederlage des Dänen. Wie der Papst dann auf das Wiener Hilfeersuchen antworten wird, glaubt Ferdinand schon im voraus zu wissen (541); auf das Eintreffen seiner Vermutungen reagiert er mit forcierter Gleichgültigkeit, „stolzierend wie ein Schauspieler" (544), ist aber offenbar doch zutiefst betroffen („Er seufzte aus sich klagevoll und irre heraus" — ebd.). — Nach jenem glücklichen Traum nun identifiziert er offenbar das Elementarreich mit dem Paradies: „Ich muß wissen, wie es bei Gott ist." (587); er versucht, jene freie Naturwelt und Christus zusammenzudenken („Zaghaft schlich er vor das hohe silberne stehende Kruzifix" — 588). Dann aber spürt er, daß sein neues Grundgefühl und der katholische Glaube nicht zusammengehen können — und sucht zu fliehen: „Er verschwieg sich, daß er vor den Heiligenbildern und Kruzifixen nicht stillstehen konnte, daß er gepeinigt davon fortgetrieben wurde. Er wollte fort aus Wolkersdorf. Er war eines Morgens fast nach Wien geflohen." (627), denn: „Er fürchtete sich, fürchtete sich vor dem, was ihm bevorstand." (629)

Zwei Gespräche über Wallenstein bringen dann die endgültige Entscheidung. Im ersten konfrontiert Lamormain den Kaiser mit der rücksichtslosen Machtgier seines Protégés, und Ferdinand wird heftig von seinem Tausendfuß-Alp heimgesucht (632, 633). Auf seine hilflosen Versuche, Stellung zu nehmen, antwortet Lamormain mit dem Hinweis auf die Erbsünde — ein Mythologem, das in Ferdinands Gefühl einer freien Elementarwelt, in sein Gefühl eines wahren „Kaisertums", nicht mehr hineinpaßt; ihm geht es um das Paradies und nicht um das, was im Katholizismus davon übrig blieb: die Erklärung, warum der Mensch daraus vertrieben wurde. — Hier schaltet der Erzähler die Rede eines fahrenden Dominikaners ein, die der verkleidete Kaiser mit anhört. Jeder Leser, jeder Zuhörer muß aus diesem dreisten Loblied schließen, daß „der wohltemperierte, allen angemessene alte katholische Glaube" (635) in Wahrheit eine höchst miserable Sache ist, die man möglichst schnell aus der Welt schaffen sollte.

Im zweiten Gespräch versucht Trautmannsdorf dem Kaiser die Notwendigkeit einer erneuten Absetzung Wallensteins zu erklären. Der Gedanke, abermals einem Zwang gehorchen zu sollen, von Wallensteins Schlechtigkeit zu eigener Schlechtigkeit genötigt zu werden, bringt den endgültigen Bruch Ferdinands mit dem Amt: „Wenn ich aber Kaiser bin, bin und nicht Lust habe zu gehorchen?" — „Ich gehorche nicht. Man wage nicht, mich ins Spiel zu ziehen. Ich werde es nicht zugeben. [. . .] Ich — bin — der Kaiser." (670) Nur dann noch kann er Kaiser sein, frei entscheiden, keinem Zwang unterworfen sein, wenn er nach außen hin aufhört, Kaiser (und Christ) zu sein. Das menschliche Bedürfnis nach Freiheit wird innerhalb der geschichtlichen Welt desavouiert, erscheint höchstens in herausgehobenen Augenblicken (wie in den Wochen der Regensburger Entscheidung) überhaupt berechtigt und möglich.

Ferdinand geht nach Wolkersdorf und sucht dort den Einsiedler Jeremias auf, hört mit Zustimmung dessen Lehre, es gebe keinen Gott, wohl aber den Teufel, und der beherrsche die Welt. Christus, ein erbarmungsvoller Mensch, habe das Böse gesehen und ihm in seinem Opfer entgegentreten wollen — vergebens. Ebenso wie die aufständischen Bauern (350f) behauptet auch Jeremias, die Kirche habe Christus verschlungen (674). — Nach alledem bedarf es nur noch eines kleinen Anstoßes, um Ferdinand den letzten Schritt tun zu lassen. Diesen Anstoß gibt der Überfall, den er selbst als Zeichen deutet („Er fühlte, daß ihm befohlen war, mit dem gewalttätigen Kerl zu sprechen" — 675). Hier, unerkannt und von seiner Bürde gelöst, fühlt er Glück und Freiheit. Als Wien ihm dann noch einen zweiten Jesuiten schickt, um ihn für die Absetzung Wallensteins zu gewinnen, geht er endgültig (699). Das eingeschobene Gespräch zwischen Lamormain und seinem Konfrater (695—698) enthüllt noch einmal die ganze Problematik eines auf Unwissenheit und blindem Gehorsam der Gläubigen basierenden Katholizismus.

Noch einer letzten Verwirrung wird der Geflohene ausgesetzt. Rückblickend kommentiert der Erzähler: „Ferdinand hatte sich, als er unter die flutenden Menschenmassen geriet, überwältigen lassen. War dem Jammer, der ihm begegnete, unterlegen." (730): Angesichts des Elends hatte er zur Gewalt aufgerufen, sich den sprechenden Namen Grimmer beigelegt, geflissentlich übersehen, daß die lethargischen Massen seinen Worten gar nicht zugänglich waren (728). Diese letzte Bindung an die chaotische Welt — Bindung im Willen zur Veränderung — fällt von ihm ab, als er Wallensteins kläglichen Leichenzug sieht (730). Sein Erbarmen mündet nun nicht mehr in Empörung, jede Gewalt wird ihm unerträglich; angesichts einer Ermordeten bricht er fast zusammen (731). Aber auch das fällt von ihm ab, er findet endgültig zu einem Standort jenseits von Gut und Böse. Den Wallonen erzählt er, was er letztlich aus Regensburg gelernt hat: „Er sei in einem hohen Amt gewesen, hätte es aufgegeben. Denn das Regieren hätte wenig Zweck. Es läuft alles von selbst. Es ist auch alles gut, hätte er erkannt; man müsse nur wissen wie. Man könne mit ihm tun, was man wolle, man täte ihm nicht weh." (732) Er weiß nicht mehr, was Sünde ist, denn: „Ich bin verzaubert. Ich kann nichts als mich freuen." (734) Hier am Schluß wird Ferdinand — welcher Kontrast zum historischen Vorbild! [232] — tatsächlich ein Heide, wird das wahr, was in der blasphemischen Taufszene am Ende des III. Buches grotesk verzerrt angedeutet schien [233].

Auch der Traum von den Elementarwesen wird Wirklichkeit. Im Wald trifft der kranke Kaiser auf einen verwilderten jungen Menschen, ein Halbtier, das allmählich zutraulich wird. Ferdinand spürt eine rätselhafte Anziehung, und als jener eine Frau raubt und sich an ihr vergeht, rührt er keinen Finger, ihr zu helfen, empfindet kein Mitleid, sondern ist fasziniert von dem elementaren Vorgang, genießt die Umarmung des Waldmenschen. Zwar setzt dann doch eine Gegenreaktion ein, aber die Anziehung erweist sich als stärker. Daß dieses Wesen stellvertretend für das Naturreich steht, wird klar, wenn es über Ferdinands Gang durch den Wald heißt: „Wie er eine Baumrinde berührte, fühlte er, wohin er gehörte; er bekam die Hand, als friere sie fest, kaum los von dem Stamm." (737)

Der Schluß bringt tatsächlich die Verschmelzung mit der Natur. Der Waldmensch, der den Kaiser spielerisch absichtslos umgebracht hat, bettet den Leichnam auf zwei Ästen: „Das dünne kühle Wasser floß über die hellen Augen. Der Kobold hatte kleine Zweige zu sich heruntergezogen, er saß vom Laub gedeckt. Schaukelte den Körper auf den großen Ästen, knurrend stirnrunzelnd." (738)

[232] Dem historischen Ferdinand wirft Döblin einen „völlig mechanischen Glauben" vor (D 429, S. 54).
[233] Allgemein sah Döblin als Ergebnis des Dreißigjährigen Krieges, daß „die Theologie, die systematische Verhetzung durch die Kirche" endgültig diskreditiert worden sei (D 429, S. 56).

## f) Das Naturreich

Ferdinands Eingehen in die Naturwelt hat im Roman noch zwei weniger deutliche Parallelen. Sowohl Tillys als auch Wallensteins Tod werden ja mit Geburtsmetaphern umschrieben, so vor allem: „Wieder eingeschlürft von den dunklen Gewalten. War schon aufgerichtet, getrocknet, gereinigt, gewärmt. Sie hielten ihn murmelnd, die starblinden Augen zuckend, an sich." (720) [234] Von Ferdinand heißt es: „Er suchte instinktiv die Verdunklung wieder, in der er sich befunden hatte; in dieser Dunkelheit ging sein Weg." (364), und über seine letzte Erleuchtung vor dem Sarg des Herzogs lesen wir: „nun kam die Dunkelheit über ihn." (730) Dunkel, aber darum auch bergend, ist das Reich des Elementaren [235], und auch die in diesem Zusammenhang zu erwartende Wasser-Metaphorik fehlt nicht: „Der Wald, der Grund eines weiten Meeres, Tag und Nacht durchwogt und aufgewühlt." (734)

1919 schrieb Döblin, angeregt durch die Torpedierung des englischen Passagierdampfers, eine reichlich wirre Szenenfolge „Lusitania", die 1926 bei der Uraufführung in Darmstadt wohl zu Recht mit Skandal durchfiel. — Das Mittelstück dieses Dramas nun spielt tatsächlich auf dem Meeresgrund, und die Parallelen zur Todesauffassung des „Wallenstein" sind deutlich. Den breiten behaglichen Tieren, die Ferdinand stützen (W 588), entsprechen hier die Meeresgeschöpfe, die sich liebevoll der Ertrunkenen annehmen („Seid gut. Seid behilflich. Tut keinem etwas Böses." — L 39). Mitleidig betrachten sie die trüben Gesichter der Menschen, die immer noch ihren Denkschemata verhaftet sind und ein Totengericht nicht nur erwarten, sondern sogar verlangen. Der Alte aber verkündet eine ganz andere Realität, eine Lehre, die an den Kaiser erinnert, der nicht mehr weiß, was Sünde ist: „Der Tang wächst seit Jahrtausenden. Die Korallen wachsen seit Jahrtausenden. Hier liegen Feldherren, Fischer, junge Frauen, Steine. Das Meer ist sehr still und kühl. Hier ist kein Gericht." und: „Es gibt keine Sünde. Du bist nur ein Mensch. Bist du glücklich, wenn ich dir sage, du hast keine Sünde begangen?" (L 46) Die Menschen aber sträuben sich gegen diese einfache erbarmende Aufnahme ins Elementare, und darum

---

[234] Zu Tilly s. o. S. 167.
[235] In „Berge Meere und Giganten" nennt Döblin die Finsternis „das mütterliche Licht" (BMG 511).

jagt der Alte sie wieder nach oben: „Ihr sollt nicht leben. Ihr sollt ver-
welken." (49) [236]

Offensichtlich sah Döblin zur Zeit des „Wallenstein" nur einen Ausweg
aus den Zwängen der chaotischen Welt: das Zurücksinken ins Elementare,
Anonyme, Naturmächtige. Der geschichtsenthobene Augenblick von Regensburg kann nur dadurch Dauer gewinnen, daß Ferdinand ganz aus der
Geschichte und der Gesellschaft heraustritt [237].

Damit endet dieses Buch, ich sagte es schon, viel pessimistischer als der
„Wang-lun". Dort blieb die Frage, ob es sich in dieser Welt nicht doch
leben lasse, immerhin noch in der Schwebe; jetzt lehnt Döblin den Lösungsversuch des chinesischen Romans ab („Heiligenleben, Entsagung,
Flucht in unirdische Regionen" — AzL 344). Wenn er Ferdinands Ziel
preist, „keine zwingenden Einflüsse von dieser unterworfenen ‚Welt' zu
erfahren" (ebd.), so stellt sich die Frage nach dem Charakter derartiger
„Unterwerfung". Nicht Bewältigung, sondern Abkehr ist ihr Inhalt. Ferdinand unterwirft die Welt, indem er aus ihr heraustritt, wird Herr der
Zwänge, indem er sich jeder Einwirkung entzieht. Sein Satz: „Es ist auch
alles gut, hätte er erkannt; man müsse nur wissen wie." (W 732) enthüllt
sich, auf das Ganze des Romans bezogen, als eine hilflose und verzweifelte
Volte. Gut wird alles in dem Augenblick, da es aufhört, überhaupt etwas
zu sein. So bleibt nichts, als sich von den dunklen Gewalten wieder ein-
schlürfen zu lassen — bei allem Stolz und aller Sicherheit eben doch eine
Selbstaufgabe und eine Scheinlösung, die nach neuen Antworten verlangte.

[236] Die merkwürdige Zwischenexistenz, die den Ertrunkenen dann eine Weile auf
der Erde noch bleibt, weist auf das Totenfeld des „Manas" und die Agonie Franz
Biberkopfs voraus, erinnert andererseits an das burleske Seitenstück zu „Wallenstein"
und „Lusitania", die Ärztefarce „Das verwerfliche Schwein", die damit endet, daß der
Teufel die widerspenstigen Akademikerleichen auffrißt und dann zufrieden bemerkt:
„Nun sind sie nicht im Himmel und nicht in der Hölle. Nun sind sie einfach tot."
(EB 216)
[237] Dieser Gesichtspunkt auch bei Martini, K 559, S. 335 und 336.

## F) Peripetie: „Berge Meere und Giganten"

Die Frage nach dem Ort des Menschen in der Welt stellte sich für Döblin nach Abschluß des „Wallenstein" immer dringender. Politisch schlug er sich nach der Abstinenz der Vorkriegsjahre und den Entgleisungen im Weltkrieg auf die Seite der Linken, trat der USPD bei und stimmte in den großen Chor der Enttäuschten ein, die der Weimarer Republik ihre Halbherzigkeit, ihr Paktieren mit den reaktionären Kräften vorwarfen und in ihrem berechtigten Zorn die achtbaren Ansätze zur Wandlung übersahen oder als unzureichend verwarfen. Von diesen Polemiken wird im IV. Kapitel noch zu sprechen sein. Hier mag der Hinweis genügen, daß Döblin, anders als etwa Toller oder Mühsam, der politischen Bühne nur als Zuschauer verbunden war, keine Lösung seiner Probleme in politischem Handeln erfuhr. Immerhin mußten neben manchem anderen auch seine politischen Forderungen ihn mehr und mehr in Widerspruch bringen zu seiner Auffassung, der Mensch könne doch nichts tun, alles laufe von alleine. Wollte er an dieser Meinung festhalten, so mußte er seine Polemiken als unsinnig erkennen und sich auf einen fatalistischen Standpunkt zurückziehen. Das aber war ihm, einem der betriebsamsten Literaten der Weimarer Zeit, völlig unmöglich, und die Lehre von der Ergebung ins schicksalhaft Auferlegte erwies sich immer mehr als das, was sie von Anfang an gewesen war: eine Hilfskonstruktion, die der Angst vor der übermächtigen „Welt" entgegenwirken und das eigene Ohnmachtsgefühl rational akzeptabel machen sollte. Immer schon stand diesem fatalistischen Aspekt ein Beharren auf dem Eigenwert des Ich entgegen, und der utopische Roman ist der Kampfplatz, auf dem dieser Widerstreit zum Austrag kommt.

### a) „Antikritisches"

Es gehört heutzutage schon fast zum guten Ton, dieses (meist mit einem unterschobenen Komma zitierte) Buch mit abfälligen Bemerkungen zu bedenken [238], von seiner „felsigen" oder auch „steinernen" Sprache zu reden [239], Urteile abzugeben wie: „Hier triumphierte ein Sehen, das [. . .] auch die Sprache des Erzählers mineralisierte." [240] — was immer das sein

---

[238] vgl. Muschg (M 382; Wl 493; K 562, S. 118), Martini (K 559, S. 337 f), Kreutzer (K 578, S. 321), Härtling (K 496) usw.
[239] Arnold (K 633, S. 98), Muschg (K 562, S. 118).
[240] Muschg, M 382

mag. Demgegenüber hat Heinz Graber mit Recht auf die stilistischen Verbindungslinien zwischen dem geschmähten Roman und dem meist mit Beifall bedachten Epos „Manas" hingewiesen [241]. Was die oft berufene „steinerne Seelenlosigkeit" [242] dieses Buches betrifft, so vermittelt ein solches Urteil nichts weiter als das abendländisch-anthropozentrische Weltbild der Kritiker. Denn viele Passagen des Romans erheben sich zu hymnischer Verherrlichung — freilich nicht des Menschen, sondern der Natur, der Sonne, der Meere und Ströme. Man lese etwa den ersten Abschnitt des IX. Buches, die Schilderung der Rhone, Sätze, die von durchfühlter Anteilnahme am „Lebenslauf" dieses großen Wassers zeugen (BMG 523); hierin eine „kalte Verherrlichung der anonymen Natur" zu sehen [243] ist nichts als ein Vorurteil.

Abgesehen davon, daß die Kritiker, die von „Seelenlosigkeit" sprechen, das Gefühl mit seinem Gegenstand verwechseln, sind sie stets einseitig von der Behauptung ausgegangen, Döblins Naturverehrung, seine Frontstellung gegen den Menschen, erreiche hier ihre höchste Zuspitzung. Das ist nicht falsch, aber dieses Buch enthält zugleich bereits die gegenläufige Tendenz, bildet nicht nur Spitze und Abschluß der fatalistischen Periode, sondern legt auch schon Zeugnis ab von dem neuen Blick auf die Würde des Einzelmenschen. Daß dies bisher übersehen wurde, kann nicht verwundern angesichts der schlichten Bemerkung mancher Kritiker, der Roman sei „heute kaum noch genießbar" und „beinahe unlesbar" [244]; auch hier ersparte das vorgefaßte Urteil den Kritikern eine intensivere Beschäftigung.

„Berge Meere und Giganten" ist wohl Döblins unkontrolliertestes Buch, eine „Eruption der Phantasie" [245]; dieser Roman vereinigt in sich fast alle Vorzüge und Schwächen des Dichters Döblin, droht im IV. Buch zu versanden, sich im Detail zu verlieren, um dann mit den Büchern VI, VII und VIII in atemberaubender Steigerung, das Vorhergehende immer noch einmal übertrumpfender Aufgipfelung zu den erregendsten Seiten Döblinscher Prosa zu gelangen. Wir stoßen auf packende Schilderungen, sprachliche Kostbarkeiten — und finden daneben Stilanleihen aus schlechten historischen Romanen („Angelelli, du kennst die Castel. Das ist ein anmaßliches Weib, die nichts vorhat, als die verruchte Frauenherrschaft über uns zu

[241] K 604, S. 82 f.
[242] Muschg, M 382; vgl. K 562, S. 118.
[243] Muschg, M 383
[244] Kreutzer (K 578, S. 321); Muschg (K 562, S. 118).
[245] Titel von K 62

verhängen." — BMG 221) oder bei expressionistischen Überspanntheiten (Markes Auftritt — 118f). Erstaunlich hellsichtige Voraussagen stehen in merkwürdigem Kontrast zu den Reminiszenzen an Mittelalter und Renaissance, zu der Einrichtung von Senaten und Konsuln, zur Beibehaltung des Pferdes als Verkehrsmittel (61, 199, 241), zur völlig falschen Einschätzung der Entwicklung in Asien (92ff), zur schon törichten Folklore im Auftreten von „wuchtigen weithosigen Russen" (92). Man darf allerdings nicht übersehen, daß Döblin, anders als etwa Jules Verne, keineswegs eine realistische Vorausschau auf künftige technische Möglichkeiten geben wollte, sondern ein vor allem symbolisches Bild für die Entwicklung der europäischen Menschheit, unter der Voraussetzung, daß sie ihre Grundeinstellung beibehalten sollte; diese Grundhaltung decouvriert er im dichterischen Bild als Gigantomanie; später wird er von „Promethismus" sprechen [246].

Dieses widerspruchsvolle Buch wurde in seinem zügellosen Eigenleben dem Autor selbst so unheimlich, daß er sich genötigt sah, ihm einen erklärenden Essay mit auf den Weg zu geben [247], der, mehr noch als dem Leser, vor allem dem Dichter selbst Klarheit darüber verschaffen sollte, was hier geschehen war [248]. Denn während des Schreibens hatte sich die ursprüngliche Konzeption in ihr Gegenteil verkehrt, war gegen das Aufbegehren des Ich noch einmal die Stimmung des chinesischen Romans und des „Wallenstein" Sieger geblieben: „die Ohnmacht der menschlichen Kraft." (AzL 350)

### b) Entstehung und philosophischer Hintergrund

Der Ferienaufenthalt an der Ostsee im Sommer 1921 war doch von größerer Bedeutung, als Linke Poot, Döblins alter ego, hatte wahrhaben wollen; er meinte, bei der Rückkehr nach Berlin werde er, ein umgekehrter Xenophon, „Thalatta! Thalatta!" rufen [249]; jetzt aber erfahren wir: „Zum ersten Male, wirklich zum erstenmal ging ich unsicher, nein ungern nach Berlin zurück, in die Stadt der Häuser, Maschinen, Menschenmassen, an denen ich sonst fest, ganz fest hing. Ich hatte den Wunsch, noch länger in

---

[246] D 363, passim
[247] „Bemerkungen zu ‚Berge Meere und Giganten' " (D 286)
[248] vgl. den Satz: „Hilft es einem andern, was ich gesagt habe? Ich weiß nicht." (AzL 356)
[249] „Ostseeligkeit" (D 424), S. 994

der freien Natur zu sein und einmal diese, diese Dinge um mich herumlaufen zu lassen." (AzL 347) Freilich: Linke Poot reflektierte den mondänen Badebetrieb, der Autor der „Bemerkungen" spricht von der „freien" Natur, von dem tiefen Eindruck, den ein paar Steine, „gewöhnliches Geröll", ihm machten (AzL 345). Die Natur, als Hintergrund schon im „Wang-lun" und in den Schlußkapiteln des „Wallenstein" gegenwärtig, wurde erstmals wirklich erlebt, ein Gegenstand der Forschung auch; es entstanden die Aufsätze „Buddho und die Natur", „Die Natur und ihre Seelen" und „Das Wasser" [250], die ersten rein naturphilosophischen Arbeiten Döblins, die später, leicht verändert, in die Schrift „Das Ich über der Natur" aufgenommen wurden.

Den Tenor dieses Essays definierte ihr Autor später als: „Ich — bin — nicht." (AzL 347) In der Tat findet die Ablehnung des Individuums hier ihren schärfsten Ausdruck: „Das persönliche Ich ist nicht zu halten. Am persönlichen Ich haftet der Tod. / Das Leben und die Wahrheit ist nur bei der Anonymität." [251] Gleichzeitig aber hört die Natur auf, das vernichtende, unverständliche Gegenüber zu sein: Wolken, Gebirge, Meere, Wüsten, Wälder sind beseelte Wesen [252], d. h. sie haben bestimmte Charakteristika, Reaktionen und Funktionen; auch vom Menschen gilt nichts anderes: „Die menschliche Seele ist nichts als die Art des Menschen." [253] Noch im Vorwort zu den „Nonnen von Kemnade" heißt es: „Diese Welt: bunt und zugleich — welch Geheimnis — seelenhaft. Ein Katarakt von Ichs." [254] Zwar gilt der Satz: „So ist also das Ich in der Natur [...] hinfällig und nichts." [255], aber die Entdeckung der beseelten Natur läßt das Übermächtige doch zugleich vertraut und brüderlich erscheinen: „Salze, Säuren, Wasserstoff, Kohlenstoff, Flüssiges, Festes, elektrische Strömungen bin ich. Zu ihren Seelen neige ich mich, von ihnen komme ich, das ist mein Vater- und Mutterboden. Dies ist mein Patriotismus." [256] — Das, was hier noch als „Ich" überhaupt auftritt, wird später, in der Schrift „Das Ich über der Natur", als nur ein Teil des Gesamt-Ich, als „Natur-Ich" erkannt und an seinen Platz gewiesen.

[250] D 346—348
[251] D 347, S. 9
[252] D 346; vgl. IN 141.
[253] D 347, S. 7
[254] D 50, S. 10
[255] D 347, hier zitiert nach IN 127.
[256] D 346, hier zitiert nach IN 150. Vgl. die pantheistische Variante des Wu-wei im „Wang-lun" (Wl 471); s. o. S. 129 f.

Die Verzweiflung an der chaotischen Welt ist also einem Gefühl der Verehrung für den beseelten Kosmos gewichen, einer klaglosen Unterordnung: „Wenn ich einen Tempel bauen würde, würde ich ein großes, ruhiges Wasserbecken, ein Bassin in seinen Hof als Mittelpunkt setzen. Dabei würde ich unbehauene Steine lose hinlegen. Jeder dürfte sie berühren, das Gesicht daran legen. Sie wären heilig. Die Vertreter der großen Geister, von denen auch wir sind." [257] — Das ist eben der Geist, der aus der „Zueignung" des utopischen Romans spricht, und nichts macht die Wandlung jener Jahre sinnfälliger als der Umstand, daß die umfassende, beseelte Naturwelt jetzt eben den Namen trägt, der im „Wallenstein" die Unterlegenheit des Menschen gegenüber dem chaotischen Treiben der Welt anzeigte: der „Tausendfuß Tausendarm Tausendkopf" (BMG 5) ist nun kein Schreckgespenst mehr, sondern der ehrfürchtig gepriesene Geist der vielgestaltigen Natur. Die Unterlegenheit des Menschen wird als sinnvoll akzeptiert.

So wenigstens sieht es zunächst aus. In den „Bemerkungen" lesen wir dagegen, der Roman habe ursprünglich die genau umgekehrte Tendenz haben sollen: „Ich wollte diese heutige Zeit. Etwas Scharfes, Aktives gegen das ,Geschehen' der Natur. Ich gegen mein Nichts." (AzL 348) Also doch Widerstand und der Drang, sich gegen das Übermächtige zu behaupten und zur Geltung zu bringen. In dieser Absicht schrieb Döblin zunächst das Grönland-Abenteuer; sein Plan war: „Epos und Hymne. Hymne auf die Stadt." (AzL 350) In diese Richtung zielte übrigens schon der 1919 erschienene Aufsatz „An die Geistlichkeit", der sich streckenweise wie ein vorausgeschickter Kommentar zu „Berge Meere und Giganten" liest [258]: „Wir haben für einige Jahrhunderte die Industrialisierung der Welt vermittels Elektrizität, Dampf und sonstigem Stahlgerät vor, unbekümmert um die Folgen. Nichts wird uns beirren. Wir werden nach Ablauf der Zeit sehen, was wir gemacht haben." (S. 1270) und: „Gleichzeitig mit der Zusammenfassung der Menschheit wird die Möglichkeit der Massenkämpfe größer, die Wahrscheinlichkeit der Unterjochung schwächerer Gruppen; die Machtansammlung in einigen Händen kann einen ungeheuerlichen Grad erreichen. Es werden rebellierende Bewegungen entstehen, im allgemeinen wird sich ein harter listiger Menschentyp als herrschend entwickeln, der zuletzt sein Capua erlebt." (S. 1271) — Dieser Anflug von Fortschritts-

[257] D 346, S. 1200; hier im Wortlaut von *IN* 151.
[258] D 406

gläubigkeit war inzwischen, über dem forschenden Eindringen in die Natur, wieder zerstoben, und auch der Roman ließ sich nicht in diese Richtung zwingen. Nach Abschluß der Grönland-Kapitel stellte Döblin fest: „Die stärkste Waffe, die ich gegen diese schweren, die Brust beengenden Gedanken erhob, hatte nichts genutzt. Es ging mir selbst, wie das Thema sagte: die menschliche Kraft gegen die Naturgewalt, die Ohnmacht der menschlichen Kraft." (AzL 350) Jetzt aber, so schreibt er weiter, hätten seine Gefühle gegenüber der Natur ihren bedrückenden Charakter verloren: „das Geheimnis hatte sich verwandelt in meinem Gefühl. Ich fand in mir vor eine sichere, starke, nach Ausdruck verlangende Gewalt, und mein Buch hatte eine besondere Aufgabe: das Weltwesen zu preisen. / Ich — betete. Das war die Verwandlung." (AzL 350f) Diese Wendung datiert Döblin auf Mai 1922; damals entstand auch die „Zueignung" [259]. Wir haben aber gesehen, daß eben diese Stimmung bereits den 1921 erschienenen Aufsatz „Buddho und die Natur" beherrschte, so daß wir die Entwicklung noch etwas komplizierter denken müssen, als Döblin sie darstellte. Offensichtlich war sein Grundgefühl zwiespältig, schwankte zwischen ehrfürchtiger Unterwerfung und stolzem Aufbegehren. Deshalb schrieb er auch unmittelbar nach Erscheinen des Romans den Aufsatz „Der Geist des naturalistischen Zeitalters", der die Haupttendenz der Utopie korrigieren sollte. Zu stark aber war Döblin in den Jahren bis 1924 auf das „Natur-Ich" fixiert, als daß er glaubhaft gegen jenes grundsätzliche Unterlegenheitsgefühl hätte andenken können; denn als Naturwesen unter anderen ist der Mensch in der Tat zu keinerlei Hochmut berechtigt, sondern schwach und hinfällig. Daß trotzdem die damalige Zwiespältigkeit auch im Roman zum Ausdruck kommt, daß er keineswegs nur ein „besänftigender und feiernder Gesang auf die großen Muttergewalten" wurde (AzL 351), wird im folgenden darzulegen sein.

[259] Muschgs Behauptung, die „Zueignung" sei „wie die meisten seiner Vorreden schon in der Stimmung des nächsten Werkes geschrieben" und gehöre „eigentlich" zum „Manas" (M 385), ist also unhaltbar und steht übrigens in merkwürdigem Kontrast zu Muschgs eigenem Urteil in „Ein Flüchtling"; wirft er dem Dichter dort vor, er spreche in der „Zueignung" wie ein Molochpriester (K 562, S. 119), so avanciert ebenderselbe Text im Nachwort zum „Manas" zu einem verhaltenen (!) Gebet an den Deus absconditus (M 384 f).

## c) Die Ambivalenz der Konzeption

### 1. Die beseelte Natur und das Scheitern des technischen Impulses

Ebenso wie die Rhone erscheinen auch die Wüste, das Meer, die Sonne, ja chemische Elemente als Lebewesen, werden nahezu anthropomorph gesehen: eine bedeutsame Umkehrung jener Tendenz des „Wallenstein", Menschen satirisch-aggressiv als Tiere abzukonterfeien. Schon das erste Kapitel stellt die Vergänglichkeit des Menschen der ewig sich gleichbleibenden Majestät der unberührten Natur gegenüber: „Die Große Wüste dehnte sich unbewegt, stumm von den Küstenterrassen [...] über das heiße Festland bis zum Tsadsee, aus dem die Elefanten soffen, an dem die Antilopen sprangen, Pelikane flogen" (BMG 16). Auch in der scheinbaren Veränderung bleibt die Naturwelt sich gleich, verströmt die „Monotonie der wahrhaft großen Wesen" [260]: „Am Himmel bewegte sich das stille blitzende Licht, das morgens erschien und abends unterging. Die Erde drehte sich in Tag und Nacht. Trug Erdteile Meere Gebirge Flüsse mit sich. Gab von Jahr zu Jahr neuen Sommer und Winter von sich. Wälder wurden von ihr hochgewälzt; sie stürzten ein; sie trieb neue auf. Schmetterlinge hauchte sie für ein paar Tage hin. Fische Landtiere Vögel Ameisen Käfer Schnecken wuchsen und zerfielen." (BMG 11) Auch die Faszination, die von der Natur ausgeht, kommt hier schon zur Sprache, jene Lockung zur Hingabe, die Ferdinand erfuhr und die Mariana ebenso erleben wird (A 349ff): „Immer kämpfte die lähmende reiche Schönheit, üppige Fruchtbarkeit der Länder mit dem Ehrgeiz der Menschen, hinter denen die Wunderapparate der Nordleute standen." (BMG 17) Diese, die europäischen Techniker, wehren sich gegen die insgeheim als übermächtig erkannte Natur: „Wie sie oft finster vor Wäldern standen, auf einem Balkon die hellbestrahlten Wipfel der Bäume betrachteten; diese tiefgrünen Nadelhölzer, die in riesige schweigsame Höhe ihre gelbbraunen Zapfen streckten, ruhig hinwuchsen: und der Mensch in sich wühlt, bewegt sich, wühlt." (44) Die gleichmütige Ruhe der Naturwelt, ihr, man möchte sagen: Achselzucken über den Menschen kommt auch in der Schilderung der verlassenen Äcker zum Ausdruck, derer die Menschen nach Erfindung der Meki-Nahrung nicht mehr zu bedürfen glauben: „Der uralte Boden lag stumm unter den auf- und abgehenden Lichtern des Himmels, mit den Winden der Wärme den Ge-

[260] D 484, S. X

wittern den Regenstürzen. Bezog seine Nacktheit mit Blumen Pflanzen Tieren, rollte sich wie ein Igel ein. / Die Menschenmassen, in die Städte gelockt, kamen fest in die Hände ihrer eisernen Regenten." (87)

Immer wieder greift der Erzähler metaphorisch über eine oder mehrere Stufen im Aufbau der Welt hinweg, um die Beseeltheit selbst des Anorganischen fühlbar zu machen. Die Turmaline sind ihm „Völker" (382), „Steingeschlechter" (381), die Brandung „eine Haarsträhne des Meers, das draußen seine Brust zeigte, sich zur finsteren Erde niederbuckelte." (341) Immer wieder erscheinen die chemischen Elemente als wirkende „Urwesen" (344, 346, 381, 449); von Erdteilen, Steinen, Eismassen ist die Rede, als wenn es sich um Tiere oder gar Menschen handelte: „Breit besetzt der Leib Asiens die nördliche Hälfte der Erde" (344) — „Da war den Steinen, als wäre jeder von ihnen bei seinem Namen aufgerufen" (364f) — „Unsicher ließen sie ihren Sitz los." (450) — Über die Enteisung Grönlands lesen wir: „Wie Wein einem Betäubten wurde den Bergen die strahlende Kraft eingeflößt. Sie nahmen sie mit verklemmtem Mund auf. Aber die Hitze rieselte in ihre Eingeweide." (449) Ein isländischer Fluß stellt sich so dar: „Wenn sich der Rauch vom Myvatn, dem See, hob, wurde die Linie des dunklen Lachsflusses sichtbar, der wie ein gepeitschter schreiender geifernder Dämon aus dem See fuhr, hochgebäumt, von Lavabomben überschüttet. Er überrannte zertrat sie, ließ sie seitwärts fallen. Man hörte bis zur Höhe das kehlige Röcheln des rüttelnden Wassers, sah die ingrimmige Gischt über die Blöcke spritzen." (357) Vor die große Schändung stellt der Erzähler eine suggestive Schilderung der Erde (342f, 344—346), namentlich Islands (347 f) und Grönlands (417—419, 452), preist die „lebend hinziehende Sonne" (343f). Zu erinnern ist ferner an die Meeresbilder (12, 270, 346f, 401 u. ö.), vor allem an die Darstellung des Atlantik (341f), die sich schließlich, in der Epiphora („unter der wolkenverhüllten Sonne", „an der Sonne", „an der weißen hochstrahlenden Sonne" — 342), zum Gesang erhebt.

Daß es sich bei diesen anthropo- oder doch zumindest zoomorphen Beschwörungen nicht etwa um bloße Lust an der Metapher handelt, sondern vielmehr um die Überzeugung von der letztlichen Identität alles Lebendigen, das beweist folgender Passus: „Die Urwesen hauchen um den Erdball, brennen und fließen in seinem Rumpf, überlasten ihn in festen und beweglichen Massen, sind Spannungen Schwerkraft Hitze Licht, sind Schwefel Chrom Mangan Silizium Phosphor. Sie sind Erde Sand. Sind stumme Kristalle, aufdrängende keimende Blumen, Flechten über dem Boden, Blüten pflanzen, schwimmende Fische, Vögel die pfeifen und sich locken, anschleichende Raubtiere, hämmernde und kämpfende Menschen, Schneckengehäuse an Seeufern, Bakterien Schlingpflanzen erstorbene Bäume, faulende Wurzeln, Würmer, eierlegende Käfer." (346) Die Gleichheit alles Seienden, hier in denkbar einfachster Weise durch ein identifizierendes „Sind" ausgedrückt, wird auch am Schluß des Romans noch einmal hervorgehoben, als bejahtes Wissen der neuen Menschheit: „Und wenn die Herzen stillstanden, die Zellen sich trennten und auflösten, waren sie neue Seelen, zerfallendes Eiweiß Ammoniak Aminosäuren Kohlensäure und Wasser, Wasser das sich in Dampf verwandelte. Leid- und lustbegierig, wanderungssüchtig, Seelenvereine in Schneelandschaften, in dem pendelnden weiten Meer, in den blasenden Stürmen, den Steinvölkern, die der Boden zu Bergen hochtrieb." (589)

Thema des Buches ist der Kampf des Menschen gegen diese Einordnung in die allbeseelte Natur, sein Drang, sich mit Hilfe der Technik zum Herrn der Welt aufzuschwingen. Nicht in Ausnutzung seiner natürlichen Stellung, sondern in hybrider Selbstüberschätzung verfolgt er dieses Ziel. Die Entfremdung vom natürlichen Weltzusammenhang wird exemplifiziert an der Erfindung der künstlichen Lebensmittel, an der Enteisung Grönlands und am Leben in unterirdischen Städten: „Kein Licht Mond Sonne scheint drin. Kein Regen fällt. Es gibt nicht Frühling Sommer Herbst Winter." (281), „Der Kontinent war von dem alten weißen Himmel, dem stummen Mond, dem sprühenden Nordlicht, den kleinen funkelnden Gestirnen abgeschnitten." (424) und: „Sie waren abgetrennt von dem Himmel. In diesen meilenweiten warmen Bezirken in der Erdrinde gab es nicht Tag und Nacht. Keine Vögel sangen; Gräser Pflanzen Bäume wuchsen nicht. Man hatte keinen Schnee, keinen Hagel Regen Wind. Die Jahreszeiten wechselten nicht." (489) Die Bösartigkeit dieses Aufbegehrens gegen die Natur kommt schon in der Wortwahl zum Ausdruck: die Menschen sind „Angreifer" (361, 362, 364), tragen „Attacken" vor (337), verwenden „Angriffszüge" (364) und „Angriffsschiffe" (373).

Diese Sucht, alles unter sich zu zwingen, (und keineswegs etwa die Verlegenheit gegenüber der Siedlerbewegung) ist auch das Motiv für das Grönlandunternehmen: „Jetzt würde das menschliche Vermögen entbunden werden, sich unerhört über die Erde tummeln und die Arme wiegen." (341) In der Tat gelingt es, die isländischen Vulkane zu sprengen, ihre Energie in Turmalinnetzen aufzufangen, diese auf Ölwolken zu betten und zu zünden, Grönland, wenigstens für eine gewisse Zeit, vom Eis zu befreien, ja tropisches Leben zu erwecken. Hier aber setzt das nicht Berechnete ein: die Lebenskraft der Natur entgleitet den frevelnden Händen, bäckt pflanzliche und tierische Trümmer der Kreidezeit zu grausig-grotesken Ungeheuern zusammen, die, auf der Flucht vor der zurückkehrenden Kälte, in Europa einfallen, gräßliche Verwüstungen anrichten, die Bewohner in unterirdische Städte jagen und nur von Menschen, die sich mit Hilfe der Turmaline zu ähnlichen Unwesen, zu gigantischen Menschentürmen, aufschwellen lassen, vertrieben werden können. Dem Geheimnis der Naturkräfte auf die Spur gekommen, verfallen die Herrschenden einer letzten wahnwitzigen Hybris: sie selbst, allen voran der Londoner Delvil, lassen sich zu Giganten auftreiben, mineralische, pflanzliche, tierische Bestandteile in sich aufnehmend und als Instrumente an sich kettend, — mit diesem scheinbaren Sieg über die Natur in Wahrheit aber der Natur schon wieder verfallen: unter dem Andringen all der „natürlichen" Aufbaustoffe immer stärkerem Bewußtseinsschwund ausgesetzt, schließlich, unter dem Zuspruch Venaskas, in ihre Elemente zerfallend. — Während hier der Trieb über die Natur hinaus und gegen die Natur, sich selbst und die Menschen vernichtend, ins Gegenteil umschlägt, versuchen die Islandfahrer, im Wissen um ihre Schuld, dem großen Weltwesen verstehend und liebend sich einzuordnen: „Neu fühlte man sich in das Gewitter ein, in den Regen, den Erdboden, die Bewegungen der Sonne und Sterne. Man näherte sich den zarten Pflanzen, den Tieren." (583)

Die Handlung des Romans als pseudorealistische Voraussage im Sinne der populären technischen Utopie aufzufassen und dann zu konstatieren: „In den vierzig Jahren seit seinem Erscheinen ist der stilisierte Irrwitz durch faktischen Irrwitz widerlegt worden. Das Feuer, der Urstoff, den ein Döblinscher Prometheus entband, schlupfte in die Bombe." [261] ist unsinnig. Abgesehen davon, daß dem Kritiker bei etwas genauerem Lesen hätte auffallen müssen, daß bereits im vierten Kapitel nicht nur tödliche Strahlen (22) und Waffen, die kilometerweit alles verbrennen (23), geschildert werden, sondern auch schon die Abwehrapparaturen, die dergleichen unschädlich machen (25), — abgesehen von diesen technischen Details gehen solche Deutungen grundsätzlich fehl, weil sie die ganz allegorische Struktur zumindest der letzten Bücher ignorieren. Döblin hat den menschlichen Größenwahn wörtlich genommen und ins Bild umgesetzt; so entstanden seine Giganten („Delvil dachte nur daran zu wachsen" — 551) als

[261] Peter Härtling, K 496.

ein sprechendes Symbol jenes Triebes, über sich und die Natur hinauszugelangen. Im Nährboden, dem diese Unwesen entwachsen (Steine, Pflanzen, Tiere, aufgetrieben von der in den Turmalinen gefangenen Lebenskraft), wird bildhaft klar, daß die Menschheit in ihrem Streben über die
Natur hinaus eben doch auf Naturkräfte angewiesen und also gezwungen
ist, sich den Unberechenbarkeiten des Gegners auszuliefern; die Folgen des
Angriffs lassen sich nicht vorhersehen. In dieser Hinsicht haben die vergangenen vierzig Jahre Döblins Utopie in keiner Weise widerlegt; manches
wurde auf beklemmende Art bestätigt, und die grundsätzliche Warnung
dieses Buches gilt immer noch.

Jenes selbstmörderische Wuchern der Giganten, der zerstörerische Mißbrauch der natürlichen Wachstumskraft bildet ein Leitmotiv des Romans.
Innerhalb der Schilderung von den isländischen Ereignissen finden wir die
Eigenart dieser Konfrontation in ein mythisches Bild gefaßt: „Der Herku-
les, der nahte, kam nicht um den Drachen zu ersticken, ihm anspringend
nicht ermüdend Kopf um Kopf abzuschlagen, ihn unter die Füße zu nehmen, zu zerschlitzen, die geblähten Eingeweide in die Luft zu streuen. Er
wollte das Untier reizen, Mäuler um Mäuler aufzusperren, Hals um Hals
hochzustrecken. Seine Wut sollte es zeigen für ihn, seine Kraft wollte er
ihm entlocken. Er hielt es an einem Band fest, zog es hinter sich her."
(374): Der Mensch treibt die Natur über ihr normales Maß hinaus, um mit
Hilfe der provozierten Kräfte sich endgültig über sie zu erheben. Daß der
Glaube, das aufs höchste gereizte Tier am Bande führen zu können, eine
Illusion ist, zeigt der Schluß des Buches.

Marduk, der Erfinder des Prinzips, läßt seinen verschlingenden Wald
die mißliebigen Technokraten zerquetschen (128—132), und Kylin, der
Marduks Erkenntnisse auf Gesteine und Kristalle übertragen hat, sprengt
die isländischen Vulkane mit Hilfe von Apparaten, die die Berge erst gigantisch wachsen und dann zerreißen machen (357ff). Was hier den Bergen geschieht, wird am Ende den Giganten selbst widerfahren. Zuvor läßt das
„wütende" Licht der Turmaline (455) die Untiere entstehen, deren Blut
wiederum grausige Formungen partiellen Riesenwuchses hervortreibt (466—
469). — Stets also ist dieses sowohl künstliche als auch natürliche Wuchern
von Zeichen des Todes, der frevelhaften Zerstörung begleitet.

2.  Die Bedeutung der Einzelschicksale

Die bisherige Interpretation geht grundsätzlich konform mit den landläufigen Deutungen des Romans und schält seinen Kerngedanken heraus.

Das Buch ist aber mehr als sein Kern. Die Abkehr vom Einzelmenschen, ja vom Menschen überhaupt, ist keineswegs so radikal, wie die Interpreten, allen voran Döblin selbst, uns glauben machen wollen. Keineswegs dienen die Bücher I—IV lediglich der historischen Hinführung und der exemplarischen Vorwegnahme [262], sondern hier, in den nach Abschluß der Grönland-Bücher geschriebenen Teilen [263], manifestiert sich der innere Widerspruch, der dem Roman zugrunde liegt. Finden wir in den Büchern VI und VII kaum einmal einen Dialog, ist aus der Schilderung dieser grausamen Geschehnisse der zwischenmenschliche Bereich fast völlig ausgeklammert, so stoßen wir in den Büchern I, III und IV, aber auch in VIII und IX auf eine ganze Menge scharf gezeichneter Einzelpersonen, die in bloße Funktionsträger aufzulösen sehr schwerfallen dürfte. Die Neigung zur Episode, die wir schon im „Wang-lun" beobachten konnten, feiert hier Triumphe; das ganze IV. Buch ist eine solche Episode, und immer sind diese „oasenhaften" Erzählungen (AzL 352) dem Schicksal ganz weniger Menschen gewidmet, immer geben sie, weit über das nur Exemplarische hinaus, interessante Einzelfälle, gemahnen hier und da sogar wieder an die frühen Erzählungen.

Schon im I. Buch finden wir neben den Episoden, die tatsächlich nur allgemeine Tendenzen beispielhaft verdeutlichen (Bourdieu, 23—25; Mailand, 26—40), die lange Geschichte der Melise von Bordeaux (45—56). Auch ihr Schicksal soll die allgemeine Entartung exemplifizieren [264], ist aber so ausgefallen und merkwürdig, daß noch sehr viel später „die alte festländische Fabel von Melise von Bordeaux und ihrer Freundin Betise" (315) unter den Leuten umgeht. In dieser Episode, angefüllt mit blutrünstiger bisexueller Erotik, mit Sadismus, Masochismus und einer Prise Nekrophilie, verfällt Döblin gegen Schluß in schlechten Expressionismus.

Auch die anderen Nebenerzählungen werden weitgehend vom Motiv der Geschlechterliebe beherrscht, jenem Motiv also, das den meisten frühen Erzählungen zugrunde lag, dann in den Romanen zurückgedrängt wurde, um sich nun geradezu explosionsartig Geltung zu verschaffen. Man denke an die Balladeuse, an White Baker und Ratschenila, an Elina, nicht zu vergessen die sadistisch-obszönen Vorgänge um Angela Castel (226, 228f, 237), an die komplizierte, aus Eifersucht, Knechtschaft und Unterwerfung gemischte Liebe Djedaidas zu Holyhead, dem Erfinder der Ölwolken, an

---

[262] so Döblin, *AzL* 352 f.
[263] vgl. *AzL* 351 f.
[264] *BMG* 45: „Und am raschesten entarteten die Frauen. Gigantische Figuren gab es um diese Zeit unter ihnen, großartig in Wollust und Herrschsucht."

die komisch-laszive Geschichte von Ibis und Laponie, die ihr Geschlecht zum Leuchten bringen, an Venaska natürlich, die Verkörperung der Liebe als einer Elementarmacht, und schließlich an die traurige Erzählung von Servadak und Light-for-me (525—534), die später in der Südamerika-Trilogie, in der lyrischen Geschichte von Tije und Guarikoto, ihr Seitenstück finden wird (A 256—263): die „Schlangen" wie die Amazonen können die persönliche Liebe nicht dulden und suchen sie auszurotten. Wir kennen das Motiv schon aus dem „Wang-lun"; auch dort führten Verstöße gegen die Heilige Prostitution zum Ausschluß aus der Gemeinschaft (Wl 220—224). Über dieses frühe Idealbild Döblins von der Frau als letztlich gleichgültiger Amazone, als Mann-Weib sprach ich schon im II. Kapitel [265]. Hinsichtlich des utopischen Romans ist noch auf die männerfeindlichen Frauenbünde hinzuweisen (BMG 36—40, 72f, 82f, 159) sowie auf die Bezeichnung der Frauen als „Männinnen" (486, 497, 498, 503 u. ö.). Ausschlaggebend für die Wiederaufnahme der erotischen Thematik dürfte nicht so sehr die Begegnung mit Yolla Niclas gewesen sein — die „Nonnen von Kemnade" entstanden ja schon vorher —, sondern die neue Bewertung der Sexualität innerhalb der naturphilosophischen Überlegungen Döblins. Sie erscheint als das „sonderbare Hinüberfluten ineinander, das zugleich ist ein Hinüberfluten ins Anonyme." (IN 127) [266]:„Diese Funktion hat die Sexualität: sie zerstört die zersplitterten Einzelleiber, gebietet über die Ichs, schmilzt die Gattungsmasse zusammen, damit sie weiterwuchern und sich ausdehnen kann." (IN 127f) Auch die Sexualität wirkt also mit an der Aufhebung des Einzel-Ich, an der Widerlegung des Glaubens an ein abgekapseltes Individuum, an der Unterordnung des Menschen unter die anonyme Natur, die Thema unseres Romans ist. — Daß aber menschliche Liebe sich in der Sexualität nicht erschöpft, war auch Döblin klar, und ich wies bereits im II. Kapital darauf hin, daß gegenüber den amazonenhaften Gestalten, denen in der Tat der Geliebte nicht als Person, sondern nur als Geschlechtspartner etwas bedeutet, eine Figur wie Elina, ein Verhältnis wie das ihre zu Marduk bereits eine neue Dimension eröffnet: die der Ich*findung* in der Liebe [267]. Ein erster Hinweis auf diese neue Sehweise findet sich schon in dem Aufsatz „Die Natur und ihre Seelen": „Die Erotik färbt und bereichert den Trieb durch spezifisch Menschliches; sie drängt die schon in der Gruppe

---

[265] s. o. S. 30.
[266] In D 347, S. 13, zwar nicht wortwörtlich, aber sinngemäß gleich.
[267] s. o. S. 32. Unzutreffend ist also Herchenröders Behauptung, in diesem Roman sei Liebe bloß klinischer Vollzug (K 601, S. 54).

ausgeblühten, aufgeblühten Empfindungen in die Begegnung zweier hinein. Darum ist die Erotik nicht abstrakter, verblasener, sondern höher und ohne Sentiment reicher, stärker, gewaltiger als die Sexualität. Mehr Seelen, und menschlichere Seelen sind an ihr beteiligt." [268]

So werden gerade die erotischen Episoden repräsentativ für das Doppelgesicht des ganzen Romans, für das Gegeneinander von Verwerfung und Neubegründung des Ich. Schon daß überhaupt so breit von Ereignissen wie Marduks tödlicher Liebe zu Marion Divoise berichtet wird, schon daß Döblin dem Geschehen um zwei, manchmal drei Personen so viel Raum widmet, zeigt, daß seine Auffassung vom Individuum hier eine Wende erfährt, und seine nachgelieferte ‚Rechtfertigung' vermag kaum zu überzeugen: „Ich bin ein Feind des Persönlichen. Es ist nichts als Schwindel und Lyrik damit. Zum Epischen taugen Einzelpersonen und ihre sogenannten Schicksale nicht. Hier werden sie Stimmen der Masse, die die eigentliche wie natürliche so epische Person ist." (AzL 352) Wir haben schon anläßlich der vorangegangenen Romane gesehen, daß gerade umgekehrt von der Masse gar nicht erzählt werden kann, ohne Einzelschicksale herauszuheben, daß die These von der Masse als eigentlicher epischer Person nicht zu halten ist und sich in Döblins eigenem Werk auf Schritt und Tritt widerlegt. Die Spannung zwischen der programmatischen Verwerfung des Ich und der Ausmalung höchst diffiziler Einzelschicksale erreicht in „Berge Meere und Giganten" den höchsten Grad, bis endlich im „Manas" die Gegenposition triumphiert.

Es braucht wohl kaum im einzelnen nachgewiesen zu werden, daß Marduk, Jonathan, Marion, Elina und andere keineswegs als bloße „Stimmen der Masse" verstanden werden können. Interessanter scheint mir der Hinweis auf die Methode, mit deren Hilfe Döblin den Eindruck, daß hier von sehr Persönlichem berichtet werde, abzuschwächen sucht; es ist — wieder einmal — das Prinzip der Wiederholung.

Um Marduk als Person nicht zu viel Gewicht zugestehen zu müssen, gruppiert der Erzähler Marke und Zimbo um ihn herum: alle drei sind zunächst Anhänger des technischen Fortschritts, wandeln sich dann scheinbar zwangsläufig und ohne rechtes Motiv zu Vorkämpfern der nachuralischen Gegenbewegung. Beabsichtigt ist der Eindruck, daß hier nicht etwa eine Person sich entscheide, sondern das Geschehen sich einen Repräsentanten suche. In Wahrheit aber sind die Motive der drei deutlich erkennbar,

[268] D 347, S. 14

keineswegs miteinander identisch und Ausdruck der jeweiligen Persönlichkeit.

Marke hat die entsetzlichen Verwüstungen in Rußland gesehen, findet nach bodenloser Verzweiflung, nachdem er seine Töchter in den sühnenden Selbstmord gejagt und sich selbst geblendet hat [269], als Konsul die Energie, das Steuer herumzureißen, die Lebensmittelsynthese zurückzudrängen zugunsten einer Wiederaufnahme des Ackerbaus (121): sicherlich eine reaktionäre Tat, die aber die völlige, tödliche Entfremdung des Menschen von der Natur verhindern soll. — Zimbos Umschwenken hat offensichtlich „rassische" Gründe. Schon zu Beginn ist er „der Schwarze, der Fleisch wie die Märker schlang" (214), steht er im Gegensatz zu seinen Gefährten, deren schwache Kiefer und bröcklige Zahnstummel solchem Geschäft nicht mehr gewachsen sind. Er freut sich über die starken Muskeln und Lungen der Märker, spottet über die wackligen Kürbisköpfe in London (224). Sein Machthunger gestattet ihm freilich nicht den Anschluß an Marduk, sondern er muß auch ihn beseitigen, um sich an seine Stelle zu setzen. Er führt die märkische Bewegung fort, sucht englische Politiker gegen den Grönlandplan aufzuhetzen (332f). Am Schluß, als die Giganten zerbrochen sind, er selbst aber die Zeichen der Zeit verkennt und weiter auf Machtzuwachs aus ist, erschlägt man ihn. Der Weg aber, den seine Vorgänger und er eingeschlagen haben, erweist sich als richtig: „Über die Rheingrenze gingen damals helfend märkische Horden. Die Erhaltung des größten Teils der späteren westlichen Bewohner war ihr Werk." (581)

Warum Marduk zum Renegaten wird, seine eigenen Freunde auf grausame Weise zu Tode bringt, das bleibt in der Tat zunächst völlig unklar. Elshorst schreibt denn auch: „Seine Motive sind undurchsichtig. Weder fasziniert ihn die Idee des naturverbundenen Lebens, noch reizt ihn die Macht." [270] Das allerdings ist falsch. Wir kennen Döblins Eigenart, nach einem Einstieg in medias res Motivierungen und sachliche Angaben, die der herkömmliche Erzähler an den Anfang stellt, nachzuliefern; auch hier brauchen wir nicht lange zu warten, um den Grund für Marduks Verhalten zu erfahren. Als er angesichts der Feigheit der überlebenden „Eisenfreunde" angeekelt seine Position überdenkt, heißt es: „um die anderen niederzuschlagen, um über ihnen zu stehen, war er aufgebrochen, hatte alles gelassen. Was ließ er zurück, was war dies Neue, das er gewann. Die Macht

---

[269] Der Anklang an Ödipus ist deutlich, aber unergiebig.
[270] K 568, S. 41

über diese." (BMG 152) — Also war doch Machthunger das anfängliche Motiv, Machthunger, der sich nicht sättigen kann am widerstandslosen Nachgeben der Frondeure, der sich ein Opfer in Jonathan sucht: der Schmerz des Freundes über die von Marduk gemordete Mutter bezeugt dem Mörder die eigene Relevanz (152, 175, 210f); auch er nährt sich, wie Melise von Bordeaux, vom Blut der Lebendigen. — Daß er sich im Kampf um die Macht gegen die Techniker stellt, beruht auf einer rein pragmatischen Abwägung der Chancen. Schon im vierten Kapitel des III. Buches hören wir von der ungeheuren Enttäuschung, die die Frondeure nach Markes Tod erlebten (125); die Massen waren nicht auf den Weg zu locken, der schon einmal in einen entsetzlichen Krieg geführt hatte. Noch sehr viel später heißt es von Angela Castel: „Sie erlebte dasselbe Erstaunen, das die Anhänger der alten Herrengeschlechter nach dem Tode Markes vor dem Einbruch Marduks erlebt hatten: der zuckende tiefe Widerwille der Masse vor den Apparaten, ihr zäher Hang an Markes Maßnahmen und seinem Weg." (225) — Erst als London und die Täuscher Marduk zur Verteidigung seiner Einrichtungen und seines Gebietes zwingen, wird seine anfangs nichts als opportunistische Parteinahme bewußt und persönlich: „Und zum erstenmal in seinem langen Konsulat hatte er gefühlt, daß Markes Werk und seines gut war; es sollte nicht untergehen." (240) Jetzt kämpft er nicht für sich, sondern für die nachuralischen Errungenschaften: „Wie ein Werkzeug, ein störrisch widerstrebendes, ein Hobel über einem Knollen und Baumstrunk hatte er sein Konsulat geführt. Alles war gut daran. Er hatte gelitten, nicht gewußt, wie wohl er tat." (245) Dieser Selbstfindung in einer als sinnvoll erkannten Aufgabe folgt wenig später, kurz vor dem Ende, die Selbstfindung in der Liebe zu Elina (257).

So klar sind die Motive Marduks, nur daß sie nicht in der gewohnten Weise und am gewohnten Ort mitgeteilt werden. Stimme der Masse ist er, insofern er anfangs aus reinem Opportunismus ein noch unverstandenes Ziel verfolgt. Ganz persönlich aber sind seine Beziehungen zu Jonathan, zu Marion und Elina, ganz persönlich auch seine plötzliche Einsicht in den Sinn seines Tuns. An dieser Tatsache ändern auch die Parallelgestalten nichts; vielmehr tritt gerade im Vergleich zu Marke und Zimbo die Eigenart des zweiten Konsuls noch stärker hervor. Verräterisch ist die Anmerkung des Erzählers, unter den „Siedlern" werde viel von Marduk gesprochen, „aber nicht von dem gefährlichen Konsul; nur von seinem Ringen mit der armen hilflosen Balladeuse, von seiner Freundschaft mit dem weißen Jonathan, und der Liebe zu der süßen rettenden Elina." (329): auch der

Leser wird hauptsächlich diese Figuren, diese Begebenheiten im Gedächtnis behalten, und der Erzähler ist keineswegs unschuldig daran.

Auch die Konstellation Marduk-Elina-Jonathan erscheint zunächst als eine Wiederholung der Geschehnisse um Marduk, die Balladeuse und Desir. Jonathan selbst sieht die Parallele (210). Der Konsul fühlt gegenüber Elina wieder jenes innere Beben (253), das ihn erschütterte, als die Divoise um ihn warb (162); beide Male geht den Begegnungen ein Anfall heftigen Selbstekels voraus (152ff; 205ff), beide Male versucht Marduk zunächst, sich bei Jonathan seiner selbst zu vergewissern (142, 205). Sogar der Raum ist derselbe: „Auf dem Zimmer, auf dem die Balladeuse gewartet hatte, die Decke zerzupfend, mit Jonathan sprechend, wartete Elina zwei lange Tage." (208) — Aber auch hier verbirgt sich unter dem scheinbar gleichen höchst verschiedenartiges. Elina sagt mit Recht: „Ich bin nicht die Balladeuse." (210) Sie leidet nicht an der verquälten Keuschheit Marions (143, 155), der Sexualität lustvolle Selbstvernichtung bedeutete (156), der die Seligkeit in der Umarmung Marduks tödliche Niederlage war (172). Zwar wurde schon damals Marduks starre Stärke erschüttert, aber nach Marions Selbstmord fühlte er sich nur „zerbrochen" (174) [271]. Elina dagegen verkörpert die Liebe, von der sie dem sehnsuchtsvoll unwissenden Marduk erzählen muß, von der sie glaubt, daß sie ihren und Jonathans Tod überleben werde: „Wir werden nicht mehr zwei Menschen sein, die an einem Fleckchen, in einem Zimmerchen sind. Wir werden wandern, hier beseelen, da beseelen, wie eine Wolke. Wir werden viele glücklich machen." (209) Fühlte Jonathan sich in Elinas Liebe „aus der Hölle entlassen" (185), so verdankt Marduk ihr jenen großen Einklang von höchster Steigerung des Ich und tiefstem Eintauchen ins Anonyme, von höchster Selbstvergessenheit („Sag nicht Marduk zu mir. Wer ist das.") und höchster Selbstgewißheit („Ich lebe ewig. Ich lebe ewig."), jene Harmonie des Paradoxen, die wir Liebe nennen (257).

So bricht, gegen die Grundkonzeption des Romans, immer wieder jener anfängliche Impuls („Ich gegen mein Nichts") hervor, besteht auf ausführlicher Darstellung des Persönlichen, protestiert gegen die Unterlegenheit des Menschen. Diese polare Grundspannung kommt auch im letzten Buch des Romans zum Ausdruck, dem die bisherigen Interpreten nichts als völlige Unterwerfung des Menschen unter die übermächtige Natur glaubten entnehmen zu können.

[271] Ähnliches widerfährt, in viel größerem Maßstab, den Grönlandfahrern, deren Starre von dem rosafarbenen Licht erweicht wird (443).

217

Die ersten acht Bücher gestalten den makaber zwangsläufigen Zusammenhang von Selbstüberschätzung und Selbstzerstörung des Menschen. Die aus dem einseitig technischen Impuls geborene ziellose Aggressivität entlädt sich in zwei Weltkatastrophen: dem Uralischen Krieg und der Grönland-Enteisung. Die Parallelität der beiden Ereignisse betonte schon Döblin selbst (AzL 353), und auch im Roman wird sie von mehreren Personen angesprochen [272]. Beide Unternehmungen stellen ein Ablenkungsmanöver dar; beide Male ist die Wahl der Opfer — zunächst der Asiaten (BMG 90ff), dann des Erdteils Grönland — rein zufällig [273]. All dem liegt letztlich ein Drang nach Selbstzerstörung zugrunde; schon in der Periode vor dem Uralischen Krieg hinderte ja nur das Auftauchen der Asiaten die Europäer daran, sich aus purem Überdruß gegenseitig anzufallen (88f). Das Sinnbild dieses paradoxen Dranges, der das Paradox der Liebe zu tödlicher Schroffheit emportreibt, ist in jenen übermenschlichen Giganten zu sehen, die schließlich ins Elementare zerfließen.

Schon der Dreißigjährige Krieg war für Döblin Anlaß gewesen, todessüchtige Massen ins Bild zu bringen: „Oh, wär' ich schon tot." (W 711); noch in der Südamerika-Trilogie heißt es über diese Metzelei: „Es war, als ob die weißen Menschen fühlten, was ihnen fehlte, und da warfen sie sich aufeinander und zogen den Untergang ihrem Dasein vor." (A 475); von den eroberungswütigen Europäern wird gesagt: „sie jagte es nur, die Erde zu suchen, immer mehr Erde, Meere, Flüsse, Völker, um sich zu vernichten und zu verlieren." (A 94) [274] — In „Berge Meere und Giganten" kommt es zu einer Selbstmordepidemie (BMG 68), und von den Grönlandfahrern heißt es: „Die überlebten, waren in dem Gefühl über das Meer getaumelt: ‚Nun nimmt es ein Ende. Nun sind wir erlöst.' " (505) — Auch der hohe Anteil von Sadismus und Masochismus in den Liebesbeziehungen findet hier seine Erklärung: Drang nach Herrschaft und Lust am Untergang halten einander in dieser kranken Erotik die Waage. Das nur in der Liebe zwischen Elina und Marduk gelöste feindliche Gegeneinander von Selbstüberhöhung und Selbstvernichtung, das den Roman beherrscht, faßt Döblin einmal in einen Vergleich, der die erotische Wurzel im Verhältnis der Menschen zu den Maschinen bloßlegt: „Wie Menschen, die feindlich in der Liebe aneinander gekettet sind, zusammengeflochten,

---

[272] BMG 325 (Ten Keir), 332 (White Baker), 473 (Siedler), 476 f (Delvil) u. ö.
[273] vgl. White Baker: „Unsere Voreltern hatten auch keinen Feind. Wahrhaftig sie hatten ihn nicht. Sie machten ihn." (273)
[274] Zur Todessucht in „Die Schlacht, die Schlacht!" s. o. S. 94.

um sich zu zerreißen zu quälen zu beißen, so umwanderten sie kopfsenkend noch die verborgenen geschützten Orte der Apparate, angriffsbereit liebesbereit umschlingensbereit." (90)

Die Begründung für diese Widersprüchlichkeit wird Döblin später, in seinen philosophischen Schriften, geben: der Mensch weiß in dieser unvollkommenen Welt um Vollendung und strebt nach ihr (UD 238), zum anderen ist er tief hingenommen von der Lust an der Ent-Ichung, am Zurücktauchen ins Anonyme (IN 226). Beides wurzelt im Wissen um seine Abkunft von einem Ursinn, der sich in der Welt nicht vollständig darzustellen vermag (IN 204). Hierher stammt seine Feindschaft gegen das Vorgegebene, sein prometheischer Trieb, über das Natürliche hinauszugelangen, ebenso wie sein entgegengesetzter Drang zur „Hingabe an die große Natur" (IN 136): in beidem nämlich lebt seine Sehnsucht nach dem Ursinn; er sucht ihn zu verwirklichen über das Vorhandene hinaus, — und er nähert sich ihm mit kindhafter Gebärde, wenn er sich seinem stummen Walten anheimgibt, zurückstrebt in den Schoß, der ihn gebar.

Als der utopische Roman entstand, hatte Döblin den erlösenden Gedanken des „Ursinns" noch nicht gefunden, der sich in der Lehre von der beseelten Natur erst vorbereitete. So beherrscht noch der Widerspruch die Szene, tobt sich aus in gewaltigen Eruptionen. Erst Manas und Franz Biberkopf werden den beschwerlichen Weg gehen, der wegführt von den Extremen, hin zu einer neuen, das Leben ermöglichenden Erkenntnis vom Ort des Menschen in der Welt. Am Schluß von „Berge Meere und Giganten", wenn von Kylin und Venaska die Rede ist, fällt schon ein Licht auf diesen Weg, erkennen wir schon, daß der Sieg der allgewaltigen Natur nicht das letzte Wort dieses Romans ist.

### d) Versuch der Synthese: Kylin

Hätte die bisherige Forschung recht, so bliebe unbegreiflich, warum Kylin Venaska verstößt. Denn sie, die „Mondgöttin", deren Anziehungskraft identisch ist mit der der Turmaline [275], sie, die das Fruchtbarkeitssymbol,

---

[275] s. o. S. 31 f. — Über die Wirkung der Turmalinschleier auf die Schiffsbesatzungen heißt es: „Sie umschlangen sich, und wenn sie ihre Leiber vermischt hatten und voneinander ließen, waren sie ungesättigt." (395) — Von Venaska hören wir: „War sie vorbei, so knirschten die Menschen vor Verlangen. Etwas Blindes Schreiendes wurde in manchen Widerstrebenden erregt; das riß sie fort." (538)

die Feige, „meine Göttin" nennt (536), sie ist ja die Verkörperung der Naturkraft. Ihre Bisexualität ist nicht Zeichen der Entartung wie bei Melise und Marion, sondern Ausdruck naturhaft-ursprünglichen Hermaphroditentums, wohl zu unterscheiden von den grausigen Zwitterwesen wie Tika On (539f). Was die Turmaline an den kreidezeitlichen Tier- und Pflanzentrümmern in Grönland vollbringen, das tut Venaska mit den „Bodengeistern" (540f): „Sie weckte die Landschaft auf." (538) — Kylin aber verflucht sie (573), nennt sie „meine Besinnungslosigkeit" (575), und sehr ungenau sagt er: „Du — bist aus dem Geschlecht der Giganten." (574) Dieser Satz ist ein deutliches Beispiel für Döblins Denkmethode der coincidentia oppositorum: Die gegen die Natur wütenden Giganten und die nichts als Natur verströmende Venaska werden in eins gesetzt, weil beide (im polaren Gegenüber) gleich weit entfernt sind vom Menschlichen, von der Demut, von der Fähigkeit, an sich selbst zu leiden. Kylins Worte: „Ich habe sie erkannt. Wir sind Menschen. Sie war es nicht." (575) wurden in der Bearbeitung von 1932 verdeutlicht: „Wir fühlen und leiden. Sie lachte und liebte." (G 360) Auch das ist wieder sehr ungenau; denn Venaska leidet ja durchaus nach den gräßlichen Ereignissen in Lyon (BMG 573), aber sie leidet eben nicht um den Menschen, stellt nicht sich selbst in Frage, sondern sie leidet um Kylin, um den Geliebten. Weiter denkt sie nicht, und weiter kann sie auch nicht denken. Darum spricht Kylin von „Nebel" (545) und „Besinnungslosigkeit". Ganz deutlich wird hier, daß Kylin eben nicht „Hingabe an die große Natur" predigt, daß er vielmehr eine spezifisch menschliche Position zu behaupten sucht [276].

Auch die Passagen über Kylins Feuerverehrung, die neue Religion der Grönlandfahrer, hat man bisher zu oberflächlich gedeutet und nichts als Rückkehr zu primitiven Riten gefunden. Am Anfang der Entwicklung zwar steht das Schuldgefühl (428, 470), und Kylin verneigt sich vor dem Feuer, opfert ihm (514), aber er läßt sich nicht überwältigen: „Ich — bin — stark. Ich lasse mich nicht zerbrechen. Ich sehe hin. Hinein." (515) Ganz klar wird die neue Haltung gegenüber der Natur: „Ich bin auf den Knien. Aber ich falle nicht um." (ebd.) Noch freilich vermag Kylin nicht zu sagen, worin

[276] Kylins Traum rekapituliert noch einmal seine Entscheidung. Am Anfang steht das Wunschbild liebender Vereinigung mit Venaska („Und wie er den Hügel mit dem Dickicht anlief, wurde er plötzlich erhoben, über das schwere Buschwerk hinweg. Über den Boden, die weiten süßen sehnsüchtig begehrten Flächen flog er weg. Er wand sich, er flog." — 583); dann aber senkt der Träumer sich ins Gestein auf Cornwall, wird ein Gigant (584): Die Hingabe an Venaska hätte die Aufgabe des Menschseins bedeutet.

denn die Würde des Menschen besteht; er weiß nur, daß er mehr ist als Muskeln, Knochen und Haut, mehr auch als Bäume und Felsen (571) [277]. Was dieses „Mehr" denn sei, wußte Döblin damals selber noch nicht, aber diese gedankliche Ungelöstheit schwächt nicht den Impetus von Kylins neuem Wissen; mit großer Sicherheit entgegnet er Ten Keir, der ihn besiegt, unterworfen nennt: „Mein Wahn, Ten Keir, hat sich gelegt. Ich bin dadurch nicht schwach geworden." (584) [278] Auch gegenüber Diuwa betont er noch einmal das aus Verehrung und Distanz gemischte neue Verhältnis zur Natur: „das Land nimmt uns, aber wir sind etwas in dem Lande. Es schlingt uns nicht." (588) Mit Recht bemerkt Diuwa „etwas von Venaska an ihm" (ebd.), aber eben nur „etwas".

Der Fortschritt gegenüber dem „Wallenstein" ist unverkennbar. Dort blieb dem Menschen nichts als der Sprung aus der chaotischen Geschichte in die bewußt-lose Natur, die Aufgabe der menschlichen Position also. Hier, in der angeblich noch viel radikaleren Utopie, versucht Döblin schon, diese menschliche Position wiederherzustellen, *fühlt* ihre Bedeutung freilich eher, als daß er ihren Inhalt formulieren könnte. So wird erklärlich, daß die bisherige Forschung, fixiert auf die Gesamtkonzeption, fixiert auch auf den Tenor von Döblins eigenen Kommentaren, den Gegenimpuls, die Einschränkungen und Zurücknahmen übersehen hat. Wer allerdings das letzte Buch so unaufmerksam liest wie Arnold („bis die süße Venaska oder die Altersschwäche sie auf unklare Weise zu Tode befördert." [279]), der sollte nicht seine eigene Nachlässigkeit in Spott über den Autor umzufunktionieren suchen. Selbst die letzten Zeilen des Romans, die fast jeder Interpret zitiert, hätten aufmerksam machen müssen. Denn in „Seelen", „Seelenvereine" lösen die Toten sich ja auf, und auch nicht nur in „natürliche" Seelen, sondern hier muß man sich erinnern an Elinas poetische Idee von der Wanderung der liebenden Seelen [280], vom Überdauern einer spezifisch menschlichen Substanz also, von der auch der letzte Satz des Buches spricht: „Brust an Brust lag die Schwärze mit den Menschen; Licht glomm aus ihnen." (589)

[277] Zurückgenomen wird hier die frivole Philosophie der Islandfahrer: „,was ist mehr, ein Vulkan oder ein Mensch?' ,Ein Vulkan.' " (361)
[278] Die Gegenposition vertritt Delvil, der nicht zur Einsicht in die eigene Schuld findet, sondern sich in Haß auf die Erde hineinsteigert: „Es steckte eine Rache der Erde dahinter, die ihr aber nicht bekommen sollte." (476).
[279] K 633, S. 106
[280] s. o. S. 217.

## e) Die Wuchertendenz

Vom Stil dieses Romans ausführlich zu handeln ist nicht nötig: schon anläßlich des „Wang-lun" und des „Wallenstein" wurde nachgewiesen, daß die dort beobachteten Stilmittel hier ihre letzte Steigerung erfahren, die nur noch überboten werden konnte im Durchbruch zum freien Rhythmus, den der „Manas" vollzog. Zudem finden wir in der kritischen Literatur neben jenen pauschalen Urteilen über „felsigen" Stil und „mineralische" Sprache durchaus akzeptable Analysen; ich verweise auf die Ausführungen von Ludwig Dietz, Hans-Albert Walter und Gerhard Storz [281]. Daß das inhaltliche Thema der Wucherung auch zum Stilprinzip wurde, sich im Satzbau ebenso wie in der Episodenbildung zur Geltung brachte, hat schon Döblin selbst angemerkt (AzL 352, 372) und ist von den Interpreten bestätigt worden [282].

Auch in den Vergleichen läßt sich eine Tendenz zur Verselbständigung beobachten. Ein relativ kurzes Beispiel finden wir schon im Eingangskapitel: „Um Europa und Amerika lagen die Länder, denen man die Macht der Apparate zeigen mußte, wie ein Liebhaber seine süße Geliebte strahlend über die Straßen führt. Jeder bewundernde Blick fährt ihm wonnig ins Herz; er geht neben ihr, ihren Arm haltend, die ihn verschämt anblickt, blickt stolz nach allen Seiten." (BMG 12) Die verschämt blickende Frau ist mit den Apparaten wohl kaum noch in Beziehung zu setzen. Geht es hier noch um ein relativ bedeutsames Ereignis, so gerät im folgenden Beispiel die im Vergleich vorgeführte Handlung ungleich interessanter als das, was illustriert werden soll: „Wie ein Kind, das eine lange finstere Treppe heruntergehen soll, erst ruhig und tapfer steigt, Stufe um Stufe, bei jedem Absatz stehen bleibt, den Atem anhält, um sich schaut, zurückschaut, schon rascher läuft, rascher, seine Schulmappe hält es fest, es gleitet am Geländer entlang, die Angst, die panische Angst ist hinter ihm. Es läuft, es kann sich nicht halten, stürzt schreit stürzt weiter, gellt durch das hohe Treppenhaus. Und wie man mit Lampen aus der Wohnung kommt, steht es an einem Fenster, späht zeigt um sich, keucht entgeistert, weiß nichts zu sagen, das Herz klopft ihm zum Mund, in die Lippen, in die Augen, über den Scheitel; es würgt, stößt auf, heult im Licht. So winselte Blue Sittard." (147) — Hier greift die Verselbständigung auch in die Syntax ein, wenn mit „seine Schulmappe hält es fest" die Nebensatz-Konstruktion gesprengt wird. —

[281] K 599, S. 91 f; K 565, S. 868; K 602, S. 261—266
[282] Martini, K 559, S. 337 f; Dietz, K 600, Sp. 1507; Welzig, K 728, S. 282; u. a.

Der Wirkung von Kylins Apparaten auf die Gesteinsmassen sind drei aneinandergereihte Vergleiche gewidmet, die mehr als eine Buchseite ausmachen (365f), und wenn Döblin diese Fülle zusammenfassen will, ergibt sich ihm unversehens noch ein weiterer Vergleich: „Wie diese, Männer und Frauen und Volk, wurden die Felsen Bergkämme Krater Höhenzüge die todesstummen eisbedeckten riesigen Häupter ergriffen. Wurden angefaßt wie das Schloß von dem Schlüssel und mußten gehorchen." (366f) Eben diese drei Vergleiche erfahren später sogar noch eine Potenzierung, wenn die Wirkung der Turmalinschleier und die der Apparate einander gegenübergestellt werden: „Wie die Maschinen, die die Islandfahrer auf den Brücken vorgeschoben hatten, die bröckligen Steinswesen bezauberten, Verbannten ähnlich, die man auf der Straße in ihrer Muttersprache anredet, einer Frau ähnlich, die verdorrt und eine Umarmung, ein sanftes Wort erfährt, oder wie Völker, die man unterjocht hat und die sich finden, — das Glück bringt sie zum Weinen, — so drang das heiße rosige Licht auf die Trümmer der alten Erde, umfloß umspülte bewältigte sie stürmisch." (454) Dem Vergleich „Wie die Maschinen bezauberten, so drang" sind also jene anderen nochmals eingefügt, und in dem zweiten „wie" und in der Parenthese droht abermals die Syntax zu zerbrechen, wird hier aber gerade noch gehalten. Schon vorher geht die Konstruktion allerdings auf Kosten eines Anakoluths, denn „ähnlich" bezieht sich zwar sinngemäß auf „Steinwesen", grammatisch aber auf „Maschinen" bzw. auf „bezauberten".

Auch diese Tendenz zur Wucherung und Verselbständigung bleibt nicht ohne Gegenpol. Das, was anläßlich des „Wallenstein" unter dem Stichwort „expressive Verknappung" behandelt wurde, findet sich ja auch hier, und es begegnen Sequenzen, in denen ein balladenhaft reduzierter Ton vorherrscht, etwa die Geschichte von Servadak und Majelle. Diese Episode selbst ist freilich schon wieder ein Beispiel für die Wuchertendenz, und diese Doppeldeutigkeit bleibt auch für die anderen Stilmittel kennzeichnend. Ich erwähnte schon die atemlosen Aufzählungen, die aber bei aller Gedrängtheit doch „Überflüssiges" bringen, nämlich fremdländische, zungenbrechende Namen (s. o. S. 179).

## f) Der Erzähler

Interessant und durchaus in den Rahmen unserer bisherigen Beobachtungen passend ist die Tatsache, daß auch aus diesem, angeblich dem

Menschlichen fernsten Roman der persönliche Erzähler keineswegs vertrieben ist. Im Gegenteil: erstmals wieder seit dem „Wang-lun" darf er sich in einer „Zueignung" an den Leser wenden, und er tut das in einer Weise, daß man schon versucht ist, statt seiner direkt vom „Autor" zu sprechen [283]: „Ich habe schon Vieles geschrieben. Nur herumgegangen bin ich um euch. Mit Angst habe ich mich vor euch entfernt." (BMG 5) Im Roman selbst sagt dieser Erzähler ebensowenig wie der des „Wang-lun" oder der des „Wallenstein" ‚ich', aber seine Kommentare sind deutlich. Aus seiner Abneigung gegen die Maschinenherren macht er keinen Hehl: „Die Fette nach der Kastration, die Gespreiztheit Sanftmut Huld und Süße der Eunuchen stellte sich ein, der fratzenhafte ohnmächtige Impuls." (45) Die Lebensmittelsynthese ist ihm eine „furchtbare Entdeckung" (76), und sein Urteil über die Islandfahrer ist vernichtend: „Sie waren wie Menschen. die Blut an den Fingern nach einem Mord haben und sich keinen Rat wissen, als sich rasch die Finger abzuhacken." (399) Sehr scharf werden die Kommentare im vorletzten Buch, das die gigantische Entartung der Maschinenmenschen zum Gegenstand hat: „Hochmütig zornmütig wie nie waren die Männer und Frauen der Wissenschaft. Sie hatten die letzte Scham abgelegt." (496) Er nennt sie „unmenschlich" (495), „kalt und gehässig" (499), wirft ihnen vor, sie „verwüsteten die Menschen" (501). — Der hier und da angeschlagene Historikerton („Es ist Tatsache, daß" — „Es ist sicher, daß" — 217) macht sogar Vordeutungen möglich, die sich allerdings in engen Grenzen halten. Schon im I. Buch ist mehrmals vom Uralischen Krieg die Rede (23, 46), und allgemein heißt es: „Zugleich zeigte sich die Gefahr dieser Menschheitsperiode, deren Ungeheuerlichkeit sich erst nach weiteren Jahrhunderten entfalten sollte." (20) Vor Beginn des Krieges lesen wir: „Das siebenundzwanzigste Jahrhundert, das Jahrhundert der Verhängnisse für den westlichen Völkerkreis, war heraufgezogen." (87)

All das ist für einen Roman von fast 600 Seiten sicherlich nicht sehr viel, aber es genügt für die Feststellung, daß auch in dieser Hinsicht „Berge Meere und Giganten" eine Wende einleitet. War die Rolle des Erzählers im „Wallenstein" auf eine allgemeine satirische Optik reduziert worden, so erscheint hier wieder ein Kommentator, ein Erzähler, der Stellung zu einzelnen Geschehnissen und Figuren nimmt, einzelnes voraussagt, einzelnes

---

[283] Zur Unterscheidung zwischen dem realen Autor und dem fiktiven Erzähler vgl. Wolfgang Kayser, „Wer erzählt den Roman?" in: Ders., „Die Vortragsreise. Studien zur Literatur", Bern 1958, S. 82—101

gegen anderes abwertet. Dem polaren Charakter des Romans entsprechend ist auch diese Erzählhaltung keineswegs durchgängig zu beobachten; gerade die komplizierten Geschehnisse um Marduk oder auch die Ereignisse des letzten Buches werden weitgehend ohne Erklärungen berichtet, die dem Leser eine Richtschnur für die Deutung gäben. Die direkte Rede ist ebenfalls sehr unregelmäßig verteilt, fehlt in den Büchern VI und VII fast gänzlich, während sie große Abschnitte etwa des letzten Buches beherrscht. Auch hier also zeigt der Roman sein Doppelgesicht, sein Schwanken zwischen der Eliminierung des Menschen und dem neuen Wissen um seine Sonderstellung in der Welt.

## G) Zusammenfassendes zum iii. Kapitel

Das Werk Alfred Döblins vor der „naturalistischen" Wende bildet keineswegs eine homogene Einheit, wird aber bei aller formalen und inhaltlichen Vielgestaltigkeit durch eine gemeinsame Grundtendenz gekennzeichnet: die Ablehnung des europäischen Glaubens an das souveräne Individuum, die leidende, schließlich preisende Darstellung übermächtiger Gewalten, denen der Mensch ausgeliefert ist. Wir sahen, wie Döblin für kurze Zeit, angesteckt von der Egozentrik Marinettis und erbost über die Etikettierung der eigenen Werke als „expressionistisch", zumindest für den Künstler Döblin Originalität und Selbstherrlichkeit reklamierte, dann aber auch die Kunst-, also vor allem die Roman-Theorie seinem philosophischen Pessimismus anglich, das Ich als Romanheld wie als Erzähler zu beseitigen suchte. Die Erfahrung von Armut und Ausgestoßensein, die Einsicht in die Umstrukturierung der Gesellschaft auf Grund der industriellen Revolution, das Wissen des Arztes, speziell des Psychiaters, um die Hinfälligkeit des Menschen, schließlich der Ärger über das Vorherrschen „privater" Probleme in der zeitgenössischen Literatur: dies dürften — von der persönlichen Seite her — die Hauptmotive für jene Auffassungen sein, die ein Vierteljahrhundert lang Döblins Denken bestimmten. Vorgebildet fand er seine tragische Weltsicht bei Hölderlin, Kleist und Dostojewski, bei Schopenhauer und Nietzsche [284]; unter Nietzsches Werken beeindruckte ihn ja nicht der „Zarathustra", sondern die „Genealogie der Moral" (ER 101f), nicht die Verkündigung des neuen Menschen also, sondern die Zerstörung der alten, scheinbar so gesicherten Maßstäbe.

So deutlich die Ablehnung des persönlichen Ich im Vordergrund steht, so vernehmbar ist doch der teils leise, teils dringlichere Protest Döblins gegen seine eigenen Anschauungen. Zu stark war sein Interesse am Detail, auch am Detail ‚Einzelmensch', zu originell war er selbst, als daß er sich auf die Dauer mit einer demütigen Selbstaufhebung, mit dem „Fanatismus der Selbstverleugnung" (AzL 18) hätte abfinden können. Deshalb zeigen die Dichtungen dieser Periode ein so unterschiedliches Gesicht: sie stellen jeweils anders akzentuierte Versuche dar, das Leiden an der Nichtigkeit des Menschen zu begreifen, womöglich zu akzeptieren — oder aber umgekehrt, in Werken wie „Die Ermordung einer Butterblume" oder „Wadzeks Kampf mit der Dampfturbine", die aufgeblasene Selbstüberschätzung

---

[284] vgl. *AzL* 356, *ER* 72, 81, 101 f, *Sch* 158—161.

des einzelnen höhnisch zu demaskieren, das selbstherrliche Ich zu zerstören. Der Bogen reicht von der blanken Verzweiflung des „Schwarzen Vorhangs" bis zu den Versuchen, in östlicher Schicksalsergebenheit oder in hymnischer Naturfrömmigkeit jenem Gefühl unabänderlicher Unterlegenheit den Stachel zu nehmen; aus ohnmächtiger Wut wird ohnmächtige Verehrung, und wir erinnern uns der Worte Ma-nohs: „Ja, man müsse sich zwingen, dies gut zu finden, ja sehr gut" (Wl 172f).

Wie wenig einheitlich diese Entwicklung war, ist an den Werken abzulesen, die zwischen dem chinesischen und dem utopischen Roman entstanden, an den stilistischen und inhaltlichen Rückfällen der meisten „Lobensteiner"-Erzählungen und des „Wadzek" einerseits, an der Zeichnung der „Wallenstein"-Welt als eines sinnlosen Chaos andererseits. Die Konfrontation mit den europäischen Realitäten, vor allem mit dem Weltkrieg, hatte Döblin die Schlußfrage des „Wang-lun" negativ beantworten lassen. Neben den leidenden Sarkasmen brachte sich aber auch im „Wallenstein" jene Unterströmung wieder zur Geltung, die schon in den frühen Erzählungen, dann im jahreszeitlichen Rhythmus des „Wang-lun", im Pantheismus des Tao sichtbar geworden war: das Bild einer bergenden, erlösenden Naturwelt. Der „Wallenstein" sieht hier freilich noch einen unversöhnlichen Gegensatz zur Menschenwelt; ein Leben ist nur hier *oder* dort möglich, das Eintauchen in den Naturbereich fordert die Aufgabe des spezifisch Menschlichen, mündet letztlich und folgerichtig in den Tod.

Dieser ausweglosen Antithetik tritt dann jener Gedanke entgegen, der schon im „Schwarzen Vorhang", in den „Gesprächen mit Kalypso", sogar in der Groteske „Lydia und Mäxchen" angeklungen war: der Gedanke von der Verbindung, ja der Identität des Menschlichen und des Naturhaften auf Grund der „Beseeltheit" beider, einer Überbrückung der Kluft in der Erkenntnis, daß das scheinbar Furchtbare und Feindliche in Wahrheit brüderlich gleichgeartet ist. So führt der utopische Roman zwar die Auseinandersetzung des Menschen mit der Natur auf die äußerste Spitze, läßt aber gleichzeitig im letzten Buch und in der Gesamthaltung des Erzählers die Möglichkeit einer bewußten Symbiose, eines Verhältnisses zur Natur, in dem Ehrfurcht und Selbstachtung sich vereinen, sichtbar werden. Über die wenigen glücklichen Augenblicke, die dem Helden des „Schwarzen Vorhangs" gegönnt waren, hieß es: „Zwischen den Dingen ruhte er Schulter an Schulter." (SV 151); das Buch „Berge Meere und Giganten" schließt mit dem Satz: „Brust an Brust lag die Schwärze mit den Menschen; Licht glomm aus ihnen." (BMG 589) Noch steht dieser dialektische Ausgleich auf schwachen Füßen, weil der menschlichen Selbstachtung noch der Inhalt fehlt, weil Döblin hier noch nicht zu sagen weiß, was denn den Menschen gegenüber der Natur auszeichne und die Annahme einer Sonderstellung rechtfertige. Klar vorgezeichnet aber ist schon der Weg, den die folgenden Werke beschreiten werden; er führt nicht in klagende oder ergebene Unterwerfung und auch nicht in hybride Menschenverherrlichung, sondern zur Bejahung der menschlichen Doppelexistenz, zur Balance der Polarität.

Warum Döblin jene triste Weltsicht der vornaturalistischen Periode immer wieder an erotischen Beziehungen konkretisiert, wird am deutlichsten im „Schwarzen Vorhang" ausgesprochen: Der Mensch sucht unter der Last der eigenen Ohnmacht gegenüber dem Welträtsel einen noch Schwächeren, den er durch „Liebe" an sich binden, unterwerfen kann, dem gegenüber er sich mächtig fühlen darf. Hieraus erklärt sich der große Anteil sadistischer Quälerei an diesen Verbindungen, seien sie hetero- oder homoerotischer Art, erklärt sich auch die makabre Verschwisterung von Liebe und Tod. Die Liebe, stets als Kampf dargestellt (auch in parodistischen Varianten wie „Der Dritte" oder „Linie Dresden-Bukarest"), kann sich nur „erfüllen" im Tode, im Ende des Haders, in einer, um zynisch zu sprechen, allenfalls räumlichen Vereinigung. Der Tod ist allerdings nicht nur Schrecknis, sondern auch Gegenstand geheimer Sehnsucht; eröffnet er doch die Möglichkeit, die Last des Ich abzustreifen, einzutauchen in die wohltuende Nacht des Anonymen. Dieser Zusammenhang motiviert die masochistische Komponente der erotischen Beziehungen, wie sie etwa in „Die Segelfahrt" oder in „Das Stiftsfräulein und der Tod" begegnete. Eine Aufhebung der zerstörerischen Kampf- und Unterwerfungskonstellation, etwa in gegenseitiger Achtung: diese Möglichkeit wird gar nicht in Erwägung gezogen. Der Grund hierfür ist teilweise in Döblins persönlichen Problemen zu suchen, die ich im II. Kapitel dargestellt habe. Die Sexualität erscheint in den frühen Werken als böse; auch in den Amazonen-Gestalten wird das Unheimliche nicht etwa aufgehoben, sondern nur in eine andere Beleuchtung gerückt. Selbst in der Travestie dieser Angst vor dem Weiblichen, wie sie „Der Dritte" und, sehr verschlüsselt, die „Ermordung einer Butterblume" vorführen, bleibt die grundsätzliche Beunruhigung spürbar.

Der Umschwung setzte erst mit den „Nonnen von Kemnade" ein, um dann in „Berge Meere und Giganten", vor allem in der Gestalt Elinas, klar hervorzutreten: die Frau als die zwar andere, aber doch ähnliche Artung Mensch, die Liebe als Erlösung nicht zum Tode hin, sondern zum gesteigerten Leben. Daß dieser Prozeß durch die Begegnung mit Yolla Niclas erheblich gefördert wurde, durch jene Entwicklung, die für Döblin eine „vita nuova" einleitete [285], soll nicht geleugnet werden. Darüber hinaus aber ist auf den größeren Zusammenhang hinzuweisen, der diese Wende einschließt. Parallel nämlich zur Entdämonisierung der Geschlechterliebe wurde die Lehre von der beseelten Natur entworfen; nicht nur in der mannweiblichen Sphäre, sondern auch im Verhältnis des Menschen zu seiner natürlichen Umwelt wurde die quälende Isolation des Ich aufgehoben, wurde das Du entdeckt. Nicht nur in bezug auf den Eros hatte die bisherige Weltsicht sich als lebensfeindlich, als zum Tode führend erwiesen.

Wenn die homoerotisch gefärbten Beziehungen auch in den folgenden Werken ihren sinistren Beigeschmack behalten, so liegt das, wie wir sahen, an der fast lebenslangen ungelösten Vaterproblematik Döblins; hier konnte auch die naturalistische Neubesinnung keinen Wandel schaffen.

Dem unruhigen Fragen Döblins entspricht die Experimentalstruktur der Dichtungen, die auf dem Prinzip variierender Wiederholung beruht. Dieses Grundmodell beherrscht den chinesischen wie den utopischen Roman, den „Wallenstein" wie die Geschichte vom Franz Biberkopf. Auch in der sukzessiven Konfrontation des verstockten Gottes Konrad mit den verschiedenen Lebenskreisen, auch in der Ausweitung der Las-Casas-Episode aus dem I. Band der Südamerika-Trilogie zur Geschichte des Jesuitenstaates, die den ganzen II. Band füllt, ist dieses Aufbauprinzip noch erkennbar. Es erlaubt die stufenweise Klärung der Anfangskonflikte, kann allerdings auch die Einsicht bestärken, daß auf der vorausgesetzten Basis eine Lösung nicht möglich ist, da jeder Anlauf das gleiche Ergebnis zur Folge hat.

Die Figur der Wiederholung, die vom Gesamtaufbau hinunterreicht bis zur Wort- und Lautrepetition, ist in ihrer „naturhaften" Primitivität sehr variabel, erlaubt die Darstellung einer Steigerung wie eines Verfalls, die Betonung von Gleichem wie von Konträrem, ist auf diese Weise eins der Mittel indirekter Kommentierung, die Döblin parallel zur weitgehenden Ausschaltung des persönlichen Erzählers entwickelte. Es sei noch einmal an die virtuose Absatz-Regie erinnert sowie an die ausgeprägte Symbolgestaltung — vor allem in „Die drei Sprünge des Wang-lun" und „Berge Meere und Giganten" —, die ebenfalls den kommentierenden Erzähler vernehmbar werden lassen.

[285] vgl. Robert Minder, K 541, S. 59.

Auf der anderen Seite steht die sehr ausgeprägte Point-de-vue-Technik, die Methode, Ereignisse und Gestalten aus der Perspektive anderer Personen zu zeichnen, dem Leser nichts an die Hand zu geben als diese relativen Urteile. Dieser Methode verdankt z. B. die Wallenstein-Figur ihre Lebendigkeit; nicht nur Freunden und Feinden, sondern auch dem Leser bleibt dieser Mann bis zu einem gewissen Grade rätselhaft. Für die Personengestaltung im „Wallenstein" wie auch noch überwiegend in „Berge Meere und Giganten" gilt in der Tat Döblins Satz, der Leser solle urteilen, nicht der Autor (s. o. S. 108).

Die Absicht, alles Licht vom Erzähler weg und auf den berichteten Vorgang zu lenken, ist auch der Grund für die Entwicklung des so reichen Instrumentariums zur Wiedergabe von Reden oder Gedanken der Personen. Ich erinnere an meine Ausführungen über direkte und indirekte Rede sowie ihre Zwischenstufen (S. 159 f), über die Formen der Redeeinführung (S. 95, 159) und über die Variabilität von erlebter Rede und innerem Monolog (S. 180 f). Dem Willen, alles Geschehen möglichst lebendig und ohne Einschaltung vermittelnder Floskeln darzustellen, entspricht die Verknappung der Syntax, beginnend mit der Auslassung von Konjunktionen, dann von Subjekt oder Prädikat, mündend in die atemlose Aufzählung. Diese Tendenz zur Verknappung zeigt sich auch in den geballten Partizipien und Verben, die aus der Verschmelzung mit Objekten und adverbialen Bestimmungen oder mit Vergleichen entstehen (s. o. S. 158 f). — Gesteigert wird die suggestive Wirkung des Dargestellten schließlich noch durch den reichen Gebrauch von Alliterationen und durch die stellenweise sehr weit gehende Rhythmisierung (s. o. S. 127—130).

Wenn Döblin auf diese Weise seinen Stil in den Dienst abstandsloser Vergegenwärtigung und suggestiver Beschwörung zu stellen sucht [286], so blieb uns doch nicht verborgen, daß seine Absicht, den Stellung nehmenden persönlichen Erzähler zu eliminieren, nirgendwo ganz erfüllt ist. Manche der frühen Erzählungen sind im konventionellen Chronistenton gehalten, von dem der „Wang-lun" noch die Reste zeigt. Selten ist allerdings das interpretierende Eindringen in die Seele der fiktiven Person, wie wir es bei Ma-noh beobachten konnten. Gestalten wie Wadzek oder Michael Fischer lassen in der satirischen Verzerrung zwar den Erzähler spürbar werden, die Gründe aber für ihr Handeln werden uns nicht mitgeteilt, sondern wir sind — man denke etwa an den „Kaplan" oder die „Segel-

---

[286] vgl. hierzu Gerhard Schmidt-Henkel (K 582) und Ernst Ribbat (K 580).

fahrt" — auf eigene Kombinationen angewiesen. Den höchsten Grad erreicht diese „Selbstverleugnung" im „Wallenstein" — dies aber zugunsten einer allgemeinen satirischen Optik; gerade in diesem Roman wird deutlich, daß dem Dichter Döblin eine tatsächlich ganz „objektive" Prosa, etwa im Sinne von Holz/Schlafs „Papa Hamlet", gar nicht angemessen war, daß er mit der Theorie von der Abschaffung des persönlichen Erzählers an seiner Eigenart vorbeiredete; denn immer wollte er ja etwas „zeigen" mit seinen Büchern, immer ging es um „mehr" als die dargestellten Vorgänge („Man fragt: wen kümmert der Dreißigjährige Krieg? / Ganz meine Meinung." — AzL 339), und so verwundert es nicht, daß in „Berge Meere und Giganten" der Erzähler wieder seine Stimme erhebt, nicht nur in der hymnischen „Zueignung", sondern auch in einzelnen Kommentaren und Vordeutungen. Auch in dieser Beziehung kündigt der Roman den Durchbruch des Neuen an, dessen Befestigung und Ausbreitung in den theoretischen Schriften uns im folgenden Kapitel beschäftigen soll.

## IV. KAPITEL

## DAS NEUE MENSCHENBILD IN DER
## NATURALISTISCHEN THEORIE

### A) Die philosophischen Schriften

Bereits im I. Kapitel habe ich dargelegt, wie Kylins Versuch, Naturverehrung und menschliche Selbstbehauptung zu einer Einheit zusammenzuschließen, wenige Monate nach Erscheinen des Romans in dem Aufsatz „Der Geist des naturalistischen Zeitalters" philosophisch weitergeführt wurde. Die Hereinnahme der historischen Optik erlaubte eine genauere Aussage über den Ort des Menschen in der Welt: aus dem Wegfall der alten Jenseits-Religion, aus der Abschaffung der Metaphysik folge *auch* ein zur Aktivität stachelndes Freiheitsgefühl; der den Menschen stützende Gott im Jenseits werde ersetzt durch das stolze Gefühl der Unabhängigkeit und Selbstverantwortlichkeit. — Auch hier wird also die Würde des Menschen noch nicht positiv bestimmt, sondern nur indirekt auf dem Hintergrund der Befreiung von den alten Zwängen. So einleuchtend die Annahme eines solchen Befreiungsprozesses und der daraus folgenden Aktivität — als eines historischen Vorgangs — auch ist, so wenig gibt diese Theorie her für das Selbstverständnis und das Verhalten des einzelnen Menschen im 20. Jahrhundert. Auch in den nächsten Jahren verblieb der naturalistischen Theorie diese leere Stelle; mit Recht schrieb Döblin 1926, der Mensch als Ich, als Geistiges gehe ihm „ganz, ganz langsam" auf (Z 113).

### I. „Reise in Polen"

Dieses Buch brachte insofern einen Fortschritt, als nun nicht mehr vom Menschen überhaupt, sondern vom Individuum gesprochen wurde. Diese Passagen stehen etwas überraschend, ohne einleuchtende Verbindung im Text, und bisher hat auch noch niemand so recht versucht, den Zusammenhang mit dem übrigen Bericht klarzustellen. Bei Links heißt es kurz, im Anblick der Rabbiner und ihrer tiefgläubigen Gemeinden habe Döblin den

Glauben an den Wert des Menschen wiedergefunden [1]. Graber beschränkt sich in seinem Nachwort zur Neuausgabe auf sehr spärliche Bemerkungen, trifft allerdings mit seinem Hinweis auf das neuerstandene Polen als „nationales Individuum" (RP 362) dann doch den Punkt, von dem her jene Sätze über die Hoheit des Ich in den Kontext eingeordnet werden können.

Schon zu Beginn meiner Interpretation von „Berge Meere und Giganten" wies ich darauf hin, daß Döblins politisches Engagement nach dem Weltkrieg ihn früher oder später in offenen Widerspruch zu seinen fatalistischen Theorien bringen mußte. Es verwundert daher nicht, daß die Neubesinnung auf den Einzelmenschen mit politischen Überlegungen Hand in Hand ging.

Mit Bewunderung und Sympathie gedenkt Döblin in diesem Buch der leidvollen polnischen Geschichte: „Das war der Kampf der Freiheit. Wem geht nicht das Herz dabei auf." (RP 47) Offensichtlich ist ihm die Wiederherstellung eines selbständigen Polens (im Jahre 1918) ein Beweis für die Macht des menschlichen Willens: „Sie sitzen jetzt in ihren eigenen Häusern. Denn eine Grenze hat Tyrannenmacht. — Es gilt nichts zu vergessen, auch sich nicht." (21) Die Parallele zwischen dem Abschütteln der Fremdherrschaft und der Liquidation der Jenseitsreligion, von der jener Aufsatz sprach, ist leicht zu sehen, wenn Döblin sie auch nirgends ausspricht. Daß er in der zähen Überlebenskraft der kleinen polnischen Nation tatsächlich ein symbolisches Abbild für die Gewalt des Einzelmenschen sah, wird in einem anderen Zusammenhang deutlich, in seinem Urteil nämlich über jenes Volk, das, noch sehr viel länger unterdrückt und umgetrieben, ein noch staunenswerteres Zeugnis ablegt für die Kraft menschlichen Beharrungsvermögens: die Juden: „Ich kann mir nicht helfen: wie ich durch die Hausflure gehe und Hütte nach Hütte besehe, werde ich von Staunen befallen, von Ehrfurcht. Und von Freude: der Geist lebt, Geist schafft in der Natur. Geist, Wille hält dies zusammen. Kein sogenanntes Unglück hat sie zertrümmert, weil sie es nicht wollten. Wie sie durch die Jahrtausende irren, wanken, getrieben werden, sind sie ein Symbol für das Einzige, was Zukunft, Geburt, Schöpfung trägt: für den Geist und die Kraft des Ich. Bei den Polen hat es mich beglückt: sie sitzen in ihren eigenen Häusern. Den Juden kann es nicht entgehen." (98f)

Auch hier ist also vom Einzel-Ich selbst, strenggenommen, noch nicht die Rede, und die spezielleren Bekundungen Döblins haben einen lediglich af-

[1] K 558, S. 68

firmativen Charakter. Von einem jüdischen Lehrer heißt es: „Er lehrte, der herrliche Mensch, die große Gewalt der Seele, die Allgewalt der Seele." (134f); einer langen Anrede an das eigene Ich folgt der emotionale Ausruf: „Was alles, was alles, was alles habe ich dir abzubitten." (189) Der neue Glaube an den Einzelmenschen wird bereits, wie später in „Wissen und Verändern!" und in „Unser Dasein", gegen die herkömmliche Staatsform, gegen die „Öffentlichkeit" ins Feld geführt (312f). All das entbehrt aber der näheren Begründung, begnügt sich mit der Vehemenz einer neuen Konfession. Auch die Rezension des Buches „Rasse und Seele" von 1926 zeigt noch das gleiche Bild: „Das Einzel-Ich ist real, in jedem physischen und metaphysischen Sinne; es wird keinem gelingen, mich in diesem aller- sichersten Gefühl zu erschüttern." [2] So ist auch die Instanz, an die Döblin zum Schluß des Polenbuches die Frage richtet, „was das Stärkste auf dieser Welt ist", nicht etwa der Verstand, sondern das Herz (344). Die Antwort zeigt in ihrer ungelösten Polarität, daß die gedankliche Klärung des Pro- blems noch lange nicht abgeschlossen war. Das Stärkste bleibt nach wie vor („Ich brauche mich nicht zu korrigieren.") „die unermeßliche Natur", aber gleichberechtigt steht ihr gegenüber „Die — Seele. Der Geist, der Wille des Menschen." Um diese Gleichwertigkeit auszudrücken, nennt Döblin die Seele „das zweite Stärkste". Diese Polarität bleibt auch für Döblins weitere philosophische Bemühungen verbindlich, ist hier aber noch nicht durch- dacht, nur empfunden, erinnert an den Aufsatz „Von der Freiheit eines Dichtermenschen", dessen Autor sowohl für das Ich als auch für die Masse Fanfaren blasen ließ [3]. Im Polenbuch findet sich dazu noch eine Parallele: „Ich habe Krakau gelobt, die Marienkirche, den Gehängten, den Gerechten. Die leben. Das Uralte ist immer das Neueste. Diese Maschinen hier aber sind auch echt, stark, stahllebendig. Sie haben mein Herz. Mich kümmert nicht, wie sie mit dem Gehängten und dem Gerechten zusammenhängen. / Ich — und wenn der Widerspruch bis zum Unsinn und bis zur Hölle her- unterklafft —, ich lobe sie beide." (326) Christus, Sinnbild für das Leiden, die Nichtigkeit des Menschen, und die Technik, geboren aus dem natura- listischen Impuls und stolzes Zeichen menschlichen Vermögens, sind beide „wahr", versinnbildlichen je eine Seite der menschlichen Existenz. Am Schluß, im Angesicht des Meeres, sucht Döblin noch einmal dieses Gefühl zu formulieren, und es klingt wie ein vorweggenommener Kommentar

[2] D 434, S. 134
[3] s. o. S. 101.

zum „Giganten"-Roman von 1932, wenn wir lesen: „Daß man nicht im Anbeten erliegen darf, ist mir unendlich klar. Daß man verändern, neusetzen, zerreißen darf, zerreißen muß, ist mir klar. Der Geist und der Wille sind legitim, fruchtbar und stark." (344)

Der Intention nach ist das bereits die Lehre vom Menschen als Stück und Gegenstück der Natur, wie die Schrift „Unser Dasein" sie entwickeln wird, aber wir erfahren eben nicht, was denn den Menschen als Gegenstück auszeichnet. Nur augenblickshaft scheint ein Gedanke aufzublitzen, der das Buch vom „Ich über der Natur" bestimmen wird: die Idee eines alles durchwaltenden Ursinns. Anläßlich eines Besuchs im Naturkundemuseum proklamiert Döblin: „Ich bin ja das Ich, das sie alle hier anleuchtet. Das aus allen leuchtet: sie wissen es nicht. Das Ich ist da. Das treibende, drängende, fühlende Ich. Ich bin die Wahrheit von all den Füchsen, Ratten, Mammuten" und: „Wie groß, wie stark — bin — Ich! Wie unbezwinglich, unverwüstbar, unnahbar — bin — Ich! Ich bin sehr legitim." (221) — Doch abgesehen davon, daß diese Sätze sich wohl nur dem Kenner der späteren Schrift erschließen, besteht der kaum erlaubte Kunstgriff Döblins darin, sich, sein persönliches Ich, mit dem Ich-Charakter der Welt zu identifizieren und hieraus seine Bedeutung abzuleiten.

All das kann also noch nicht befriedigen; bemerkenswert ist immerhin, daß Döblin nun mit derselben Vehemenz für den Einzelmenschen, für die Realität des Ich eintritt, mit der er bis 1923 derartiges zu leugnen pflegte.

## II. „Das Ich über der Natur"

Dieses Buch, das schon im Titel Döblins neuen Glauben proklamiert, vermittelt auf den ersten Blick noch einen ähnlichen Eindruck wie die „Reise"; Döblin selbst gesteht in der Einleitung zu, manches sei unausgeglichen und widersprüchlich (IN 7). Es wurden ja auch jene Aufsätze in den Text aufgenommen, deren Tendenz ihr Autor 1924 mit der Formel „Ich — bin — nicht" gekennzeichnet hatte (AzL 347), und so wundert es uns nicht, einen überleitenden Satz wie diesen zu finden: „Nachdem ich die Massen gefeiert habe, muß ich jetzt die Individualität, das Privat-Ich und seine Eigentümlichkeit erheben." (IN 169)

Trotz dieses Augenscheins ist der Fortschritt erheblich; jene „vornaturalistischen" Aussagen werden nun, ebenso wie das in „Der Geist des naturalistischen Zeitalters" mit der Tendenz des utopischen Romans geschah, in einen größeren Zusammenhang gestellt und damit relativiert. Ich wies

schon darauf hin, daß Döblin den früheren Begriff vom Ich als unzulänglich erkannte, als nur einen Teil des Ich erfassend, dem er jetzt den Namen
„Natur-Ich" gab. Der wahre Charakter des Einzelwesens stellte sich ihm
nunmehr im autonomen „Privat-Ich" dar. — Ohne auf Widersprüche einzugehen, möchte ich zunächst die Grundgedanken dieser Schrift kurz dar-
legen.

Das 1. Kapitel („Die Ausbreitung des Sinns in der Natur") arbeitet
jenen Gedanken von der Beseeltheit der Natur aus, den wir schon im
Frühwerk entdeckten und der seine erste Darstellung in dem Aufsatz „Die
Natur und ihre Seelen" fand. Jetzt formuliert Döblin: „Es gibt nur beseelte Wesen in der Natur; auch die chemisch-physikalische Natur ist beseelt." Denn als Zeichen der Beseelung gilt „die sinnvolle Ordnung, von
der zahlenmäßigen Gliederung bis zur Schönheit." (IN 243) Die Erkenntnis, daß die Formung der Wesen und auch der Vorgänge sinnvoll ist, führt
zu der Weiterung: „Die Natur im ganzen ist von eigentümlich geistiger
Art." (12) Dieser Sinn, dieser Geist ist aber nicht etwa mit „Gott" zu identifizieren, mit einer außer- und überirdischen Realität also, sondern er ist
der Welt immanent: „Vielmehr hat sich die große anonyme Gewalt, ein
großer Sinn — denn die Gewalt ist geistig nach ihren Zeichen —, ein
‚Ursinn', mit Licht, Dunkelheit, Eis, Feuer, Sternen in vielen Dimensionen
als Welt dargestellt, sinnvoll so hingebreitet." (42) — Die Einzelwesen
nun, die im „stabilen System" der Welt aufeinander abgestimmt sind in
Umformung und Angleichung, erscheinen beseelt, sinnvoll, ichhaft; wenn
dem so ist, schließt Döblin, muß das Ganze, in dem und von dem aus die
Einzelwesen erst ihren Sinn erhalten, dieselben Qualitäten haben: „Ja,
noch mehr, noch tiefer Sinn, Seele, Ich wird das Ganze sein als die einzelnen, vereinzelten Wesen" (54). So kommt es, daß Döblin den „Ursinn"
als „Ur-Ich" glaubt identifizieren zu können (68), von dem es dann heißt:
„Dieses ‚Ich' und dieser ‚Sinn' geht aller Natur voraus und ist über der
Natur." (80)

Hier findet also der alte spinozistische [4] Gedanke von der Verflochtenheit der Dinge, der schon im „Schwarzen Vorhang", wenn auch erfolglos,
gegen das Gefühl der Beziehungslosigkeit und Verlassenheit aufgeboten
wurde (SV 151), sein vorläufiges Ziel. In den „Gesprächen mit Kalypso"
hieß es: „Ich erkenne Gleichmaß, Wiederkehr und Zusammenhang an;

---

[4] Über seine intensive Spinoza-Lektüre schon während der Schulzeit berichtet Döblin
im „Epilog" (AzL 384).

einen Sinn hat die Welt, den ihr der Satz der Beziehlichkeit leiht, — weiter aber kann ich nicht" (11, 84) [5], denn: „die Wurzel der Verflochtenheit ist gut verschüttet, kein Dichter hat sie je berührt." (8, 59) Darum spottete der Musiker „über die, welche gar ein gemeinsames Wurzeln aller Erscheinungen erhoffen, welche eine Formel finden wollen für die Bestimmtheit der Welt" (11, 84), aber schon damals erkannte Kalypso, erkannte Döblin: „Suchst Du nicht heimlich doch die — Formel?" (12, 92) Jetzt, im Begriff des „Ur-Ich", glaubt Döblin sie gefunden zu haben. Zugleich korrigiert die Einsicht in die Ichhaftigkeit der Dinge jene Auflösung in bloße Relationen, die in den „Gesprächen" drohte: „das Ding erschöpft sich in seinen Beziehungen, ist nichts hinter den Beziehungen, nichts mehr." (11, 84) Jetzt heißt es: „Die Verklammerung erschöpft die Dinge nicht; sie sind noch mehr als ihre Organe, sie haben eine Wesens- und eine Hafteseite" (IN 200).

Die beiden Gedanken, die im bisherigen Werk immer feindlich einander gegenüberstanden, der von der Vereinzelung im Ich und der vom ichauslöschenden Zusammenhang alles Seienden, werden zusammengezwungen im Begriff vom Ur-Ich, das sich im sinnvollen Zusammenhang der Dinge darstellt, ohne aber deren Charakter, ihre Ichhaftigkeit aufzuheben. — Mit einigem Recht assoziieren wir hier das Bild des riesigen Buddhas aus dem „Wang-lun", denn von jenem auf Angleichung beruhenden Stabilitätszustand sagt Döblin: „daß in ihm die Welt im ganzen ein Massenwesen, ja ein Organismus ist. Dies ist kein bloßes Bild." (IN 53) Trotzdem wird diese Akzentsetzung dem Gedankengang nicht gerecht, weil in jenem Buddha die einzelnen aufgesogen werden, nur noch Massenpartikelchen sind, weil im Organismus die Einzelglieder nur mehr als Funktionsträger erscheinen, während die neue Erkenntnis Döblins ja gerade darin besteht, daß trotz allen Zusammenhangs, trotz der Unmöglichkeit, die Dinge oder die Menschen aus ihrer Verflochtenheit mit den anderen Wesen herauszulösen, dem einzelnen die Würde zukommt, Träger eines autonomen Ich zu sein.

Was im besonderen den Menschen angeht, so entwickelt Döblin eine „Hierarchie" der menschlichen Seele [6]. Drei Schichten unterscheidet er im Ich: das Natur-Ich, das Passions-Ich und das Privat-Ich.

Das Natur-Ich, auch Trieb-Ich genannt, verbindet uns mit der untermenschlichen Natur, zeigt ihr Hineinwirken in uns, soweit wir selbst Tier,

[5] Zur Zitierweise s. o. S. 57, Anm. 25.
[6] so Döblin in „Dichtung und Seelsorge" (D 172), S. 307.

Pflanze, Mineral sind (121), wird besonders deutlich in der Sexualität, die auf Zerstörung der zersplitterten Einzelleiber dringt (127), ferner in der ent-ichenden Wirkung der Landschaft (135). Die hier nur angedeutete Verfolgung der menschlichen Wesensart in ihre tierischen, pflanzlichen, ja kristallinen Wurzeln hinab wird einen großen Teil der Schrift „Unser Dasein" in Anspruch nehmen. — Gebändigt wird die im Natur-Ich sprudelnde Trieb- und Seelenmasse durch das „plastische Ich" (154), das zentrierende und zweckmäßig formende Kraft hat (152), keine Stufe des Ichs neben den drei anderen, sondern ein rein formales Vermögen.

Dem Natur-Ich übergeordnet ist das Passions-Ich, das uns mit der menschlichen Umwelt verbindet, in Tradition, Geschichte und Moral, in Ehrgeiz, Liebe und Familiensinn, und das im Gesellschaftstrieb die *eine* Richtung des Ursinns verfolgt: die Einschmelzung des Individuums in die Masse; Formen dieser Einschmelzung sind Ehe, Staat, Klasse, Religionsgemeinschaft (157—160) [7].

Der „eigentliche, intime Ich-Charakter" (162) wird erst deutlich im Privat-Ich, in dem Gefühl jedes Einzel-Ichs, einen unerhörten Sonderfall darzustellen, allerechteste Realität zu haben, wesensunterschieden von allem anderen Seienden, das nur gedacht und vermutet werden kann (164). Dieses private Ich wiederum hat zwei Bewegungsrichtungen: es kapselt sich in sich ab, ist auf Befestigung und Bewahrung aus, greift andererseits in die Wirklichkeit handelnd ein („Aktions-Ich" wird diese Seite des Privat-Ichs genannt — 165f). In diesem Eingreifen sieht Döblin die Sehnsucht des vom Ur-Ich abgespaltenen Einzel-Ichs nach Wiederherstellung der Einheit am Werk (166, 168). Denn Last und Lust zugleich liegen in der Vereinzelung; der Freude am Sein korrespondiert die Freude an der Ent-Ichung, an der Rückkehr ins große Anonyme (225f).

Die Polarität, die wir in der Stellung des Menschen zur Natur beobachten, die sich ausdrückt in der Verehrung des Seienden *und* der Überzeugung, zum Um- und Überformen berechtigt zu sein, diese Doppelsinnigkeit herrscht also auch im Verhältnis des Ich zu sich selber: es ist stolz auf seine Einmaligkeit und empfindet sich doch sehnsuchtsvoll als unvollständig.

Nur wenige Jahre nachdem der „Wallenstein" jenes hoffnungslose Bild einer chaotischen Welt entworfen hatte, entstand dieses Buch, das die widersprüchlichen Positionen der vergangenen Jahrzehnte in eine höhere Einheit aufheben will, den einzelnen und die Masse, den Menschen und

---

[7] vgl. hierzu auch „Von Gesichtern, Bildern und ihrer Wahrheit" (D 358).

die Natur, das Ich und das Anonyme als gleichermaßen sinnvoll, als Ausdruck des gleichen Ursinns begreift, jenem Schreckbild von der heillos zerklüfteten Welt die tröstliche Gewißheit eines sinndurchflossenen stabilen Systems entgegenstellt. Das Walten des Ursinns sichtbar zu machen ist die primäre Absicht dieser Schrift; das Ich, von dem der Titel spricht, ist ja nicht etwa das menschliche Ich, sondern jenes Ur-Ich, die „überreale Wurzel der Welt" (188). Ebenso wie alle anderen Wesen zieht auch der Mensch den Sinn seiner Existenz aus der Abkunft von dieser Urmacht, aus seiner Zugehörigkeit zu diesem sinnvollen Ganzen. So scheint die Frage nach der spezifischen Würde des Menschen abermals unbeantwortet zu bleiben. Denn seine Eigenschaft, Ich zu sein, gilt zwar nicht mehr als Fluch, sondern als Ausweis seiner Zugehörigkeit zu jenem sinnvollen, ichgetragenen System, aber sie unterscheidet ihn eben darum in dieser monistischen Weltsicht ja keineswegs von den übrigen Wesen, die allesamt beseelt, und das heißt: ichhaft sind.

Es gibt aber ein Problem, das Döblin in diesem Buch nicht zu lösen vermag und das ihn mehr als ein Jahrzehnt lang beschäftigen wird: die Tatsache des Leidens. Die „unfaßbare Situation" (214), daß in diesem sinnvollen Weltganzen das Leiden, eine Folge der Zeitlichkeit, existiert, läßt ihn fast die gesamte Konzeption umwerfen; er diskutiert die Möglichkeit einer zweiten Urmacht neben dem Ursinn, „die Möglichkeit einer zweigöttlichen Welt" (216), die ihn zwingen würde, das ganze Problem von neuem zu durchdenken. Eine Widerlegung dieser Theorie gibt er nicht, formuliert lediglich sein Sträuben gegen eine solche Sehweise: „Mir scheint aber: es ist nur ein schwerer Traum, was ich da erzähle." und: „Es muß bessere, wahrere Deutungen geben als die Welt der zwei Götter. Wie ich auch schon öfter sagte: es kommt ein Punkt, wo es sich empfiehlt, die Waffen zu strecken." (218) [8]

In dieser Not entdeckt Döblin eine Kraft, die einen Weg „schräg durch die Zeitlichkeit" weist, die Verlorenheit an die Zeit aufhebt, „aus einem strudelnden Wesen ein strahlendes [. . .], aus einem Planeten oder Meteoriten eine Sonne" werden läßt (221): das Erkennen, das Denken. Daß hier ein spezifisch menschliches Vermögen angesprochen sei, wird nicht gesagt, und von der ganzen Konstruktion gesteht Döblin: „Ich habe das Gefühl, hier einen Gedanken, eine Wahrheit zu berühren, ohne daß ich

[8] Merkwürdig nur, daß Döblin 1932 als Quintessenz von „Das Ich über der Natur" ausgerechnet die Lehre von der zweigöttlichen Welt nannte: D 292, BA 506.

mich ganz ihrer bemächtigen kann." (219), aber betont steht am Schluß der „Leitsätze", am Schluß des ganzen Buches: „Da die Welt, von einem Ich getragen, von geistiger Art ist, ist das Erkennen eine große Macht. Wir haben dies Vermögen in uns." (244)

Im 1. Kapitel hatte Döblin definiert: „Erkennen in dieser Welt heißt: erleben, fühlen, wollen, planen, eingreifen." (84), und ganz in diesem Sinne sagt er später, in „Wissen und Verändern!", vom Denken, es sei „durchaus selber Aktion" und „die alleinige und einzig lebende Wurzel jeder Veränderung, die uns angeht." (WV 20) In „Unser Dasein" schließlich finden wir die Unterscheidung zwischen Kopf- und Realdenken, und von dem letzteren heißt es: „Der richtige, reale und realisierende Geist hat [. . .] eine über alles Bekannte hinausgehende Hoheit und Macht." (UD 202)

In zweifacher Weise also wird die tragische Weltsicht der vornaturalistischen Periode aufgehoben: zum einen erscheint der Mensch nicht mehr als hilfloser Außenseiter der Welt, als ohnmächtig Unterdrückter, sondern als Teil eines sinnvollen Ganzen, nicht Feind, sondern Bruder der Natur; zum anderen zeichnet ihn aus, daß er diesen Sinn erkennt, ihn nicht instinktiv, sondern bewußt „exekutiert" — oder eben auch verfehlen kann. Er hat das Recht zum Eingriff in die Natur, zum autonomen Handeln, sofern er nicht gegen den „Sinn" verstößt, sofern seinem Handeln eine zutreffende Bestimmung des eigenen Ortes und der eigenen Möglichkeiten zugrunde liegt. — Die Konkretisierung dieser scheinbar so abstrakten Gedanken wird die Geschichte vom Franz Biberkopf bringen.

Als problematisch sollte sich der Begriff des „Ur-Ichs" erweisen. Bei aller Ablehnung der herkömmlichen Gottesvorstellung, und sosehr Döblin auch immer wieder die Immanenz des Ursinns betont [9], stimmt es doch nachdenklich, wenn wir diesen Sinn als „eine übernatürliche, zum mindesten eine nicht bloß natürliche, Urmacht" definiert finden (IN 190). Auffällig war schon, daß Döblin in dem Abschnitt „Hingabe an die große Natur" (136ff) gegenüber dem Erstdruck („Buddho und die Natur") einen Passus ausließ, der beißenden Spott über den Gottesglauben enthielt („Vorspiegelung eines großen Hypnotiseurs [. . .], eines menschenartigen Wesens, das alles kann, was man braucht. [. . .] an den Detektiv im Film erinnernd, der alles herauskriegt" [10]). Offenbar sah Döblin selbst, daß er

---

[9] Muschgs Rede von einem „beseelten Schöpfungsorganismus" (UD 481) ist daher wegen der Implikation eines Schöpfers ganz unangemessen.
[10] D 346, S. 1192

mit solchen Zugeständnissen in Gefahr geriet, seinen eigenen naturalistischen Ansatz in Frage zu stellen; in seiner Antwort auf die Umfrage „Dichtung und Seelsorge" (1928) spricht er vom „Faktum dessen, das ich zurückhaltend das ‚Anonyme' nenne, das Priester mit ‚Gott' umschreiben."[11] — Natürlich ist der Unterschied zwischen einem transzendenten Gott und einem immanenten „Sinn" rational ohne weiteres klar, aber die Rede von einem „Ich" „über" der Natur läßt die Fronten verschwimmen, und diesem Umstand ist es wohl zuzuschreiben, daß Döblin, der dem Christentum damals noch sehr kritisch, ja aggressiv gegenüberstand, zurücksteckte und hinfort nicht mehr vom Ur-Ich sprach. An einer Stelle in „Unser Dasein" ist noch einmal von einem anonymen Ich die Rede (UD 125), sonst behilft Döblin sich mit anderen Formeln. Nachdem jener Begriff 1927 der Rechtfertigung und Erhebung des Ich gedient hatte, war er entbehrlich geworden; die nachfolgenden Schriften stellen den Menschen ins Zentrum.

Ohnehin bereitet die Vorstellung von einem „Ich", das gleichwohl „anonym" sein soll, Schwierigkeiten und drängt auf die Auslöschung des einen oder des anderen Pols. Zunächst entschied Döblin sich für „das Anonyme"; 1940 aber, auf der Flucht durch Frankreich, sah er: „Es ist unmöglich, den ‚Ewigen Urgrund' zu empfinden. Es muß, damit es ganz an uns herankommt, das Wort ‚Jesus' hinzutreten." (Sch 214)

Daß das „Ur-Ich", der „Ursinn" Begriffe waren, denen die Anschaulichkeit mangelt, mußte vor allem für den Dichter Döblin zum Problem werden. Die Bilderfülle des „Manas" bricht jäh in sich zusammen, wenn der Held, todmatt im Ringen mit Schiwa, das Ich anruft (M 355f), eine Vorstellung, die sich nur von der Schrift „Das Ich über der Natur" her erschließt, gedichtete Philosophie mithin, ein Debakel für den Mann, der unverändert der Meinung war: „Die Denkkraft und ihre Produkte als solche haben im Roman nichts zu suchen." (AzL 36) Erst in „Berlin Alexanderplatz" gelang die exemplarische Transponierung der neuen Erkenntnisse ins dichterische Bild.

### III. „Unser Dasein"

Dieses Buch, bereits 1928 in der Bibliographie zum „Ersten Rückblick" erwähnt (ER 114), aber erst 1933, in Hitlers Deutschland schon, erschienen,

---

[11] D 172, S. 307. Jetzt in D 604 A, S. 146

versucht die neue Weltsicht ausführlicher und systematischer darzulegen. Was im Bericht über die Polenreise und in „Das Ich über der Natur" noch widersprüchlich schien, jenes intuitive und emotionale Sowohl — als auch, wird nun zur bewußten Polarität der Lehre vom Menschen als Stück und Gegenstück der Natur erhoben.

Gegenstand des I. Buches ist das erlebende, fühlende, wollende, denkende Ich (UD 23). Döblin geht diesmal nicht von der Naturbetrachtung aus, sondern von der Selbstreflexion („Nur durch das Tor des Ich betritt man die Welt" — 13), und er stößt auf das Problem der „Entzweiung" (25): „Es kann doch nicht beides wahr sein: ich in den Dingen, Ding unter Dingen, und ich das Erleben über den Dingen?" (26) Doch die Spannung dieses Widerspruchs wird als Lebensprinzip begriffen (28, 68), und am Schluß des ersten Teils heißt es: „Vor mir steht die volle Wahrheit: Die Entzweiung in der Welt, sichtbar geworden in der zwiefachen Gestalt der Person als Stück und Gegenstück der Welt. Die Person zeigt deutlich diese Doppelnatur als Gebilde, das ganz aus der Natur hervorwächst, aus Tier- und Pflanzenwelt, und mit ihnen verbunden bleibt, und als Erlebnis, Arbeits-, Einschmelzungs-, Umbildungsapparat." (30)

Die Bücher II und III verdeutlichen diese beiden Pole in jeweils scharfer Zuspitzung, so daß manches im II. Buch fast nach Solipsismus klingt, während das III. Buch scheinbar das Ich schon wieder demontiert. Diese Gegensätzlichkeit gehört zu Döblins Denkweise, und gerade die Zusammengehörigkeit der beiden scheinbar konträren Perspektiven will er ja nachweisen: „die beiden, Gestalten der Natur und das Erleben, sind eine reale Einheit, die wirkliche Realität, und nicht auseinanderzureißen." (49)

Im II. Buch werden die drei Hauptmerkmale des Ich dargelegt: Existenz, Einzigkeit und bildende Kraft (49). Das erste meint die unumstößliche Grunderfahrung des „Ich bin" (52), die erst unzweifelhaftes Dasein in die Welt bringt (54). Wichtig ist eine neue terminologische Unterscheidung: mit „Ich" meint Döblin jetzt nur noch jenes Selbst-gefühl, das er auch „Erleben" nennt, Erleben als der Vorgang, der die Dinge zu „meinen" Bewußtseinsinhalten macht. Von diesem Ich zu unterscheiden ist die „Person", die das in die Welt, die Zeitlichkeit gesetzte Ich bezeichnet, kurz „jede organische Gestalt" (68). — Als Ich, damit kommen wir zu der zweiten Bestimmung, ist jeder einzigartig: „Es gibt nur ein einziges Ich" (57) denn jeder empfindet nur sich selbst als Ich. Als Person dagegen ist das Ich „Massenware", eins von Myriaden Wesen (68). Diesen dem Einzelwesen immanenten Widerspruch erklärt Döblin aus dem Faktum der „un vollständigen Individuation" (70). Ein Individuum im strengen Sinne gibt es nicht, wie schon die Angewiesenheit des Körpers auf Nahrung, Licht, Sauerstoff usw. zeigt: „Neben die Vereinzelung aller Wesen stellt sich die Verbundenheit aller, neben das Prinzip der Individuation das Prinzip der Kommunion." (69f) Hierzu wird im nächsten Buch noch mehr gesagt. Zunächst ist der dritten Eigentümlichkeit des Ich zu gedenken, seines Charakters als Bauzentrum (80). Hier wird, mit den Termini „Erleben" und „Handeln", die Lehre vom Privat-Ich aus der Schrift „Das Ich über der Natur" breiter ausgeführt. Aktiv steht das Ich in der Welt „als Perspektive und als Angriffsblock" (80). So nimmt es als Person seinen Platz in der Welt ein, „seinen zentralen Sitz" (92).

Hatte es zu Anfang dieses Teils geheißen: „Wir stellen noch einmal die Realität des Ich hin, um sicher zu sein, nicht im Sumpf einer ‚Welt' oder einer ‚Natur' zu versinken." (49), so lesen wir zu Beginn des III. Buches: „Wir werden einen Abbau des Menschen vornehmen, den Abbau auf das Tier, die Pflanze, das Mineral, den Stein, und indem wir diese Lebensstufen und -gestaltungen für sich betrachten, werden wir uns selber erkennen. (Was und wieviel an der Person ist Welt — damit ist zugleich gesagt: was und wieviel an der Welt ist Mensch.)" (98). Der Klammersatz erinnert an die anthropomorphe Darstellung der Naturwesen in „Berge Meere und Giganten", und in der Tat spricht aus diesem III. Buch der gleiche Geist liebevoller Einfühlung wie aus jenen Hymnen, nur daß diese Hinwendung jetzt nicht Selbstzweck ist, sondern der Klärung der Menschennatur dient. — Außerdem führen die Gedankengänge gerade dieses Buches zu einer Rechtfertigung der Technik. Denn im Vergleich zum pflanzlichen Leben erscheinen Muskulatur, Sinneswerkzeuge, Gehirn selbst schon als technische Zweckformen, als Ausdruck „einer technischen und zivilisatorischen Periode in der Zoologie", und „die menschliche Technik, die nicht an den Organismus gebundene, ist da nur ein kleiner Schritt weiter. (Man sieht übrigens, wo die Technik so in die Natur hineinragt, wie gefährlich es ist, allgemein Technik der Natur entgegenzustellen.)" (103). Auf eben diesen Ton ist das Nachwort zu „Giganten" gestimmt, in dem Döblin die Gründe für die Neubearbeitung des utopischen Romans darlegt [12].

Die große Forschungsreise, beginnend beim Pflanzenreich und fortschreitend über die anorganische Welt der Kristalle, über den Kosmos, der keine Individuen kennt, nur die großen Massengesetze demonstriert (131), bis

[12] vgl. AzL 373.

hin zu den Elementargewalten Wärme, Licht, Landschaft, diese Betrachtung der Natur, die heraushebt, was dem Menschen anhaftet aus all jenen Schichten und wieweit er, als Organismus, als Nervmuskelgeschöpf, als Gehirnwesen, einen Sonderfall darstellt, diese Betrachtung mündet in die Lehre von der Resonanz (168—177), in der die Vorstellungen von der Verflochtenheit alles Seienden, die wir seit Döblins Anfängen immer wieder hervortreten sahen, zusammengefaßt und präzisiert werden.

Unter dem Begriff der Resonanz, der in der Physik die Übertragung von Schwingungen meint, versteht Döblin hier „das Verbleiben eines Realzusammenhangs mit jenen außermenschlichen Naturformen, das Verbleiben einer Eigenmacht des Pflanzlichen, Mineralischen, Planetaren, Anorganischen in uns trotz der Nervmuskeltracht." (169) Der—meist unbewußte—Einfluß dieser unter-menschlichen Schichten in uns, ferner auch der der Landschaft (175) und des sozialen Milieus (176) werden jetzt von diesem Begriff, von diesem „für unser Dasein elementaren Vorgang" (173) her erklärt. Die Gedanken über Natur-Ich und Passions-Ich finden hier ihren Abschluß.

Auch das Erkennen gilt als Erscheinung der Resonanz, denn es beruht nach Döblin „auf dem Anklingen von Ähnlichkeiten und Gleichheiten zwischen dem Erkannten und dem Erkennenden" (171). So begründet die Resonanz im Erkennen und Mitempfinden das Du in der Welt (172). Schon im II. Buch hieß es von dem Wort ,Du', es sei „die mächtigste und großartigste Befreiung" aus der Höhle des abgekapselten Ich (63): „Und wenn wir die Augen gut offen haben, so finden wir die Welt voller Du, in vielen Gestalten." Die Entdeckung des Du, nicht nur in der beseelten Natur, sondern auch im Ich des anderen Menschen, diese Entdeckung stellt den zweiten großen Schritt dar nach der Rehabilitierung des Einzel-Ichs.

Wenn die „universelle Naturkraft" (246) der Resonanz als der Kitt bezeichnet wird, der Gleiches an Gleiches bindet, als Wünschelrute ferner, die Gleichheiten aufdeckt und stärkt (172), wenn wir schließlich von der Aufhebung der Zeit im Kunstwerk lesen („Wir haben ja eine einzige Lebenssubstanz, es ist die eine Welt, das eine Leben in allen Gestalten, und da können unter Umständen Dinge vieler und ferner Zeitabschnitte, gewesener, heutiger und kommender, in eins schwingen, Nachresonanz und Vorresonanz." — 220), so halten wir die philosophische Begründung für Döblins Assoziationstechnik bzw. für seinen Simultanstil in Händen, die vor allem „Berlin Alexanderplatz" bestimmen und von denen im nächsten Kapitel zu sprechen sein wird.

Wie ernst es Döblin auch ganz persönlich mit seinen Gedanken über die Resonanz war, zeigen schon die Aufsätze „Die Schranktür" und „Dämon oder krankhafte Verstimmung?" [13], vor allem aber der Bericht über die Wochen im französischen Flüchtlingslager, den die „Schicksalsreise" gibt. Immer wieder ist da von Winken und Zeichen die Rede, die ihn lenkten und narrten zugleich (Sch 131, 135, 169, 178—180). Einer möglichen Kritik an derartigem „Aberglauben" hält er entgegen: „Ich denke: die Paranoiker leiden an Beziehungswahn — der Normale am Wahn der Beziehungslosigkeit." (Sch 124)

Wie im „Ich über der Natur" tritt auch in „Unser Dasein" der Konzeption von der allumfassenden Harmonie des Seienden der Gedanke vom Leiden in und an der Zeitlichkeit entgegen. Ihm ist der zweite Teil des IV. Buches gewidmet, während der erste eine neue Bestimmung der Natur des Handelns versucht. Gemäß der Definition des Ichs als der Beziehung zwischen Welt und Person (das Erleben) gilt als Handeln auch das, was von der Welt her auf die Person eindringt, auch Krankeit, Schlaf und Tod (UD 185), denn Handeln bedeutet „ ‚Erweisen der Natur oder der Art oder des Charakters' " (189). Die spezifisch menschliche Form der Selbstbehauptung ist das Bewußtsein, das Döblin gegen Nietzsche, Freud und Marx verteidigt (191f). In diesem Zusammenhang erscheinen folgerichtig die Ausführungen über das „Realdenken" (202f), das nicht Spekulation und Rollen des Geistes in sich meint, sondern ein formendes und schaffendes Verhältnis zur Welt.

Die Ausführungen über die Zeitlichkeit, über die ausschließliche Realität des „Jetzt" (214), von der Döblin dann wieder abrückt („Realität hat die Handlung und nicht der Moment." — 218), die kreisenden Gedanken über die Unvollendung des einzelnen Menschen und seines Tuns sind alles andere als klar. Hier wird kein abgeschlossener Denkprozeß vorgeführt, sondern der Autor protokolliert seine widersprüchlichen Gedanken über ein Urfaktum, das ihn in seiner Unauflösbarkeit verfolgt. Zum einen spottet er über das „ewigfalsche ‚Wozu' des Nervmuskelmenschen", über die Frage nach dem Sinn dieses notwendig unvollkommenen Daseins also (227), zum anderen erhebt er gerade diese Eigenart des Menschen zu besonderer Würde: „Die Unvollendbarkeit gehört zum Dasein eines jeden von uns. Die Unvollendbarkeit des Menschenwesens aber, die Trauer und Tragik, die aus dem simpelsten Dasein fließt, zeigt etwas Hoheitsvolles an.

[13] D 496 und 497

Was da klagt, was da schließlich resigniert, ist nicht die einfache warme tierische Natur, die sich erkalten fühlt. Es ist deutlich mehr." und: „Ein grenzenloser Bautrieb ist in uns gelegt. Unvollendbar sind wir, auf Vollendung soll und muß es aber gehen." (238) Zeichen dieses Dranges seien neben der angeborenen Unzufriedenheit des Menschen die Formungen und Überformungen in der Kunst und in den Religionen (238).

Angesichts solcher Ungelöstheiten verwundert es nicht, daß dem V. Buch („Von der Kunst") ein „Betrübliches Zwischenspiel" folgt (265ff). Wie sehr die Überlegungen zum Problem des Leidens letztlich auf eine religiöse Antwort drängen, zeigt der Abschnitt „Die Welt als Wahn": „Kein denkender Mensch könnte eine Minute leben, wenn er nicht, wenigstens heimlich, auch wüßte: diese Welt ist Wahn." (273), denn: die Geburt ist nicht die Geburt des Ich und der Tod nicht der seine: „Hier wird Ich nicht erfüllt. Hier hinein bin ich verzaubert, geschickt, geworfen, verschlagen." (274) — Auch die angestrengt lustigen Reime und sonstigen Eulenspiegeleien des Abschnitts „Die Wiederaufrichtung" können nicht darüber hinwegtäuschen, daß das Grundproblem ungelöst bleibt. Döblin sucht Halt bei der Idee vom Ich als dem Stück und Gegenstück der Natur und resümiert: „Ich kann mir nicht genügen, in dem Einen noch in dem Andern zu sein, Ich bin auch nicht beides zusammen, sondern Dies und das Andere, und dann weiter die Entzweiung des Einen und des Andern, und dann die Bewegung des Einen auf das Andere. — Versteht man das? Nicht? Man erwarte nicht, daß das Dasein mit Tod und Leben, Lust und Schmerz ein Einmaleins ist." (291) — Man sieht leicht, daß eine solche „Ortsbestimmung" die Tatsache des Leidens nicht erklärt und noch weniger aus der Welt schafft. Erst sehr viel später, als Döblin zur Erklärung auf die christliche Ausformung der Sage vom Goldenen Zeitalter, auf die Lehre vom verlorenen Paradies und vom unsterblichen Menschen, zurückging, beruhigte er sich, wenigstens für eine gewisse Zeit, über diese Grundfrage.

Im VI. Buch berichtet er „Von kleinen und großen Menschen". Klein sind jene, die den Widerspruch des Seins nicht ertragen, sondern in Ohnmacht, Schlaf und Tod stürzen, in die „drei Zufluchten" (297). Vor allem von Selbstmorden ist die Rede (310ff), von Fällen, die Döblin zum größten Teil schon früher publiziert hatte. Als große Menschen erscheinen jene beiden Verkünder des Göttlichen, die ihn von früh auf begleitet haben, gepriesen und wieder zurückgestoßen, gegeneinander ausgespielt noch im „Ich über der Natur": Gotama Buddha und Jesus Christus (342—346). Auch hier ist noch eine kleine Einschränkung zu beobachten: das Titelblatt zum VI. Buch zeigte in der Erstausgabe nur einen Kopf: Buddha [14].

Über die Bücher VII und VIII wird im nächsten Abschnitt zu sprechen sein.

## IV. *Zusammenfassung*

Döblins Hinwendung zum Ich, wie die vorstehende Betrachtung sie deutlich werden läßt, ist der Forschung erst relativ spät bewußt geworden. Regensteiner und Schwimmer etwa haben sie noch völlig übersehen [15]. Wenn nun neuerdings Leo Kreutzer diese Erkenntnis bereits wieder quasi als alten Hut abzutun sucht, wenn er die Hinwendung zum Ich und den Zusammenhang mit der späteren Konversion eine zwar erbauliche, aber unhaltbare Konstruktion nennt [16], so ist sein wahrscheinliches Motiv, der Ärger nämlich über die Abwertung der frühen Werke etwa bei Muschg, zwar durchaus verständlich, die These selbst aber hat über den Reiz der Originalität hinaus nichts für sich, wird vielmehr von den Texten aufs klarste widerlegt. Kreutzer hat sein Modell am „Hamlet" entwickelt, und dort ist es wenigstens teilweise diskutabel; seine Ansichten zum Schluß von „Berlin Alexanderplatz" aber (S. 317), seine Auslassungen zum „Wang-lun" und zum „Wallenstein", zur „Ermordung einer Butterblume" und zur „November"-Tetralogie zeugen von einem noch weniger als flüchtigen Lesen [16a].

Daß Döblin bei aller Emphase und bei allem Pathos, das in die Feier der neuen Erkenntnis einfließt, niemals den Menschen zum Maß der Dinge erhebt, bleibt festzuhalten. Noch in „Unser Dasein" heißt es: „Wir stellen nicht den Menschen in die Mitte der Welt. Die Welt dreht sich nicht um den Menschen." (UD 190) Wir sahen, in wie hohem Maße die Person der natürlichen und gesellschaftlichen Umwelt verhaftet ist (Natur- und Passions-Ich; Stück der Natur), wie sehr diese Eingebundenheit in den beseelten Sinnzusammenhang der Welt aber auch dem einzelnen Halt gibt, ihm auf dem Wege der Resonanz die Realität des Du eröffnet. Ebenso helles Licht fällt auf den Gegenpol, auf die Lehre vom Menschen als dem Gegenstück der Natur; dieses Selbst- und Für-sich-sein erfüllt ihn mit Stolz, stößt

---

[14] D 362, S. 295
[15] K 579, K 583
[16] K 578, S. 321
[16a] In seiner inzwischen erschienenen Habilitationsschrift (K 557A) argumentiert Kreutzer sehr viel zurückhaltender.

ihn aber auch in Leid und Einsamkeit, da er als Ich sich nicht abfinden kann mit der Vergänglichkeit und Unvollendbarkeit der Person. So schließt jeder der beiden Pole abermals den Widerspruch ein: als „Stück der Natur" ist der Mensch ein unbedeutendes Massenpartikelchen, zugleich aber in wohltuender Brüderlichkeit allem Seienden verbunden; als „Gegenstück" darf er sich seiner Einzigartigkeit freuen, empfindet aber zugleich schmerzlich die Unvollkommenheit, die „unvollständige Individuation".

Denn nicht als bewußt-loses Instinktwesen ist er in den Gang der Welt eingeschlossen, sondern er erkennt den Widerspruch zwischen dem sinnvollen Zusammenhang aller Wesen und der Unmöglichkeit, diesen Sinn innerhalb der Zeitlichkeit zu erfüllen: „Es zittert Sinn in den zeitlich-individuellen Wesen. Aber die Einzelwesen können ihn nicht und niemals, auch die ganze Menschheit nicht, auch die ganze Welt nicht exekutieren." [17] Diese Erkenntnis muß aber für ein Weltbild, das jede Transzendenz ablehnt, große Schwierigkeiten zur Folge haben. Wir sahen, daß Döblin zeitweise in der Kraft der Erkenntnis, im Denken die Lösung gefunden zu haben glaubte, daß er sich aber auch hierbei nicht beruhigen konnte; schon in „Unser Dasein" erleidet diese Lösung ziemlich deutlich Schiffbruch.

Die Tatsache des Leidens ist auch ein Hauptmotiv in den Dichtungen jener Zeit, und sie zeichnen bereits den Weg vor, den Döblin in den späteren philosophischen Schriften beschreiten sollte. Für Manas wie für Biberkopf und Konrad gilt, daß sie Schuld auf sich geladen haben, daß Schuld aus der Vergangenheit auf ihnen lastet, daß ihr Leiden nichts ist als die Mahnung, dieser Schuld endlich gerecht zu werden. Gerade die Tatsache des Leidens ist der Grund dafür, daß Döblin nach der Entdeckung des Ich nicht daranging, nun etwa die Erhebung des Individuums aus den natürlichen oder gesellschaftlichen Fesseln zu zeigen; das war überflüssig, da der „Ort" des Menschen ihm geklärt schien. Unerledigt und auf Lösung dringend blieb das Faktum des Leidens, und Döblin antwortete mit der Unterstellung einer Schuld. Es ist kein Zufall und nur scheinbar ein Widerspruch, daß mit der Entdeckung des Ich das Schuldmotiv so wichtig wird; nur beim autonomen, verantwortlichen Einzelmenschen kann von persönlicher Schuld ja die Rede sein. Dieser Erklärungsversuch führte aber in der Gesamtfrage zunächst nicht weiter, weil er eben auf den bestimmten einzelnen beschränkt blieb; erst sehr viel später vollzog Döblin diesen Schritt auch im großen Maßstab und glaubte nun im Mythos von der „Erbsünde",

---

[17] „Vom Ich und vom Ursinn" (D 352), S. 298. In IN 204 gekürzt.

von der Urschuld des Menschen, die Erklärung für die Existenz des Leidens zu finden.

Der eigentliche naturalistische Impuls, jener Antrieb zu kräftigster Aktivität (AzL 66), konnte in den um polare Ausgewogenheit bemühten philosophischen Betrachtungen über das Gegen- und Miteinander von Ich und Welt, von Sinn und Zeitlichkeit nicht dominant werden. Um so deutlicher tritt diese Komponente in den politischen Schriften hervor.

## B) DER NATURALISTISCHE GEDANKE IN DEN POLITISCHEN SCHRIFTEN

### I. Die Aufsätze der Kriegs- und Nachkriegsjahre

In dem Essay „Die Vertreibung der Gespenster" (1919), der die lange Reihe von Döblins Stellungnahmen zur Weimarer Republik eröffnete, erfahren wir, einigermaßen überrascht, daß der Dichter schon „viele Jahre zuvor Fühlung mit den sogenannten Parteien gesucht und nicht gefunden" habe [18]; bei den Liberalen sei ihm „bürgerliche Philisterei", bei den Konservativen „die Schamlosigkeit der Besitzenden" begegnet; nur die Sozialdemokratie habe „über das Klasseninteresse hinaus, verbunden aber mit ihrem Klasseninteresse, radikal Wichtiges und Elementares" vertreten (S. 12). Trotzdem habe er auch hier nicht vorbehaltlos zustimmen können und schließlich erkannt: „ich schwimme als heilloser Prinzipienreiter in der Luft."

Überraschend sind diese Sätze (die Döblins Standort auch für die Zeit von 1919 bis 1933 ziemlich präzise beschreiben) deshalb, weil wir vor dem I. Weltkrieg keine politische Äußerung Döblins verzeichnen können, — abgesehen von der Stellungnahme zu einem Gesetzentwurf, der das Verbot empfängnisverhütender Mittel zum Gegenstand hatte [19]. Auch er selbst hat später seine Hinwendung zu politischen Fragen auf das Erlebnis des Weltkriegs zurückgeführt [20].

Sein Debüt war alles andere als erfreulich. Der 1914 erschienene Artikel „Reims" ist getragen von blindem Nationalismus und England-Haß, ja von

---

[18] D 401, S. 11
[19] D 392 und 393
[20] „Literarische und politische Erinnerungen aus Berlin" (D 514), S. 80; „Die deutsche Literatur (im Ausland seit 1933)", AzL 208.

rassistischen Anwandlungen: „Die Engländer zogen im Namen der Kultur vom Leder; sie und die Franzosen hatten des zum Beweise sich die Zuaven, die breitmäuligen Turko, Neger und Gesindel verschrieben" [21]. Noch 1918, in dem Aufsatz „Drei Demokratien", kehrt dieser Ton wieder („das triumphierende Gesicht der Welschen, das Gejauchz der Senegalneger, die man gegen uns aufbietet" [22]); Durchhalteparolen werden ausgegeben, und Ankündigungen der Vergeltung erscheinen, die in schauerlicher Weise an die Sprüche des späteren „Führers" erinnern: „Und wenn wir für einen Augenblick, ein halbes Jahrzehnt, ein ganzes Jahrzehnt pausieren: der Teutoburger Wald liegt in Deutschland, im Herzen Deutschlands; von der Hermannsschlacht lernen unsere Kinder" [22], und: „Wenn sich die deutsche Niederlage zeigen sollte, so werden die Herren sehen, was sie sich groß gezüchtet haben; in dem Schlund dieses Feuers wird mit ihnen die ganze Welt verrauchen." (S. 258) — Die törichten Ausführungen über Elsaß-Lothringen (S. 258f) und manches andere möchte ich auf sich beruhen lassen.

Immerhin finden sich in diesem Aufsatz wie auch schon 1917 in „Es ist Zeit!" einige neue Töne. Das bisherige System erscheint als „Knechtschaft" (S. 255), und vom „Druck der überlebten versteinerten Formen" ist die Rede (S. 258); die Meinung der Reaktionären, „es sei keine Remedur nötig, unser Staatswesen habe sich im Kriege herrlich bewährt", wird zurückgewiesen [23]. — Die Vorgänge in Rußland verfolgte Döblin mit Aufmerksamkeit und Sympathie. Die Revolution unter Kerenski wertete er als „eine einfache machtvolle Hinwendung zum Menschlichen und Würdevollen" [24], und auch nach der Oktoberrevolution blieb der Ton derselbe [25]. Allgemein erwartete Döblin die Entwicklung des „sozialistischen Prozesses" [26], worunter er verstand „die Ausbreitung, das Ausblühen einer Menschlichkeit [. . .], den Sieg der rastlos drängenden, aus der Tiefe aufquellenden Humanität über die Physik" [27]. Noch in der „Schicksalsreise" resümiert er: „der sozialistische Gedanke, der echte, das Grundgefühl einer menschlichen Brüderschaft, war meins." (Sch 165) — Schon hier deutet sich seine letztlich utopische Position an, die er 1928 in einem Selbstporträt persiflierte:

[21] D 396, S. 1718
[22] D 398, S. 257
[23] „Es ist Zeit!" (D 397), S. 1013
[24] ebd., S. 1011
[25] vgl. D 398, S. 256, und D 401, S. 13.
[26] D 401, S. 12
[27] D 398, S. 256

„Manchmal scheint es, er steht bestimmt links, sogar sehr links, etwa links hoch zwei, dann wieder spricht er Sätze, die entweder unbedacht sind, was bei einem Mann seines Alters durchaus unzulässig ist, oder tut so, als stünde er über den Parteien, lächle in poetischer Arroganz." (AzL 359) Sein unruhiger Geist, sein Abscheu davor, seine Meinung der Taktik und der Opportunität opfern zu sollen, haben ihn in keiner Partei Fuß fassen lassen. Seine Mitgliedschaft in der USPD, dann (1921—1929) in der SPD änderte nichts an seiner Außenseiterrolle, und durch alle seine Bekundungen zieht sich die Klage über das Bonzentum in den etablierten Parteien [28].

Seine Erwartungen: „Wenn dies ausgeführt wird, was jetzt geschieht, Sozialismus, wenn das Übel an der Wurzel gefaßt wird, so kann man zum erstenmal in der Geschichte von einem wirklichen Fortschritt sprechen." [29] — diese Hoffnungen wurden bald enttäuscht. Die Regierung, so konstatierte er sarkastisch, habe „Sozialismus" gedeutet als „mehr Arbeit, straffere Ordnung, höhere Steuern." [30] Die November-Revolution übergoß er mit Spott: „Wie wir morgens runter kamen, war die Revolution schon vorbei. Wir hatten extra gebeten, uns zu wecken, wenn Revolution ist." [31] Im „Ersten Rückblick" heißt es: „Damals habe ich gesehen, wie notwendig es war, daß diese sogenannte Revolution zurückgedrängt wurde. Ich bin gegen die Unfähigkeit. Ich hasse die Unfähigkeit. Diese Leute waren unfähig zu einer Handlung" (ER 39) Hohn spricht ja noch aus dem Untertitel der „November"-Tetralogie: „Eine deutsche Revolution".

Die meisten politischen Aufsätze dieser Jahre (1919—1922) ließ Döblin unter dem Pseudonym „Linke Poot" in der „Neuen Rundschau" erscheinen. Diese mit höchst persönlichen Bemerkungen — etwa über den Haarausfall [32] — durchsetzten Glossen, denen Sprunghaftigkeit zum Stilprinzip wurde („Ich komme nunmehr zur Bartflechte." [33]), liest man auch heute noch mit Amüsement, freilich auch mit Schrecken darüber, wie wenig veraltet manche dieser Anklagen immer noch sind. Noch beißender wurde hier der Sarkasmus, der uns schon im „Wallenstein" auffiel, und man fragt sich, ob denn eine bessere Politik vor diesen Augen Gnaden gefunden

[28] „Dämmerung" (D 407), S. 1285; „Jugend, Politik und Kultur" (D 579), S. 709; „Literarische und politische Erinnerungen aus Berlin" (D 514), S. 81; WV 31 f; Sch 165; u. ö.
[29] D 401, S. 17
[30] „Der deutsche Maskenball" (D 414), S. 645
[31] „Neue Zeitschriften" (D 399), S. 621
[32] „Der rechte Weg" (D 413), S. 527
[33] „Dionysos" (D 403), S. 890

hätte. Man mag Döblin, wie manchem anderen linksstehenden Kritiker jener Jahre, mangelnden Sinn für das politisch Mögliche vorwerfen, eine fanatische Herabsetzung auch des Diskutablen. Schwerlich aber wird man seine Ansicht widerlegen können: „Die Arbeiterschaft war 1918 an der Macht. Warum hat sie das alte Militär zu Hilfe gerufen? Sie hatte keinen eigenen Willen. Ihr Wille war, selber bürgerlich zu werden." (UD 464) Als Linke Poot geißelte er das Wiedererstarken der „kaiserlichen Republik" [34]: „Es gehört zu den wichtigsten Aufgaben der Republik, die Monarchisten nicht vor den Kopf zu stoßen, besonders wenn es Militärs sind." [35] Der Kapp-Putsch war ihm eine Entlarvung des „deutschen Maskenballs", aber „nur auf zwei Minuten. Der Ball geht weiter." [36] 1919 gab er noch folgendes Porträt von Linke Poot: „Er stammelt manchmal, er weiß nicht wie ihm ist, mit Whitman: Für dich dies von mir, o Demokratie, dir zu dienen, ma femme, für dich, für dich rufe ich diese Lieder." [37] Nirgends aber wurde Demokratie, wie Döblin sie dachte, verwirklicht, und so lesen wir im Bericht über die Polenreise: „Ich bin ein Feind des laulichen, üblichen, ärmlichen Humanismus. So wie ich die heutige Demokratie verachte, diesen Namen für ein Nichts." (RP 248) Weimar stellte sich ihm so dar: „Parteikämpfe, Haß der Klassen, Hochmut der Industrie, wüste verwirrte Ideologien, die Geistigen klein vor den anmaßenden Industrierittern, Börsenhyänen. Die Geistigen Beschützer des Schwachsinns der Imperialisten und ihrer Freßsucht. Groß im Land die Beschäftigung mit nebulosen Dingen. Der ‚Faust' geht schrecklich um (nennt sich auch ‚Hölderlin')." (AzL 279)

## II. „Wissen und Verändern!"

Eben nach der Stellung der „Geistigen" in dieser immer mehr sich polarisierenden Gesellschaft fragte Gustav René Hocke, damals Student in Bonn [38], den Dichter in einem Offenen Brief, den er 1930 an das „Tagebuch" richtete. Er nahm Bezug auf Döblins Vortrag „Vom alten zum neuen Naturalismus", der uns noch beschäftigen wird, und fragte: „Wie also kann man ‚gesellschaftliche Aufgaben erfüllen und geistige Hilfe leisten?' "

[34] „Kannibalisches" (D 402), S. 766
[35] „Der deutsche Maskenball" (D 414), S. 647
[36] ebd., S. 644
[37] „Die Drahtzieher" (D 405), S. 1152
[38] Seine Identität mit dem Fragesteller bestätigte Hocke mir in einem Brief vom 5. 11. 1968.

(WV 15) Döblin antwortete zunächst im „Tagebuch" [39], baute dann diese Aufsätze zu einem Buch aus, das 1931 erschien — und in fast allen Lagern auf heftige Kritik stieß.

Mit den Kommunisten hatte er es längst verdorben, spätestens seit seiner Antwort auf eine hämische Kritik Johannes R. Bechers an „Berlin Alexanderplatz" [40]; man war damals im Kreis um Becher kindisch genug, in Moskau gegen die geplante Übersetzung des Romans zu intervenieren, und dies mit der kostbaren Begründung: „ein Schriftsteller, der auf derartig freche Art die proletarische Literatur Deutschlands beleidigt, hat kein Anrecht darauf, von den Arbeitern der Sowjetunion gelesen zu werden." [41] — Auf der Gegenseite belferte Richard Biedrzynski expressis verbis gegen die „menschliche" und für die „nationale" Position [42]. Im Mittelfeld regten sich die Bildungsphilister [43], und vor allem Max Rychner, erbost über Döblins Sottisen gegen Stefan George, zog vom Leder [44]. Wieder einmal und deutlicher als je zuvor hatte Döblin sich zwischen die Stühle gesetzt. Im „Vorwort zu einer erneuten Aussprache" schrieb er: „ich sah voraus, daß ich nun zeigen müßte, wo ich stehe, und daß die große Isoliertheit, in die mich mein unbewußtes und bewußtes Denken geführt hat, noch deutlicher und obendrein nach außen sichtbar würde." [45]

Schon 1920, in dem Aufsatz „Republik", hatte er die Aktionsunfähigkeit des apolitischen Bürgertums konstatiert und gefordert: „Freunde der Republik und Freiheit. Herüber nach links. / An die Seite der Arbeiterschaft." [46] Eben diese Forderung wird in „Wissen und Verändern!" thematisch. Sie resultiert aus einem historischen Rückblick, der die Grundgedanken des „Naturalismus" wiederaufnimmt und ausbaut.

Von der „Verweltlichung" ist nun die Rede (WV 44), die z. B. Luther mit seinem Vorstoß gegen das Prinzip der Entmündigung in der katholischen Kirche, gegen den Priester als „Mittler" zwischen Gott und dem Menschen, wesentlich gefördert habe. Dieser Prozeß sei dann auch über

---

[39] D 439—442
[40] vgl. K 446 und D 438.
[41] K 485
[42] K 271
[43] vgl. K 267, K 279.
[44] K 474
[45] D 447, S. 100
[46] D 409, S. 79. Von einer seelischen Expropriierung des deutschen Bürgertums nach 1848 und vor allem nach 1871, von einer Übernahme der „Herrenideale" sprach Döblin auch in dem Vortrag „Staat und Schriftsteller" von 1921 (AzL 51).

das von Luther Gewollte hinaus nicht mehr anzuhalten gewesen: „Gott wird vom Gewissen und der Selbstverantwortung angefressen." und: „Das menschliche Selbstbewußtsein selbst wird alsdann Zeichen, Anzeichen dieser Göttlichkeit, und zugleich wird die Göttlichkeit das anonyme Maschennetz, das Bezugssystem im Ganzen der Natur und des ablaufenden Daseins." (48f) Negativ deutet Döblin (ein häufiger Vorwurf), daß Luther den Menschen zwar vor Gott, nicht aber gegenüber den Landesfürsten befreit hat: „Der Luthersche Befreiungsakt hat durch seine Halbheit in entscheidender Weise die spätere deutsche Geschichte bestimmt.": „Es entstand das Volk der Dichter und Denker." (49) Auf der Grundlage des feudalistischen Obrigkeitsstaates habe eine wirkliche Nation nicht entstehen können. Auch für die Gegenwart konstatiert Döblin: „die Befreiung des ganzen Menschen, des politischen, irdischen, natürlichen Menschen, steht noch aus." (50) Denn nach dem Weltkrieg habe sich nichts geändert; die Spitze der Feudalherrschaft zwar sei gefallen, ihre „Idee" aber regiere noch Industrie und Kapital, weitgehend auch die Vorstellungen der Menschen und die Literatur. Schon 1848 habe das Bürgertum endgültig versagt, als es die alten Freiheitsideen verriet und sich mit den Herrschenden arrangierte (51, 57). Im IV. Teil des Buches wendet Döblin das Gesicht „gegen die Front der Bürger" (60) und sucht an Beispielen (Goethe, Wagner, George, Nietzsche) darzutun, wie die Untertanengesinnung der Deutschen sich in ihrer Kunst und Wissenschaft auswirkte. Gegenüber der „Anbetung des Staates, Geringschätzung des Einzelnen, ja Geringschätzung des Lebens und des Menschen überhaupt" (68), gegen die Ideale des Gehorsams und des Fleißes schreibt Döblin die „Erhebung der Person, des Individuums" auf seine Fahne (64).

Nur in der Arbeiterschaft scheinen die alten Ideen ihm noch lebendig (57); trotzdem richtet er im V. Teil das Gesicht „gegen die Front der Arbeitertheoretiker" (81), übt Kritik an der „materialistischen Abart des Naturismus" (92): zwar stellten die sozialistischen Ideen „die konsequente Vertiefung und Ausbreitung der alten Ideen auf das Wirtschaftsgebiet dar" (58), gerade die Verengung auf das Ökonomische aber bedeute auch Verfälschung (36f).

Noch einmal zeichnet er den Verlauf des naturistischen Prozesses nach, nennt die Stationen Luther, Kant, Goethe, Hegel, Marx (83—87). Am Schluß dieses Prozesses sei Gott von der Natur „verschluckt und zur Göttlichkeit verdaut" (85f), d. h. „zur funktionalen Geistigkeit geworden" (86). Aus der Abschaffung des Jenseits folgt, wir sahen es schon, der Ansporn zur Aktivität: erst das Handeln in dieser Realität macht den Menschen vollständig und konkret, „da er in einer forttreibenden, geistigen Natur steht und verantwortlich an ihrem Ablauf beteiligt ist." (87) In dem Aufsatz „Nochmal: Wissen und Verändern" wird die Konsequenz aus der naturalistischen Befreiung so dargestellt: „Rechtfertigung und Steigerung des Existenzgefühls, der Stolz des Daseins und dann die Verpflichtung, ganz und um jeden Preis zum Dasein zu kommen"[47].

Marxens Vorstoß gegen die einseitige Vergeistigung erkennt Döblin voll an, und er glaubt zu sehen: „Am Marxismus ist das geistesgeschichtliche Kernstück nicht Klassenkampf, Proletariat, Diktatur. Geistesgeschichtliches Kernstück ist die treibende Bewegung auf den endlich fälligen neuen natürlichen Menschen." (91) In der Beschränkung auf das Ökonomische habe die Bewegung aber den „vollständigen" Menschen aus dem Auge verloren: „in die bloß ökonomische Bewegung läßt sich nicht nachträglich eine allgemeine menschliche hineinkopieren" (98), im Gegenteil: „Der bloß ökonomisch konstruierte Mensch ist erstens nicht konkret und zweitens möglicherweise ein Barbar" (103). Vor allem der Gedanke des Klassenkampfes ist für Döblin mit der naturistischen Grundidee nicht in Einklang zu bringen, vielmehr ein Abkömmling der alten Herrschaftsformen: „Ich warne vor diesem Schwindel. Aus einem Ding entsteht nichts, was nicht schon in ihm steckt. [...] Aus der Atmosphäre des planmäßig zu Revolution und Bürgerkrieg gesteigerten Klassenkampfes kann er [sc.: der Kommunismus] nicht entstehen." (27) Als geschichtlich erwiesen könne gelten, daß der Weg der Freiheit nicht durch Diktaturen laufe (100f)[48]. — Daher fordert er: „Offen ist die Trennung von Sozialismus und Klassenkampf zu vollziehen, der Sozialismus wieder als ‚Utopie' herzustellen, als reine Kraft, Element in uns, seine Verwirklichung oder die Annäherung an ihn mit neuen Mitteln zu versuchen." (30) Seine Vorstellung von Sozialismus, von der er weiß, daß sie den Marxisten nichts ist als uninteressante Spintisiererei, formuliert er so: „Freiheit, spontaner Zusammenschluß der Menschen, Ablehnung jedes Zwanges, Empörung gegen Unrecht und Zwang, Menschlichkeit, Toleranz, friedliche Gesinnung." (27)

Wenn Döblin nach diesen grundsätzlichen Überlegungen auf Hockes Ausgangsfrage zurückkommt, so ist klar, daß der Platz der „Geistigen"

---

[47] D 448, S. 182
[48] vgl. auch den Brief an Schickele vom 28. 10. 1931: „Keine Umwälzung ohne vorangegangene allgemeine ideelle Erschütterung." (D 593, S. 128; jetzt in D 604 A, S. 167)

keinesfalls im bürgerlichen Lager sein kann. Die naturalistischen Ideen werden allenfalls noch in der sozialistischen Arbeiterschaft repräsentiert, die wiederum in zwei Gruppen zerfällt: in einen demokratischen Flügel, der auf Reformen aus ist und dem privatkapitalistischen System als Sicherheitsventil dient, und in einen radikalen Flügel, der die Diktatur des Proletariats anstrebt, in Sozialdemokraten und Kommunisten also. Döblins Resümee lautet: „daß wir in keiner dieser Gruppen, so wie sie heute sind, etwas zu suchen haben [. . .] Wir treten neben sie mit dem Bewußtsein der Generallinie, von der sie sich abgezweigt haben." (122)

Gegenüber dem feudalistischen Bewußtsein der Bürger und gegenüber den Ideen des 19. Jahrhunderts, die er bei den Marxisten zu entdecken glaubt, haben die Intellektuellen die Aufgabe, „der teils irrelaufenden, teils schon wieder einschlafenden Bewegung ihre eigentümliche Kraft und ihre Wucht wiederzugeben." (125) Die Aufstellung eines Menschen- und Gesellschaftsideals, die Entwicklung des wahren Begriffs „des von Marx in die fernste Zukunft projizierten freien Menschen einer wirklichen Gesellschaft, der nicht Bürger noch Feudaler noch Proletarier heißen kann" (122), soll eine Veränderung des Bewußtseins und des Willens hervorrufen, die nach Döblins Überzeugung der Veränderung der Situation, des Seins vorangehen muß. Die allgemeine menschliche Veränderung vom Umsturz der ökonomischen Verhältnisse allein zu erwarten schien ihm naiv und außerdem durch die Entstehung eines despotischen Staatskapitalismus in Sowjet-Rußland widerlegt (26).

Einen vorläufigen Beitrag zur Entwicklung jenes Menschen- und Gesellschaftsideals zu leisten ist der Sinn der „Zusätze und Ausführungen" (127ff), die den naturalistischen Kerngedanken noch einmal hervorheben [49]. Auch der Nationalsozialismus wird kurz behandelt, als „bürgerlich-kleinbürgerlicher Abhub" der reaktionären feudal-nationalen Bewegung gekennzeichnet (164); Döblins Prognose lautet: „Es ist möglich, daß die Bewegung sich eine Zeit hält; sie wirkt günstig, indem sie die Gegenbewegungen stärkt." (165) — Es ist sehr leicht, von unserem heutigen Wissen her dieses Urteil als Beispiel für Döblins politische Ignoranz anzugreifen [50]; dabei übersieht man freilich, daß fast niemand unter den nicht-kommunistischen Intellektuellen der Weimarer Republik die Hitler-Bewe-

[49] vgl. „Nochmal: Wissen und Verändern" (D 448), S. 181: „Das Zentrum aller meiner Erwägungen, das Grundgefühl, formuliert sich in dem naturalistischen Gedanken".

[50] vgl. Hans-Albert Walter, K 565, S. 875.

gung ganz ernst genommen hat, daß Thomas Mann, Annette Kolb, Ludwig Marcuse und eine Unzahl anderer 1933 zwar sicherheitshalber das Reich verließen, dies aber in der festen Überzeugung, man könne nach einigen Wochen, spätestens Monaten in ein von Hitler befreites Deutschland zurückkehren.

Der letzte Abschnitt des Buches ist dem Problem der „Öffentlichkeit" gewidmet, das ja schon in der „Reise in Polen" anklang (RP 312f) und dann in „Unser Dasein" ausführlich abgehandelt werden wird. „Öffentlichkeit" meint die Zurückdrängung der „normalen und natürlichen Gruppierungen der Menschen in kleinen Verbänden" durch das Übergewicht der riesigen Staatsapparate und der zentralistischen Bürokratie. Vom Sozialismus fordert Döblin den „Abbau der Öffentlichkeit" (166). Öffentliches Leben soll nur so weit zugelassen werden, wie es „von den privaten Personen, Gruppen und Familien direkt kontrolliert werden kann." (167) Die heutigen Riesenstaaten sind für Döblin der ideale Nährboden der Macht- und Gewaltinstinkte. Ein Gegenprogramm entwickelt er freilich nicht; wir erfahren lediglich: „Es kann sich nur um eine machtvolle Steigerung der wirklichen, das heißt der kleinen gesellschaftlichen Gruppen und ihres ‚privaten' Lebens und um eine von da betriebene Entkräftigung des Staates handeln." (170)

Diese Gedanken sind gar nicht so weit entfernt von den Ideen Herbert Marcuses, die jüngst vor allem die studentische Jugend bewegten und ebendenselben Hohn von seiten der „Realisten" ernteten wie seinerzeit das Buch Döblins. Es entbehrt daher nicht der Pikanterie, wenn man die Kritik liest, die Marcuse selbst im Jahre 1933 den diesbezüglichen Ausführungen Döblins angedeihen ließ: „beinahe alles, was da geschrieben wird, ist nicht falsch, aber es bleibt immer im ‚privaten' Raum, zwischen allen Stellungen und Strebungen, die heute geschichtlich möglich und wirklich sind." [51] — Durchaus in den Zusammenhang von Döblins Überlegungen würde auch der Gedanke eines Rätesystems passen, von dem er freilich nie spricht. Zu erinnern ist aber an Linke Poots Hohn über die offizielle Begründung für die Abschaffung der Arbeiterräte: „weil sie, he, weil sie, hihi, weil sie, ich kann's noch immer nicht sagen, hohoho, ihre Aufgabe erfüllt haben, nachdem die Demokratisierung der Verwaltung durchgeführt ist, hahaha." [52],

[51] K 292
[52] „Dionysos" (D 403), S. 890. Vgl. auch die entsprechenden Kapitel in der „November"-Tetralogie.

und in dem Aufsatz „Republik" von 1920 heißt es ausdrücklich: „Wenn die revolutionäre Bewegung der letzten Jahre etwas von wahrhaft demokratischem Charakter hervorgebracht hat, so den Rätegedanken [. . .] Räte: das ist die Selbsthilfe der Massen gegen die autokratischen und dazu fremden Behörden."[53] Die Ähnlichkeit der Argumentation mit der in „Wissen und Verändern!" ist deutlich. Man mag es als Rückschlag empfinden, daß Döblin den Rätegedanken nach 1920 nicht mehr zur Diskussion stellte, sich auf das „Private", auf das „zarte Gefühl zur Heimat, die Anhänglichkeit an die Familie, die Liebe zu Freunden, Liebe zum Stamm" zurückzog (RP 313). Hier bringt das neuentdeckte Ich sich zur Geltung: nicht diese oder jene Organisationsform stand im Mittelpunkt von Döblins Überlegungen, sondern das Recht der Person auf Selbstverwirklichung. Hierbei kommt die Suche nach realen politischen Lösungen in der Tat zu kurz, aber es ging Döblin ja auch nicht um einzelne Ratschläge, sondern um die ideelle Grundlage des politischen Handelns im naturalistischen Zeitalter.

Wenigstens bei dem ursprünglichen Adressaten dieser Denkbemühungen, bei Gustav René Hocke nämlich, trat nach der Lektüre von „Wissen und Verändern!" keineswegs jene Ratlosigkeit ein, die viele Kritiker unterstellten, ohne ihn gefragt zu haben. Obwohl schon durch seine Freundschaft mit Ernst Robert Curtius und Max Rychner einerseits, den Einfluß der „totalen" surrealistischen Revolution der Breton, Eluard usw. andererseits daran gehindert, sich Döblins Ansichten völlig zu eigen zu machen, fühlte er seinen Blick für gesellschaftliche und politische Realitäten geschärft: „Er veranlaßte [mich] schliesslich auch zu einem genaueren Studium der Schriften von Karl Marx. Insofern hatte ‚Wissen und Verändern‘ [. . .] in einer jahrelangen Nachwirkung meine ‚bürgerlichen‘ und ‚humanistischen‘ Voreingenommenheiten wesentlich reduziert. Die Schrift ist für mich, trotz ihrer Einseitigkeiten, so etwas geblieben wie ein deutscher ‚Discours de la méthode‘ über die gesellschaftliche und politische Wirklichkeit."[54]

Im ganzen freilich ist dem Buch eine solche klärende Wirkung versagt geblieben. Die Fronten waren wohl schon zu sehr verhärtet, und die Reaktion fiel weithin so aus, wie Döblin sie im „Vorwort zu einer erneuten Aussprache" beklagte: „sie sagen gegen mich auf, was sie wissen und was ihnen sicher ist."[55]

[53] D 409, S. 76
[54] „Über ‚Wissen und Verändern‘ " (K 529), S. 2
[55] D 447, S. 101

In wie hohem Maße die Schrift auf dem Grundgedanken des Naturalismus beruht, dürfte klar geworden sein. Döblin selbst nannte „Wissen und Verändern!" eine „historische Ableitung" für den Grundgedanken von „Das Ich über der Natur": daß das einzelne erst real sei im Zusammenhang mit dem vieldimensionalen Ursinn [56]. Auch die Betonung der menschlichen Erkenntnisfähigkeit, des kreativen Denkens, die in der philosophischen Schrift auffiel, kehrt hier wieder. Der Titel ist durchaus im Sinne eines Nacheinanders zu lesen: „Denken geht dem Handeln voraus." (WV 19) Gerade der Sieg der Sowjets in Rußland ist ihm ein Beweis für die Sprengkraft einer als gut und wahr empfundenen Idee (42). 1920 noch hatte er als Linke Poot über einen Intellektuellen gespottet: „Ein Geistiger, der an den Geist gläubt. Gläubt, ich kann mir nicht helfen." [57] Jetzt aber meint er: „Der schauderhaften Lobpreisung der Aktion muß nachgerade eine entschlossene Lobpreisung des Denkens entgegengesetzt werden. Dieses ist durchaus selber Aktion [...], und das Denken, ich meine das wirkliche, nicht das Träumen und Spekulieren, ist die alleinige und einzig lebende Wurzel jeder Veränderung, die uns angeht." (WV 20)

### III. „Unser Dasein"

Ich sagte schon, daß dieses Buch zwar die Erkenntnisse der naturalistischen Periode systematischer und ausgebauter vorführt, daß aber auch eine gewisse Resignation zu bemerken ist, eine kaum verhüllte Kapitulation vor dem Problem des Leidens. Das gilt auch für die politischen Ausführungen im VIII. Buch („Von abendländischen Völkern"). Die Zuversicht von „Wissen und Verändern!" ist verflogen, und die momentane Resignation im „Vorwort zu einer erneuten Aussprache": „O dieser Wahnsinn, in diesem Lande ‚helfen' zu wollen." [58] wird thematisch. Der Titelholzschnitt zeigt eine Kanone [59], „Moloch Öffentlichkeit" heißt ein Kapitel, „Verfluchte Zeit" ein anderes. Wieder sieht Döblin das Problem darin, daß „die Großstaaten ihrer Natur nach ihre Menschen verarmen. Es ist auch nicht möglich, in ihnen noch Politik zu treiben und sie wirklich zu verstehen." (UD 425) Der Ausbruch des Weltkrieges sei aus den Büros heraus dirigiert

[56] D 448, S. 183
[57] „Revue" (D 412), S. 264
[58] D 447, S. 100
[59] Erstdruck (D 362), S. 415

worden (427), die Entstehung und der Ablauf der Wirtschaftskrisen seien in nichts unterschieden „von dem lieben Gott im Himmel und von dem unerforschlichen Ratschluß Gottes." (430) Die Kritik an den Parteien, am Kapitalismus, an den Arbeiterführern und -theoretikern ist eher noch schärfer geworden, die Hoffnung auf „Verkleinerung aller Gebilde" und damit „Gewinnung übersichtlicher Ordnungen innerhalb der Gesellschaft" (433) schwindet: „Es muß aber offenbar die Staatlichkeit sich erst ausgewütet und den Boden der Gesellschaft aufgewühlt haben, bis ihr die Gesellschaft ganz entgleitet und aus ihr neue Formen entstehen." (ebd.) Prophetisch sagt er von der „verfluchten" Zeit, daß „sie Blut vergießt und bald wieder Morden an ihrem Wege steht" (436), und mit ohnmächtigem Grimm erkennt er die Hilflosigkeit des einzelnen in diesen Riesengebilden: „alles nimmt das schreckliche Gesicht von Zuständen, Verhältnissen an." (433) Die Parallelität dieser Ausführungen mit jenem auch heute wieder weitverbreiteten Gefühl, das man abwiegelnd „Staatsverdrossenheit" zu nennen sich gewöhnt hat, ist augenfällig.

Als „Sehr ferne Ziele" propagiert Döblin: „Rückgang auf kleine, übersichtliche politische Systeme, [...], Entmachtung des Staatsapparates, Föderativsystem von ‚Landschaften'. Wirklicher Heimatbegriff, Erde und Gesellschaft [sic]" (473). Und wieder nennt er den Fixstern, um den all diese Überlegungen sich drehen: „die Wahrheit, Freiheit und Selbstherrlichkeit des Ich, die sich physisch, auch in der Zone der Gesellschaft, durchzusetzen hat. Zusammen damit das unerbittlichste aller Verantwortungsgefühle: niemandem verantwortlich zu sein als der Welttatsache Ich, die nicht ist ohne die Tatsache Einzel-Ich. Gesellschaften und Staaten müssen so durchschaut werden: wie reife ich in ihnen, wie behaupte ich mich gegen sie, wie werde und erhöhe ich mich mit ihnen?" (474) Auch die rhythmische Prosa des Schlusses kann nicht darüber hinwegtäuschen, daß ein Ausweg für die Gegenwart nicht sichtbar wird; die Anklage ist stärker als der Trost — wie denn auch anders, da doch Döblins Problem, die Selbstbehauptung des einzelnen in der modernen Massengesellschaft, heute ebenso ungelöst ist wie vor 40 Jahren.

## IV. Schriften zum Judenproblem

Über Döblins persönliche Haltung zur Tatsache seiner jüdischen Herkunft sprach ich schon im II. Kapitel; auch von den Aufsätzen der ersten Nachkriegsjahre war dort schon die Rede. Der Bericht von der Polenreise ist dann in solchem Maße den Belangen der Ostjuden gewidmet, daß Joseph Roth konstatierte: „Er hätte sein Buch ‚Reise zu den Juden' nennen müssen." [60] In der Tat lautete die Redaktionsnotiz zum ersten Vorabdruck: „Der Dichter Alfred Döblin bereist im Auftrage der ‚Vossischen Zeitung' Polen, Litauen, Galizien, um insbesondere das Problem des Ostjudentums zu studieren." [61] Natürlich ist auch von der polnischen Geschichte die Rede, von den gegenseitigen Furcht- und Haßgefühlen der Polen und Deutschen, von manchem persönlichen Erlebnis; die Vertiefung in die Eigenart des ostjüdischen Lebens und Denkens steht aber eindeutig im Vordergrund.

Hier soll nicht von den zahlreichen Einzelbeobachtungen Döblins die Rede sein, sondern nur von jenen Reflexionen, die im Zusammenhang mit der naturalistischen Theorie stehen. Die Verbindung zu den Ausführungen in „Wissen und Verändern!" wird deutlich, wenn Döblin zustimmend einen jiddischen Literaten zitiert, der den Zionismus als nur räumliche Bewegung abwertet und die Gegenposition formuliert: „ ‚Die Welt muß aufgemenscht werden. Es ist nicht nur bei den Juden schrecklich.' " (RP 331) Nicht nur bei den Juden ist es schrecklich, aber bei ihnen doch in besonders hohem Maße. Über die Schacherer, Schieber und Spekulanten schreibt Döblin: „Niemand, der es mit diesem Volk gut meint, wird versuchen, hier etwas zu beschönigen. Daß dies entstehen konnte, zeigt, wie schief, unglücklich und gefährlich für sich und seine Umgebung das Judentum wirtschaftlich liegt. Das ist der Effekt einer jahrhundertelangen Politik. Eine Sackgasse. Eine physische und wirtschaftliche Degeneration, die man herbeigeführt hat. Die Führer haben die Pflicht, sie hier herauszuholen." (189) Wie das anzufangen sei, darüber sammelt Döblin die verschiedenen Meinungen, ohne sich selbst schon ein Urteil bilden zu können. Aber er glaubt zu sehen: „Die Juden: Lautlos hat der Verzicht auf Land und Staatlichkeit ihr Volk durchdrungen. — Die Rückwärtsbewegung, sie ist im Gange." (71) Angesichts der jüdischen Forderung nach Anerkennung als nationale Minorität oder nach Rückgabe Palästinas warnt er: „Sie sollen sich nur hüten, Kleider anzuziehen, die die Westvölker schon nicht mehr tragen mögen." (145)

Wie in mancher anderen Beziehung geht dieses Buch auch in der Judenfrage über Ansätze nicht hinaus. Noch 1932 schrieb Döblin eine Satire auf die Unduldsamkeit jüdischer Territorialisten, die eine Ansiedlung in Sibi-

---

[60] K 253
[61] D 473, VZ, S. 2. Dem Herausgeber der Neuausgabe sind diese Vorabdrucke merkwürdigerweise unbekannt (vgl. RP 369); so erklärt sich seine Vermutung, die Reise sei vom S. Fischer Verlag finanziert worden (RP 349, Anm. 3).

rien propagierten; er stellte dem zwar die Ideen Herzls entgegen, ohne sich aber ausdrücklich zum Zionismus zu bekennen [62].

Das VII. Buch von „Unser Dasein" läßt dann den Zusammenhang dieser Problematik mit den naturalistischen Gedankengängen Döblins klar hervortreten.

Das einstmals tapfere, kriegerische Volk mit starkem Gottesglauben (UD 360) ist, so hören wir hier, nach der babylonischen Gefangenschaft durch die Auflösung in Familien und durch die Religion zwar gerettet worden, gleichzeitig aber „pfäffisch und privat" entartet (366): „Da sie immer hoffen und harren, ist ihr Reich nicht von dieser Welt. Und so werden sie die echtesten Christen." (375) Wir kennen dieses Bild; schon im „Wallenstein" hat Döblin so gesprochen: „Das große Königsvolk, seit Jahrtausenden von seinem Stuhl geworfen, hatte in einem Bann nichts gelernt; auf dem Gesicht liegend, die Knie gebrochen, den Mund voll Sand; es duldete das Dasein; sinnlos, abgründig tot, was geschah: Jerusalem der letzte Schein des Lebens." (W 229) — Gegen diese „Kümmerform" des jüdischen Volkes führt er nun den Kernsatz seines Naturalismus ins Feld: „Ganzes Leben, wahres Leben wird von jedem Lebendigen verlangt." (UD 383) Wieder ist von der Verweltlichung die Rede (ebd.), und in den Attacken gegen den „schrecklichen" Messiasglauben, der ein Glaube „der völligen Hoffnungslosigkeit" sei (367), wird die Parallele zu Nietzsches Predigt gegen die „Hinterweltlerei" deutlicher noch als zuvor.

Mit bemerkenswerter Hellsicht beschwört Döblin die Gefahr, in der die Juden leben: „Aus der Geschichte müssen die Juden wissen, daß keine Leistung, keine Willfährigkeit und Ergebenheit schützt, sondern nur Kräfte, Macht und ihre kluge Anwendung." (385), und noch schärfer: „Glaube sich keiner, keiner, der Jude ist, irgendwo seines Bürgerrechts oder auch seines Lebens sicher! Auch nicht in den scheinbar kultiviertesten Staaten! Wer schwach ist, zieht den Blitz herbei." (400) Diese Worte wurden vor dem 31. Januar 1933 niedergeschrieben, und auch ihr Autor wird damals nicht geahnt haben, in wie fürchterlichem Ausmaß sie bestätigt werden sollten.

Sowohl aus seinem allgemeinen Menschenbild als auch aus der Einsicht in die besondere Gefährdung der Juden leitet Döblin die Pflicht zur Stärke, zur Selbstverwirklichung ab. Das Streben des Zionismus nach Palästina ist

---

[62] „Herr Gütermann" (D 451). Es handelt sich um das 1928 begründete autonome jüdische Gebiet im Amurtiefland (heutige Hauptstadt: Birobidschan).

ihm „als Kompromiß an die Pfaffen und ihren Anhang" unsympathisch (388), eine Staatengründung überhaupt suspekt: „Noch eine Ausbeutungs- und Niederdrückungsmaschine mehr ist nicht nötig. [. . .] Es gilt aber zum ganzen Menschentum zu gelangen — nicht zur Tobsucht der Staaten und Kriege — und zu empfangen, was diese Welt an Reiz, Macht und Ohnmacht gibt." (395) Um der Gefahr eines jüdischen Nationalismus zu entgehen, schlägt Döblin die Schaffung einer Weltzentrale vor, die den Schutz bedrohter Juden und die Leitung der weiteren Entwicklung übernehmen solle (398f). Gleichzeitig müsse eine innere Reform durchgeführt werden im Sinne einer Reinigung der jüdischen Religion, eines Rückgriffs auf den strengen Gottesglauben, der vom Menschen, nicht von einem Volk ausgeht (406).

Der Zusammenhang, in den diese Ausführungen gestellt werden müssen, wird noch einmal angesprochen, wenn es zum Schluß heißt: „Die Religion, von der hier geredet wurde, ist keine Religion der ‚Juden', sondern der Menschen." (413) Nicht um die Probleme einer Minderheit geht es, sondern um die Selbstbesinnung des eigenständigen Menschen im naturalistischen Zeitalter.

1933, nach der nationalsozialistischen Machtergreifung, konnte die Idee einer Weltzentrale nicht mehr genügen. Die akute Bedrohung, die Döblin früher sah als manche anderen, veranlaßte ihn zur Abfassung des Aufsatzes „Jüdische Massensiedlungen und Volksminoritäten", der im September in Klaus Manns Zeitschrift „Die Sammlung" erschien [63], unter den Emigranten Verwirrung stiftete [64] und kompromittierenderweise von einem frisch etablierten Nazi in der nicht mehr von Willy Haas geleiteten „Literarischen Welt" gelobt wurde: „Ich glaube, der deutsche Nationalsozialismus würde mit Döblin verhandeln können." [65] Als Döblin den Aufsatz dann in den Text von „Unser Dasein" einarbeitete und diese Fassung unter dem Titel „Jüdische Erneuerung" herausgab, war das Echo kaum freundlicher. Auf kommunistischer Seite agierte man mit der Unterstellung, Döblin sei vom Faschismus infiziert [66], und ein Samuel Goudsmit erging sich unter

---

[63] D 453
[64] Franz Schoenberner schrieb an Kesten: „aber was ist in Döblin gefahren, daß er nun zur Abwechslung einen jüdischen Nationalismus predigt, mit Siedlungsprogrammen auch er? Es ist unbegreiflich!" (K 550, S. 59)
[65] K 459
[66] K 295, K 296

dem feinsinnig verschlüsselten Motto: „Schuster, bleib bei deinen Leisten!"
in maliziösen Sticheleien [67], die heute, bei unserer Kenntnis von den
Ereignissen gerade im besetzten Holland, mehr als makaber anmuten.

Was Döblin damals vorschlug: „Gewinnung des Minoritätenrechtes für
die Juden" und „Vorbereitung der großen außereuropäischen Massensiedlungen" (JE 68, 71) — dies hätte, ernst genommen und mit Energie verfolgt, wohl vielen das Leben retten können. Freilich, niemand mochte zugeben, daß man vor dem immer noch belächelten Hitler Reißaus nehmen
müsse. — Döblins Vorbehalte gegen Palästina als Siedlungsraum waren
noch sehr stark (70), und er schlug Angola, Peru, Australien vor: eine Ver-
teilung auf mehrere Territorien, weil er dem Nationalismus entgehen
wollte (72f).

In der 1935 erschienenen Schrift „Flucht und Sammlung des Judenvolks" gewinnt manches ein neues Gesicht, vereinfacht sich das Problem auf
„I. Ursache der Judennot: Landlosigkeit — II. Ende der Judennot: Jüdisches
Land" (FSJ 5), aber der naturalistische Impuls bleibt spürbar: „Die Juden
haben das Leiden um seinen natürlichen Sinn gebracht, Antrieb zur Empörung zu sein." (7); wieder propagiert Döblin die „Verweltlichung" (86,
129, 133 u. ö.).

Die Idee eines Zentralrats läßt er endgültig fallen, da auch eine solche
Instanz im Ernstfall machtlos wäre (90). Die Vorbehalte gegen einen jüdischen Nationalstaat nimmt er zurück, denn nun meint er, „daß ein Ding,
welches für Staaten von heute ‚reaktionär' ist, für die flüchtigen jüdischen
Massen ‚progressiv' sein kann." (126) Er anerkennt jetzt auch die Überlegenheit des zionistischen Lösungsversuches, der an Palästina anknüpft
(129), beklagt freilich die zugleich elitären wie provinziellen Verengungen
der zionistischen Idee in der Praxis (130—132): „Uns zeigt die Erfahrung
der alten Bewegung und die des Zionismus: nicht wer ein Land nennt,
nützt, sondern wer versteht, Massen ihre Situation zu zeigen, ihnen ihre
historische Aufgabe zuzuweisen und sie zu mobilisieren." (138)

Es zeigt sich hier, daß Döblin nicht ohne Grund in „Unser Dasein" dem
Buch über die Juden das von den abendländischen Völkern folgen ließ: im
jüdischen Weg sieht er eine Möglichkeit, das sterile Abendland, in dem
einzig die Macht das Wort führe, zu überwinden: „Die Richtung der Ju-
denheit auf das Abendland ist aufzuhalten." (FSJ 155) und: „Am Wendepunkt zu einer neuen, aber jüdischen Verweltlichung ist in der ganzen Welt

[67] K 294

eine geistige Bewegung fällig im Kampf gegen die Götzen des Abendlandes mit ihren Staaten und Wissenschaften." (133) — Hier kommt dieselbe Abkehr von der europäischen Zivilisation zu Wort, die zwei Jahre später den Hintergrund für die Südamerika-Trilogie abgeben sollte; auch der dort angedeuteten Hinwendung zur Religion wird hier schon präludiert: „unzweifelhaft", so heißt es, stamme der Mensch „aus der Hand der Urmacht [. . .], Gott genannt, (wir haben in uns keinen Bestand und keinen Existenzgrund)" (165); am Ende des Buches steht ein Gebet (232).

Sehr deutlich spiegeln sich also in den Schriften zur Judenfrage die Grundgedanken des philosophischen Naturalismus: die Betonung der Diesseitigkeit und der Ansporn, die Pflicht zur Selbstverwirklichung. Zum erstenmal aber wird auch schon die Wende angesprochen, die sich dann in den Jahren 1938—1941 vollzog, die Wende zu Gott, die allerdings, wie wir noch sehen werden, den Naturalismus keineswegs in allen Stücken negierte, vielmehr von einigen seiner Grundideen geradezu provoziert wurde.

## C) BETRACHTUNGEN ZUR KUNST UND ZUR LITERATUR

### I. *Staat und Schriftsteller*

Der Protest des Individuums gegen den anonymen Verwaltungsapparat des modernen Staates kommt auch und gerade in Döblins Reflexionen über die Stellung des Schriftstellers in der Gesellschaft zu Wort.

1921, in dem Vortrag, „Staat und Schriftsteller", war er noch sehr optimistisch, glaubte an eine allmähliche Entfaltung der republikanischen Bewegung und an die große Bedeutung des Schriftstellers im neuen Staat: „ein Optimum von Wirkungsbedingungen ist ihm gegeben." (AzL 53) Aufgabe der Schriftsteller sei es, der Verselbständigung von Technik, Handel und Industrie entgegenzuwirken: „Es gibt aber noch eine elementare Kraft in dem Menschen neben der Kraft, die Industrie und Technik entwickelt hat, das ist die: zusammenzuhalten mit den Menschen, die Gemeinschaft zu pflegen, die sittlichen Triebe als unvergleichlich wichtig zu fühlen. Und diese Kraft ist stärker, elementarer und früher als irgendeine andere. Sie ist es und keine andere, die das eigentliche Wesen des Menschen ausmacht. Und das ist unser Gebiet, das Gebiet der verantwortlichen Menschen und der Verbreiter des Wissens." (54f) — Vom Staat verlangte er größtmögliche Zurückhaltung, vor allem den Verzicht auf jede Zensur, denn: „Wahre Zensur kann nur da geübt werden, wo eine große ethische und religiöse Idee den Volkskörper durchstrahlt. [...] Wo ist aber in unserer Zeit, wo ist in einem schwankenden, sich eben befestigenden Staat die große durchpulsende Idee?" (59) Der gegenwärtige Staat müsse wie ein Gärtner handeln, „ordnen und völlige Schonung, völliges Gewährenlassen sichern." (ebd.) [68]

Dieselbe Einstellung zur Zensur spricht, entgegen dem ersten Augenschein, aus dem Aufsatz „Kunst ist nicht frei, sondern wirksam: ars militans". Anlaß war die Beschlagnahme eines Romans und die Eröffnung eines Hochverratsprozesses gegen seinen Autor [69]. Döblin wehrt sich dagegen, daß jenes 1921 geforderte Gewährenlassen zur Etablierung einer Narrenfreiheit entartet: „ ‚Die Kunst ist heilig' bedeutet aber praktisch nichts weiter als: der Künstler ist ein Idiot, man lasse ihn ruhig reden." (AzL 99) So erhebt er die Forderung: „Wir wollen ernst genommen sein. Wir wollen wirken, und darum haben wir — ein Recht auf Strafe." (101) Die Einschränkung folgt auf dem Fuße: „Es kann aber nur ein ganz bestimmt charakterisierter Staat das Recht haben, in diesen Kampf von Geistigkeiten mit physisch-mechanischen Mitteln, wozu das Gesetz und das Gericht gehören, einzugreifen. Das ist der Staat mit einer eindeutigen geistigen Prägung [70]. / Ein solcher Staat besteht jetzt nirgends." (ebd.) Als „Spannungssysteme mehrerer Geistigkeiten" haben die heutigen Staaten auf gesetzliche und gerichtliche Maßnahmen kein Recht. — Die beiden Gedanken: Ablehnung einer Narren-Freiheit der Kunst und Ablehnung staatlicher Maßnahmen werden am Schluß zusammengebunden: Der Künstler hat das Recht, seinen geistigen Standpunkt zur Geltung zu bringen und gegen die staatliche Brachialgewalt zu kämpfen, nicht etwa weil seine Produkte im Schongehege ihr Dasein fristen, sondern weil die geistige, auch moralische Pluralität ein Kennzeichen eben dieses westlich-demokratischen Staates ist, der sich selbst mißverstehen würde, wollte er sich auf „gewisse Geistigkeiten zufälliger Machthaber" festlegen und sie zum Gesetz erheben (102).

[68] Bezüglich der staatlichen Schulen schrieb Döblin 1927: „der ‚Staat' hat sich zur völligen Neutralität und Indifferenz in geistigen Dingen durchzuarbeiten, bzw. er ist dahin zurückzuwerfen." (D 435, S. 822)

[69] so nachzulesen im Jahrbuch der Sektion für Dichtkunst, Berlin 1929, S. 86. Es handelt sich um das von 1925 bis 1928 anhängige Verfahren gegen Johannes R. Becher.

[70] Z 156 hat „Führung" statt „Prägung".

Gegen die „Verkrüppelung der Kunst, die im Satz von der Freiheit der Kunst ihren Ausdruck findet" (103), richtete sich schon 1923 Döblins Stellungnahme zu einem Prozeß gegen Otto Dix wegen angeblich unzüchtiger Bilder. Döblin attackierte die auch heute noch beliebte Methode der Sachverständigen: „Das Stoffliche wird völlig durch die Kunst der Darstellung absorbiert oder usurpiert oder exstirpiert, ruiniert oder was man so sagt. Jedenfalls: Die Kunst heiligt. Der Stoff erregt angeblich gar nichts mehr." Demgegenüber macht er geltend: „Ich verlange nämlich durchaus von einem Kunstwerk, daß es mich ‚erregt'. Es gibt allerlei Erregungen. Die erotische als eine belanglose hinzustellen oder als eine schlechte, häßliche, unwürdige, ist eine Gemeinheit. [. . .] Die Kunst sublimiert, vergeistigt, verfeinert die Erotik, sie beseitigt sie nicht." (Z 55)

Den anfänglichen Optimismus, der Schriftsteller habe eine Aufgabe in diesem Staat, die auch und gerade der Staat anzuerkennen, ja zu fördern bereit sei, verlor Döblin immer mehr. 1929 verließ er die SPD, weil sie das berüchtigte „Schmutz-und-Schund-Gesetz" hingenommen hatte. Die neugegründete „Sektion für Dichtkunst" an der Preußischen Akademie der Künste, in die er 1928 gewählt wurde, kam über eine repräsentative Funktion nicht hinaus, schon deshalb nicht, weil man nicht allgemein Literaten, sondern eben nur „Dichter" aufnahm [71].

Hart geriet Döblin innerhalb dieses erlauchten Kreises mit jenen Vertretern der Rechten aneinander, die er mit tödlicher Treffsicherheit als „die Herren vom allzu platten Lande" apostrophierte [72]. Wie sehr diese Kennzeichnung die Blut-und-Boden-Mystiker getroffen hat, ist daran abzulesen, daß Kolbenheyer und Blunck noch in den fünfziger Jahren neben der Sorge um die weitere Vorherrschaft der „weißen Rasse" bzw. neben der Aufzählung von Gebäuden, die später amerikanischen Fliegerbomben zum Opfer fielen, jener Kränkung gedachten und, je nach Temperament, das Haupt oder die Fäuste schüttelten [73]. Nicht zuletzt auf Döblins Wirken in der Akademie ist es zurückzuführen, daß Wilhelm Schäfer, Emil Strauß und Kolbenheyer 1931 die Sektion verließen [74] — nicht für lange, denn schon im Mai 1933, nachdem man Heinrich Mann in unwürdiger Weise gezwungen hatte, den Vorsitz niederzulegen, nachdem alle fortschrittlichen Mitglieder

[71] vgl. dazu D 436 sowie das jüngst erschienene Buch von Inge Jens, „Dichter zwischen rechts und links", München 1971.
[72] vgl. D 444 und Walter von Molo, „So wunderbar ist das Leben" (K 542), S. 319.
[73] Kolbenheyer, „Sebastian Karst" (K 532), I 528, II 195, III 91; Blunck, „Unwegsame Zeiten", Bd. 2 (K 523), S. 151
[74] vgl. dazu Kolbenheyer, K 466, und Schäfer, K 476.

entweder freiwillig gegangen oder aber ausgeschlossen worden waren, kehrten die drei im Triumph zurück, flankiert von Leuten wie Hanns Johst und Will Vesper [75].

1931, nach jenen spektakulären Austritten, zog Döblin eine „Bilanz der ‚Dichterakademie' " [76]. Wieder beklagte er die Beschränkung auf soge-nannte Dichter: „Es sonderten sich ab zu einer Sektion für Dichtkunst Orphiker, die den Dunst der Pythia einatmeten, und draußen blieben bloß vernünftige Leute." Dieses Vorgehen habe die in den Polen schon vor-handene Zerschneidung der geistigen Kräfte sanktioniert und verstärkt. Über dem Widerstreit zwischen den Rechten, die der Sektion nur repräsen-tative Aufgaben zubilligten, und den Berliner Mitgliedern, die gegen diese Passivität rebellierten, sei es nun zum Bruch gekommen. Die Neugestal-tung stellte Döblin sich so vor: eine Gruppe von 20 bis 30 Leuten sollte gebildet werden, von Leuten, „die wichtige, an die Sprache gebundene Leistungen auf geistigem, nicht fachwissenschaftlichem, Gebiet aufweisen." Eine gute Mischung tue not „angesichts der Neigung der Dichter, sich orphisch zu verkrümeln." Hauptaufgabe einer aktiven Sektion solle der Schutz der Geistesfreiheit sein, auch gegen den Staat; sie müsse Einfluß gewinnen auf Schule und Erziehung. — Wir wissen, daß Döblin zusammen mit Heinrich Mann der Hauptinitiator eines von der Sektion geplanten Schullesebuches war [77]; 1947 urteilte er im Rückblick: „Man kam nicht an gegen die Eigenbrödlerei, die politische Gegensätzlichkeit und die dumpfe Staatsgläubigkeit der meisten" [78]. — 1931 prophezeite er: „Sieht man nicht in Deutschland, wohin man kommt mit der Furcht vor der Gesinnung! Die anderen haben sie, und eines Tages werden diese anderen den andern nicht erlauben, noch irgendeine Gesinnung zu haben." [79]

Man kann sicher geteilter Meinung darüber sein, ob Döblin sich in der Akademiefrage immer klug und tolerant verhalten hat. Selbst sein Freund Oskar Loerke, zunächst offenbar noch um eine Verständigung mit den neuen Machthabern bemüht, klagte im Februar 1933 grimmig über Leon-hard Franks und Döblins „Klatschsucht", die Interna der Sektion in die Zeitungen gebracht habe [80]. Solcher Kritik steht allerdings ein gewichtiges

---

[75] vgl. Joseph Wulf, „Literatur und Dichtung im Dritten Reich" (K 731), S. 34.
[76] D 444
[77] vgl. Heinrich Mann, K 356, S. 495 (bzw. S. 11).
[78] D 554, S. 596
[79] D 444
[80] K 534, S. 262

Zeugnis entgegen, jener Brief nämlich, mit dem die tapfere Ricarda Huch den Präsidenten der Akademie über die Gründe für ihren Austritt aufklärte: „Sie erwähnen die Herren Heinrich Mann und Dr. Döblin. Es ist wahr, daß ich mit Herrn Heinrich Mann nicht übereinstimme, mit Herrn Döblin tat ich es nicht immer, aber doch in manchen Dingen. Jedenfalls möchte ich wünschen, daß alle nicht-jüdischen Deutschen so gewissenhaft suchten, das Richtige zu erkennen und zu tun, so offen, ehrlich und anständig wären, wie ich ihn immer gefunden habe." [81]

Gerade die Erfahrungen mit der Akademie belehrten Döblin über die nach wie vor fast hoffnungslose Isolierung der deutschen Schriftsteller. 1921 hatte er darauf aufmerksam gemacht, daß man in der Republik nicht mehr für die eine gebildete Schicht produziere, daß „die ungeheure Masse des sogenannten niedrigen Volks nunmehr teilnehmen will und muß." Daraus folgerte er: „Es wird bald die Zeit kommen, wo wir einfach werden müssen, viel einfacher, verständlicher und darum lebensvoller als wir jetzt sind." (AzL 57) Damals sah Döblin eine solche Annäherung an das Volk noch als Leistung des Schriftstellers „im" Staat; 1929 war hiervon nicht mehr die Rede; „der Staat", wieder zum Gegenüber, zum bloßen Machtapparat geworden, war nicht mehr im Spiel. Auch die Akademie-Rede auf Arno Holz („Vom alten zum neuen Naturalismus") nennt die Hinwendung zur breiten Volksmasse eine Notwendigkeit sowohl für den Schriftsteller als auch für die Massen, propagiert „eine organisch-funktionelle Beziehung zwischen Volk und Literatur" (AzL 145), — vom „Staat" aber wird nicht mehr gesprochen; die geistige Verständigung soll offenbar ohne ihn, um ihn herum, vielleicht sogar gegen ihn erfolgen.

In dieser seinerzeit vieldiskutierten Rede, die ja Hocke den Anstoß zu seinem Offenen Brief gab, richtet Döblin bereits, wenn auch erst auf literarischem Gebiet, das „Gesicht gegen die Front der Bürger" (WV 60) und stellt fest, der Naturalismus eines Arno Holz sei deshalb erloschen, weil das gehobene Bürgertum ein Bildungsmonopol besitze: „Es kann als notorisch unterstellt werden, daß die gesamte höhere deutsche Literatur für noch nicht zehn bis zwanzig Prozent des deutschen Volkes geschrieben wird. [. . .] Ungeheuer schmal ist die Basis der gesamten deutschen Bildung und die Nachkriegszeit hat gezeigt, daß sie fast tödlich schmal ist." (AzL 141) Er schildert, wie Holz unter diesen Umständen von seiner revolutionären Position abgedrängt wurde und mit dem „Phantasus" geradezu am

---

[81] zitiert nach Joseph Wulf, K 731, S. 27.

Gegenpol anlangte, l'art pour l'art produzierte. Döblin geht zurück auf den ursprünglichen Impuls, wehrt sich gegen den Zwang, „nur der Verfeinerung einer gehobenen Klasse" zu dienen (142), und fordert die „Beseitigung des Bildungsmonopols" durch Hinwendung des Autors zum Volk, durch „Senkung des Gesamtniveaus der Literatur". Nur so, glaubt er, könne die Literatur aus dem Bildungskäfig befreit werden, „in dem sie von breiten Volksmassen nur als Attribut der feinen Leute angesehen wird" (145) [82].

Loerke notierte damals: „Sonderbare politische Rede Döblins" [83], und auch sonst war niemandem so recht wohl bei diesen Ausführungen. Als Döblin 1931 noch einmal sein „Dogma von gestern und heute" formulierte: „weg von den Gebildeten, heran an die Massen" (Z 173), handelte er sich eine bitterböse Replik Max Rychners ein [84]. Gleichwohl stand er mit seinem Unbehagen über die herkömmlichen Formen des Kunstkonsums ja keineswegs alleine da. Eben zu dieser Zeit entstanden Brechts „Lehrstücke", und auch Döblin versuchte sich in diesem Genre; das Drama „Die Ehe" war ebenso wie die Neufassung des Giganten-Romans ein Versuch in der anvisierten Richtung, zeigte allerdings auch sofort, daß dieser Weg für Döblin selbst nicht gangbar war, daß seine Absicht, sich zu popularisieren, scheitern mußte.

Trotzdem sollten wenigstens wir Heutigen über diese Bekundungen nicht nur die Nase rümpfen; hier versuchte ein Schriftsteller, der das Unheil kommen sah, in letzter Stunde die tödliche Isolierung der fortschrittlichen Intellektuellen zu durchbrechen. Wie weit sein anfänglicher Optimismus inzwischen einer nahezu vollständigen Resignation gewichen war, zeigt seine Antwort auf eine Rundfrage im Oktober 1932: „Wenn man deutlicher als heute wirklich etwas leistet mit seinen Büchern, also in einer vernünftigen Gesellschaft, soll man und kann man von Erfolg, Mißerfolg sprechen und das muß einem etwas ausmachen. Heute wirkt die Frage korrumpierend. Heute kann man, weniger oder mehr vergnügt oder zähneknirschend, seine Sache machen und damit basta." (AzL 371) [85] — Später erkannte er selbst die Undurchführbarkeit seiner Forderung, die Klassenproblematik, die in

[82] In die gleiche Richtung zielt der Vortrag „Literatur und Rundfunk" (D 175; vgl. S. 314 u. ö.).
[83] K 534, S. 199
[84] K 474
[85] Um Fehldeutungen vorzubeugen, sei ausdrücklich darauf hingewiesen, daß Döblin damals keineswegs aus der Position des armen Poeten in der Dachkammer sprach. „Berlin Alexanderplatz" war auch finanziell ein großer Erfolg (vgl. D 512).

ihr lag: „Ich habe früher gedacht: Senkung des Bildungsniveaus. Die Künste, auch die Literatur, müssen verständlich für das Volk arbeiten. Aber wie soll der Künstler, der Dichter es schaffen. Er müßte aus dem Volk hervorgehen." [86]

Schon im II. Kapitel habe ich dargelegt, warum Döblin zeitlebens ein Dichter mit schlechtem Gewissen geblieben ist. Die Einsicht, daß seine Bücher nur eine bestimmte Leserschicht erreichten, eine solche zudem, die er innerlich ablehnte, mußte dieses Gefühl noch bestärken. Immer war er bereit, sein und der anderen künstlerisches Tun in Frage zu stellen. Ein eher amüsantes Beispiel dafür lieferte er im Frühjahr 1931, als er auf Einladung der Berliner Secession die Eröffnungsansprache zur Ausstellung „Künstler unter sich" hielt; ganz im Geiste seiner Rede auf Arno Holz erklärte er den verdutzten Gastgebern, die Malerei stehe „außerhalb von heute", ihre Bilder paßten weder in die moderne Architektur noch in die Gegenwart überhaupt; man solle doch dazu übergehen, sich gegenseitig abzukonterfeien [87]. — Da die Rede meines Wissens nirgendwo schriftlich fixiert wurde, soll hier nicht über Recht und Unrecht solcher Vorwürfe gesprochen werden. Sie sind nur ein weiteres Zeugnis für Döblins Aversion gegen rein ästhetische Wertungen, für seine Suche nach einer außerhalb der Kunst selbst liegenden Rechtfertigung künstlerischen Tuns. Das eine Moment, auf das er gesetzt hatte — die Mitarbeit an einem menschenwürdigen demokratischen Staat —, erwies sich ebenso als Illusion wie die Hinwendung zum „Volk". Nur eine Vertiefung in das Wesen der Kunst selbst konnte aus diesen Sackgassen herausführen. Sie gelang in dem Buch „Unser Dasein".

## II. *Die Einschätzung der Kunst innerhalb der naturistischen Philosophie*

Schon im Kapitel über „Die drei Sprünge des Wang-lun" war anläßlich der für Döblins Epik so kennzeichnenden Wiederholungsstrukturen von der naturistischen Kunsttheorie kurz die Rede [88]. Die Kunst bedeutet für Döblin *einen* Weg (neben der Religion), auf dem der Mensch, das unvollständige Individuum, nach Vollendung strebt (UD 241), Vollendung inso-

---

[86] „Mireille oder Zwischen Politik und Religion" (D 186), S. 23
[87] vgl. Dolbin (K 449), Eckhardt (K 451), Lamm (K 468), Scheffler (K 478), Segal (K 480).
[88] s. o. S. 130 f.

fern, als sie einerseits, vor allem in der Form, die Verbindung zur natürlichen Welt schafft, die Isolierung des Menschen aufhebt und als sie andererseits auf Übergipfelung des Natürlichen aus ist.

Die Grundart der künstlerischen Formung stammt nach Döblin aus der anorganischen Welt: „Es horcht auf und tönt in Resonanz mit — unser Grundbau. In Rhythmik, in der Wiederholung, in übersichtlichem Zusammenhang des Geschehens bewegt sich die große Welt um uns, wir sind in ein Planetarium geführt." (244) Wohltuend löst diese Einbettung in die nichtmenschliche Welt den Krampf der Vereinzelung: „Wir gewinnen eine Ausweitung und Sicherung durch diese Berührung. Es ist ein Heraustreten aus der Nervmuskelhaltung, eine Entlastung davon ins Elementare hin." (243) — Was andererseits die Übergipfelung anlangt, so ist von entscheidender Wichtigkeit die Fähigkeit der Kunst, die Zeit aufzuheben (252—254). Angesichts des Umstandes, daß ja gerade das Leiden in und an der Zeitlichkeit sich als das Hauptproblem für die naturalistische Weltsicht erwiesen hatte, kann die Bedeutung dieser Aussage schwerlich überschätzt werden: das Kunstwerk also ein Mittel zur Aufhebung des Leidens. Auch für Werke der „Zeitkunst" (Musik, Dichtung) hält Döblin an diesem Gesichtspunkt fest: „Es wird aus einem unzeitlichen oder doch zeitunbestimmten Medium hervorgebracht. Es geht diagonal durch viele Epochen [89], und zwar auch dann, wenn ein Werk etwas ganz Heutiges darzustellen vorgibt." (253) Wenn Döblin also in „Berlin Alexanderplatz" die Bibel, Klassikerzitate und wissenschaftliche Handbücher bemüht, so macht er nur einen Teil jenes Hintergrundes ausdrücklich sichtbar, den jedes Kunstwerk hat. Denn im Künstler wirken die „Erbschaft" und die große, allgemeine Lebenssubstanz, die ihn mit der persönlichen wie der Welthistorie, mit der organischen wie der anorganischen Natur verbinden (254).

Damit ist nun zwar die allgemeine Bedeutung der Kunst für den Menschen dargelegt, nicht aber ihre Rolle in der Gesellschaft. Es scheint wieder auf die Quintessenz jenes Aufsatzes von 1926 hinauszulaufen, der das Verhältnis von Kunst und Gemeinschaft im wesentlichen negativ sah [90]; die Kunstwerke, hieß es da, „kommen weder aus einer Gemeinschaft noch gehen sie zu einer Gemeinschaft. Ich behaupte: sie kommen aus der Einsamkeit und gehen zur Einsamkeit. Sie kommen von einem Ich und gehen zu einem Ich. Der Künstler, der, beim Schreiben etwa, nur einen Blick über

[89] vgl. die Formulierung in „Das Ich über der Natur", das Erkennen weise einen Weg „schräg durch die Zeitlichkeit" (IN 221).
[90] D 168

die Schreibtischplatte tut, hat die Partie verloren." (AzL 85) Zwar flute Seelenhaftes von früher und jetzt durch die Einsamkeit des Künstlers, aber das sei stets sein „allerpersönlichstes Erlebnis". — In „Unser Dasein" billigt Döblin der gesellschaftlichen Lage, den Vorgängen in der Umgebung ebenfalls nur eine „unspezifische allgemeine Reizwirkung" zu: „Man muß sich hüten, mehr als Reizwirkung hier zu sehen. Der Künstler ist lebendiges Einzelwesen in seiner Umgebung; was zu ihm gelangt, erregt ihn oder nicht; die Fruchtbarkeit ist seine persönliche" (UD 252). 1926 sprach er noch nicht von Durchgriffen der nichtmenschlichen Welt, sondern von Einbrüchen des Dämonischen; gemeint ist dasselbe. Die Aufgabe der Kunst sah er auch damals schon darin, den Zusammenhang mit diesem „Dämonischen" wachzuhalten. Auf diesem Wege zwar gebe es einen Einfluß auf die Gemeinschaft, aber er sei nur „generativer Natur, zeugender Art": „Spezielleres kann die Kunst für die Gemeinschaft, an Gemeinschaftsbildung nicht leisten." (AzL 86) Summa: „ ‚Die Kunst und das Ich': das ist fruchtbarer als ‚Die Kunst und die Gemeinschaft'." (87)

Ist Döblin 1933 wirklich nach jenen Aufrufen zur Hinwendung an die Volksmassen und zur Senkung des Bildungsniveaus in diese bürgerlich-individualistische Position zurückgekehrt? Groß war jedenfalls seine Enttäuschung. Seelisch und gesellschaftlich, so hören wir, spiele die Kunst heute keine wichtige Rolle: „Sie dient in ihrer entarteten und heruntergekommenen Form dem Vergnügen und wird wirtschaftlich ausgebeutet." (UD 255) Begreiflich nennt er den Streit um die Tendenz im Kunstwerk; ein Entweder-Oder aber lehnt er ab: „Ist etwa Spiel keine Belehrung?" (256) Die Kunst mache frei von den selbstgerechten Formen der Politik und der Gesellschaft, schieße damit keineswegs ins Blaue hinein, sondern belebe Staat und Gesellschaft auf eigentümliche Weise, führe „hinter" beide.

Das ist in der Tat nicht viel; Döblin hatte sich angesichts der Zustände beschieden. Und doch liegt in diesen Ausführungen ein Impuls, der fünf Jahre später wirksam wurde. In der Bestandsaufnahme über „Die deutsche Literatur (im Ausland seit 1933)" mit dem Untertitel „Ein Dialog zwischen Politik und Kunst" wird das Prinzip der Resonanz nicht mehr nur auf das „Dämonische", auf die nichtmenschliche Natur also, sowie auf historisch Zurückliegendes angewendet, sondern auch auf die gegenwärtige Gesellschaft. Direkte politische Wirkungen der Kunst hält Döblin nach wie vor für unmöglich (AzL 199), aber der Gedanke von der Einsamkeit des Künstlers aus dem Aufsatz von 1926 wird jetzt umgeformt: „In die tiefste Einsamkeit nimmt jeder Künstler, jeder Schriftsteller die Gesellschaft, in der er lebt, mit. Sie ist es, die mit ihm zusammen dichtet und formt, in der Sprache, in den Urteilen, Bildern und Begriffen, die er mitgenommen hat." (201f) Der deutsche Künstler und Schriftsteller freilich habe sich in seiner gelehrtenhaften Vertrocknung gewöhnt, „nur eine armselige Miniaturausgabe der Gesellschaft mit in seine Solitude" zu nehmen (203). Nicht das mangelnde Verständnis des Publikums, auch nicht die Form der künstlerischen Darbietung sei der Kern des Problems, sondern der Umstand, daß die deutschen Künstler „schwache Gesellschaftswesen" seien (204). Ganz im Sinne seiner Ausführungen in „Wissen und Verändern!" und in den Schriften zur Judenfrage wirft Döblin seinen Standeskollegen den „Kurzschluß in die Mystik" (205) und den „Kurzschluß in die Politik" (206) vor und fordert: „Wirkliche Politik will den Fortgang der Säkularisierung der deutschen Literatur. Es handelt sich darum, in den deutschen Schriftstellern einen Geist ungehindert entstehen zu lassen, der sich enger als früher an Gesellschaft und Gemeinschaft anschließt. Sie müssen eine tiefere Genugtuung darin finden, in die menschlichen Verhältnisse einzudringen." (207)

Wie das zu bewerkstelligen sei, wußte Döblin zwar nicht zu sagen, aber wenigstens war er von dem Irrtum abgekommen, die Kluft zwischen den Geistigen und der Masse sei hauptsächlich ein Problem des Ausdrucks und des Bildungsniveaus. Nun sah er, daß die Neigung der Dichter, „sich orphisch zu verkrümeln" [91], die Haltung des deutschen Schriftstellers selbst zur Gesellschaft, die oft beschriebene, mit Leid, aber noch mehr Stolz getragene deutsche „Künstlerproblematik" in direktem Verhältnis zur Einschränkung des Wirkungskreises stand. Natürlich läßt sich die eigentümliche Isoliertheit der deutschen Intellektuellen wiederum von der historischen Entwicklung und vom Gesamtzustand der Gesellschaft ableiten, und Döblin selbst hat ja in „Wissen und Verändern!" einige Beispiele angeführt; in dem Essay von 1938 aber ging es darum aufzuzeigen, was die Intellektuellen von sich aus tun können, nicht darum, von irgend einer nebulosen Macht die Änderung der „Verhältnisse" zu fordern. Vorbild war offensichtlich — auch das hat schon eine lange Tradition — die Stellung des Schriftstellers in Döblins neuer Heimat, in Frankreich. Sein Rat: Aufgabe der liebgewordenen Position im Gegenüber zur Gesellschaft, Eingliederung in sie, Verzicht auf Sprünge über sie hinaus in angeblich höhere Regionen: das mag wenig befriedigen; es ist viel, wenn man bedenkt, zu welchem

[91] s. o. S. 268.

Zeitpunkt diese Schrift erschien: auf dem Hintergrund der Un-Gesellschaft der Emigration, im Paris des Jahres 1938.

Wir sehen, einen wie hohen Rang die Kunst in Döblins neuer Weltsicht einnimmt. Beispielhaft verdeutlicht sich in ihr, wie der Mensch Stück und Gegenstück der Natur ist: sie verbindet ihn durch die spezifische Art ihrer Formung mit der nichtmenschlichen Welt, „humanisiert" zugleich dies Natürliche, überhöht es. „Vollendung" bewirkt sie in doppelter Weise: sie hebt die Isolierung des Individuums auf, ver-vollständigt es, und sie bestätigt ihm seinen besonderen Rang, zeigt den Menschen in ihrer eigentümlich zeitenthobenen Existenzweise als Herrn der Natur. Zum ersten Punkt darf aus dem Essay von 1938 nachgetragen werden: sie beseitigt die Isolierung nicht nur hinsichtlich der ,natürlichen" Welt, sondern auch in bezug auf die Gesellschaft. Sie geht zu einem Ich und kommt von einem Ich, von einem solchen aber, das nicht nur privat ist, sondern zugleich Natur- und Passions-Ich.

### III. *Die neue Romantheorie*

Wenn man den Titel von Döblins Antrittsrede vor der Akademie liest („Schriftstellerei und Dichtung"), wenn man hört: „Es ist nötig, diese Schreibarten scharf voneinander zu trennen" (AzL 97), so ist man einigermaßen verwundert und am Ende geneigt anzunehmen, Döblin habe im Hochgefühl über seine Wahl in die Akademie seine eigenen Auffassungen verleugnet, sei selber der Versuchung erlegen, sich „orphisch zu verkrümeln". Eine möglichst betonierte Mauer will er zwischen Schriftstellerei und Dichtung errichten, und er bemerkt ausdrücklich: „Es kann mich dabei nicht stören, wenn etwa romanische Länder diese Trennung nicht scharf machen oder aus der Natur ihrer Mentalität heraus überhaupt keinen Wert auf diese Trennung legen; ich habe mich um die Mentalität von Paris und Rom nicht zu kümmern, ich spreche von dem, was ich hier bei uns sehe." (90) — Bei näherer Betrachtung zeigt sich allerdings, daß wir es lediglich mit einer terminologischen Fragwürdigkeit zu tun haben, die schon darin deutlich wird, daß mehrmals vom „Schriftsteller" die Rede ist, wenn Döblin den „Dichter" meint (91f): in der Tat geht es lediglich um Abgrenzungen innerhalb dessen, was gemeinhin mit „Dichtung" bezeichnet wird, nämlich um die „Abgrenzung des Romans vom epischen Wortkunstwerk" (90). „Roman" meint hier vor allem die auf Abspiegelung der Realität erpichten historischen und naturalistischen Romane sowie Biographien, ferner Bildungsromane, die eine direkte pädagogische Absicht verfolgen (92f). Der Terminus „Schriftstellerei" dient also zur Kennzeichnung jener Produkte, gegen die bereits die früheren Aufsätze polemisiert hatten; wieder geht es gegen den „Spannungsroman" und gegen den „Mißbrauch des Romans für essayistische Versuche" (AzL 285). Nichts sagt Döblin also gegen außerkünstlerische sprachliche Leistungen; trotzdem wird man die Wortwahl nicht eben glücklich nennen können, und ein wenig verräterisch ist sie wohl doch.

Die Unterscheidung zwischen dem auf Spannung angelegten Roman und dem epischen Werk, dessen Figuren und Vorgänge für sich unsere Teilnahme beanspruchen, ist uns bekannt [92]. Döblin legt ferner Wert auf die Abgrenzung der autochthonen Dichtung gegen die, die sich von außerkünstlerischen Zwecksetzungen bestimmen läßt. Obgleich er für Gerechtigkeit gegenüber dem Tendenzwerk plädiert, ergeht er sich in sehr abfälligen Bemerkungen, wirft den Autoren vor, „mit den entliehenen oder gestohlenen Requisiten älterer Kunstwerke" (95) zu arbeiten, spricht von einer „Schmutzkonkurrenz bald mit der Journalistik, bald mit der Wissenschaft, bald mit der Ethnologie oder Geographie oder Ethik" (93) und urteilt: „Dieses Herabsinken in das Praktische, in das Nützlich-Begreifliche charakterisiert die zivilisatorische Entartung des Kunstwerks." (94) — Der Grund für diese recht überflüssige Polemik dürfte darin zu suchen sein, daß Döblin bei Publikum und Autoren eine Verwechslung dieser Literatur mit Kunst zu erkennen glaubte und sich zur Richtigstellung veranlaßt fühlte.

Interessanter sind seine Ausführungen über das Verhältnis der Kunst zur Realität. Wir erinnern uns der Forderung nach größtmöglicher „Objektivität" in den früheren Aufsätzen [93]. Da galt es als Vorteil für den Epiker, daß er „kraft seines Materials, des Wortes" dem Leben am nächsten stehe (AzL 22). Jetzt aber heißt es: „Die Wortkunst hat es überaus viel schwerer als etwa die Malerei und Musik, um zur Kunst zu kommen. Das Ausgangsmaterial der Musik und der Malerei ist schon selbst hinreichend wirklichkeitsfremd. Auf Wirklichkeitsfremdheit, kraß: auf Unnatur kommt es ja an; es hat keinen Sinn und ist unmöglich, das Vorhandene zu wiederholen; etwas Neues, Menscheneigentümliches soll hervorgebracht werden." (AzL 90) [94] Mit dem „Willen zur Entfernung von der Realität" fange jede Pro-

---

[92] s. o. S. 111.　　　　　　　　　[93] s. o. S. 108.
[94] Das Problem, wie man von der „Verkehrssprache" zur Dichtung komme, wurde schon im „Marsyas" aufgeworfen (D 159, S. 215 f).

duktion dichterischer Art an (91). In direkter Frontstellung gegen die eigenen früheren Theorien doziert er: „Wenn einige sagen oder gesagt haben, man habe im Literarischen möglichst Realitäten abzuspiegeln oder meinetwegen Realitäten in konzentrierter Form zu geben, so irren sie, weil es keine literarische Realität gibt. ‚Literarisch' und ‚Realität' sind Widersprüche in sich. Die Literatur tut etwas zur Realität [...] hinzu" (ebd.).

Dieser deutlichen Kehrtwendung liegt ein neuer Begriff von Realität zugrunde. In einem Interview über den Naturalismus der Holz und Hauptmann führt Döblin aus: „Uns genügt es nicht mehr, die Natur abzubilden, wie etwas, das auch ohne uns geworden wäre, wie es ist: Eine solche objektive Natur gibt es gar nicht." Der Naturalismus habe versucht, „kraft einer stets chimärisch bleibenden Objektivität oder Intuition Ergebnisse zu gewinnen oder Forderungen oder Ziele abzuleiten. Wir glauben nicht an die Natur außer uns: diese Natur ist nirgends wirklich!" [95] Döblins neue erkenntnistheoretische Position läßt sich kurz kennzeichnen mit dem Motto des I. Buches von „Unser Dasein": „Nur durch das Tor des Ich betritt man die Welt." (UD 13) Es blieb Helmut Schwimmer vorbehalten, in diesen stolzen Satz einen klagenden Ton hineinzuhören und seine schon mehrfach erwähnten unhaltbaren Konsequenzen zu ziehen [96]. Auch Helmut Liede verfehlt Döblins Gedankengang, wenn er, basierend auf einem unreflektierten naiven Realismus, von Negation der Wirklichkeit spricht [97]. Schon fast blamabel wirken diese Interpretationen angesichts der immer wieder vorgebrachten Forderung Döblins nach genauer Beobachtung der Wirklichkeit: „Dichten verlangt einen sehr scharfen Blick auf die Realität." (AzL 95) Sein „Dogma von gestern und heute" lautet: „ganz heran an die Realität! Und immer dichter ran an die Realität, und je dichter wir dran sind, um so wahrer sind wir und um so mehr und besser wird man uns hören, und dann wird es wieder richtige Literatur geben" (Z 173). Man muß doch schon etwas genauer nachlesen, wie Döblin sich das denn vorstellt, wenn die Dichtung etwas zur Realität „hinzutut": „Der Schriftsteller veredelt nun sein Material und entfernt sich von der Realität, indem er, was er an Realitätsdaten heranzieht und vorbringt, möglichst geistig durchdringt" usw. (Azl 91): von einer Über-formung der Realität ist die Rede, nicht von ihrer Negation. Alle Zitate, die Liede anführt, beziehen sich auf die von Döblin so genannte „Fabuliersphäre" (AzL 111), die nur *eine* Schicht des

[95] D 581
[96] K 583, S. 17 ff
[97] K 589, S. 29—31

Dichtwerks ausmacht. Am Schluß jener Rede von 1928 heißt es: „Die Entfernung von der Realität und den Gegenständen, dabei aber eine Benutzung der Realität und ihrer Objekte, das ist letzten Endes der biologische Tatbestand des Wachstums. Der Mensch wächst im Kunstwerk über die vorhandene Natur hinaus; er ist selbst schaffende Natur." (96) In fast den gleichen Wendungen sprach er 1932 von der Technik: „Der Mensch und seine Technik trägt über die vorhandene Natur hinweg und formiert eine neue. [...] Ja, wir sind auch gegen die Natur, gegen jede Natur! Keine Natur, keine Formung kann uns fesseln, [...] jede Natur, so sinnvoll sie ist, müssen wir als eine Eierschale hinter uns lassen. [...] Wir haben ein stolzes, freies, selbstverantwortliches Ich in uns." (AzL 373) Wer auch hier „Negation der Realität" konstatieren will, muß Liedes Begriff erheblich uminterpretieren.

Die Forderung nach genauer Kenntnis der Realität und ihrer Überformung in der Dichtung ist ja nichts weiter als die Anwendung des Bildes vom Menschen als Stück und Gegenstück der Natur auf die Kunst. Jeder, der diese Polarität übersieht, geht an Döblin vorbei. Wenn er schon an etwas zweifelte, dann nicht an der Erkennbarkeit und Darstellbarkeit der Realität, sondern, immer wieder, am Ich. Noch in den letzten Diktaten heißt es: „wo ist denn, was ist denn mein Ich?", und deutlich bleibt hier etwas unerledigt: „Ach, die Zeit der Ich-Suche ist vorbei, soll vorbei sein." [98] Daß der Dichter sich der Realität versichern könne und versichern müsse, blieb ihm hingegen stets gewiß: „Homer hat, bevor er sang, sehr scharf gesehen. Ich habe schon früher bemerkt, daß viele Autoren von Homer nur die Blindheit geerbt haben." (AzL 95f)

Die geistige Durchdringung der „Realitätsdaten", die Döblin fordert, soll sich vor allem in der Souveränität der Phantasie und der Souveränität der Sprache erweisen (94). Auch hier wendet Döblin sich gegen ein Dichten ins Blaue hinein: er postuliert eine „genaue" Phantasie, die „ein übernormal scharfes Sehen und Sinn für die Wahrheit der Wissenschaft" voraussetze (95). Was er darüber hinaus in dieser Rede zu den Themen Sprache und Phantasie beiträgt, ist nicht eben viel, und eine genauere Betrachtung kann unterbleiben, weil der Aufsatz „Der Bau des epischen Werks" in dieser Hinsicht viel ergiebiger ist.

Vor der Akademie hatte Döblin die Fremdheit „zwischen der lebenden Produktion und den lebenden Autoren einerseits und der Universität an-

---

[98] „Von Leben und Tod, die es beide nicht gibt" (D 370), S. 909 und 908.

dererseits" beklagt und für eine Begegnung der Germanistik mit den Autoren plädiert (89). Am 6. Mai 1928 kam es zu einer Besprechung Döblins und Loerkes mit Professor Julius Petersen und zu „Verabredungen von Zusammenarbeit von Universität und Akademie" [99]. Diesem Anlaß verdanken wir Döblins umfassendste und aufschlußreichste dichtungstheoretische Schrift aus dieser Periode; „Der Bau des epischen Werks" wurde als Rede vor Studenten konzipiert und in der Berliner Universität am 10. Dezember 1928 vorgetragen.

Ganz klar wird hier das Verhältnis der epischen Dichtung zur Wirklichkeit ausgesprochen. Der epische Bericht, so hören wir, hebe das Exemplarische des Vorgangs und der Figuren hervor, „starke Grundsituationen, Elementarsituationen des menschlichen Daseins, [. . .] Elementarhaltungen des Menschen, die [. . .], weil sie tausendfach zerlegt wirklich sind, auch so [sc.: als wirklich] berichtet werden können. Ja, diese Gestalten [. . .] stehen sogar an Ursprünglichkeit, Wahrheit und Zeugungskraft über den zerlegten Tageswahrheiten." (AzL 106f) Die Gewinnung dieser „exemplarischen und einfachen Sphäre" trennt den epischen Künstler vom Romanschriftsteller (107). Abermals wird die Vertrautheit mit der Realität als unabdingbare Forderung an den Dichter wie an den Schriftsteller gestellt: „Denn wie denkt man die Realität zu durchstoßen, wenn man keine Anstalten trifft und auch oft kein Vermögen hat, die Realität anzupacken." (ebd.)

Als nur *einen* Aspekt der dichterischen Arbeit kennzeichnet Döblin die „Fabuliersphäre" (111). Daß der Epiker von „notorischen Nichtfakta" erzählt, scheint zunächst ein Widerspruch zu der Behauptung: „Die Kunstwerke haben es mit der Wahrheit zu tun." (109) Getreu seiner üblichen Darstellungsweise überspitzt Döblin auch hier die Pole und nennt das Fabulieren „das Spiel mit der Realität, mit Nietzsches Worten ein Überlegenheitsgelächter über die Fakta, ja über die Realität als solche." (ebd.) „Wir sind auf dem sehr stolzen und sehr menschenwürdigen Gebiet der freien Phantasie." (110), heißt es da, aber wir erinnern uns der Unterscheidung zwischen genauer und ungenauer Phantasie, und auch hier wendet Döblin sich gegen das Absinken der Dichtung zu einer „subjektivistischen Spielerei" (111), weist dem Fabulieren seine Funktion zu: die phantastische Sphäre „ist nur die Negation der realen Sphäre und garantiert ein Spiel mit der Realität", d. h.: sie verhindert die Unterwerfung des Epikers unter die Fakten, das Kleben an allen Wirklichkeitspartikeln, bloß weil sie wirklich

[99] Oskar Loerke, K 534, S. 173

sind (dies Döblins Vorwurf gegen die Naturalisten: 110f). Die zweite Säule der Berichtform ist die überreale, die exemplarische Sphäre: sie ordnet die in der Fabuliersphäre verfügbar gewordenen Realitätsbestandteile zu „einer neuen Wahrheit und einer ganz besonderen Realität." (111).

Wir bemerkten schon, daß der neue Realitätsbegriff auf die Entdeckung des Ich zurückzuführen ist. Hier nun wird dieser Zusammenhang expressis verbis hergestellt. Nicht die Berichtform allein solle der Epiker verwenden, sagt Döblin, nicht nur diese Form, die einen eisernen Vorhang zwischen Leser und Autor errichte: „Ich gestehe selbst: ich habe unbändig gehuldigt dem Bericht, dem Dogma des eisernen Vorhangs. Nichts schien mir wichtiger als die sogenannte Objektivität des Erzählers." (113) Daß er jetzt den Autoren rät, „in der epischen Arbeit entschlossen lyrisch, dramatisch, ja reflexiv zu sein", ist Ergebnis seiner neuen Haltung zum Erzähler: „Eines Tages entdeckt man auch etwas anderes neben der Rhone, den Tälern und den Nebenflüssen: man entdeckt sich selbst. Ich selbst — das ist das tollste und verwirrendste Erlebnis, das ein Epiker haben kann. [...] Darf der Autor im epischen Werk mitsprechen, darf er in diese Welt hineinspringen? Antwort: ja, er darf und er soll und muß." (114) Das ist in der Tat eine entscheidende Wendung, und wir werden ihre Auswirkungen in den folgenden Kapiteln zu beschreiben haben. Der Zusammenhang zwischen dem neuen Realitätsbegriff und der Rehabilitierung des persönlichen Erzählers wird nun klar: „Die Autoren haben keine Fakta aus den Zeitungen zu stehlen und in ihre Werke einzurühren, das genügt nicht. Nachlaufen und Photographieren genügt nicht. Selber Faktum sein und sich Raum schaffen dafür in seinen Werken, das macht den guten Autor" (115). Keineswegs redet Döblin hier einer zügellosen Selbstdarstellung das Wort; unmittelbar vor unserem Zitat lesen wir, die epische Form solle deshalb von der „Zwangsmaske des Berichts" befreit werden, weil nur so der Autor den Darstellungsmöglichkeiten folgen könne, nach denen sein *Stoff* verlange: „Wenn sein Sujet gewillt ist, lyrisch zu tanzen, so muß er es lyrisch tanzen lassen."

Auch hier hat Döblin jene Balance der Polarität erreicht, die wir in den philosophischen Schriften sich entwickeln sahen. War früher vom „Fanatismus der Selbstverleugnung" (AzL 18) die Rede, galt der Stil nur als „der Hammer, mit dem das Dargestellte aufs sachlichste herausgearbeitet wird" (22), so tritt dieser Tyrannei des Stofflichen nun der selbstbewußte Erzähler entgegen, und alles kommt darauf an, diese beiden Elemente des epischen Kunstwerks zu sinnvoller Symbiose zu bringen.

1927, in einer Rezension der Romane Kafkas, sprach Döblin im Überschwang der Neuentdeckung von der „Souveränität des Autors und über die ungeheure Abhängigkeit der Wirklichkeit vom Autor wie über seine zentrale Kraft über alle Fakten." (AzL 285) Wir werden das nach den vorangegangenen Ausführungen nicht mehr mißverstehen. Schon 1917 hatte Döblin im „Marsyas" zwar für die Ausschaltung des Erzählers plädiert, aber zugestanden: „mittelbar spricht der Autor, das heißt: er gestaltet." [100] Jetzt ging ihm auf, welche Souveränität des Erzählers hier begründet lag, welcher Anspruch schon in dieser scheinbaren Selbstbescheidung angemeldet wurde: eben der auf die „zentrale Kraft über alle Fakten"; ermutigt von seinen gleichzeitigen philosophischen Erkenntnissen konnte er die — in den Dichtungen ja doch nie ganz durchgesetzte — Verleugnung des Erzählers endgültig fallen lassen.

Ich übergehe Döblins historische Betrachtungen und seine sehr aufschlußreichen Darlegungen über die Entstehung eigener Werke — hiervon war schon anläßlich des „Wang-lun" und des „Wallenstein" die Rede — und wende mich gleich dem Schlußkapitel zu: „Die Sprache im Produktionsprozeß" (AzL 128—132). Die Sprache, jeder ausgeprägte Stil, erscheint hier als eine eigene Produktivkraft, der ein formaler und ideeller Zwangscharakter innewohnt (130f). Von entscheidender Wichtigkeit ist es daher für den Epiker, die seinem Sujet angemessene Sprachebene zu finden. Der Satz aus „Staat und Schriftsteller" gilt immer noch: „man glaubt zu schreiben und man wird geschrieben" (AzL 55, 131; auch 155). So müsse der, der dichterisch etwas Eigenes sagen wolle, zunächst die „alten Sprechweisen" von sich wegstoßen, „um zu singen, wie ihm selbst der Schnabel gewachsen ist." (131) Wenn Döblin unter diesen überkommenen Sprachstilen Zeitungsdeutsch, Lutherdeutsch, Schillers Jamben aufführt, so denken wir natürlich an den Roman, der damals gerade entstand: „Berlin Alexanderplatz". Offensichtlich war Döblin der Meinung, daß ein solches Spiel mit den verschiedenen Sprachebenen, wie dieser Roman es vorführt, erst derjenige wagen solle, der den eigenen Stil schon gefunden hat. — Wir sehen jetzt, was in „Schriftstellerei und Dichtung" mit der „Souveränität der Sprache" gemeint war: die Überwindung der Sprachschablonen, die Wahl der richtigen Ebene, das Einsetzen der Sprache als Produktivkraft.

Am Schluß dieses Abschnitts steht eine Klage über „das Unglück des Buchdrucks" (117): „Das Buch ist der Tod der wirklichen Sprache" (132).

---

[100] D 159, S. 214. s. o. S. 109.

In der Rede „Literatur und Rundfunk" vom 1929 heißt es präziser: „die lebende Sprache ist in ungenügender Weise in die geschriebene eingedrungen, und so hatte die Buchdruckerkunst bei uns offenbar eine Anämie und Vertrocknung der Sprache im Gefolge." [101] Daß der Roman der Gegenwart an die Buchform gebunden ist, sich zum Vorlesen nicht eignet, war Döblin klar; nur eine „kommende Epik", so meinte er, könne wieder zum Sprechen übergehen [102]. So plädierte er auch nicht etwa für die Übernahme der herkömmlichen Epik oder Dramatik in den Rundfunk, sondern für die Entwicklung einer neuen Kunstgattung, die den besonderen Bedingungen des Radios angemessen sein müsse [103]. Auch in „Der Bau des epischen Werks" heißt es: „ich habe seit langem die Parole: Los vom Buch, sehe aber keinen deutlichen Weg für den heutigen Epiker, es sei denn der Weg zu einer — neuen Bühne." (AzL 132) [104]

Alles, was die neue Romantheorie über das Verhältnis zur Wirklichkeit, über Phantasie und Sprache zu sagen hat, faßt Döblin in den Schlußsätzen zusammen: „Was macht das epische Werk aus? Das Vermögen seines Herstellers, dicht an die Realität zu dringen und sie zu durchstoßen, um zu gelangen zu den einfachen großen elementaren Grundsituationen und Figuren des menschlichen Daseins. Hinzu kommt, um das lebende Wortkunstwerk zu machen, die springende Fabulierkunst des Autors. Und drittens ergießt sich alles im Strom der lebenden Sprache, der der Autor folgt." (132)

Noch einmal sei abgehoben, welche Wirkungen die philosophische Neubegründung des Einzel-Ichs in der Romantheorie gezeitigt hat. Döblin rehabilitiert den persönlichen Erzähler, setzt ihn nun auch ausdrücklich ins Wechselspiel mit der dargestellten Realität, die ihren — ohnehin fiktiven — Zwangscharakter verliert: der Erzähler kann die Wirklichkeit fabulierend verspotten, freilich nur zu dem Zweck, ihre tiefere Wahrheit sichtbar zu machen. Hinzu kommt die Hinwendung zum Einzelhelden, die allerdings keineswegs die Erzählung „privater" Begebenheiten zur Folge hat, sondern gerade umgekehrt im Aufsuchen der Elementarsituationen des menschlichen Daseins das Exemplarische konstituiert. Stoff und Autor, Erzählung

---

[101] D 175, S. 313
[102] ebd., S. 315. Vgl. auch D 578, S. 857: „Wenn ich aus geschriebenen Büchern vorlese, so ist das mir [...] nicht sehr sympathisch, weil die größten Teile dieser Bücher nicht zum Vorlesen gedacht sind."
[103] D 175, S. 317
[104] Graber behandelt diesen Komplex ausführlich und sieht im rhapsodischen Stil des „Manas" die Befreiung zwar nicht von der Buchform, aber von der Literatursprache, der Romanprosa (K 604, S. 86 f).

und Erzähler, Einzelheld und Gesellschaft sind gleichberechtigt und stehen im Wechselspiel miteinander.

Auf eine ausführliche Betrachtung des Aufsatzes „Der historische Roman und wir" von 1936 möchte ich verzichten; seine Grundthesen sind dieselben wie die der Universitätsrede. Ein „enges und natürliches Verhältnis zur Realität" wird verlangt (AzL 178), es bleibt die Erkenntnis: „Eine Darstellung ohne Urteil ist nicht möglich, schon bei der Anordnung des Stoffs spielt das Urteil mit." (172), und wieder ist von der Umformung der Gestalten und Geschehnisse ins Exemplarische die Rede: „Figuren und Vorgänge der Epik stehen auf dem Weg zwischen der konkreten und individuellen Wirklichkeit und dem Begriff." (168) — Daß hier im wesentlichen nur die Thesen des früheren Aufsatzes wiederkehren, hängt natürlich damit zusammen, daß Döblin den Charakter des historischen Romans als eines besonderen Genres bestreitet („Jeder gute Roman ist ein historischer Roman" — 174). — Selbst 1950, in dem Vortrag „Die Dichtung, ihre Natur und ihre Rolle", hat sich noch nicht allzuviel geändert, wenn auch die ehemals „naturalistischen" Gedankengänge hier eine schon fast schmerzhafte Wendung ins Erbauliche erfahren, etwa: „Der Dichter zeigt dem an die materielle Wirklichkeit verlorenen und verbannten Menschen die Überrealität" (AzL 222); „Überrealität" meint hier nicht mehr das Ergebnis einer auf genauer Beobachtung und befreiender Phantasie beruhenden, das Exemplarische anstrebenden Gestaltung, sondern etwas, worum der Dichter, wie jeder Gläubige, ohnehin schon weiß, die „Heilswirklichkeit" eben, die nicht er schafft, sondern von der er nur kündet.

# ZWISCHENBEMERKUNG

Die Dichtung, in der all die philosophischen, politischen und ästhetischen Theorien, die uns im IV. Kapitel beschäftigten, ihren Zielpunkt finden, das Hauptwerk dieser Periode und das wichtigste Buch Döblins überhaupt, ist der Roman „Berlin Alexanderplatz".

Eigentlich wäre an dieser Stelle zunächst noch von dem Epos „Manas" zu handeln gewesen, der ersten Dichtung, die nach der „naturalistischen" Wende entstand. Zum einen aber zeigt dieses Werk stilistisch und inhaltlich noch Spuren der vorangehenden Periode (ich sprach schon von der Verselbständigung des rhythmischen Prinzips; auf die Verwandtschaft des neugeborenen Manas und seiner dienstbaren Dämonen mit den Giganten des utopischen Romans hat Hans-Albert Walter hingewiesen [1]) — insofern besteht eine spiegelbildliche Ähnlichkeit zwischen „Berge Meere und Giganten" und diesem Versepos —, zum anderen hat, wie ich schon in der Einleitung sagte, Heinz Graber dem „Manas" eine so kenntnisreiche und überzeugende Monographie gewidmet, daß eine sehr genaue Einzelkritik erfolgen müßte, zu der hier der Platz fehlt.

Der grundsätzliche Wandel, den der „Manas" anzeigt, wird blitzhaft deutlich in einem Anklang an den „Wallenstein". Wir erinnern uns der letzten „Beirrung" Ferdinands, seiner Aufrufe in der Grimmer-Rolle: „Gebt nicht nach. Sterbt nicht! Sterbt nicht!" (W 728) Eine Beirrung, wie gesagt, denn der verklärte Weg des Kaisers führt ja in den Tod, in die Aufgabe des Ich. — Am Schluß des „Manas" aber steht der Ruf des Halbgottes:

„Ihr! Ihr!
Versinkt nicht!
Gebt nicht nach!
Schiwa lebt!
Ihr lebt nicht! Noch nicht! Ihr lebt noch nicht!" (M 371)

Keine Beirrung diesmal, sondern der Glaube an den Sinn der Aktion, an die Pflicht zur Selbstverwirklichung.

Zum erstenmal auch seit dem „Schwarzen Vorhang" sagt der Erzähler wieder „ich", nur an einer Stelle zwar — und im übrigen Werk hält er sich peinlich zurück —, aber dieses eine „ich" markiert die Wende:

---

[1] K 565, S. 873

„O zuckendes Herz, das dies singt, wohin reißt du mich.
Was wickelst du mich, bindest mich und schleppst mich wie in einem
Tierfell,
Und ich schwanke und muß folgen und bin gebunden und muß mit,
Wie es mich auch auflöst." (M 16) [2]

Von den inhaltlichen Motiven des Epos zu sprechen wird der „Alexanderplatz" noch Gelegenheit geben. Denn die Geschichte vom Transportarbeiter Franz Biberkopf, nicht die des indischen Königssohns, ist der Brennspiegel, in dem alle Motive des „Naturalismus" sich sammeln; hier gelang Döblin die völlige Umsetzung ins Anschauliche, während der „Manas", wir sahen es schon, gerade an seiner Zentralstelle in gedichtete Philosophie umschlägt [3].

---

[2] Zur Kennzeichnung dieses Erzählers vgl. Graber, K 604, S. 88 f.
[3] s. o. S. 241

# V. KAPITEL

# DER |EINZELMENSCH |ALS BAUELEMENT UND KRAFTZENTRUM „BERLIN ALEXANDERPLATZ. DIE GESCHICHTE VOM FRANZ BIBERKOPF"

## A) Zur Frage der Abhängigkeit und zur Entstehung

Immer wenn von diesem Roman gesprochen wird, fallen die Namen Joyce und Dos Passos, und unbelehrbar Vorgestrigen wie Hermann Pongs dient ihre mangelnde Werkkenntnis immer noch dazu, Döblin als Joyce-Epigonen abzuqualifizieren [1]. Schon Hans-Albert Walter und Helmut Becker, um nur diese zu nennen, haben die Absurdität solcher Behauptungen dargetan [2]. Ob Döblin „Manhattan Transfer" zur Zeit seiner Arbeit an „Berlin Alexanderplatz" überhaupt kannte, ist ungewiß, wenn auch nicht unwahrscheinlich; denn im Almanach 1928 des S. Fischer-Verlages (ausgegeben im Oktober 1927) folgten unmittelbar auf Leseproben aus „Das Ich über der Natur" und „Manas" zehn Seiten aus der deutschen Übersetzung des amerikanischen Romans [3]. Die einzige Erwähnung des Autors Dos Passos finden wir in der Schrift „Die deutsche Literatur (im Ausland seit 1933)"; dort ist allerdings von einer Neuerscheinung, von der USA-Trilogie wohl, die Rede [4]. Sonst hat Döblin sich offenbar nur Robert Minder gegenüber zu diesem angeblichen Vorbild geäußert, und auch da bezog er sich auf „USA", sprach vom polyphonen Aufbau der Trilogie, gegen den er die homophone — d. h. auf Franz Biberkopf zentrierte — Struktur seines Romans abhob [5].

Den „Ulysses" erwähnt Döblin bereits in seiner Antrittsrede vor der Akademie (AzL 94), im März 1928 also; im gleichen Jahr rezensierte er

---

[1] vgl. Pongs, „Im Umbruch der Zeit" (K 705), S. 50—53; „Dichtung im gespaltenen Deutschland" (K 706), S. 405.
[2] K 565, S. 870; K 607, S. 202—219
[3] „Almanach 1928", Berlin 1927, S. 96—105
[4] D 181, Erstdruck, S. 45
[5] Minder, K 561, S. 172

den Roman [6], und später erklärte er, er habe das Buch nach Abfassung des ersten Viertels von „Berlin Alexanderplatz" gelesen [7]. Welchen Teil dieses Viertel darstellte und ob es vielleicht nach der Joyce-Lektüre umgeschrieben wurde, erfahren wir nicht. Bei Betrachtung der vorangegangenen Werke Döblins läßt sich allerdings mühelos feststellen, daß der „Ulysses" für ihn nicht mehr bedeutet hat als das, was zuzugestehen er immer bereit gewesen ist: „es war ein guter Wind in meinen Segeln." (BA 507)

Auf die ausgedehnte Verwendung des inneren Monologs wie der erlebten Rede in Döblins Werk vor 1929 habe ich hingewiesen; insbesondere erinnere ich an die übergangslosen Sprünge in den inneren Monolog, wie die Erzählung „Die Schlacht, die Schlacht!" sie zeigte. Die überraschende Montage- und Schnitt-Technik sahen wir schon im „Wallenstein" vorgebildet [8]; auch die assoziative Sprunghaftigkeit der Linke-Poot-Glossen gehört hierhin. Sehr weit zurückverfolgen läßt sich die parodistische Verwendung von Druckerzeugnissen fremder Herkunft. Schon in einem „Sturm"-Beitrag zitierte Döblin einen Verlegerbrief folgendermaßen: „Unter dem sechsten Januar 1912 erhalte ich, geschäftlich ernst genommener Skribifax, einen Brief von Wilhelm Borngräber, Verlag Neues Leben, Berlin W 30, Goltzstraße 7, Tel. VI a 19 367, (altes Amt!) Karlsbad 23, Bankkonto Deutsche Bank Kasse P. Postscheckkonto 7491, Maschine Z, Diktat LE. Zweighäuser des Verlags Rom 307 Corso Umberto 1, Leipzig, Königstraße 35—37; bekomme ich — sage ich — von einer derartig ungeheuren Apparatur einen richtiggehenden Brief." [9] Seine Entgegnung persifliert in Parallelkonstruktionen das schauerliche Kaufmannsdeutsch des zitierten Schreibens. — Ähnlich verwendet Linke Poot Zeitungsschlagzeilen [10] oder beginnt einen Artikel mit dem Abdruck einer Annonce [11]. Schon im Bericht über die Polenreise, 1925 also, findet sich ein Abschnitt, der Schlagzeilen, Reklame, eine deutschnationale Tirade und Suchanzeigen hintereinanderklebt und das Aneinanderstoßen der Ränder zur Satire nutzt („‚Treudeutsch allewege!' / ‚Gefunden eine Holzschwelle [...]' " — RP 341). Die säuberliche Trennung in Absätze und die Hervorhebung durch

---

[6] D 276
[7] D 292 (BA 506)
[8] Auf die Priorität des „Wallenstein" gegenüber Dos Passos verweist auch Armin Arnold (K 633, S. 94 f).
[9] „Gemütliches" (D 537)
[10] „Revue" (D 412), S. 266
[11] „Der Knabe bläst ins Wunderhorn" (D 210), S. 759

Anführungszeichen [12] fielen in „Berlin Alexanderplatz" weg (eine Tendenz, die sich, wie die Vorabdrucke zeigen, erst während der Arbeit am Roman ganz durchsetzte). Jener Stil, den wir schon in „Die Schlacht, die Schlacht!" beobachteten, wirkt als Schmelztiegel, in dem die scharfen Grenzen der Einzelbestandteile sich auflösen. Dieser oft — besonders exakt von Martini [13] — beschriebene „Simultanstil" geht offensichtlich auf die Dadaisten (so Döblin selbst: AzL 391) und die Futuristen zurück. Boccioni veröffentlichte im Dezember 1913 im „Sturm" einen Aufsatz mit dem Titel „Simultanéité futuriste" [14], und Wilhelm Emrichs Ausführungen zu dadaistischen Simultangedichten können fast wortwörtlich auf „Berlin Alexanderplatz" übertragen werden: „Das simultanische Gedicht will die Gleichzeitigkeit aller Eindrücke und Vorgänge gestalten", es verwendet „Zeitungsannoncen, Kinoplakate, Teile aus Ministerreden, technische Details, Gedanken- und Gefühlsassoziationen aller Art"; es „stellt alles unvermittelt nebeneinander, schafft aber dadurch indirekt Beziehungen" [15]. — Döblin selbst schrieb 1930 über die Musik, der er ja Modellcharakter für die Literatur zusprach: „Im Musikalischen hat es der Geist ja sogar leichter als im Sprachlichen. Das gegliederte Hintereinander, zugleich eine Gleichzeitigkeit in der Tiefe, eine Simultaneität, kann in der Musik rasch und leicht gegeben werden." (Z 160) In „Unser Dasein" schließlich, jener Schrift, die nach Ausweis der Bibliographie zum „Ersten Rückblick" schon 1928 teilweise vorlag (ER 114), lesen wir: „Es gibt solch Hintereinanderdenken, wie man schreibt und spricht, nicht. Man denkt en bloc." (UD 199) Vor allem ist auf die Lehre von der Bedeutung des „Jetzt" hinzuweisen: allein das Jetzt, diese „zusammengehörige, verfilzte, zusammengegossene und einheitliche Realität", gilt als „die konkrete Wahrheit" (213).

Wenn Pongs Wortspiele wie „Biberkopf, Lieberkopf, Zieberkopf" (BA 368) als Joyce-Nachahmung bezeichnet und von zynischer Auflösung des Ich redet [16], so hat er weder den Stellenwert dieser Szene begriffen

---

[12] Auch in „Manhattan Transfer" werden die Zeitungsschlagzeilen noch pedantisch durch Majuskeln, längere Zitate durch Anführungszeichen hervorgehoben.

[13] K 618

[14] „Der Sturm", 4. Jg., Nr. 190/191, S. 151

[15] Emrich, „Protest und Verheißung" (K 650), S. 118. Mit Recht hat Roland Links ferner auf den möglichen Einfluß Erwin Piscators hingewiesen (K 558, S. 75). Auch das Drama „Die Ehe" zeigt diesen Einfluß ja sehr deutlich, z. B. in der Simultanszene des 2. Bildes (D 55, S. 55 f).

[16] K 705, S. 50 f

288

(Franz ist „außer sich"), noch kennt er Döblins Werke. Da lesen wir et-
wa in der Glosse „Zirkuspantomime" von 1910: „Diese vertraten den
Grundsatz: ‚Jeder seine eigene Großmama'; nach Generationen konzen-
trisch geordnet, besangen sie ihn mit dem Liede: ‚Schnürsenkel, Urenkel,
Henckel-Trocken und Rindfleisch in einem Zirkus beisammen sind, o
Fürst.' " (Z 11) [17] Einer Philologie, die offensichtlich auf die trübselige
Mär von der „jüdischen Schmarotzernatur" fixiert ist, genügt freilich zum
Nachweis von Abhängigkeiten die Subtraktion von Jahreszahlen.

Auch für die parodistische Verwendung klassischer Zitate finden sich im
frühen Werk zahlreiche Beispiele, die aufzuzählen sich erübrigt. [18] Hier
kam Döblins immer wache Aversion gegen die gespreizte Feierlichkeit
des Bildungsbürgertums zu Wort, die sich in den Jahren um 1929 ja noch
verschärfte. 1930 hatte Willy Haas eine ganze Reihe prominenter Schriftsteller dafür gewonnen, in einer Serie „Lebensweisheit aus unserer Zeit"
ihre handschriftlich niedergelegten Einsichten auf der ersten Seite der
„Literarischen Welt" faksimilieren zu lassen, und Heinrich Mann, Gottfried Benn und viele andere hatten denn auch ernste Worte in Schön-
schrift abgeliefert. Döblins Beitrag aber sah so aus:

„Sehr geehrter Herr Haas: meine bisher — 3. Mai 1930 — erlangte Lebensweisheit fasse ich in dem Satz zusammen:

> Lebe, wie du, wenn du stirbst,
> wünsche wohl gespeist zu haben

P. S. Auch die Umrahmung     Mit schönem Gruß
stammt von mir.            Alfred Döblin" [19]

Das travestierte Gellert-Zitat finden wir übrigens schon im „Alexanderplatz" (BA 68).

---

[17] vgl. BA 132.

[18] vgl. z. B. RP 31: „Nur wer das Stullenpapier kennt, weiß, was ich leide." oder
die ersten vier Absätze von „Wider die Verleger" (D 298, S. 323: „‚oh sink hernieder
Nacht der Talgkerze und Wurstpelle' singen daher schon Tristan und Isolde mit
berechtigter Begeisterung in Aas-dur." usw.).

[19] D 545 (Jetzt in D 604 A, S. 150 f). — Ebenso steuerte Döblin 1924 zu dem hoch-
feierlichen „Prager Theaterbuch" einen Zwitter aus Erzählung und Essay bei, der die
Theater „komische, hoch komische Einrichtungen" nannte und zu dem Schluß kam: „Das
Theater hat jeden Sinn verloren." (D 539, S. 89, 90) — Von der Rede zur Eröffnung
der Sezessions-Ausstellung sprach ich schon (s. o. S. 271).

Nicht einmal die Bänkelsängerverse des Romans sind ohne Vorläufer im früheren Werk. Gegen Endes des Berichts von der Polenreise verfällt Döblin in melancholische Betrachtungen und reimt: „Und dies, liebes Herz, erwartet dich weiter in Deutschland. Hier hast du Sauberkeit, Ordnung, Wohlstand. Hier bist du zu Haus. Es wird — nicht alles so sein. Im ersten Augenblick schlägt es nur so auf dich ein." (RP 339) — Ob die zum Teil schon schwachsinnigen Reimereien in „Unser Dasein"[20] vor oder nach „Berlin Alexanderplatz" abgefaßt wurden, ist mir nicht bekannt.

Für die Vorarbeiten in früheren Großstadtskizzen verweise ich auf das entsprechende Kapitel bei Helmut Becker[21] und möchte nur zusätzlich an die Erzählung „Von der himmlischen Gnade" erinnern.

Sehr unzureichend sind Beckers Ausführungen zu den früheren Fassungen des Romans[22]. Weder der fast vollständige Vorabdruck in der Frankfurter Zeitung noch der in der Neuen Rundschau waren ihm bekannt.

Die unmittelbare Druckvorlage für die Erstausgabe ist nicht erhalten. Über das sogenannte „Marbacher Manuskript" haben sowohl Becker (S. 160—177) als auch Jürgen Stenzel[23] ausführlich berichtet. Stenzel hält dieses Manuskript für die erste zusammenhängende Niederschrift des Romans, und die Tatsache, daß Zeitungsausschnitte und andere Materialien beiliegen, ist geeignet, diese Annahme zu stützen[24]. Nach Beckers Mitteilungen ist der Roman hier schon in neun Bücher aufgeteilt, und auch die Symbolepisoden und die Leitmotive sind fast lückenlos vorhanden. Die Großstadtepisoden haben sogar teilweise einen größeren Umfang als in der Buchfassung, während die Kapitelüberschriften und die Buch-Prologe noch fehlen. Völlig umgearbeitet wurde später der Schluß.

Etwa denselben Stand zeigt der Vorabdruck aus dem späteren IV. Buch, den die „Literarische Welt" aus Anlaß von Döblins 50. Geburtstag am

---

[20] z. B. UD 16 f, 18, 23, 53, 82, 91, 236 f, 265—267, 272 f, 274 f, 276, 277, 279 f, 417.
[21] K 607, S. 148—156            [22] ebd., S. 156—177
[23] K 625
[24] Das früheste von Stenzel mitgeteilte Dokument, ein Brief an Döblin, stammt vom 5. 1. 1928. Die Diskussionsbemerkungen „Die Arbeit am Roman" (D 289), in denen Döblin von einem „Berliner Roman" berichtet, datiert Kurt Ihlenfeld zwar auf 1927 (ebd., S. 335), in Wahrheit beziehen sich diese Äußerungen aber auf Walter von Molos Vortrag „Dichterische Konzeption", der am 9. 11. 1928 in der Berliner Universität gehalten wurde (vgl. Jahrbuch der Sektion für Dichtkunst, Berlin 1929, S. 178—205). — Den ersten Hinweis auf den Roman gibt folglich die Skizze „Zwei Seelen in einer Brust" (D 502), die am 8. 4. 1928 erschien (vgl. AzL 360).

10. 8. 1928 veröffentlichte [25]. Die Tatsache, daß hier der Schweineschlachtung (BA 145–150) unmittelbar die Szene im Fleischerladen (BA 153), dieser wiederum das 2. Kapitel des Buches (BA 136–139) folgt, hat Becker zu der vorschnellen Annahme verleitet, die Szenen um die Schlachtung des Stiers (BA 151–153) und des Kälbchens (157–159) sowie die Hiob-Episode (153–157) seien damals noch nicht ausgeführt gewesen [26]. Da das Marbacher Manuskript bereits den gesamten Kontext aufweist, müßten wir also jenen Vorabdruck als Teil einer noch früheren Fassung ansehen. Wir werden aber eines Besseren belehrt, wenn wir die entsprechenden Passagen im Vorabdruck der Frankfurter Zeitung heranziehen. Dort ist die Reihenfolge: Stier — Kapitel 2 — Kälbchen [27]; hier fehlen also die Schweineschlachtung und der Fleischerladen. Offensichtlich hat Döblin für Vorveröffentlichungen den schon vorhandenen Text gekürzt, und eine Datierung auf Grund solcher Fehlbestände ist nicht möglich.

Der ebenfalls zum Geburtstag des Dichters erschienene Vorabdruck in der Neuen Rundschau [28], von der Redaktion unverfroren als „Erzählung" deklariert [29], enthält den Anfang des 1. Kapitels (BA 13 f) sowie einen Teil des II. Buches (BA 81–110). Der Text ist weitgehend fast wörtlich mit der Buchfassung identisch. Wie im Marbacher Manuskript und im Frankfurter Vorabdruck fehlen allerdings auch hier noch die Zwischenreden des Anonymus im 1. Kapitel („(schrecklich, Franze, warum schrecklich?)" — 13; usw.) sowie die Paradies-Paraphrasen (BA 49, 100 usw.), die erst im Hinblick auf die Ereignisse um Lüders ihren Sinn erhalten und offensichtlich erst relativ spät in den Text kamen. Als wesentliche Neuerung ist die Einführung der Kapitelüberschriften zu verzeichnen, die mit einer einzigen Ausnahme (BA 103) bereits alle vorhanden sind.

Diese „Erzählung" gehört also schon zu einer dem Marbacher Manuskript folgenden Fassung, ist gleichwohl noch nicht identisch mit der Druckvorlage. Die Annäherung an die gesprochene Sprache hat erst die Hälfte des Weges zurückgelegt. Berolinismen sind teilweise noch vermieden („was ist denn mit denen", S. 125 — „was ist denn mit die", BA 14) oder durch pedantischen Apostroph-Gebrauch als ungewöhnlich gekennzeichnet („Mein' ", „auf'm", „'ne", S. 125; „Trink' ", „Sauf' ", S. 126);

---

[25] D 67
[26] K 607, S. 158 f
[27] D 68, Nr. 680, S. 1; Nr. 683, S. 1
[28] D 66
[29] Schon anläßlich der „Ölwolken" (D 63) war man ebenso verfahren.

zwischen direkten Reden finden wir noch Gedankenstriche; Zitate aus Zeitungen (S. 129 — BA 85) oder Schlagern (S. 147 — BA 108) sind durch Anführungszeichen abgesetzt. Ein schönes Beispiel für die schließliche Einschmelzung von direkten Reden, Zitaten, Dialektpartikeln usw. findet sich in der Beschreibung von Biberkopfs Auseinandersetzung mit Ida. In der Neuen Rundschau heißt es: „Schon bei dem ersten Hiebe schrie sie ‚Au!' " (S. 145), im Roman dagegen: „Schon bei dem ersten Hiebe schrie sie au" (BA 104). Die Absicht, von der normalen Schreib- zur Sprechsprache zu kommen, ist deutlich.

Ziemlich ratlos steht man zunächst vor dem umfangreichen Vorabdruck in der Frankfurter Zeitung: er erschien über ein Jahr später als die „Erzählung", unmittelbar vor der Buchausgabe, und bietet doch das archaichste Bild von allen Fassungen. Nicht nur die Kapitalüberschriften fehlen, sondern sogar die Einteilung in neun Bücher. Hier werden drei Bücher gezählt; das erste reicht vom Prooemium bis kurz vor Ende von Buch V (BA 9—219, Abs. 2), das zweite bis zum Ende des VII. Buches (BA 219—389), das letzte umfaßt die Bücher VIII und IX. Die Ermordung Miezes wurde, wohl aus verkaufspolitischen Gründen, absichtlich weggelassen [30], aber auch sonst fehlt eine Menge. Wir vermissen die Einleitungskapitel der Bücher II, IV und VII sowie den Vorspruch zu Buch VI und manches andere aus den Großstadt-Passagen (BA 205—209, 257 f, 326, 345 f, 397—400). Vor allem fehlen die meisten Bibel-Zitate und viele Symbol-Episoden (Hiob, Abraham, Bornemann, die Hure Babylon, die Sturmgewaltigen, die Engel, die Sperlinge, die Paradies-Paraphrasen). Andererseits hat der Vorabdruck bereits die Schlußversion der Buchausgabe, nicht mehr die des Marbacher Manuskriptes.

Daß wir es hier keineswegs mit einer Vorstufe der Manuskriptfassung zu tun haben, wird vollends klar, wenn wir feststellen, daß zahlreiche Passagen des Romans (vor allem das I. Buch) nur kurz resümiert werden, dies aber in einer Form, die ohne die Existenz eines ausführlichen Textes nicht denkbar wäre. Was hier vorliegt, ist also eine versimpelte Fassung für Zeitungsleser. Auch die Hure Babylon stand damals längst in Döblins Manuskript, wie ein grotesk entstellter Passus beweist, den wegzukürzen man offenbar versäumt hat: „Sieben Häupter und zehn Hörer, in der Hand einen Becher voll Grock." [31] — Wenn wir die Begradigung

---

[30] vgl. die redaktionelle Anmerkung in Nr. 731, S. 1.
[31] Nr. 740, S. 1; vgl. BA 425.

der Chronologie hinzunehmen, ferner die weitgehende Ausklammerung der politischen Thematik, so wird deutlich, daß Döblin — oder der zuständige Redakteur — mit „Berlin Alexanderplatz" hier ähnlich verfahren ist wie 1932 mit dem utopischen Roman. Hier sind die Folgen allerdings noch verheerender, da fast die ganze „überreale Sphäre" den Kürzungen zum Opfer fiel. — Auch diesem Fortsetzungsdruck lag noch nicht die Buchfassung zugrunde, wie abermals das konventionellere Druck- und Sprachbild zeigt [32].

Die Szene mit Dreske liegt uns in drei Fassungen vor: im Buch, in der Neuen Rundschau und in der Frankfurter Zeitung; dabei steht die Version der Neuen Rundschau (S. 135—142) der Buchfassung (BA 92—101) entschieden näher als die Darstellung in der Frankfurter Zeitung, die im ganzen ausführlicher ist, aber der deutenden Absätze (BA 99 f; Neue Rundschau 140 f) ermangelt. Wir dürfen also mit einiger Sicherheit folgende Reihenfolge annehmen: 1. das Marbacher Manuskript; hieraus der Vorabdruck in der „Literarischen Welt"; 2. die Fassung, die dem Vorabdruck in der Frankfurter Zeitung zugrunde lag; 3. die Fassung, aus der die „Erzählung" in der Neuen Rundschau stammt; 4. die Buchfassung.

## B) Bemerkungen zur bisherigen Forschung [33]

Unstreitig stellt „Berlin Alexanderplatz" den Höhepunkt in Döblins Schaffen dar. Die „naturalistische" Idee, nach langen Kämpfen endlich ein Halt, wurde hier zum dichterischen Bild. Inhaltliche Motive und stilistische Eigentümlichkeiten, die zum Teil schon Jahrzehnte zuvor vereinzelt begegneten, gewannen erst in diesem mächtigen Organismus ihre wahre Funktion. Der Schauplatz des Geschehens und sein Personal waren Döblin seit vierzig Jahren vertraut, und so wurde es möglich, daß seine Fähigkeit zur genauen Detailbeobachtung und seine immense Phantasie eine glückliche Symbiose eingingen, die er weder vorher noch nachher zu erreichen vermochte. Die Entstehungszeit war zwar von schweren finanziellen Sorgen überschattet [34], brachte aber mit den zahlreichen Würdigungen

---

[32] vgl. Nr. 670, S. 2 mit BA 92: so'n — son; Was — Wat; dem — det; das — det; so'ne — sone; nicht — nich; gucken — kucken usw. — Auch in diesem Vorabdruck stehen noch Gedankenstriche zwischen den Personenreden.

[33] vgl. hierzu auch die Übersicht in Beckers Dissertation (K 607), S. 6—17.

[34] vgl. Z 186 und D 528.

aus Anlaß des 50. Geburtstages und mit der Wahl in die Akademie auch viel Ermutigendes; damals und erst recht nach dem Überraschungserfolg von „Berlin Alexanderplatz" stand Döblin für die meisten Beobachter des literarischen Geschehens unangefochten neben den Brüdern Mann, wurde als Künstler von manchem noch höher eingeschätzt als der Autor des „Zauberbergs", gewann nicht nur für Gustav René Hocke den Rang einer moralischen Autorität. Thomas Mann selbst konstatierte 1929, Döblin sei „im Begriffe, an die Spitze der geistigen Bewegung in Deutschland zu treten." [35] — Exakt bezeichnet der Berliner Roman den Punkt, an dem dieses Leben im Zenit stand.

„Berlin Alexanderplatz" ist allerdings ein keineswegs leicht verständliches Buch, und so beruht sein bis heute andauernder Erfolg denn auch auf zahlreichen Mißverständnissen. Man las es einseitig als Großstadtroman oder als Kriminalgeschichte [36], begeisterte sich an der umstürzenden Form, ohne die Funktion der avantgardistischen Details zu beachten; vor allem begriff man damals nicht die Schichtung der realistischen und der symbolischen Ebenen und glaubte z. B. gegen das Todesgespräch einwenden zu können, so spreche ein Prolet nicht [37].

Der am weitesten verbreitete Irrtum leitet sich aus der buntscheckigen Schreibweise in den Großstadt-Kapiteln ab und besagt, Döblin habe die Welt als Chaos dargestellt [38]. Dabei sprach Wyß schon 1929 von einer „ungeheuren Verbundenheit alles Irdischen ineinander" [39], und Godfrey Ehrlich fand, sicherlich ohne „Unser Dasein" zu kennen, das geheime Grundwort: „Jeder Vorgang ist gewissermaßen von Resonanzerscheinungen begleitet, d. h. bei jedem Vorgang von Bedeutung beginnen innerlich verbundene Wirklichkeiten mitzuschwingen." [40] Dies gilt sowohl für die Gedankenassoziationen der Romanfiguren als auch für den Gesamtauf-

[35] K 506, S. 363
[36] vgl. schon die Titel der englischen Rezensionen: "Slums of Berlin", „Berlin Underworld" (K 137, 138). Rychner zog eine Parallele zu der von ihm als Roman bezeichneten „Familie Selicke" (K 117, S. 906).
[37] z. B. Brentano (K 95, S. 17); bei Martini (K 618, S. 351 f, und K 559, S. 343 f) und Muschg (BA 521, 527) kehrt dieses Argument wieder.
[38] vgl. u. a. Franz Blei (K 94), Muckermann (K 112, S. 138), Muschg (K 113, S. 48), Stang (K 122); Anders (K 605, S. 433, 441), Karl August Horst (K 663, S. 38), Hülse (K 613, S. 96 f), Links (K 558, S. 91), Martini (K 618, S. 353, 358 f u. ö.), Muschgs Nachwort (BA 513), Schwimmer (K 583, S. 61 ff), Weyembergh-Boussart (K 586, S. 137 f), Ziolkowski (K 626, S. 110 f u. passim).
[39] K 130
[40] K 611, S. 253

bau, der ein sehr engmaschiges Netz von Bedeutungen schafft und keineswegs ein ungeordnetes Durcheinander. Die These vom Chaos der Darstellung und des Dargestellten verfehlt den Sinn des Buches von Grund auf und ist völlig haltlos angesichts der Lehre von einem alles durchwaltenden Ursinn und angesichts der Darlegungen Döblins über die Bedeutung des „Jetzt": „Und da blicken wir uns um und sehen: die Straßen, die Plätze, Geschäfte und Fabriken, Arbeiter, Arbeitslose, Kaufleute, Besitzer, wir sehen Kinder, Männer und Frauen, wir sehen Vergnügungspaläste, Kinos und Gefängnisse, es gibt Verbrecher, harmlose Tiere, Ameisenvölker, das Jetzt ist bald Tag, bald Nacht, es ist Freundschaft, Haß und Liebe, Boden, Meer und Himmel — und diese trinken alle zugleich aus dem Brunnen dieses Jetzt und sind zugleich hier angelangt, zugleich, und es ist nicht möglich, sie auseinanderzureißen, sie bilden das Ganze, sie stellen die Ausgefülltheit und die wirkliche Wahrheit dieses Jetzt dar. Sie — gehören alle zusammen. [...] Es ist ein ungeheurer Gedanke, daß sie zusammengehören! Es ist Unsinn zu glauben, daß dies alles hier zufällig zusammengelaufen ist wie auf einem Markt. Nichts auf der Welt hat einen wirren, zusammenhanglosen Charakter." (UD 215 f) und: „Diese Gleichzeitigkeit im Jetzt ist eine einzige Wahrheit, eine sinnvolle Begebenheit." (216) [41] Betont heißt es im III. Buch von „Unser Dasein": „Man kommt der Welt nicht nahe mit dem Gedanken der Sinnlosigkeit und des Chaos" (97).

Nur in den ersten Kapiteln des Romans erscheint die Großstadt tatsächlich verwirrend und chaotisch — für Franz Biberkopf nämlich und nicht etwa für den Erzähler. Döblins Leistung besteht gerade darin, einen magischen Zusammenhang erstellt zu haben, der die Beteuerungen des Erzählers, am Schicksal Biberkopfs werde Allgemeines sichtbar, erst glaubhaft erscheinen läßt. Die Rede von der Stadt als Chaos rückt „Berlin Alexanderplatz" in die Nähe der Produkte jener „Herren vom allzu platten Lande" und muß wesentliche Aspekte des Buches verfehlen.

Daß bisher niemand dem Roman ganz gerecht geworden ist, liegt vor allem an den verfehlten Deutungen, die der Schluß des Buches erfahren hat. Diese Abschnitte sind sicher nicht ganz einfach zu verstehen, aber das hätte die Interpreten nicht dazu verleiten dürfen, ihrerseits mit groben Vereinfachungen zu arbeiten, die Gewichte einseitig zu verteilen und

---

[41] Schon in seiner frühen Romantheorie nannte Döblin jeden Augenblick des Lebens „eine vollkommene Realität [...], rund, erfüllt." (AzL 21; s. o. S. 111).

so die ausgewogene Balance der Schlußkapitel zu zerstören, dies noch dazu mit der Begründung, nur so ergebe sich ein konsequenter Zusammenhang mit dem übrigen Text. Daß hier etwas nicht stimmt, zeigt sich schon darin, daß Becker und Schöne auf Grund ebenderselben Argumentation zu genau entgegengesetzten Ergebnissen gelangen — ein schöner, wenn auch indirekter Beweis dafür, daß eben doch beide, nur scheinbar widersprüchliche Aspekte zusammengehören und in der Konsequenz der „Geschichte vom Franz Biberkopf" liegen. Gerade der „Alexanderplatz" erfordert ein sehr genaues Lesen, weil er die komplexe Lehre vom Menschen als Stück und Gegenstück der Natur, als Ich und als Person ins Bild zu übertragen sucht; eine Lösung, die nicht „sowohl — als auch" oder „einerseits — andererseits" sagt, ist von vornherein nicht möglich.

Auf den letzten Seiten des Romans wird die Notwendigkeit des Zusammenschlusses vieler Gleichgesinnter betont („Viel Unglück kommt davon, wenn man allein geht." — BA 500); zugleich aber ist von der kritischen Distanz des einzelnen zu Massenbewegungen die Rede („Dem Menschen ist gegeben die Vernunft, die Ochsen bilden statt dessen eine Zunft." — ebd.). Hier sah die bisherige Forschung einen Widerspruch und suchte entweder den einen oder den anderen Pol als „richtig" oder „konsequent" herauszustellen — sofern sie sich überhaupt um die Klärung dieser Frage bemühte und nicht dem Problem elegant aus dem Wege ging.

Der weitaus größte Teil der Interpreten ignoriert die naturalistische Wende und betrachtet Biberkopf so, als hieße er Wang-lun oder Ferdinand der Andere. So lesen wir bei Martini, Biberkopfs Fehler bestehe darin, „sich in einer Welt behaupten zu wollen, die das Opfer verlangt und nur im Leiden und Dulden bestanden werden kann."[42] Von der Anheimgegebenheit an Schicksalsmächte ist die Rede, und bezeichnenderweise folgt diesem Passus ein „Wang-lun"-Zitat auf dem Fuße[43]. Erich Hülse hat von Martini nicht nur die Deutung der Stadt als Chaos, sondern auch die falsche Auslegung von Biberkopfs Geschick übernommen; das Hiob-Kapitel, einseitig als Darstellung der Unterwerfung verstanden, gilt ihm als Schlüssel zum Roman, und auch hier ist vom „Wang-lun" die Rede[44]. In krasser Negierung des Wortlauts spricht Hülse von einem unentrinnbaren Verhängnis und behauptet, Franz werde am Ende „auf einen

[42] K 618, S. 339
[43] ebd., S. 345
[44] K 613, S. 92

winzigen Punkt" reduziert (S. 99): „Am Schluß steht die Vision des monotonen Gleichschritts der Massen, die unerbittlich das Leben des einst geheiligten Individuums für sich verlangen." (S. 94)

Albrecht Schöne hat das Verdienst, als erster auf die Unrichtigkeit der Chaos-Theorie aufmerksam gemacht und demgegenüber den Resonanz-Begriff ins Zentrum der Interpretation gestellt zu haben [45]. In seinem Bestreben, der herrschenden Meinung ein Bild von der Geschlossenheit des Romans entgegenzusetzen, ging er allerdings seinerseits zu weit und zerstörte die polare Spannung des Schlusses und der gesamten Sinnstruktur zugunsten einer gewaltsamen Eindeutigkeit.

Er konstatiert einen Widerspruch zwischen den Sätzen „Man muß sich gewöhnen, auf andere zu hören" und „Verflucht ist der Mann, der sich auf Menschen verläßt" (S. 302), übersieht dabei sowohl den Stellenwert der beiden Sätze als auch den Umstand, daß ja doch ein Unterschied besteht zwischen dem Aufnehmen und Prüfen der Meinung anderer und der naiv-hochmütigen, im Grunde asozialen Vertrauensseligkeit des früheren Biberkopf. Derselbe Mangel an Präzision zeigt sich in der Kritik an der Forderung nach dem „richtigen Nebenmann" [46]; schon Willy Haas hatte in seiner sonst sehr einfühlenden Rezension moniert, Biberkopf müsse aus seinen Erfahrungen eigentlich den umgekehrten Schluß ziehen: „homo homini lupus" [47], und Schöne meint, der erste Schlag sei doch gerade vom Nebenmann ausgegangen, von Lüders nämlich, und bei der Pumsbande habe Franz doch auf das gehört, was andere sagten [48]. Leicht ist zu sehen, daß Haas und Schöne das Wort „richtig" ignorieren und daß sie ferner Biberkopfs provozierendes Verhalten gegenüber Lüders und Reinhold unberücksichtigt lassen. Die schlagwortartigen Formulierungen Döblins haben sie offensichtlich dazu verleitet, die „Lehre" allzu einfach zu verstehen und damit zu verfehlen. Hier ist sicherlich auch die Dichtung

[45] K 621, S. 308, 316
[46] Die betreffenden Sätze finden sich nicht im Romantext selbst, sondern auf dem von Georg Salter entworfenen Schutzumschlag der Erstausgabe (D 93; Abbildung in Kindlers Literatur-Lexikon, Bd. I, Tafel XXXV), dessen Klischee auch für die Sonderausgabe zum 10. Todestag des Dichters wieder verwendet wurde (D 113). — Natürlich stammt der Text vom Autor selbst, was auch aus dem Resümee „Zukunftspläne" erhellt (D 505A); dort nennt Döblin als Quintessenz des Romans Biberkopfs Erkenntnis, „daß es nicht darauf ankommt, ein sogenannter anständiger Mensch zu sein, sondern darauf, den richtigen Nebenmenschen zu finden. Diese Erkenntnis hilft ihm, sich selbst wiederzufinden."
[47] K 102, S. 842
[48] K 621, S. 302

297

selbst zu kritisieren, insofern die Sprache den diffizilen Tatbestand zwar nicht verfälscht, auf Grund der gewählten Stilebene aber eine leichtere Verstehbarkeit vermuten läßt. Trotzdem darf man es sich nicht so leicht machen, wie Schöne es tut, wenn er anmerkt, die Lüders-Episode habe „mit dem Tod an sich durchaus keinen Zusammenhang" [49]; statt der Bedeutung des Begriffs und der Gestalt nachzuspüren, unterstellt der Interpret einen allzu schlichten common sense, der natürlich nicht weiterhilft.

Schöne meint die angebliche Widersprüchlichkeit der Biberkopf-Handlung vom übrigen Text her zurechtrücken zu müssen, und zwar dergestalt, daß die „Einreihung" zum alleinigen Thema wird und die Aufrufe zur skeptischen Distanz unberücksichtigt bleiben. Die Fragwürdigkeit dieses Vorgehens wird schon darin deutlich, daß eine solche Interpretation gezwungen ist, Aussagen auseinanderzureißen, die in einem einzigen Satz zusammengebunden sind („Wach sein, wach sein, man ist nicht allein." — BA 501). Schöne nimmt Identifizierungen vor, die dem Text zuwiderlaufen; so behauptet er, der Kollektivstimme der Großstadt korrespondiere innerhalb der Biberkopf-Fabel die Stimme des Todes (S. 319), eine These, die vom Schluß des IV. Buches klar widerlegt wird; dort sagt der Tod: „Noch bist du ohne Augen für mich. Noch hast du nicht nötig, auf mich zu blicken. Du hörst das Plappern der Menschen, den Lärm der Straße, das Sausen der Elektrischen. Atme nur, höre nur. Zwischen allem wirst du mich auch einmal hören." (BA 175) [50]. Auch die Stimme des Erzählers verliert sich nach Schönes Meinung im Chor der Masse, wird von der Flut der nicht mehr gemeisterter Fremd-Sprache überflutet (S. 323) [51]. Die Funktionalität des Collage-Materials, das stets in spiegelbildlichem oder ironischem Verhältnis zur Biberkopf-Fabel steht, die überlegene Regie des Erzählers wird hier völlig verkannt. Immerhin gesteht Schöne noch zu, daß der Erzähler *nicht gänzlich* im Sprachmeer der Großstadt versinkt (S. 324); in seinen Aussagen über den „Lehrgehalt der Romanfabel" dagegen identifiziert er „Solidarität mit der sozialen Gemeinschaft" und „Ergebung ins Kollektiv" miteinander (S. 311), ignoriert also wiederum das

[49] ebd., S. 301
[50] Mit keinem Wort gedenkt Schöne der Hure Babylon, die seine Konzeption empfindlich stören würde.
[51] Kritik an dieser Deutung hat jetzt auch Volker Klotz angemeldet (K 615, S. 524, Anm. 27), Vgl. ferner den geistvollen, wenn auch in Einzelheiten nicht immer zuverlässigen Essay von Timothy Casey (K 555, S. 648 und 651) sowie die Untersuchung von Hans-Peter Bayerdörfer (K 606), vornehmlich die Ausführungen über die Erzählerrolle in „Berlin Alexanderplatz" (S. 343 ff)

Festhalten am Ich, am kritischen Bewußtsein auch und gerade innerhalb der universalen Kommunikation.

Schönes scharfsinnige, in vielen Einzelheiten sehr lehrreiche und überzeugende Interpretation beruht auf der absolut gesetzten Resonanz-Theorie, die Döblin im III. Buch von „Unser Dasein" ausführte, in jenem Abschnitt also, der lediglich dem Pol „Stück der Natur" gewidmet ist. So mußte Schönes Deutung notwendig einseitig ausfallen.

Auch Helmut Becker versteht den Schluß als sozialistischen Kollektivmythos, der Biberkopfs eben erst gewonnenen Personenstatus wieder aufhebe [52]; er interpretiert die Forderung nach „spontaner Solidarität und Verbindung der Menschen" aus „Wissen und Verändern!" (WV 28) [53] entgegen der expliziten Tendenz dieser Schrift als Absage an die Person [54]. Insoweit mit Schöne einig, verwirft er aber diesen Schluß zugunsten der kritischen Wachheit des Helden; er nämlich meint, nur dies liege in der Konsequenz der Fabel. Er setzt sich für die Fassung des Marbacher Manuskripts ein („ ‚ein Gesicht dreht sich ihm langsam zu. / Was ist das für ein Gesicht? / Das Du, das große Du.' ") [55] und übersieht dabei zweierlei: daß nämlich dieser Schluß genauso abstrakt, genauso gedichtete Philosophie ist wie die Anrufung des Ich im „Manas", daß ferner der neue Schluß in der Tendenz durchaus identisch ist mit der Manuskriptfassung, nichts weiter darstellt als die lebendige, dichterische Ausformung der blutleeren, von Becker so genannten „Vision des großen Du-Gesichtes" [56].

Über den Sinn des Schlusses und damit des ganzen Romans wird erst im letzten Abschnitt der Interpretation zusammenfassend gesprochen werden können.

## C) DIE SINNSTRUKTUR DES ROMANS

### I. Der Erzähler

Schon das erste Wort des Romans ist ein Demonstrativpronomen („Dies Buch" — BA 9), und dieser Zeigegestus bestimmt das ganze Werk.

[52] K 607, S. 76
[53] s. o. S. 255.
[54] K 607, S. 77
[55] ebd., S. 78
[56] ebd.

299

Denn „es ist kein beliebiger Mann, dieser Franz Biberkopf" (47), sein Dasein ist schwer, wahr und aufhellend, und die ganze Geschichte könnte in Abwandlung einer Kapitelüberschrift auch heißen: „Belehrung durch das Beispiel des Biberkopf". Ausdrücklich konstituiert sich hier jene Erzähl-sphäre, die Döblin die überreale, exemplarische genannt hat [57]. Eine jener „Elementarsituationen des menschlichen Daseins" (AzL 106) soll vorge-führt werden, und der Erzähler fungiert als Moritatensänger mit dem Zeigestock: „Dies zu betrachten und zu hören wird sich für viele lohnen" (BA 10), „Hier im Beginn" (11), „Hier erlebt Franz Biberkopf" (111) usw. Mit ironischen Ermahnungen wirft er den Schleier über ein bedenk-liches Bild: „Sie kippen, es gibt Gekreisch, Fräulein, zügeln Sie Ihre Phantasie, lassen Sie die beiden mal lustig unter sich, die haben jetzt Privatsprechstunde, für Kassenmitglieder ist erst nachher von 5 bis 7." (197) Wie der Kommentator im Stummfilm-Kino verkündet er den Inhalt des nächsten „Aktes": „Ihr werdet sehen, wie er wochenlang anständig ist" (47), „Ihr werdet den Mann hier saufen sehen" (129), „Jetzt seht ihr Franz Biberkopf nicht saufen und sich verstecken" (235), „Jetzt seht ihr Franz Biberkopf als einen Hehler" (277), „Jetzt werdet ihr Franz se-hen, nicht wie er allein tanzt und sich sättigt und sich seines Lebens freut, sondern im Tanze, im Rasseltanz mit etwas anderm" (329).

Unterstützt wird der ironisch-lehrhafte Moritatenton durch die Rhythmi-sierung und die mehr oder — meist — weniger reinen Reime, die schon im Prolog auffallen („vollzogen" — „zurechtgebogen"; „lohnen" — „woh-nen" — 10) und in fast allen Resümees zu den einzelnen Büchern wieder auftauchen (47, 111, 129, 177, 235, 453), gegen Ende auch im Text selbst immer häufiger erscheinen, so in den Geschichten von Bornemann und Brodowicz (363, 373, 378), im Rückblick auf Miezes Leben (417), in Biberkopfs stilisiertem inneren Monolog, seiner Absage an die Welt (437 f) [58], in der Schilderung seiner Einlieferung ins Präsidium (451) bzw. in die Anstalt (462), im Kommentar zu Reinholds Mißgeschick (458, 461), dann in der Beratung der Sturmgewaltigen (463 f), in der Rede des Todes (475) und in den Reflexionen am Schluß des Romans (500 f).

---

[57] s. o. S. 279 f. Becker mißversteht den Terminus, wenn er zur überrealen Sphäre lediglich einige Leitmotive und die surrealistischen Szenen der letzten beiden Bücher rechnet (K 607, S. 142—144).

[58] Im Hörspiel und im Film wurde dieser Text (gekürzt) tatsächlich vom Darsteller des Biberkopf gesprochen (vgl. D 56, S. 54 f).

Nicht nur in den Prologen zum gesamten Roman und zu den einzelnen Büchern, sondern auch in den Kapitelüberschriften nimmt der Erzähler immer wieder das Folgende vorweg. Der Leser soll von der direkten Geschehensspannung weggelenkt werden und sich bewußt bleiben, daß nicht die Geschichte selbst wichtig ist, sondern das, was sie bedeutet. Besonders einschneidende Ereignisse allerdings werden zurückhaltend und unheildrohend nur mit dem Datum gekennzeichnet (216, 370, 377). Überhaupt weiß dieser mitteilsame und schnoddrige Erzähler durchaus, wann er zu schweigen hat; so stellt er den furchtbaren Ereignissen des VII. Buches nicht das übliche ausführliche Resümee voraus, sondern nur den Satz: „Hier saust der Hammer, der Hammer gegen Franz Biberkopf." (331)

Über das jeweilige Kapitel hinaus deuten die Überschriften im III. Buch; die Zeile „Gestern noch auf stolzen Rossen" (113) kann für sich nicht bestehen, fordert Vervollständigung durch den Kontext (von „Reiters Morgenlied"). Ebenfalls symbolisch-indirekt auf den jeweiligen Inhalt bezogen sind die Überschriften der Schlachthof-Kapitel (145, 157) und jener Abschnitte, die Biberkopfs Reaktion auf die Nachricht von Miezes Tod darstellen (417, 423, 425). Die hier verwendeten Bibelverse bilden zwar in sich ebenfalls einen engen Zusammenhang (Pred. 3, 19 bzw. 4,1 und 2), können aber, anders als jene Liedzeilen, durchaus auch für sich bestehen. So lassen im IV. Buch erst die einer anderen Sprachebene angehörigen vorangehenden und nachfolgenden Überschriften die entsprechenden Kapitel zu engerer Einheit sich zusammenschließen; im VI. Buch besteht beim Leser schon eher eine gewisse Erwartung, weil die Verse bereits im 1. Kapitel zusammenhängend zitiert werden (400). — Ein ebenfalls symbolischer, zugleich ironischer Bezug auf den Inhalt des nachfolgenden Kapitels ist für den Börsenbericht (31), das travestierte Sprichwort (237), das verdrehte Klassikerzitat (258) und die militärischen Metaphern (320, 430, 437) zu konstatieren. Noch direkter wird die ironische Kritik des Erzählers in den Überschriften zu den beiden letzten Kapiteln des II. Buches.

Den Variationen dieses Instruments schenke ich deshalb so viel Aufmerksamkeit, weil wir es hier mit einem Novum in Döblins Epik zu tun haben. Das Mittel, durch solche Überschriften „hineinzureden", wird erstmals und gleich mit größter Virtuosität angewendet und sollte zum festen Bestandteil aller späteren Romane werden. Einigermaßen amüsant ging es dabei noch in der „Babylonischen Wandrung" zu, während „Pardon wird nicht gegeben", die Südamerika-Trilogie und auch der „Hamlet" sich auf sehr kurze, rein informierende Überschriften beschränken. — Ein sehr uneinheitliches Bild bietet die „November"-Tetralogie. Der I. Band, „Bürger und Soldaten", gliedert sich in zwei nicht näher bezeichnete Teile, diese wiederum in mit Überschriften versehene Kapitel und diese nochmals in Unterabschnitte, die lediglich durch größere Absatzabstände hervorgehoben werden. Diese kleinsten Einheiten erhalten in „Verratenes Volk" und „Heimkehr der Fronttruppen" sehr häufig, wenn auch nicht immer, eigene Überschriften, und auch die Bücher haben nun Titel, die sich allerdings auf die Angaben von Zeitspannen beschränken. Erstmals seit „Berlin Alexanderplatz" und „Babylonische Wandrung" verwendet Döblin wieder vorangestellte Resümees, allerdings nicht am Anfang der Bücher, sondern zu Beginn der Kapitel. Diese Vorreden fallen dann in „Karl und Rosa" wieder weg, ebenso die Titel der Unterabschnitte; dafür enthalten die Buch-Titel jetzt auch inhaltliche Bestimmungen („Im Gefängnis" usw.). —

Neben den direkten Anreden und Kommentaren sind gerade die Kapitelüberschriften ein wesentlicher Ausdruck von Döblins Absicht, die „steinerne Front" aufzubrechen, eine enge Beziehung zwischen dem Erzähler und dem Leser herzustellen, das Urteil nicht mehr einfach dem Leser zu überlassen, sondern ihm durch Hinweise auf das Wesentliche bei der Deutung behilflich zu sein. In den früheren Romanen hatte er uns ja nichts weiter an die Hand gegeben als die Buch-Titel.

Die Prologe zu den einzelnen Büchern sprechen eine so klare Sprache, daß der Erzähler auf weitere Vordeutungen fast gänzlich verzichten kann. Nur die schlimmen Ereignisse des 8. Aprils und des 1. Septembers erfahren eine zusätzliche Ankündigung; im ersten Fall finden wir Vordeutungen mehr konventioneller Art („und hat Cilly nicht mehr wiedergesehen." — 217; „er wird bald auf einem Wagen stehen, man wird ihn anfassen." — 225), während Reinholds Besuch bei Mieze dem Erzähler zum Anlaß wird, Biberkopfs Freundin selbst in dunklen, aber dringlichen Worten vor diesem Mann zu warnen (358).

Auch nachträgliche Resümees helfen dem Leser, den Überblick zu bewahren. Am Ende des I. Buches steht eine kurze Zusammenfassung der bisherigen Ereignisse (46), und am Schluß des II. ist ein ganzes Kapitel der Vorgeschichte und ihrer Interpretation gewidmet (103—110). Nachdem der zweite Schlag Biberkopf getroffen hat, weist der Erzähler nochmals auf den exemplarischen Charakter dieses Schicksals hin, beharrt auf der Sinnhaftigkeit des schrecklichen Geschehens (237). Das letzte

Kapitel dieses VI. Buches zieht dann die Summe, bevor die Mieze-Tragödie ihren Lauf nimmt (328f); auch vor Biberkopfs verstockte Selbstaufgabe (438) und vor Reinholds Entdeckung (456 f) hat der Erzähler solche zusammenfassende Rückblicke geschaltet. Überhaupt werden die Kommentare gegen Ende des Romans immer zahlreicher. Der Erzähler greift Reinholds Wort von der „Bußbank" auf (343), er kommentiert Miezes scheinbar sinnlosen Tod (417), rechtfertigt die Erscheinung von Engeln (434) wie später die des Todes (474), betont dabei nochmals die Wahrheit dieses Daseins [59]. Ganz am Schluß wird ein letztes Mal der Ablauf der Geschichte zusammengefaßt und metaphorisch eingekleidet: die dunkle Allee ist zu Ende, hell brennt die Laterne, das Schild ist zu lesen (499).

Bei allem Ernst in der Betonung der exemplarischen Qualität von Biberkopfs Lebenslauf ist dieser Erzähler durchaus zur Ironie nicht nur gegenüber dem Leser und den fiktiven Gestalten, sondern auch gegenüber dem eigenen Tun fähig. In der Stadtschilderung findet sich ein Hinweis auf die Unsinnigkeit des Bücherschreibens (183) und im Kapitel „Lokalnachrichten" ein überlanger Exkurs zu einer Ankündigung des Renaissance-Theaters, betreffend eine „reizende Komödie, in der sich anmutiger Humor mit tieferem Sinn vereinigt" (207—209); lange erwägt Döblin, was alles die Berliner abhalten könnte, diese Aufführung zu besuchen, und schließlich gedenkt er jener, die vielleicht überhaupt etwas gegen eine Verbindung von Humor und Tiefsinn haben: das Ganze enthüllt sich als Selbstpersiflage, die noch deutlicher wird, wenn der Erzähler fortfährt: „Wir kehren nach diesem lehrreichen Exkurs [...] wieder zu Franz Biberkopf, Reinhold und seiner Mädchenplage zurück. Es ist anzunehmen, daß auch für diese Mitteilungen nur ein kleiner Interessentenkreis vorhanden ist. Wir wollen die Ursachen davon nicht erörtern. Aber das soll mich meinerseits nicht abhalten, ruhig den Spuren meines kleinen Menschen in Berlin, Zentrum und Osten, zu folgen, es tut eben jeder, was er für nötig hält." (209)

Die wiederholten Hinweise, daß dieser Biberkopf „kein beliebiger Mann" (47), erst recht „kein gewöhnlicher Leser" (129) ist, nur insofern „ein gewöhnlicher Mann, als wir ihn genau verstehen und manchmal sagen: wir könnten Schritt um Schritt dasselbe getan haben wie er und

---

[59] vgl. auch S. 456: „Die Dinge in diesem Buch Berlin-Alexanderplatz vom Schicksal Franz Biberkopfs sind richtig, und man wird sie zweimal und dreimal lesen und sich einprägen, sie haben ihre Wahrheit, die zum Greifen ist."

dasselbe erlebt haben wie er." (237) — diese Erwägungen finden ihre Krönung im Gespräch der beiden Engel, die der Erzähler an seiner Statt die Stoffwahl begründen läßt: „Gewöhnlich, ungewöhnlich, was ist das? Ist ein Bettler gewöhnlich und ein Reicher ungewöhnlich? Der Reiche ist morgen ein Bettler und der Bettler morgen ein Reicher. Dieser Mann hier ist dicht daran, sehend zu werden. So weit sind viele gekommen. Aber er ist auch daran, hörst du, er ist dicht daran, fühlend zu werden." (434 f) Ebenso bemerkt der Erzähler selbst zu der Auseinandersetzung Biberkopfs mit dem Tod: „In dieser Lage sind zahllose Menschen gestorben. [...] Sie wußten nicht, sie brauchten nur noch weißzuglühen, dann wären sie weich geworden, und alles wäre neu gewesen." (480) — Beispielhaft ist Franz Biberkopf also in zweierlei Bedeutung: Als ein Mensch mit „gewöhnlichen" Reaktionen, als ein Mann, der — nach Lessings Definition — „mit uns von gleichem Schrot und Korne" ist [60], erlaubt er dem Leser, sich mit ihm zu identifizieren; als einer, der den letzten Schmerz durchsteht und zur Erkenntnis gelangt, ist er vorbildlich.

Schon die Häufigkeit dieser direkten Kommentare, die herausgehobene Stellung der meisten als Prolog und Buchresümee, die Akzentsetzung mit Hilfe von Kapitel-Überschriften: all das zeigt, daß dieser Erzähler sich nicht nur, wie Schöne meint, überlegen gebärdet [61], sondern es tatsächlich ist. Darüber hinaus ist sein Wirken ja keineswegs auf diese direkten Wortmeldungen beschränkt, sondern tritt auch im Aufbau und in der symbolischen Gestaltung sehr deutlich hervor.

## II. Das Wiederholungsprinzip in der Gestaltung der Phasen [62]

Der Roman gliedert sich in neun Bücher, denen eine Aufteilung in vier Gruppen übergeordnet ist. Es gehören zusammen die Bücher I—III, IV und V, VI und VII sowie VIII und IX; dabei entsprechen einander die Bücher I, IV, VI und VIII und auf der anderen Seite II/III, V, VII und

---

[60] Gotthold Ephraim Lessing, Hamburgische Dramaturgie. Hrsg. v. Otto Mann. Stuttgart 1958, S. 295

[61] K 621, S. 322

[62] Die folgenden Ausführungen berühren sich in einigen Punkten mit den Darlegungen Ziolkowskis (K 626, S. 123—130). Seine „fünfaktige" Einteilung (I; II/III; IV/V; VI/VII; VIII/IX) leuchtet mir allerdings nicht ein. Ziolkowski hat zwar die Wiederholungsstruktur hinsichtlich der drei „Schläge" durchaus erkannt, in seinem Bestreben, einen Tragödien-Aufbau nachzuweisen, diese Einsicht aber wieder verdunkelt.

IX. Die ersteren zeigen jeweils, wie Biberkopf, von einem „Schlag" verstört (Gefängnis, Lüders, Arm, Mieze), allmählich sein Gleichgewicht wiederfindet (in VIII freilich ist der Schlag vernichtend; Franz gibt sich auf); die letzteren sind der Vorbereitung und dem Eintreffen dieser Schläge gewidmet (Lüders, Arm, Mieze, Tod); auch hier nimmt das letzte, das IX. Buch also, eine Sonderstellung ein, insofern es auch bereits den Neubeginn schildert, einen solchen freilich, der sich von jenen früheren „Erholungen" grundsätzlich unterscheidet.

Daß der Aufbau so einfach und plausibel ist, hat die bisherige Forschung nicht bemerkt, schon gar nicht, in welchem Maße die einander entsprechenden Bücher durch Wiederholung und Variation miteinander verknüpft sind. Viele schenken dem Fall Lüders gar keine Beachtung und zeigen damit, daß ihnen die Grundstruktur von Biberkopfs Verhalten nicht klar geworden ist. Überhaupt niemand nimmt den Totschlag ernst, der Franz ins Gefängnis gebracht hat [63]. Es hätte auffallen müssen, daß der Tod ja nicht nur Lüders, Reinhold und Mieze, sondern auch Ida Revue passieren läßt (484 f): auch dieser Fall ist also noch keineswegs erledigt. Wenn man freilich kein Gefühl für die ätzende Ironie in dem Kapitel „Ausmaße dieses Franz Biberkopf" (103 ff) hat und mit Schwimmer meint: „Hier kommt deutlich die andere Seite des Döblinschen Wesens heraus: Neben seinem phantasievollen, ja oft phantastischen bis surrealistischen Wesenszug steht der kühl nüchterne, genauigkeitsfanatische Geist, ein primär naturwissenschaftlich-mathematisch orientierter Intellekt" [64] —, wenn man dergestalt Döblins Hohn auf die bloß „njutensche" Erklärung der Welt (BA 105) ins Gegenteil verkehrt, dann kann einem natürlich nicht aufgehen, wie sehr der Erzähler seinem Helden gerade die Tatsache, daß er *nicht* von Furien gehetzt, *nicht* von Gewissensbissen geplagt wird (103), zum Vorwurf macht. Noch am Schluß versucht Franz sich in die naiv-unverschämte Haltung des Anfangs zu retten und hält Ida vor: „ich war doch in Tegel dafür, ich habe meine Strafe weg." (485) Wenn er dann zusammenbricht, endlich die Unmöglichkeit einer solchen händlerhaften Betrachtungsweise einsieht, konstatiert der Erzähler: „Jetzt weint

---

[63] Becker bemerkt lediglich, Franz entziehe sich der Aufgabe, sein altes Weltbild zu revidieren (K 607, S. 20); das Orest-Kapitel glaubt er als besonders schwache Partie abtun zu können (S. 141).

[64] K 583, S. 77. Für den spöttischen Einschub der medizinischen Ausführungen zur Impotenz (BA 34 f) hat Schwimmer den kostbaren Satz bereit: „Als das Stabilste, Sicherste gegen die Tendenz der Wirklichkeitsauflösung setzt er Fragmente aus der Welt des Geistes." (S. 75 f)

Franz Biberkopf über sich." (486) Eben das hätte er schon zu Anfang tun sollen; die anonyme Stimme fordert es ausdrücklich: „Bereuen sollst du; erkennen, was geschehen ist; erkennen, was nottut!" (24) Ganz deutlich wird also, daß die scheinbare Überlegenheit des unbußfertigen Biberkopf über den von Furien gehetzten Orest in Wahrheit ein grundsätzliches moralisches Versagen anzeigt. Wie Döblin dieses sarkastische Kabinettstück meint, ist nicht nur aus der übertrieben exakten „zeitgemäßen Betrachtung" (105) des Totschlags selbst abzulesen, sondern auch aus der Gegenüberstellung von damaligen und heutigen Instrumenten der Nachrichtenübermittlung: „Wie herrlich, nebenbei bemerkt, diese glühende Meldung von Troja nach Griechenland" (106), schwärmt der Erzähler; über die drahtlose Telegraphie aber sagt er: „Begeistern daran kann man sich schwer; es funktioniert, und damit fertig." (107) — An einer späteren Stelle findet sich eine Parallele zu den Erwägungen über Vorhandensein oder Fehlen von Erinnyen: In jener dunklen Vordeutung auf kommendes Unheil, im Bild von den schwarzen Wassern, heißt es: „Ihr habt auf eurem Boden keine Drachen, die Zeit der Mammute ist vorbei, nichts ist da, was einen erschrecken könnte, Pflanzen verwesen in euch, Fische, Schnecken regen sich. Weiter nichts. Aber obwohl das so ist, obwohl ihr nur Wasser seid, ihr seid unheimlich, schwarze Wasser, furchtbar ruhige Wasser." (216) Auch hier erscheint die nur naturwissenschaftliche Sehweise als unzureichend. Endgültig klar wird der Zusammenhang am Ende des Romans, wenn Engel und sprechende Sperlinge, Sturmgewaltige und der Tod erscheinen und der Erzähler rationalistische Einwände mit dem Hinweis auf die „Wahrheit" seiner Geschichte abwehrt.

Es ist wichtig, daß der Leser sich des negativen Urteils über Biberkopfs Vergangenheit bewußt ist und nicht wie jener selbst dem Irrtum verfällt, mit der Verbüßung der Haft sei der Fall Ida abgeschlossen. Mit vollem Recht hat Franz nach der Entlassung das Gefühl: „Die Strafe beginnt." (13); das ist nicht Ausdruck einer Entlassungspsychose [65], sondern die dunkle Ahnung, daß die Angelegenheit doch noch nicht erledigt ist, daß er den Gefängnisaufenthalt nicht genutzt hat, wie er sollte. Der Anonymus sagt es ihm auf den Kopf zu: „und in der Zelle hast du auch nur gestöhnt und dich versteckt und nicht gedacht, nicht gedacht, Franze" (20). In den dringlichen Fragen und Mahnungen, in den höhnischen Angriffen, den ironischen Bestätigungen und dem schließlichen

---

[65] so Schöne, K 621, S. 292.

Verklingen dieser Stimme spiegelt sich, wie Biberkopf die letzte Chance vertut, doch noch aus Idas Tod zu lernen; er wird „sicher", aber auf falsche Weise. Reue, Einsicht, Selbstbescheidung: das würde ihm als Schwäche erscheinen; er zieht es vor, stark zu sein und der Welt zu zeigen, daß er „ein Mann von Format" ist (92). Weil seine innere Unruhe sich in physischer Impotenz geäußert hat, bildet er sich ein, mit der Wiedererlangung seiner Manneskraft seien die Probleme gelöst („Sieg auf der ganzen Linie!" — 37). Da er ferner Minna mit Ida identifiziert („Er hat Ida in den Armen, sie ist es" — 39), kann er sich vom Bild der Toten befreien. Er fühlt sich wieder obenauf und meint, nichts könne ihm mehr geschehen, wenn er nur „anständig" ist, d. h. wenn er sich von Zuhälter- und anderen Verbrecherkreisen fernhält. Mit Recht spricht Günther Anders von einem Sicherheitsvertrag, den Biberkopf dem Unberechenbaren zumute: „ich provoziere Dich nicht, ich tue Dir nichts, also kannst Du mir nichts tun *dürfen*. So stellt er der Welt geradezu Bedingungen." [66] Tatsächlich verzichtet Biberkopf auf eine Analyse der Situation, auf eine genauere Betrachtung seiner Umwelt und seiner Möglichkeiten in ihr, bildet sich ein, seine „Anständigkeit" müsse ihn vor Unheil bewahren. Er setzt also das Ich absolut, statt seine Eingebundenheit in die Umwelt zu bedenken, in eine Welt, die, nach den Worten des Todes, nicht aus Zucker ist, sondern „aus Zucker und Dreck und alles durcheinander." (BA 479)

Die Bücher IV, VI und VIII zeigen, daß Biberkopf auch aus den folgenden Schlägen nichts lernt, daß er auf sie nur mit Trotz reagiert, mit dem Satz: „Dann eben nicht." So beginnt er nach dem Betrug des kleinen Lüders zu saufen, will nichts sehen und hören, ist gekränkt, daß die „Welt" nicht so reagiert hat, wie er es doch wohl erwarten durfte. Erst das Schicksal des Zimmerers Gerner schreckt ihn hoch; als er sieht, wie der ins Verbrechen schlittert und verhaftet wird, bekommt er es doch mit der Angst zu tun und läuft unruhig durch die Stadt [67]. — Wieder will er sich bei Minna bestätigen, wird freilich von ihrem Mann abgewiesen. Der Anstoß war trotzdem stark genug: Franz ist aus seiner Lethargie erwacht und versucht es noch einmal mit demselben Rezept.

[66] K 605, S. 422. Hervorhebung durch Anders. — Auch Elshorst stellt diesen Zusammenhang richtig dar (K 568, S. 63).
[67] Im Vorabdruck der Frankfurter Zeitung ist zur Verdeutlichung ein innerer Monolog Biberkopfs eingefügt, in dem es heißt: „Das Gefängnis Tegel brüllt in ihm, die Ida hab ich totgeschlagen, das soll nicht wieder anfangen, wir haben's bezahlt, wir halten uns fest." (D 68, Nr. 683, S. 1)

Nach Reinholds Attentat, nach dem Verlust des Armes ist seine Reaktion grundsätzlich dieselbe. Sein Zorn geht jetzt allerdings so weit, daß er der „Welt" den Kontrakt aufkündigt, höhnisch dem „Anständigsein" den Laufpaß gibt, weil es ihm nicht honoriert worden ist; jetzt verkrampft er sich ganz in seine Stärke, die er auch Reinhold beweisen will.

Im VIII. Buch, nach Miezes Ermordung, ergibt sich das gleiche Bild. Zunächst fahndet Franz zwar noch nach Reinhold, aber da ist schon eine Stimme, die es besser weiß: „die ganze Jagd auf Reinhold ist nicht wahr" (432). Es folgt dann auch die völlige Selbstaufgabe, nicht Reue und Selbstverwerfung, sondern jener Trotz des Selbstmörders, der mit seinem Tod die Welt zu strafen meint, dafür, daß sie ihm versagt hat, worauf er Anspruch zu haben glaubte. Bewußt provoziert Franz eine Schießerei, und in Buch wird er die Nahrung verweigern, um zu sterben.

So bleibt er unbelehrbar in allem Unglück. Nach dem Verlust des Arms meint er, seinen Fehler gefunden zu haben: anständig sein zu wollen, das sei ein Unsinn gewesen, und zu Recht sei ihm für diese Dummheit der Arm genommen worden (344). Als dann auch das neue Programm nichts nützt, hat er es satt, will er dieser Welt, die sich so gar nicht nach seinen Vorsätzen richtet, den Rücken kehren, und der Tod muß ihn schon gewaltig anschreien, bis er einsieht, daß er selbst schuld ist an seinem Unglück.

Über die rein inhaltliche Parallelität hinaus werden die Bücher I, IV, VI und VIII durch eine Reihe von Wiederholungsmotiven eng miteinander verklammert.

Zunächst fallen die Anreden an Biberkopf auf, deren Sprecher anfangs unbekannt bleibt, schließlich aber seine Identität enthüllt: es ist der Tod („ich schickte dir alles, aber du erkanntest mich nicht" — 475). Auch die warnenden, in Klammern gesetzten Apostrophen im I. Buch, die ich oben vorläufig einem Anonymus zusprach, gehören hierhin. Gegen diese These kann eingewandt werden, daß der Tod selbst sagt: „Als Lüders dich betrog, hab ich zum erstenmal mit dir gesprochen" (475). Ich möchte es aber, da die fraglichen Klammersätze sowohl im Marbacher Manuskript als auch in den Vorabdrucken noch fehlen, für wahrscheinlich halten, daß Döblin bei der späteren Einfügung vergaß, jenen Passus im IX. Buch abzuändern [68].

---

[68] Auch sonst zeigt der Roman ja trotz mehrmaliger Überarbeitung Spuren von Flüchtigkeit. Die sehr präzisen und an Hand von Kalendern aus den Jahren 1927—1929 nachprüfbaren Zeitangaben geraten im VII. Buch empfindlich durcheinander: Anfang September beginnt man mit den Einbrüchen (348), an einem Donnerstag, dem 3. 9., besucht

Dreimal meldet der Tod sich nach dem ersten Schlag. Zweimal warnt er Franz vor den Folgen des Herumsumpfens (136, 153), und der ersten Warnung folgt eine ironisch-kitschige Katechese mit dem Refrain: „Verlorst du dein Herz [. . .]?", die in die ernstgemeinte Frage mündet: „Gehörst du zu denen, die ihr Herz nirgends verlieren, sondern es für sich behalten, es sauber konservieren und mumifizieren?" (137) Das ist schon der Vorwurf, den der Tod auch am Schluß erheben wird: „Du hast dich dein ganzes Leben bewahrt. Bewahren, bewahren, so ist das furchtsame Verlangen der Menschen, und so steht es auf einem Fleck, und so geht es nicht weiter. / Als Lüders dich betrog, hab ich zum erstenmal mit dir gesprochen, du hast getrunken und hast dich — bewahrt!" (474 f) — Am Schluß des IV. Buches, im dritten Gespräch, antwortet Franz nicht mehr mürrisch auf dringliche Fragen des Todes, sondern jetzt hat sich das Verhältnis umgekehrt: in uneinsichtige Stärke zurückgefallen, attackiert Franz den lästigen Mahner: „Du willst mich auf meinem Wege aufhalten [. . .] ich bin sehr stark." (174) Der Tod — für Biberkopf ein namenloser Besserwisser bzw., um den Zusammenhang rationalistisch zu deuten, eine unterdrückte innere Stimme — antwortet mit der Vordeutung auf kommendes Unheil und auf das Gespräch in Buch: „Deine Augen werden nichts hergeben als Tränen." (175) Sein Satz: „Wie fein können Vögel singen" wird uns wieder einfallen, wenn wir Mieze in ihr Verderben rennen sehen („die Vöglein, ach, die Vöglein, die sangen all so wunderschön, wunderschön" — 376), und Biberkopfs Frage: „Wer spricht?" erinnert an Hiobs Trotz: „Wer fragt?" (154)

Im VI. Buch nimmt der Tod zweimal das Wort. Er konstatiert, daß Franz wenigstens schon so weit ist, daß er die Augen aufsperrt und seine Umgebung beschnüffelt, wenigstens ahnt, daß sein „Pech" zum Teil selbstverschuldet ist (259 f). Biberkopf zieht freilich, wie wir sahen, die falsche Folgerung und kehrt zum Verbrechen zurück. Abermals kommt es zu einem Dialog; der Tod stellt Franz die Identität seiner Zuhälterexistenz

Reinhold Mieze (358; der 3. 9. 1928 war aber ein Montag); trotzdem wird der Ausflug nach Freienwalde auf den 29. 8. gelegt (370), findet der Mord am 1. 9. statt (377). Vermutlich wurde Biberkopfs Aufstieg zum Einbrecherfranz erst später eingeschoben und dabei mit falschen Daten versehen. Im Vorabdruck der Frankfurter Zeitung sind die Ereignisse zu Beginn des späteren Buches VIII bezeichnenderweise nicht auf den 2. (so BA 393), sondern auf den 27. September datiert (D 68, Nr. 731, S. 1). — Man tritt Döblin also wohl nicht zu nahe, wenn man bezüglich jener später eingefügten Sätze im I. Buch ein ähnliches Versehen vermutet, zumal die Verwirrung der Daten viel eher hätte auffallen müssen als jener am anderen Ende des Romans stehende Satz des Todes.

mit der früheren zu Idas Zeiten vor Augen und warnt: „paß auf, du kommst auch noch ins Saufen, und alles fängt dann nochmal an, dann aber schlimmer, und dann ists aus." (290) Franz antwortet mit dem selbstgerechten Hinweis auf seine Bemühungen, anständig zu sein, und bramarbasiert: „Nu hats geschnappt bei mir. Nee, ick bin nich anständig, ick bin ein Lude. Da schäm ich mir gar nicht für." (291) Schon schmerzhaft deutlich wird, daß er keinen Schimmer hat, mit wem er da spricht: „Und wat bist du denn, wovon lebst du, vielleicht von wat anderes als von andere Menschen?" — Noch einmal meldet sich der Tod kurz mit einem Klammersatz wie im I. Buch und kommentiert Franzens politische Unruhe: „Warum? Was quält dich? Wogegen verteidigst du dich?" (300)

Im VIII. Buch finden wir wiederum eine große Anrede an Biberkopf, die verschiedene Motive aus den vorangegangenen Szenen zusammenbindet (417—419, 420). Das Schicksal Hiobs, im IV. Buch noch für sich dargestellt und nur durch jenen Gleichklang der Frage mit dem Todesgespräch verknüpft, wird jetzt ausdrücklich mit dem Unglück Biberkopfs verglichen; auch das Bild der Hure Babylon, das erstmals nach jener Apostrophe im VI. Buch aufgetaucht war (260), wird nun in die Rede des Todes hineingenommen. — Ein letztes Mal vor der Erscheinung im Irrenhaus meldet sich der Tod, um Biberkopfs Scheinmanöver, seine Jagd auf Reinhold, als unwahr abzuwerten: „Alles wird seinen Sinn bekommen, einen unerwarteten schrecklichen Sinn. Das Versteckspiel dauert nicht mehr lange, lieber Junge." (432) Damit, mit dem Wort „Verstecken", schließt sich der Kreis zu den ersten Kommentaren in Buch I. Franz steht innerlich noch immer da, wo wir ihn zu Anfang sahen.

Da die Intentionen des Erzählers sich mit denen des „Todes" decken, ist es nicht verwunderlich, daß die bisherige Forschung diese Kommentare meist dem ersteren zugeschrieben hat. Wenigstens die Anreden im IV. Buch aber nimmt der Tod ja selbst für sich in Anspruch (475), und die gleiche Struktur der Apostrophen in den Büchern I, VI und VIII läßt meine Deutung wohl als die plausiblere erscheinen. Es wäre viel eher zu fragen, ob nicht auch die Anrede an Mieze bei Reinholds erstem Besuch (358) dem Tod zuzuschreiben ist [69].

Ebenso wie die Mahnungen des Todes verbindet auch das Gefängnis-Motiv die vier Bücher. Biberkopf steht der Erfahrung seiner Häftlings-

---

[69] Die Identität der Absichten von Tod und Erzähler hat Wolfgang Weyrauch bei der Edition des Hörspieltextes dadurch unterstrichen, daß er *sämtliche* Zwischenreden dem Tod in den Mund legte (vgl. Schwitzke, K 714, S. 148).

zeit mit durchaus zwiespältigen Gefühlen gegenüber. Einerseits empfindet der eben Entlassene die Freiheit als schrecklich (13), weil das Leben in Tegel ihm das Denken ersparte („man weiß, wie der Tag anfängt und wie er weiter geht." — 17); andererseits will er um keinen Preis zurück und stöhnt: „Wie komm ich bloß aus dem Gefängnis raus. Sie entlassen mir nich. Ick bin noch immer nich raus." (36); nach dem Erlebnis mit Minna jubelt er: „Franz Biberkopf ist wieder da! Franz ist entlassen! Franz Biberkopf ist frei!" (40) — Hier spiegelt sich jenes Schwanken zwischen Selbstaufgabe und naiver Kraftmeierei, das wir nach den „Schlägen" immer wieder beobachten können. Ort der Sehnsucht ist das Gefängnis für Biberkopf, soweit er die Welt flieht, ihr beleidigt und erschreckt den Rücken kehrt; Ort des Schreckens wird es, sobald er in hybrider Selbstgewißheit die Welt auffordert zuzusehen, was der Biberkopf so alles kann. Der negative Aspekt wird im IV. Buch bestimmend, wenn Franz die Verhaftung des Zimmerers Gerner als Warnung begreift und sich wieder aufrappelt. Im VI. Buch dagegen fährt er nach Tegel hinaus, weil er nicht mehr weiß, was er will (310), weil er wieder einmal von der wohligen Versuchung angerührt ist, alles hinzuwerfen. Wie er sich im I. Buch angesichts der unberechenbaren Welt an das eindeutige Gefängnisreglement klammerte (15, 17), sucht er jetzt, verwirrt vom politischen Meinungsstreit, Halt in der Unterordnung unter eine Autorität. Dafür, daß Flucht und Selbstaufgabe hier im Spiel sind, ist jener machtvolle Schlaf ein Anzeichen, in den Franz dreimal versinkt (311). Eine der drei „Zufluchten" nannte Döblin in „Unser Dasein" den Schlaf (UD 297) [70], und der Erzähler des Romans unterstreicht den Charakter der ersehnten verantwortungsfreien Existenz, wenn er wie von einem Kind sagt: „Er will in die Baba." (BA 311) — Auch im VIII. Buch treibt es den Verzweifelten nach Tegel hinaus, und er hat das Gefühl, daß die Mauern nach ihm rufen (427). Mit Zustimmung hört er den Unterhaltungen und Gedichtvorträgen der Sträflinge zu (439—443). Sein Drang nach Selbstaufgabe ist jetzt schon so groß, daß eine Verhaftung ihm nicht mehr genügt. Sein Versuch aber, erst bei der Schießerei, dann in Buch sein ungeklärtes Leben wegzuwerfen, schlägt fehl, weil der Tod ihn so nicht annehmen will.

Kürzer als die Todesgespräche und die Gefängnisreminiszenzen zielen einige andere Motive. Die Bücher I und IV werden durch Biberkopfs Besuche bei den Juden (16—30, 44—46; 142—144) und bei Idas Schwester

---

[70] s. o. S. 246.

(37—43; 144, 172—174) in einen engeren Wiederholungszusammenhang gebracht. Hatte am Anfang der Ärger über das Geschick Zannowichs, vor allem aber das sexuelle Erlebnis mit Minna eine „Kräftigung" zur Folge gehabt, so bemerkt Biberkopf jetzt, daß weder die Juden noch Minna ihm weiterhelfen können („sie sind schlau, aber mir machen sie nichts vor." — 142; „Was geht mich die an." — 144). Als Gerners Geschick ihn aufgestört hat, versucht er zwar noch einmal, Minna zu sehen, zur Wiedergewinnung seines Selbstgefühls reicht es jetzt aber schon, daß er sich mit ihrem Mann herzhaft streitet: er ist „sehr zufrieden" (174). Die enge Verklammerung der Bücher I und IV ist dadurch gerechtfertigt, daß Biberkopf zu der Position zurückkehrt, die er am Ende des I. Buches gewonnen hatte; er versucht es noch einmal mit dem „Anständigsein".

Das Schlachthof-Motiv wird, was die Tötung des Kälbchens betrifft, später auf den Mord an Mieze bezogen (385, 387); im übrigen aber dient es der Verbindung des IV. und des VI. Buches: nach Biberkopfs Entlassung aus dem Krankenhaus wird die Auftrieb-Statistik wiederholt (245), und über seinen einsichtlosen Trott heißt es: „Es ist gar nicht viel zu erzählen von Franz Biberkopf, man kennt den Jungen schon. Was eine Sau tun wird, wenn sie in den Kofen kommt, kann man sich schon denken." (314) Wieder ist vom dumpfen Tod unter dem Schlachtmesser die Rede.

Die Bücher IV und VIII schließlich werden, wie ich schon erwähnte, durch das Hiob-Motiv miteinander verbunden (das VI. Buch bringt statt dessen die Geschichte von Abraham und Isaak). Unterstrichen wird der Zusammenhang dadurch, daß nur in diesen beiden Büchern Bibelverse als Kapitelüberschriften begegnen, die überdies hier wie dort aus dem Prediger Salomo stammen.

Wir wenden uns nun jener anderen Reihe von Büchern zu, die vorführen, wie die unberechenbare Macht, die „wie ein Schicksal aussieht" (9), auf Franz einschlägt und wie er schließlich in der letzten Not zur Einsicht gelangt. Es handelt sich um die Bücher II/III, V, VII und IX. Den engen Zusammenhang der Bücher II und III betonen die leitmotivisch wiederholten Paraphrasen zur Erzählung vom Paradies (49, 100, 102, 117 f) sowie die Verse aus Humperdincks „Hänsel und Gretel" (49, 72, 102, 126). Diese Motive sind auf die Bücher II und III beschränkt; nur das erstere erfährt später, im IV. Buch, noch eine Weiterführung mit der Verfluchung der Schlange (144). Die Aufteilung in zwei Bücher dient offenbar lediglich der Verdeutlichung (Buch III hat nur 17 Seiten) und konnte in der Darstellung der späteren, strukturell gleichgearteten Geschehnisse unterbleiben.

Wir stellten schon bei der Betrachtung des I. Buches fest, daß Franz die Welt durch seinen Entschluß zur Anständigkeit zum Wohlverhalten zwingen zu können glaubt; aber nicht nur in dieser allgemeinen Selbstüberschätzung kommt jener Hochmut zum Ausdruck, den der Tod ihm vorhalten wird, sondern er provoziert auch jeden einzelnen der drei Schläge durch seine Sucht, anderen seine scheinbare oder tatsächliche Überlegenheit zu demonstrieren. Sein aufgeblasenes Getue gegenüber Lüders und Reinhold ist in der Tat die direkte Ursache für sein Unglück. Wenn Franz die Schläge auf sich zieht, so ist dafür nicht eine chaotische oder auf andere Weise schlimme Welt verantwortlich, schon gar nicht ein „Schicksal", sondern er selbst ist schuld.

Ausgerechnet dem schon zwei Jahre arbeitslosen Otto Lüders, dessen finanzielle Situation offensichtlich trostlos ist, ausgerechnet diesem armen Teufel muß Franz mit stolzem Grinsen erzählen, wie er einer sexuell darbenden Witwe „auf reelle Art" zwei Zehner entlockt hat und daß da sicher noch mehr zu holen ist (114). Wen außer Biberkopf kann es wundern, daß den „jämmerlichen" Lüders der Neid packt auf den Großprotz, daß auch er sein Glück versuchen will? Biberkopf aber begreift nicht, daß ihm nur recht geschehen ist; er fragt noch in Buch: „wat hab ich dir denn groß getan" (482) [71].

Dasselbe Verhaltensmuster liegt seinem Kampf mit Reinhold zugrunde. Es geht ja gar nicht darum, ob er an jenem schrecklichen Abend stillschweigend seine Rolle beim Einbruch hätte spielen sollen oder nicht, sondern um sein Verhalten gegenüber Reinhold. Der imponiert ihm zwar mächtig, aber in seinem Verhältnis zu Frauen glaubt Franz eine Schwäche entdeckt zu haben, und schon spielt er den Überlegenen. Es ist eigentlich nichts dagegen zu sagen, daß er Reinhold helfen will; der leidet ja selbst unter seiner zwanghaften Polygamie (198—200). Wenn er aber Trude und dann auch Nelly verständigt, muß Reinhold sich bloßgestellt fühlen. Vor allem geht Biberkopfs gönnerhaft-überhebliche Art jetzt mit ihm durch. Reinhold hat ihm an jenem Abend bei der Heilsarmee eine Schwäche gezeigt, und Franz nutzt das in stupider Kraftmeierei aus. Er holt einen

[71] Diese Beurteilung des Falles Lüders findet sich auch schon bei Becker (K 607, S. 39).

alten Freund dazu: „Meck sollte zusehen und bewundern, wie er, der Franz, einen solchen Kerl an die Kandare kriegt, und wie er ihn rumreißt, und der muß sich an Ordnung gewöhnen und gewöhnt sich auch dran." (211) Als dann sein „Erziehungsobjekt" in die Kneipe kommt, stellt er ihn vor Meck bloß, klopft auf den Busch und wendet sich mit großer Geste an den anderen: „Was, Meck, wir schaffen Ordnung in der Welt, wir schmeißen das Ding" (213). In gefährlicher Ruhe hört Reinhold sich das an, bleibt allein zurück und grübelt. — Als dann bei der Diebestour der andere, der energische Reinhold zum Vorschein kommt, bildet Franz sich tatsächlich ein, das sei der Erfolg seiner Kur, und er zischt Reinhold zu: „Hab ich nicht recht gemacht mit die Weiber?" (227) Schließlich ist er auch noch töricht genug, sich lauthals über die Verfolgung zu freuen, und blitzhaft zuckt es durch Reinhold: „das ist der Biberkopf, der ihn hat sitzen lassen, der ihm die Weiber abtreibt, das ist ja bewiesen, dieses freche, dicke Schwein, und dem hab ick auch mal alles erzählt von mir." (231) Dieser Gedanke ist ausschlaggebend für seinen Entschluß, Franz aus dem Auto zu werfen. — Der aber, kaum wieder auf den Beinen, denkt nur an das unmittelbar Voraufgegangene und folgert, sein Entschluß zur Anständigkeit sei falsch gewesen.

Wenn er am Ende des VI. Buches zu Reinhold geht, wenn er sich nicht davon abbringen läßt, bei Pums mitzumachen, so ist hier keineswegs ein geheimer Wille nach Selbstvernichtung am Werk [72], sondern gerade umgekehrt die Unfähigkeit, eine Niederlage hinzunehmen, der Wille, sich doch noch als der Stärkere zu beweisen. Sein Marsch zu Reinhold steht unter dem Motto: „Offensive, Offensive." (BA 321) [73] Der erste Besuch endet allerdings als totales Fiasko. Abends schafft Franz es dann, ohne Zittern dem anderen gegenüberzusitzen, und freut sich unbändig: „Und das ist besser als Versammlungen und beinahe besser — besser als die Mieze. Ja, das ist das Schönste von allem: der schmeißt mir nich um." (327) Ganz richtig deutet Reinhold Biberkopfs Verhalten als Provokation: „Der setzt sich uff die Hinterbeene. Dem muß man die Knochen knacken. Der eene Arm genügt noch nicht bei dem." Und dann, als Franz auch noch von Mieze erzählt, ist sein Entschluß gefaßt: „die nehme ick ihm weg und dann schmeiß ick ihn ganz und gar in den Dreck." (ebd.)

---

[72] so Schöne (K 621, S. 299). Links unterliegt demselben Irrtum (K 558, S. 79).

[73] vgl. dazu den Vorabdruck in der Frankfurter Zeitung: „Ich habe mit dem noch abzurechnen. Der soll nicht über mir lachen und denken, er hat mir erledigt und ich bin nischt. Ich will ihm zeigen, wer ich bin." (D 68, Nr. 718, S. 1)

Aber es kommt noch schlimmer. Wie Franz dem jämmerlichen Lüders unbedingt von seinem Glück erzählen mußte, wie er Meck seinen „Zögling" vorführte, um Bewunderung für seine Stärke zu ernten, so faßt er jetzt den lieblos-angeberischen Entschluß, Reinhold zu zeigen, wie sehr Mieze ihn liebt [74]. Die Verbindung zu seinem Verhalten im V. Buch wird durch die Wiederaufnahme des Frauentausch-Motivs noch klarer; mit dem Urteil „Schweinerei" bringt Franz den anderen in Wut („Warte nur, Junge." — 362), und dann führt er noch Miezes Liebe als Beweis für die Richtigkeit seiner damaligen Maßnahmen an (364). In gedankenlosem Stolz führt er Reinhold hinauf: „mir geht es gut, an mich kann nichts ran, das sollst du sehen, wie ich dastehe, mein Name ist Franz Biberkopf."

Als Mieze dann ausgerechnet an diesem Tag berichtet, sie habe sich in einen anderen verliebt, verliert Franz die Beherrschung. Seine ganze Veranstaltung fliegt auf („verfluchte Ziege, mir so zu blamieren." — 366), und in besinnungsloser Wut verfällt er wieder jenem Blutrausch, der Ida das Leben gekostet und der ihm schon in Henschkes Kneipe wieder zugesetzt hat (98 f). Nur Reinholds Dazwischentreten hindert ihn, den einzigen Menschen, der sich ganz zu ihm bekennt, der sich ihm vorbehaltlos gibt, hier schon selbst umzubringen (369).

Reinhold aber hat begriffen, welche Liebe zu Franz sich in Miezes rührender Bitte offenbart, sie über ihre Verliebtheit zu trösten (367); für ihn hat diese Szene genau den Effekt, den Franz beabsichtigte, und der Stachel quält ihn: „Jetzt geht das Kamel wieder rum und strahlt und protzt mit seine Braut" (372). Auch er, der leichtfertig Herausgeforderte, kann es nicht ertragen, den anderen glücklicher zu sehen. Als es ihm nicht gelingt, Mieze an sich zu ziehen, als er erkennt, daß sie sich nur deshalb mit ihm eingelassen hat, weil sie das Geheimnis um Franzens „Unfall" klären wollte, und als er fürchten muß, daß sie ihr Wissen gegen ihn ausspielen wird, da geht es mit ihm ebenso durch, wie er das bei Franz erlebt hat, und er erwürgt sie. — Vorher hat er noch einmal bestätigt, daß Biberkopfs hochtrabende Art der eigentliche Grund für seinen Mordversuch war: „der hat auch schon immer ein großes Maul,

---

[74] Der von Döblin zweifellos beabsichtigte Anklang an Hebbels „Gyges" ist von Ziolkowski überinterpretiert worden (K 626, S. 128 ff); viel vorsichtiger behandelt Duytschaever diesen Zusammenhang (K 610). Es geht nicht darum, daß Franz (wie Kandaules) sich seines Glückes ohne einen Zeugen nicht sicher wäre, sondern er handelt aus schlichter Renommiersucht.

[...] und ich denke, nu sieh dir mal vor, mein Junge, du mit deim Dicketun" (386).

Wir sehen, daß auch in diesen Büchern, die den „Schlägen" gewidmet sind, immer wieder „seinesgleichen geschieht". Immer ist es Biberkopfs Renommiersucht, seine zur Schau getragene Überheblichkeit, die ihn ins Verderben stürzt. Mit Recht hat Willy Haas ihn die Verkörperung des provozierenden Typus genannt [75], ohne freilich zu bemerken, daß Franz für diese Eigenschaft verantwortlich gemacht werden muß, daß hier seine Schuld liegt.

Auch in Biberkopfs äußerem Habitus kommt seine satte Selbstzufriedenheit zum Ausdruck. Er ist „ein kräftiger Mann, gut im Fleisch mit Fettansatz" (96); im zweiten Gespräch mit den Juden heißt er nur „der Dicke" (45). Im V. Buch wird der metaphorische Sinn schon deutlicher; „sitzt Franz da dick von seiner Molle, sitzt im Fett". (211) lesen wir, wenn er vor Meck mit seinen Erziehungsmaßnahmen renommiert; und kurz bevor Reinhold ihn aus dem Auto wirft, heißt es: „Dieser Junge, denkt Reinhold, sitzt dick im Fett" (231). Noch klarer wird der Bedeutungszusammenhang in der Variation, die das VII. Buch beisteuert: „Und nu sitzt [...] immer dieser Franz da und ihm vor der Nase [...] und beißt den dicken Wilhelm raus" (355) und nochmals: „Jetzt will er den dicken Wilhelm spielen bei uns. Ausgerechnet bei uns. Erst wollt er mir auf die Bußbank schicken, Heilsarmee, det is ihm vorbeigelungen. Und nu." (384) — Ironischerweise wird Reinhold über ebendieselbe Eigenschaft stolpern, die ihn an Biberkopf provozierte. Schon im VI. Buch erfahren wir kurz, daß im Westen eine zweite, piekfeine Wohnung hat: „und da kann er dann unterkriechen, wenn er den dicken Wilhelm spielen will" (253). Im VIII. Buch züchtet der Klempnerkarl seine Wut auf Reinhold groß und beschwert sich: „jetzt beißt er den dicken Wilhelm raus" (402): Reinholds hochmütige Kaltschnäuzigkeit wird ihm zum Verhängnis, Matter verpfeift ihn.

Auffällig ist der Umstand, daß nicht nur Biberkopfs Erholungen, sondern auch seine Zusammenbrüche immer im Zusammenhang mit Frauen stehen. Minnas Rolle übernehmen nach dem zweiten Schlag Eva, ferner jene Emmi, in deren Gesellschaft er sich am Betrug weidet und der „Anständigkeit" den Laufpaß gibt (266—269), und vor allem natürlich Mieze. Seine Egozentrik kommt schon in der Kapitelüberschrift zum Ausdruck:

[75] K 102, S. 840

„Auch ein Mädchen taucht auf, Franz Biberkopf ist wieder komplett" (280): Frauen sind für ihn hauptsächlich Mittel zur Selbstbestätigung und Prestigesymbole. Das schließt eine naive Gutmütigkeit gegenüber diesen Geschöpfen nicht aus, wie sein Verhalten in der Frauentausch-Affäre zeigt: „Ein Mensch ist ein Mensch, und ein Weibsstück auch" (204). Liebe ist ihm fremd; selbst Mieze will er ja wie einen dressierten Affen vorführen, um vor Reinhold zu protzen. Noch einmal erscheint hier also jene mißverstandene Liebe, die Döblins Frühwerk beherrschte.

Es ist nur folgerichtig, daß eine enge Beziehung zwischen jenen „Schicksalsschlägen" und Biberkopfs Frauen besteht. Wegen Ida hat er vier Jahre gesessen, und Miezes Tod bringt den endgültigen Zusammenbruch. Die polnische Lina, die er ja auch skrupellos betrügt, wenn zwei Zehner dabei herausspringen, ist eine Nichte von Lüders (113); das Unglück trifft ihn, weil er mit einem einträglichen Schäferstündchen renommiert hat. Den zweiten Schlag erhält er, weil er sich als Sexualpädagoge aufspielt und Reinholds männliche Eitelkeit verletzt. Cilly, Reinholds ehemalige und künftige Geliebte auf Zeit, wird Meck ebenso ratlos nach Biberkopfs Verbleib fragen, wie Lina es getan hat (123 ff, 218 f). Von seiner brutalen Reaktion auf Miezes Geständnis sprach ich schon. Franz selbst sieht die Parallele zu der folgenschweren Auseinandersetzung mit Ida (367); wieder ist er in seiner „Männlichkeit" getroffen und weiß nichts anderes als: „Die — bring — ich — um." (369) Schon als die von Lüders bestohlene Witwe ihm die Wohnung versperrte, war es durch ihn gezuckt: „Mensch, Luder, wenn du wüßtest, wer ich bin, wat eine schon mal gespürt hat von mir, dann würdest du nicht. Na, werden wir schon kriegen. Man sollte ein Beil nehmen und die Tür einhacken." (119) Selbst nach Miezes Verschwinden denkt er in seiner Starre nur daran, die anderen könnten ihn auslachen, und Eva wundert sich: „Daß du gar nicht betrübt bist, keene Träne, — Mann, ich könnte an dir rütteln" (400).

Nicht nur in seinem allgemeinen Verhältnis zur Umwelt, nicht nur in seiner provozierenden Renommiersucht, sondern auch in seinem Verhältnis zu Frauen erweist sich Biberkopfs verhängnisvolle, törichte Egozentrik als bestimmend. Ebenso wie im Frühwerk benutzt Döblin auch hier die erotische Beziehung, die ihrer Natur nach Hinwendung zum anderen Menschen, Hingabe und Fürsorge erwarten läßt, um gerade das Gegenteil sinnfällig zu machen: die Verkrampfung im Ich, die Unfähigkeit zur Liebe.

Über die auffällige inhaltliche Parallelität hinaus verbindet die Bücher II/III, V und VII der Umstand, daß sie mit einem Großstadt-Kapitel beginnen. Ferner wird, da auch das IV. Buch mit einem solchen Abschnitt beginnt, eine engere Verbindung zwischen diesem und dem V. Buch hergestellt; beide sind der Vorbereitung und Ausführung des zweiten Schlages gewidmet: Die Stadt wird für Franz wichtiger als bisher; die Faszination, die von Reinhold ausgeht, durchbricht die asoziale Abschließung gegen die Welt, wenn auch nicht eben zum guten. So ist auch zu verstehen, daß der Erzähler in das V. Buch noch ein weiteres Großstadt-Kapitel einfügt („Lokalnachrichten" — 205—209). — Über die Funktion dieser Episoden wird an anderer Stelle noch mehr zu sagen sein.

Eine Sonderstellung nimmt, wie schon gesagt, das IX. Buch ein. Zwar trifft den Helden, der eigensinnig auf Selbstzerstörung beharrt, hier ein vernichtender vierter Schlag; getötet aber wird nur der alte Franz Biberkopf; ein neuer Mann steht am Ende vor uns, einer, der sehend geworden ist, der seine Schuld erkannt und bereut hat, dessen Verhältnis zur Welt endlich in Ordnung gekommen ist. Die Motive beider Buch-Komplexe werden hier also vereinigt: Trotz, Selbstaufgabe, Unglück und Neubeginn. Alles aber bekommt nun auch einen anderen Sinn. Die Interpretation dieses Schlusses wird erst möglich sein, wenn wir die über die Wiederholungsstruktur hinausgehenden Verweisungszusammenhänge betrachtet haben, die Beispiel- und Parallelgeschichten, die Symbolepisoden und die versteckten Anklänge, deren Zusammenwirken die Geschichte vom Franz Biberkopf in ein magisches Licht taucht und eine sinnvolle Lenkung dieses Geschicks ahnen läßt.

### III. *Die Schaffung der exemplarischen Sphäre*

#### a) Symbolepisoden

Kaum eine Passage des Romans hat in solchem Maße zu Fehldeutungen Anlaß gegeben wie die Bibelparaphrasen zu Hiob und Abraham sowie die Schlachthofszenen im IV. Buch. Döblin selbst, der ja schon 1932 von der Grundidee seines Romans wieder abgerückt war und in seinen Mitteilungen für den „Lesezirkel" Biberkopfs Verschulden völlig unterschlug (BA 505—507), hat später immer wieder das Opferthema als die Kernidee des Buches bezeichnet [76], und die meisten Interpreten sind ihm darin ge-

---

[76] *BA 508; AzL 391; D 598*

folgt. Offensichtlich haben wir es hier mit einer Korrektur der Vergangenheit vom Standpunkt des Konvertiten aus zu tun. Bei genauerer Betrachtung stellt sich nämlich sehr schnell heraus, daß schon der Begriff „Opfer" hier ganz unangemessen ist. Opfer setzt einen Adressaten voraus oder doch zumindest einen Zweck, dem zuliebe man ein Übel auf sich nimmt. Die Ergebung in Gottes Willen, die innerhalb des biblischen Kontextes von Hiob und Abraham gefordert wird, kann Biberkopf gar nicht nachvollziehen, weil die göttliche Instanz im „Alexanderplatz" fehlt, weil dieses Buch eben nicht „Döblins erste christliche Dichtung" [77] ist. Im Gegensatz zu Martini und anderen hat Albrecht Schöne die Unangemessenheit des Begriffs erkannt, bleibt aber mit seiner nur leicht abgewandelten Deutung, die „Einwilligung" sei das Thema, im Bereich jenes grundsätzlichen Irrtums [78]. Soweit ich sehe, hat nur James Reid die Opfer-These kategorisch abgelehnt und die Schlachthof-Szenen mit Recht als Warnung interpretiert [79], während Schöne und andere dem Sterben des weißen Stiers und dem des Kälbchens Vorbildcharakter zusprechen [80].

Daß man sich dem Schicksal zu fügen habe, ist keineswegs die Lehre dieses Buches, sondern Biberkopfs Irrtum in jener Nacht, als man ihn zwingt, bei dem Einbruch mitzumachen; da heißt es: „Die Welt ist von Eisen, man kann nichts machen, sie kommt wie eine Walze an, auf einen zu, da ist nichts zu machen, da kommt sie, da läuft sie, da sitzen sie drin, das ist ein Tank, Teufel mit Hörnern und glühenden Augen drin, sie zerfleischen einen, sie sitzen da, mit ihren Ketten und Zähnen zerreißen sie einen. Und das läuft, und da kann keiner ausweichen." (229) — Immer wieder haben die Interpreten dieses Zitat herangezogen, ohne seinen Stellenwert zu beachten. Man verwies auf die Übereinstimmung mit einem Satz aus dem „Epilog" („Ich sah, wie die Welt — die Natur, die Gesellschaft — gleich einem tonnenschweren eisernen Tank über die Menschen, über den Menschen rollt." — AzL 387); dort ist aber vom „Wang-lun" die Rede, von den Werken vor der naturalistischen Wende. Am Schluß von „Berlin Alexanderplatz" dagegen heißt es ausdrücklich:

[77] so Muschg, *BA* 519.
[78] K 621, S. 444, 308 u. ö.
[79] K 620, S. 215 f. Links (K 558, S. 83 f) denkt grundsätzlich in dieselbe Richtung, verwendet aber noch die Termini „Opfer" und „Opferbereitschaft". — Neuerdings hat Bayerdörfer sich der Auffassung Reids angeschlossen (K 606, S. 329), und auch die Deutung von Volker Kotz geht in diese Richtung: „es fallen Berufsmetzger über stumpfe, unwissende Opfer her." (K 615, S. 413)
[80] Schöne, K 621, S. 307

„Da werde ich nicht mehr schrein wie früher: das Schicksal, das Schicksal. Das muß man nicht als Schicksal verehren, man muß es ansehen, anfassen und zerstören." (BA 501) Die Ablehnung des Glaubens an die „Welt aus Eisen" wird durch eine metaphorische Klammer noch stärker hervorgehoben: Im Rückblick auf das Geschehen sagt der Erzähler: „Wir sind eine dunkle Allee gegangen, keine Laterne brannte zuerst, man wußte nur, hier geht es lang, allmählich wird es heller und heller, zuletzt hängt da die Laterne, und dann liest man endlich unter ihr das Straßenschild." (499) Im Anschluß an die fatalistischen Reflexionen Biberkopfs aber hieß es: „Das zuckt im Dunkeln; wenn es Licht ist, wird man alles sehen, wie es daliegt, wie es gewesen ist." (229) Nur weil Franz hier noch blind ist, weil er hinsichtlich seiner Stellung in der Welt noch im dunkeln tappt, verfällt er dem Glauben an ein übermächtiges Schicksal.

Ebenso genau wollen die Schlachthof-Kapitel gelesen werden. Es ist zuzugeben, daß die Verquickung mit der Hiob-Paraphrase und die scheinbare Übereinstimmung mit der Abraham-Episode des VI. Buches die Deutung erschweren; niemand aber, der den Schluß in seiner Polarität ernst nimmt, kann die These von Opfer und Einwilligung akzeptieren. So stößt man bei dem Bemühen, den Roman vom Schluß her zu begreifen, sehr schnell auf die Einschränkungen und Umdeutungen in den Bibel-Paraphrasen, und man entdeckt, daß die Schlachthof-Szenen von ihrem Kontext her anders verstanden werden müssen, als das bisher meist geschah.

Etwas klarer wird die Absicht dieser Kapitel schon, wenn man den Vorabdruck in der Frankfurter Zeitung mit heranzieht. Dort folgt die Darstellung vom Tod des weißen Stiers (BA 151—153) unmittelbar auf ein Resümee über Biberkopfs Sauferei und seine Gleichgültigkeit bezüglich seiner Zukunft („ich kümmere mich um den ganzen Mist nicht mehr, ich schmeiß die Tür zu und sauf mich voll."); dem ist jene Rede des Todes nachgestellt, die in der Buchausgabe das 2. Kapitel von Buch IV einleitet (BA 136 f) [81]. Dem Schluß dieses Kapitels folgen die Schlachtung des Kälbchens (BA 157—159), ein zusammenfassender Bericht vom Besuch bei den Juden (BA 141—144) und die Geschichte vom Zimmermann Gerner (BA 159—171) [82]. Diese engere Verschachtelung der Schlachthof-Passagen mit der Biberkopf-Fabel läßt deutlich werden, daß sie der Kritik an Franzens Lethargie dienen, daß der Stier und das Kälbchen keineswegs vor-

[81] D 68, Nr. 680, S. 1
[82] ebd., Nr. 683, S. 1 f

bildliche Ergebung in das Schicksal demonstrieren, daß ihr Sterben vielmehr eine Warnung darstellt: so wird Franz enden, wenn er auf
seinem dumpfen Trotz beharrt. — In der Buchfassung fehlt zwar diese
Verschachtelung, aber der Erzähler unterstreicht seine Absicht mit der
sarkastisch-sachlichen Schilderung des Fleischerladens und der unmittelbar
darauf folgenden Anrede an Franz: „Wenn du dich nicht bald zusammen-
nimmst, wirst du ins Asyl gehen müssen. Und was dann, ja was dann."
(BA 153)

Durch diese Zusammenhänge aufmerksam gemacht, entdecken wir bald,
daß auch die Schlachthof-Episoden selbst mit der These vom Opfer nicht
in Einklang zu bringen sind. Niemand wird dem dumpfen Sterben der
naiv-lustigen Schweine (146—150) Vorbildcharakter zusprechen wollen;
welche andere Funktion aber soll diese ausgedehnte Schilderung haben
als eben die der Warnung? Was den Stier betrifft, so zitieren die Interpreten immer wieder den einen Satz: „Das Tier steht, gibt nach, sonderbar leicht gibt es nach, als wäre es einverstanden und willige nun ein, nachdem es alles gesehen hat und weiß: das ist sein Schicksal, und es kann
doch nichts machen." (151) Unbestreitbar strömt dieses Bild eine gewisse Würde aus; hier aber eine allgemeine Verhaltensnorm ableiten
zu wollen hieße die Dinge allzusehr vereinfachen. Nur in dieser bestimmten Situation kann das Tier trotz seiner Stärke tatsächlich nichts mehr
machen; es ist an die Sätze des Schlußkapitels zu erinnern: „Die Luft
kann hageln und regnen, dagegen kann man sich nicht wehren, aber
gegen vieles andere kann man sich wehren." (501) — Im übrigen folgt
jenem eindrucksvollen Satz die Einschränkung auf dem Fuße: „Vielleicht
hält es die Bewegung des Viehtreibers auch für eine Liebkosung, denn
es sieht so freundlich aus." (151) Sofort also wird das scheinbare Wissen
— und Wissen muß ja der Einwilligung vorausgehen — wieder in Frage
gestellt. Wenn wir dann noch lesen: „Der Hammer, von dem starken
Mann mit beiden Fäusten aufgehoben, ist hinter ihm, über ihm und dann:
wumm herunter." (151), so erinnern wir uns an die Überschrift zum VII.
Buch („Hier saust der Hammer, der Hammer gegen Franz Biberkopf"
— 331), an das Eingangskapitel des V. Buches („Rumm rumm wuchtet
vor Aschinger auf dem Alex die Dampframme." — 179), schließlich an
das „Wumm-wumm" des Sturmes nach Miezes Tod (389): Jene Schläge
treffen Biberkopf ja nicht etwa als unentrinnbares Verhängnis, sondern
weil er sich weigert, die Augen aufzumachen, zu erkennen, was er ist und
was er vermag.

Noch klarer stellen sich die Dinge in der letzten Schlachthof-Szene dar, die den Tod des Kälbchens schildert. Ausdrücklich wird betont, daß das „Opfer" nicht begreift, was vorgeht: „Das Tier hält geduldig, es liegt jetzt hier, es weiß nicht, was geschieht, [. . .] und weiß nicht, was das ist" (157) Die angeblich vorbildliche Geduld des Tieres beruht also gerade auf jenem Mangel an Erkenntnis, den der Tod am Ende Franz Biberkopf zum Vorwurf machen wird. Mit Worten wie „jämmerlich", „schrecklich" und „furchtbar" (158) kommentiert der Erzähler das Geschehen, und mit voller Absicht sind die Reminiszenzen an diese Szene in die Schilderung von Miezes Ermordung eingefügt (385, 387); niemandem wird es einfallen, im Zusammenhang mit der Tat in Freienwalde von „Einwilligung" zu reden.

Daß der Erzähler Biberkopfs Trott mit der dumpfen Instinktgebundenheit einer Sau gleichsetzt (314), erwähnte ich schon. Ebenso läßt er zu Beginn des V. Buches auf Franzens naive Stärkebekundungen eine Schlachthof-Reminiszenz folgen (188); an eben diesem Abend wird Biberkopf zum ersten Male Reinhold sehen. Schließlich finden wir noch einmal zu Beginn des VI. Buches eine Rückblende auf die Schlachthof-Szenen (245); auch hier ist die Absicht klar: der vorhergehende Satz konstatiert Biberkopfs „bedenkenlose Sicherheit".

Zweierlei also besagen die Schlachthof-Kapitel: sie stellen uns vor Augen, daß Franzens erkenntnislose „Stärke" zu einem dumpfen, einsichtslosen Untergang führen muß (der Prolog zum VIII. Buch lautet: „Es hat nichts genutzt. Es hat noch immer nichts genutzt. Franz Biberkopf hat den Hammerschlag erhalten, er weiß, daß er verloren ist, er weiß noch immer nicht, warum." — 391); zum anderen kennzeichnen sie innerhalb des IV. Buches Biberkopfs trotzige Selbstzerstörung, seine Flucht ins Saufen, als Abstieg auf die tierische Ebene.

Die Hiob-Paraphrase ist auf den gleichen Ton gestimmt. Nichts wäre falscher, als die von dem biblischen Dulder geforderte Einsicht mit der mehr oder weniger bewußten Einwilligung des Stiers und des Kälbchens gleichzusetzen. Was Hiob vorgeworfen wird, ist eben jenes Pendeln zwischen den Extremen, das wir an Biberkopf während seiner „Erholungen" beobachten konnten: „Du möchtest nicht schwach sein, du möchtest widerstreben können, oder lieber ganz durchlöchert sein, dein Gehirn weg, die Gedanken weg, dann schon ganz Vieh." (156) Auch Hiob beharrt auf seinem Ich, weigert sich, seine Stellung in der Welt zu erkennen („du kannst deine Augen nicht aufmachen, sie sind verklebt, sie sind verklebt." — 155). Auch ihn schmerzt am meisten der Nachweis seiner Kraft-losigkeit, die er nicht akzeptiert; er verlangt Heilung oder den Tod, Wie-dererlangung der Stärke also oder den Sturz in tierische Dumpfheit. Ihm wie Franz Biberkopf wird entgegengehalten: „Wer kann dir helfen, wo du selber nicht willst!" (156) Auch er schiebt einer Über-Macht die Schuld zu und sieht nicht, daß nur sein Stolz und seine Rechthaberei die Ursache für sein Unglück sind. In dem Augenblick, da er das begreift, da er seine Schwäche akzeptiert und auf sein Gesicht fällt, heilen die ersten Geschwüre (157). — Die Entgegensetzung: „dann schon ganz Vieh" zeigt deutlich, daß hier von einer anderen Ergebung die Rede ist als in den Schlachthof-Kapiteln [83]: es geht nicht um die fraglose Unterordnung unter ein unverstandenes Schicksal, sondern um die Erkenntnis des eigenen Ortes in der Welt, nicht um die Verwerfung des Ich, sondern um den Abbau der Ichverkrampfung, die den einzelnen blindlings zum Maß aller Dinge macht.

Ebenso ist die umgestaltete Geschichte von Abraham und Isaak zu ver-stehen. Anders als etwa in Kierkegaards „Furcht und Zittern" steht hier nicht Abraham im Zentrum, sondern der Sohn, der in der Bibel nichts als die stumme Nebenrolle zu spielen hatte [84]. Nicht daß Abraham in unerschütterlichem Gottvertrauen den einzigen Sohn, den Träger der Verheißung, zu opfern bereit ist, wird hier thematisch, sondern die Hal-tung Isaaks. Vater und Sohn wissen, daß Gott die Tat verhindern wird, daß es nur auf die grundsätzliche Bereitschaft Isaaks ankommt: „Du mußt nur wollen und ich muß es wollen, wir werden es beide tun, dann wird der Herr rufen, wir werden ihn rufen hören: Hör auf." (313) Auch in der Schilderung des Vorgangs selbst ist das Kausalverhältnis deutlich: „Der Sohn will es. Der Herr ruft." Die Bereitschaft, von sich abzusehen, sich ein- und unterzuordnen, hat hier ebenso Rettung und Erhebung zur Folge wie bei Hiob. Die Tiere im Schlachthof dagegen kamen so oder so unters Messer. Von eigentlicher Opferbereitschaft kann in der Abraham-Episode keine Rede sein, weil Isaak schon vorher weiß, daß er gerettet werden wird, daß man ihm nur eine, allerdings ernstgemeinte, Geste der Demut abverlangt; gefordert wird eine rein intellektuelle Anerkennung der Rangordnung in der Welt. — Auf Biberkopf übertragen bedeutet das

[83] Diese Bemerkung machen auch schon Becker (K 607, S. 54), Links (K 558, S. 84) und Reid (K 620, S. 215).
[84] Muschg legt fälschlich den Akzent auf Abrahams Selbstüberwindung (BA 527). Dagegen wendet sich bereits Reid (K 620, S. 223, note 5).

wiederum: er müßte nur den Mut haben, sich gedanklich und seelisch seiner Vergangenheit zu stellen, mit sich abzurechnen, und schon hätte er seinen Platz gefunden. Auch in der späteren Reflexion des Erzählers über die „Bußbank" wird die Bereitschaft zur Buße mit Isaaks Bereitschaft zur Hingabe identifiziert (343). Man wird diese Identifizierung problematisch finden, weil Hiob und Abraham ja gerade die urbildlichen Beispiele für die Prüfung Unschuldiger darstellen, während Biberkopf in der Tat schuldig ist. Diese Schwierigkeit besteht aber nur innerhalb der üblichen Betrachtungsweise; für Döblin liegt Schuld bereits im Beharren auf dem autonomen Ich, in der Welt-Vergessenheit.

Was in den Gleichnissen von Isaak und Hiob nur angedeutet werden kann, finden wir explizit in der Schrift „Unser Dasein": „Es muß der Weg in die völlige Vernichtung, die Auslöschung, die Zernichtung gegangen sein. [...] Dies mußt du fühlen: du mußt nicht die Ströme oder Berge ansehen, sondern das trockene Blatt, das vom Baume herunterflattert, und das kannst du zwischen die Finger nehmen und zerreiben, siehst du: das bist du. Jetzt erst ist das erfolgt, was erfolgen muß, ehe man eine einzige Bewegung machen darf, ehe man ein einziges Wort aussprechen darf: die Einreihung. Vorher hingst du wie Rauch über der Erde, warst nicht da und glaubtest etwas zu sein. Es war Besinnungslosigkeit. [...] es ist etwas Schweres geschehen, das erste, das dir überhaupt geschah — du weißt, und du bist. Du bist angekoppelt an das Sein. Die Zernichtung ist da. / Du bist angekoppelt an das Sein — und du bist. Du hältst noch das trockene Blatt in der Hand, zerreibst es, zerstäubst es, das bin ich, aber schon zittert es in dir: ich bin doch; es geht warm durch dich: ich bin nicht mehr als dies, aber ich bin" (UD 476); die folgenden Sätze sprechen von der Macht des Menschen und von der Stärke, zu der er verpflichtet ist. Nach Döblins damaliger Auffassung kann erst die Vernichtung des schlechten Individualismus den Weg frei machen für eine Neubegründung des Ich. Ohne Erkenntnis bleibt alle Stärke angemaßt und muß, wie im Falle Biberkopfs, zur Katastrophe führen. Erst der Mensch, der seine Schwäche erkannt hat, weiß auch um seine Stärke.

### b) Beispielerzählungen und Parallelgeschichten

Merkwürdig unklar scheint auf den ersten Blick die Geschichte des Zannowich, über deren Deutung sich die beiden Juden ja selbst in die Haare geraten. Wir haben hier eine weitere Ausformung jener Polaritä vor uns, die den Roman beherrscht. Nachum will Franz die Angst nehmen, ihm „die Augen aufmachen" (25) für die Welt: „die Hauptsache am Menschen sind seine Augen und seine Füße. Man muß die Welt sehen können und zu ihr hingehn." (24) Wir erinnern uns an das Bild von der dunklen Allee, die Biberkopf mit zusammengepreßten Augen entlangstolperte (499). Dies also will der erste Teil der Geschichte: Franz klarmachen, daß Angst eine Folge der Erkenntnislosigkeit ist: „Zu lernen ist von Zannowich Stefan, daß er wußte von sich und den Menschen." (25)

Der zweite Teil, Elisers Beitrag, versucht den Umschlag in das andere Extrem, in die Kompensation der Angst durch bramarbasierende Schein-Stärke, zu verhindern. Auch Zannowich scheitert, wie Franz und Reinhold, an seinem Hochmut („Dann hat er sich aufgeblasen" — 28), daran, daß er seine Stellung am Ende doch falsch einschätzt. Elisers Resümee lautet: „Man kann manchmal nicht alles, was man möchte, es geht manchmal auch anders." (30) — Diese doppelsinnige Lehre aber ist für Biberkopf zu kompliziert; er empört sich lediglich über das Ende Zannowichs, kräftigt sich an seinem Ärger und macht sich auf die Suche nach einem Kognak: „Wer ankommt, kriegt eins in die Fresse." (31)

Bei der zweiten Begegnung mit den Juden ist er schon wieder so oben-auf, daß auch Nachums deutliche Parabel vom Ball, der weiter flog, als der Werfer beabsichtigte (45), nichts mehr ausrichten kann: „Mein Ball fliegt gut, Sie! Mir kann keener!" (46)

Zwei andere Geschichten werden nicht dem Helden selbst erzählt, sondern sind als indirekter Kommentar in die Haupthandlung eingeflochten. Es handelt sich um die Erzählungen von Bornemann und von Brodowicz; beide finden wir im VII. Buch, das den vernichtenden dritten Schlag zum Inhalt hat. Bornemann wird vom Erzähler gleich zu Beginn mit Franz in Parallele gesetzt: auch er „fällt immer auf die Beine" (356) auch er „ist Ihnen die vollste Ruhe und Friedfertigkeit" (355). Die erste Aussage wird sofort durch die Geschichte selbst widerlegt: Bornemann, der sich als Otto Finke ein neues Leben aufgebaut hat, wird schließlich doch erkannt und von der Polizei geschnappt. Die warnende Absicht dieses Einschubs wird noch klarer, wenn wir den Kontext betrachten, der von Reinholds Unruhe spricht und davon, daß er Franz eins auswischen will (355, 357). Es folgt sein erster Besuch bei Mieze, und das anschließende Kapitel („Glänzende Ernteaussichten") wird immer wieder von Reminiszenzen an die Bornemann-Geschichte unterbrochen, und zwar in chronologischem Fortschreiten, was, da der Leser den bösen Ausgang ja schon kennt, die bedrohliche Wirkung noch verstärkt. Die ersten Absätze folgen den provozierenden Äußerungen Biberkopfs über die alte Frauentausch-Affäre (363); wenn Reinhold sich im Bett versteckt, tritt auch die Borne-mann-Geschichte in ihr kritisches Stadium: die Kripo beschließt, Finke zu überprüfen (365); kurz vor seiner Demaskierung sind wir angelangt, als Franz bemerkt, daß Mieze etwas auf dem Herzen hat (366); schließlich, nach jenem entsetzlichen Auftritt, zieht Reinhold schadenfroh ab — und Bornemann sitzt wieder im Gefängnis.

Bornemann war „getürmt", hatte sich der Verantwortung entzogen und mit den Papieren eines Toten eine neue, eine Scheinexistenz aufge-baut („den haben sie nachher den lebenden Leichnam genannt." — 356). Auch Biberkopf ist vor seiner Vergangenheit geflohen und lebt in einer Scheinsicherheit. Während Bornemanns Pech aber auf einem Zufall beruht, ist Biberkopf selbst schuld; der Tod macht es ihm später klar: „Was war dir ein Mensch, son Mensch wie eine Blume, und du gehst hin und prahlst mit ihr vor Reinhold. Vor dir der Jipfel aller Jefühle." (478) In ähnlicher Weise paraphrasiert die vergebliche Suche der Polizei nach einem gewissen Kasimir Brodowicz Miezes Versuch, etwas über Biber-kopfs „Unfall" zu erfahren. Diesmal sagt der Erzähler nicht direkt, wer da gemeint ist, aber das Signalement (gelbes Gesicht, schwarze Haare — 373) sowie der Kontext weisen klar auf Reinhold. Die Sätze: „Er hat vor 30 Jahren etwas verbrochen, man weiß aber nicht genau was, und da wird wohl noch weiter was geschehen, man ist nie sicher bei die Brüder" (372) lassen sich leicht auf Reinhold übertragen: das zurückliegende, nicht aufgeklärte Verbrechen ist sein Attentat auf Franz, das befürchtete zukünftige der Mord an Mieze. Diesmal vollzieht sich die Haupthandlung allerdings nicht parallel, sondern gegenläufig zu der Seitengeschichte: als Reinhold am Tag des Mordes zu Karl und Mieze stößt und Karl sich davonmacht, geben die Polizisten die Suche nach Brodowicz auf: „hier ereignen sich ja doch nur belanglose Sachen" (378). — Ein später Nachklang dieser Nebenerzählung findet sich in der Mitteilung, daß Reinhold nach der Tat unter dem ebenfalls polnischen Namen Moroskiewicz unterzu-tauchen versucht (455).

### c) Leitmotive

Die Tendenz, einen kürzeren oder längeren Handlungsstrang mit Stük-ken aus einem anderen Kontext zu verquicken, ihn auf diese Weise zu kommentieren und zu überhöhen, wird durch regelrechte Leitmotive noch verstärkt.

Die hauptsächlich auf das II. und das III. Buch beschränkten Motive, die Paradies-Paraphrase und das „Hänsel und Gretel"-Zitat, erwähnte ich schon. Beide zusammen sind dem II. Buch vorangestellt (49) und kritisieren Biberkopfs töricht-anmaßenden Umgang mit der Welt; tatsächlich handelt er ja so, als lebe er im Paradies, in einer für ihn zurechtgestellten Welt. Nach jener Szene gedankenlos-rülpsender Fröhlichkeit in der Hasenheide erfahren wir, daß Franz nun völkische Zeitungen handelt: „Er hat nichts gegen die Juden, aber er ist für Ordnung. Denn Ordnung muß im Paradiese sein, das sieht ja wohl ein jeder ein." (85) Eben dieser Entschluß aber führt ja zum Bruch mit den alten Freunden und zu jener augenblickshaften Erkenntnis: „es ist etwas nicht in Ordnung in der Welt"; ironisch schaltet der Erzähler ausgerechnet in diesem Augenblick das Paradies-Zitat ein (100). Wenn Franz sich törichterweise wieder beruhigt, heißt es: „Mit den Händchen klapp, klapp, mit den Füßchen trapp, Fische, Vögel, ganzen Tag, Paradies." (102) — Hatte das Motiv bisher Biberkopfs Haltung nur im allgemeinen kritisiert, so wird es im III. Buch spezieller: Lüders erscheint als die Schlange, die den paradiesischen Zustand zerstört (117 f) und verflucht wird (144). Noch einmal erklingt das muntere Kinderlied nach dem erzwungenen Besuch des kleinen Lüders, wenn Biberkopf die Wohnung verläßt und sich trotzig, wie Kinder auf Verweigerungen eben reagieren, in seine Höhle verkriecht (126).

Auch andere Motive haben einen solchen vergleichsweise schmalen Aktionsradius [85]. Der Vers 3,19 aus dem Prediger Salomo [86] begegnet zwar schon in zwei Kapitelüberschriften des IV. Buches (145, 157); was aber dann leitmotivischen Charakter gewinnt, ist nicht dieser Vers, sondern sind hauptsächlich die Zeilen 3,1—7. Sie paraphrasieren Miezes letzten Spaziergang mit Reinhold und ihre Ermordung (380, 381, 382, 384, 386, 387). Im 1. Kapitel des VIII. Buches werden diese Zeilen mit den Versen 1 und 2 des 4. Hauptstücks verbunden (400), die dann in drei Überschriften wiederkehren (417, 423, 425). Wenn Franz sich in Buch dem Schmerz hinwirft, erscheinen noch einmal die Sätze, die Miezes Sterben begleiteten (487).

[85] Auf zwei sehr intensive, für ein Leitmotiv aber doch zu kurz zielende Wiederholungskomplexe sei beiläufig hingewiesen; den einen bildet die Schilderung der Ermordeten am Ende des VII. Buches (387 f; 393, 412, 417), den anderen Biberkopfs Klage über die „verfluchte Jagd" (442, 443, 449, 463).

[86] Über die Herkunft sämtlicher Bibelzitate gibt Hülse Auskunft (K 613, S. 75 f).

Auch das Sturm-Motiv verbindet Miezes Tod mit dem Untergang des alten Franz Biberkopf. Schon in der dunklen Vordeutung vor der Diebestour heißt es: „Der Wind zerrt an dem Wald" (216). Am Ende des VII. Buches, nach dem Mord, entsteht dann wirklich ein Sturm (388 f), und im IX. Buch wird die Naturmacht in den Sturmgewaltigen personifiziert (463 f, 466 f, 473); wörtliche Wiederholungen („Der Wind macht nichts weiter als seine Brust ein bißchen weit." — 388; „der Wind macht seine Brust weit" — 462) und eine Reminiszenz an Miezes Worte („ich bin deine, komm doch, wir sind bald da" — 463) unterstreichen den Zusammenhang.

Auf Reinhold, auf die Verderben bringende Macht, bezieht sich das Lied vom Schnitter Tod. Es erscheint erstmals während des Gesprächs über die Weiberplage, als Franz beginnt, sich ernstlich mit Reinhold einzulassen (201). Wiederaufgenommen wird das Lied, wenn Franz erzählt, wie es zu dem „Unfall" kam (248, 249), wenn er sich erneut in „Stärke" verkrampft (264), wenn er sich zum Verbrechen und zur asozialen Autonomie bekennt (296). Während des Spaziergangs und während des Mordes steigert der Text sich zu höchster Expressivität (379, 387). Er kehrt wieder in der bösartigen Auseinandersetzung Reinholds mit dem Klempnerkarl (408), wenn Franz den Mordbericht gelesen hat (422), wenn er sich in Buch von den Kriminalbeamten Reinholds Unternehmungen berichten läßt (491) und wenn das Urteil gegen Reinhold gefällt wird (499). Die beiden letzten Zitate zeigen Biberkopfs Wandlung an; nun hat er begriffen, daß sein Kampf mit Reinhold falsch war, und darum taucht nun erstmals die Schlußzeile auf: „Hüt dich, blau Blümelein." (491); die letzte Reminiszenz gilt nicht mehr der Kampfsituation mit Reinhold, sondern dem Gedenken an Mieze: „Es ist ein Schnitter, der heißt Tod, ich bin deine, lieblich ist sie zu dir gekommen, hat dich beschützt, und du, Schande, schrei Schande." (499).

Entgegengesetzte Funktionen haben die Metapher von der Kobraschlange und das Bild der rutschenden Dächer. Stark wie eine Kobraschlange nennt der Erzähler seinen Helden im Schlußkapitel des II. Buches (103) [87], und „Kobraschlange" bleibt das Kennwort für Biberkopfs eingebildete Stärke (139, 259, 325, 328 f, 419 u. ö.). — Das Bild der rutschenden Dächer da-

---

[87] Schon Anne Jennings verweist mit Recht darauf, daß wohl eher eine Boa gemeint ist (K 575, S. 138). — Im Hörspiel vergleicht der Tod Franz mit einer Riesenschlange (D 56, S. 28).

gegen steht von Anfang an (15, 16) für die Angst vor der unverstandenen Welt. Solange Biberkopf auf seiner anmaßenden Blindheit beharrt, kann er keinen richtigen Maßstab für die Beurteilung seiner Umwelt finden; entweder unterschätzt er sie und bildet sich ein, ihm könne nichts geschehen, oder er sieht sie als bedrohliches Ungeheuer, als übermächtiges Schicksal. Mehrmals packt ihn die Erinnerung an die Beängstigung des Anfangs (99 f, 140, 144, 246, 250), oder der Erzähler verweist auf dieses Grunderlebnis (261). Mehrmals aber versucht er auch, jene schreckliche Erfahrung zu negieren, zu verdrängen: „ich muß nen Zuchthausknall gehabt haben." (277) Auf seinem Marsch zu Reinhold redet er sich ein: „Die Häuser stehen still, der Wind weht wo er will." (320), und mit derselben Metapher kommentiert der Erzähler die Scheinerholung am Ende des VI. Buches, die in Wahrheit ein Rückfall ist: „Jetzt schwanken bei ihm keine Dächer mehr" (328). Schon am Ende der Lüders-Affäre, bevor er sich verkroch, hatte Franz auf seine Stärke gepocht und sich einzureden versucht: „Kein Häusereinstürzen, kein Dächerrutschen, das liegt hinter uns, Ein Für Allemal Hinter Uns." (126) Am Schluß erst, nach seiner Wandlung, stellt der Erzähler mit Zustimmung fest: „Die Häuser halten still, die Dächer liegen fest" (493).

In Verbindung mit dem Dächer-Motiv erscheint mehrfach das Lied von der Wacht am Rhein (246, 250); Franz sang es ja zu Anfang, um seiner Angst Herr zu werden (17). In Henschkes Kneipe bildet er sich ein, diese Beirrung hinter sich zu haben, und singt aus Trotz gegen seine ehemaligen Freunde (95 f, 98). Auch bei seinem Gang zu den Juden richtet er sich an der Anfangszeile auf (140). Schließlich begegnet das Zitat noch in der Weltkrieg-Vision im Triumph des Todes (489) und, travestiert, gerade deshalb aber erstmals ernstgemeint, als Überschrift des vorletzten Kapitels (492).

In denselben Umkreis gehören das Marsch- und das Kriegsmotiv. Zunächst erfahren wir in der Auseinandersetzung mit Dreske, daß Biberkopf Soldat in Frankreich war (87 f). Er scheint damals, wohl bei Ausbruch der Revolution, zusammen mit Dreske desertiert zu sein (87, 90), ist aber von dem, was dann in der Republik geschah, enttäuscht; später stimmt er der Meinung eines jungen Schwadroneurs zu, man solle den Kriegskrüppeln keine Rente zahlen, weil sie Opfer eigener Dummheit geworden seien (270 f). Der wahre Kern dieses Gedankens kehrt in den Schlußpassagen wieder: „Wenn Krieg ist, und sie ziehen mich ein, und ich weiß nicht warum, und der Krieg ist auch ohne mich da, so bin ich schuld, und mir geschieht recht." (501) Hier ist „Krieg" bereits zur Metapher für das Leben überhaupt geworden.

Die Ablehnung des Völkerkrieges hindert Franz nicht, gegen seine Umwelt eine Art Privatkrieg zu führen. Kriegsmetaphern stehen hier ebenso wie das Marschieren für die hochmütige Ichverkrampfung. Biberkopf bläst den wohlmeinenden Juden den „Abschiedsmarsch" (139), führt einen „Verteidigungskrieg gegen die bürgerliche Gesellschaft" (289), und die Unbedenklichkeit, mit der er Reinhold glaubt erziehen zu können, spiegelt sich in den Kommandos: „Das Ganze halt. In Reihen formiert. Rechts schwenkt, marsch." (214) Besonders wichtig wird das Motiv im VI. Buch, wenn Franz sich ganz verhärtet, nur noch stark sein will (259, 263, 264, 268, 309 f) und schließlich, in dem Kapitel „Vorwärts, Schritt gefaßt, Trommelgerassel und Bataillone" (320), zu Reinhold marschiert, sich auf dem Weg zu ihm mit Marschliedern und Kriegsreminiszenzen Mut zu machen sucht. Mit Recht also fühlt Reinhold sich attackiert, und auch der Erzähler sieht seinen Helden auf dem „Kriegspfad" (329). Herberts Vermutung: „der hat einen Plan, det is ein ganz Geriebener." (355) und die Befürchtungen der beiden Frauen werden in einer ironischen Schlachtschilderung gespiegelt (ebd.). Noch durchsichtiger wird der metaphorische Charakter dieser Militärsprache im VIII. Buch. Erwähnt seien die beiden vorletzten Kapitelüberschriften (430, 437), die Schilderung des Polizeiautos als Kriegswagen (445) und Biberkopfs Angabe, den Arm habe er im Krieg verloren, eine Aussage, die nur oberflächlich unwahr ist, zumal Franz sofort verallgemeinert: „Der Krieg hört nich uff, solange man lebt" (443). — Beendet wird dieses Motiv vom Privatkrieg mit der höhnischen Feststellung des Todes: „Den Krieg jetzt haste verloren, Jungeken." (478)

Falsch war Biberkopfs Anmaßung, mit der Welt allein fertig werden zu können, richtig aber sein Gefühl, das Leben sei ein Kampf; von diesem Gefühl her widerlegt er schon selbst, ohne es zu bemerken, die freche Vertrauensseligkeit des Anfangs, die im Paradies-Motiv gespiegelt wurde. Von dem richtigen Kern seiner Überlegungen her ist es zu verstehen, daß auch am Ende noch von Krieg und Marschieren die Rede ist, im Triumph des Todes und in der Schlußpassage. Biberkopf weiß jetzt, daß das Leben ein „höllisches Ding" ist (259), daß es darauf ankommt, die Augen offenzuhalten („Es wird überall herum um mich meine Schlacht geschlagen, ich muß aufpassen" — 500), daß die Welt weder in asozialer Abkapselung noch in blinder Vertrauensseligkeit bestanden werden kann. Die Zeile aus „Reiters Morgenlied" (489) erinnert noch einmal an die Vorgänge im

III. Buch, die mit Versen aus eben diesem Lied kommentiert wurden und das erste Desaster der gedankenlos-hochfahrenden „Anständigkeit" vorführten.

Biberkopfs fehlendes Augenmaß für den „richtigen Nebenmann" wird am Beispiel des Liedes vom guten Kameraden vorgeführt. Franz singt es ausgerechnet in jener Szene, die zum Bruch mit seinem alten Freund Dreske führt (95 f), und es erscheint wieder, wenn er zu Reinhold marschiert (320, 321), zu jenem Mann also, den als „Kameraden" anzusehen ein entscheidender Fehler war. Noch am Schluß, in der Schilderung der Gerichtsverhandlung, ist im Zusammenhang mit dem Lied von Biberkopfs merkwürdiger Anhänglichkeit an Reinhold die Rede (498). — Schon im IV. Buch hieß es, als Franz die Einbrecher beobachtete: „Eine Kugel kam geflogen, gilt sie mir oder gilt sie dir" (160). Offensichtlich regt sich hier eine Art Solidaritätsgefühl, eine Faszination durch das Verbrechen, von der Gerners Schicksal ihn dann allerdings wenigstens vorläufig heilt; diesmal gilt die Kugel noch dem anderen.

Als Nachum den verängstigten Biberkopf in die warme Stube geführt hat, betrachtet der Rebbe ihn mit funkelnden Augen und assoziiert: „Sprach Jeremia, wir wollen Babylon heilen, aber es ließ sich nicht heilen. Verlaßt es, wir wollen jeglicher nach seinem Lande ziehen. Das Schwert komme über die Kaldäer, über die Bewohner Babylons." (19) Diese Sätze stellen den Keim für das Leitmotiv von der Hure Babylon dar, das uns im VI. Buch erstmals begegnet; aber auch die Verbindung mit Jeremias darf nicht übersehen werden. Anders als der Prediger Salomo wird der Prophet nicht nur zitiert, sondern auch beim Namen genannt, so auch in jenen Versen, die das Unheil des 8. April beschwören: „Verflucht ist der Mann, spricht Jeremia, der sich auf Menschen verläßt" (215, 231) [88]. Aber Biberkopf läßt sich, mit jenem Zitat zu sprechen, nicht „heilen" und rennt in sein Unglück. Nach dem zweiten Schlag wird er sich der Hure Babylon ergeben, und auch über ihn muß erst das Schwert (der Hammer, das Beil) kommen, ehe er sich „bekehrt". Mit jener augenblickshaften Reminiszenz hat der Rabbi einen tiefen Blick ins Herz unseres Helden getan.

Das 17. Kapitel der Apokalypse, dem Döblin die Zitate über die Hure Babylon entnahm, endet mit dem von Döblin nicht angeführten Vers:

---

[88] Ein weiteres, anonym bleibendes Jeremias-Zitat findet sich im Zusammenhang mit dem Lied vom Schnitter Tod (296).

„,Und das Weib, das du gesehen hast, ist die große Stadt, die das Reich hat über die Könige auf Erden." (Offb. 17, 18) Wenn Julius Bab, Axel Eggebrecht und andere die Hure Babylon mit der Großstadt identifizierten [89], so hatten sie wohl diesen Zusammenhang im Auge. Eine derartige Deutung ist aber allzu einseitig und impliziert eine Ablehnung der Großstadt, die in solcher Eindeutigkeit bei Döblin keinesfalls konstatiert werden kann [90]. Mit Recht haben daher Muschg und Becker jenen Bezug zwar nicht geleugnet, die allegorische Figur aber allgemeiner verstanden als Sinnbild für das Versinken im Bösen [91]. Die Hure erscheint ja in dem Augenblick zum erstenmal, da Biberkopf seinen Entschluß zur Anständigkeit revidiert (260). Der zweifellos vorhandene Bezug zur Großstadt wird dadurch verstärkt, daß der Erzähler auch Babylon in jener Reflexion aufführt, die Muschg sehr glücklich eine „Gaukelpredigt über die Vergänglichkeit der großen Städte" genannt hat (BA 181) [92]. Die Hure Babylon repräsentiert die Stadt, aber nur insoweit, als sie Biberkopfs neuer Sehweise entspricht, als sie ein Ort des Betruges und anderer Verbrechen ist. Dieses Symbol hat also eher subjektiven Charakter, denn Biberkopfs neue Perspektive ist ja ebenso einseitig und auf persönliche Unzulänglichkeit gegründet wie die erste, in der die Welt als problemloses Paradies erschien.

Das Bild der Hure begleitet leitmotivisch die Stationen von Biberkopfs Verbrecherlaufbahn; sie erscheint, als er Hehler wird (277 f) und bevor er zu Reinhold marschiert (320); sie frohlockt, als er nach Miezes Tod immer noch keine Einsicht zeigt (419, 425), und erscheint in Buch, um den ihr Verfallenen an sich zu reißen (467). Dem Tod aber gelingt es, Franz zu Einsicht und Reue zu bewegen; damit hat die Hure das Spiel verloren und wird endgültig vertrieben durch den Anblick der Szenen, die der Tod aus seinem Mantel hervorzaubert.

Zum Schluß sei noch auf ein Motiv hingewiesen, das fast alle Interpreten bisher vernachlässigt haben, die Reflexionen über die Sonne nämlich. Einzig Elisabeth Seidler-von Hippel (die der Einordnung ins Kollektiv freilich allzu große Bedeutung beimißt) hat darauf aufmerksam gemacht, daß diese Gedanken auf das Verhältnis des einzelnen zum Kollek-

---

[89] K 90, S. 644; K 97, S. 5. Neuerdings vertritt Ziolkowski wieder diese Ansicht (K 626, S. 113, 134).
[90] s. o. S. 106 f.
[91] BA 520, 521; K 607, S. 61, 91
[92] Muschg, BA 520

tiv angewendet werden können [93]. Diese Interpretation ist zu erweitern, da hier nicht nur das Verhältnis zur menschlichen Umwelt, sondern das zur Welt überhaupt formuliert wird.

Mitten in der politischen Diskussion bei Henschke erscheint die erste dieser Reflexionen: uralt ist der Sonnenschein, unendlich weit entfernt seine Quelle, „und eigentlich wirkt alles vergänglich und bedeutungslos, wenn man ihn sieht." (89) Geradezu geblendet ist der Erzähler, wenn er seinen Blick zurück auf Franz und Dreske lenkt: „Zwei große ausgewachsene Tiere in Tüchern, zwei Menschen, Männer, [...] halten sich senkrecht auf ihren unteren Extremitäten in Hosen, stützen sich auf das Holz mit den Armen, die in dicken Mantelröhren stecken." (89 f) — Diese scheinbare Abwertung des Menschen und seiner Probleme im Angesicht der gewaltigen Natur kehrt am Ende des V. Buches zunächst wieder: „Wenn so die Sonne aufgeht und man sich freut, sollte man eigentlich betrübt sein, denn was ist man denn, 300 000 mal so groß wie die Erde ist die Sonne, und was gibt es alles noch für Zahlen und Nullen, die alle nur sagen, daß wir eine Null sind oder gar nichts, völlig nichts." (232) Dann aber wird demgegenüber die Position des Ich aufgebaut: „man freut sich und kann zeigen, was man ist, man tut, man erlebt. [...] Es muß ein Irrtum, ein Fehler sein in den schrecklichen Zahlen mit den vielen Nullen." Der dritte Absatz relativiert die Angaben des ersten und löst die gewaltige Sonne in unser Erleben auf: „Du bist nicht groß, du bist nicht klein, du bist eine Freude." (233) — Folgerichtig heißt es am Schluß, nach einer Parodie auf Cäsar Flaischlen: „Solche Sonne, eine andere freilich, hat auch Biberkopf in sich" (496).

Die Sonne steht hier für die Welt überhaupt, und die naive Freude an ihrem Licht wie die Furcht vor ihrer Größe und Gewalt bezeichnen die beiden Extrempole von Biberkopfs Fehlverhalten, sein Schwanken zwischen gedankenloser Hochstimmung und abergläubischer Schicksalsverfallenheit. Man muß wissen um Macht und Größe der Welt, aber man muß auch den eigenen Platz behaupten.

[93] K 622, S. 273

## d) Weitere Verweisungszusammenhänge

### 1. Wetterparallelen

Sehr häufig schiebt der Erzähler Wetterberichte ein, die nur äußerlich die herkömmliche Form verlassen, im übrigen aber ebenso wie die Wetterangaben im traditionellen Roman symbolische Funktion haben. Für die beiden Unglückstage, an denen der zweite und der dritte Schlag eintreffen, wird sogar auf die üblichen Mittel solcher Verweisung zurückgegriffen. Das Kapitel „Sonntag, den 8. April 1928" beginnt mit Biberkopfs Frage: „Gibt es Schnee [. . .] ?" (216) Ebenso wie das imaginäre Glockenläuten ist auch der Wettersturz Anzeichen kommenden Unheils; aber Franz kommt nicht weiter, als sich über beides zu wundern. — Am Anfang des VII. Buches, das mit dem Mord an Mieze und einem Sturm schließt (388 f), hören wir: „Das Wetter in Berlin ist kühler, es pladdert oft, [. . .] öfter brechen sich auch Menschen dabei allerhand, das kommt vom Wetter." (333) Zwei Seiten weiter wird das Wetter schon wieder „überaus schlecht" genannt (335), und die Überschrift des folgenden Kapitels lautet: „Der Zweikampf beginnt! Es ist Regenwetter" (339). Kurz darauf wird zwar eine Wetterbesserung angekündigt (Franz macht mit bei Pums und hat Erfolg), sogleich aber heißt es, „daß die eingetretene Besserung des Wetters nicht von Bestand sein wird." (346)

Dieselbe Funktion haben die Angaben zu Beginn des V. Buches („Hundekälte", „Eisige Luft" — 179) und innerhalb von Buch VIII: von einem Sturmtief ist die Rede (416), von unaufhörlichem Regen (430, 432); der Zusammenhang mit dem Mord ist deutlich.

Versteckter ist der Sinn jenes Naturbildes, das am Anfang der Schlachthof-Szenen steht: „Die Bäume draußen sind kahl, es ist Winter, die Bäume haben ihren Saft in die Wurzeln geschickt, warten den Frühling ab." (146) Mit einigem Recht darf man hier wohl an Biberkopf denken, der sich steif macht (144) und unklar überlegt: „Ich werd es vielleicht so machen, daß ich im Februar, im Februar oder März, März ist richtig —." (137)

### 2. Symbolische Zwischentexte

Auffällig sind einige Passagen, die scheinbar ohne jeden Zusammenhang plötzlich von ganz anderem zu sprechen beginnen. So heißt es mit-

ten im Schlußkapitel des V. Buches, nach der letzten töricht-provozieren-
den Äußerung Biberkopfs: „Das Leben in der Wüste gestaltet sich oft
schwierig. / Die Kamele suchen und suchen und finden nicht, und
eines Tages findet man die gebleichten Knochen." (228) Der über die
Assoziationen von Dummheit und Tod hinausreichende Zusammenhang
erschließt sich, wenn wir uns der zuvor und nachher nochmals zitierten
Jeremias-Verse erinnern: wer sich auf Menschen verlasse, der weile im
Dürren, „in der Wüste" (215), er gleiche einem Verlassenen in der Steppe
(231). Vom Kontext des Kamel-Zitates her wird die Warnung also präzisiert: Sich auf Menschen verlassen besagt hier: sich darauf verlassen,
daß andere dumm oder langmütig genug sind, sich Überheblichkeit und
Gängelei gefallen zu lassen.

Die zunächst rätselhaften Ausführungen über die Verwandlung von
Stärke in Zucker (397 f) hat schon Albrecht Schöne zu Recht auf Biberkopfs Wandlung in Buch bezogen [94]. — Das Pendant hierzu ist in der
Geschichte vom Brotbacken zu sehen, die ohnehin eng mit dem Todesgespräch verbunden ist (481, 484, 487); hier vollzieht sich die Entwicklung nicht wie im ersten Beispiel unter dem Einfluß der Kälte, sondern
unter dem der Hitze. Kaum bedürfte es der Bestätigung bei Sigmund
Freud, daß der Ofen ein über den Traum hinaus wirksames Symbol
für den Mutterleib ist [95], um deutlich werden zu lassen, daß diese Geschichte den Charakter von Biberkopfs Wandlung als einer Neugeburt
unterstreicht.


3. Die Transparenz der Großstadt-Episoden

Zunächst scheint es so, als ob die Großstadt-Episoden, d. h. vor allem
die Einleitungskapitel der Bücher, II, IV, V und VII, das Kapitel „Lokalnachrichten" (205—209) und der Schluß des Eingangskapitels von Buch
VIII (397—400), — als ob diese Passagen lediglich ein Bild der Stadt,
der Umwelt des Helden, zeichnen wollten. Zweifellos erfüllen sie auch
diese Funktion, aber das erschöpft ihre Bedeutung nicht. Bei näherem Zusehen erweist sich etwa das Einleitungskapitel zu Buch V als ein Bündel
von Vorverweisen und anderen Bezügen.


[94] K 621, S. 304
[95] Sigmund Freud, „Vorlesungen zur Einführung in die Psychoanalyse" (Gesammelte
Werke, Bd. IX, London 1949), S. 157, 164 f

Daß der Dampframme ein symbolischer Sinn zukommt, erhellt auch aus dem Vergleich mit dem Drama „Die Ehe", das unmittelbar nach dem Abschluß des Romans geschrieben, wenn auch erst 1931 veröffentlicht wurde [96]. Projektionen untermalen dort den Tod der jungen Frau: ein brennendes Haus, ein entgleisender Zug und eben eine auf und nieder sausende Dampframme [97]. — Die Freude der Zuschauer an der Arbeit der Ramme („ratz kriegt die Stange eins auf den Kopf. Nachher ist sie klein wie eine Fingerspitze, dann kriegt sie aber noch immer eins, da kann sie machen, was sie will." — BA 179) spiegelt ebenso wie der Refrain „Ich schlage alles, du schlägst alles" (180) Biberkopfs naives Stärkegefühl [98], gleichzeitig aber auch die Bedrohung, in der er lebt; „ich schlage alles, du schlägst lang hin" und „Ich zerschlage alles, du zerschlägst alles" heißen die Abwandlungen des marktschreierischen Reklamesatzes. Auch Franz kriegt am Schluß des Buches eins auf den Kopf (232), während er hier noch in aller Harmlosigkeit sagt: „Kuck dir drüben die Ramme an, stell dir vor, die fällt dir auf den Kopf, was brauchste dann noch groß nachzudenken?" (186) — Noch deutlicher wird auf das Ende des V. Buches angespielt, wenn der Hausdiener Adolf Kraun sich angesichts der Zementmaschine überlegt: „Man möchte nicht so aus dem Bett geschmissen sein, Beine hoch, runter mit dem Kopf, da liegst du, kann einem was passieren" (183). Exakter könnten die Angaben kaum sein: „Um diese Zeit lag Franz schon in einer andern Stadtgegend auf dem Boden, den Kopf im Rinnstein, die Beine auf dem Trottoir." (219)

Von den Wetterangaben in diesem Einleitungskapitel sprach ich schon, und auch die „Gaukelpredigt" umspielt ja das Todesmotiv, knüpft mit dem Zitat „von Erde bist du gekommen, zu Erde sollst du wieder werden" (181) an die Lüders-Affäre an (126), verweist gleichzeitig auf die tatsächlich lebensgefährlichen Ereignisse, die folgen.

Die Schilderung der Menschenmassen schließlich, die Frage: „Was in ihnen vorgeht, wer kann das ermitteln", die Reflexion über den Unfug des Bücherschreibens (183): diese Passagen sollen ex negativo unseren Blick wieder auf Franz Biberkopf und sein exemplarisches Geschick lenken, was ja auch die Absicht jener langwierigen Ausführungen über „Coeur-Bube" im Kapitel „Lokalnachrichten" ist (207—209).

[96] vgl. D 55, S. 6.
[97] ebd., S. 35
[98] Auf S. 183 werden beide Motive verbunden: „Rumm rumm ratscht die Ramme nieder, ich schlage alles".

Dieses Kapitel, eingerahmt von düsteren Vordeutungen über Reinholds Haß und seine Mordabsichten (205, 209), beginnt mit einem positiven Wetterbericht (der sich freilich bereits auf die Woche *nach* dem „Unfall" bezieht) und erzählt dann vom Selbstmord eines Liebespaares und von einer Straßenbahnkatastrophe; abschließend zu diesem letzteren Fall heißt es: „so befinden sich alle bei dem Unfall schwerverletzten Personen auf dem Weg der Besserung." (206) Hier hat der Erzähler ebenfalls schon den Anfang des VI. Buches im Auge, das die allmähliche Erholung Biberkopfs darstellt.

Die Nachrichten am Schluß des dritten Kapitels von Buch VI (257 f) enthalten wieder eine Fülle von Anspielungen. Man mag darüber streiten, ob der Absturz des Luftschiffes „Italia" Böses bedeutet oder ob die badisch-schwedische Verlobung auf Mieze und Franz zu beziehen ist. Unzweifelhaft aber spielt der Schlagertext („küß ich die erste, denk ich an die zweite und schau verstohlen schon zur dritten hin.") auf Reinholds Frauenverbrauch an, und Charlie Ambergs Couplet („Ich reiß mir eine Wimper aus und stech dich damit tot.") weist ebenso wie der Bericht über den Mädchenmörder Rutowski, wenn auch in burlesker Form, auf den Schluß des VII. Buches voraus. Auch die Warnungen der Reichsbahndirektion („Achtung, Vorsicht, nicht einsteigen") gehören hierhin.

Daß die „Schicksalstragödie des Fliegers Beese-Arnim" (333) aus dem Einleitungskapitel des VII. Buches auf das Drama um Franz, Mieze und Reinhold zu beziehen ist, hat schon Albrecht Schöne angemerkt[99]. Die Arbeitsgerichtsverhandlungen (336 f) mag man mit dem Prozeß gegen Reinhold in Verbindung bringen; bedrohlich ist jedenfalls der trübselige Bericht des gemütskranken Mädchens, das sich den Tod wünscht (338 f); der Satz: „Wenn ich dann trotz aller Anstrengung doch nicht zurechtkomme im Leben, dann werde ich verzweifelt und weine dann sehr." (339) nimmt Biberkopfs Reaktion im VIII. Buch vorweg.

Wieder betont der Erzähler indirekt das Exemplarische am Schicksal seines Helden, wenn er schreibt: „Wer sich viel mit den kleinen Existenzen befaßt hat — und schließlich ist ja auch Franz Biberkopf kein berühmter Mann —, fährt auch gern mal nach dem Westen und sieht, was es da gibt." (335); da gibt es nämlich nichts anderes als im Osten auch: minuziös schildert Döblin einen Eß- und Verdauungsvorgang und resü-

---

[99] K 621, S. 305 f. Auch auf die Bemerkungen über das U-Boot-Unglück („was tot ist, ist tot." — BA 326) sei in diesem Zusammenhang hingewiesen.

miert: „Warte, mein Junge, warte, balde gehst du denselben Gang hier zurück an die Tür, wo dransteht: Für Herren. Das ist der Lauf der Welt." (336) Die Grundstruktur des Lebens bleibt, wie dieses komisch-banale Beispiel zeigt, überall gleich, und man braucht weder Könige noch Filmproduzenten zu bemühen, wenn man ein „wahres, aufhellendes Dasein" vorführen will; da genügt auch ein „gewöhnlicher Mann" wie der Franz Biberkopf.

Im VIII. Buch, nach dem schrecklichen Ende jenes „Zweikampfs" (339), erfahren wir vom Boxsieg Tunneys über Dempsey (397); es folgen der schon erwähnte Absatz über die Verwandlung von Stärke in Zucker sowie Zeitungsmeldungen über Unglücke. Dazu kontrastiert die platt-obszöne Lustigkeit der beiden Berliner und ihrer Nutte (398 f): ein verzerrter Nachklang zu Miezes Nachmittag mit Karl und Reinhold im Kurpark von Freienwalde (374 f). Die Ausführungen über den staatlich geschützten Fötus im Bauch mancher Passantinnen (399) stehen in demselben Zusammenhang. Mieze hatte ja gewünscht, daß Eva ein Kind von Franz bekäme, und eben ist Eva, tatsächlich schwanger, im Kino ohnmächtig geworden (396); am Schluß werden wir erfahren, daß auch in diesem Fall der staatliche Schutz eine Farce war: „Und das Kleine, das sie von ihm erwartet hatte, ist auch nicht gekommen, sie hat gekippt" (496 f).

Von dem Kaufhaus Hahn, das zu Beginn des V. Buches Anlaß zu jener „Gaukelpredigt" gegeben hatte, heißt es, es sei jetzt „ganz runter" (399): bald wird Franz wissen, daß Mieze ermordet worden ist. Am Schluß, wenn er sein neues Leben beginnt, lesen wir: „da buddeln sie den Schutt vom Kaufhaus Hahn aus, viele Schienen haben sie da eingekloppt, vielleicht wirds ein Bahnhof." (494)

Von den deutlichen Sinnbezügen der Großstadtszenen in den späteren Büchern aufmerksam gemacht, werden wir auch die Einleitungen zu den Büchern II und IV nicht mehr nur einsinnig verstehen. Zwar ist gerade das Anfangskapitel des II. Buches auf Darstellung der Großstadtatmosphäre und Festlegung des „Schauplatzes" bedacht, darüber hinaus aber haben der vorweggenommene Lebenslauf des Max Rüst (54), das Gespräch der beiden Männer in der Kneipe (54—58) und die Geschichte von dem jungen Mädchen und ihrem alten Verführer (58 f) die Funktion, Biberkopfs frech gedankenloses Welt-Bild („das war eine einzige Freude den ganzen Tag im Paradies." — 49) zu kritisieren und zu widerlegen. In Krauses Worten: „Ich habe nicht bereut, Schuld empfinde ich nicht; mit den Tatsachen, auch mit sich, muß man sich abfinden. Man soll sich nicht dicke tun mit seinem Schicksal. Ich bin Gegner des Fatums. Ich bin kein Grieche, ich bin Berliner." (57) klingt schon die ironische Gegenüberstellung von Orest und Biberkopf an, die das Buch abschließt.

In diesen Zusammenhang gehört übrigens auch die mit schwarzem Humor erzählte „Entsetzliche Familientragödie in Westdeutschland" (275 f); am Schluß nämlich diskutieren die beiden Arbeiter, ob der Mörder wohl von Gewissensbissen geplagt werde. Wir wissen ja, daß Franz derartiges fremd ist, und in betonter Gleichsetzung bemerkt der Erzähler über Reinholds Haltung: „Gewissensbisse, wo sind Gewissensbisse, Orestes und Klytämnestra, Reinhold kennt beide Herrschaften nicht mal dem Namen nach, er möchte einfach, herzlich und innig, Franz ist mausetot und nicht aufzufinden." (241) So ähnlich Franz und Reinhold sich in dieser Hinsicht auch sind, so verschieden reagieren sie doch auf die schrecklichen Ereignisse des VII. Buches: „Hart und steinern werdet ihr ihn bis zuletzt sehen, unbewegt zieht dieses Leben hin, — wo sich Franz Biberkopf beugt und zuletzt wie ein Element, das von gewissen Strahlen getroffen wird, in ein anderes Element übergeht." (456)

Am wenigsten doppelsinnig scheint das Einleitungskapitel des IV. Buches zu sein. Es präsentiert eine Revue von Schaufensterreklame und Plakaten, schildert dann die Bewohner des Hauses, in dem Biberkopf sich verkrochen hat. Nur am Schluß verteidigt der Erzähler wieder sein Sujet, beantwortet die Frage eines imaginären Kritikers, was diese Leute denn vom Leben hätten, und schließt mit einem Gegenangriff: „Was haben Sie denn, Herr Hauptmann, Herr General, Herr Jockey? Machen Sie sich nichts vor." (136)

Es ist allerdings nicht ausgeschlossen, daß bei noch genauerer Betrachtung weitere Beziehungen zum Vorschein kämen. Der Eindruck, daß in diesem Buch alles mit allem zusammenhängt, daß nichts „zufällig zusammengelaufen ist wie auf einem Markt" (UD 215), beruht ja gerade auf dem Umstand, daß die Skala der Verweisungszusammenhänge von der eindeutigen Parallele hinunterreicht bis zum nur noch vermuteten Anklang, so daß die geschilderte Realität an jeder Stelle offen scheint für die überreale Bedeutungssphäre.

## 1. Vereinzeltes

Auch dem jungen Mann, der in Biberkopfs Kneipe nach einem Bekannten sucht (BA 113 f), wird man zunächst keine Beachtung schenken, wird

vielleicht, wie manche es getan haben, von Döblins ungezügelter Erzähl-
freude sprechen —, bis man bemerkt, daß da ein Bote des Todes erschienen
ist. Er tritt in eben dem Augenblick ein, da Biberkopf sich anschickt,
Lüders mit seinem Erfolg bei der lebensfrohen Witwe zu reizen. Der
Fremde sagt: „Hab ich doch nicht nötig, Ihnen meine Geschäfte zu erzählen." (113) und nochmals: „Brauch ich ihm doch nicht zu sagen, was
ich für Geschäfte habe." (114) Franz aber hört nicht hin; er seinerseits
besteht darauf, von seinen Geschäften zu erzählen.

Auch die Geschichte von dem Mann, dessen Kind im Krankenhaus gestorben ist (121 f), stellt ja nicht nur eine Assoziation dar zur Vermutung
des Wirts, Franz sei von einem „Trauerfall" so betroffen (119, 120).
Zunächst unterstreicht die Thematik dieser Erzählung, daß auch im Falle
Lüders der Tod schon seine Hand im Spiel hat, der Tod als die Macht,
die das selbstherrliche Ich in seine Schranken weist. Aber die Andeutungen gehen noch weiter: daß der Mann ein „Krüppel" ist, den rechten Arm
in der Binde trägt, weist auf den zweiten Schlag voraus, ebenso wie der
Tod eines geliebten Menschen und die Suche nach dem angeblich Schuldigen die Perspektive auf das VIII. Buch eröffnet. Nur wer die Beziehung
zwischen der Lüders-Affäre und dem Tod nicht sieht, wird die Todes-
symbolik, die Schlachthofszenen, die Hiob-Paraphrase als zu großen Auf-
wand empfinden, mit Döblins Worten: „Der gewöhnliche Leser wird
erstaunt sein und fragen: was war dabei?" (129) In Wahrheit zeigt schon
dieser scheinbar harmlose Vorfall, wie falsch Biberkopfs Haltung ist und
daß er an ihr nur zugrunde gehen kann.

In der Geschichte des Zimmermanns Gerner entdecken wir nun ebenfalls Hinweise, die über ihre Funktion an Ort und Stelle hinausgehen.
Biberkopf beobachtet: „der Junge steht Schmiere, die drehen ein Ding"
(159), und Gerner meint: „Wer heut nicht hell ist, kommt unter die Rä-
der." (165) — Nicht mehr auf das V., sondern bereits auf das VIII. Buch
sind Gerners Gedanken bei der Festnahme zu beziehen: „wenn ich ein
Revolver hätte, kriegten die mich nicht lebendig raus, die Bluthunde." (169)

Nur beiläufig sei auf den „Weltreisenden" Johann Kirbach hingewiesen (269 f), dessen Krüppel-Existenz ja gleich mit der Biberkopfs in Verbindung gebracht wird (271), ferner auf den Alten mit der Schnapsnase,
der in der Anstalt sein Leben berichtet, so gut er kann (465 f), und dessen Gewalttätigkeit unter Alkoholeinfluß uns an Biberkopfs Anfälle
besinnungsloser Wut erinnert.

Da der Versuch, sämtliche Querverweise aufzuzählen, in eine öde Statistik ausarten würde, möchte ich abschließend nur noch zwei Komplexe zur Sprache bringen.

Immer wieder erscheint in Biberkopfs Erinnerung das Bild der dunklen Allee vor dem Tegeler Gefängnis (427); sie ist Symbol für das Gefühl der Bedrohung und untermalt den Bruch mit Dreske (99), das erzwungene Schmierestehen (229), freilich auch Biberkopfs Trotz (264) und den Entschluß zur Hehlerei (277): da glaubt er, sich über die Gefahr hinwegsetzen zu können, die Angst überwunden zu haben, die ihm den Entschluß zur „Anständigkeit" eingab. Wir aber wittern sofort Gefahr, wenn wir im Bericht von Miezes Nachforschungen bei den Pums-Leuten lesen: „auf der Allee schießen die schwarzen Eichen vorbei" (372); noch einmal, am Mordtag nämlich, kurz bevor Reinhold erscheint, erinnern Mieze und Karl sich dieser Fahrt (378).

Am Schluß des Romans benutzt der Erzähler selbst das Bild von der dunklen Allee, um den Enthüllungsprozeß, der sich vollzogen hat, anschaulich zu machen („Da brannte die Laterne hell über ihm, und das Schild war zu lesen." — 499). Versteckt war dieser Zusammenhang schon sehr viel früher, im II. Buch nämlich, angeklungen. Dort erzählt Franz den Händlern von seinem Zustand bei der Entlassung: „Kann Sie passieren, daß Sie rumlaufen und können keine Straßenschilder lesen." (64) Er merkt nicht, daß er auch jetzt noch ebenso blind ist wie zu Anfang. Wenn er sich von seinen alten Freunden trennt, lesen wir: „Er hat Lina am Arm, blickt sich auf der finsteren Straße um. Könnten auch mehr Laternen anstecken." (101)

Schließlich sei noch auf das Thema der Homosexualität hingewiesen. Mit Recht hat bereits Robert Minder die letzlich erotische Wurzel der Faszination angesprochen, die Reinhold auf Biberkopf ausübt [100]. Natürlich kann von einem echten homosexuellen Verhältnis nicht die Rede sein, aber ein gewisser Einschlag in diese Richtung ist doch unverkennbar. Da heißt es: „Und am innigsten liebt er [...] zwei: die eine ist seine Mieze [...], der andere ist — Reinhold. [...] Die ganze herrliche Nacht, wo er tanzt mit der und jener, liebt er diese beiden, die nicht da sind, und ist glücklich mit ihnen." (328) Reinholds Unfähigkeit zu einer mehr als vier Wochen dauernden Bindung fällt hier ebenso ins Gewicht wie sein Verhältnis mit Konrad (458); da wird allerdings auch gleich betont,

[100] K 561, S. 174

daß derart Direktes für Reinhold neu ist. — Wie in manchem anderen wird auch hier der Vorabdruck der Frankfurter Zeitung deutlicher: „Da Franz keine feste Freundin hatte, ging er nun öfter in die Prenzlauer Straße und schmiß sich an diesen Mann in dem alten Soldatenmantel ran." [101] — Schon im II. Buch nahm dieses Thema ja viel Raum in Anspruch mit den Publikationen zum Paragraphen 175, mit der Geschichte des unglücklichen Glatzkopfs und mit dem travestierten Lesbierinnen-Roman. Lina, die schon besorgt fragt, „ob mit ihm vielleicht so was ist" (77), besorgt es schließlich den „schwulen Buben" (80 f). Kaum Zufall dürfte es sein, daß Franz ausgerechnet an jenem Abend, der ihn erstmals mit Reinhold zusammenbringen wird, die drei verliebten Greise beobachtet (188).

Die rührend-verspielte Variante zu diesem Thema bildet Miezes verliebter Überfall auf Eva (302 f); sie ist wirklich nicht „schwul", sondern nur voller Freude, daß die andere den Franz auch so mag und sogar ein Kind von ihm haben will.


### e) Zusammenfassende Bemerkungen

Die vorstehenden, keineswegs erschöpfenden Ausführungen lassen vielleicht ein ungefähres Bild davon entstehen, ein wie großes Aufgebot der unterschiedlichsten Sinnklammern dieses Buch zusammenhält. Ich habe einzelne Fäden dieses Riesenteppichs in ihren Windungen verfolgt und dabei stets nur den jeweiligen Bildzusammenhang angesprochen; nun müßte umgekehrt gezeigt werden, wie in einem Ausschnitt des Gewebes die verschiedenen Fäden zusammenschießen, wieder auseinanderlaufen, sich mit anderen verbinden. Ich möchte auf eine solche Demonstration verzichten und nur auf ein besonders deutliches Beispiel, das Kapitel „Sonnabend, den 1. September" (377—389), hinweisen. — Wie Döblin Erzählerbericht, Fremdzitat (von der Bibel über den „Prinzen von Homburg" bis zum Schlager und zur Statistik), Dialog und inneren Monolog, Realistisches, Surreales und Symbolisches ineinandermontiert, das kann bei den bisherigen Interpreten bereits hier und da nachgelesen werden. Vor allem sind die Ausführungen von Martini und Hülse zu nennen [102]; ihre Deutungen, die auf das Bild von der Welt als Chaos hinauslaufen, müssen allerdings im Sinne meiner bisherigen Ausführungen korrigiert

[101] D 68, Nr. 689, S. 1
[102] K 618; K 613, S. 59 ff

werden. Auch auf die entsprechenden Abschnitte in Beckers Dissertation und auf Stenzels Untersuchung zur Entstehung der Montagen möchte ich hinweisen [103].

Wir haben gesehen, daß das Wiederholungsprinzip, von dem ich anläßlich des „Wang-lun" bereits ausführlich sprach, auch diesen Roman beherrscht und sich in der Repetition von Fremdzitaten, die teilweise leitmotivischen Charakter gewinnen, sowie im Reim noch zusätzliche Ausdrucksmöglichkeiten schafft. Die in den früheren Romanen beobachteten Techniken kehren ohnehin wieder, so z. B. die Absatz-Anapher (BA 81, 284 u. ö.), die Wortwiederholung („läßt läßt läßt ihm ihren Mund" — 40), die akzentsetzende Reminiszenz usw.

Der von solchen Strukturen suggerierte Eindruck eines sinndurchflossenen Ganzen wird vertieft durch die offenen und versteckten Symbolbezüge und nochmals gesteigert durch die Einführung von im ursprünglichen Wortverstand „surrealen" Szenen. War zu Beginn des III. Buches jener junge Mann nur mit einiger Mühe als Bote des Todes zu identifizieren, so erscheinen im VIII. Buch Engel; Sperlinge, Häuser und Laternen beginnen zu sprechen, Tote sitzen auf ihren Gräbern. [104]

Der Bedeutungsfülle des Geschehens entspricht der Metaphernreichtum der Sprache. Immer wieder werden Empfindungen bildlich veranschaulicht. Minnas Gefühl, von Franz bedroht zu sein, spiegelt der Erzähler ebenso im Bild eines Erdbebens (38 f) wie Miezes Entsetzen vor Reinhold (368). Die Aufhebung des Hier und Jetzt in der Liebesvereinigung faßt er in die Negierung naturwissenschaftlich erwiesener Fakten („keine Schwerkraft, Zentrifugalkraft" usw. — 40). Immer wieder entstehen assoziativ Bilder, ja Geschichten (wie die von dem Mann, der sein Kind verloren hat — 121 f), die sich dann wieder als symbolischer Verweis auf anderes herausstellen. So steht alles in diesem Roman für sich und zugleich für anderes, ist und bedeutet [105].

Martini, Hülse und Schmidt-Henkel ist zuzustimmen, wenn sie Döblins Stil als Versuch möglichst abstandsloser Vergegenwärtigung interpretieren [106]. In der Tat scheint oft genug die Stadt selber zu sprechen, und

---

[103] K 607, S. 98 ff; K 625
[104] Den allumfassenden Zusammenhang der Dinge und Lebewesen in „Berlin Alexanderplatz" betont auch Volker Klotz (K 615, S. 378 ff).
[105] Eine vergleichsweise primitive Ausformung dieses Strebens nach symbolischer Überhöhung finden wir in Döblins Filmszenarios (D 51, 54).
[106] vgl. K 618, S. 344; K 613, S. 85; K 582, S. 180—187.

dieser Funktion dient auch der ausgedehnte Gebrauch des Dialekts [107]. Trotzdem ist all das gelenkt von einem überlegenen, die Geschichte und ihren Sinn überschauenden Geist. Nirgendwo wird der Erzähler von seinem Material überrollt; allem weist er seinen Platz zu in diesem magischen Netz der Bedeutungen. Ein groteskes Mißverständnis liegt vor, wenn Helmut Schwimmer der Montagetechnik ein Weltbild der Disintegration zugrunde legt [108].

Döblin war tatsächlich unmodern genug, an ein sinnvolles Weltganzes zu glauben und obendrein noch der Darstellungs- und Aussagekraft der Sprache zu vertrauen. Lapidar bekannte er in dem Vortrag „Der Bau des epischen Werks": „Ich bin mit der Sprache zufrieden." (AzL 128)

Aus meinen Darlegungen dürfte mit hinreichender Deutlichkeit hervorgehen, daß die Rede von der chaotischen Umwelt des Franz Biberkopf ein totales Mißverständnis anzeigt. Wenn Axel Eggebrecht Szenen wie die im Schlachthof spielenden „Abschweifungen" genannt hat [109], wenn Stefanie Moherndl „ein Nebeneinander von Szenen, die kaum mehr im Zusammenhang stehen" glaubt konstatieren zu können [110], so ist hier gerade die wesentlichste Qualität des Buches verkannt.

Ich hoffe auch gezeigt zu haben, daß all diese Sinnbezüge auf Franz Biberkopf, sein Handeln und sein Versagen zielen. Sein „wahres und aufhellendes Dasein" steht zur Debatte, und man faßt es kaum, daß der Herausgeber auch hier wieder mit seinem Standardurteil aufwartet und selbst von diesem Buch sagt: „Es hat auch im Grund keinen Helden." (BA 513) Wenn Muschg fortfährt, Biberkopf bedeute „mit seiner primitiven Mörderexistenz die Verneinung des Menschenbildes, das bisher vom europäischen Roman vorausgesetzt wurde", so wird man einerseits die Kennzeichnung Biberkopfs nicht eben zutreffend nennen können, und zum anderen dürfte man den europäischen Roman vor 1929 wohl etwas anders beurteilen, als das hier, offenbar mit dem Blick auf die erste Hälfte nicht des 20., sondern des 19. Jahrhunderts, geschieht.

Demgegenüber ist unverkennbar, ein wie großes Gewicht der Erzähler, sowohl in direkten Kommentaren als auch in ironischen Vexierbildern, auf das Exemplarische in Biberkopfs Dasein legt; dieser Proletarier, der allerdings dort zuschlägt, wo feinere Leute kompliziertere Empfindungen

---

[107] vgl. dazu Volker Klotz, K 615, S. 384—388.
[108] K 583, S. 61
[109] K 97, S. 6
[110] K 630, S. 54

entwickeln, ist für ihn tatsächlich ein „gewöhnlicher Mann", der ebenso handelt, wie jeder von uns es auch könnte. Haltlos ist Beckers Einwand, der Allgemeingültigkeit von Biberkopfs Schicksal widerspreche die kritisch-ironische Distanz des Erzählers gegenüber seinem Helden[111]. Gerade Biberkopfs Fehler sind es ja, die jene Allgemeingültigkeit begründen. Becker verwechselt warnendes Beispiel und Idealbild.

## IV. *Die Deutung der Schlußkapitel*

### a) Das politische Thema

Der einzige Interpret, der den Schluß des Romans in seiner Ambivalenz zu verstehen sucht, ist Roland Links[112]. Doch schon der Obertitel „Warnung vor dem Faschismus" zeigt die Verengung der Optik an, unter der diese Bemühungen leiden. Wenn Links die Wahl des Schauplatzes damit erklärt, daß die Entfremdungserscheinungen in der Großstadt am klarsten ausgeprägt gewesen seien (S. 87), daß ferner mit dem Verbrechermilieu der verbrecherische Charakter des Kapitalismus habe enthüllt werden sollen (S. 88), so liegt eine Verwechslung Döblins mit Brecht vor. Keineswegs wollte Döblin zeigen, „daß jeder scheitern muß, der die Moralgesetze dieser Gesellschaft ernst nimmt." (S. 87) Daß der einzelne „einer für ihn undurchschaubar gewordenen Umwelt wehrlos ausgesetzt ist" (S. 88), ist eine Auffassung, die Döblin nicht propagiert, sondern, in „Berlin Alexanderplatz" wenigstens, bekämpft. Die Theorie, Thema des Romans sei der „entfremdete, haltlose Mensch der modernen Großstadt" (S. 90), biegt den Roman marxistisch um und unterstellt ihm eine gesellschaftliche Sehweise, die er nicht hat. Es ist in diesem Zusammenhang nur folgerichtig, daß Links von einer Schuld Biberkopfs ernstlich nicht spricht. Damit fehlt eine wichtige Dimension, und so kann auch diese anregende Interpretation dem Buch letztlich nicht gerecht werden.

Völlig einseitig ist James Reids Versuch geraten, „Berlin Alexanderplatz" als politischen Roman zu verstehen[113]. Mit Recht verweist der Verfasser auf Biberkopfs militärisches Vokabular und seine Anfälligkeit für Parolen, die Ruhe und Ordnung versprechen; mit Carl Amerys

[111] K 607, S. 64
[112] K 558, S. 78—94
[113] K 620

Reflexionen über das Wort „Anstand" und mit einem Himmler-Zitat verläßt er dann aber den Boden der Interpretation. Alle Sinnbezüge, die ich oben darzustellen bemüht war, ignorierend, setzt Reid die Szene, die Biberkopfs Auseinandersetzung mit einem Anarchisten zum Inhalt hat (BA 291—299), ins Zentrum des Romans, von dem her sich angeblich alle inhaltlichen und formalen Fragen lösen lassen. Was Reid zur Technik der Montage und der Assoziation zu sagen hat, ist dementsprechend mehr als fragwürdig; das Prinzip der Resonanz bleibt unerörtert, und die diesbezüglichen Ausführungen Döblins scheinen dem Interpreten auch nicht bekannt zu sein. Die Gleichsetzung Biberkopfs mit Deutschland, der vier Jahre des Weltkriegs mit der Gefängniszeit des Totschlägers, der Satz: "The narrator's warning to all those ‚denen es passiert wie diesem Franz Biberkopf, nämlich vom Leben mehr zu verlangen als das Butterbrot' (p. 10) is directed at the State itself." (S. 219): dies bewegt sich schon, wenn auch in einer anderen Sparte, auf dem Niveau der Dissertation von Anne Jennings, die überall in diesem Roman "God's hand" am Werk sieht [114] und für die Deutung des Schlusses den frappierenden Satz bereithält: "After his rebirth, Biberkopf is a pious and God-fearing man, and it is implied, if not stated explicitly, that he becomes a militant Christian." (S. 166)

Derartige Verzeichnungen sollen uns freilich nicht den Blick dafür verstellen, daß die politische Thematik tatsächlich eine Rolle in diesem Roman spielt, die der Klarstellung bedarf.

Biberkopf gehört zu den zahllosen Enttäuschten der Weimarer Republik; vier Jahre war er im Krieg, vier Jahre der Nachkriegszeit hat er erlebt mit Inflation und Lebensmittelknappheit, dann die vier Jahre Gefängnis (BA 88) [115]. Sein Urteil über die Novemberrevolution deckt sich mit dem seines Autors: „eure Republik — ein Betriebsunfall!" (88) Ihm genügt, daß die „Roten" nichts zustande gebracht haben (90), und sein Bedürfnis nach Ruhe, aufs engste mit seinem Entschluß zur Anständigkeit verknüpft, mit jenem Stillhalteabkommen also, das er der Welt meint aufdrängen zu können, dieses Bedürfnis macht ihn anfällig für die völkische Propaganda: „Wenn ihr Radau macht, [. . .], auf diese Weise wird überhaupt keine Ruhe in der Welt. Auf die Weise nicht. Und es muß Ruhe werden, damit man arbeiten und leben kann." (98) Schon

---

[114] K 575, S. 169
[115] In diesem kleinen Detail zeigt sich wieder Döblins Vorliebe für Dreiergruppen.

Gottlieb Meck war von Biberkopfs asozialem Credo („Anständig bleiben und for sich bleiben. Das ist mein Wort.") betroffen: „Dann könnten ja alle einpacken, das ist ja waschlappig von dir, daran gehen wir allesamt zugrunde.", und Franz antwortete unbekümmert: „Soll nur einpacken, wer will, ist nicht unsere Sorge." (67) Sein gedankenloser Rückzug auf das eigene Selbst kommt schon in den ironisch affirmativen Kapitelüberschriften zum Ausdruck („wenns nicht das eine ist, ist es das andere, man muß sich das Leben nicht schwerer machen als es ist" — 81; „Franz ist ein Mann von Format, er weiß, was er sich schuldig ist" — 92).

Von großer Bedeutung für den weiteren Verlauf ist die Auseinandersetzung Biberkopfs mit Dreske und dessen Freunden. Hier trennt Franz sich von dem „richtigen Nebenmann", zieht sich mit dem Satz „Was geht mich das alles an" (101) ganz auf sein Ich zurück. In einem ironischen Kabinettstück bringt der Erzähler seine Kritik zum Ausdruck. Lina hat ein erbauliches Gedicht in der Zeitung angestrichen, in dem es heißt: „Es geht sich besser zu zweien" und: „Allein zu gehn, ein schlimmer Gang" (102). Der Autor des Gedichts will den Leser zu Christus führen, Lina hat eine Verlobung mit Franz im Auge, und der Erzähler selbst fügt die Szene ein als eine der vielen Warnungen vor der Verkrampfung im Ich, die Franz nicht beachtet.

Sein politisches Desinteresse tritt in den Passagen um Henschkes Stieglitz zutage. Wichtiger als die ganze politische Diskussion, die doch schließlich für seine weitere Existenz von großer Bedeutung ist, nimmt er die Frage, ob der Vogel nicht unter dem Rauch leidet (91 f, 102). Wenn man am Nebentisch provozierend die Internationale anstimmt, so erkennt er zwar die Absicht, aber er bagatellisiert den Vorfall: „Können sie haben, wenn sie bloß nicht soviel rauchen. Wenn sie singen, rauchen sie nicht, das schadet dem kleinen Tier." (93) [116]

Schon von diesen sehr kritisch berichteten Vorfällen im II. Buch her wird man die Aufrufe zur Solidarität am Schluß nicht „überraschend" nennen können. Noch deutlicher werden die Dinge im VI. Buch. Wenn der Tod Biberkopfs Besuche von politischen Veranstaltungen abwertet („Warum? Was quält dich? Wogegen verteidigst du dich?" — 300), so ist damit

---

[116] Im Film wird Biberkopfs Interesse an dem Vogel auf die Gefängniszeit zurückgeführt („Die waren eben noch nich im Käfig, die verstehn det nich."). Die politische Thematik fehlt völlig; der Streit entsteht, weil man Biberkopf mit Vogelpiepsen verhöhnt.

nichts gegen eine ernsthafte politische Betätigung gesagt. Franz aber will sich ja eben nicht politisch engagieren; er besucht diese Veranstaltungen nur deshalb, weil er in einem Winkel seines Herzens das Falsche an seiner asozialen Isolierung spürt und weil er diese Beunruhigung im Spott auf die Alternative niederringen will. Trotzig bekennt er sich als „Selbstversorger" und versucht die Einwände des alten Arbeiters im Lachen zu ersticken. Der andere urteilt mit Recht: „Du kennst nicht die Hauptsache beim Proletariat: Solidarität." (298) Franz nimmt Reißaus, „es gärt in ihm, er weiß nicht warum." (299); auch Mieze kann ihn nicht beruhigen. Welche Position Biberkopf hier einnimmt, verdeutlicht der Erzähler an der Haltung Willis, in dessen Schlepptau Franz eine Weile segelt: „ein vernünftiger Mensch gloobt nur an Nietzsche und Stirner und tut, was ihm Spaß macht" (306). Noch einmal ist von Stirner die Rede (308), der ja mit seiner Schrift „Der Einzige und sein Eigentum" der radikalste Vertreter eines philosophischen Egoismus war und der hier ebenso wie Nietzsche zur Begründung einer asozialen Lumpenmoral herhalten muß.

Wir sehen, daß die politische Thematik verstanden werden muß als ein Stück des Generalthemas: der Ichverkrampfung und der Blindheit für die Realität. Ebenso wie Franz zwischen hochmütiger Selbstherrlichkeit und dumpfem Schicksalsglauben schwankt, ebenso stößt er die Menschen weg, die ihm zur Erkenntnis verhelfen könnten, schließt sich dafür Reinhold an, der eine ungeklärte zwanghafte Faszination ausstrahlt.

## b) Wissen und Verändern!

Die Deutung der Schlußpassagen ergibt sich aus meiner bisherigen Darstellung eigentlich von selbst. Wir sahen, daß Biberkopf Schuld auf sich lädt, daß er es versäumt, sich Gedanken zu machen über seinen Ort in der Welt, und daß er ferner durch sein überlegenes Gehabe andere, Schwächere oder weniger Glückliche, Lüders und Reinhold also, herausfordert und so sein Unglück, wie es von Ma-noh hieß: „mit greifenden Armen" (Wl 249), selbst auf sich zieht. Schuldhaft und falsch ist aber auch jener Schicksalsglaube, der den Menschen hilflos einem eisernen Tank gegenüberstellt. Noch in „Flucht und Sammlung des Judenvolks" lesen wir: „Wo Erkenntnislosigkeit, Willenlosigkeit ist, ist Schicksal. Der Weg ist da, wo Erkennen und Wille ist." (FSJ 24) Daß Biberkopfs falsche Einschätzung der Welt ihm als Schuld anzurechnen ist: diesen Gedanken hat die bisherige Forschung trotz der eindeutigen Aussagen des Todes weitgehend ignoriert und damit den Sinn der Schlußkapitel verfehlt. Biberkopfs Versagen ist durchaus in Parallele zu setzen mit dem Schuldbegriff der antiken Tragödie; auch Ödipus sündigt in erster Linie dadurch, daß er die Wirklichkeit verkennt, sich zugleich aber einbildet, als Besieger der Sphinx auch alles andere zu durchschauen. Biberkopf fällt von einer Klischeevorstellung (Paradies) in die andere (Sumpf des Betrugs); er hört nicht auf die Mahnung der Juden: „Man muß die Welt sehen können und zu ihr hingehn." (24)

Eine zweifache Bewegung also muß der Schluß vollführen: Er muß Biberkopfs Hochmut brechen, sein Beharren auf seinem Ich, nach dem die Welt sich zu richten habe, — andererseits muß er den Irrglauben an ein übermächtiges Schicksal zerstören: beides ist zu demaskieren als Flucht vor der Wirklichkeit, vor dem verantwortlichen Handeln in einer begriffenen Welt. Die zweifache Bewegung führt also von den Extremen zur Mitte hin, damit aber zugleich vom Ich zur Welt.

Biberkopfs Hochmut artikuliert sich auf zwei nur scheinbar entgegengesetzte Weisen. Entweder fühlt er sich aller Welt überlegen („Mir kann keener!" — 46), oder er kündigt ihr enttäuscht die Freundschaft auf, weil er findet, sie benehme sich viel zu schlecht, als daß sie es verdiente, von einem Franz Biberkopf bewohnt zu werden. Schon auf den Betrug des kleinen Lüders hat er so reagiert, und in Buch treibt er diesen Trotz auf die Spitze. Er verweigert die Nahrung, und was in „Unser Dasein" theoretisch vorgeführt wurde, der Abbau des Menschen auf die tierische, pflanzliche, mineralische Stufe, das wird hier in Biberkopfs langsamem Sterben Wirklichkeit: die Mäuse laden ihn ein (472), er gibt seine Pflanzenkeime zurück (473).

Einer genauen Betrachtung bedarf die Figur des Todes. Keineswegs bedeutet „Tod" hier im gewöhnlichen Verstande die Macht, die das Leben beendet, den einfachen physischen Tod. Er selbst bezeichnet sich als „das Leben und die wahre Kraft" (475), und seine doppelte Funktion wird angedeutet, wenn er singt: „Ich bin kein bloßer Mähmann, ich bin kein bloßer Sämann" (474): beides vereinigt sich also in dieser Gestalt. Er kommt, um zu bewahren (474), und lobt gleichzeitig Biberkopf, daß er sich endlich nicht mehr bewahren wolle (475). Bewahrt werden soll der Kern, das geläuterte Ich des Menschen; abgemäht und verworfen aber wird sein Hochmut, die tropische Auswucherung des falsch verstandenen Ich. „Tod" heißt diese Macht, weil sie die Scheinhoheit des selbstherrlichen Individuums zerschlägt; gemeint ist jene „Zernichtung", die andererseits, in der Befreiung aus dem Käfig des erkenntnislosen Ich, erst die Ankoppelung an das Sein ermöglicht (UD 476). Darum ist dieser, der wahre, der wirkliche Tod zugleich Sämann und identisch mit dem Leben: „Wie kann ein Mensch gedeihen, wenn er nicht den Tod aufsucht?" (BA 474) Die Ankoppelung an das Sein bedeutet nun keineswegs, daß der einzelne in der Menge des Seienden, in der Masse untergehen müßte. Keineswegs predigt der Tod eine stumpfsinnige Ein- und Unterordnung, sondern er fordert Abwägen, Denken, Erkennen; immer wieder ist das ja gerade der Hauptvorwurf gegen Franz: daß er die Augen nicht aufgemacht, nicht nachgedacht, sondern einfach drauflosgelebt hat (477—479): „Die Welt braucht andere Kerle als dir, hellere und welche, die weniger frech sind, die sehen, wie alles ist, nicht aus Zucker, aber aus Zucker und Dreck und alles durcheinander." (479) — Die Welt aus Zucker: das ist die Paradiesvorstellung, die letztlich der hochmütigen Sicherheit vor dem Betrug des kleinen Lüders zugrunde lag. Die Welt aus Dreck: so sah Franz die Dinge nach dem zweiten Schlag, und deshalb war er letztlich unfähig, einen Menschen wie Mieze zu würdigen. Diese Klischeevorstellungen und die aus ihnen folgenden Handlungen wirft der Tod dem Verstockten vor, aber er muß es dreimal sagen, muß zweimal die toten Frauen und die „Übeltäter" Revue passieren lassen, ehe Franz begreift; endlich öffnet er sich der Welt: „Herankommen lassen" (480 f, 482, 484, 485, 493); endlich ist er bereit, zu lernen und ohne vorgefaßte Urteile „zur Welt hinzugehn", zu sehen, wie sie ist, zu sehen auch, was er falsch gemacht hat. Hatte er, wie der Tod ihm vorwirft, nach Miezes Ermordung nur geklagt: „ ‚Ich' und ‚Ich' und ‚das Unrecht, das ich erleide' " (478), so weint er jetzt über sich selbst (486); er wirft sich hin wie Hiob, gibt sich dem Schmerz hin, der die verhärtete Kruste des Ich aufbricht. Sein Schuldbekenntnis löscht den alten, einsichtslosen Franz Biberkopf aus, ein neuer Mensch erhebt sich von seinem Lager.

In dem Kapitel „Abzug der bösen Hure" stellt der Tod sein Gefolge vor, angefangen von den besinnungslos gehorsamen Soldaten Napoleons und Wilhelms II. bis zu jenen, die für ihre Überzeugung, für eine politische oder religiöse Idee gestorben sind. Dieses Kapitel hat manchem Interpreten Schwierigkeiten bereitet, und zweifellos haben wir es hier mit einer etwas mißverständlich geratenen Illustration von Döblins philosophischen Einsichten zu tun [117]. Dargestellt werden soll der Triumph der Kraft zur Selbstentäußerung über das trotzige Beharren auf dem vereinseitigten Ich. Mit Biberkopf hat das nicht mehr sehr viel zu tun; zu Beginn des Kapitels sagt der Tod selbst zu seiner Gegenspielerin: „wir haben hier beide nichts mehr zu sagen." (488) Seine Arbeit ist vollendet, und wir sehen, daß Beckers Deutung des Todes als der eigentlichen Grundmacht des Daseins [118] über das Ziel hinausschießt. Speziell für Biberkopfs Dasein war tatsächlich der Tod bestimmend, deshalb nämlich, weil es eine Fehlentwicklung zu korrigieren galt. Wenn er jetzt von Biberkopf abläßt, so bedeutet das, daß auch er nur *eine* Macht in dieser Welt darstellt, diejenige nämlich, die Verbindung schafft zwischen dem einzelnen und seiner Umwelt, indem sie jene Mauern zerschlägt, die das Ich in Angst und Hochmut um sich herum errichtet hat.

Bestimmend bleibt das Bild vom Leben als einem Kampf. Das Lied „Wir ziehen in den Krieg mit festem Schritt" (489, 490) steht ja auch am Schluß des Romans und hat zu mancherlei Mißverständnissen Anlaß gegeben, weil alle Interpreten den unmittelbar voraufgehenden Satz übersahen: „Wir wissen, was wir wissen, wir habens teuer bezahlen müssen." (501) Die letzten, kursiv gesetzten Zeilen des Romans geben mithin primär ein Bild des Lebens, ein Bild der Welt, wie Biberkopf sie jetzt erkannt hat — und in die mit Umsicht und Mut sich einzuordnen allerdings gefordert wird [119].

Von der Solidarität war nicht nur in jener Auseinandersetzung mit dem Anarchisten die Rede, sondern auch, bildlich verschlüsselt, in der Sturm-Schilderung nach Miezes Tod: „der Wald steht ruhig, Baum neben Baum. Sie sind in Ruhe hochgewachsen, sie stehen wie eine Herde beisammen, wenn sie so dicht beisammen stehen, kommt der Sturm nicht so

[117] Eine differenziertere Deutung dieses Kapitels hat jetzt Hans-Peter Bayerdörfer versucht (K 606, S. 327, 329 f), ohne freilich zu zwingenden Ergebnissen zu kommen. Er vernachlässigt die zweite Gruppe, die Märtyrer aus Überzeugung, und glaubt in diesen Beschwörungen, die Opfer und Gewalt vermengen, neben dem Tod auch die Hure Babylon am Werk. Die aber soll durch diese Bilder ja gerade vertrieben werden.

[118] K 607, S. 72

[119] Die neuerdings von Volker Klotz vorgetragene Deutung, der Schlußabsatz repräsentiere die Summe des als negativ Bloßgestellten, sei gemeint als abstoßende Stimme des kriegerischen Gemeinschaftsrausches (K 615, S. 406, 407), ist vom Kontext her nicht zu halten. Das gilt auch für die Interpretation Hans-Peter Bayerdörfers, der die Schlußsätze als die „anrollenden Worte des Betrugs" bezeichnet (K 606, S. 328). Wäre der Schlußabsatz tatsächlich nur negativ gemeint, so hätte Döblin diesem Text wohl kaum die Überschrift zum letzten Kapitel entnommen.

leicht an sie ran, nur die außen müssen dran glauben und die Schwachen. Aber halten wir zusammen" (388). Wenn schließlich der Sturm doch übermächtig wird, heißt es: „das sind Fliegerbomben" (389). — In genauer Entsprechung lesen wir im Schlußkapitel: „Wenn sie Gasbomben werfen, muß ich ersticken" (500 f) und: „Die Luft kann hageln und regnen, dagegen kann man sich nicht wehren, aber gegen vieles andere kann man sich wehren." (501) Das ist kein sozialistischer Kollektivmythos, wie Becker meint [120], sondern eine nüchterne Darstellung von der relativen Macht der Gemeinschaft.

Biberkopfs Schicksal hat bewiesen, daß der einzelne in seiner hochmütigen Abkapselung in Wahrheit schwach ist und in sein Unglück rennt. Erst in Gemeinschaft mit anderen erkennt er sich selbst („Da merke ich, wer ich bin und was ich mir vornehmen kann." — 500) und kann er darangehen, die Verhältnisse zu ändern. Diesen Gedankengang haben Schöne und die Mehrzahl der übrigen Interpreten absolut gesetzt und damit die Person Franz Biberkopf praktisch aufgelöst, „auf einen winzigen Punkt reduziert" [121]. Eine solche Interpretation ignoriert jenen Erkenntnisprozeß, dem wir in den Todesgesprächen beiwohnten; nach dieser Deutung wäre der Mensch nur „Stück" der Natur.

Die genannten Interpreten übersehen, ignorieren oder erklären für inkonsequent jenen Absatz, der Biberkopfs kühles Urteil über vorbeimarschierende Agitationstrupps darstellt: „Halt das Maul und fasse Schritt, marschiere mit uns andern mit. [...] Darum rechne ich erst alles nach, und wenn es so weit ist und mir paßt, werde ich mich danach richten. Dem Menschen ist gegeben die Vernunft, die Ochsen bilden statt dessen eine Zunft." (500) Schöne meint, hier verirre Franz sich in „die Alternative von kriegsopferbereitem Gemeinschaftsaufbruch oder skeptischer Abkapselung des einzelnen" [122]. Abgesehen davon, daß Schöne das symbolische Schlußbild realistisch mißversteht, ist vor allem die Ansicht, hier werde eine Alternative aufgestellt, nicht zu halten. Es geht nicht darum, entweder als stumpfsinniges Massenpartikelchen draufloszumarschieren oder aber sich eigene Gedanken zu machen, sondern darum, ein bewußtes, denkendes Mitglied der Gemeinschaft zu sein, sich weder hochmütig abzukapseln noch im Schlagworthagel der Parteifunktionäre auf eigenes

[120] K 607, S. 76
[121] Hülse, K 613, S. 99
[122] K 621, S. 324

Denken Verzicht zu tun. „Man muß sich gewöhnen, auf andere zu hören" (500) besagt eben nicht, daß man unbesehen all das tun soll, was andere sagen, sondern lediglich, daß die Kenntnis der Meinung anderer jedem zu einem umfassenderen Bild von der Welt und von sich selbst verhilft. — Die These vom Menschen als Stück und Gegenstück der Natur findet hier ihre Konkretisierung im gesellschaftlichen Bereich.

Daß Biberkopf an der Welt, der Wirklichkeit vorbeilebte, zeigte sich, wie wir sahen, nicht nur in seinem Hochmut bzw. seiner trotzigen Abkehr von der Welt, sondern auch in jenem Glauben an ein Schicksal, gegen das nichts auszurichten sei. Als man ihn zwang, Schmiere zu stehen, sah er die Welt als eiserne Walze; nach Miezes Tod meint er: „da ist eine Mühle, ein Steinbruch, der schüttet immer über mich" (423). — Es ist leicht zu sehen, daß diese Verzweiflung an der Kraft des Menschen auf der gleichen Fehlhaltung basiert wie ihre hochmütige Überschätzung. Da Franz sich nicht bemüht, seine Umwelt zu erkennen, auf andere zu hören, bleibt die Welt ein unbegriffenes Gegenüber; mit ihrem wahren Gesicht unbekannt, muß er sie das eine Mal unterschätzen, das andere Mal zum Schreckgespenst aufbauschen. Am Schluß, wenn er seinen Ort in der Welt gefunden hat, sind Geringschätzung und abergläubische Schicksalsfurcht gleichermaßen aufgehoben: „Das muß man nicht als Schicksal verehren, man muß es ansehen, anfassen und zerstören." (501)

Schon 1920 hieß es in dem Aufsatz „Krieg und Frieden": „Anerkennen, was ist: das ist das erste Gebot. Seiner Kraft größtmögliche Anerkennung verschaffen, das zweite." [123] Diese Ansicht blieb mehr als ein Jahrzehnt bestimmend für Döblins Bild vom Menschen. In „Unser Dasein" lesen wir unmittelbar nach den Ausführungen über die Zernichtung, die den Menschen an das Sein ankopple: „Du hast Macht! Verwalte deine Macht gut! Sei nicht lau! Sei nicht träge! [...] Beleidige durch Schwäche nicht die Urmacht" (UD 476 f). — Dies ist der Grundgedanke des Naturalismus, den die Geschichte vom Franz Biberkopf illustriert: „eine Null" ist der einzelne Mensch (BA 232), „hinfällig und nichts" (IN 127), und doch kommt ihm eine große Würde zu als dem Träger eines Ichs, das aus der sinngebenden Urmacht stammt, als dem Wesen, das denkt und erkennt: „Da die Welt, von einem Ich getragen, von geistiger Art ist, ist das Erkennen eine große Macht. Wir haben dies Vermögen in uns." (IN 244) — Davon, wie ein Mensch aus verderbenbringender Blindheit zum Se-

[123] D 415, S. 207

hen und Erkennen erwacht, handelt dieses Buch „Berlin Alexanderplatz",
vom Weg des einzelnen zur Welt, der zugleich ein Weg ist zu sich selbst.

Man hat es als banal und ärmlich abtun wollen, daß die Lehre dieses
Buches auf nichts weiter hinauslaufe, als daß man vom Leben nicht
mehr verlangen solle als das Butterbrot (BA 10) [124]. Wer zu lesen versteht, der wird auch diesen schnoddrigen Satz zu deuten wissen. Er besagt,
daß niemand das Recht hat, mit Forderungen an die Welt heranzutreten,
solange er sich nicht einmal die Mühe macht, sie zu erkennen und zu
ihr hinzugehen, solange er in einsichtsloser Selbstherrlichkeit das Leben
glaubt meistern zu können. Nicht Forderungen dürfen am Anfang stehen, sondern Erkennen und Verstehen werden verlangt [125].

„Wissen und Verändern!" ist nicht nur die Parole der „Offenen Briefe
an einen jungen Menschen", ist nicht nur das Motto des Dramas „Die
Ehe" [126], sondern könnte ebensogut über den Schlußkapiteln des Romans „Berlin Alexanderplatz" stehen [127]. Döblin zeigt, wie die Erkenntnis der eigenen Stellung in der Welt die Mär vom übermächtigen Schicksal
zerstört, dem einzelnen, der seine Isolierung durchbricht, erst die Möglichkeit zum Handeln gibt. Die Abschätzung der eigenen Kräfte führt zur
Forderung nach dem Zusammenschluß Gleichgesinnter (was etwas ganz
anderes ist als der „monotone Gleichschritt der Massen" [128]) und zum
Bewußtsein von der relativen Macht des Menschen.

Erst am Schluß wird Biberkopf tatsächlich entlassen, befreit aus dem
Gefängnis seiner einsichtlosen Isolation; erst jetzt ist er seiner selbst sicher und seiner Rolle in der Gemeinschaft bewußt.

Hatte Döblin die neue Weltsicht zunächst ganz im Symbolischen be-
lassen und in die mythische Landschaft des „Manas" versetzt, so über-
trug er in „Berlin Alexanderplatz" die Thematik auf die Gegenwart und
auf einen Menschen, der am untersten Ende jener Stufenleiter steht,
deren oberste Sprosse den indischen Königssohn trägt. Anders als Biberkopf litt Manas schon von sich aus unter der Tatsache des Todes und
unter der Erfahrung des Totschlags. Aber er erlag den Schicksalen, die
er in seine Seele aufnahm, wurde von den Dämonen überwältigt; nach

---

[124] Muckermann, K 112, S. 139
[125] vgl. den Text auf dem Schutzumschlag der Erstausgabe (s. o. S. 297, Anm. 46).
[126] D 55, S. 19, 39
[127] Diese Thematik hat inzwischen auch Hans-Peter Bayerdörfer in seinen scharf-
sinnigen Betrachtungen zum Schlußkapitel von „Berlin Alexanderplatz" herausgearbeitet (K 606).
[128] so Hülse, K 613, S. 94

seiner Wiedererweckung durch Sawitri war er nichts als ein [...]
loser, kraftstrotzender Übermensch, wie ja auch Biberkopf in den [...]
nissen mit Minna, Lina, Cilly und Mieze nichts als die Bestätigung seiner
Stärke sieht. Beide, der Halbgott und der Schnürsenkelhändler, toben ihren
erkenntnislosen Hochmut aus, bis die beleidigte Urmacht sie zurechtrückt,
ihnen ihren Platz zuweist, der nicht oben und nicht unten ist, sondern
sinnvoll. Schiwa heißt sie dort, hier ist es der Tod. Der indische Prinz
wird ein Lehrer der Menschen, ein Rufer zum Leben, der Berliner Prolet
wird Hilfsportier. Man hat das erbärmlich genannt, weil man nicht sah
und nicht achtete, was sich in der Einsicht dieses Mannes vollzogen hat.
Auf Biberkopfs neue Erkenntnis kommt es an, nicht darauf, welche äußere
Position er einnimmt. Dieser Mann mit dem sprechenden Namen, der
anfangs wirklich nicht sehr viel mehr im Kopf hat als jenes harmlos-
freundliche Nagetier, der zwar für Geist und Kopf schwärmt (72 f), aber
sehr wohl weiß: „bei uns Transportarbeitern steckt es mehr in den Muskeln und in den Knochen" (67), dieser Mann hat am Ende begriffen und
seinen Platz gefunden. Jene Interpreten, die wie Leo Kreutzer behaupten,
Biberkopfs neues Leben werde uns „auch nicht mit einem noch so winzigen Schritt" vorgeführt [129], legen eine bemerkenswerte Unempfindlichkeit
gegenüber geistigen Prozessen an den Tag. Es geht um die neue Er-
kenntnisposition und nicht um den Beginn einer neuen Geschichte.

Man wird vielleicht die Frage stellen, warum denn Döblin nach der
Entdeckung des Ich immer wieder, vom „Manas" über „Berlin Alexanderplatz" bis zur „Babylonischen Wandrung", Zusammenbrüche dargestellt habe, statt nun einen aktivistischen Preisgesang auf die Stärke des
Menschen anzustimmen. Eine Teilerklärung für diesen Umstand habe ich
bereits gegeben mit dem Hinweis auf die beunruhigende Tatsache des
Leidens. Es ist aber auch daran zu erinnern, daß Manas, Biberkopf
und Konrad in etwa den Weg nachvollziehen, den ihr Autor gegangen
ist, daß also ein autobiographisches Moment hinzukommt.
Dies war ein Teil von Döblins neuer Erkenntnis und der Grund für
sein eigenes Schuldgefühl: daß auch jene demütige Unterwerfung, die
der „Wang-lun" und teilweise der utopische Roman gelehrt hatten, letztlich Ausfluß des Hochmuts gewesen war, jenes Hochmuts, der vor der
Welt „das Fenster schließt", der auch und gerade in der Unterwerfung
gegenüber einer unverstandenen Welt auf dem isolierten Ich beharrt,

[129] K 578, S. 317

der es nicht fertigbringt, „die Welt zu sehen und zu ihr hinzugehn";
„dann schon ganz Vieh" (BA 156): das trifft im nachhinein auch den
Kaiser Ferdinand, der beseligt ins Reich des Elementaren eintauchte. Wenn
Döblin damals keine andere Lösung sah, als der — tatsächlich als chaotisch
empfundenen — Welt den Rücken zu kehren, dann gilt auch für ihn der
Vorwurf des Todes: „Nur geklönt: ‚Ich' und ‚Ich' und ‚das Unrecht, das
ich erleide' und wie edel bin ich, wie fein" (478).

Es war Döblins eigene Erfahrung, daß das falsche Beharren auf dem
Ich, auf dem scheinbar selbständigen Individuum, in Wahrheit die Wege
zur Welt versperrt, sowohl den Weg des Erkennens als auch den des
Handelns, daß die wahre Macht des Ich sich erst dem enthüllt, der jene
Verkrustung durchbrochen hat, der seine Kleinheit als „Stück der Na-
tur" begreift, aber gerade im Eingebundensein in einen sinnvollen Zu-
sammenhang und in seiner Fähigkeit, diesen Sinn zu erkennen, seiner
Macht gewiß wird.

Die abendländische Lehre von der Hoheit des Einzelmenschen, wie
Döblin sie sah, hatte ihn selbst und seine Helden in Verzweiflung stürzen lassen; er sah die physischen, psychischen, gesellschaftlichen Zwänge,
die jene Lehre widerlegten, und schlug sich in aggressivem Schmerz auf
die Gegenseite, wollte nichts mehr anerkennen als die Masse. Wir sahen,
wie die ichbewußte Gegenströmung immer wieder gegen diese steinerne
Front ankämpfte und wie schließlich in der Lehre vom Natur-Ich und vom
Privat-Ich bzw. in der Deutung des Menschen als Stück und Gegenstück
der Natur die Lösung gefunden wurde.

Die einseitige Betonung der „Gegenstück"-Position im Denken der
Gegenwart und die Erfahrung des eigenen Weges bestimmten Döblin,
in seinen Dichtungen die Zerstörung dieser Einseitigkeit an den Anfang
zu stellen, die Zernichtung zur Vorbedingung für die Ankoppelung an das
Sein zu erheben.

1932 antwortete er auf eine Rundfrage der „Literarischen Welt" mit
dem Titel „Das Land, in dem ich leben möchte": „Es muß ein Land
sein, [. . .] in dem man nicht glaubt, mit fertigen Rezepten und Formeln
umgehen zu können und schon ist alles gut, — in dem man nicht, statt
seine Augen, sein Hirn und sein Herz zu gebrauchen, sich mit einem -Ismus
durch (besser: über) die Welt bewegt und seinen Hochmut spazieren führt.
[. . .] Sehr müßte das heutige Ich abgebaut und neu aufgebaut werden." [130]

[130] D 510

## VI. KAPITEL

## DAS ENDE DES NATURALISMUS

### A) Der künstlerische Abstieg

### I. Die letzten Jahre der Weimarer Republik

Es gehört zur Tragik des Dichters Döblin, daß „Berlin Alexanderplatz", das Werk des Fünfzigjährigen, bereits den Gipfel seines Schaffens bezeichnet, daß er noch fast zwanzig Jahre lang Romane schrieb, ohne diese Höhe wieder erreichen zu können. Daß für diesen Umstand nicht nur die politische Entwicklung und die Emigration verantwortlich waren, zeigt sich in der Produktion der auf den „Alexanderplatz" unmittelbar folgenden Jahre. 1949, in der „Schicksalsreise", schrieb er dazu: „Vor zwölf Jahren hatte ich Deutschland verlassen. Es war schon lange vorher unerträglich im Lande gewesen. Dieser Wirrwarr, die Ausweglosigkeit, die Dumpfheit. Auf meinem Platz rang ich gegen die Stagnation." (Sch 395) — Wir sahen bereits im vorletzten Kapitel, daß Döblin vor allem die Gefangenschaft der Literatur im „Bildungskäfig" für das Übel verantwortlich machte, daß er das Heil in einer Senkung des Bildungsniveaus sah. Er selbst mühte sich redlich in dieser Richtung ab, und wir wollen einen kurzen Blick auf die sehr fragwürdigen Resultate werfen.

Am Anfang des satirischen Vorspiels zu dem Drama „Die Ehe" heißt es: „Ruhe! Der große Meister dichtet für die feinen Leute." [1] Am Schluß aber erscheint ein Arbeiter und belehrt den Dichter, man brauche keine Kunstwerke, „im Krieg gibts keine Kunstwerke." (S. 18) — Was folgt, vermag aber weder der einen noch der anderen Forderung gerecht zu werden. Ursprünglich sollte das Stück auf Anregung Erwin Piscators von einem Autorenkollektiv geschrieben werden, dem auch Nationalökonomen, Sozio-

---

[1] D 55, S. 11

logen und Mediziner angehörten [2]. Aus dem Plan wurde nichts, nur Döblin glaubte einen Einfall zu haben, wurde aber in jenem Kreis bei der Vorlesung des Stückes (es hieß damals noch „Ehe und Kapital" [3]) „mit eisigem Schweigen begraben" (Z 187). Auch nach den teilweise brillanten Aufführungen in München, Leipzig und Berlin waren die ablehnenden Stimmen weitaus in der Überzahl. Alfred Kerr wiederholte zehnmal „Nieder damit" [4], und von den renommierten Kritikern fand nur Felix Hollaender freundliche Worte für den Autor, dem er freilich im gleichen Atemzug empfahl, von der Form des epischen Theaters abzulassen, denn: „Da, wo Sie auf ureigenen Füßen stehen, [. . .] sind Sie bezwingend in Ihrer trotzigen Eigenart." [5] Noch unglücklicher als dieses metaphorische Desaster wirken die teils unbedarften, teils wirren Lobsprüche von Alfred Mayerhofer und Hermann Kesten [6]. — Daß Döblin sich Brechts „Dreigroschenoper" zum Vorbild genommen hatte, war schon aus dem Text selbst ersichtlich [7], und die törichte Unterstellung, das Stück stamme gar nicht von Döblin („ich habe es quasi bloß aufgeschrieben nach dem Diktat — ja, ich sage nicht wessen." — Z 188), ließ nicht auf sich warten. Die Konservativen unter den Kritikern nahmen Döblins unglückliche Adaption zum Anlaß, mit Seitenhieben auf Brecht und Sowjetrußland ihre allgemeine Aversion gegen alles Marxistische zu expektorieren [8]. Von Döblins Fürsprechern hat allein Natonek sich einige Gedanken gemacht und die Intentionen des Stückes klarzulegen versucht: antikapitalistisch, aber nicht marxistisch sei die Tendenz; Döblin gebe „dem Einzelnen, dem Menschlichen wieder Kredit." [9]

Schon 1928 hatte Döblin, aus seiner Arztpraxis berichtend, geklagt: „Ach, die Wohnungsfrage erst. Es könnten ganze Abhandlungen geschrieben werden über die Wirkung der Wohnungsnot auf den Verlauf der Ehen, auf den Bevölkerungszuwachs, auf die Abtreibung und ihre Folgen, den Alkoholismus, also auf die Kriminalität." (Z 125) Von der

---

[2] vgl. Döblin, „Reines Vergnügen am Theater" (D 291), Z 187; Lutz Weltmann, „Theorie und Praxis" (K 482).
[3] vgl. Döblin, „Nur der veränderte Autor kann den Film verändern" (D 580), und A. E. (K 146).
[4] K 148
[5] K 147, S. 331
[6] K 152; K 149
[7] D 55, S. 69
[8] so Delpy (K 145) und Klein (K 150).
[9] K 153

Wohnungsnot und vom Paragraphen 218 handeln denn auch die beiden ersten Szenen, während das Schlußbild die Ehe der Reichen darzustellen sucht. Suggeriert werden soll die Einsicht, daß der Kapitalismus jede Ehe, jede zwischenmenschliche Beziehung zerstört, weil er auf prinzipiellem Egoismus basiert. Nur stellte Döblin die gesellschaftlichen Hintergründe so vereinfacht dar, blieb in seinen Attacken gleichzeitig so nebulos, daß nichts als ein larmoyantes Stück Tendenztheater entstand, schwerlich geeignet, zur Bewußtseinserhellung beizutragen, „Revolution mit Flötenmusik", wie Paul Kornfeld angesichts der zur Ausstattungsrevue ausgeuferten Berliner Aufführung notierte [10]. Kerr erboste sich: „Döblin! Verantwortungsloses Hingeschreib ist auch Verletzung einer sozialen Pflicht. Obschon dreimal gütig." [11], und Rudolf Arnheim legte den Finger auf die Wunde, als er konstatierte, „daß hier jemand schlechter geschrieben hat, als er könnte"; geboten werde „nicht Verzicht auf Kunst, sondern schlechte Kunst." [12]

Für uns ist dieses Stück allenfalls noch deshalb von Interesse, weil Döblin hier den Versuch unternahm, die Erzähltechnik des Romans „Berlin Alexanderplatz" auf das Drama zu übertragen. Ein Sprecher tritt auf, Bild- und Textprojektionen kommentieren, verdeutlichen oder travestieren den szenischen Vorgang. So erscheint beispielsweise als Kommentar zum schwärmerischen Selbstlob des Dichters („Oh, diese Szene der Begegnung, des Wiedersehens und Sichfindens.") der Text: „Rührei mit Schinken, große Portion eine Mark zwanzig." [13] Diese sarkastische Assoziation zu dem unausgesprochenen Tertium comparationis „Rührung" erinnert an den travestierten Lesbierinnen-Roman in „Berlin Alexanderplatz" („Gänsefüßchen, Gänsebeinchen, Gänseleber mit Zwiebel." — BA 79). Auch das neu entdeckte Mittel des Reims wird reichlich verwendet; manches andere ist direkt aus dem Roman übernommen. Hatte es bei Biberkopfs Weggang an jenem verhängnisvollen 8. April geheißen: „Eine Stufe, noch eine Stufe, noch eine Stufe, ne Stufe, Stufe, Stufe" usw. (BA 219), so redet hier der Sprecher die junge Frau an, die bald unter den Händen der Engelmacherin verbluten wird: „Jetzt zähle die Stufen du, sieh dir die Straße an" [14].

[10] K 151
[11] K 148, S. 222
[12] K 144, S. 626
[13] D 55, S. 13
[14] ebd., S. 31

Vor allem die erste Szene verfolgt ähnliche Intentionen wie der Roman. Wieder erscheint das Leben als Krieg, aber schon hier ist die Verengung der Optik deutlich, wenn Armut bzw. seelenloser Reichtum als Wurzel des Übels genannt werden. Eine Verengung und nicht etwa eine Präzisierung der Optik liegt deshalb vor, weil dem Rekurs auf bestimmte gesellschaftliche Zustände ebenso konkrete gesellschaftspolitische oder revolutionäre Zielsetzungen angemessen gewesen wären; derartiges aber sucht man vergebens. In „Berlin Alexanderplatz" ging es darum, einen Menschen überhaupt erst damit bekannt zu machen, welche Bedeutung den Tatsachen „Welt" und „Gesellschaft" zukommt; dort also genügten die allgemeinen Aufrufe, die Augen aufzumachen, um Verständnis der Zusammenhänge bemüht zu sein und die Konsequenzen aus diesem Wissen zu ziehen. Ganz in einen solchen allgemeinen Rahmen gehört es, wenn der Sprecher in unserem Stück mahnt: „Wer nicht zur eigenen Wahrheit durchdringt, zur Wahrheit seiner Natur und seiner Lage, der lebt nicht, hat nicht gelebt, ist nicht geboren." (S. 21), wenn er die Fürsorgeschwester anfährt: „Und du hast keine Augen, du lebst in einer versunkenen Welt. Du bist ohne Bewußtsein." (S. 29) Wie Franz stöhnt Karl: „Das Unrecht, das Unrecht." (S. 38) und muß sich sagen lassen, daß dieses Gejammere unnütz ist. Auch hier erscheint der Tod (S. 35 ff), aber er sagt kein Wort, und das ist kein Zufall. Denn wenn wir am Schluß den Marsch hören: „Da mußt du marschieren, mein Junge, mit allen, vom Himmel ist keinem was runtergefallen, da heißt es erst mal, die Fäuste ballen, und dann heißts, mit die Sohlen knallen." (S. 39), so ist das nicht nur angesichts der konkreteren Thematik des Dramas weniger, als der Roman zu bieten hatte, sonders es ist überhaupt nichts als eine gereimte Seifenblase. Hier wird versucht, politische Unentschiedenheit mit wohlfeilem Pathos zu übertünchen. Wieder einmal sah Döblin das Elend und stellte es plastisch dar, ohne jedoch eine Lösung zu wissen. Dieser Umstand allein wäre ihm selbstverständlich nicht vorzuwerfen, wohl aber die Attitüde, als habe er doch konkrete Zielsetzungen anzubieten. Gegen die Wohnungsnot, den Abtreibungsparagraphen, den Tod der jungen Frau diesen nebulosen Appell zum Sohlenknallen aufzubieten stellt schon fast eine Frivolität dar, „obschon dreimal gütig". Und wenn sich am Schluß herausstellt, daß an dem ganzen Elend der Kapitalismus schuld ist, so wird nur etwas mitgeteilt (und eben nicht zwingend vor Augen geführt), was andere bereits fünfzig Jahre eher wußten.

Die Stagnation der letzten Weimarer Jahre wird auch darin deutlich, daß Döblin offenbar zunächst kein Sujet für einen neuen Roman fand und sich daranmachte, die Utopie „Berge Meere und Giganten" zu überarbeiten. Er verfügte nach dem Erfolg des Biberkopf-Romans endlich einmal über Geld und verlegte sogar seine Praxis an den hochherrschaftlichen Kaiserdamm [15]; so hatte er Muße genug, sich an die Überarbeitung des alten Romans zu machen, die ihm, wie er mitteilt, schon 1925 notwendig erschienen war (AzL 372 f). Es ist auch nicht auszuschließen, daß er sich durch die politische Entwicklung in Deutschland zu abermaliger Beschäftigung mit dem Stoff gedrängt fühlte. Der Geist, der in „Berge Meere und Giganten" zur Selbstvernichtung führt, schickte ja eben sich an, die Macht zu erobern, bediente sich obendrein der Tarnung des „allzu platten Landes". So versuchte Döblin noch einmal, vor der „gigantischen Entartung des Menschen" (AzL 374) einerseits und der maschinenstürmerischen Reaktion andererseits zu warnen; aber er tat das in einer Form, die nicht zu überzeugen vermochte. Der Mangel an Inspiration ist deutlich.

Die Tendenz, sich zu popularisieren, kommt schon in dem neuen Untertitel zum Ausdruck: „Ein Abenteuerbuch". Es entstand eine Volksausgabe in des Wortes fragwürdigster Bedeutung. Schwierig blieb das Buch nach wie vor, fast unverändert in den Abschnitten über den Uralischen Krieg und das Grönlandabenteuer; alles Blut aber wurde ihm abgezapft, und streckenweise liest diese Umarbeitung sich so ledern wie ein Erdkundebuch alter Couleur. Die Episoden um Melise von Bordeaux, um White Baker und die „Schlangen", um Marduk, Jonathan, Elina und die Divoise: all diese Erzählungen, die Döblin seinerzeit selbst oasenhaft genannt hatte (AzL 352), fehlen, und damit verkehrt die Absicht der Neufassung sich nahezu in ihr Gegenteil. Der Mensch sollte gegen die Natur erhoben werden; gerade die Geschichten aber, in deren Mittelpunkt Einzelpersonen und ihre Schicksale stehen, wurden gestrichen. Übrig bleiben Marionetten, an denen etwas demonstriert wird; von Individuen kann paradoxerweise fast weniger die Rede sein als in der ursprünglichen Fassung. Den ersten Dialog finden wir auf S. 74 (in „Berge Meere und Giganten" bereits auf S. 28), den nächsten auf den Seiten 120 f, und dann müssen wir wieder bis S. 145 warten.

[15] vgl. D 512.

Auch die Unterteilung in kleinere Kapitel und kleinere Absätze ist Ausdruck der Popularisierungstendenz. Aus „Berlin Alexanderplatz" wurde die Neuerung der Kapitelüberschriften und der Buch-Prologe übernommen. Wie äußerlich das gehandhabt wird, zeigt schon das Proömium, das nicht, wie in „Berlin Alexanderplatz", ein eigenständiger Text ist, sondern lediglich die Summe der Buch-Prologe (G 9 f). Auch diese Resümees selbst sowie die Buchtitel und die Kapitelüberschriften stehen nicht in jenem Verhältnis von ironischer Distanzierung, symbolischer Spiegelung, aufmunterndem Kommentar oder erschrecktem Registrieren zum eigentlichen Text, sondern sie geben tatsächlich nichts als den planen Inhalt des Folgenden, oft nicht einmal das: einige Überschriften sind mit dem ersten Satz des Kapitels identisch (12, 15, 172, 369).

Besonderheiten der Zeichensetzung und der Syntax werden normalisiert [16]; die bildhaft vergegenwärtigenden Partizipialkonstruktionen, von denen ich anläßlich des „Wang-lun" sprach (s. o. S. 161 f), verlieren durch Hinzufügung der Hilfsverben ihre Eigenart [17]; auch subjektlose Sätze werden schulmeisterhaft vervollständigt [18].

Döblins schon naiver Drang nach Verständlichkeit ließ ihn „Magma" in „Schmelzfluß" (BMG 352, 371 — G 176, 194) oder auch „Internierung" in „Einsperrung" verdeutschen (BMG 77 — G 48). Im VII. Buch werden aus unerfindlichen Gründen einige Eigennamen gesperrt gedruckt (G 301), so daß der Leser sich endgültig einem übereifrigen Oberlehrer ausgeliefert fühlt. Besonders peinlich wird derartiges, wenn, ähnlich wie in der „Ehe", die formale Herausgehobenheit mit inhaltlicher Nullität zusammenfällt wie in den gereimten Schlußabschnitten, die zu allem Überfluß auch noch Kylin in den Mund gelegt sind (373).

Wie hier aus suggestiv-lebendiger Vergegenwärtigung trockenes Schulbuchdeutsch destilliert wurde, wie Döblin den Rhythmus und die Sprachmusik seines eigenen Romans zerstörte, das möchte ich an der Umformung einer längeren Passage demonstrieren, deren Kürzungen und norma-

[16] vgl. z. B.: „Wo die Wälder Wiesen Blatt- und Grasgrün Ähre Blüte laufendes Tier singender Vogel?" (BMG 108) — „Wo waren Wälder, Wiesen, Blatt- und Grasgrün, wo gab es ein laufendes Tier, einen singenden Vogel?" (G 103)

[17] z. B.: „Hunderte von der eigenen Feuerwoge im Rücken gefaßt, geröstet." (BMG 103) — „Hunderte, tausende der Westler wurden von der eigenen Feuerwoge im Rücken gefaßt und verbrannten." (G 95)

[18] z. B.: „Sie hatten [...] Lebten [...]" (BMG 72) — „Sie hatten [...] Sie lebten [...]" (G 40).

lisierende Zusätze die Tendenz der Bearbeitung besonders deutlich werden lassen [19]:

„Im Südosten des Landes stand ein altes Rumpfgebirge. Flachgewölbt war es, vom Wasser und Regen bis auf den Sockel zerstört.

Senkte seine Oberfläche nach Westen unter die weiten eingeebneten Beckenlandschaften. Vulkane hatten die alten granitischen Massen durchbrochen.

Dies war die Hebung der Cevennen, das Hochland der Auvergne.

Auvergne, Fores, Lyonnes. Bergströme durchbrausten die welligen Plateaus, enge Felstäler, Basalt- und Trachytkegel, Lager von Schlacken Aschen. Ein Krater senkte sich hundert Meter ein.

| (Berge Meere und Giganten) | (Neufassung) |
|---|---|
| Von den Gletschern des Gotthard kam die Rhone herunter. Gießbäche verstärkten sie. Sie jagte durch Engpässe, tauchte ihr schlammiges Wasser in den sichelförmigen Genfer See. Tiefblau trat sie aus dem Becken. Und wie sie den Jura durchbrochen hatte, kam ihr von Norden die sanfte Saone entgegen. Wasser mischten sie mit Wasser, rollten nach Süden. Breiter und breiter strömte der Fluß durch | Von den Gletschern des Gotthard kam die Rhone herunter. Sie jagte durch Engpässe und tauchte ihr schlammiges Wasser in den sichelförmigen Genfer See. Tiefblau trat sie aus seinem Becken hervor. Breiter und breiter strömte der Fluß durch |

[19] Links der Text aus „Berge Meere und Giganten", rechts der aus der Neufassung, in der Mitte der gemeinsame Wortlaut.

die lavendel- und myrtenduf-
tende Ebene. Die Nachbarländer
schickten ihm neue Wasser zu.
Noch einmal traten die Felsen
der Alpen, die ihn erzeugt hatten, an seine Ufer. Dann öffnete sich das Stromtal. Versump-
fende Ufer. Rollkiesel über
dem flachen Bett. Kieselfelder
bis zum Meeresgestade, ödes
Deltaland. Die trägen Wasser
schwollen verendeten im Meer."
(BMG 523)

die lavendel- und myrthenduf-
tende Ebene.

Noch einmal traten die
    Alpen, die ihn erzeugt hat-
ten, an seine Ufer. Dann öffnete sich das Stromtal,

    träge verendeten
die Wasser im Meer."
(G 320)

Diese Stelle ist, über die formalen Zerstörungen hinaus, geradezu ein Musterbeispiel für eine unsinnige Kürzung. Ganz abgesehen davon, daß in der neuen Fassung der Strom die Entfernung von Genf zur Provence offenbar im Sprung meistert, erfüllt dieser Abschnitt nun nicht mehr den ursprünglichen Zweck, den Lebenslauf eines Flusses hörbar zu machen, von der Eilfertigkeit des jungen Rotten bis zum trägen Ausufern in der Camargue und dem Aufgehen im Meer; einen anderen, neuen Sinn hat die Beschreibung aber auch nicht. Konsequenterweise hätte die Passage also nicht zu einem Wechselbalg verfälscht, sondern ganz gestrichen werden müssen. Das gilt für das gesamte Buch. Mit Recht setzte damals Hans Meisel in seiner Rezension die beiden Versionen voneinander ab als „Dichtung und Klarheit" [20]; aber auch mit der letzteren hapert es.

Zunächst hat Döblin sich bemüht, die historische Hinführung zum Uralischen Krieg „wahrscheinlicher" zu gestalten, und dafür ein neues I. Buch geschrieben. Nicht der Maschine selbst wird nun die Schuld an der Verarmung gegeben, sondern ihrer Gefangenschaft im „Besitzkäfig", aus dem sie dann auf wenig klare Weise befreit wird; eine kommunistische Revolution mochte Döblin wohl nicht darstellen, aber seine sehr theoretischen Darlegungen in „Wissen und Verändern!", die hier wiederkehren („ein Mißtrauensvotum an die Adresse des Staates, der Staatsform überhaupt" — G 16), taugen zwar für eine geistige Klärung, nicht aber für ein konkretes politisches Programm, das darum auch hier fehlt. — Revolten der „Siedler" zwingen zu erneuter Beschränkung des Wissens,

[20] K 160

begründen also neue Herrschaft. Man proklamiert die ungehinderte Entfaltung der Maschine und lehnt die Ansicht ab, „die Maschine und ihre Entwicklung habe sich nach einem sogenannten menschlichen Bedarf zu richten." (43) Die Erfindung der Meki-Nahrung verurteilt der Erzähler als „Höllenwunder" (47); Mekis Selbstmord, in der Erstfassung nichts als die Verzweiflungstat eines Verfolgten, wird umgedeutet: in Gram und Reue erhängt sich ein Erfinder, dem die Tragweite seines Tuns aufgegangen ist (57).

Nach dem III. Buch, das den Uralischen Krieg zum Inhalt hat (er ist jetzt Folge politischen Kalküls: S. 84), hören wir im IV. Buch nur ganz kurz von Marduk (Marke und Zimbo fehlen ohnehin), und gleich werden die wesentlichen Passagen aus dem ehemaligen V. Buch angeschlossen; dieser weitestgehenden Eliminierung der Geschehnisse um Marduk widerspricht es, daß die Beschwörung des Toten durch Delvil beibehalten wird (G 346—350): die Apotheose des nahezu Unbekannten bleibt rätselhaft. — Die Ereignisse der letzten vier Bücher sind im ganzen mit denen in „Berge Meere und Giganten" identisch, und auch stilistische Veränderungen begegnen hier entschieden seltener. Einige wenige Verschiebungen sollen die Konsequenz der Erstfassung vermeiden helfen. So ist Ten Keirs Position abgemildert und damit akzeptabler geworden (305 ff); Kylins Feuerreligion fehlt.

Trotzdem ist man einigermaßen überrascht, wenn man liest: „Es war nicht die Zeit der Siedler gekommen." (369) Der Duktus der im wesentlichen unveränderten Ereignisse läßt ein solches Umbiegen kaum zu. Im Nachwort wird der Eingriff des Menschen in die Natur ausdrücklich gerechtfertigt (AzL 373 f); unmöglich aber kann diese Rechtfertigung auf dem Hintergrund eben der „gigantischen Entartung des Menschen" (AzL 374) plausibel werden. Den ganzen antitechnischen Apparat der Erstfassung aufzubieten und dann mit trockenem Kommentar klarzustellen, hier habe es sich nicht um eine grundsätzliche, sondern lediglich um eine graduelle Fehlentwicklung gehandelt, das geht nicht an und verkennt die Natur des Kunstwerks, in dem nur das wirklich ist, was anschaulich wird; in diesem Roman aber steht die Anschauung im offenen Widerspruch zur Absicht des Autors. Es bleibt bloße Behauptung, daß die neuen Menschen Herren und nicht mehr Anbeter der Maschine seien, und die neuen Grundsätze verflüchtigen sich ins Nebulose: „Es fiel keine Entscheidung für die Maschine, aber auch keine Entscheidung für die Siedler. Es war ein drittes Wort da: das Gesetz!" (G 370) Auch das Ausrufezeichen ändert nichts daran, daß wir es in der Tat mit weiter nichts als einem Wort zu tun haben. Gemeint ist eine ähnliche Bestimmung der menschlichen Position, wie „Berlin Alexanderplatz" sie vorführte; Kylin sagt von den Giganten: „Sie kannten aber nicht den Tod, das Entsetzen und den Schmerz. [...] Eine Welt, die den Schmerz und die menschliche Erniedrigung nicht kennt, lebt nicht." (372) Daß diese Erkenntnis geeignet ist, dem einzelnen Menschen die Augen zu öffnen, demonstrierte die Geschichte vom Franz Biberkopf; wie wenig sie aber als allgemeine Menschheitsmaxime hergibt, zeigen die praktischen Folgerungen, die man in „Giganten" aus ihr zieht. Man beschließt schlichten Gemüts, für die nächste Zeit sei genug gehandelt, und der Erzähler will uns tatsächlich glauben machen, diese Bankrotterklärung überbrücke die Gegensätze (370 f).

Bei allen Bemühungen Döblins, in dieser Neufassung durch Einschub belehrender Kommentare den Menschen und seine Technik gegenüber der Natur aufzuwerten, bei aller Anstrengung, durch Vordeutungen und Rückverweise Zusammenhang zu schaffen, den Erzählfluß zu begradigen, scheitert das Buch an dem grundsätzlichen Dilemma, seine These an einem Stoff demonstrieren zu müssen, der ursprünglich der Illustration der Gegenposition gedient hatte und der genug Eigenleben besaß, um die neue Absicht blaß und schulmeisterlich erscheinen zu lassen.

Das gilt auch für das zeigefingerhafte Getue des absolut humorlosen Erzählers der „Giganten". Hier ist schon die Tendenz am Werk, die später in der Penetranz von „Pardon wird nicht gegeben", der „November"-Tetralogie und mancher Passagen der Südamerika-Romane ihre Fortsetzung finden sollte. Vieles, was in „Berge Meere und Giganten" gerade durch die scheinbare Distanz nachdenklich gemacht und schockiert hatte, wird nun durch den onkelhaften Gebrauch von Gedankenstrichen und Ausrufezeichen um alle Wirkung gebracht. „Es war sicher, der Wald wuchs." heißt es lapidar in der Erstfassung (BMG 129); in „Giganten" wird uns eigens mitgeteilt, daß dies ein unerfreuliches Ereignis ist: „Es war sicher, grausig sicher, der Wald wuchs!" (G 110) — In „Berge Meere und Giganten" lesen wir über die unheimliche Wirkung der Turmaline: „Die Schiffe schienen sich bereit zu machen, über den Ozean zu fliegen." (BMG 397) Jetzt aber will Döblin dieses Ereignis auch dem sogenannten Volk nahebringen, das er offenbar für extrem begriffsstutzig hält: „Die Schiffe schienen sich bereit zu machen, über den Ozean zu — fliegen!" (G 218) Eine solche Interpunktions-Pathetik ermüdet ungemein und kann nur verstimmen.

Die Neufassung des utopischen Romans ist ein deutliches Anzeichen für die gedankliche und künstlerische Krise, in der Döblin sich damals befand, ein klarer Beweis dafür, daß ihm die proklamierte Hinwendung zum „Volk" ganz unmöglich war, daß er auf diesem Wege nichts weiter zustande brachte als höchst unglückliche Mischprodukte, die für die anvisierte Leserschicht immer noch schwer verständlich, wahrscheinlich auch uninteressant waren, gleichzeitig aber den Leser mit einer Attitüde vor den Kopf stießen, die ein absolutes Manko an Intelligenz bei ihm voraussetzt.

## II. *Die Werke der Emigration*

Jene Stagnation, von der oben die Rede war, beruhte, was Döblin persönlich betraf, vor allem auf der Ungeklärtheit seiner geistigen Position. Die naturalistische Konzeption war theoretisch niedergelegt, hatte in „Berlin Alexanderplatz" ihr künstlerisches Pendant gefunden, stand aber nach wie vor ohne befriedigende Antwort vor der Tatsache des Leidens. Biberkopfs Unglück war sinnvoll, weil er sich in seiner hochmütigen Blindheit, seiner asozialen Kraftmeierei sowohl gegen die Welt im allgemeinen als auch gegen bestimmte einzelne vergangen hatte; sein Leiden war Strafe und hatte Aufrüttelung und Erkenntnis zum Ziel. Es konnte Döblin aber nicht verborgen bleiben, daß eine solche Konstellation nicht allgemeingültig ist, daß es unverschuldetes Leiden gibt; schon Miezes Tod kommentierte er einigermaßen ratlos: „Sie wurde zerschlagen, weil sie dastand, zufällig neben dem Mann, und das ist das Leben, ist schwer zu denken." (BA 417) Ebenso wie Iwan Karamasow in seiner Legende vom Großinquisitor drängte auch Döblin innerlich auf eine religiöse Lösung hin — und sperrte sich. Hatte doch der Naturalismus gerade die Würde des nur diesseitigen Menschen theoretisch begründet, und Döblin sträubte sich gegen einen „Kurzschluß in die Mystik" (AzL 205), ohne freilich einen anderen Ausweg aus seinem Dilemma zu sehen.

Auf diesem schwankenden Boden entstand der Roman „Babylonische Wanderung oder Hochmut kommt vor dem Fall", ein Buch, das abermals von Schuld und Buße spricht, dem Autor aber, wie er bekümmert eingestand (Sch 396, AzL 392), völlig aus der Hand glitt. Ebenso wie die ursprüngliche Konzeption von „Berge Meere und Giganten" stellt die der „Babylonischen Wanderung" den Vorgriff auf eine Weltsicht dar, der Döblin noch zu viele innere Widerstände entgegensetzte. Beide

Bücher entwickelten ein Eigenleben, und wie der utopische Roman auf dem Satz beharrte: „Ich — bin — nicht." (AzL 347), so weigert sich der verstoßene Gott Konrad, ein Schuldbekenntnis abzulegen und zu büßen. Sehr deutlich zeigt diese Gestalt, wie tief verwurzelt Döblins eigenes Schuldgefühl war und wie erbittert er gleichzeitig dagegen ankämpfte.

Den Keim zu diesem Buch finden wir schon in „Berlin Alexanderplatz", in jener Assoziation des Rabbis: „Sprach Jeremia, wir wollen Babylon heilen, aber es ließ sich nicht heilen. Verlaßt es, wir wollen jeglicher nach seinem Lande ziehen. Das Schwert komme über die Kaldäer, über die Bewohner Babylons." (BA 19) [21] Der Fluch des Propheten und Marduks Untaten gegenüber den Israeliten einer grauen Vorzeit müssen nun die Begründung für Konrads Wanderung liefern (BW 26 f). Daß er unter solchen Umständen nicht bereit ist, sich schuldig zu bekennen, wird der Leser ihm kaum übelnehmen; denn weder der alttestamentarische Jahwe noch Christus gewinnen Autorität in diesem Buch, und so hängen die Beschuldigungen gegen Konrad ziemlich in der Luft. Döblin hat anläßlich dieses Romans von seinem eigenen damaligen Zustand gesprochen: „Es war das Gefühl meiner eigenen verlorenen Situation. Es war das Gefühl von Schuld, vieler Schuld, großer Schuld." (Sch 396) Offensichtlich war dieses Gefühl so stark, daß der Erzähler der „Babylonischen Wandrung" auf langwierige Motivierungen glaubte verzichten zu können, bzw. daß ihm das Fehlen einer ausreichenden Motivierung gar nicht bewußt wurde. Gleichzeitig kam die Fragwürdigkeit der Basis jener Gegenströmung zu Hilfe, die sich solchen Selbstanklagen und den aus ihnen zu ziehenden Konsequenzen heftig widersetzte. Mit einer so unzureichenden Begründung ließ sich leichter jonglieren, und Döblin tat das in extremem Maße. Mit immer neuen Abschweifungen, mit guten und mit läppischen Scherzen, mit Wechseln des Schauplatzes und des Personals sucht der Erzähler das Ende immer wieder hinauszuschieben, und nur widerwillig und ohne Überzeugungskraft biegt er in jenen Weg ein, den der Autor zu Beginn vorgezeichnet hatte. So entstand ein streckenweise sehr amüsantes, im ganzen aber weder künstlerisch noch theoretisch überzeugendes Buch; es hatte Döblin in der Tat „nicht weitergebracht und zeigte einen Widerstand, eine Sperrung und Versteifung in mir an." (AzL 392)

Das buntscheckige Gewand des Romans findet eine zusätzliche Erklärung darin, daß er noch in Deutschland begonnen, dann aber in Zürich

---

[21] Auch von dem Namen Marduk, der Döblin bei der Beschäftigung mit dem utopischen Roman wiederbegegnete, mag ein Anstoß ausgegangen sein.

fortgeführt und schließlich in Paris vollendet wurde. Die erschwerten Bedingungen, unter denen Döblin arbeiten mußte, kann man sich in etwa vorstellen; auch der Umstand, daß die Themen der Emigration und der Judenverfolgung so oberflächlich in den Roman eingefügt sind, wird von der Entstehungszeit her verständlich. — Daß die beiden letzten Stationen Konrads mit denen seines Autors identisch sind, hat inhaltlich nicht viel zu besagen. Auch hier wurde eilfertig Aktuelles, diesmal sogar nur für den Autor Aktuelles, in das Buch aufgenommen, ohne daß mit „Zürich" oder „Paris" bestimmte Stationen auch der innerlichen Entwicklung bezeichnet wären. Die Begegnung mit dem Gekreuzigten und der „Aufstieg zu einem armen Menschen" (BW 7, 527) hätten an jedem anderen Ort ebensogut stattfinden können.

Künstlerisch noch sehr viel fragwürdiger ist der Roman „Pardon wird nicht gegeben", den Walter Muschg voreilig als „Meisterwerk" einstufte (P 381) und der begreiflicherweise den Beifall von Roland Links fand [22], während Döblin selbst zu Recht von einer Plänkelei sprach (AzL 392). Deutlicher als die „Babylonische Wandrung" läßt dieses Buch erkennen, was neben dem Schwanken der naturalistischen Konzeption dazu beitrug, den künstlerischen Abstieg der Emigrationsjahre herbeizuführen.

Nach der Flucht aus Deutschland konnte Döblin nicht mehr als Arzt arbeiten, wurde ganz auf sein Künstlertum eingeschränkt, das ihm von jeher sowohl notwendig als auch suspekt gewesen war. Wir erinnern uns seiner entschiedenen Antwort auf die Frage, welchen seiner beiden Berufe er notfalls eher aufgeben könne (s. o. S. 27); daß es dann doch anders kam, traf ihn schwer. Seinem Bedürfnis, anderen zu helfen, konnte er jetzt nur noch als Schriftsteller nachkommen, und von hier her erklärt sich der lehrhaft-tendenziöse Ton der Dichtungen aus dem Exil. Der indirekte Einfluß auf den Leser genügte ihm nicht mehr, und so verfaßte er Romane jener Couleur, die er 1928, in der Rede „Schriftstellerei und Dichtung", selbst angeprangert hatte: „Sie [...] drapieren sich mit Requisiten aus den Leihhäusern der älteren Kunst, und in der Regel haben sie einen bestimmten praktischen Zweck: zu unterhalten und ethisch etwas zu erreichen, nun, was der Autor sich als Ethik ausgedacht hat, oder sie wollen politisch agitieren, oder sie wollen sozialkritisch wirken und aufklären" (AzL 93). — Die Ehrenhaftigkeit einer solchen Wandlung ange-

[22]  s. K 627 und K 558, S. 102—111.

sichts der Entwicklung des Dritten Reiches steht außer Zweifel; als Kunstwerke aber vermögen diese Romane nicht zu überzeugen.

Deutlich steht die politische Thematik im Vordergrund. Immer wieder kreiste Döblin um die Frage, „wodurch alles gekommen war." (AzL 394), ob er nun am Beispiel seines Bruders Ludwig die politische Entwicklung in Deutschland kritisierte oder die gescheiterte Novemberrevolution darstellte, ob er Edward nach den Schuldigen am Kriege oder Twardowski nach den Urhebern der Lehre vom autonomen Menschengeist fahnden ließ: immer stand die Frage im Zentrum, wie es dazu hatte kommen können, daß in Deutschland das Verbrechen regierte. Der lehrhafte Charakter dieser Bemühungen wird auch in dem Titel deutlich, den Döblin ursprünglich der „November"-Tetralogie zugedacht hatte: „ ‚Waffen und Gewissen', Untertitel: ‚Berlin November 1918, — Zur Warnung und Erinnerung' " [23].

Der Roman „Pardon wird nicht gegeben" läßt ferner erkennen, daß die Entdeckung des Ich, des einzelnen Helden und des persönlichen Erzählers für Döblins künstlerische Entwicklung keineswegs nur förderlich gewesen ist. Er selbst zwar betrat hier Neuland, und in „Berlin Alexanderplatz" war es ihm auch gelungen, den neuen Inhalt in eine neue Form zu fassen. Andererseits aber lag ja eine Rückwendung zur traditionellen Epik vor, und daraus ergab sich die Gefahr, alten, abgelebten Mustern aufzusitzen, zurückzugreifen auf Erzählweisen, die längst abgetan waren, weil sie die Welt des 20. Jahrhunderts nicht mehr zureichend erfassen und darstellen konnten. Niemand wird bestreiten können, daß Döblin in allen Romanen, die dem „Alexanderplatz" folgten, vor allem aber in „Pardon wird nicht gegeben" und in der Revolutions-Tetralogie, dieser Gefahr erlegen ist, daß er immer wieder in einen konventionellen Ton verfiel, der einem an sich der Tradition viel stärker verhafteten, gerade deshalb aber die Nuancen und die Mittel ironischer Distanzierung beherrschenden Geist wie Thomas Mann niemals unterlaufen ist. In der streitbaren Frontstellung gegen die herkömmliche Epik hatte Döblin seinen eigenen Stil entwickelt; nach seiner Rückkehr zum persönlichen Erzähler aber ging die individuelle Nuance mehr und mehr verloren.

Da erscheint in „Pardon wird nicht gegeben" ein böser Onkel, wie Dickens ihn in seinen schlimmsten Stunden nicht widerwärtiger — und unglaubwürdiger — hätte zeichnen können (P 37—40), es gibt einen guten

---

[23] D 596, S. 50. Vgl. auch die Kennzeichnung im Brief an Hans Henny Jahnn vom 7. 1. 1957: „Das große dreibändige aufklärende Erzählwerk ‚November 1918' " (D 603, S. 3; jetzt in D 604 A, S. 483).

und einen feisten Pfarrer (113, 130 ff), Karikaturen werden blutig ernst als lebende Menschen aufgeputzt (185 ff), der Verführer heißt natürlich José (210), platte Satire (113—119) herrscht auf der einen, Pathos, oft unfreiwillig komisch, auf der anderen Seite: „In der Stube aber stiegen am Morgen aus dem Schlaf Karl und Erich, und Karl, ein taufrischer freudiger junger Mensch, sah vergnügt zu, wie der blasse zarte Bruder sich von der Mutter hätscheln und waschen ließ." (76) Immer wieder wird mit dem Hammer philosophiert und politisiert; selbst das Klischee von der naturfernen Großstadt und dem Lindenbaum auf dem Lande fehlt nicht [24]. — Schon Hansjörg Elshorst hat nachgewiesen, daß „Pardon wird nicht gegeben" weder als Tendenzroman noch als Kunstwerk zu halten ist, daß die marxistische Sehweise und das autobiographische Muster einander im Wege stehen [25]. Ich möchte darauf nicht weiter eingehen und nur, was den marxistischen Ansatz betrifft, anmerken, daß wir es hier offenbar mit einem ähnlichen Vorgang zu tun haben, wie wir ihn schon bei der Betrachtung von Döblins Schriften zum Judenproblem feststellten. Auch hier schlug er sich auf die Seite der Bedrängten und Verfolgten, solidarisierte sich mit ihnen, weil er helfen wollte und weil er eine Heimstatt für sich selbst erhoffte. Auch diese Fahne aber konnte er nicht halten: in „November 1918" und im „Hamlet" wird die gesellschaftliche Betrachtungsweise endgültig aufgegeben, und noch dezidierter als früher erklärt er die Wandlung des einzelnen zur Vorbedingung für eine allgemeine Veränderung.

Wenn bisher von Döblins ungeklärter geistiger Position, von den Schwierigkeiten, die sich mit der Rückwendung zu Strukturen der traditionellen Epik ergaben, vom Druck der politischen Situation in Europa und vom Verlust des Arztberufes die Rede war, so ist zur Erklärung der sprachlichen Verarmung in den Werken der Emigrationszeit noch ein fünfter Punkt hervorzuheben: die Entfernung von Berlin. Immer schon hatte Döblin betont, daß er in den unmöglichsten Situationen schreiben konnte („auf der Hochbahn, in der Unfallstation bei Nachtwachen, zwischen zwei Konsultationen, auf der Treppe beim Krankenbesuch" — Z 57), aber immer nur in Berlin: „Auswärts fühle ich mich gestört." [26] Noch 1938 entwarf er folgendes Selbstporträt: „Alfred Döblin, der in Paris ebenso spaziert

[24] vgl. P 228 und 332 („Denn man lebte nicht von Getreide, sondern von Geld.").
[25] K 568, S. 82—89
[26] „Zur Physiologie des dichterischen Schaffens" (D 505). Vgl. ferner „Berlin und die Künstler" (D 494); „Ostseeligkeit" (D 424), S. 994; „Die Arbeit am Roman" (D 289), S. 100.

wie einst in Berlin. Nur Arzt darf er hier nicht sein; wie würde er sich erst über die Pariser freuen, wenn sie deutsch sprächen und ein bischen berlinerten." [27] Ihm, der immer wieder die Bedeutung der gesprochenen Sprache für den Dichter überhaupt und für sich selbst im besonderen betont hatte, setzte das allgemeine Dilemma der Emigranten, getrennt von der heimischen Sprachgemeinschaft leben zu müssen [28], in besonders hohem Maße zu [29]. Fast keiner der exilierten Schriftsteller hat diese Zeit ohne gewisse Erstarrungserscheinungen der Sprache überstanden; Döblin, dem Reisen von je abhold (Z 110 f), seiner gewohnten Umgebung beraubt und in seinem Arbeitsrhythmus empfindlich gestört, ein Mann, der sich selbst schon immer als „fremdsprachen-blind" empfand [30], war einer der am stärksten Betroffenen. In der „Schicksalsreise" schrieb er: „Die Sprache hat mir seit 1933 oft ein Bein gestellt und hat mir viel das Vergnügen daran verdorben, das Naziland hinter mir zu haben." (Sch 138) Deutlich spürbar wird die Abgetrenntheit von der lebenden Sprache z. B. in den sporadischen Dialekt-Partien der „November"-Tetralogie (VV 267 ff usw.). — Nimmt man all die genannten Umstände zusammen, so erscheint es erstaunlich, daß es überhaupt noch zu einer so umfangreichen Produktion gekommen ist, und mehr als verständlich, daß ihr künstlerischer Rang gegenüber den voraufgegangenen Werken nicht bestehen kann.

Im I. Band der Südamerika-Trilogie scheint noch einmal der alte Magier am Werk. Noch einmal tut die Faszination durch das Element Wasser ihre Wirkung [31]. Da gibt es mitreißende, suggestive Partien wie etwa die Schilderung des Amazonas (A 19—21); daneben stehen aber auch hier trocken-lehrhafte Auslassungen, die sich bis zur Allegorie versteigen (181 f), und platte Karikaturen wie die des spanischen Königs Ferdinand (589 ff). Schon hier hat der Zauberer den Glauben an seine eigene Kraft verloren und stört die Wirkung seiner Beschwörung durch allzu bemühte Kommentare. Ärgerlich ist die Nachlässigkeit, mit der die historische Chronologie behandelt wird. Da redet man um das Geburtsjahr des Cervantes bereits von seinem „Don Quijote" (A 177), und Giordano Bruno

[27] D 181, Erstdruck, S. 47 f
[28] vgl. dazu Lion Feuchtwanger, „Die Arbeitsprobleme des Schriftstellers im Exil" (In: Sinn und Form, 6. Jg.; 1954; H. 3, S. 348—353), und F. C. Weiskopf, K 727, S. 32 — 40.
[29] vgl. dazu auch Martini, K 559, S. 346 f.
[30] „Altes Berlin" (D 489)
[31] vgl. „Zwölf Jahre" (D 583) und „Epilog" (AzL 393).

ist nicht davon abzubringen, nicht nur Kopernikus, sondern auch den sechzehn Jahre jüngeren Galilei als seinen Lehrer anzusprechen (NU 12 u. ö.); auch der Erzähler hält Bruno offensichtlich für den jüngsten der drei (A 589). Daß der Amazonas nichts mit Amazonen zu tun hat, daß ihr Name griechischen Ursprungs ist und sich keineswegs von jenem Flußnamen ableitet (A 47), daß hier überhaupt nichts weiter vorliegt als ein Hörfehler Orellanas, das hätte Döblin in jedem größeren Lexikon nachschlagen können. Unbegreiflich ist auch der Umstand, daß nicht wenigstens ein Lektor die zoologische Verwirrung am Schluß des III. Bandes bemerkte, wo ein Reh sich dem verblüfften Leser als Hirschjunges präsentiert (NU 169 f). — Vielleicht wird man eine solche Kritik als kleinlich empfinden, unbestreitbar stören aber derart lächerliche Fehlgriffe innerhalb eines realistischen historischen Romans ungemein.

Ein ernstliches Manko der Trilogie besteht darin, daß sie ohne die Hinzuziehung des Aufsatzes „Prometheus und das Primitive" nur sehr schwer verständlich ist. Einen klaren Beweis für diese Schwierigkeit lieferte Muschg, als er bei der Neuausgabe den III. Band glaubte weglassen zu dürfen und damit, ohne es zu bemerken, das geistige Kernstück eliminierte [32]. Wegen dieser Zusammenhänge wird von der Trilogie im nächsten Abschnitt noch einmal und ausführlicher die Rede sein müssen.

Daß Döblin jetzt mehrbändige Romanwerke schrieb, darf wohl auch als Folge seiner weltanschaulichen Schwierigkeiten angesehen werden. Früher war er von bestimmten Prämissen ausgegangen, die sich unter Umständen während des Schreibens als unzulänglich herausstellten (AzL 389); jetzt aber war schon zu Anfang keine auch nur scheinbar feste Plattform vorhanden, und auf der Suche nach einer Lösung mußten die Dichtungen zwangsläufig einen immer größeren Umfang annehmen.

Die „November 1918"-Tetralogie versucht eine Synthese von „Pardon wird nicht gegeben" und den Südamerika-Romanen. Sie fragt sowohl nach den unmittelbaren politischen Ursachen für die Heraufkunft des Nazi-Reiches als auch nach den tiefer liegenden Gründen, die aus der Entwicklung des europäischen Geistes sich ergaben. Schon in der Südamerika-Trilogie war gegen den tobsüchtigen „Promethismus" mit Las Casas und der Jesuitenrepublik Paraguay das Bild des Christentums be-

---

[32] Muschgs unhaltbare Behauptung, im I. Band würden die Greuel der Kolonisatoren als bloße Naturkatastrophe, ohne Wertung dargestellt (A 642, 651), haben schon Elshorst (K 568, S. 93) und vor allem Links (K 558, S. 119—121) zurückgewiesen.

schworen worden, freilich ohne daß eine Lösung gegeben werden konnte: die Selbstzerstörung des christlichen Missionswerkes, die Übermacht der europäischen Egoismen hatten ein trostloses Ende herbeigeführt. — In der Revolutions-Tetralogie wird die Rückwendung zur christlichen Religion thematisch. Weder der gesellschaftliche noch der geistesgeschichtliche Aspekt hatten Lösungen sichtbar werden lassen, und Döblin kehrte zu seiner alten Ansicht zurück: „Der richtende Weg, richtige Weg, ist nur zu erwarten vom entschlossenen Ich, vom wählenden, denkenden, fühlenden, greifenden Ich." (IN 239) [33] In der entscheidenden Unterredung Beckers mit seinem Freund Maus treffen wir wieder auf jenes Argument gegen den klassenkämpferischen Sozialismus, das schon die Ausführungen in „Wissen und Verändern!" bestimmte: „Wie soll sich die Wut legen, die Leidenschaft, der elende Neid der Menschen, der unerschöpfliche Haß und die Bosheit — wie, wenn ihr euch selber damit an die Spitze setzt, ihr mit euren Spürhunden, mit der Inquisition, mit Revolvern, mit Zwang und Überwachung?" (HF 416) — Auch hier tritt freilich das alte Dilemma wieder hervor, noch greller sogar als in den früheren Werken: wie nämlich der gewandelte einzelne in einer unveränderten Gesellschaft überhaupt wirken könne. Becker kompromittiert sich in der Schule und während des Spartakusaufstandes, gibt schließlich auch die Tätigkeit an Privatschulen auf, denn: „Ich sah nicht, wie man erziehen kann — gegen die Eltern, gegen den Staat, gegen die Umgebung." (KR 648) Das einzige, worauf er noch hofft, ist, daß er dazu beitragen könne, für die ja doch unabwendbare neue Sintflut einen neuen Noah vorzubereiten (662); auch dieses „Tun" bleibt also ganz im theoretischen Bereich. Becker stirbt in äußerster Einsamkeit, und mag er selbst auch gerettet werden, so stellt die Grundfrage sich nur um so dringender.

Als schwierig erwies es sich auch, die beiden Themen Christentum und Revolution miteinander in Einklang zu bringen [34], zumal während der mehr als fünf Jahre währenden Arbeit die Konzeption des Erzählwerks verschoben wurde. Dem ersten, noch vor Ausbruch des Weltkriegs erschienenen Band nach zu urteilen, ging es Döblin zunächst primär darum, die Möglichkeit der Hitlerherrschaft aus dem Versagen der Linken in den Jahren 1918 und 1919 abzuleiten. Die satirische Absicht des Unternehmens kam auch darin zum Ausdruck, daß Döblin, unter Verwendung

---

[33] vgl. ferner: „Neue Zeitschriften" (D 399), S. 628; „Christentum und Revolution" (AzL 381), „Unsere Sorge der Mensch" (D 366), S. 37, 43.
[34] vgl. dazu D 294 (AzL 379—383).

eigener Erlebnisse [35], die kreuzbrave deutsche Revolution zusätzlich quasi aus der Froschperspektive darstellte, an Hand der kleinbürgerlichen Ausläufer nämlich, die das elsässische Garnisonsstädtchen Hagenau erreichten. — Es gehört zur Ironie von Döblins Literaten-Schicksal, daß ausgerechnet dieser I. Band, der gelungenste des gesamten Erzählwerks, niemals in Deutschland erschienen ist: die französische Besatzungsbehörde stieß sich offenbar an der satirischen Darstellung der französischen Patrioten und verbot kurzerhand den Roman ihres Kulturberaters [36]. Auch im Band „Heimkehr der Fronttruppen" hat Döblin offensichtlich aus diesen Gründen gegenüber dem Vorabdruck „Sieger und Besiegte" manches gestrichen, so die herbe Kritik am Versailler Vertrag und an der Haltung der Franzosen [37].

Neben der treffsicheren Ironie der politischen Szenen in „Bürger und Soldaten" — ich erinnere an die Kaffehaus-Revolution (BS 46—53) oder an die Mär von Ausbruch und Fall des Walter Złweck (89—97) —, gegenüber diesen Kabinettstücken, die noch einmal den überlegenen Satiriker am Werk zeigen, nehmen sich die historisch-politischen Kapitel der folgenden Bände sehr ärmlich aus. Da herrscht eine beschämende Schwarzweiß-Malerei, die in kruden Gehässigkeiten gegen Ebert (VV 68—73, KR 107 usw.) und liebedienerischen Lobpreisungen Wilsons (HF 312, 447, 488) gipfelt. Die Darstellung der politischen Ereignisse schwankt zwischen trocken-uninteressanter Schulbuchbelehrung (z. B. HF 66) und läppischen Scherzen, wie etwa das Kapitel über die Affäre Eichhorn sie vorführt (KR 269—274). Auch der Zielpunkt der Satire hat sich verschoben: getroffen werden sollen nicht mehr die (unfähigen, zaudernden, eben „deutschen") Revolutionäre, sondern die „Verhinderer" und Verräter, die Sozialdemokraten. Die Rechnung geht nicht auf, weil die Parteinahme für die Spartakisten halbherzig bleibt und der Leser ihnen nichts Rechtes zuzutrauen vermag.

Die Bände „Verratenes Volk" und „Heimkehr der Fronttruppen" bildeten ursprünglich eine Einheit und lagen nach Döblins Angaben bis auf 30 Seiten bereits vor, als er sich auf die abenteuerliche Flucht vor den in Frankreich einmarschierenden Deutschen begeben mußte [38]. Mit der Hin-

---

[35] vgl. die zahlreichen Übereinstimmungen mit „Revolutionstage im Elsaß" (D 491).
[36] vgl. Robert Minder, K 541, S. 63.
[37] vgl. „Sieger und Besiegte" (D 72), S. 53—55, 77, 91, 92, 95, 97, 108 u. a.
[38] vgl. Döblins Brief an Kesten vom 30. 1. 1942 (D 595, S. 201) und den Brief an das Ehepaar Rosin vom 2. 2. 1942 (D 596, S. 50).

wendung Friedrich Beckers zum — übrigens: protestantischen — Christentum hatte Döblin seine eigene, seit langem vorbereitete und seit 1938 auch nach außen sichtbar werdende Entwicklung vorweggenommen [39]. „Karl und Rosa", der Abschlußband, wurde nach der Konversion in Amerika geschrieben und im Mai 1943 abgeschlossen [40].

Was die Verbindung von Christentum und Revolution angeht, so versuchte Döblin sich auf zwei einander spiegelbildlich zugeordneten Wegen aus dem Dilemma zu befreien. Einerseits läßt er den zum Christen gewordenen Friedrich Becker an der Verteidigung des Polizeipräsidiums gegen die Noske-Truppen teilnehmen („Man ist nicht Christ durch seine Grundsätze. Man muß sie und noch vieles andere aufgeben und hinwerfen können, auch sein ganzes Ich fallen lassen, um seinem Herzen zu folgen." KR 576), zum anderen erscheint die Revolutionärin Rosa Luxemburg hier als eine hysterisch-ekstatische Figur, die ausgiebigen Umgang mit dem Satan pflegt, sich schließlich aber gegen ihn entscheidet. Beide Verbindungen bleiben äußerlich. Denn Becker gerät nur zufällig in das Präsidium und hilft den Revolutionären nicht etwa, weil er ihre Überzeugung teilte, sondern aus menschlichem Erbarmen: „Sie sind arme Menschen. Sie suchen Hilfe. Sie wissen keinen andern Weg. Was sie auch tun, und ob sie sich irren oder nicht irren, sie sind meine Geschwister" (KR 517); auf der anderen Seite stellen die oft sehr geschmacklosen Szenen um Rosa allenfalls eine metaphorische Brücke zwischen Christentum und Revolution her. Im ganzen ist Döblins Versuch, seine neuen Erkenntnisse mit seiner früheren Parteinahme für die USPD, seine Abkehr vom Promethismus mit seinem aktivistischen Haß auf sozialdemokratische Anpassungspolitik zu verbinden, gescheitert. Die religiöse Thematik, die sich immer energischer in den Vordergrund schiebt, und die ursprüngliche politische Konzeption bleiben ohne gemeinsamen Nenner.

Nur in der Verantwortung gegenüber den Toten des Krieges ist ein Motiv gegeben, das hier wie dort eine Rolle spielt. Schon 1919 hatte Linke Poot geschrieben: „Preis den Tugenden der Gefallenen. / Wo ist die Nänie, die große Totenklage um diesen Sturz. Das geballte tiefe Lied. / Jaulen, Miauen. / Und nun werden die Schwachköpfe mich für einen

[39] vgl. auch *Sch* 350.
[40] vgl. den Brief an Kesten vom 18. 5. 1943 (D 595, S. 239) und den Brief an das Ehepaar Rosin vom 18. 8. 1943 (D 596, S. 52). Die Angabe auf den Vorsatzblättern (VV 4, HF 4, KR 4), die gesamte Trilogie sei in den Jahren 1937—1941 entstanden, ist also unrichtig.

Nationalisten halten."[41] Für den Offizier Becker bedeuten die Toten Anklage und Aufforderung zum Umdenken; nach seiner „Bekehrung" demonstriert er seinen staatsfrommen Schülern am Beispiel der sophokleischen „Antigone", am Schicksal jener Frau also, die ihre Pflicht gegenüber dem toten Bruder über formale Satzungen stellte, die Priorität des göttlichen Rechts vor dem des Staates (KR 192—205); er selbst folgt diesem Beispiel, indem er den von allen verpönten homosexuellen Direktor zu retten sucht und auch dem Sterbenden noch seine Anteilnahme bewahrt [42]. — Die halbherzige Demokratisierung in Deutschland, die Niederschlagung der revolutionären Bewegung: dies gilt hauptsächlich als ein Verrat an den Toten, die nun völlig umsonst gestorben sind: „Ruhe herrschte damals in Deutschland. / Das Volk hatte die Scharen seiner Toten verraten und gedachte ihrer nicht, wie es sich gehörte." (KR 665) — So erweist sich das Antigone-Motiv als zentral für die Tetralogie, gleichzeitig allerdings als zu schwach, um die auseinanderstrebenden Tendenzen zusammenzuhalten.

Schwer zu ertragen ist es, daß die offensichtlich auf Döblins eigene Biographie anspielende Geschichte des Dramatikers Stauffer so breit abgehandelt wird. Ebenso wie später Gordon Allison muß auch dieser Schriftsteller sich sagen lassen, daß er in sträflicher „Vornehmheit" das Weltgeschehen an sich hat vorüberrauschen lassen. Was aber dann als seine private Revolution abläuft und immer noch einmal den Fortgang der Geschehnisse unterbricht, seine Hinwendung zur Autorin von Liebesbriefen, die seine Frau ihm einst unterschlug: das ist denn doch allzu nebensächlich und für ein Satyrspiel wiederum nicht witzig genug [43].

Die künstlerische Form wurde um so einfallsloser, je mehr das religiöse Thema und der lehrhafte Charakter des Erzählwerks sich zur Geltung brachten. Mehr und mehr trat an die Stelle der geistvollen Facettentechnik von „Bürger und Soldaten" die lineare Erzählung; die einzelnen Handlungsstränge und -komplexe werden nicht mehr ineinandergeschachtelt, sondern jeweils für sich in ein Kapitel abgepackt. Auch der sprachliche Abstieg ist deutlich, obgleich „Karl und Rosa", etwa in den Antigone-Kapiteln des III. Buches, eine gewisse Erholung erkennen läßt.

[41] D 209, S. 1530
[42] Leo Kreutzer nennt diesen Zusammenhang unbekümmert eine „völlig belanglose Schulaffäre" (K 578, S. 323).
[43] Nur aus persönlichem Engagement dürfte zu erklären sein, daß Döblin Teile der Stauffer-Geschichte sogar selbständig publizierte (D 71) und zum Vorabdruck auswählte (D 77, 78).

Die ärgsten stilistischen Entgleisungen finden wir in den Darstellungen der verschiedenen Liebesverhältnisse. Das beginnt schon in „Bürger und Soldaten" mit der leicht sentimentalen Schilderung Hannas (BS 138) und der Verteufelung Bernhards („ein Barbar, ein Tiger. [...] ein teuflischer Mensch" — 143). In „Heimkehr der Fronttruppen" findet sich folgender Passus: „Viele blühende Mädchen und Frauen hatten sich in der vergangenen Nacht von Männern umarmen lassen, hatten empfangen und trugen die Keime neuer Knospen in sich. Der Stachel der ewigen Wespe hatte sie gestochen." (HF 60 f). Noch katastrophaler gerät die Schilderung von Hildes Zusammensein mit dem notabene halbgelähmten Becker: „und aus ihr trat, wie aus einer Waldeshöhle, das äugende Muttertier hervor, die Hirschkuh, und beobachtete die Männchen, die um sie sprangen. Ich will auf dich bauen, willst du mir behilflich sein beim Bau meines Nestes." (HF 24) — Wenn Döblin schließlich im letzten Band auf den geschmacklosen Gedanken verfällt, Rosa Luxemburg im Gefängnis vom Geist ihres gefallenen Freundes Hans Diefenbach (im Roman: Hans Düsterwald) heimsuchen und sexuell bedrängen zu lassen, wenn er den also Malträtierten während des Gespenster-Koitus schwärmen läßt: „Du nimmst mich armen Hannes auf." (KR 34), dann ist wohl doch die Grenze dessen überschritten, was noch erträglich genannt werden kann.

Miserabel wird man auch den größten Teil von „Der Oberst und der Dichter" nennen müssen, jener weitgehend gereimten lehrhaften Erzählung, die 1944 in Kalifornien entstanden ist. Die Bänkelsängerreime, in „Berlin Alexanderplatz" mit großer Virtuosität in das Panorama eingefügt, wirkten schon in der „Babylonischen Wandrung", von „Unser Dasein" zu schweigen, wenig glücklich; hier aber wird die mahnende Absicht vollends von der läppischen Form erschlagen. Es entstand kein Lehrgedicht, sondern die Parodie eines solchen. — Amüsant, wenn auch nicht sehr bedeutend, sind dagegen die Erzählungen „Reiseverkehr mit dem Jenseits" und „Märchen vom Materialismus".

Wenn Wolfgang Rothe anläßlich des „Hamlet" schrieb: „Die Lektüre war für mich nicht nur ,peinlich', sondern entsetzlich, weil man hier als junger Mensch ad oculos demonstriert bekam, aus welchen Abgrundtiefen sich anscheinend selbst der bedeutendste Schriftsteller zu seinen Meisterwerken emporschwingen muß." [44], so wird man dieses Urteil gegen-

[44] K 227

378

über Döblins letztem Roman allzu hart nennen müssen; bezogen auf die Werke der Emigrationszeit aber kann man ihm, abgesehen vielleicht vom I. Band der Südamerika-Trilogie und von „Bürger und Soldaten", nur trübsinnig zustimmen. Die allgemeinen Nöte der Emigration, die politische Lage, die sein Mißtrauen in die Berechtigung von „Kunst" nur steigern konnte, persönliche weltanschauliche und religiöse Kämpfe: all das hat zusammengewirkt, um diesen Dichter zwar nicht verstummen, wohl aber, und das war schlimmer, ihn mit fast noch gesteigerter Schaffenskraft seinen großen Ruf selbst zerstören zu lassen. Auch der „Hamlet" kann sich weder sprachlich noch gedanklich mit den Werken vor 1930 messen, mag auch der Tiefstand der beiden mittleren Bände von „November 1918" überwunden sein. Bei aller Ablehnung bloßer „Kunst", bei allem Mißtrauen gegen sein eigenes Tun hatte Döblin sich früher doch zu viel Selbstbewußtsein und auch Spielfreude bewahrt, als daß ihm je eine trockene Lehrhaftigkeit oder ein mühsam verbrämter „guter Wille" unterlaufen wäre. Wir sahen, wie der Umschwung sich schon im „Ehe"-Drama und in der Bearbeitung des utopischen Romans ankündigte, wie er über gegenläufige, auf der Macht der Phantasie beharrende Hervorbringungen wie „Babylonische Wandrung" oder „Das Land ohne Tod" hinwegschritt und welche Verarmung die Folge war. Mit den letzten Erzählungen, mit der „Pilgerin Ätheria" und der Mär vom „Tierfreund", langte Döblin endgültig beim erbaulichen Traktat an.

Selten mag ein Dichter so ehrenhaft, mit so guten Gründen gescheitert sein; aber man tut Döblin und denen seiner Werke, die seinen Ruf begründet haben und weitertragen können, unrecht, wenn man dieses Scheitern verschweigt und Romane zu Meisterwerken erklärt, die es offensichtlich nicht sind.

## B. DIE VERWERFUNG DES „PROMETHISMUS" UND DIE KONVERSION

Wie schwankend Döblins Haltung in den ersten Jahren des Exils war, ist auch an den Erinnerungen seiner Freunde abzulesen. Bei allen notwendigen Vorbehalten gegen Hermann Kestens Lust an der pointierten Darstellung darf man ihm sicher Glauben schenken, wenn er schreibt: „Wenn ich Döblin dagegen einmal vierzehn Tage lang oder einen Monat gar nicht gesehen hatte, war ich auf jede Überraschung, auf jede Umkehr gefaßt. War er ein Marxist, ein Antimarxist, Freudianer oder Antifreudianer?" [45] Joseph Strelka berichtet, daß Manès Sperber und Arthur Koestler den vehement diskutierenden Döblin zum „Konfusionsrat" ernannten [46]. Natürlich sind hier die eigenen Positionen der Urteilenden zu berücksichtigen, und wir wissen ja, daß Etikette wie „Marxist" oder „Freudianer" zu keiner Zeit Döblins Geistesart angemessen waren, daß schon früher manches voreilig als widersprüchlich abqualifiziert wurde, weil es nicht in Übereinstimmung stand mit herkömmlichen Denkschablonen. Unzweifelhaft war Döblin aber seit etwa 1931 in seiner eben erst erkämpften naturalistischen Weltsicht schwer irritiert. Er sah, daß die Erkenntnisse aus „Das Ich über der Natur" letztlich auf eine religiöse Lösung hinzielten, und dagegen sperrte er sich. Gleichzeitig aber mußte er mit ansehen, wie im Nationalsozialismus ein Zerrbild dessen heraufkam, was er selbst als Naturalismus feierte, daß hier der notwendige Hintergrund, die demütige Selbstbescheidung, ausgestrichen wurde, daß nichts übrigblieb als der Preis des selbstherrlichen Ichs, eine Neuauflage der alten Verranntheiten also. Die Ausbreitung und zunehmende Brutalisierung dieses Primitiv-Naturalismus mußte Döblin immer stärker auf den anderen Pol seiner Weltsicht zurückführen und damit die religiöse Unterströmung dominant werden lassen. Entgegen den Hoffnungen in dem programmatischen Aufsatz „Der Geist des naturalistischen Zeitalters" und in der Umfrage von 1929 („Dieser Geist wird schon noch kommen." [47]) war der Naturalismus doch einseitig technisch entartet. Mit dem Sozialismus in „Pardon wird nicht gegeben" und mit der Arbeit für die „Freiland"-Bewegung suchte Döblin sich noch einmal der religiösen Konsequenz seiner Erfahrungen zu entziehen, versuchte, doch noch einen Halt im „Diesseits" zu finden. Dann aber, in der Südamerika-Trilogie und in dem gleichzeitig erschienenen Aufsatz „Prometheus und das Primitive", manifestierte sich die Absage an den Naturalismus, die Rückwendung zum Religiösen.

Auch der „Prometheus"-Aufsatz stellt die Abspaltung des Menschen vom „Urwesen" (das pantheistisch mit der Natur identifiziert wird) an den Anfang. Hatte Döblin in „Unser Dasein" die Widersprüchlichkeit der menschlichen Seinsweise in der Polarität von Stück und Gegenstück aufzuheben versucht, so konstatiert er nun: „der Mensch, der sich ob er

[45] K 416, S. 291
[46] K 441, S. 209
[47] D 357, S. 10

380

will oder nicht als Naturgebilde erkennen muss, gerät da in eine qualvolle Zwitterstellung." [48] Bezeichnend für den Menschen sei der Drang, die Urisolation wieder aufzuheben, und zu diesem Zweck habe er zwei Techniken entwickelt: die prometheische Außentechnik, die jenes leidende Urgefühl des Individuums niedertreten wolle, Technik nicht als Annäherung an die Natur, sondern als Mittel zu ihrer Unterwerfung, — auf der anderen Seite die „primitive" Innentechnik, die Religion nämlich, die den Urzustand, die Verbindung des Individuums mit dem Urwesen, wiederherzustellen trachte. Deutlich wird hier der Zerfall des polaren Naturalismus in zwei entgegengesetzte Richtungen, deren eine den Menschen notwendig in Überhebung und Tragik, deren andere ihn in Demut und Unterwerfung führen muß. Der Sinn der Südamerika-Trilogie, vornehmlich ihres letzten Bandes, wird klar, wenn wir lesen: „Wir leben in der Epoche der Vorherrschaft des prometheischen Triebes. Wir haben uns auf das technisch werkzeugliche Leben, Fühlen und Denken zurückgezogen und eingeengt." und wenn von der Tyrannei dieses Triebes vor allem über das weiße Menschengeschlecht die Rede ist [49]. Die Wilden am Amazonas und die Konquistadoren verkörpern jene beiden Richtungen des Primitiven und des Prometheischen. In Prometheus und in seinem Propheten Giordano Bruno sieht Döblin jene hybride Menschenvergottung am Werk, jene Maßlosigkeit, die Thomas Mann nur wenig später an der Gestalt des Doktor Faustus exemplifizierte [50].

Schon einmal, so legt Döblin in einem historischen Rückblick dar, herrschte der Promethismus, in Hellas und Rom nämlich, bis die Menschen mit dem Sieg des Christentums aus der Einpassung in den Staat ausbrachen ins Individuelle und Private, ins „Primitive": der Einzelmensch als Kind Gottes [51]. Schon die Ausprägung eines Sündengefühls, der Ablehnung von Fleisch und Natur, habe diesen Impuls verfälscht und ihm wieder eine naturfeindliche, also prometheische Richtung gegeben. Das Zeitalter der Entdeckungen habe dann endgültig den Umschwung gebracht; entdeckt wurde zwar die Natur, aber mit dem Ziel, sie zu beherrschen, sich über sie zu erheben: „Damals entsteht jenes Abendland, das

[48] D 363, S. 332
[49] ebd., S. 336
[50] Klinkert, eine der Hauptgestalten im III. Band der Trilogie, wird von Twardowski als „Doktor Faust" apostrophiert (NU 118). Twardowski selbst wiederum gilt als der polnische Faust (RP 245).
[51] D 363, S. 341

wir vor Augen haben und in dem wir leben." (S. 343) In dieser Sehweise liegt also der tiefere Grund für die Darstellung der Konquista-
doren-Zeit und für den Sprung in das gegenwärtige Deutschland, wie die
Südamerika-Trilogie sie vorführt: geistesgeschichtlich sollte gezeigt werden, „wodurch alles gekommen war." (AzL 394) Ebenso wie in „Wissen
und Verändern!" heißt es auch im „Prometheus"-Aufsatz: „Nach der
Renaissance und Luther die Epoche der Verweltlichung. Die religiöse Reihe
an die Wand gedrängt." (S. 344) Jetzt aber wird diese Entwicklung nicht
mehr begrüßt; denn die Verweltlichung hat nicht, wie Döblin früher hoffte,
die Würde des „ganzen" Menschen begründet, sondern ihrerseits wiederum
zu einer Vereinseitigung geführt: „Wie deutlich ist es, dass hier nicht der
ganze Mensch, sondern monomanisch sein Gehirn und der Herrschaftstrieb
an der Arbeit sind." (S. 346) Wiederum hat die prometheische Richtung,
wie schon in Rom, mit Staat und Öffentlichkeit die Person, das Ich zurückgedrängt, statt den Menschen, wie sie doch verspricht, zu erhöhen. Diese
paradoxe Wirkung des Promethismus, daß nämlich die Frontstellung des
Menschen gegen die Natur, indem sie den Zusammenhalt alles Lebendigen zerstört, auch im Verhältnis der Menschen untereinander den Drang
nach Unterjochung und Sklaverei dominant werden läßt, daß die Erhebung
des Menschengeschlechts gegen die Natur zugleich die Bedeutung des
Einzelmenschen zerstört: diesen Zusammenhang hatte Döblin bereits in
„Berge Meere und Giganten" dargestellt. Für den heutigen Zwangsstaat
(gemeint ist vor allem das Hitler-Reich) konstatierte er 1938 eine Verbindung von entartendem Promethismus und entartender Mystik, wobei unter
der letzteren eine von Darwin sich ableitende „breitgetretene Wissen-
schaftlichkeit" zu verstehen ist: „Man hat einen zoologischen Nationalismus vor sich." [52]

Noch einmal versucht Döblin am Schluß seines Aufsatzes die naturalistische Balance der Pole zu retten: die prometheische Kraft, die jetzt falsch
angreife, solle eingerenkt und zum Ausgleich gebracht werden mit der
„mystischen Reihe". Aber er weiß schon, wohin es ihn treiben wird, und
er verschlüsselt seinen eigenen Weg in einer allgemeinen Vorausschau:
„Es könnte sich aber schon ein Umschlag in die andere Reihe vorberei-
ten." (S. 351)

In der Neufassung der Schrift „Die deutsche Literatur (im Ausland seit
1933)", in dem 1947 erschienenen Essay „Die literarische Situation",

[52] D 363, S. 350

382

beseitigte Döblin dann die letzten Unklarheiten, sprach nicht mehr vom Promethismus, sondern expressis verbis von der naturalistischen Utopie, die in der Naziherrschaft sich ausgewütet habe [53]; deutlicher könnte die Verwerfung der alten Position wohl kaum sein: „Die Untauglichkeit, die Schwächen und die Schädlichkeit des bornierten Naturalismus liegt auf der Hand. / Der Pendel der Verweltlichung schwingt zurück. / Eine neue Epoche der Metaphysik und Religion bricht an. Die Welt, vorher positivistisch und wissenschaftlich überklar, taucht wieder in das Geheimnis ein." [54]

Natürlich wußte auch Döblin, daß der Naturalismus, den er in den zwanziger Jahren entwickelt hatte, nicht einfach mit der nationalsozialistischen Barbarei identifiziert werden konnte; aber er sah in ihr die Pervertierung des einen Pols seiner Theorie und fühlte sich deshalb zur entgegengesetzten Seite getrieben, glaubte nicht mehr an die Möglichkeit des Ausgleichs, der Balance, sondern sah das Heil nur noch in einer entschiedenen Kehrtwendung.

Hinzu kam, wie ich schon mehrfach sagte, das ungelöste Problem des Leidens. Es wird thematisch in der Südamerika-Trilogie, in der Sehnsucht sowohl der „Primitiven" als auch der von Selbstzerfleischung bedrohten Europäer nach einem „Land ohne Tod", nach der Befreiung vom Leid. Das Christentum könnte den Eingeborenen die Antwort bringen, und im Wirken des Las Casas oder der Jesuiten sind Ansätze vorhanden; schließlich aber versagt es ebenso wie vorher schon in Europa. Die weiße Menschheit, dem Promethismus verfallen, kann niemanden erlösen, trägt ihren selbstzerstörerischen Wahn in die unberührten Länder, um auch sie in den Strudel zu reißen. Die Zeit des blauen Tigers ist gekommen, der Gewalt, Blut und Zerstörung bringt (A 623). Die Lage des Menschen ist trostlos, und die Entdeckungen des Kopernikus, Giordano Brunos und Galileis, die ihn befreien und erhöhen sollten, haben ihn nur unglücklicher werden lassen. Dies darzutun ist die Funktion des III. Bandes. Ob die gewählten Beispiele wirklich den gewünschten Grad an Evidenz besitzen, mag man bezweifeln. Auch der Erzähler ist sich in dieser Beziehung nicht ganz sicher und läßt darum Bruno sagen: „Ich hab noch mehr als diese drei gesehen, zu denen ich gehen mußte." (NU 122) Jedenfalls gesteht er: „Diese Zeit, ja, sie enthält mehr Grauen und ist entsetzlicher

[53] D 183, S. 38
[54] ebd., S. 48

als die Zeit, in der ich lebte. [...] Aber dies — ist nicht meine Welt."
(118) Ganz im Sinne des Naturalismus preist er die Welt und das in ihr
wirkende Urwesen, und wenn er sagt: „ich weiß, die Welt lächelt nicht
wie ein Mädchen" (119), so erinnert uns das an die Lehre des Todes in
„Berlin Alexanderplatz", die Welt sei nicht aus Zucker. Aber auch Bruno
sieht die Entartung seiner Absichten: „Es ist eine geschändete Menschheit.
Wir haben alles umsonst getan." (122) Er verwirft die Perversion in
Machthunger und Positivismus, aber er beharrt auf seiner Grundhaltung:
„Twardowski, du hast mich zu früh gerufen. Noch fünfhundert Jahre."
(124) Das ist nicht mehr als Döblins frühere Hoffnung: „Dieser Geist
wird schon noch kommen." (s. o. S. 380, Anm. 47), und es spricht für seine
qualvolle Aufrichtigkeit, daß er mit der jauchzenden Himmelfahrt Brunos
das Buch nicht enden, sondern einen „Abgesang" folgen läßt, der an
trostloser Traurigkeit seinesgleichen sucht.

Schon in einer Bestandsaufnahme nach dem I. Weltkrieg hatte Döblin
sarkastisch festgestellt: „Was ist des Deutschen Vaterland? Südamerika." [55] Jagna, eine der Hauptfiguren des „Neuen Urwalds", geht mit
einem Lebenslänglichen nach Cayenne: „Kann nicht so schlimm sein wie
hier." (NU 134) Aber es bleibt sich gleich, ob man wie Klinkert in Nazi-
deutschland verweilt oder ob man auf einen anderen Kontinent flieht.
Jammervoll ist das Ende Jagnas und seiner Gefährten, und nichts hat
Bestand als die unerschütterliche, aber fremd-gleichgültige Macht der
Natur: „Am Ufer des Stromes raschelte Sukuruja als Schlange. Sie tauchte
ins Wasser. Ihr nach in den Strudel die Tausende." (NU 194)

Dieses Buch weiß keine Lösung, sieht unaufhörliches Toben und Leiden, aber keine Instanz, die dem ein Ende setzen könnte; ohne Antwort
bleibt Jagnas Frage: „Aber wenn es so ist, wer rettet uns? Wir sind doch
nun so. Und wenn wir verstoßen und verworfen sind, wir sind doch." (183)
Im Diesseits, so lautet das unausgesprochene Fazit der Trilogie, innerhalb
der nur „natürlichen" Welt, gibt es keine Antwort auf das Problem des
Leidens. Aber es wird auch keine andere Lösung sichtbar. Von der christlichen Religion heißt es: „Das Christentum ist eine Verzweiflung. Es läßt
sich nur auf das Ich ein. Wir sind rechts und links verloren, verraten und
verkauft, damit fängt das Christentum an. Man kann sich nur auf sich
und den Glauben verlassen: das ist die offene Verzweiflung." (141) —
Trotzdem versuchte Döblin in der Revolutions-Tetralogie auszuloten, wo-

[55] „Die Vertreibung der Gespenster" (D 401), S. 16

hin der Weg eines neu verstandenen Christentums führen könne. Er selbst war noch nicht so weit. Erst in der äußersten Verlassenheit, als seine Irrfahrt durch Frankreich vorläufig in einem Flüchtlingslager endete, als er ganz auf sich zurückgeworfen war, „dans l'abîme de mon isolement" [56], zog er die Konsequenz: „Der Mangel an Gerechtigkeit in dieser Welt beweist, dies ist nicht die einzige Welt." (Sch 169) Damit bricht die naturalistische Konzeption zusammen; nur mit der Annahme einer transzendenten Welt glaubt Döblin den Widerspruch zwischen der Tatsache des Leidens und dem menschlichen Wissen um Vollendung lösen zu können.

Robert Minder, der in der ersten Fassung seines Döblin-Essays die Konversion noch durchaus positiv beurteilte [57], ist im Laufe der Jahre zu einer immer schärfer sich artikulierenden Ablehnung gekommen und mißt den äußeren Umständen jener Wendung ebenso wie Hermann Kesten, der sogar von Gedächtnisschwund redet [58], allzu große Bedeutung bei; sogar der Tod des Sohnes Wolfgang wird nun zur Erklärung herangezogen [59], obgleich Döblin diese Nachricht erst nach Beendigung des Krieges erhielt [60]. Ganz sicherlich wird einem übel, wenn man christkatholische Nachrufe liest wie den des Alexander Baldus [61], aber der Zorn über eine so nuancenlose, kleinkarierte Vereinnahmung seitens jener, die es in ihrem bescheidenen Geist ja immer schon gewußt haben, sollte uns nicht dazu verleiten, die Konsequenz zu übersehen oder zu leugnen, die in Döblins Konversion zum Ausdruck kam. Walter Dirks spottete schon 1947 über die Versuche, Döblins Entscheidung auf Einflüsse sekundärer Art zurückzuführen: „Nun weiß auch der, der das Religionsgespräch nicht gelesen hat, warum sich ‚der Dichter von ‚Berlin Alexanderplatz' zur Konversion entschloß': er war auf der Flucht, einsam und hoffnungslos, und — denken Sie sich! — von seiner Familie getrennt! Was blieb ihm übrig, in der kleinen ausgerechnet südfranzösischen Stadt, — ohne Familienanschluß! War es nicht zum Katholischwerden?" [62]

Es mag sein, daß eine andere politische Entwicklung den Naturalismus in Döblins Augen nicht dermaßen desavouiert hätte, wie die Naziherr-

[56] Brief an Robert Minder vom 30. 6. 1940 (D 597, S. 87).
[57] K 560, 1. Aufl., S. 266, 267 u. ö.; 4. Aufl., S. 142, 157 f
[58] K 416, S. 293
[59] K 561, S. 181
[60] vgl. Döblins Brief an das Ehepaar Rosin vom 2. 5. 1945 (D 596, S. 55) und Sch 380.
[61] K 370
[62] K 448

schaft es tat; es ist ferner nicht auszuschließen, daß eine etwas andere Konstellation ihn doch noch für den sozialistischen Lösungsversuch gewonnen hätte; daß aber die religiöse Wendung eine durchaus mögliche und sinnvolle Konsequenz seiner philosophischen Bemühungen darstellt, konnten wir schon an der Schrift „Das Ich über der Natur" ablesen. Daß es von den christlichen Konfessionen gerade der Katholizismus war, zu dem er sich schließlich bekannte, hat er selbst als ein mehr zufälliges, aber doch wohl auf höherer Lenkung beruhendes Ereignis hingestellt (Sch 358—365). In Erinnerung an seine Erlebnisse in Polen können auch wir diese Entscheidung nicht als nur zufällig empfinden.

Die Sätze aus dem „Neuen Urwald", die von der Verzweiflung des Christentums sprachen, spiegelten jenes Christusbild, das uns schon in der „Reise in Polen", in „Das Ich über der Natur" und in „Unser Dasein" begegnet war: „Jesus am Kreuz mit der Dornenkrone sehe ich als Inkarnation des menschlichen Jammers, unserer Schwäche und Hilflosigkeit." (Sch 180) Was Döblin suchte, war aber gerade die Gegenmacht: „die Begründung, die Rechtfertigung unseres Zustandes und das siegreiche Wort, daß wir nicht vergeblich und hoffnungslos leiden." (181) Allmählich näherte er sich der übergeordneten, eigentlichen Bedeutung der Christusgestalt, dem Erlösungsgedanken nämlich, ohne den die menschliche Existenz ihm bodenlos, die Idee einer wahrhaftigen Urmacht unhaltbar erschien (128). Die Abstraktheit des Ur-Ichs, die uns schon im „Manas" auffiel, wurde nun erkannt und kritisiert: „Es ist unmöglich, den ‚Ewigen Urgrund' zu empfinden. Es muß, damit es ganz an uns herankommt, das Wort ‚Jesus' hinzutreten." (214)

All das blieb zunächst noch augenblickshaft, mehr ertastet als begriffen; schon in Toulouse rebellierte er gegen das Erlebnis von Mende (268 ff). Aber zu oft hatte er geschildert, wie ein Mensch sich mit Händen und Füßen gegen Erkenntnis und Selbstverwerfung wehrt, als daß er seinem Sträuben nicht mit Mißtrauen hätte begegnen sollen; zu faszinierend war auch die Aussicht, vielleicht doch im Christentum die Antwort auf die Frage nach dem Sinn des Leidens zu finden. So kam es in Los Angeles zu den Gesprächen mit den Jesuiten, zur Lektüre des Thomas von Aquin und schließlich zur Taufe, der „Einführung und Zulassung" (Sch 365). Im Drang, nun alles neu zu überdenken, entstand jenes „Religionsgespräch", das in der Theorie vom unsterblichen Menschen den Schlüssel zum Problem des Leidens gefunden zu haben meint. Es setzt den neuen Glauben gegen die naturalistische Konzeption ab, diese zugleich weiterführend und überformend. Dieser Dialog zwischen dem alten und dem jungen Döblin zeigt noch einmal die geistige Klarheit und die sprachliche Prägnanz, die seine früheren Werke auszeichnete.

Wieder geht Döblin, wie schon in „Das Ich über der Natur", von der Darstellung eines Ursinns, eines sinnvollen und sinngebenden Urgrundes aus. Er nennt sieben Merkmale der Welt, die jene Sinnhaftigkeit bestätigen: die Bestimmtheit der Dinge durch Naturgesetze, die Veränderlichkeit der Dinge, die Ordnung der Welt trotz dieser Veränderungen, die Herrschaft der Zahl, die innere Gestaltung der Dinge vom Kristall bis zu den Organismen, die Zuordnung der Dinge zueinander, wie sie sich etwa in der gegenseitigen Abstimmung der Organismen und ihrer Umgebung manifestiert, schließlich die maßlose Vielheit aller Erscheinungen innerhalb der begrenzten Welt (UM 54—66). Neben diese Merkmale der äußeren Welt, die uns alle schon als Belege für die Existenz eines Ursinns bekannt sind, treten hier noch als Leistungen des Inneren das Schöne, das Gute und die Wahrheit (68).

Gegen dieses Bild einer harmonischen Welt erhebt sich abermals die Klage des Menschen über die Existenz des Leidens: „Ganz allgemein sprechen Alter, Krankheit und Tod gegen die Güte in dieser Welt und gegen Güte in einem etwaigen Urgrund der Welt." (84) Dieser Einwand war innerhalb der naturalistischen Konzeption nicht auszuräumen. Jetzt aber hat Döblin aus seiner alten Einsicht, daß der Ursinn sich „in der Natur, im Räumlich-Zeitlichen-Qualitativen, in den Bewegungen und Angleichungen" nicht restlos durchzusetzen vermöge (IN 49), die Konsequenz gezogen: „Jenseitig ist er, da Er sich nicht in der Welt darstellt." (UM 157) Der Urgrund wird jetzt tatsächlich eine „überreale" (IN 188), nämlich transzendente Wurzel der Welt. Da hat sich nicht ein Sinn auf geheimnisvolle Weise in der Welt, als Welt ausgebreitet, sondern die Welt wird als Schöpfung begriffen: „Nichts bestehe von sich aus. Nichts stehe auf eigenen Füßen. Nichts in der Natur, und die Natur im ganzen, habe eigenes Leben." (UM 25) Die Existenz der Sinnstrukturen und das gleichzeitige Wissen um Unvollkommenheit und Leiden begründen sowohl die Existenz einer sinngebenden, formenden Geistesmacht als auch ihre Jenseitigkeit. Zugleich wird diese schöpferische Macht als Person erkannt; in deutlicher Kehrtwendung gegen die Position von 1927 heißt es: „wie soll man den Urgrund für anonym halten, für die bloße Summe der Prinzipien der Welt, wo er doch erstens außerhalb der Welt und zweitens ihr Schöpfer ist?" (UM 158)

Mit dem Satz: „Und weil der Urgrund Person ist, kommt ihm der Name ‚Gott' zu." (160) erreicht dieser Gedankengang sein Ziel [63].

Aus dieser neuen Bestimmung des Urgrundes folgt aber zunächst nur eine kosmogonische Erklärung für die Existenz des Leidens: „Wenn die Schöpferkraft das Nichts berührt — so entstehen, wie gespalten, vergängliche Individuen." (UM 100) Wäre dies das letzte Wort, so könnte der christliche Gott schwerlich gegen den Vorwurf verteidigt werden, ein höhnisch-quälerisches Spiel mit seinen Geschöpfen zu treiben. Hiergegen setzt Döblin eine geistvolle Paraphrase des christlichen Mythos von der Erbsünde: „Der Mensch, die Koppelung zweier Welten, ein Doppelwesen, stellt in seinem heutigen Zustand eine Degeneration aus der ursprünglichen geprägten Art eines unsterblichen Menschen dar" (106). Der aus dem tierischen Bereich sich abspaltende prähistorische Mensch wird als eine bereits sekundäre Erscheinung angesehen, als Folge des Sündenfalls.

Begeistert zeichnet Döblin das Bild des ursprünglichen, des engelhaften unsterblichen Menschen (137 ff); dieses erste Geschlecht, von Anfang an mit Vernunft und Willensfreiheit gesegnet und damit über die Natur erhoben (134 f) [64], habe sich stolz vom Schöpfergott zu emanzipieren gesucht: „haben wir nicht genug Verstand, um unsere Dinge allein einzurichten?" (141) Man habe diese Absicht erreicht, die Loslösung von der himmlischen Macht, und das Ergebnis habe geheißen: Einsenkung in die Natur, Verlust der Unsterblichkeit, Alter, Krankheit, Tod. — Möglichen Einwänden begegnet Döblin mit dem alten Argument der Theodizee: „Sollte der Urgrund, der Schöpfer und Gestalter der Welt, Menschen schaffen, die glücklich sind, glücklich — oder frei? Denn beides auf einmal geht nicht." (178)

Christi Erlösungstat brachte, wie der Ältere ausführt, nicht die Wiederherstellung des ursprünglichen Engelmenschen; ihr Sinn lag vielmehr darin, den Menschen darauf aufmerksam zu machen, daß das irdische Leben nicht identisch ist mit der ganzen Schöpfung, daß es für die Person nur eine Einzelstufe der Existenz bildet; dies bedeute die Wiedereinsetzung des Menschen in die ihm zustehende (weggeworfene) Würde einer überir-

---

[63] vgl. *Sch* 471: „Daß ich dem fressenden Moloch, der Anonymität, entronnen, daß ich weiß, Gott sprach: ‚Ich bin, der Ich bin.' / Gott ist Person, — das war die erste Erhellung, die mir auf meinem Wege wurde."

[64] Auch in „Die literarische Situation" heißt es von Vernunft und Freiheit: „Sie offenbaren den Menschen als ein Wesen, das aus einer sonst nicht in die Natur eingegangenen unsichtbaren, freien, vernünftigen Sphäre stammt. Er schwebt mit diesem Teil seines Wesens über der Natur." (D 183, S. 55)

dischen Person. Christi stellvertretendes Leiden habe den heilenden Zufluß der himmlischen Kraft wieder ermöglicht; dem Menschen aber bleibe die Freiheit, auch die Freiheit, dies alles zu glauben oder es für eine erbauliche Konstruktion zu halten (238).

Wenn auf diesem pseudo-historischen Weg die Herkunft des Leidens im allgemeinen geklärt und die Möglichkeit der Rettung dargetan ist, so bleibt doch noch die Frage des einzelnen nach dem Sinn seines persönlichen Leidens. Diesem Problem begegnet Döblin mit dem Begriff der „Prüfung": sie bleibe auch nach dem Erscheinen des Gottessohnes das „göttliche Hauptwort über der menschlichen Existenz" (208). „Prüfung" ist ja nicht einfach identisch mit „Leiden", sondern meint sinnvolles Leiden. Prüfung, so erfahren wir, gehört notwendig zum Menschen, weil er frei ist [65]. Noch einmal erscheint der Grundgedanke des Naturalismus, der von Zernichtung und Einreihung und von der Macht des Ich sprach (UD 476 f): „Der Mensch wird erst real in der Prüfung." [65] Wie damals schon erscheint der Mensch der Prüfung nicht nur fähig, sondern auch bedürftig; jetzt aber wird der Gedanke aus seiner Abstraktheit herausgelöst, weil erstmals eine Instanz gefunden ist und geglaubt wird, der es zusteht, zu prüfen und zu richten: der liebende Schöpfergott.

An ihr Ziel kommen hier also die alten Gedanken vom Ursinn, von Stolz und Elend der menschlichen Existenz, vom Menschen als einem Doppelwesen, als Stück und Gegenstück der Natur, — an ein Ziel, das 1927 noch ausdrücklich verworfen wurde, tatsächlich aber schon damals in der Konsequenz einiger Axiome des Naturalismus lag. Es ist keine billige Schönfärberei, sondern es entspricht der Wahrheit, wenn Döblin in der „Schicksalsreise" betont, „daß ich keine Zeit meines Lebens anti-religiös war." (Sch 458) [66]; wir erinnern uns, daß selbst die vehemente Polemik des Aufsatzes „Jenseits von Gott!" nicht gegen die Religiosität selbst gerichtet war, sondern gegen ihre kirchliche Entstellung (s. o. S. 21). Wenn Döblin aus dem neuen Glauben die Lehre zog, Demut und Gebet seien die dem Menschen angemessene Grundhaltung [67], so bedeutete das in der Tat nicht, daß er nun „fromm geworden" wäre [68]; *diese* Frömmig-

---

[65] „Die Wiederherstellung des Menschen" (D 376), S. 357
[66] Bereits 1931 schrieb er in seinem Beitrag zu dem Sammelband „Dichterglaube": „Es ist mir aber nicht ein einziger Abschnitt meines Lebens bewußt, in dem nicht Dinge, die ich als ,religiös' empfand, mich zentral beherrscht haben." (D 509, S. 71)
[67] „Unsere Sorge der Mensch" (D 366), S. 47. Vgl. *Sch* 456.
[68] Zu den diesbezüglichen Kommentaren in der Berliner Presse vgl. *Sch* 456 f und Muschg, *H* 581.

keit hatte ihn immer beseelt, wenn auch unter anderen als christlichen Vorzeichen. Was die immanente Problematik der naturalistischen Konzeption und die politische Entwicklung zustande gebracht hatten, war nicht der Umsturz alles vorher Gesagten, sondern lediglich der Rückzug auf den einen Pol seiner Weltsicht, auf Demut und Hingabe an die sinngebende Urmacht.

Auch im Schoß der römischen Kirche fühlte Döblin sich keineswegs der Notwendigkeit eigenen Denkens und weiteren Forschens überhoben. Im „Epilog" heißt es anläßlich des „Hamlet": „Das Buch könnte eine neue Reihe einleiten, die dritte, wäre ich jünger. Aber einmal endet alles Fragen." (AzL 397) Nur das Alter und nicht etwa der Glaube, alle Probleme seien gelöst, erscheint hier also als Grund für das Ende des Forschens. Daß Döblin trotzdem weiterfragte, davon zeugen nicht nur die Erinnerungen Robert Minders [69], sondern auch die nachgelassenen Diktate „Von Leben und Tod, die es beide nicht gibt"; dort finden wir einen sehr ähnlichen Satz: „Ach, die Zeit der Ich-Suche ist vorbei, soll vorbei sein." [70]

Weiter umkreiste er, der von langwieriger Todeskrankheit Heimgesuchte, das Problem des Leidens, und wenn wir in dem Aufsatz „Kain und Abel" lesen: „Furchtbar tritt am Anfang der Menschengeschichte die Forderung an den Menschen heran: ‚Du sollst nicht versuchen, Gottes Gerechtigkeit zu verstehen.' " und: „Mit Kain begann die meuterische Menschenart. Er denkt, urteilen zu dürfen." [71], so ist uns, die wir Döblins Weg verfolgt haben, klar, daß er von sich selbst spricht, von seiner eigenen Unruhe, die nie aufhörte zu fragen und der tatsächlich erst der Tod ein Ende setzte.

---

[69] K 541, S. 64
[70] D 370, S. 908
[71] D 369, S. 361, 362

# SCHLUSSBEMERKUNGEN

Am Schluß dieser Betrachtungen soll eine ganz kurze Rückschau stehen, die darauf verzichtet, alle Teilergebnisse nochmals aufzuführen; in dieser Hinsicht verweise ich auf die zusammenfassenden Abschnitte in den einzelnen Kapiteln.

Ziel dieser Arbeit war es, die Entwicklung des Denkers und des Künstlers Döblin darzustellen und verständlich zu machen. Ausgangspunkt waren jene beiden konträren Vorurteile, die Döblin teils einen Proteus nannten, teils eine grundsätzliche Unveränderlichkeit behaupteten. Wir sahen, daß eine Entwicklung zu erkennen ist, die zwar keineswegs teleologisch geradlinig verläuft, deren fünf Stufen aber deutlich beschrieben und in ihrer Abfolge verstanden werden können: die anfängliche Verzweiflung des in sich gekrampften Ich vor der Übermacht einer sinnlosen Welt („Der schwarze Vorhang"); der Versuch, sei es im „Schicksal" („Die drei Sprünge des Wang-lun"), sei es im Zusammenhang alles Lebendigen („Berge Meere und Giganten") doch einen übergreifenden Sinn zu entdecken, dem der Mensch sich willig beugen kann; die Synthese dieser beiden Vorstufen im Naturalismus, der Ich und Welt gleichberechtigt sieht und die schmerzvollen Widersprüche der bisherigen Sehweisen in die polare Balance der Lehre vom Menschen als Stück und Gegenstück der Natur aufhebt; die Beirrung durch das Problem des Leidens und die Barbarei des Nazireiches, die der Dichter als pervertierten Naturalismus verstand; die religiöse Aus- und Umformung des Naturalismus, die das Faktum des Leidens zu erklären geeignet war und darüber hinaus als Gegenmacht gegen den zerstörerischen Promethismus, der eben sich ausgetobt hatte, das Gebot der Stunde schien.

Man sollte dies nicht „Ein Leben in Widersprüchen" nennen [1]; es verlief zwischen zwei Polen, die man, sehr abgekürzt, Macht und Ohnmacht des Ich nennen kann, und in den zwanziger Jahren gelang es, diese Pole zusammenzuspannen in der Lehre von der relativen Macht des Menschen. Diese Spannung in Döblins Denken war alles andere als ein bloß privates

[1] so Roland Links, K 558, S. 7

Problem. Er, der über ein starkes Selbst-Bewußtsein verfügte und andererseits den Einflüssen seiner Umwelt, seinen Eingebungen fast medial geöffnet war, hatte einen ausgeprägten Spürsinn für die welthistorische Situation dieses Jahrhunderts, für den Kampf zwischen dem Individuum humanistischer Provenienz und dem egalisierenden Druck der Apparate, mögen sie Arbeitswelt, „Öffentlichkeit", Bürokratie, Partei, Konsumgesellschaft oder wie immer heißen. Mit seinen verschiedenen Denkmodellen, die von der unbegriffenen Unterlegenheit bis zur abwägenden Selbstbehauptung reichen (nie aber dem Wahn des großen Einzeltäters verfallen), mit diesen Experimenten in künstlerischer und in philosophischer Form ist das Werk Döblins heute keineswegs überholt, hat vielmehr, wie ich bereits andeutete (s. o. S. 257), gerade in den letzten Jahren eher noch an Aktualität gewonnen. Die polare Spannung zwischen Selbstbehauptung und Selbstaufgabe des Ich ist freilich auch dafür verantwortlich, daß weder Döblin selbst noch seinen Helden je der Schritt von der persönlichen Wandlung zur politisch relevanten Tat gelungen ist. Immer schien, etwa bei dem Anschluß an eine Partei, der Verlust an persönlicher Freiheit und an Substanz des Gewollten zu groß, als daß der Weg vom Ich zur Gemeinschaft möglich gewesen wäre. Hier liegt ein Angriffspunkt; aber das Problem, ob die Veränderung der „Verhältnisse" der des einzelnen vorauszugehen oder aber nachzufolgen habe, ferner, ob hier ein Automatismus angenommen werden darf oder nicht: dies ist wohl doch eine etwas kompliziertere Frage, als mancher unbekümmerte Aktivist wahrhaben will. Döblin war es ernst mit der Forderung: „Immer wieder die Fundamente des Daseins geprüft. Wir leben nur einmal, scheint es. Dann muß uns das Dasein auf die Nägel brennen." [2] Immer wieder stellte er seine eigene Position in Frage, überwarf sich mit sich selbst: wie hätte ausgerechnet er sich einer Parteidoktrin, irgendeinem common sense beugen können? Man sah in ihm einen Sonderling; er wußte es wohl, porträtierte sich selbstironisch: „die Unterhaltung verlief sonderbar und verquer, wie manchmal Gespräche mit ihm." (ER 92) oder: „Ich muß gestehen, ich werde aus dem Mann nicht klug, politisch und allgemein." (AzL 359) Immer wieder versuchte man ihn voreilig in irgendeine Richtung einzuordnen und wunderte sich dann, war sogar erbost, wenn diese Klassifizierung sich als falsch herausstellte. Deutlicher konnte die Saugkraft des Allgemeinen, der

[2] „Die Vertreibung der Gespenster" (D 401), S. 20

392

„Öffentlichkeit", gegenüber Bekundungen des Individuums wohl kaum demonstriert werden.

In seiner Dichtung, die mit der Errichtung einer „steinernen Front", mit der Wiederentdeckung des persönlichen Erzählers und des Einzelhelden, mit dem Absinken in trockene Lehrhaftigkeit und mit vielem anderen den Gang seiner philosophischen Entwicklung widerspiegelt, kam die Polarität seines Wesens in der Vereinigung höchster Originalität mit einfühlender Hingebung an den Stoff und an die Sprache zum Ausdruck. Döblin empfand sich — in der Zeit vor 1930 — nahezu als Medium, und zugleich konstruierte er seine Epen mit höchster Bewußtheit und Eigenwilligkeit. Wir haben im Wiederholungsprinzip, dieser für seine Dichtung wohl kennzeichnendsten Struktur, die Verbindung naturhaft-primitiver Formung mit überlegener Regie erkannt, und mit Recht sprach Thomas Mann in seinem Glückwunsch zu Döblins 65. Geburtstag von einer „Vereinigung archaischer und fortgeschritten-gegenwärtiger Elemente, die Ihre künstlerische Natur ausmacht." [3] Die Wirkung der umstürzend neuen Form von Döblins Romanen auf Hans Henny Jahnn, auf Wolfgang Koeppen, Ernst Kreuder, Günter Grass und andere soll hier nicht untersucht werden. Daß er, der fast sein Leben lang zwischen allen Stühlen saß, wenigstens in dieser Hinsicht nicht alleine blieb, ist gewiß.

Trotz seiner schweren Erfahrungen, trotz seines Alters und eines zweifellos vorhandenen Bedürfnisses nach Ruhe hörte Döblin auch in den letzten Lebensjahren nicht auf, seine Positionen in Frage zu stellen. Auch die Tatsache, daß man ihm in Westdeutschland nicht die Achtung erwies, auf die er Anspruch zu haben glaubte (wir wissen, daß er manche Unfreundlichkeit selbst verschuldete), auch seine verbitterte Rückkehr nach Paris im Jahre 1953 und auch seine schwere, über ein Jahrzehnt sich hinziehende Krankheit haben ihn nie dazu bringen können, sich in eine doktrinäre Scheingewißheit zurückzuziehen. In mehr als einer Hinsicht war die letzte Zeile der Schrift „Unser Dasein" das Motto seines Lebens: „Ende und kein Ende" (UD 478). — Allen, die ihn in den letzten Jahren besuchten, blieb die Erinnerung an den unermüdlichen Geschichtenerzähler, an seine ungebrochene Ironie gegen sich und die Welt. Ludwig Marcuse berichtet: „Als ich ihn das letztemal sah, im Krankenhaus zu Mainz, gaben ihm die Ärzte (irrtümlich!) nur noch drei Tage: er mußte gefüttert werden — und unterhielt mich glänzend, mit schneidigen Attacken auf

[3] „An Alfred Döblin" (K 357), S. 779

das Deutschland der fünfziger Jahre. Er war auch verbittert, vor allem aber: nicht unterzubekommen.

Der Raum, in dem er war, war voll von Heiligenbildern. Ich kann mir gut vorstellen, was er den Heiligen erzählte: alles, was er sich noch ausdachte und nicht mehr aufschreiben konnte." [4].

---

[4] „Das unruhige Leben des Alfred Döblin" (K 429). Vgl. auch Hermann Kesten, K 416, S. 298.

Amery, Carl  345
Anders, Günther  294, 307
Arnheim, Rudolf  359
Arnold, Armin  9, 10, 105 f, 108, 169, 178, 201, 221, 287

Bab, Julius  332
Baldus, Alexander  385
Bartók, Béla  103
Bayerdörfer, Hans-Peter  298, 319, 351, 354
Becher, Johannes R.  253, 266
Becker, Helmut  2, 3, 12, 49, 62, 286, 290 f, 293, 296, 299, 300, 305, 313, 323, 332, 343, 345, 352
Beethoven, Ludwig van  102
Benn, Gottfried  289
Bergel, Violante  46
Bergson, Henri  10
Bettex, Albert  1
Bieber, Hugo  40
Biedrzynski, Richard  253
Blass, Ernst  152
Blei, Franz  294
Blunck, Hans Friedrich  267
Boccioni, Umberto  288
Brecht, Bertolt  86, 112, 114, 270, 345, 358
Brentano, Bernard v.  294
Breton, André  258
Broch, Hermann  109
Bruno, Giordano  10, 22, 372 f
Budda, Gotama  246 f

Casey, Timothy Joseph  298
Cervantes  111, 372
Curtius, Ernst Robert  258

Dante  111
Darwin, Charles  382
Delpy, Egbert  358
Denkler, Horst  54, 56
Dessoir, Max  44
Dickens, Charles  370

Dietz, Ludwig  222
Dirks, Walter  385
Dix, Otto  267
Döblin, Erna, geb. Reiss  20, 27, 60
Döblin, Ludwig  38, 370
Döblin, Max  16—20, 26, 34 f, 38, 39, 42
Döblin, Sophie, geb. Freudenheim  17, 18—20, 26, 27, 38, 40
Döblin, Wolfgang (Vincent)  38, 385
Dolbin, B. F.  271
Dos Passos, John  94, 286, 287, 288
Dostojewski, Fjodor M.  17, 29, 104, 111, 170, 226, 367
Duytschaever, Joris  315

Ebert, Friedrich  375
Eckhardt, Ferdinand  271
Edschmid, Kasimir  170
Eggebrecht, Axel  113, 332, 344
Ehrlich, Godfrey  294
Eleonora Gonzaga von Mantua  185
Elshorst, Hansjörg  2, 4, 49 f, 86, 88, 91, 92, 136, 183, 215, 307, 371, 373
Eluard, Paul  258
Emrich, Wilhelm  288

Falk, Walter  70
Fall, Leo  103
Ferdinand II.  188, 198
Feuchtwanger, Lion  372
Flaischlen, Cäsar  333
Flake, Otto  108, 111
Fontane, Theodor  117
Frank, Leonhard  268
Freud, Sigmund  18, 24, 39, 92, 93, 245, 335

Galilei, Galileo  22, 373
Gellert, Christian Fürchtegott  289
George, Stefan  44, 253, 254
Goethe, Johann Wolfgang v.  29, 103 f, 108, 254
Gogol, Nikolai  80

Goudsmit, Samuel  263 f
Graber, Heinz  1, 3, 4, 7, 66, 72, 127, 183, 202, 233, 282, 284 f
Grass, Günter  393
Grillparzer, Franz  188
Gustav II. Adolf  172 f

Haas, Willy  263, 289, 297, 316
Härtling, Peter  201, 210
Halperin, Josef  133, 157
Hauptmann, Gerhart  44, 103, 277
Haydn, Joseph  102
Hebbel, Friedrich  315
Hegel, Georg Friedrich Wilhelm  254
Herchenröder, Max  213
Herder, Johann Gottfried  37
Herwig, Franz  84, 89
Herzl, Theodor  262
Hesse, Hermann  162
Hoche, Alfred  44
Hocke, Gustav René  252, 255, 258. 269, 294
Hölderlin, Friedrich  17, 104, 226, 252
Hollaender, Felix  358
Holz, Arno  98, 231, 269 f, 271, 277
Homer  109, 111, 175, 278
Horst, Karl August  294
Huch, Ricarda  269
Hülse, Erich  1, 8, 294, 296 f, 327, 342, 343, 352, 354
Huguet, Louis  21
Humperdinck, Engelbert  312

Ihering, Herbert  176
Ihlenfeld, Kurt  290

Jahnn, Hans Henny  370, 393
Jennings, Anne Liard  2, 136, 139, 328, 346
Jens, Inge.  10, 267
Johst, Hanns  268
Joyce, James  10, 94, 107, 114, 286 f, 288

Kafka, Franz  43, 281
Kaiser, Georg  113
Kant, Immanuel  254
Kapp, Wolfgang  252
Kayser, Wolfgang  224
Kerenski, Alexander  250
Kerr, Alfred  358, 359
Kesten, Hermann  1, 42, 263, 358, 375, 376, 379, 385, 394

Keyserling, Eduard v.  162
Kierkegaard, Sören  323
Klein, Tim  358
Kleist, Heinrich v.  17, 61, 74, 99, 104, 176, 177, 226
Klotz, Volker  298, 319, 343, 344, 351
Knipperdolling, Gregor  176
Koeppen, Wolfgang  393
Koestler, Arthur  380
Kolb, Annette  257
Kolbenheyer, Erwin Guido  267
Konfuzius  140
Kopernikus, Nikolaus  14, 22, 373
Kornfeld, Paul  359
Krell, Max  144
Kreuder, Ernst  27, 393
Kreutzer, Leo  143, 201, 202, 247, 355, 377
Kunisch, Hermann  50

Lamm, Albert  271
Lao-tse  157, 162
Lasker-Schüler, Else  20
Lasson, Adolf  44
Lessing, Gotthold Ephraim  304
Liede, Helmut  3, 8, 10, 19, 49, 64, 65, 69, 75, 77, 78, 79, 92, 98, 277 f
Lie-tse  162
Links, Roland  2, 4, 59 f., 74, 77, 78, 79, 91, 92 f, 120, 132, 133, 134, 138, 144, 149, 157, 175, 183, 184, 187, 232 f, 288, 294, 314, 319, 323, 345, 369, 373, 391
Lloyd George, David  173
Loerke, Oskar  44, 59, 183, 268, 270, 279
Lüth, Paul E. H.  6
Luther, Martin  253 f, 281, 382

Maeterlinck, Maurice  29
Mann, Heinrich  97, 163, 186, 267, 268, 269, 289, 294
Mann, Klaus  263
Mann, Otto  304
Mann, Thomas  37, 44, 63, 97, 109, 152, 175, 186, 257, 294, 370, 381, 393
Marcuse, Herbert  257
Marcuse, Ludwig  27, 42, 257, 393 f
Marinetti, Filippo Tommaso  10, 66, 105—107, 109, 110, 112, 226

Martini, Fritz 1, 2, 8, 10, 34, 59, 68, 92, 93, 121, 133, 143, 152, 157, 175, 183, 200, 201, 222, 288, 294, 296, 319, 342, 343, 372
Marx, Karl 245, 254, 255, 256, 258
Mauthner, Fritz 26
Mayer, Hans 9
Mayerhofer, Alfred 358
Meisel, Hans 364
Minder, Robert 2, 3, 19, 20, 21, 24, 34, 60, 68, 70, 75, 94, 130, 229, 286, 341, 375, 385, 390
Moherndl, Stefanie 3, 19, 34, 36, 38 f, 344
Molo, Walter v. 107, 267, 290
Mozart, Wolfgang Amadeus 102
Muckermann, Friedrich 294, 354
Mühsam, Erich 201
Muschg, Walter 1, 3—8, 60, 61, 70, 71, 74, 77, 80, 82, 99, 102, 106, 112, 120, 129, 132, 133, 134, 143, 152, 157, 162, 163 f, 175, 184, 201, 202, 206, 240, 247, 294, 319, 323, 332, 344, 369, 373, 389

Natonek, H. 358
Niclas, Yolla 20, 31, 213, 229
Niedermayer, Max 6
Nietzsche, Friedrich 10, 15, 17, 97, 109, 131, 186, 226, 245, 254, 262, 279, 348

Orellana, Francisco de 373

Peitz, Wolfgang 60
Petersen, Julius 279
Piscator, Erwin 288, 357
Poe, Edgar Allan 80
Pongs, Hermann 10, 286, 288 f

Rasch, Wolfdietrich 175
Regensteiner, Henry 2, 152, 247
Reid, James H. 319, 323, 345 f
Rembrandt 35
Ribbat, Ernst 3, 8, 21, 56, 61, 72, 81, 90, 105, 130, 159, 162, 230
Rosin, Arthur und Elvira 375, 376, 385
Roth, Joseph 188, 261
Rothe, Wolfgang 378
Rubiner, Ludwig 156, 164
Rychner, Max 253, 258, 270, 294

Salter, Georg 297
Schäfer, Wilhelm 267

Scheffler, Karl 271
Schickele, René 255
Schiller, Friedrich 165, 174, 187, 281
Schlaf, Johannes 231
Schmidt, Erich 104
Schmidt-Henkel, Gerhard 79, 128, 162, 230, 343
Schönberg, Arnold 103
Schoenberner, Franz 263
Schöne, Albrecht 296, 297—299, 304, 306, 314, 319, 335, 337, 352
Schopenhauer, Arthur 10, 17, 226
Schwimmer, Helmut 1, 49 f, 78, 92, 247, 277, 294, 305, 344
Schwitzke, Helmut 310
Segal, Arthur 271
Seidler-von Hippel, Elisabeth 332 f
Shakespeare, William 30
Slawata, Wilhelm 185
Sokel, Walter H. 10
Sommer, Charlotte 3
Sperber, Manès 380
Spinoza, Baruch de 10, 236
Stang, S. 294
Stehlin, Peter 104
Stenzel, Jürgen 4, 290, 343
Sternheim, Carl 79
Stirner, Max 10, 348
Storz, Gerhard 128, 222
Stoß, Veit 22
Strauß, Emil 267
Strauß, Richard 103
Strelka, Joseph 380
Sudermann, Hermann 103

Tappert, Georg 60
Tindemans, Carlos 163
Toller, Ernst 201

Verdi, Giuseppe 79
Verne, Jules 203
Vesper, Will 268

Wagner, Richard 111, 254
Walden, Herwarth 44, 46, 94, 103
Wallenstein, Albrecht Eusebius Wenzel v. 184
Wallenstein, Paul 3, 108, 175
Walter, Hans-Albert 12, 65, 187, 222, 256, 284, 286
Wassermann, Jakob 112
Wedekind, Frank 29, 73

Weinrich, Harald   181
Weiskopf, F. C.   372
Weltmann, Lutz   358
Welzig, Werner   222
Wendler, Wolfgang   56, 79
Werfel, Franz   79
Weyembergh-Boussart, Monique   3, 8, 10, 294
Weyrauch, Wolfgang   310
Whitman, Walt   109, 252
Wilde, Oscar   29

Wilhelm II.   162, 173
Wilhelm, Richard   162
Wilpert, Gero v.   180
Wilson, Thomas Woodrow   375
Wolfenstein, Alfred   23
Wulf, Joseph   268, 269
Wyß, H. A.   294

Zimmermann, Werner   76, 77 f
Ziolkowski, Theodore   294, 304, 315, 332
Zweig, Arnold   25 f

# WERKREGISTER

*Altes Berlin* 16, 372
*Amazonas* (Südamerika-Trilogie) 4—6, 7, 12, 25, 30, 32, 94, 114, 171, 213, 218, 229, 265, 301, 366, 370, 372 f, 373 f, 379, 380, 381, 382, 383 f, 386
*An die Geistlichkeit* 16, 104, 171, 205
*An Romanautoren und ihre Kritiker* 106, 108—110, 112
*Antikritisches* 102
*Arnold Schönberg* 103
*Arzt und Dichter* 27
*Astralia* 81 f, 87, 90, 117
*Autobiographische Skizze* 59

*Babylonische Wandrung oder Hochmut kommt vor dem Fall* 4—6, 22, 27, 30, 34, 41, 43, 82, 113, 128, 165, 229, 248, 301, 302, 355, 367—369, 378, 379
*Bekenntnis zum Naturalismus* 104
*Bemerkungen eines musikalischen Laien* 102
*Bemerkungen zu „Berge Meere und Giganten"* 12, 31, 33, 83, 203, 204, 205, 206
*Bemerkungen zum Roman* 108—112
*Berge Meere und Giganten* 13, 24, 25, 30, 31 f, 34 f, 36, 38, 43, 48, 70, 78, 82, 100, 106, 108, 111, 113, 114, 118, 128, 153, 158 f, 161, 165, 178, 179, 181, 199, 201—225, 227, 228, 229, 230, 231, 232, 233, 243, 284, 361—367, 382, 391
*Berlin Alexanderplatz* 1, 2, 3, 4, 7, 8, 9, 24, 27, 30, 33, 34, 35, 36, 38, 41, 43, 45 f. 52, 62, 65, 94, 95—97, 105, 106, 107, 113, 164, 165, 180, 181, 200, 229, 240, 241, 244, 247, 248, 253, 270, 272, 281, 284, 285, 286—356, 357, 359 f, 362, 366, 367, 368, 370, 378, 384, 385
(Beitrag zur Rundfrage) *Berlin und die Künstler* 83, 106, 107, 371
*Bilanz der „Dichterakademie"* 107, 268
*Blendwerk, Feuer und Pharaonen* 103
*Blick auf die Naturwissenschaft* 45
*Buddho und die Natur* 22, 204 f, 206, 240
*Bürger und Soldaten 1918.* s. *November 1918*

*Christentum und Revolution* 374

*Dämmerung* 251
*Dämon oder krankhafte Verstimmung?* 245

*Das Femgericht* 61, 184
*Das Gesicht des Naturalismus* (Interview) 277
*Das Gespenst vom Ritthof* 60
*Das Ich über der Natur* 12, 15, 45, 65, 204 f, 235—241, 242, 243, 245, 246, 259, 272, 286, 353, 374, 380, 386, 387
*Das Krokodil* 52, 64, 70
(Beitrag zur Rundfrage) *Das Land, in dem ich leben möchte* 356
*Das Land ohne Tod.* s. *Amazonas*
*Das märkische Ninive* 62

*Das Stiftsfräulein und der Tod*  48, 60, 64, 71 f, 75, 117, 228
*Das verwerfliche Schwein*  65, 81, 128, 200
*Das Theater der kleinen Leute*  106
*Das Wasser*  204

*Der Bau des epischen Werks*  66, 278—283, 344
*Der Blaue Tiger.* s. *Amazonas*
*Der deutsche Maskenball*  251, 252
*Der Dreißigjährige Krieg*  170, 172, 174, 184, 187, 194, 198
*Der Dritte*  24, 64, 72 f, 74, 80, 81, 228
*Der Einfluß der Gestirne auf das deutsche Theater*  289
*Der Epiker, sein Stoff und die Kritik*  83
*Der Feldzeugmeister Cratz*  172
*Der Geist des naturalistischen Zeitalters*  12—15, 206, 232, 235, 380
*Der historische Roman und wir*  283
*Der Kaplan*  61—64 ,96, 118, 230
*Der Knabe bläst ins Wunderhorn*  103, 287
*Der neue Urwald.* s. *Amazonas*
*Der Oberst und der Dichter*  37, 378
*Der rechte Weg*  251
*Der Riese Wenzel*  70
*Der Ritter Blaubart*  25, 48, 52, 60 f, 64, 70
*Der Rosenkavalier*  103
*Der schwarze Vorhang*  8, 28 f, 34, 37, 46, 47—53, 54, 56, 57, 61, 64, 90, 105, 180, 183,
    227, 228, 236, 284, 391
*Der Tierfreund oder Das zweite Paradies*  379
*Der unsterbliche Mensch*  24, 39, 153, 386—389
*Der vertauschte Knecht*  60

*Deutsche Frauentragödie in Italien*  36
(Beitrag zu) *Dichterglaube*  21, 389
(Beitrag zur Rundfrage) *Dichtung und Seelsorge*  237, 241

*Die Arbeit am Roman*  290, 371
*Die beiden Freundinnen und ihr Giftmord*  11, 165
*Die Bilder der Futuristen*  101
*Die deutsche Literatur (im Ausland seit 1933)*  4, 249, 273 f, 286, 382
*Die Dichtung, ihre Natur und ihre Rolle*  45, 283
*Die Drahtzieher*  252
*Die drei Sprünge des Wang-lun*  1, 4, 8, 20, 25, 28, 30, 34, 36, 38, 43, 53, 59, 64 f, 68, 82,
    83, 88, 90, 91, 100, 105, 106, 108, 113, 115, 116—164, 165, 167, 168, 175, 176, 178,
    180 f, 182, 200, 203, 204, 212, 213, 222, 224, 227, 229, 230, 237, 247, 271, 281, 296,
    319, 343, 348, 355, 362, 391
*Die Ehe*  270, 288, 336, 354, 357—360, 362, 379
*Die Ermordung einer Butterblume*  46, 58, 59, 60, 72, 74—79, 80, 82, 85, 87 f, 93, 117,
    226, 228, 230, 247
*Die Fahrt ins Land ohne Tod.* s. *Amazonas*
*Die falsche Tür*  60
*Die Flucht aus dem Himmel*  23, 61, 117, 152
*Die Helferin*  61
*Die literarische Situation*  14, 382 f, 388
*Die Lobensteiner reisen nach Böhmen*  58, 59, 60, 62, 93, 227

*Die Memoiren des Blasierten*   28 f, 49, 60, 61, 68, 80, 118
*Die Nachtwandlerin*   60, 64, 72, 75, 79—81, 85, 87
*Die Natur und ihre Seelen*   57, 204, 213 f, 236
*Die Nonnen von Kemnade*   30, 204, 213, 228
*Die Pilgerin Ätheria*   379
*Die Schlacht, die Schlacht!*   93—96, 177, 180, 181, 218, 287, 288
*Die Schranktür*   245
*Die Segelfahrt*   25, 30, 48, 64, 66—70, 71, 117, 124, 125, 167, 228, 230 f
*Die Tänzerin und der Leib*   97—100, 117
*Die Vertreibung der Gespenster*   16, 21, 171, 249, 384, 392
*Die Verwandlung*   25, 48, 52, 60, 61, 70, 71
*Die Wiederherstellung des Menschen*   389

*Dionysos*   29, 251, 257
*Drei Demokratien*   94, 250

*Einige Gedichtbände*   107
*Epilog*   30, 60, 82, 165, 319, 372, 390
*Erfolg*   44
*Erlebnis zweier Kräfte*   16
*Erster Rückblick*   4, 16—20, 25, 26, 27, 35, 36, 46, 60, 152, 241, 251, 288
*Erwachen*   46
*Es ist Zeit!*   104, 250

*Flucht und Sammlung des Judenvolks*   12, 14, 36, 42, 264 f, 348
*Futuristische Worttechnik*   105—107

*Gabriel Schillings Flucht in die Öffentlichkeit*   103
*Gang eines Mönches nach Berlin*   61
*Gedächtnisstörungen bei der Korsakoffschen Psychose*   20
*Gemütliches*   287
*Gespräche mit Kalypso. Über die Musik*   30, 46, 56 f, 92, 98—100, 102, 106, 110, 227,
   236 f
*Giganten*   220, 235, 243, 270, 293, 361—367, 379
*Goethe und Dostojewski*   104, 108
*Großstadt und Großstädter*   83, 106

*Hamlet oder Die lange Nacht nimmt ein Ende*   1, 7, 8, 18, 25, 30, 35—39, 43, 113, 247,
   301, 370, 371, 378 f, 390
*Heimkehr der Fronttruppen. s. November 1918*
*Herr Gütermann*   262

*Jagende Rosse*   28, 29, 46, 50, 64, 99
*Jakob Wassermanns letztes Buch*   112
*Jenseits von Gott!*   21, 23, 171, 184, 389
*Jüdische Erneuerung*   263 f
*Jüdische Massensiedlungen und Volksminoritäten*   263
*Jugend, Politik und Kultur (Interview)*   251
*Jungfräulichkeit und Prostitution*   29 f, 73

*Kain und Abel*   390
*Kannibalisches*   53, 252
*Karl und Rosa. s. November 1918*
*Krieg und Frieden*   353

*Kunst, Dämon und Gemeinschaft* 272 f
*Kunst ist nicht frei, sondern wirksam: ars militans* 266

(Beitrag zu) *Lebensweisheit aus unserer Zeit* 289
*Linie Dresden-Bukarest* 64, 73 f, 180, 228
*Literarische und politische Erinnerungen aus Berlin* 249, 251
*Literatur und Rundfunk* 270, 282
*Lusitania* 199 f
*Lydia und Mäxchen. Tiefe Verbeugung in einem Akt* 46, 48, 53—58, 78, 227

*Märchen vom Materialismus* 378
*Male, Mühle, male* 35
*Manas* 3, 7, 25, 30, 32 f, 34, 43, 66, 113, 114, 116, 127, 129, 163, 200, 202, 206, 214, 222, 241, 248, 282, 284 f, 286, 299, 354 f, 386
*Mariä Empfängnis* 24, 52, 71
*Mehrfaches Kopfschütteln* 45
(Beitrag zur Rundfrage) *Mein erster Erfolg — mein erster Mißerfolg* 270
(Beitrag zu) *Meister des Stils über Sprache und Stillehre* 104, 109
*Menagerie Richard Strauß* 103
*Metapsychologie und Biologie* 18
*Mireille oder Zwischen Politik und Religion* 271

*Neue Zeitschriften* 251, 374
*Nochmal: Wissen und Verändern* 255, 256
*November 1918* 17, 18, 23, 35 f, 39, 41, 43, 65, 173, 247, 251, 257, 302, 366, 370, 371, 372, 373—378, 379, 384 f
*Nur der veränderte Autor kann den Film verändern* (Interview) 358

*Ölwolken* 291
*Ostseeligkeit* 106, 203, 371

*Pantomime. Die vier Toten der Fiametta* 98
*Pardon wird nicht gegeben* 4, 8, 18 f, 27, 34, 38, 42, 301, 366, 369—371, 373, 380
*Prometheus und das Primitive* 12 f, 373, 380—382

*Rasse und Seele* 234
*Reform des Romans* 108 f, 111
*Reims* 94, 249 f
*Reines Vergnügen am Theater* 358
*Reise in Polen* 12, 15, 22, 36, 232—235, 242, 252, 257, 260 f, 287, 289, 290, 386
*Reiseverkehr mit dem Jenseits* 378
*Republik* 253, 258
*Revolutionstage im Elsaß* 375
*Revue* 40, 42, 83, 259, 287

*Schicksalsreise* 1, 17, 20, 42, 245, 250, 251, 357, 372, 386, 388, 389
*Schriftstellerei und Dichtung* 275—278, 281, 369
*Sieger und Besiegte* 375
*Sommerliebe* 28
*Staat und Schriftsteller* 103, 253, 265 f, 281
*Stille Bewohner des Rollschranks* 50
*Strandkinder* 103

(Beitrag zur Rundfrage) *Technik. Absicht und Zukunft* 13
*The living thoughts of Confucius* 140

*Überfließend von Ekel*  184
*Ueber Jungfräulichkeit*  29
*Über Roman und Prosa*  108—111
*Unser Dasein*  12, 14, 22, 41, 43, 50, 65 f, 234, 235, 238, 240, 241—247, 248, 257, 259—
  263, 264, 271—273, 277, 288, 290, 294, 295, 299, 311, 324, 349, 353, 378, 380, 386, 393
*Unsere Sorge der Mensch*  374, 389

*Verratenes Volk*. s. *November 1918*
*Vom alten zum neuen Naturalismus*  252, 269
*Vom Hinzel und dem wilden Lenchen*  70
*Vom Ich und vom Ursinn*  248
*Von der Freiheit eines Dichtermenschen*  101 f, 107, 234
*Von der himmlischen Gnade*  59, 62, 96 f, 290
*Von Gesichtern, Bildern und ihrer Wahrheit*  238
*Von Leben und Tod, die es beide nicht gibt*  278, 390
*Vorwort zu einer erneuten Aussprache*  253, 258, 259

*Wadzeks Kampf mit der Dampfturbine*  2, 28, 31, 34, 38, 59, 80, 82—93, 96, 159, 164,
  170, 226, 227, 230
*Wallenstein*  3, 21, 25, 28, 31, 34, 35, 38, 43, 59, 65, 90, 91, 113, 114, 118, 127, 129,
  152, 158, 159, 160, 161, 163, 165—200, 201, 203, 204, 205, 207, 218, 221, 222, 223, 224,
  227, 229, 230, 231, 238, 247, 251, 262, 281, 284, 287, 356
(Beitrag zu) *Was war uns die Schule?*  16 f
(Beitrag zur Rundfrage) *Welche stilistische Phrase hassen Sie am meisten?*  95
*Wider die abgelebte Simultanschule*  16
*Wider die Verleger*  289
*Wissen und Verändern! Offene Briefe an einen jungen Menschen*  12, 14, 234, 240,
  251, 252—259, 261, 274, 299, 354, 364, 374, 382

*Zion und Europa*  40
*Zirkuspantomime*  289
*Zukunftspläne*  297
*Zur perniziös verlaufenden Melancholie*  46
(Beitrag zu) *Zur Physiologie des dichterischen Schaffens*  7, 371
*Zwei Liederabende*  103
*Zwei Seelen in einer Brust (Döblin über Döblin)*  27, 290
*Zwölf Jahre*  24, 372

# DÖBLIN-BIBLIOGRAPHIE

# INHALTSVERZEICHNIS

Vorwort                                                                       409

Abkürzungsverzeichnis                                                         413

1.  DIE WERKE ALFRED DÖBLINS (D)                                             415

    A.  DICHTUNGEN                                        415

        I.  *Erzählungen*               415

            a)  Erstdrucke                                          415
            b)  Sammlungen und Neuausgaben                          417

        II.  *Dramen, Filmszenarios, Hörspiel*              418

        III.  *Romane, Epos*                                418

            a)  Vorabdrucke                                         418
            b)  Nachträgliches und Auswahl                          420
            c)  Erstauflagen in Buchform                            420
            d)  Neuausgaben                                         421

                1.  Nachkriegsausgaben zu Lebzeiten Döblins       421
                2.  Ausgewählte Werke in Einzelbänden, hrsg. von Walter
                    Muschg                                           422
                3.  Taschenbuchausgaben und Nachdrucke für Buchgemein-
                    schaften                                         422
                4.  Lizenzausgaben für die DDR                      423

        IV.  *Gelegentliches*                               423

    B.  FACHMEDIZINISCHE ARBEITEN                        423

    C.  THEORETISCHE UND PHILOSOPHISCHE SCHRIFTEN, AUF-
        SÄTZE UND BEMERKUNGEN                            425

        I.  *Zur Literatur*                                 425

            a)  Allgemeines                                        425
            b)  Rezensionen, Theaterberichte                        427
            c)  Würdigungen                                         431
             d)  Zum eigenen Schaffen                                432
            e)  Gelegentliches                                      433

        II.  *Zu anderen Künsten*                            434

        III.  *Philosophische und religiöse Schriften*        435

        IV.  *Populärmedizinische und psychologische Betrachtungen*   436

V. *Schriften zu Politik und Gesellschaft*     438

VI. *Städte- und Reisebilder*     442

VII. *Autobiographische Schriften*     443

VIII. *Erklärungen, Glückwünsche, Nachrufe*     445

IX. *Sonstiges*     445

X. *Neuausgaben und Sammlungen*     447

D. INTERVIEWS     448

E. BRIEFE     448

F. ÜBERSETZUNGEN     450

NACHTRAG     452

2. DIE KRITISCHE LITERATUR ZU ALFRED DÖBLIN (K)     454

A. DAS ECHO BEI DEN ZEITGENOSSEN     454

I. *Rezensionen*     454

a) zu den Erstdrucken     454

    1. Dichtungen     454

    2. Philosophische, politische, autobiographische Schriften     465

b) zu Neuauflagen     469

II. *Geburtstagsartikel, Nachrufe, Gedenkaufsätze*     471

III. *Überblicke über das Werk, Würdigungen*     474

IV. *Stellungnahmen und Polemiken*     477

V. *Kleinigkeiten*     479

VI. *Parodien*     481

VII. *Erinnerungen, Erwähnung in Autobiographien, Tagebüchern und Briefen*     481

B. DER BEITRAG DER WISSENSCHAFT     483

I. *Bibliographien*     483

II. *Gesamtdarstellungen*     483

III. *Untersuchungen zu Einzelproblemen*     484

IV. *Untersuchungen zu einzelnen Werken*     485

V. *Behandlung in Literaturgeschichten und -lexika, sonstigen Untersuchungen allgemeiner Art sowie in Monographien über andere (Auswahl)*     488

NACHTRAG     494

REGISTER     497

a) Zeitungen und Zeitschriften     497

b) Namen     507

# VORWORT

Das bisher umfangreichste Verzeichnis der Literatur von und über Alfred Döblin, die Bibliographie von Wolfgang Peitz (K 554), hat schwere Mängel [1]; selbst bei vorsichtiger Schätzung darf man getrost die Hälfte der Angaben als fehlerhaft oder auch vollständig falsch bezeichnen. Eine systematische Anordnung ist allenfalls in Ansätzen vorhanden, und so kann dieses chaotische Sammelwerk kaum jemandem von Nutzen sein außer demjenigen, der sich in der Döblin-Literatur ohnehin schon einigermaßen auskennt. Jeder andere wird sein Vertrauen in Peitzens Angaben mit sinn- und ergebnisloser Arbeit bezahlen müssen.

Die Auswahlbibliographien von Küntzel und Hamelau (K 553, 552) sind zuverlässiger, aber natürlich sehr lückenhaft, und Schwimmers Ansatz zur Sammlung der Sekundärliteratur (K 583, Literaturverzeichnis) ist inzwischen längst überholt (143 Nummern). Die bisher befriedigendste systematische Übersicht verdanken wir Hansjörg Elshorst (K 568, Bibliographie), doch leidet seine Aufstellung unter einer unzumutbaren Anzahl von Druckfehlern. Erwähnt sei noch die Bibliographie in der Dissertation von Stefanie Moherndl (K 630), die Zugang zu Louis Huguets Döblin-Archiv hatte und der ich eine Reihe von Hinweisen auf „Hamlet"-Rezensionen und Artikel im Prager Tagblatt verdanke. Huguets eigene systematische Bibliographie, von Robert Minder schon vor Jahren angekündigt [2], ist immer noch nicht erschienen.

Das nachfolgende Verzeichnis ist das bisher vollständigste seiner Art [2a] und erhebt Anspruch auf größtmögliche Genauigkeit. Alle Angaben, die ich nicht selbst habe überprüfen können, sind von Sternchen (*) eingefaßt; hierhin gehören z. B. die Artikel Döblins im Prager Tagblatt, das mir nicht zugänglich war (D 212—226 usw.). Im Abschnitt 1 F (Übersetzungen) wurde auf eine derartige Kennzeichnung verzichtet, da *sämtliche* Angaben aus den Bibliographien anderer übernommen werden mußten, zu-

---

[1] vgl. meine Rezension in der „Zeitschrift für deutsche Philologie", Bd. 88; 1969; S. 635—638.

[2] K 561, S. 357 f

[2a] Ich habe mich bewußt auf die im Druck erschienenen Werke Döblins beschränkt. Über die im Nachlaß befindlichen Manuskripte informiert neuerdings ein Bericht im Jahrbuch der Deutschen Schillergesellschaft (14. Jg.; 1970; S. 637—639, 646—657).

meist aus dem Index translationum, dem ich auch in der Aufgliederung folge (Titel — Übersetzer — Ort, Verlag, Jahr).

Aus den vorgenannten Döblin-Bibliographien wurden solche Angaben nicht übernommen, die entweder in sich unmöglich sind [3] oder sich bei der Nachprüfung als falsch erwiesen [4]. Verzichtet habe ich ferner auf die Verzeichnung der Abdrucke von Erzählungen, Romanfragmenten und Aufsätzen in späteren Anthologien verschiedener Herausgeber, weil hier die Bibliographie ins Uferlose zu wuchern droht, ohne daß ein nennenswerter Erkenntniszuwachs zu vermerken wäre. Der Interessierte findet derartiges bei Peitz in großer Zahl [5]. Außerdem wird man die eine oder andere Angabe zur Sekundärliteratur vermissen, namentlich solche, die bei Peitz unter „Gesamtdarstellungen und Würdigungen" verzeichnet sind (K 554, S. 46—53). In diesen Fällen handelt es sich entweder um völlig unerhebliche Erwähnungen (z. B. B 29, 94, 116, 118, 119, 124; auch 526, 535) oder um eine bloße Namensnennung (B 61) oder auch um ein Druckdesaster (B 18). Bei der Verzeichnung von Literaturgeschichten habe ich mich bewußt auf eine Auswahl beschränkt und das Schwergewicht auf zeitgenössische sowie ausländische Werke gelegt, die selbstverständliche Standardliteratur (Körner, Kosch, Wilpert, Romanführer usw.) weggelassen und nur hier und da Kuriosa aufgenommen (K 677, 707).

Schließlich habe ich nach den abschreckenden Erfahrungen mit der Peitz-Bibliographie streng darauf geachtet, daß jeder Titel nur einmal aufgeführt wird. Die relativ hohe Zahl der Nummern bei Peitz (1019) ist nicht zuletzt auf die unglaublich wuchernde Praxis der Doppelnennungen zurückzuführen; so erscheint etwa meine Nr. K 398 dort als B 21, 22, 22a und 189.

Die von mir befolgte Methode hat freilich den Angriffspunkt, daß man sich über die Einordnung des einen oder anderen Titels heftig wird streiten können. So wäre die „Reise in Polen" (D 480) auch als philosophische, politische, autobiographische Schrift zu reklamieren, doch sind die Vorabdrucke in keiner dieser Kategorien unterzubringen, so daß die jetzige Lösung mir noch die vertretbarste schien.

Wenn somit im Vergleich zur Bibliographie von Peitz eine Reihe von Angaben fehlt, so sind andererseits etwa 600 neue Titel verzeichnet, die

[3] So verzeichnet Elshorst z. B. einen Aufsatz, der am 31. 4. 1924 erschienen sein soll (K 568, S. XXX).

[4] z. B. die Angaben A 292, 471, 474; B 412—415, 465 usw. bei Peitz (K 554).

[5] K 554, A 159, 205, 245, 288, 336, 364, 368, 396, 399, 403—409, 411 f, 417 f, 420—426, 428—434, 436—442, 445—450, 475—479.

sich ungefähr je zur Hälfte auf die Primär- und die Sekundärliteratur verteilen. Hauptverantwortlich für diesen Zuwachs ist die systematische Auswertung einer Reihe von Zeitschriften: „Das Theater", „Der Sturm", „Die Weißen Blätter", „Die Weltbühne", „Das Tagebuch", „Das literarische Echo" (bzw.: „Die Literatur"), „Die schöne (bzw.: neue) Literatur", „Die literarische Welt", „Das Neue Tagebuch", „Die Sammlung", „Maß und Wert", „Das Goldene Tor" u. a. Nicht wenige Entdeckungen sind dem Zufall zu danken.

Ich habe es für nützlich gehalten, Aufsätzen, die Döblin in spätere Buchveröffentlichungen einarbeitete — „Reise in Polen", „Das Ich über der Natur", „Wissen und Verändern!", „Unser Dasein" — einen entsprechenden Vermerk beizufügen (vgl. etwa D 346—349, 473—479 u.a.). Auch bezüglich der Sammelbände sind den einzelnen Erzählungen bzw. Aufsätzen die Hinweise auf die späteren Druckorte beigegeben. Diese Bände sowie häufig genannte Zeitschriften werden mit Sigeln bezeichnet, die das nachfolgende Abkürzungsverzeichnis aufschlüsselt.

Soweit ich bei Rezensionen und Einzelinterpretationen den Titel nicht aufgeführt habe, ist er mit dem des besprochenen Werkes identisch. Hinweise und Erklärungen von meiner Seite stehen in Klammern. Die Nennung der Verlage schien mir nur bei den in Buchform erschienenen Werken Döblins von Belang. Auf die Angabe der Seitenzahlen habe ich gänzlich verzichtet, da hier bezüglich der Mitzählung der letzten, nicht mehr numerierten Seite Uneinigkeit herrscht, was etwa dazu führt, daß Peitz zwischen ersten und zweiten Auflagen Unterschiede konstatiert, die in Wahrheit nicht bestehen (K 554, A 53—53a; A 55—55a). Für die leider nicht vermeidbaren Nachträge wurde die Numerierung so gewählt, daß die Einordnung ins Gesamtverzeichnis mühelos möglich ist.

Was die Aufgliederung des Materials betrifft, so betrachte ich meine Lösung keineswegs als in allen Punkten geglückt. Die Trennung in die Teile A und B bei der kritischen Literatur wird manchem angesichts eines Kritikers wie Robert Minder, überhaupt hinsichtlich der Gruppen A III und B II, fragwürdig erscheinen. Noch fragwürdiger war mir allerdings das undifferenzierte Nebeneinander von Tageskritik und umfangreichen wissenschaftlichen Untersuchungen, wie es in der Rubrik „Zu einzelnen Werken" sowohl bei Elshorst als auch bei Peitz zu beobachten ist.

Im übrigen hoffe ich dem Benutzer mit den beiden abschließenden Registern ein Instrument in die Hand gegeben zu haben, das ihm die Auffindung von hier oder da vermißten Titeln erleichtert.

# ABKÜRZUNGSVERZEICHNIS

## 1. Werke Döblins

| | |
|---|---|
| AzL | *Aufsätze zur Literatur.* Olten und Freiburg i. Br. 1963. (D 573) |
| EB | *Die Ermordung einer Butterblume. Ausgewählte Erzählungen 1910–1950.* Olten und Freiburg i. Br. 1962. (D 45) |
| IN | *Das Ich über der Natur.* Berlin 1927. (D 353) |
| LB | *Die Lobensteiner reisen nach Böhmen.* München 1917 (D 41) |
| RP | *Reise in Polen.* Berlin 1925 bzw. Olten und Freiburg i. Br. 1968. (D 480 bzw. 575) |
| UD | *Unser Dasein.* Berlin 1933 bzw. Olten und Freiburg i. Br. 1964. (D 362 bzw. 574) |
| WV | *Wissen und Verändern! Offene Briefe an einen jungen Menschen.* Berlin 1931. (D 446) |
| Z | *Die Zeitlupe. Kleine Prosa.* Olten und Freiburg i. Br. 1962. (D 572) |

## 2. Zeitungen und Zeitschriften
(Ausführliche Angaben im Register)

| | |
|---|---|
| BBC | Berliner Börsen-Courier |
| BT | Berliner Tageblatt |
| DVjs | Deutsche Vierteljahrsschrift |
| FAZ | Frankfurter Allgemeine Zeitung |
| FH | Frankfurter Hefte |
| FZ | Frankfurter Zeitung |
| GT | Das Goldene Tor |
| H | Hochland |
| L | Die Literatur |
| LE | Das literarische Echo |
| LW | Die literarische Welt |

| | |
|---|---|
| MW | Maß und Wert |
| NDB | Neue deutsche Blätter |
| NL | Die neue Literatur |
| NM | Der Neue Merkur |
| NR | Die Neue Rundschau |
| NTB | Das Neue Tagebuch |
| PT | Prager Tagblatt |
| Q | Der Querschnitt |
| SL | Die schöne Literatur |
| St | Der Sturm |
| TB | Das Tagebuch |
| Th | Das Theater |
| TK | Text + Kritik |
| VZ | Vossische Zeitung |
| WB | Die Weltbühne |

# 1. DIE WERKE ALFRED DÖBLINS

## A. DICHTUNGEN

### I. Erzählungen

#### a) Erstdrucke

D   1   *Das Stiftsfräulein und der Tod.* In: Das Magazin, Leipzig, 76. Jg., H. 4; Januar 1908; S. 52—54
Auch in D 40 und *EB*, S. 31—35
(Außerdem selbständig veröffentlicht, mit Schnitten von E. L. Kirchner, im Verlag A. R. Meyer, Berlin-Wilmersdorf, November 1913)

D   2   *Die Tänzerin und der Leib.* In: St, 1. Jg., Nr. 2; 10. 3. 1910; S. 10
Auch in D 40 und *EB*, S. 17—21

D   3   *Die Ermordung einer Butterblume.* In: St, 1. Jg., Nr. 28; 8. 9. 1910; S. 220 f, und Nr. 29; 15. 9. 1910; S. 229
Auch in D 40 und *EB*, S. 42—54

D   4   *Astralia.* In: St, 1. Jg., Nr. 31; 29. 9. 1910; S. 244 f
Auch in D 40 und *EB*, S. 36—41

D   5   *Die falsche Tür.* In: St, 1. Jg., Nr. 54; 11. 3. 1911; S. 429 f
Auch in D 40 und *EB*, S. 99—106

D   6   *Die Helferin.* In: St, 2. Jg., Nr. 62; 13. 5. 1911; S. 493 f
Auch in D 40 und *EB*, S. 55—62

D   7   *Die Segelfahrt.* In: St, 2. Jg., Nr. 69; Juli 1911; S. 549 f
Auch in D 40, D 42 und *EB*, S. 7—16

D   8   *Die Verwandlung. (Erna Reiss gewidmet).* In: St, 2. Jg., Nr. 73; August 1911; S. 581—583
Auch in D 40, S. 51—69

D   9   *Der Dritte.* In: St, 2. Jg., Nr. 77 und 78; September 1911; S. 613 f und 621 f
Auch in D 40 und *EB*, S. 76—87

D  10   *Der Ritter Blaubart.* In: St, 2. Jg., Nr. 85 und 86; November 1911; S. 676 f und 683—685
Auch in D 40, D 42 und *EB*, S. 63—75

D  11   *Mariä Empfängnis.* In: St, 2. Jg., Nr. 88; Dezember 1911; S. 700
Auch in D 40 und *EB*, S. 22—24
(Außerdem, mit vier Zeichnungen von Georg Tappert, in: Die schöne Rarität. Hrsg. v. Adolf Harms. Kiel, 1. Jg., H. 6; Dezember 1917; S. 109—114)

D  12  *Die Memoiren des Blasierten.* In: D 40, S. 179—200
Jetzt in EB, S. 88—98

D  13  *Die Nachtwandlerin.* In: NM, 1. Jg., Bd. 1, S. 63—76; April 1914
Auch in LB, D 42 und EB, S. 153—169

D  14  *Der Kaplan.* In: St, 5. Jg., Nr. 5; Juni 1914; S. 35—39
Auch in LB, D 43 und EB, S. 181—201

D  15  *Von der himmlischen Gnade.* In: St, 5. Jg., Nr. 12; September 1914;
S. 82—84
Auch in LB und EB, S. 170—180

D  16  *Die Schlacht, die Schlacht!* In: NM, 2. Jg., Bd. 1, S. 22—36; April 1915
Auch in LB und EB, S. 217—235

D  17  *Geschichten von den Lobensteinern.* (Auszug aus D 26). In: St, 6. Jg.,
Nr. 3/4; Mai 1915; S. 15 f und 18

D  18  *Das Femgericht.* In: NR, 26. Jg.; 1915; Bd. I, S. 234—239
Auch in LB und EB, S. 119—127

D  19  *Das Gespenst vom Ritthof.* In: St, 6. Jg., Nr. 13/14; Oktober 1915;
S. 80 f
Auch in LB, S. 185—194

D  20  *Der Feldzeugmeister Cratz.* In: NR, 28. Jg.; 1917; Bd. I, S. 513—525
Auch in D 43

D  21  *Vom Hinzel und dem wilden Lenchen.* Mit fünf Radierungen von
A. H. Pellegrini. In: Marsyas, Berlin, 1. Jg., H. 1; Juli/August 1917;
S. 17—30
Auch in LB und EB, S. 145—152

D  22  *Linie Dresden-Bukarest.* In: LB, S. 7—24
Jetzt in EB, S. 107—118

D  23  *Der Riese Wenzel.* In: LB, S. 152—158

D  24  *Das Krokodil.* In: LB, S. 159—184
Jetzt in EB, S. 128—144

D  25  *Der vertauschte Knecht.* In: LB, S. 195—205

D  26  *Die Lobensteiner reisen nach Böhmen.* In: LB, S. 206—305

D  27  *Das verwerfliche Schwein.* In: NR, 28. Jg.; 1917; Bd. II, S. 1377—
1387
Auch in D 48, D 42 und EB, S. 202—216

D  28  *Die Flucht aus dem Himmel.* In: Die Erhebung. Jahrbuch für neue
Dichtung und Wertung. Hrsg. v. Alfred Wolfenstein. Bd. II, Berlin
1920, S. 11—16
Jetzt in EB, S. 25—30

D  29  *Kleine Alltagsgeschichte.* In: BBC; 20. 4. 1930; Nr. 185

D  30  *Sommerliebe.* In: D 362, S. 37—48
Jetzt in UD, S. 33—45 und EB, S. 254—266

D  31  *Märchen von der Technik.* In: D 455, S. 171—173
Jetzt in Z, S. 199—201

D  32  *Der verlorene Sohn.* In: D 455, S. 174—231

D 33 *Kleines Märchen.* In: NTB, 5. Jg., Nr. 40; 2. 10. 1937; S. 953 f
Jetzt in *Z*, S. 196—199

D 34 *Reiseverkehr mit dem Jenseits.* (Auszug aus D 36). In: NR, Sonderausgabe zu Thomas Manns 70. Geburtstag, Stockholm 1945, S. 88—91

D 35 *Der Oberst und der Dichter oder Das menschliche Herz.* Verlag Karl
Alber, Freiburg i. Br. 1946
(Sonderausgabe bei Christian Wolff, Flensburg 1949)

D 36 *Reiseverkehr mit dem Jenseits.* In: D 44, S. 5—61
Jetzt in *EB*, S. 351—401

D 37 *Märchen vom Materialismus.* In: D 44, S. 63—127
Jetzt als Nr. 8261 in Reclams Universal-Bibliothek, mit einem Nachwort von Hans Daiber, Stuttgart 1959

D 38 *Die Pilgerin Ätheria.* In: Michael, Katholische Wochenzeitung, Düsseldorf, 13. Jg.; 1955; Nr. 1—24

D 39 *Der Tierfreund oder Das zweite Paradies.* In: EB, S. 402—420

b) Sammlungen und Neuausgaben

D 40 *Die Ermordung einer Butterblume und andere Erzählungen.* Verlag
Georg Müller, München und Leipzig 1913
Enthält D 1—12

D 41 *Die Lobensteiner reisen nach Böhmen. Zwölf Novellen und Geschichten.*
Verlag Georg Müller, München 1917
Enthält D 13—16, 18, 19 und 21—26

D 42 *Blaubart und Miß Ilsebill.* Steinzeichnungen von Carl Rabus. („Das
Prisma", Bd. 10). Verlag Hans Heinrich Tillgner, Berlin 1923
Enthält D 27, 13, 10 und 7

D 43 *Der Feldzeugmeister Cratz. Der Kaplan. Zwei Erzählungen.* (Weltgeist-
Bücher, Nr. 141). Verlag Weltgeist-Bücher, Berlin o. J. [1926]
Enthält D 20 und D 14

D 44 *Heitere Magie. Zwei Erzählungen.* Mit Illustrationen von Eugen
Bargatzky. Verlag Paul Keppler, Baden-Baden 1948
Enthält D 36 und D 37

D 45 *Die Ermordung einer Butterblume. Ausgewählte Erzählungen 1910—1950.*
(Ausgewählte Werke in Einzelbänden. In Verbindung mit den Söhnen
des Dichters hrsg. v. Walter Muschg). Walter-Verlag, Olten und
Freiburg i. Br. 1962
Enthält D 1—7, 9—16, 18, 21, 22, 24, 27, 28, 30, 36, 39; außerdem
Stücke aus den Romanen *Wallenstein, Der neue Urwald* und *Karl und
Rosa*
Gekürzt — enthält D 2—7, 9, 10, 12, 13, 27, 28, 30, 36 — als dtv-
Taschenbuch 266, München 1965

D 46* *Erzählungen.* Hrsg. v. Roland Links. Verlag Reclam, Leipzig 1967
(Reclams Universal-Bibliothek, Bd. 329) *

## II. Dramen, Filmszenarios, Hörspiel

D 47 *Lydia und Mäxchen. Tiefe Verbeugung in einem Akt.* Verlag Singer, Straßburg und Leipzig 1906
Jetzt in: Einakter und kleine Dramen des Expressionismus. Hrsg. v. Horst Denkler. Stuttgart 1968 (Reclams Universal-Bibliothek Nr. 8562—8564), S. 22—46
Leicht verändert in D 48

D 48 *Das verwerfliche Schwein. Novelle / Lydia und Mäxchen. Tiefe Verbeugung in einem Akt / Lusitania. Drei Szenen.* (Die Gefährten. Leiter Albert Ehrenstein. 3. Jg., H. 4)
Genossenschaftsverlag, Wien/Leipzig 1920

D 49 *Die Nonnen von Kemnade. Aus einem Schauspiel von Alfred Döblin.* In: NM, 5. Jg., S. 611—618; November 1921 (Akt II, Szene 5—7)

D 50 *Die Nonnen von Kemnade. Schauspiel in vier Akten.* S. Fischer Verlag, Berlin 1923

D 51 *Die geweihten Töchter. Film. Anfang des ersten Aktes.* In: Das Dreieck, Monatszeitschrift für Wissenschaft, Kunst und Kritik, Berlin, 1. Jg., H. 1; September 1924; S. 22—24

D 52 *Lusitania. Drei Szenen.* (Bibliophiler Sonderdruck in 220 Exemplaren). Presse Oda Weitbrecht, Hamburg 1929

D 53 *Die Ehe. (Anfang der 2. Szene).* In: LW, 6. Jg., Nr. 8; 21. 2. 1930; S. 3 f

D 54 *Aus dem Kuriositätenkabinett der „Literarischen Welt". Szenen eines Filmmanuskripts. Von Alfred Döblin.* In: LW, 6. Jg., Nr. 39; 26. 9. 1930; S. 4

D 55 *Die Ehe. Drei Szenen und ein Vorspiel.* S. Fischer Verlag, Berlin 1931

D 56 *Berlin Alexanderplatz.* (Hörspiel. 1930). In: Frühe Hörspiele. Sprich, damit ich dich sehe, Bd. II. Hrsg. v. Heinz Schwitzke. Paul List Verlag, München 1962 (List Bücher 217), S. 21—58
(Auch in: Das tapfere Schneiderlein. Berlin im Hörspiel. Mit einem Vorwort des Regierenden Bürgermeister von Berlin, Willy Brandt. Hrsg. v. Heinz Schwitzke. Hamburg 1964, S. 9—46)

## III. Romane, Epos

a) Vorabdrucke

1. Der schwarze Vorhang

D 57 *Der schwarze Vorhang.* In: St, 2./3. Jg.; 1912; Nr. 98, 99; Feburar; S. 780 f, 789 f. Nr. 100—104; März; S. 798—800, 806 f, 812 f, 821 f, 829 f. Nr. 105—107; April; S. 3, 10 f, 18. Nr. 108, 109, 111; Mai; S. 27 f, 34, 52. Nr. 112, 113/114, 115/116; Juni; S. 59 f, 66—68, 80, 82 f, 85. Nr. 117/118; Juli; S. 92, 94, 96.

## 2. Wallenstein

D  58  *Ferdinand der andere.* In: Das junge Deutschland, Berlin, 1. Jg.; 1918; H. 11/12, S. 345 f
(Kraus Reprint, Nendeln/Liechtenstein 1969)

D  59  *Böhmen.* In: Das Kestnerbuch. Hrsg. v. Paul Erich Küppers. Hannover 1919, S. 33—44

D  60  *Predigt und Judenverbrennung.* In: NM, 3. Jg., S. 611—620; Dezember 1919

D  61  *Das Zauberspiel.* In: Feuer, Saarbrücken, 1. Jg., H. 9; Juni 1920; S. 686 bis 690

## 3. Berge Meere und Giganten

D  62  *Die Balladeuse.* In: NM, 6. Jg., S. 347—364; Oktober 1922

D  63  *Die Ölwolken. Erzählung.* In: NR, 34. Jg.; 1923; Bd. I, S. 327—342

D  64  *Der Uralische Krieg.* In: Velhagen und Klasings Monatshefte, 37. Jg.; 1922/23; Bd. II, S. 385—392

D  65  *Der verschlingende Wald. (Episode aus einem Zukunftsroman „Die Schlacht der Giganten").* In: Die Glocke, Berlin, 9. Jg., H. 16; 16. 7. 1923; S. 431—435

## 4. Berlin Alexanderplatz

D  66  *Berlin Alexanderplatz. Erzählung.* (Stücke aus den beiden ersten Büchern des Romans in einer früheren Fassung). In: NR, 39. Jg.; 1928; Bd. II, S. 124—148

D  67  *Schlacht- und Viehhof.* (Aus einer früheren Fassung). In: LW, 4. Jg., Nr. 32; 10. 8. 1928; S. 3 f

D  68  *Berlin Alexanderplatz.* (Unvollständiger Vorabdruck einer früheren Fassung). In: FZ; 8. 9.—11. 10. 1929; Nr. 670, 674, 677, 680, 683, 686, 689, 693, 696, 699, 702, 705, 708, 712, 715, 718, 721, 724, 727, 731, 734, 737, 740, 743, 746, 750, 753, 756, 759.

D  69  *Berlin Alexanderplatz.* (Anfang des 1. Kapitels von Buch V). In: Herbert Günther, „Hier schreibt Berlin". Berlin 1929, S. 227—234.
Neuauflage: München 1963 (List Bücher 239), S. 104—108

## 5. November 1918

D  70  *10. November 1918.* (Anfang von D 99). In: Deutscher Freiheitskalender 1939. Hrsg. v. Kurt Kersten. Edition Sebastian Brant, o. O. u. J. [Straßburg 1938], S. 61—70

D  71  *Nocturno.* (Teil der Stauffer-Geschichte: D 100, S. 254 — D 101, S. 59). Privatdruck der Pazifischen Presse, Los Angeles 1944

D  72  *Sieger und Besiegte. Eine wahre Geschichte.* (Historische Kapitel aus den Manuskripten von D 100 — D 102). Aurora Verlag, New York o. J. [1946]

D  73  *Rosa.* In: GT, 2. Jg.; 1947; H. 5, S. 442—453

D  74  *November 1918. Zerschmetternde Niederlage. Der Tod des Fliegers.* In: GT, 2. Jg.; 1947; H. 6, S. 568—579
D  75  *November 1918. Im Lazarettzug. Ovationenen für Friedrich Ebert.* In: GT, 2. Jg.; 1947; H. 7, S. 678—686
D  76  *November 1918. Der dämonische Freitag.* In: GT, 2. Jg.; 1947; H. 8/9, S. 845—855
D  77  *November 1918. Alte Briefe.* In: GT, 2. Jg.; 1947; H. 10, S. 955—961
D  78  *November 1918. Hinter einem welken Rosenblatt her. Ball bei der Gräfin. 3 Uhr nachts. Seliger Abmarsch. Eine Enthüllung.* In: GT, 2. Jg.; 1947; H. 11/12, S. 1107—1117

6. Hamlet oder Die lange Nacht nimmt ein Ende

D  79  *Die lange Nacht. Aus dem Manuskript eines neuen Romans.* In: GT, 1. Jg., H. 1; September 1946; S. 74—80
D  80  *Am Abgrund.* In: Jahrbuch der Freien Akademie der Künste, Hamburg 1954, S. 18—22
D  81  *König Lear.* In: Sinn und Form, 6. Jg.; 1954; H. 5/6, S. 617—671
D  82  *Szenen aus der Unterwelt.* In: Sinn und Form, 7. Jg.; 1955; H. 6, S. 828—850

b) Nachträgliches und Auswahl

1. Ungedrucktes aus „Die drei Sprünge des Wang-lun"

D  83  *Der Überfall auf Chao-Lao-Sü.* (Das ursprüngliche Anfangskapitel). In: Genius, 3. Jg., München 1921, S. 275—285
      u. d. T. *Der Überfall* als bibliophiler Sonderdruck der Officina Serpentis („Zum 2. Stiftungsfest des Fontane-Abend am 28. November 1929 gestiftet von Richard Josephson, Dr. E. Pinner, E. W. Tieffenbach, Gustav Wisbrunn.")
      Teildruck (Genius, S. 275—278) u. d. T. *Der Überfall* in: Rückkehr nach Orplid. Dichtung der Zeit, gesammelt und eingeleitet von Dr. Martin Rockenbach. Essen 1924, S. 71—76
D  84  *Gespräch im Palast Khien-lungs.* In: BBC; 16. 4. 1922; Nr. 179, S. 5 f
D  85  *Der Kaiser und die Dsungeren. Die Fürstentochter.* In: Das Kunstblatt, 9. Jg.; 1925; H. 5, S. 135 f und 136 f

2. Auswahl

D  86  *Auswahl aus dem erzählenden Werk.* Einleitung Dr. E. H. Paul Lüth [sic]. Limes Verlag, Wiesbaden 1948

c) Erstauflagen in Buchform

D  87  *Die drei Sprünge des Wang-lun. Chinesischer Roman.* S. Fischer Verlag, Berlin 1915

D  88  *Wadzeks Kampf mit der Dampfturbine. Roman.* S. Fischer Verlag, Berlin 1918
D  89  *Der schwarze Vorhang. Roman von den Worten und Zufällen.* S. Fischer Verlag, Berlin 1919
D  90  *Wallenstein. Roman.* 2 Bände. S. Fischer Verlag, Berlin 1920
D  91  *Berge Meere und Giganten. Roman.* S. Fischer Verlag, Berlin 1924
D  92  *Manas. Epische Dichtung.* S. Fischer Verlag, Berlin 1927
D  93  *Berlin Alexanderplatz. Die Geschichte vom Franz Biberkopf.* S. Fischer Verlag, Berlin 1929
D  94  *Giganten. Ein Abenteuerbuch.* (Neufassung von D 91). S. Fischer Verlag, Berlin 1932
D  95  *Babylonische Wandrung oder Hochmut kommt vor dem Fall. Roman.* Querido-Verlag, Amsterdam 1934
D  96  *Pardon wird nicht gegeben. Roman.* Querido-Verlag, Amsterdam 1935
D  97  *Die Fahrt ins Land ohne Tod. Roman.* (Erster Teil von *Das Land ohne Tod*). Querido-Verlag, Amsterdam 1937
D  98  *Der blaue Tiger. Roman.* (Zweiter Teil von *Das Land ohne Tod*). Querido-Verlag, Amsterdam 1938
D  99  *Bürger und Soldaten 1918. Roman.* (Erster Teil von *November 1918*. Hier bezeichnet als erster Band von *Eine deutsche Revolution. Erzählwerk in drei Bänden*). Bermann-Fischer-Verlag, Stockholm; Querido-Verlag, Amsterdam 1939
D  100  *November 1918. Eine deutsche Revolution. Erzählwerk. Vorspiel (aus Bürger und Soldaten 1918) und erster Band. Verratenes Volk.* Verlag Karl Alber, München 1948
D  101  *November 1918. Eine deutsche Revolution. Erzählwerk. Zweiter Band. Heimkehr der Fronttruppen.* Verlag Karl Alber, München 1949
D  102  *Karl und Rosa.* (Schlußband des *November-Zyklus*). Verlag Karl Alber, Freiburg i. Br. und München 1950
D  103  *Hamlet oder Die lange Nacht nimmt ein Ende.* Verlag Rütten & Loening, Berlin o. J. [1956]
Lizenzausgabe für die Bundesrepublik im Albert Langen-Georg Müller Verlag, München 1957

d) Neuausgaben

1. Nachkriegsausgaben zu Lebzeiten Döblins

D  104  *Die drei Sprünge des Wang-lun. Chinesischer Roman.* Verlag Paul Keppler, Baden-Baden 1946
D  105  *Das Land ohne Tod.* (Erster Band der „Südamerika-Trilogie *Land ohne Tod*"). (= D 97). Verlag Paul Keppler, Baden-Baden 1947
D  106  *Der blaue Tiger.* (Zweiter Band der Trilogie). (= D 98, Buch I—V). Verlag Paul Keppler, Baden-Baden 1947

D 107 *Der neue Urwald.* (Dritter Band der Trilogie). (= D 98, Buch VI und VII). Verlag Paul Keppler, Baden-Baden 1948

D 108 *Berlin Alexanderplatz. Die Geschichte vom Franz Biberkopf.* Verlag H. Schleber, Kassel 1948

D 109 *Berlin Alexanderplatz. Die Geschichte vom Franz Biberkopf.* (Ullstein-Buch Nr. 60/61). Verlag Das Goldene Vlies (später: Ullstein Taschenbücher-Verlag), Frankfurt a. M. 1955

2. Ausgewählte Werke in Einzelbänden. In Verbindung mit den Söhnen des Dichters herausgegeben von Walter Muschg. Walter-Verlag, Olten und Freiburg i. Br.

D 110 *Pardon wird nicht gegeben. Roman.* 1960, 2. Aufl. 1962 (Nachwort Walter Muschg)

D 111 *Die drei Sprünge des Wang-lun. Chinesischer Roman.* 1960 (Nachwort Walter Muschg)

D 112 *Berlin Alexanderplatz. Die Geschichte vom Franz Biberkopf.* 1961, 2. Aufl. 1964 (Nachwort Walter Muschg)
Enthält auch D 292 und D 295

D 113 Dasselbe als Sonderband zum 10. Todestag Döblins. 1967
Enthält auch K 552

D 114 *Manas. Epische Dichtung.* 1961 (Nachwort Walter Muschg)
Enthält auch K 83

D 115 *Babylonische Wandrung oder Hochmut kommt vor dem Fall. Roman.* 1962 (Nachwort Walter Muschg)

D 116 *Amazonas. Roman.* (Besteht aus D 105 und D 106). 1963 (Nachwort Walter Muschg)

D 117 *Wallenstein. Roman.* 1965 (Nachwort Walter Muschg)

D 118 *Hamlet oder Die lange Nacht nimmt ein Ende. Roman.* (Nachwort Heinz Graber)
Enthält auch K 222

3. Taschenbuchausgaben und Nachdrucke für Buchgemeinschaften

D 119 *Hamlet oder Die lange Nacht nimmt ein Ende.* (Ullstein-Buch Nr. 341/342). Ullstein Verlag, Berlin 1961

D 120 *Die drei Sprünge des Wang-lun. Chinesischer Roman.* Lizenzausgabe für die Deutsche Buchgemeinschaft. Berlin, Darmstadt, Wien 1961

D 121 *Berlin Alexanderplatz. Die Geschichte vom Franz Biberkopf.* Lizenzausgabe für die Deutsche Buchgemeinschaft. Berlin, Darmstadt, Wien 1962

D 122 *Babylonische Wandrung oder Hochmut kommt vor dem Fall. Roman.* Lizenzausgabe für die Deutsche Buchgemeinschaft. Berlin, Darmstadt, Wien 1962

D 123 *Amazonas. Roman.* Lizenzausgabe für die Deutsche Buchgemeinschaft. Berlin, Darmstadt, Wien 1964

D 124 *Pardon wird nicht gegeben. Roman.* dtv-Taschenbuch 198, München 1964

D 125 *Berlin Alexanderplatz. Die Geschichte vom Franz Biberkopf.* dtv-Taschenbuch 295, München 1965

D 126 *Berlin Alexanderplatz. Die Geschichte vom Franz Biberkopf.* Lizenzausgabe für den Bertelsmann-Lesering. Gütersloh 1967

D 127 *Die drei Sprünge des Wang-lun. Chinesischer Roman.* dtv-Taschenbuch 663, München 1970

4. Lizenzausgaben für die DDR

D 128* *Berlin Alexanderplatz. Die Geschichte vom Franz Biberkopf.* Verlag Das neue Berlin 1955 (Nachwort Alfred Döblin: D 295) *

D 129* *Pardon wird nicht gegeben.* Verlag Rütten & Loening, Berlin 1961 (Nachwort K. Hermsdorf) *

D 130* *Berlin Alexanderplatz. Die Geschichte vom Franz Biberkopf.* Verlag Rütten & Loening, Berlin 1963, 2. Aufl. 1965 (Nachwort K. Hermsdorf) *

*IV. Gelegentliches*

D 131 *Doktor Rosinius und seine Abenteuer.* (Von Alfred Döblin, Arnold Ulitz, Walter v. Molo, Jakob Schaffner, Herbert Eulenberg, Josef Ponten, Klabund, Armin T. Wegner, Wilhelm Schmidtbonn). *Die Novelle der Neun. Erstes Kapitel.* In: BT; 25. 12. 1925; Nr. 609

D 132 (Beitrag zu) *Sechs Dichter sehen durch die Zeitlupe.* (Georg Hermann, Mechtilde Lichnowsky, Peter Panter, Alfred Döblin, Carl Zuckmayer, Herbert Eulenberg). In: VZ; 25. 12. 1926; Nr. 308, 4. Beilage
Jetzt u. d. T. *Die Zeitlupe in Z,* S. 100—106

D 133 *Erhebe dich, du schwacher Geist. Und stell dich auf die Beine.* Beitrag zu: *Sieben Geschichten um einen Liederlichen.* In: BT; 25. 12. 1927; Nr. 609

D 134 *IV. Kapitel. Ivar Kreuger lebt!* Beitrag zu: *Die verschlossene Tür.* (Gemeinschafts-Kriminalroman von Frank Arnau, Alfred Döblin, Erich Ebermayer, Manfred Hausmann, Kurt Heuser, Richard Huelsenbeck, Edlef Koeppen, Gabriele Tergit). In: LW, 8. Jg., Nr. 27; 1. 7. 1932; S. 3 f

B. FACHMEDIZINISCHE ARBEITEN

D 135 *Gedächtnisstörungen bei der Korsakoffschen Psychose.* (Med. Diss., Freiburg i. Br. 1905), Berlin 1905

D 136 *Über einen Fall von Dämmerzuständen.* (Vortrag auf der 125. Sitzung des psychiatrischen Vereins zu Berlin am 1. Februar 1908, referiert von Hans Laehr). In: Allgemeine Zeitschrift für Psychiatrie und psychisch-gerichtliche Medizin, Berlin, 65. Bd.; 1908; S. 136—139)
(Ausführlich dargestellt in D 138)

D 137 *Zur perniziös verlaufenden Melancholie.* ebd., S. 361—365

D 138 *Aufmerksamkeitsstörungen bei Hysterie.* In: Archiv für Psychiatrie und Nervenkrankheiten, Berlin, 45. Bd., H. 2; März 1909; S. 464—488

D 139 *Die Bestimmung des proteolytischen Fermentes in den Faeces.* In: Deutsche medizinische Wochenschrift, Leipzig, 35. Jg., Nr. 25; 24. 6. 1909; S. 1095 f

D 140 *Ueber den Nachweis von Antitrypsin im Urin. Untersuchungen über die Natur des Antitrypsins.* In: Zeitschrift für Immunitätsforschung und experimentelle Therapie, Jena, Bd. 4; 1909; S. 224—228 und 229—238

D 141 *Zur Wahnbildung im Senium.* In: Archiv für Psychiatrie und Nervenkrankheiten, Berlin, Bd. 46, H. 3; März 1910; S. 1043—1061

D 142 *Demonstration eines Falles von Osteomalazie.* (Anonymes Referat über eine Demonstration auf der Sitzung der Inneren Sektion des Vereins für innere Medizin und Kinderheilkunde in Berlin am 28. 11. 1910). In: Deutsche medizinische Wochenschrift, 36. Jg., Nr. 50; 15. 12. 1910; S. 2362

D 143 (mit P. Rona) *Untersuchungen über den Blutzucker. IX. Mitteilung. Weitere Beiträge zur Permeabilität der Blutkörperchen für Traubenzucker.* In: Biochemische Zeitschrift, Berlin, 31. Bd., 3. und 4. Heft; März 1911; S. 215—220

D 144 (mit P. Rona) *Beiträge zur Frage der Glykolyse. II.* ebd., 5. und 6. Heft; Mai 1911; S. 489—508

D 145 *Salvarsanbehandlung bei Säuglingen.* In: Berliner klinische Wochenschrift, 48. Jg., Nr. 12; 20. 3. 1911; S. 511—513

D 146 *Pantopon in der inneren Medizin.* In: Therapeutische Monatshefte, Berlin, 25. Jg., S. 216—218; April 1911

D 147 (mit Biernath) *Zwei Fälle von einseitiger Lungenatrophie.* In: Berliner klinische Wochenschrift, 48. Jg., Nr. 24; 12. 6. 1911; S. 1076—1078

D 148 *Die Mortalität bei Brustmilch- und Eiweissmilchtherapie.* In: Münchener medizinische Wochenschrift, 58. Jg., Nr. 33; 15. 8. 1911; S. 1774 f

D 149 (mit L. R. Grote) *Zum klinischen Nachweis der Lipoide des Blutes.* In: Berliner klinische Wochenschrift, 48. Jg., Nr. 36; 4. 9. 1911; S. 1629—1631

D 150 *Zur neurogenen Temperatursteigerung.* ebd., 49. Jg., Nr. 44; 28. 10. 1912; S. 2081—2083

D 151 (mit P. Fleischmann) *Zum Mechanismus der Atropinentgiftung durch Blut und klinische Beobachtungen über das Vorkommen der Entgiftung.* In: Zeitschrift für klinische Medizin, Berlin, 77. Bd., 3. und 4. Heft, S. 145—152; 1913

D 152 (mit P. Fleischmann) *Ueber die nervöse Regulierung der Körpertemperatur, insbesondere über die Rolle der Nebenniere.* ebd., 78. Bd., 3. und 4. Heft, S. 275—285; 1913

D 153 *Typhus und Pneumonie.* In: Berliner klinische Wochenschrift, 53. Jg., Nr. 43; 23. 10. 1916; S. 1168—1170

D 154 *Nasenblutungen bei der Influenza.* In: Medizinische Klinik, Wochenschrift für praktische Ärzte, Berlin, 15. Jg., Nr. 6; 9. 2. 1919; S. 146 f


# C. THEORETISCHE UND PHILOSOPHISCHE SCHRIFTEN, AUFSÄTZE UND BEMERKUNGEN

*I. Zur Literatur*

a) Allgemeines

D 155 *Das Recht auf Rhetorik.* In: Der neue Weg, Berlin, 38. Jg.; 1909; S. 560

D 156 *Futuristische Worttechnik. Offener Brief an F. T. Marinetti.* In: St, 3. Jg., Nr. 150/151; März 1913; S. 280 und 282
Jetzt in *AzL*, S. 9—15, und D 576, S. 439—445

D 157 *An Romanautoren und ihre Kritiker. Berliner Programm.* In: St, 4. Jg., Nr. 158/159; Mai 1913; S. 17 f
Jetzt in *AzL*, S. 15—19

D 158 *Bemerkungen zum Roman.* In: NR, 28. Jg.; 1917; Bd. I, S. 410—413
Jetzt in *AzL*, S. 19—23, und D 576, S. 446—450

D 159 *Über Roman und Prosa.* In: Marsyas, Berlin, 1. Jg., 3. Heft; November und Dezember 1917; S. 213—218

D 160 *Von der Freiheit eines Dichtermenschen.* In: NR, 29. Jg.; 1918; Bd. I, S. 843—850
Jetzt in *AzL*, S. 23—32

D 161 *Reform des Romans.* In: NM, 3. Jg., H. 3; Juni 1919; S. 189—202
Jetzt in *AzL*, S. 32—48

D 162 *Die Selbstherrlichkeit des Wortes.* In: Melos, 1. Jg., Nr. 10; 1. 7. 1920; S. 227—230

D 163 *Bekenntnis zum Naturalismus.* In: TB, 1. Jg., H. 50; 24. 12. 1920; S. 1599—1601

D 164 *Staat und Schriftsteller.* Verlag für Sozialwissenschaft, Berlin o. J. [1921]
Jetzt in *AzL*, S. 49—61
u. d. T. *Der Schriftsteller und der Staat* in: Die Glocke, Berlin, 7. Jg., H. 7; 16. 5. 1921; S. 177—182 und H. 8; 23. 5. 1921; S. 207—211

D 165 (Beitrag zur Rundfrage) *Ein neuer Naturalismus??* In: Das Kunstblatt, 6. Jg., H. 9; September 1922; S. 372 und 375

D 166 (Beitrag zu) *Meister des Stils über Sprache und Stillehre.* Hrsg. v. Wilhelm Schneider. Leipzig und Berlin 1922, S. 17 f

D 167 *Mehrfaches Kopfschütteln.* In: L, 26. Jg., S. 5 f; Oktober 1923

D 168 *Kunst, Dämon und Gemeinschaft.* In: Das Kunstblatt, 10. Jg.; 1926; S. 184—187
Jetzt in Z, S. 90—93, und in AzL, S. 84—87

D 169 (Beitrag zu) *Dichtung und Christentum.* In: Ostwart-Jahrbuch, Breslau, 1. Jg.; 1926; S. 148 f

D 170 *Schriftstellerei und Dichtung.* (Antrittsrede in der Preußischen Akademie der Künste, Sektion für Dichtkunst, vom 15. 3. 1928). In: Jahrbuch der Sektion für Dichtkunst, Berlin 1929, S. 70—81
Jetzt in AzL, S. 87—97

D 171 *Schriftstellerei und Dichtung.* (Zusammenfassung von D 170). In: LW, 4. Jg., Nr. 13; 30. 3. 1928; S. 1

D 172 (Beitrag zur Rundfrage) *Dichtung und Seelsorge.* In: Eckart, 4. Jg., H. 7/8; Juli/August 1928; S. 306—308

D 173 *Der Bau des epischen Werks.* (Rede in der Berliner Universität vom 10. 12. 1928). In: Jahrbuch der Sektion für Dichtkunst, Berlin 1929, S. 228—262; ferner in: NR, 40. Jg.; 1929; Bd. I, S. 527—551
Jetzt in AzL, S. 103—132, und D 576, S. 459—490

D 174 *Kunst ist nicht frei, sondern wirksam: ars militans.* In: LW, 5. Jg., Nr. 19; 10. 5. 1929; S. 1 f
Jetzt in Z, S. 152—158
Etwas verändert in: Jahrbuch der Sektion für Dichtkunst, Berlin 1929, S. 96—103
Jetzt in AzL, S. 97—103, und D 576, S. 451—458

D 175 *Literatur und Rundfunk.* (Rede auf der Arbeitstagung Dichtung und Rundfunk im September 1929 in Kassel). In: Hans Bredow, „Aus meinem Archiv. Probleme des Rundfunks". Heidelberg 1950, S. 311—317

D 176 *Vom alten zum neuen Naturalismus.* (Akademie-Rede vom 14. 12. 1929). In: TB, 11. Jg., H. 3; 18. 1. 1930; S. 101—106
Jetzt in AzL, S. 138—145, und D 576, S. 491—498

D 177 *Nutzen der Musik für die Literatur.* In: Die Musikpflege, Leipzig, 1. Jg.; 1930/31; S. 70—72
Jetzt in Z, S. 158—160, und D 576, S. 395—397
(Umgearbeitet in UD, S. 258—260)

D 178 *Historie und kein Ende.* In: Pariser Tageblatt, 4. Jg., Nr. 754; 5. 1. 1936; S. 3
Jetzt in Z, S. 193—196, und D 576, S. 411—414

D 179 *Der historische Roman und wir.* In: Das Wort, Moskau, 1. Jg., H. 4; Oktober 1936; S. 56—71
Jetzt in AzL, S. 163—186, und D 576, S. 499—523

D 180   *Kritisches über zwei Kritiker.* In: Pariser Tageszeitung; 1937; Nr. 244, S. 4

D 181   *Die deutsche Literatur (im Ausland seit 1933). Ein Dialog zwischen Politik und Kunst.* Verlag Science et littérature, Paris 1938 (Schriften zu dieser Zeit I.)
Abdruck des ersten Teils in *AzL*, S. 187—210

D 182   *Die deutsche Utopie von 1933 und die Literatur.* (Neufassung von D 181). In: GT, 1. Jg., H. 2; Oktober/November 1946; S. 136—147 und H. 3; Dezember; S. 258—269

D 183   *Die literarische Situation.* (Erweiterte Buchfassung von D 182). Verlag Paul Keppler, Baden-Baden 1947

D 184   *Die Dichtung, ihre Natur und ihre Rolle.* (Rede in der Mainzer Akademie der Wissenschaften und der Literatur vom 4. 3. 1950). In: GT, 5. Jg., H. 2; April 1950; S. 103—117

D 185   *Die Dichtung, ihre Natur und ihre Rolle.* (Erweiterte Buchfassung von D 184). Steiner Verlag, Wiesbaden 1950 (Abhandlungen der Akademie der Wissenschaften und der Literatur, Klasse der Literatur, 1950, 1.)
Jetzt in *AzL*, S. 211—268

D 186   *Mireille oder Zwischen Politik und Religion.* In: *Minotaurus. Dichtung unter den Hufen von Staat und Industrie.* Hrsg. v. Alfred Döblin. Steiner Verlag, Wiesbaden o. J. [1953], S. 9—56

D 187   *Warum predigen die Dichter nicht den Klassenkampf?* (Aus D 185). In: Pegasus. Eine literarische Zeitschrift. Pressig-Rothenkirchen (Ofr); 1955; Nr. 2, S. 16 f

## b) Rezensionen, Theaterberichte

D 188   (Trust) [1] *Glossen.* In: Th, 1. Jg., H. 2; September 1909; S. 42

D 189   *Der Mitmensch.* (zu Dehmels Schauspiel). In: Th, 1. Jg., H. 3; Oktober 1909; S. 55 f

D 190   (Trust) *Gretchens Einzug.* In: Th, 1. Jg., H. 3; Oktober 1909; S. 56 f

D 191   (Trust) *Metropolerinnerung.* In: Th, 1. Jg., H. 3; Oktober 1909; S. 60

D 192   (Trust) *Anmerkung.* In: Th, 1. Jg., H. 3; Oktober 1909; S. 71

D 193   *Hansi Niese.* In: Th, 1. Jg., H. 4; Oktober 1909; S. 83

D 194   (Trust) *Berliner Notizen.* In: Th, 1. Jg., H. 4; Oktober 1909; S. 86

D 195   (Trust) *Glossen.* In: Th, 1. Jg., H. 5; November 1909; S. 116

D 196   (Trust) *Izeyl.* (Zu d'Alberts Oper). In: Th, 1. Jg., H. 6; November 1909; S. 130 f

[1] Einer von Werner Rittich mitgeteilten Äußerung Herwarth Waldens zufolge haben unter dem Pseudonym „Trust" im „Theater" sowohl Walden selbst als auch Döblin publiziert (Werner Rittich, Wortkunsttheorie und lyrische Wortkunst im „Sturm". Greifswald 1933, S. 102, Anm. 68). — Ich führe hier diejenigen dieser Artikel auf, bei denen die Autorschaft oder Mitautorschaft Döblins mir einigermaßen wahrscheinlich ist. Weitere „Trust"-Artikel finden sich auf den Seiten 6, 79, 106, 141, 155, 190, 191, 192 und 205.

D 197   *Gyges und sein Ring.* In: Th, 1. Jg., H. 6; November 1909; S. 134

D 198   (Trust) *Berliner Vergnügungen.* In: Th, 1. Jg., H. 6; November 1909; S. 140

D 199   *Die Engländer.* In: Th, 1. Jg., H. 8; Dezember 1909; S. 177

D 200   *Strandkinder.* (Zu Sudermanns Schauspiel). In: Th, 1. Jg., H. 9; Januar 1910; S. 202

D 201   *Der Graf von Luxemburg.* (Zu Léhars Operette). In: Th, 1. Jg., H. 9; Januar 1909; S. 203

D 202   *Zirkuspantomime.* In: St, 1. Jg., Nr. 4; 24. 3. 1910; S. 30
Jetzt in Z, S. 11 f

D 203   *Berliner Theater.* In: St, 1. Jg., Nr. 36; 3. 11. 1910; S. 287 f

D 204   *Pantomime. Die vier Toten der Fiametta. Von William Wauer und Herwarth Walden.* In: St, 2. Jg., Nr. 67; 8. 6. 1911; S. 531 f

D 205   *Tubutsch.* (Über den Erzählungsband von Albert Ehrenstein). In: St, 2. Jg., Nr. 94; Januar 1912; S. 751

D 206   *Einakter von Strindberg.* In: St, 3. Jg., Nr. 130; Oktober 1912; S. 170 f
Jetzt in Z, S. 15 f

D 207   *Gabriel Schillings Flucht in die Öffentlichkeit.* In: St, 3. Jg., Nr. 134/135; November 1912; S. 207

D 208   *Ehrenstein.* In: Zeit-Echo, 3. Jg., 1. und 2. Juniheft 1917, S. 25 f
(Kraus Reprint, Nendeln/Liechtenstein 1969)

D 209   (Linke Poot) *Himmlisches und irdisches Theater.* In: NR, 30. Jg.; 1919; Bd. II, S. 1528—1536
Auch in D 426, S. 62—73

D 210   (Linke Poot) *Der Knabe bläst ins Wunderhorn.* In: NR, 31. Jg.; 1920; Bd. I, S. 759—769

D 211   *Blendwerk, Feuer und Pharaonen.* (Zu Kellermann, „Der 9. November", Shaw, „Haus Herzenstod", und zur Musik), In: NM, 4. Jg., S. 644—646; November 1920

D 212*   *Der „Hahnenkampf" von Lautensack und anderes.* In: PT; 30. 11. 1921; Nr. 280, S. 3 f *

D 213*   *Russisches Theater und Reinhardt.* In: PT; 20. 12. 1921; S. 3 *

D 214*   *Dramatische Grotesken.* In: PT; 8. 1. 1922 *

D 215*   *Zwischen Kälte und Nächstenliebe.* In: PT; 3. 2. 1922; Nr. 29, S. 2 f *

D 216*   *Brod: Die Fälscher.* In: PT; 1. 3. 1922; Nr. 51, S. 2 *

D 217*   *Mythisches, Amüsantes.* In: PT; 30. 3. 1922; Nr. 75, S. 3 *

D 218*   *Europäische Krise, Gesang, Film.* In: PT; 28. 4. 1922; S. 2 f *

D 219   *Arnolt Bronnen: Vatermord.* * In: PT; 17. 5. 1922; Nr. 114, S. 2 *
Jetzt in Z, S. 36—40, und D 576, S. 324—328

D 220   *Ernst Toller: Die Maschinenstürmer.* * In: PT; 4. 7. 1922 *
Jetzt in Z, S. 48—50, und D 576, S. 329—331

D 221*   *Misera, Totentanz, Hypnose.* In: PT; 30. 8. 1922; Nr. 202, S. 2 f *

D 222   *Starke Schauspieler, dünne Stücke,* * In: PT; 13. 9. 1922 *
Jetzt in Z, S. 51—54, und D 576, S. 332—336

D 223*   *Herr Schmidtbonn und Frau Massary.* In: PT; 20. 9. 1922; S. 2 *

D  224* *Der Glanz der Gans! Und nun das Huhn!* In: PT; 7. 10. 1922; Nr. 235, S. 2 f *

D  225* *Die reine Törin.* In: PT; 5. 11. 1922; Nr. 259 *

D  226* *Shakespeare.* In: PT; 19. 11. 1922; Nr. 271, S. 3 f *

D  227  *Zwei Romane.* (Über Otto Flake, „Ruland", und Hans Jäger, „Christiania Bohème"). In: VZ; 10. 12. 1922

D  228* *Regisseur, Theaterstück, Schauspielerin.* In: PT; 19. 12. 1922; Nr. 296, S. 3 f *

D  229  *Griffe ins Leben.* (Zu Brecht, „Trommeln in der Nacht"). * In: PT; 24. 12. 1922; Nr. 301 *
Jetzt in D 576, S. 337—340

D  230* *Eine neue Psychologie von Mann und Weib.* In: PT; 31. 12. 1922; Nr. 305 *

D  231* *Kubismus auf der Bühne.* In: PT; 3. 1. 1923 *

D  232* *Die Psychiatrie im Drama.* (Über Kleist). In: PT; 13. 2. 1923 *

D  233* *Die beiden Capets.* In: PT; 22. 2. 1923; Nr. 43 *

D  234* *Patriotik, Bürger Schippel, Berliner Allerlei.* In: PT; 7. 3. 1923; S. 5 *

D  235* (Uraufführungsbericht über Hamsun, „Königin Tamara", Kienzl, „Tal der weißen Lämmer", Ernst Weiss, „Olympia"). In: Leipziger Tageblatt, 117. Jg., Nr. 79; 4. 4. 1923 *

D  236* *Gott Pan und ein Dichter.* In: PT; 6. 5. 1923; S. 10 *

D  237* *Barlach-Hausse.* In: PT; 2. 6. 1923; Nr. 126 *

D  238  *Deutsches Wirrnis.* * PT; 18. 7. 1923 *
Jetzt in D 576, S. 351 f
u. d. T. *Berliner Brief* in Z, S. 55 f

D  239  *Hans Henny Jahnn: Pastor Ephraim Magnus.* * In: PT; 30. 8. 1923 *
Jetzt in Z, S. 40—44, und D 576, S. 353—357

D  240* *Überteufel und Tumulanten.* In: PT; 2. 10. 1923; S. 3 *

D  241* *Mensch, det is knorke.* (Zu Georg Kaiser, „Nebeneinander", Nestroy, „Titus", „Talisman"). In: PT; 22. 11. 1923; Nr. 273 *

D  242* (Zu Musil, „Vinzenz und die Freundin bedeutender Männer"). In: PT; 11. 12. 1923 *

D  243  *Eugen O'Neill: Anna Christin.* * In: PT; o. J. *
Jetzt in Z, S. 45—48

D  244* *Kaiser Jones.* (Zu Bahr, „Das Tänzchen", und O'Neill, „Kaiser Jones"). In: PT; 13. 1. 1924 *

D  245  *Arnolt Bronnen: Anarchie in Sizilien.* * In: PT; 11. 4. 1924; Nr. 87, S. 6, und in: Leipziger Tageblatt, 118. Jg., Nr. 92; 16. 4. 1924; S. 3 *
Jetzt in D 576, S. 365—367

D  246  *Alfons Paquet: „Fahnen".* * In: PT; 5. 6. 1924 *
Jetzt in D 576, S. 368—371

D  247* *Palästinensisches Theater.* In: PT; 20. 6. 1924; Nr. 114 *

D  248* *Ostjüdische Dichtung.* In: Leipziger jüdische Zeitung, 3. Jg.; 1924; Nr. 40 *

D 249 *Alte Theater-Neuigkeiten.* (Zu Brecht, „Leben Eduards des Zweiten von England", und Kalidasa, „Sakuntala", übers. von Rolf Lauckner). In: Leipziger Tageblatt; 21. 12. 1924; Nr. 338
Jetzt in D 576, S. 372—374

D 250 *Ausflug nach Mexiko.* (Über das Buch von Leo Matthias). In: WB, 22. Jg.; Nr. 11; 16. 3. 1926; S. 421 f

D 251* *Der Tod des Empedokles.* In: Baden-Badener Bühnenblatt, 6. Jg., Nr. 120; 31. 12. 1926 *

D 252 *Friedells „Kulturgeschichte".* In: WB, 23. Jg., Nr. 52; 27. 12. 1927; S. 966—970

D 253 *Ein Lazarett- und Liebes-Roman.* (Zu Max René Hesse, „Morath schlägt sich durch"). In: Q, 13. Jg., H. 3; März 1933; S. 213 f

D 254 *Jakob Wassermanns letztes Buch.* In: Die Sammlung, 1. Jg., H. 10; Juni 1934; S. 517—523

D 255 *Emil Ludwig, „Der Nil".* In: Pariser Tageblatt, 3. Jg., Nr. 733; 15. 12. 1935; S. 3 und Nr. 734; 16. 12. 1935; S. 4

D 256 *Neues von Georg Hermann.* (Zu „B.M., der unbekannte Fußgänger" und „Der etruskische Spiegel" sowie zu Korrodis Artikel über die Emigrantenliteratur). In: Pariser Tageblatt, 4. Jg., Nr. 810; 1. 3. 1936; S. 3

D 257 *Alfred Neumann und Ernst Weiss.* (Zu „Kaiserreich" und „Der arme Verschwender"). In: Pariser Tageblatt, 4. Jg., Nr. 887; Mai 1936; S. 3

D 258 *Ein unbekanntes Volk.* (Zu Fritz Heymann, „Der Chevalier von Geldern"). In: NTB, 5. Jg., H. 47; 20. 11. 1937; S. 1122—1124
Jetzt in AzL, S. 290—296

D 259 *König und Despot.* (Zu Kesten, „König Philipp der Zweite", und Mehring, „Die Nacht des Tyrannen"). In: NTB, 5. Jg., H. 50; 11. 12. 1937; S. 1194—1196

D 260 *Bücher über Liebe und Jugend.* (Zu Horvath, „Jugend ohne Gott", Torberg, „Abschied", O. M. Graf, „Bolwieser", Bruno Frank, „Aus vielen Jahren", Emil Ludwig, „Cleopatra"). In: NTB, 6. Jg., H. 1; 1. 1. 1938; S. 21 f

D 261 *Ein ungedrucktes Buch.* (Zum Manuskript von Hans Siemsen, „Hitlerjunge Nr. 900378"). In: NTB, 7. Jg., H. 16; 15. 4. 1939; S. 380 f

D 262 *„Ein Testament".* (Zu dem Roman von Hutchinson). In: NTB, 8. Jg., H. 10; 9. 3. 1940; S. 232 f

D 263 *Neue Bücher* (Zu Schmid, „Die Forderung des Tages", W. Bargatzky, „Der schöpferische Friede", Scholz, „Zwischen den Zeiten", J. R. Becher, „Ausgewählte Dichtung aus der Zeit der Verbannung", Otto Flake, „Nietzsche, Rückblick auf eine Philosophie" u. a.).
In: GT, 1. Jg., H. 1; September 1946; S. 89—94

D 264 *Bücherschau.* (Zu „Aufbau", Molo, „Der kleine Held", Thurber, „Rette sich wer kann", Aymé, „Der Mann, der durch die Wand gehen konnte", Lamartine, „Geschichte der französischen Restauration", Büchner, hrsg. v. Edschmid). In: GT, 4. Jg.; 1949; H. 4, S. 324—331

D 265  *Einige Gedichtbände.* (Zu Christian Wagner, „Der große Feierabend", Arno Holz, „Phantasus" (Auswahl), Savigny, „Ballade vom verlorenen Engel", Arnold Krieger, „Das schlagende Herz", Walt Whitman, „Auf der Brooklyn Fähre", G. M. Hopkins, „Gedichte", u. a.). In: GT, 4. Jg.; 1949; H. 5, S. 404—409

D 266  *Fragen, Antworten, Fragen.* (Über Publikationen von Emmanuel Mounier, Hermann Hesse, Ida Friederike Goerres, Richard Müller-Freienfels, Hans Jürgen Baden, Hermann Streich, Kurt Hiller). In: GT, 5. Jg.; 1950; H. 5, S. 389—395

D 267  *Heiterkeit und Kostümkunde.* (Zu Caroll, „Alice im Wunderland", Ruth Klein, „Lexikon der Mode", Stemplinger, „Antiker Volksglaube", James Thurber). In: GT, 6. Jg.; 1951; H. 1, S. 71—74
Jetzt in Z, S. 219—225

D 268  *Rosa Luxemburg: „Briefe an die Freunde".* In: GT, 6. Jg.; 1951; H. 2, S. 150—152

c) Würdigungen

D 269  *Goethe und Dostojewski.* In: Ganymed, Jahrbuch für die Kunst, 3. Bd.; München 1921; S. 82—93

D 270  *Erlebnis zweier Kräfte.* (Über Goethe und Dostojewski). In: Der Feuerreiter, Berlin, 2. Jg., H. 1; Dezember 1922; S. 1—4, * und in: Leipziger Neueste Nachrichten; 21. 4. 1923 *
Jetzt u. d. T. *Goethe und Dostojewski* in Z, S. 215—219

D 271  *Einleitung* zu: Heinrich Heine, „Deutschland. Ein Wintermärchen" / „Atta Troll. Ein Sommernachtstraum". Verlag Hoffmann & Campe, Hamburg o. J. [1923], S. VII—XVI
Jetzt u. d. T. *Über Heines ‚Deutschland' und ‚Atta Troll'* in AzL, S. 273—280, und D 576, S. 344—350

D 272  (Erklärung zur Verleihung des Kleist-Preises an Robert Musil und Wilhelm Lehmann). In: L, 26. Jg., H. 3; Dezember 1923; S. 188 f
Jetzt in K 715, S. 83 f

D 273  *Robert Musil: Erzählendes.* In: BT, 53. Jg., Nr. 58; 3. 2. 1924
Jetzt in D 576, S. 358—360
u. d. T. *Über Robert Musil* in AzL, S. 280—282

D 274  *Einen Gruß für Jakob Haringer als Vorrede zu seinen Dichtungen.* Beilage zu: Jakob Haringer, „Die Dichtungen" I. Gustav Kiepenheuer Verlag, Potsdam 1925

D 275  *Die Romane von Franz Kafka.* In: LW, 3. Jg., Nr. 9; 4. 3. 1927; S. 1
Jetzt in Z, S. 145—148, AzL, S. 283—286, und D 576, S. 379—383

D 276  *„Ulysses" von Joyce.* In: Das deutsche Buch, Leipzig, 8. Jg.; 1928; S. 84—86
Jetzt in Z, S. 148—152, AzL, S. 287—290, und D 576, S. 391—394

D 277  *Dem toten Arno Holz zur Feier. Rede an seinem Grab, Berlin, 30. Oktober 1929.* In: LW, 5. Jg., Nr. 45; 8. 11. 1929; S. 1 f

Auch in D 284

Jetzt u. d. T. *Grabrede auf Arno Holz* in *AzL*, S. 133—138

D 278  *Über Charles de Coster.* Einleitung zu: Charles de Coster, „Ulen-spiegel". Ulenspiegel-Verlag, Berlin o. J. [1947], S. 9—21

Jetzt in D 576, S. 421—436

u. d. T. *(Über) de Costers „Tyll Ulenspiegel"* in *AzL*, S. 296—311

D 279  *War Goethe christlich?* In: GT, 2. Jg.; 1947; H. 8/9, S. 859 f

D 280  *Kleines Notizbuch.* In: GT, 3. Jg.; 1948; H. 3 und 4, S. 296—300 und 398—403

D 281  *Goethe und Dostojewski.* (Neufassung von D 269). In: GT, 4. Jg.; 1949; H. 4, S. 276—282

Jetzt in *AzL*, S. 312—321

D 282  *Einleitung* zu: Arno Holz, „Phantasus. Eine Auswahl." Hrsg. v. Anita Holz. Verlag Paul Keppler, Baden-Baden o. J. [1949], S. 7—13

D 283  *Die Laune des Verliebten.* (Zu Schriften von H. A. Korff, Karl Kerényi, de Pange). In: GT, 5. Jg.; 1950; H. 1, S. 66—68

D 284  *Arno Holz. Die Revolution der Lyrik. Eine Einführung in sein Werk und eine Auswahl.* Steiner Verlag, Wiesbaden 1951 (Verschollene und Vergessene, Bd. 1)

Die *Einführung* jetzt in *AzL*, S. 145—163

d) Zum eigenen Schaffen

D 285  *Der Epiker, sein Stoff und die Kritik.* In: NM, 5. Jg., S. 56—64; April 1921

Jetzt in Z, S. 18—27, und *AzL*, S. 335—345

D 286  *Bemerkungen zu „Berge Meere und Giganten".* In: NR, 35. Jg.; 1924; S. 600—609

Jetzt in *AzL*, S. 345—356

D 287  (Beitrag zur Rundfrage) *Welche stilistische Phrase hassen Sie am meisten?* In: LW, 2. Jg., Nr. 21/22; 21. 5. 1926; S. 6

D 288  *Stille Bewohner des Rollschranks. Meine Werke, von denen niemand weiß.* (Beitrag zu: Kleinigkeiten aus verschlossenen Schränken). In: BT, 56. Jg., Nr. 286; 19. 6. 1927; 5. Beiblatt

Jetzt in Z, S. 117—119, und *AzL*, S. 356—358

D 289  *Die Arbeit am Roman. Diskussionsbemerkungen.* (Mitgeschrieben im Jahre 1928). In: Eckart-Jahrbuch, Witten/Berlin 1961/1962, S. 99 f

D 290*  *Vznik a smysl mé knithy o Valdstenovi.* Prel. D. Balthazar. (*Entstehung und Sinn meines Buches „Wallenstein",* übers. v. Dr. Balthazar). In: Panorama, Prag, 18. Jg.; 1930/35 [?]; S. 106 *

D 291  *Reines Vergnügen am Theater.* In: BT; 8. 1. 1931

Jetzt in Z, S. 185—189, und D 576, S. 102—106

D 292  *Mein Buch „Berlin Alexanderplatz".* In: Der Lesezirkel, Zürich, 19. Jg., S. 70 f; 15. 2. 1932

Jetzt in D 112, S. 505—507

D 293 *Epilog.* In: D 86, S. 391—404
Überarbeitet in K 362, S. 161—173
Jetzt in Z, S. 247—262, AzL, S. 383—399, und D 576, S. 130—147
D 294 *Christentum und Revolution.* In: Michael, Zeitung des jungen Volkes,
Düsseldorf, 8. Jg., Nr. 25; 18. 6. 1950
Jetzt in Z, S. 244—247, und AzL, S. 379—383
D 295 *Nachwort.* * In: D 128 *
Jetzt in D 112, S. 507—509

e) Gelegentliches

D 296 *Autor, Verleger, Publikum.* In: Schriftsteller, Verleger und Publikum.
Eine Rundfrage. Zehnjahreskatalog Georg Müller Verlag, München
o. J. [1913], S. 23 f
Jetzt in Z, S. 16—18, und D 576, S. 305 f
D 297 *Brief an Knoblauch.* In: St, 6. Jg., Nr. 13/14; Oktober 1915; S. 81
D 298 *Wider die Verleger.* In: Melos, 1. Jg., Nr. 14; 1. 9. 1920; S. 323 f
D 299 *Nochmals: an His und Miethe.* In: LW, 2. Jg., Nr. 8; 19. 2. 1926; S. 7
Jetzt u. d. T. *Wissenschaft und moderne Literatur* in Z, S. 89 f
D 300 (Beitrag zur Rundfrage) *Reportage und Dichtung.* In: LW, 2. Jg.,
Nr. 26; 25. 6. 1926; S. 2
D 301 *Phantasie oder Vorbild.* * In: Schleswig-Holsteinische Volkszeitung;
22. 1. 1927; Nr. 18 *
Jetzt in D 576, S. 378
D 302 *Unbekannte junge Erzähler. Das Votum Alfred Döblins.* In: LW,
3. Jg., Nr. 11; 18. 3. 1927; S. 1
D 303 (Beitrag zur Rundfrage) *Kritik.* In: Die Böttcherstraße, Bremen, 1. Jg.,
H. 1; Mai 1928; S. 18
D 304 *Feierliche Abdankung der Literatur.* (Beitrag zur Rundfrage: „Dichtung
der ‚Tatsachen'?"). In: BT, 57. Jg., Nr. 519; 2. 11. 1928
D 305 (Beitrag zur Rundfrage) *Die besten Bücher des Jahres.* In: TB, 10 Jg.,
H. 49; 7. 12. 1929; S. 2097
D 306 (Beitrag zur Rundfrage) *Die besten Bücher des Jahres.* In: TB, 11. Jg.,
H. 50; 13. 12. 1930; S. 2001
D 307* *Gerhart Hauptmann. Mythos der Literatur.* In: De Hollandsche Revue,
37. Jg.; 1931; S. 846 *
D 308 (Beitrag zur Rundfrage) *Die besten Bücher des Jahres.* In: TB,
12. Jg., H. 49; 5. 12. 1931; S. 1893
D 309 (Beitrag zur Rundfrage) *Die besten Bücher des Jahres.* In: TB, 13. Jg.,
H. 49; 3. 12. 1932; S. 1909
D 310 *Georg Kaiser.* In: GT, 2. Jg., H. 1; Januar 1947; S. 3 f
D 311 *Revision literarischer Urteile.* (Über Arno Holz). In: GT, 2. Jg.; 1947;
H. 3/4, S. 211
D 312 *Neue deutsche Romantik.* In: GT, 2. Jg.; 1947; H. 3/4, S. 265
D 313 *Unterwelt-Oberwelt. Revision literarischer Urteile.* (Über Wedekind
u. a.). In: GT, 2. Jg.; 1947; H. 6, S. 488

D 314 *Porträts aus der Geniezeit.* (Über Klinger, Lenz, Friederike). In: GT, 2. Jg.; 1947; H. 7, S. 627
D 315 *Das Werk Thomas Manns.* In: GT, 2. Jg.; 1947; H. 8/9, S. 741
D 316 *Jenseits von Klassik und Romantik.* In: GT, 2. Jg.; 1947; H. 8/9, S. 769
D 317 *Kunst im Abgrund.* In: GT, 2. Jg.; 1947; H. 8/9, S. 834
D 318 *Kunst an sich und als Symptom der Zeit.* In: GT, 2. Jg.; 1947; H. 10, S. 898
D 319 *Nachwort.* In: GT, 2. Jg.; 1947; H. 10, S. 917 f
D 320 *Für Ricarda Huch.* In: GT, 3. Jg.; 1948; H. 2, S. 100
D 321 *Deutsche Lyrik.* In: GT, 3. Jg.; 1948; H. 2, S. 158
D 322 *Drei moderne christliche Autoren.* In: GT, 3. Jg.; 1948; H. 4, S. 307 f
D 323 *Der Dichter und das Kreuz.* In: GT, 3. Jg.; 1948; H. 5, S. 412
D 324 *Tragisches und Komisches in Prosa.* In: GT, 3. Jg.; 1948; H. 6, S. 540
D 325 *Deutscher Geist gesund und krank.* In: GT, 3. Jg.; 1948; H. 7, S. 619 f
D 326 *Sternenglaube und Mittelmeer.* In: GT, 3. Jg.; 1948; H. 7, S. 649
D 327 *Drei Dichter von heute.* In: GT, 4. Jg.; 1949; H. 1, S. 38

*II. Zu anderen Künsten*

D 328 *Das Theater der kleinen Leute.* (Über das Kino). In: Th, 1. Jg., H. 8; Dezember 1909; S. 191 f
D 329 *Menagerie Richard Strauß / Schaufensterbelustigung.* In: St, 1. Jg., Nr. 3; 17. 3. 1910; S. 22
D 330 *Gespräche mit Kalypso. Über die Musik.* In: St, 1. Jg.; 1910; Nr. 5; 31. 3.; S. 34. Nr. 6; 7. 4.; S. 42. Nr. 7; 14. 4.; S. 50 f. Nr. 8; 21. 4.; S. 57—59. Nr. 9; 28. 4.; S. 67—69. Nr. 10; 5. 5.; S. 76. Nr. 11; 12. 5.; S. 83 f. Nr. 12; 19. 5.; S. 92 f. Nr. 13; 26. 5.; S. 100 f. Nr. 14; 2. 6.; S. 108 f. Nr. 15; 9. 6.; S. 118 f. Nr. 16; 16. 6.; S. 125 f. Nr. 17; 23. 6.; S. 134 f. Nr. 19; 7. 7.; S. 150. Nr. 20; 14. 7.; S. 157 f. Nr. 21; 21. 7.; S. 166 f. Nr. 22; 28. 7.; S. 178. Nr. 23; 4. 8.; S. 182
D 331 *Antikritisches.* In: St, 1. Jg., Nr. 35; 27. 10. 1910; S. 279 f
D 332 *Konzerte.* In: St, 1. Jg., Nr. 39; 24. 11. 1910; S. 312
D 333 *Musik nebst Schimpfworten.* In: St, 1. Jg., Nr. 51; 18. 2. 1911; S. 407 f Jetzt in Z, S. 14 f
D 334 *Der Rosenkavalier.* In: St, 1. Jg., Nr. 53; 4. 3. 1911; S. 422 f
D 335 *Zwei Liederabende.* In: St, 2. Jg., Nr. 57; 1. 4. 1911; S. 455
D 336 *Gertrude Barrison.* In: St, 2. Jg., Nr. 81; Oktober 1911; S. 646
D 337 *Die Bilder der Futuristen.* In: St, 3. Jg., Nr. 110; Mai 1912; S. 41 f Jetzt in Z, S. 7—11
D 338 *Tänzerinnen.* In: St, 3. Jg., Nr. 129; Oktober 1912; S. 162
D 339 *Arnold Schönberg.* In: St, 3. Jg., Nr. 132; Oktober 1912; S. 187
D 340 *Vom Musiker. Ein Dialog mit Kalypso.* In: Melos, 1. Jg., Nr. 1; 1. 2. 1920; S. 38—41

D 341 *Bemerkungen eines musikalischen Laien.* In: Melos, 1. Jg., Nr. 4;
1. 4. 1920; S. 95 f
Später in: Melos, Mainz, 25. Jg., H. 1; S. 24 f; 1958
D 342 (Linke Poot) *Male, Mühle, male.* In: NR, 31. Jg.; 1920; Bd. II,
S. 874—881
Jetzt in D 576, S. 307—316
D 343 (Beitrag zu) *Deutsche Dichter über den Film.* In: BBC; 14. 9. 1922

## III. Philosophische und religiöse Schriften

D 344 *Herr Fritz Mauthner.* In: St, 1. Jg., Nr. 8; 21. 4. 1910; S. 62
D 345 *Jenseits von Gott!* In: Die Erhebung, Jahrbuch für neue Dichtung und
Wertung. Hrsg. v. Alfred Wolfenstein. Bd. I, Berlin 1919, S. 381—398
D 346 *Buddho und die Natur.* In: NR, 32. Jg.; 1921; Bd. II, S. 1192—1200
Später leicht umgearbeitet in *IN*
D 347 *Die Natur und ihre Seelen.* In: NM, 6. Jg., H. 1; April 1922; S. 5—14
Später umgearbeitet in *IN*
D 348 *Das Wasser.* In: NR, 33. Jg.; 1922; Bd. II, S. 853—858
Später umgearbeitet in *IN*
D 349 *Gotamo.* In: Der Piperbote für Kunst und Literatur, 2. Heft; Sommer
1924; S. 61
Später in *UD*, S. 342 f
D 350 *Der Geist des naturalistischen Zeitalters.* In: NR, 35. Jg.; 1924; Bd. II,
S. 1275—1293
Jetzt in *AzL*, S. 62—83
D 351 *Die große Natur und der größere Mensch.* In: NR, 38. Jg.; 1927;
Bd. I, S. 161—181
Später umgearbeitet teils in *IN*, teils in *UD*
D 352 *Vom Ich und vom Ursinn.* In: NR, 38. Jg.; 1927; Bd. II, S. 283—301
Leicht verändert in *IN*
D 353 *Das Ich über der Natur.* S. Fischer Verlag, Berlin 1927
D 354 *Licht und Dunkelheit.* (Aus *IN*). In: Der Lesezirkel, Zürich, 15. Jg.,
H. 3; Dezember 1927; S. 27
D 355 *Außenseiter der Naturwissenschaft.* In: VZ; 31. 12. 1927; S. 306
D 356 *Die Strahlungen als Massenwesen. Die Dinge sind Wahrheiten.* (Aus
*IN*). In: Almanach des S. Fischer Verlages, Berlin 1927, S. 82—86
D 357 (Beitrag zur Rundfrage) *Technik. Absicht und Zukunft.* In: Die
Böttcherstraße, Bremen, 1. Jg., H. 9; Januar 1929; S. 10 f
D 358 *Von Gesichtern, Bildern und ihrer Wahrheit.* Einleitung zu: August
Sander, „Antlitz der Zeit". München 1929, S. 5—15
D 359 *Die Ichsuche.* In: NR, 43. Jg.; 1932; Bd. I, S. 215—230
Später überarbeitet in *UD*
D 360 *Bürgel und Reik, Astronom und Psycholog.* In: Q, 12. Jg., H. 12;
Dezember 1932; S. 914
D 361 *Von abendländischen Völkern.* In: NR, 44. Jg.; 1933; Bd. I, S. 240—253
Gekürzt aus *UD*

D 362 *Unser Dasein.* S. Fischer Verlag, Berlin 1933
D 363 *Prometheus und das Primitive.* In: MW, 1. Jg., H. 3; Januar/Februar 1938; S. 331—351
D 364 *The living thoughts of Confucius.* Presented by Alfred Döblin. (Translation of the Introductory Essay by Doris A. Infield.) Longmans, Green & Company, New York, Boston, Toronto, London, Bombay 1940; David McKay Company, Philadelphia o. J.; 3. ed., Cassell & Co., London, Toronto, Melbourne and Sydney 1948
(Deutsch nicht erschienen)
D 365 *Der unsterbliche Mensch. Ein Religionsgespräch.* Verlag Karl Alber, Freiburg i. Br. 1946
D 366 *Unsere Sorge der Mensch.* Verlag Karl Alber, München 1948
D 367 *Die Wiederherstellung des Menschen.* (Wiederaufgefundene Manuskriptseiten von D 365, Ende Kap. 13). In: GT, 5. Jg.; 1950; H. 5, S. 354—359
D 368 *Vom Adel alles Geschaffenen.* (Aus dem unveröffentlichten Manuskript *Der Kampf mit dem Engel. Ein Gang durch die Bibel.*). In: Jahrbuch der Akademie der Wissenschaften und der Literatur, Mainz und Wiesbaden 1950, S. 218—231
D 369 *Kain und Abel.* (Aus *Der Kampf mit dem Engel*). In: H, 46. Jg.; 1953/54; S. 356—362
D 370 *Von Leben und Tod, die es beide nicht gibt. Aus nachgelassenen Diktaten.* In: Sinn und Form, 9. Jg.; 1957; H. 5, S. 902—933

IV. *Populärmedizinische und psychologische Betrachtungen*

D 371 *Die Witwe Steinheil.* In: Morgen, Wochenschrift für deutsche Kultur, Berlin, 2. Jg.; Nr. 51/52; 18. 12. 1908; S. 1711 f
D 372 *Das Temperament in der Isolierzelle.* In: St, 1. Jg., Nr. 12; 19. 5. 1910; S. 93
Jetzt in Z, S. 12—14
D 373 *Metapsychologie und Biologie.* (Zu Sigmund Freud, „Jenseits des Lustprinzips", Ernst Kretschmer, „Körperbau und Charakter", Oskar A. H. Schmitz, „Geist der Astrologie", Charles Baudoin, „Suggestion und Autosuggestion", Georg Groddeck, „Der Seelensucher", Fritz Kahn, „Das Leben des Menschen", u. a.). In: NR, 33. Jg.; 1922; Bd. II, S. 1222—1232
D 374 (Linke Poot) *Ehebilder. Aus Erfahrungen eines Arztes.* In: FZ; 14. 7. 1922
D 375 *Berliner Ehen.* o. O. u. J.
Jetzt in Z, S. 63—65
Etwas verändert in *UD*, S. 300—302
D 376 *Psychoanalyse von heute.* (Zu Sigmund Freud, „Das Ich und das Es", u. a.). In: VZ; 10. 6. 1923
Jetzt in Z, S. 69—73

D 377  *Praxis der Psychoanalyse.* (Zu Theodor Reik, „Der eigene und der fremde Gott", u. a.). In: VZ,; 28. 6. 1923

D 378  *Blick auf die Naturwissenschaft.* (Zu Fritz Mauthner, „Geschichte des Atheismus im Abendlande", Hans Wolfgang Behm, „Entwicklungsgeschichte des Weltalls, des Lebens und des Menschen", Hermann Schulte-Vaerting, „Soziologische Abstammungslehre", Theodor Reik, „Der eigene und der fremde Gott", Sigmund Freud, „Das Ich und das Es"). In: NR, 34. Jg.; 1923; Bd. II, S. 1132—1138

D 379  *Soll man die Psychoanalyse verbieten?* In: Weser Zeitung; 28. 7. 1925; S. 5

D 379  *Soll man die Psychoanalyse verbieten?* In: Weser Zeitung; 28. 7. 1925; S. 5 Jetzt in: TK, Nr. 13/14; Juni 1966; S. 44 f

D 380  *Die beiden Freundinnen und ihr Giftmord.* Verlag Die Schmiede, Berlin o. J. [1925] (Außenseiter der Gesellschaft — Die Verbrechen der Gegenwart. Hrsg. v. Rudolf Leonhard. Bd. 1)

D 381  *Zum siebzigsten Geburtstag Sigmund Freuds.* (Rede zum 6. Mai 1926 in der Deutschen Psychoanalytischen Gesellschaft zu Berlin). In: Almanach für das Jahr 1927. Internationaler Psychoanalytischer Verlag, Wien, S. 28—38
Leicht gekürzt u. d. T. *Sigmund Freud. Zum 70. Geburtstage* in: VZ; 5. 5. 1926; Nr. 104
Jetzt in Z, S. 80—88

D 382  *Tod und Selbstmord.* In: Hamburger Fremdenblatt, 98. Jg., Nr. 213; 4. 8. 1926
Später in *UD*

D 383  *Voronoff, der Lebensverlängerer.* In: VZ; 4. 9. 1926

D 384  *Kann man Verzweifelten helfen?* (Beitrag zur Rundfrage: „Was geschieht für die Verzweifelten? Seelische und soziale Rettungsstellen"). In: Magdeburgische Zeitung; 7. 11. 1926; Nr. 567, 1. Beilage
Jetzt in Z, S. 76—80
(Teilweise auch in *UD*)

D 385  *Schriften zur Psychoanalyse.* (Zu Ernst Fuhrmann, „Priester", Sigmund Freud, „Die Frage der Laienanalyse", Edgar Michaelis, „Die Menschheitsproblematik der Freudschen Psychoanalyse", u. a.). In: VZ; 28. 11. 1926

D 386  *Der Teufel der kleinen Eleonore.* In: VZ; 1. 1. 1927
Jetzt in Z, S. 96—100

D 387  *Mißglückte Metamorphose. Ein Schülerselbstmord.* In: NR, 39. Jg.; 1928; Bd. II, S. 148—160
Später in *UD*

D 388  *Eine kassenärztliche Sprechstunde.* In: FZ, 73. Jg., Nr. 14; 6. 1. 1928; S. 1, und in: Saarbrücker Zeitung, 168. Jg., Nr. 277; 9. 10. 1928
Jetzt in Z, S. 122—126, und D 576, S. 98—101

D 389  *Deutsche Frauentragödie in Italien.* In: TB, 11. Jg., H. 16; 19. 4. 1930; S. 622—626
Jetzt in Z, S. 179—185

D 390  *Kleine Kriminalität.* In: NTB, 5. Jg., H. 45; 6. 11. 1937; S. 1078

V. *Schriften zu Politik und Gesellschaft*

D 391   *Christentum mit Posaunen.* In: St, 1. Jg., Nr. 6; 7. 4. 1910; S. 45

D 392   (Beitrag zur Rundfrage) *Mehr Kinder.* In: St, 2. Jg., Nr. 57; 1. 4. 1911; S. 452

D 393   *Entgegnung auf die Antwort von Eduard Bernstein.* In: St, 2. Jg., Nr. 59; 15. 4. 1911; S. 468

D 394   *Ueber Jungfräulichkeit.* In: St, 3. Jg., Nr. 121/122; August 1912; S. 121 f

D 395   *Jungfräulichkeit und Prostitution.* In: St, 3. Jg., Nr. 125/126 und 127/128; September 1912; S. 141 f und 152

D 396   *Reims.* In: NR, 25. Jg.; 1914; Bd. II, S. 1717—1722

D 397   *Es ist Zeit!* In: NR, 28. Jg.; 1917; Bd. II, S. 1009—1014

D 398   *Drei Demokratien.* In: NR, 29. Jg.; 1918; Bd. I, S. 254—262

D 399   *Neue Zeitschriften.* In: NR, 30. Jg.; 1919; Bd. I, S. 621—632

D 400   *Landauer.* In: NM, 3. Jg., H. 3; Juni 1919; S. 215—217

D 401   *Die Vertreibung der Gespenster.* In: NM, Sonderheft: „Der Vorläufer", München o. J. [1919], S. 11—20
        Jetzt in D 576, S. 151—162

D 402   (Linke Poot) *Kannibalisches.* In: NR, 30. Jg.; 1919; Bd. I, S. 755—766
        Später in D 426, S. 9—26
        Jetzt in D 576, S. 163—179

D 403   (Linke Poot) *Dionysos.* In: NR, 30. Jg.; 1919; Bd. II, S. 885—893
        Später in D 426, S. 27—38

D 404   (Linke Poot) *Der Bär wider Willen.* In: NR, 30. Jg.; 1919; Bd. II, S. 1014—1020

D 405   (Linke Poot) *Die Drahtzieher.* In: NR, 30. Jg.; 1919; Bd. II, S. 1145—1152
        Später in D 426, S. 39—50
        Jetzt in D 576, S. 180—190

D 406   (Linke Poot) *An die Geistlichkeit.* In: NR, 30. Jg.; 1919; Bd. II, S. 1270—1277
        Später in D 426, S. 51—61

D 407   *Dämmerung.* In: NR, 30. Jg.; 1919; Bd. II, S. 1281—1287

D 408   (Linke Poot) *Aphrodite.* In: NR, 30. Jg.; 1919; Bd. II, S. 1395—1400
        Später in D 426, S. 74—83

D 409   *Republik.* In: NR, 31. Jg.; 1920; Bd. I, S. 73—79
        Jetzt in D 576, S. 191—199

D 410   (Beitrag zur Rundfrage) *Die Not der Dichter.* In: Die Post, Berlin, 55. Jg., Nr. 97; 22. 2. 1920

D 411   (Linke Poot) *Glossen, Fragmente.* In: NR, 31. Jg.; 1920; Bd. I, S. 128—136
        Jetzt in D 576, S. 201—213

D 412   (Linke Poot) *Revue.* In: NR, 31. Jg.; 1920; Bd. I, S. 261—270
        Später in D 426, S. 84—95

D 413 (Linke Poot) *Der rechte Weg.* In: NR, 31. Jg.; 1920; Bd. I, S. 521—528
Später in D 426, S. 96—106
Jetzt in D 576, S. 214—224
D 414 (Linke Poot) *Der deutsche Maskenball.* In: NR, 31. Jg.; 1920; Bd. I,
S. 642—652
Später in D 426, S. 107—120
Jetzt in D 576, S. 225—238
D 415 *Krieg und Frieden.* In: NM, 4. Jg., S. 193—207; Juli 1920
D 416 (Linke Poot) *Zwischen Helm und Zylinder.* In: NR, 31. Jg.; 1920;
Bd. II, S. 985—993
D 417 (Linke Poot) *Leidenschaft und Landleben.* In: NR, 31. Jg.; 1920; Bd. II,
S. 1098—1105
D 418 (Linke Poot) *Überfließend von Ekel.* In: NR, 31. Jg.; 1920; Bd. II,
S. 1322—1329
Später in D 426, S. 121—130
Jetzt in D 576, S. 239—249
D 419 (Linke Poot) *Hei lewet noch.* In: NR, 32. Jg.; 1921; Bd. I, S. 539—
547
Später in D 426, S. 131—143
D 420 *Der Verrat am deutschen Schrifttum.* In: WB, 17. Jg., Nr. 27;
7. 7. 1921; S. 9—11
D 421 *Antwort an Wenzel Goldbaum.* (zu K 457). In: WB, 17. Jg., Nr. 33;
18. 8. 1921; S. 181—183
D 422 *Zion und Europa.* In: NM, 5. Jg., S. 338—342; August 1921
D 423 (Linke Poot) *Von einem Kaufmann und einem Yoghi.* In: NR,
32. Jg.; 1921; Bd. II, S. 761—768
Jetzt in Z, S. 27—36
D 424 (Linke Poot) *Ostseeligkeit.* In: NR, 32. Jg.; 1921; Bd. II, S. 986—994
D 425 (Linke Poot) *Das Nessushemd.* In: NR, 32. Jg.; 1921; Bd. II, S. 1101—
1108
D 426 (Linke Poot) *Der deutsche Maskenball.* S. Fischer Verlag, Berlin 1921
Enthält D 402, 403, 405, 406, 209, 408, 412—414, 418 und 419
D 427 (Beitrag zu) *Gutachten über Brunner.* In: WB, 17. Jg., Nr. 46;
17. 11. 1921; S. 501 f
D 428 *Der Kapp-Putsch.* In: WB, 17. Jg., Nr. 51; 22. 12. 1921; S. 635 f
Jetzt in: „Ausnahmezustand". Hrsg. v. Wolfgang Weyrauch. Mün-
chen 1966, S. 40—42
D 429 *Der Dreißigjährige Krieg.* In: „Die Befreiung der Menschheit. Frei-
heitsideen in Vergangenheit und Gegenwart". Hrsg. v. Ignaz Ježower.
Berlin, Leipzig, Wien, Stuttgart 1921, S. 49—56
D 430 (Linke Poot) *Neue Jugend.* In: NR, 33. Jg.; 1922; Bd. II, S. 1013—1021
D 431 (Linke Poot) *Mussolini und Lenin.* In: BT, 52. Jg., Nr. 552;
30. 11. 1923
D 432 *Schriftsteller und Politik.* In: Der Schriftsteller, Zeitschrift des Schutz-
verbandes Deutscher Schriftsteller, 11. Jg., H. 3; Mai 1924; S. 13 f

D 433 (Beitrag zu) *Über den Nutz des Mathematikunterrichts.* In: BT; 31. 1. 1926; 1. Beiblatt

D 434 *Rasse und Seele.* (Zu dem Buch von L. F. Clauß). In: C.-V.-Zeitung, Blätter für Deutschtum und Judentum, Berlin, 5. Jg., Nr. 10; 5. 3. 1926; S. 134—136

D 435 *Wider die abgelebte Simultanschule.* In: WB, 23. Jg., Nr. 21; 24. 5. 1927; S. 819—824

D 436 (Beitrag zu) *Die repräsentative und die aktive Akademie.* In: BBC; 25. 12. 1927; Nr. 603
Jetzt in D 576, S. 384—390

D 437 *Kassenärzte und Kassenpatienten.* In: Q, 9. Jg., H. 5; Mai 1929; S. 312—314

D 438 *Katastrophe in einer Linkskurve.* (Antwort auf K 446). In: TB, 11. Jg., H. 18; 3. 5. 1930; S. 694—698

D 439 *Offene Antwort an einen jungen Menschen.* In: TB, 11. Jg., H. 27; 5. 7. 1930; S. 1063—1070
Später in *WV*

D 440 *Führer für junge Wanderer durchs Labyrinth. II. Der Materialismus und die „Geistigkeit".* In: TB, 11. Jg., H. 34; 23. 8. 1930; S. 1338—1344
Später in *WV*

D 441 *Führer für junge Wanderer durchs Labyrinth. III. Der wahre politische Ort der deutschen Geistigen.* In: TB, 11. Jg., H. 36; 6. 9. 1930; S. 1421—1427
Später in *WV*

D 442 *Führer für junge Wanderer durchs Labyrinth. IV. Das Gesicht gegen die Front der Scheinbürger.* In: TB, 11. Jg., H. 41; 11. 10. 1930; S. 1638—1645
Später in *WV*

D 443 *Zensur der Straße.* (Zum Verbot des Films „Im Westen nichts Neues"). In: Der Film, Berlin, 15. Jg., Nr. 50; 13. 12. 1930

D 444 *Bilanz der „Dichterakademie".* In: VZ; 25. 1. 1931

D 445 (Antwort auf die Rundfrage) *Sur l'inquiétude contemporaine.* Berichtet von Efraim Frisch („Eine Umfrage über die innere Unrast unserer Zeit"). In: Europäische Revue, 7. Jg., 1. Halbband; Januar—Juli 1931; S. 139—143, S. 142

D 446 *Wissen und Verändern! Offene Briefe an einen jungen Menschen.* S. Fischer Verlag, Berlin 1931

D 447 *Vorwort zu einer erneuten Aussprache.* (Am Ende von K 291). In: NR, 42. Jg.; 1931; Bd. II, S. 100—103

D 448 *Nochmal: Wissen und Verändern.* In: NR, 42. Jg.; 1931; Bd. II, S. 181—201

D 449 (Beitrag zu) *Wo steckt hier der Fortschritt? Drei Erzählungen / Vier Nachworte / Einladung zur Mitarbeit an unsere Leser.* In: LW, 7. Jg., Nr. 45; 6. 11. 1931; S. 3 f und 8; S. 4 und 8

D 450 *Sexualität als Sport?* In: Q, 11. Jg., H. 11; November 1931; S. 760—762

D 451 *Herr Gütermann.* (Über den jüdischen Territorialismus). In: BT, 61. Jg., Nr. 32; 20. 1. 1932; S. 2 f

D 452 (Beitrag zu) *Friede auf Erden. Versuche einer zeitgemäßen Bibel-Inter-pretation.* In: LW, 8. Jg., Nr. 53; 22. 12. 1932; S. 5
Jetzt in D 576, S. 273

D 453 *Jüdische Massensiedlungen und Volksminoritäten.* In: Die Sammlung, 1. Jg., H. 1; September 1933; S. 19—26
Später in D 454

D 454 *Jüdische Erneuerung.* (= Buch VII von *UD*, erweitert um D 453). Querido-Verlag, Amsterdam 1933

D 455 *Flucht und Sammlung des Judenvolks. Aufsätze und Erzählungen.* Querido-Verlag, Amsterdam 1935
Enthält auch D 31 und D 32

D 456* *Cil un charakter fun der Frajland-Bawegung.* Referat gehaltn ojf der territorjalistiszer konference in London, juli 1935 j. — Warsze, Frajland-lige far teritorjalistiszer kolonizacje, 1935 *
(Deutsch wohl nicht erschienen)

D 457 *Jüdische Antijuden.* (Polemik gegen K 470). In: NTB, 3. Jg., Nr. 42; 19. 10. 1935; S. 1002—1004

D 458 *„Das Wort". Bemerkungen zu der neuen literarischen Monatsschrift.* In: Pariser Tageszeitung; 1936; Nr. 66, Sonntags-Beilage

D 459 *Anthropologen-Kongress in Paris.* In: NTB, 5. Jg., H. 33; 14. 8. 1937; S. 781 f

D 460 *Politik und Seelengeographie.* In: NTB, 6. Jg., H. 15; 9. 4. 1938; S. 354 f

D 461 *Von neudeutschen Schulen.* (Zu Borst, „Meisterschule und totaler Krieg", 2. Aufl., Eßlingen 1937; Herzog/Löckel, „Ratgeber für den Lese-unterricht, 5. und 6. Schuljahr", Langensalza). In: NTB, 6. Jg., H. 22; 28. 5. 1938; S. 521—523

D 462 *Das Rote Kreuz.* In: NTB, 6. Jg., H. 51; 17. 12. 1938; S. 1219 f

D 463* *Der Friede von morgen.* In: Die Zukunft, Paris und Straßburg, 2. Jg., Nr. 17; 28. 4. 1939; S. 4 *

D 464* (Mitarbeit an) *Ballade des trois bandits.* (Französische Propaganda-schrift gegen die Nazis). Fliegende Blätter, Nr. 3. Illustrationen von Franz Masereel. Paris 1940 (Manuskript. Verschollen) *

D 465 *Die beiden deutschen Literaturen.* In: Die Neue Zeitung, München; 8. 2. 1946

D 466 *Die Fahrt ins Blaue.* In: Badische Zeitung; 3. 5. 1946; S. 5
Jetzt in Z, S. 210—214, und D 576, S. 297—302

D 467 *Zeitschriftenschau.* In: GT, 1. Jg., H. 2; Oktober/November 1946; S. 198—204 und H. 3; Dezember; S. 299—304

D 468 *Einleitung* zu Goethe, „Belagerung von Mainz 1793". Lehrmittel-Ver-lag, Offenburg und Mainz 1946, 2. Aufl. 1947 (Klassiker der Welt-literatur), S. III—XVIII

D 469 *Radio und Öffentlichkeit.* In: Funkwelt. Die Illustrierte des Hörers, Baden-Baden, Nr. 1/2; 30. 3. 1947; S. 2

## VI. Städte- und Reisebilder

D 470 *Das märkische Ninive.* In: St, 1. Jg., Nr. 2; 10. 3. 1910; S. 5 (=13)

D 471 (Linke Poot) *Östlich um den Alexanderplatz.* In: BT, 52. Jg., Nr. 458; 29. 9. 1923
Jetzt in Z, S. 60—63, und D 576, S. 250—254

D 472 (Linke Poot) *Vorstoß nach dem Westen.* In: BT, 52. Jg., Nr. 523; 7. 11. 1923
Jetzt in D 576, S. 255—258

D 473 *Warschauer Bilder.* In: VZ; 25. 10. 1924; Nr. 508, S. 2 f, und in: Weser Zeitung, Bremen; 15. 3. 1925
Später in *RP*

D 474 *Der Kopf Polens.* In: VZ; 7. 11. 1924; Nr. 530, S. 2 f
Später in *RP*

D 475 *Im Naphtharevier.* In: VZ; 15. 11. 1924; Nr. 544, S. 1 f
Später in *RP*

D 476 *Zwei Totenfeiern.* In: VZ; 23. 11. 1924; Nr. 557, S. 2 f
Später in *RP*

D 477 *Der geistliche Fürst der Juden.* In: VZ; 7. 12. 1924; Nr. 576, 8. Beilage
Später in *RP*

D 478 *Die Tür.* In: Leipziger Tageblatt; 14. 12. 1924; S. 4
Später in *RP*

D 479 *Reise in Polen.* (Vorabdruck einiger Kapitel). In: NR, 36. Jg.; 1925; Bd. I, S. 141—170, 300—322, 505—520, 743—758
Später in *RP*

D 480 *Reise in Polen.* (Buchausgabe). S. Fischer Verlag, Berlin 1926 [1925]

D 481 *In die Alpen.* In: Deutsche Zeitung Bohemia, Prag, 99. Jg., Nr. 153; 26. 6. 1926

D 482 *Nepomuk-les-Moustiques. Aus einem französischen Seebad.* In: VZ; 12. 8. 1926; Nr. 192, Unterhaltungsblatt Nr. 187

D 483 *Ferien in Frankreich.* In: WB, 22. Jg., Nr. 42; 19. 10. 1926; S. 614—619, und in: Das vierzigste Jahr. Almanach des S. Fischer Verlages, Berlin 1926, S. 122—132
Jetzt in Z, S. 110—117

D 484 *Geleitwort* zu Mario v. Bucovich, „Berlin". Albertus Verlag, Berlin 1928, S. VII—XII

D 485* *Aus polnischen Städten.* In: Hartung'sche Zeitung, Königsberg; 6. 11. 1928 *
(Wohl aus *RP*)

D 486 *Alexanderplatz.* (Beitrag zu „Dichterstafette auf dem Autobus"). In: BT, 58. Jg., Nr. 1; 1. 1. 1929

D 487 *Ausflug nach Prag.* In: BT; 26. 1. 1930
Jetzt in Z, S. 161—166

D 488 *Impressionen von einer Rheinreise.* In: FZ; 1. und 8. 2. 1931
Jetzt in *Z*, S. 166—179, und D 576, S. 259—272
D 489 *Altes Berlin. (Die deutsche Landschaft. III. Die Mitte).* In: LW, 8. Jg.,
Nr. 29/30; 15. 7. 1932; S. 9
D 490 *Großstadt und Großstädter.* (Erweiterte Fassung von D 484). In:
*Minotaurus. Dichtung unter den Hufen von Staat und Industrie.*
Hrsg. v. Alfred Döblin. Steiner Verlag, Wiesbaden 1953, S. 221—241
Jetzt in *Z*, S. 225—244

## VII. Autobiographische Schriften

D 491 *Revolutionstage im Elsaß.* In: NR, 30. Jg.; 1919; Bd. I, S. 164—172
D 492 (Beitrag zur Umfrage) *Geist und Geld.* In: VZ; 27. 3. 1921; Nr. 144
Jetzt in D 576, S. 77
D 493 *Autobiographische Skizze.* In: LE, 24. Jg., Sp. 782 f; 1. 4. 1922
Jetzt in *Z*, S. 56 f, und D 576, S. 79 f
D 494 (Beitrag zu) *Berlin und die Künstler.* In: VZ; 16. 4. 1922; Nr. 180
Jetzt in *Z*, S. 58 f, und D 576, S. 81—83
D 495 *Eindrücke eines Autors bei seiner Premiere.* (Zur Uraufführung der
„Nonnen von Kemnade"). In: Leipziger Tageblatt; 29. 4. 1923; Nr. 101,
S. 2
Jetzt in *Z*, S. 66—68, und D 576, S. 84—87
D 496 *Die Schranktür.* In: Hannoverscher Kurier; 10. 10. 1928
Jetzt in *Z*, S. 126—128
(In etwas anderer Form bereits 1923 am Schluß von D 378, S. 1137 f)
D 497 *Dämon oder krankhafte Verstimmung?* * o. O. u. J.; wahrscheinlich
1924 *
Jetzt in *Z*, S. 74—76
(Vgl. *UD*, S. 308—310)
D 498* (Beitrag zu) *Was waren Sie für ein Schüler?* In: BBC; 4. 4. 1926; Nr.
157 *
D 499 *Gleiswechsel im Hirnkasten.* (Beitrag zu „Der Künstler hinter der
Maske der äußeren Erscheinung"). In: BT, 55. Jg., Nr. 560; 27. 11. 1926
D 500 *Von einem Zahnarzt und seinem Opfer.* In: BT, 56. Jg., Nr. 370;
7. 8. 1927
D 501 *Arzt und Dichter.* In: LW, 3. Jg., Nr. 43; 28. 10. 1927; S. 1 f, und in:
Der Lesezirkel, Zürich, 15. Jg., H. 3; Dezember 1927; S. 23—26
Später in K 362, S. 133—138, in *AzL*, S. 361—367, und in D 576,
S. 88—93
D 502 *Zwei Seelen in einer Brust.* In: Berliner Volks-Zeitung, 76. Jg., Nr. 168;
8. 4. 1928; Morgen-Ausgabe, Zweites Beiblatt. (Beitrag zu: „Inter-
views über Kreuz").
Jetzt u. d. T. *Döblin über Döblin* in *Z*, S. 120—122, und *AzL*, S. 359—
361, sowie u. d. T. *Interview übers Kreuz* in D 576, S. 94—96
D 503 *Von Prozessen und Vergleichen.* In: BT, 57. Jg., Nr. 213; 6. 5. 1928;
S. 2 f

D 504   *Erster Rückblick.* In: *Alfred Döblin. Im Buch — Zu Haus — Auf der Straße. Vorgestellt von Alfred Döblin und Oskar Loerke.* S. Fischer Verlag, Berlin 1928, S. 7—109
      Jetzt in D 576, S. 9—76
      Teildruck in Z, S. 128—144 und S. 107—110

D 505   (Beitrag zu) *Zur Physiologie des dichterischen Schaffens. Ein Fragebogen.* In: LW, 4. Jg., Nr. 39; 28. 9. 1928; S. 3

D 506   *Zu Fuß über das Wattenmeer. Auf einer eingefrorenen Nordseeinsel.* In: VZ; 12. 3. 1929; Nr. 61

D 507   (Beitrag zu) *Was war uns die Schule?* In: Schule und Elternhaus, Berlin, 7. Jg., H. 2, Sp. 60; 1930

D 508   *Mit dem Blick zur Latinität.* In: Deutsch-französische Rundschau, Bd. III, H. 5; Mai 1930; S. 357—360
      Jetzt in Z, S. 189—193, AzL, S. 367—371, und D 576, S. 398—401

D 509   (Beitrag zu) *Dichterglaube. Stimmen religiösen Erlebens.* Hrsg. v. Harald Braun. Berlin-Steglitz 1931, S. 71—75

D 510   (Beitrag zu) *Das Land, in dem ich leben möchte.* In: LW, 8. Jg., Nr. 18; 29. 4. 1932; S. 3

D 511   (Beitrag zu) *Mein erster Erfolg — Mein erster Mißerfolg.* In: LW, 8. Jg., Nr. 43; 21. 10. 1932; S. 3
      Jetzt in D 576, S. 107
      u. d. T. *Über Erfolg und Mißerfolg* in AzL, S. 371

D 512   *Erfolg. Ein Umzug und seine Folgen.* In: Fortschritte der Medizin, 51. Jg., Nr. 6; 13. 2. 1933; S. 122—124

D 513   *Biographische und bibliographische Angaben.* In: Das Wort, Moskau, 2. Jg., H. 4—5; April—Mai 1937; S. 161 f

D 514   *Literarische und politische Erinnerungen aus Berlin.* (Rede auf der Sitzung der Société des Etudes Germaniques vom 12. 12. 1937; von einem nicht genannten Referenten französisch resümiert). In: Revue de l'enseignement des langues vivantes, Paris, 55. Jg.; 1938; S. 78—81

D 515   *Abschied und Wiederkehr.* In: NR; 1945/46; S. 475—480, und in: Badische Zeitung; 22. 2. 1946; S. 5
      Jetzt in Z, S. 202—209, und D 576, S. 121—129
      (Leicht verändert in D 519)

D 516   *Reise zur Mainzer Universität.* In: GT, 1. Jg., H. 1; September 1946; S. 96—102
      Später in D 519

D 517   *Wiedersehen mit Berlin.* In: Die Zeit, Hamburg; 2. 10. 1947; S. 4
      Später verändert und erweitert in D 519

D 518   *Die Fahrt ins Unbekannte.* In: K 362, S. 144—160
      Später in D 519

D 519   *Schicksalsreise. Bericht und Bekenntnis.* Verlag Josef Knecht — Carolusdruckerei, Frankfurt a. M. 1949

D 520   *Dichter und Nervenarzt.* (Zusammengestellt aus D 493 und D 502). In: Welt und Wort, 18. Jg.; 1963; S. 11 f

## VIII. Erklärungen, Glückwünsche, Nachrufe

D 521 (Mitunterzeichner der) *Erklärung.* In: St, 1. Jg., Nr. 1; 3. 3. 1910; S. 6

D 522 (Mitunterzeichner von) *Für Kandinsky.* In: St, 3. Jg., Nr. 150/151; März 1913; S. 279

D 523 (Mitunterzeichner der) *Mitteilung.* (Verteidigung Edschmids gegen Kahn). In: Die Weißen Blätter, 7. Jg.; 1920; H. 12, S. 594

D 524 (Beitrag zu) *Arno Holz und sein Werk. Deutsche Stimmen zu seinem 60. Geburtstage.* Hrsg. v. Ferdinand Avenarius, Max Liebermann und Max v. Schillings. Berlin 1923, S. 33

D 525 (Antwort auf die Rundfrage) *Was erwarten Sie von der Berliner Tagung des PEN-Klubs?* In: LW, 2. Jg., Nr. 20; 14. 5. 1926; S. 2

D 526 (Mitunterzeichner von) *Aufruf für Henri Guilbeaux.* In: Die Menschenrechte, Berlin, 4. Jg., Nr. 4/5; 20. 4. 1929; S. 16 f

D 527 (Beitrag zu) *27 deutsche Dichter und Schriftsteller zum siebzigsten Geburtstag Knut Hamsuns.* In: LW, 5. Jg., Nr. 31; 2. 8. 1929; S. 1

D 528 (Beitrag zu) *Für Jakob Wassermann.* (Glückwünsche zum 60. Geburtstag). In: NR, 44. Jg.; 1933; Bd. I, S. 360 f

D 529 *Glückwunsch für Lion Feuchtwanger.* In: Die Sammlung, 1. Jg., H. 11; Juli 1934; S. 567                Jetzt in *AzL,* S. 321 f

D 530 Glückwunsch für Thomas Mann. (Am Anfang von D 34). In: NR, Sonderausgabe zu Thomas Manns 70. Geburtstag, Stockholm 1945, S. 88

D 531 (Beitrag zu) *Walter von Molo. Erinnerungen, Würdigungen, Wünsche. Zum 70. Geburtstag des Dichters am 14. Juni 1950.* Berlin 1950, S. 13—18
Jetzt u. d. T. *Glückwunsch für Walter von Molo* in *AzL,* S. 322—328

D 532 *Bleiben wir also Freunde!* In: Dem Dichter des Friedens Joahnnes R. Becher zum 60. Geburtstag. 2., erw. Aufl., Berlin 1951, S. 188—190

D 533 *Nachruf auf Bernhard Kellermann.* In: Jahrbuch der Akademie der Wissenschaften und der Literatur, Mainz und Wiesbaden 1951, S. 160—162

D 534 *Nachruf auf Wilhelm Speyer.* In: Jahrbuch der Akademie der Wissenschaften und der Literatur, Mainz und Wiesbaden 1952, S. 141—143

D 535 *An Arnold Zweig.* In: Sinn und Form, Sonderheft Arnold Zweig, Berlin 1952, S. 9 f

D 536 (Beitrag zu) *Begegnungen mit Theodor Heuss. Gruß der Freunde zum siebzigsten Geburtstag am 31. Januar 1954.* Hrsg. v. Hans Bott und Hermann Leins. Tübingen 1954, S. 280—283
Jetzt u. d. T. *Glückwunsch für Theodor Heuss* in *AzL,* S. 328—331


## IX. Sonstiges

D 537 *Gemütliches.* In: St, 2. Jg., Nr. 95; Januar 1912; S. 758

D 538* *Wenn wir rezensiert werden.* In: Fachpresse, Fachblatt für das gesamte Fachzeitschriftenwesen, 6. Jg.; 1922; S. 5 *

D 539  *Der Einfluß der Gestirne auf das deutsche Theater.* In: Prager Theaterbuch. Hrsg. v. C. Schluderpacher. Prag 1924, S. 84—91

D 540* *Die Moral der „Schlager".* In: Generalanzeiger für Stettin; 3. 12. 1925 *

D 541  *Nennt sich Kritik.* In: Deutsche Presse, Berlin; Dezember 1925; Nr. 47/48, S. 15, und in: TB, 6. Jg., H. 50; 12. 12. 1925; S. 1850 f, sowie in: Die Welt am Abend, Berlin; 22. 12. 1925; S. 6
Jetzt in Z, S. 94—96, und AzL, S. 271—273

D 542* *Man ignoriere das Fräulein Neumann.* (Über Therese von Konnersreuth). In: Generalanzeiger für Stettin; 27. 11. 1927; Nr. 328 *

D 543  (Beitrag zu) *Von der heiteren Seite.* In: BT, 57. Jg., Nr. 479; 10. 10. 1928

D 544  (Beitrag zu) *Die Berlinerin. Ball-Almanach des Vereins „Berliner Presse".* o. O.; 29. 1. 1929; S. 14 f

D 545  (Beitrag zu) *Lebensweisheit aus unserer Zeit.* In: LW, 6. Jg., Nr. 50; 12. 12. 1930; S. 1

D 546  *Spargelspitzen.* In: Für Albert Soergel zum fünfzigsten Geburtstage. 33. Gesamt- (19. außerordentliche) Veröffentlichung der Gesellschaft der Bücherfreunde zu Chemnitz, 1930, S. 101 und 103

D 547* *Tagesanbruch* (In russischer Sprache: *Den 'Mira*). In: Zurnal-nogazetnoe ob'edinenie, Moskau 1937 *

D 548  *Geleitwort.* In: GT, 1. Jg., H. 1; September 1946; S. 3—6
Jetzt in AzL, S. 374—379, und D 576, S. 415—420

D 549  Titellose Herausgeberartikel im 2. Jg. von *Das Goldene Tor*; 1947; H. 5, S. 371 f. H. 11/12, S. 971

D 550  *Zum Faustproblem.* In: GT, 2. Jg.; 1947; H. 3/4, S. 236 f

D 551  *Die Frau als Mutter.* In: GT, 2. Jg.; 1947; H. 5, S. 373

D 552  *Die Frau in der Liebe.* ebd., S. 394

D 553  *Die heutige Frau.* ebd., S. 425

D 554  *Zwei Akademien.* In: GT, 2. Jg.; 1947; H. 7, S. 595—597

D 555  *Der deutsche Idealismus vor Gericht.* In: GT, 2. Jg.; 1947; H. 8/9, S. 707

D 556  *England.* In: GT, 2. Jg.; 1947; H. 10, S. 867

D 557  *Das literarische Mittel- und Südamerika.* In: GT, 2. Jg.; 1947; H. 11/12, S. 971

D 558  *Drei Liederkomponisten.* ebd., S. 1012

D 559  *Moderne Kunst und die Zeitströmungen.* ebd., S. 1039

D 560  *Erste Tagung des „Verbandes südwestdeutscher Autoren".* ebd., S. 1120—1122

D 561  Titellose Herausgeberartikel im 3. Jg. von *Das Goldene Tor*; 1948; H. 1, S. 3. H. 2, S. 99. H. 3, S. 203 f. H. 4, S. 307. H. 5, S. 411, 439. H. 6, S. 515. H. 7, S. 619. H. 8, S. 723 f

D 562  *West-östliche Bilder.* In: GT, 3. Jg.; 1948; H. 2, S. 115

D 563  *Zweimal Südlandsehnsucht.* ebd., S. 174

D 564 *Altindische Kultur und Religion.* In: GT, 3. Jg.; 1948; H. 4, S. 338
D 565 *Heil und Heillosigkeit der Existenz.* In: GT, 3. Jg.; 1948; H. 6, S. 577
D 566 Titellose Herausgeberartikel im 4. Jg. von *Das Goldene Tor;* 1949; H. 1, S. 3. H. 6, S. 419 f
D 567 *Die christliche Gesellschaft.* In: GT, 4. Jg.; 1949; H. 1, S. 3—5
D 568 *Jahresbericht der Klasse der Literatur.* In: Jahrbuch der Akademie der Wissenschaften und der Literatur, Mainz und Wiesbaden 1950, S. 72—75
D 569 *Jahresbericht der Klasse der Literarur.* In: Jahrbuch der Akademie der Wissenschaften und der Literatur, Mainz und Wiesbaden 1951, S. 96—103
D 570 *Jahresbericht der Klasse der Literatur.* In: Jahrbuch der Akademie der Wissenschaften und der Literatur, Mainz und Wiesbaden 1952, S. 86—94

## X. Neuausgaben und Sammlungen

D 571 *Der unsterbliche Mensch.* Lizenzausgabe des Verlages Karl Alber. Herder-Bücherei Bd. 41. Basel/Freiburg/Wien 1959
D 572 *Die Zeitlupe. Kleine Prosa.* Aus dem Nachlaß zusammengestellt von Walter Muschg. Walter-Verlag, Olten und Freiburg i. Br. 1962 (Walter Paperbacks: Die Diskussion).
Enthält D 337, 202, 372, 333, 206, 296, 285, 423, 219, 239, 243, 220, 222, 238, 493, 494, 471, 375, 495, 376, 497, 384, 381, 299, 168, 541, 386, 132, 504 (teilweise), 483, 288, 502, 388, 496, 275, 276, 174, 177, 487, 488, 389, 291, 508, 178, 33, 31, 515, 466, 270, 267, 490, 294, 293.
D 573 *Aufsätze zur Literatur.* (Ausgewählte Werke in Einzelbänden). Walter-Verlag, Olten und Freiburg i. Br. 1963 (Nachwort Walter Muschg)
Enthält D 156—158, 160, 161, 164, 350, 168, 170, 174, 173, 277, 176, 284, 179, 181 (teilweise), 185; 541, 271, 273, 275, 276, 258, 278, 281, 529, 531, 536; 285, 286, 288, 502, 501, 508, 511, 548, 294, 293 sowie das Nachwort zu *Giganten* (D 94)
D 574 *Unser Dasein.* (Ausgewählte Werke in Einzelbänden). Walter-Verlag, Olten und Freiburg i. Br. 1964 (Nachwort Walter Muschg)
D 575 *Reise in Polen.* (Ausgewählte Werke in Einzelbänden). Walter-Verlag, Olten und Freiburg i. Br. 1968 (Nachwort Heinz Graber)
D 576 *Die Vertreibung der Gespenster. Autobiographische Schriften, Betrachtungen zur Zeit, Aufsätze zu Kunst und Literatur.* Hrsg. und mit einem Nachwort von Manfred Beyer. Verlag Rütten & Loening, Berlin 1968
Enthält K 362a; D 504, 492—495, 501, 502, 505A, 388, 291, 511, 515, 293; 401, 402, 405, 409, 411, 413, 414, 418, 471, 472, 488, 452, 466; 296, 342, 211A, 219, 220, 222, 229, 235A, 271, 238, 239, 273, 244A, 245, 246, 249, 172A, 301, 275, 436, 276, 177, 508, 291A, 178, 548, 278, 156, 158, 174, 173, 176, 179 sowie Stücke aus D 72 und D 519.

## D. INTERVIEWS

D 577   Axel EGGEBRECHT, *Was arbeiten Sie? Gespräch mit Alfred Döblin über seinen neuen Roman.* In: LW, 2. Jg., Nr. 6; 5. 2. 1926; S. 1

D 578   Paul HERZOG, *Das Mikrofongesicht.* (Interviews mit Alfred Braun, Heinrich Mann, Paul Laven, Alfred Döblin, Willy Haas, Alfred Kerr und Eugen Klöpfer). In: Die Rundfunkwoche; 1929; Nr. 52, S. 856–858, S. 857

D 579   LANGHEINRICH-ANTHOS, *Jugend, Politik und Kultur.* (Interviews). In: Der Deutschenspiegel, Berlin, 7. Jg., H. 18; 2. 5. 1930; S. 706–710. Döblin: S. 709 f

D 580   o. Verf., *Alfred Döblin: Nur der veränderte Autor kann den Film verändern.* In: Film-Kurier, Berlin, 12. Jg., Sondernummer vom 16. 8. 1930

D 581   Walter TRITSCH, *Das Gesicht des Naturalismus. Diskussionenen.* In: LW, 8. Jg., Nr. 46; 11. 11. 1932; S. 3 ff. Döblin: *Alles hat sich geändert.* S. 6

D 582   Violante BERGEL, *Gespräch mit Alfred Döblin.* In: Der Standpunkt. Die Zeitschrift für die Gegenwart. Stuttgart, 1. Jg.; 1946; S. 27 und 46

D 583   M. M. G., *Zwölf Jahre. Gespräch mit Alfred Döblin.* In: Die Neue Zeitung, München; 19. 7. 1946

D 584   o. Verf., *Die Lehre unserer Zeit. Gespräch mit Alfred Döblin.* In: Die Welt, Hamburg; 23. 7. 1946

D 585 *   o. Verf., *Besuch bei Alfred Döblin.* In: Das Luxemburger Wort; 13. 6. 1947 *

D 586   Marianne van UYTVANCK, *Der innere Weg. Ein Besuch bei Alfred Döblin.* In: Der Rheinische Merkur, 2. Jg., Nr. 25; 12. 7. 1947; S. 5

D 587   Hans FEIST, *Begegnungen in Deutschland.* In: Schweizer Annalen, Aarau, 3. Jg., Nr. 11; Juli 1947; S. 670–675. Döblin: S. 671 f

D 588   Antoine WISS, *Conversation avec Alfred Döblin.* In: Documents, Offenbourg en Bade, Cah. 3; 1947; Nr. 18, S. 1–4


## E. BRIEFE

D 589   *An Else Lasker-Schüler.* (10. 11. 1904). In: TK, Nr. 13/14; Juni 1966; S. 46 f

D 590   *An Kurt Wolff.* (6. 12. 1913). In: Kurt Wolff, Briefwechsel eines Verlegers 1911–1963. Hrsg. v. Zeller und Otten. Frankfurt a. M. 1966, S. 153

D 591   *An Herwarth Walden.* (21. 9. 1915) In: Expressionismus. Literatur und Kunst 1910–1923. Katalog Nr. 7 der Sonderausstellungen des Schiller-Nationalmuseums Marbach a. N., Stuttgart 1960, S. 154 f
Auch in: Deutsche Briefe des 20. Jahrhunderts. Hrsg. v. Walter Heynen. dtv-dokumente 62; 1962; S. 82 f

D 592   *Ein Brief.* In: Der Jude. Eine Vierteljahresschrift. Sonderheft „Judentum und Deutschtum". Berlin 1926, S. 102

D 593   *An René Schickele.* (28. 10. 1931). In: Briefe der Expressionisten. Hrsg. v. Kasimir Edschmid. Frankfurt a. M./Berlin 1964 (Ullstein-Buch Nr. 471), S. 128 f

D 594   *3 Briefe an Gottfried Bermann Fischer.* In: Gottfried Bermann Fischer, Bedroht — Bewahrt (K 522), S. 101 f (17. 1. 1934), S. 134 f (ohne Datum), S. 137 (16. 10. 1937. Faksimile)

D 595   *29 Briefe an Hermann Kesten.* In: Deutsche Literatur im Exil. Hrsg. v. Hermann Kesten. Wien/München/Basel 1964, S. 49 (5. 7. 1933), 50 (6. 7. 1933), 98 f (4. 6. 1939), 114 (24. 9. 1939), 169 f (1. 12. 1940), 171 f (11. 12. 1940), 173 f (13. 12. 1940), 178 (7. 1. 1941), 184 f (31. 3. 1941), 192 f (24. 7. 1941), 200 f (30. 1. 1942), 202 (20. 4. 1942), 227 f (10. 1. 1943), 230 f (12. 3. 1943), 238 f (18. 5. 1943), 247 f (20. 4. 1945), 256 f (24. 11. 1945), 259 f (30. 12. 1945), 262 f (26. 2. 1946), 264 (11. 4. 1946), 272 f (27. 6. 1946), 291—293 (20. 11. 1946), 294 (5. 1. 1947), 301 f (11. 3. 1947), 306—308 (7. 5. 1947), 317 f (8. 9. 1947), 347—349 (3. 12. 1948), 370 (2. 11. 1949), 370 f (14. 11. 1949).

D 596   *9 Briefe an Elvira und Arthur Rosin.* In: TK, Nr. 13/14; Juni 1966; S. 47—56 (1. 7. 1938; 10. 10. 1940; 27. 10. 1940; 2. 2. 1942; 22. 7. 1942; 18. 8. 1943; 4. 10. 1943; 2. 5. 1945; 22. 1. 1950)

D 597   *3 Briefe an Robert Minder.* In: Verbannung. Aufzeichnungen deutscher Schriftsteller im Exil. Hrsg. v. Egon Schwarz und Matthias Wegner. Hamburg 1964, S. 86—88 (29. 6. 1940, 30. 6. 1940, 13. 7. 1940)

D 598   *An Irma Heim-Loos.* (24. 5. 1946). In: Briefe der Expressionisten. Hrsg. v. Kasimir Edschmid. Frankfurt a. M./Berlin 1964 (Ullstein-Buch Nr. 471), S. 129

D 599   *An die Redaktion des „Aufbau".* In: Aufbau, Berlin, 5. Jg.; 1949; H. 11, S. 1054

D 600   *3 Briefe an Henry Regensteiner.* (2. 5. 1950; 26. 5. 1950; 8. 8. 1950). In: Henry Regensteiner, Unveröffentlichte Briefe von Alfred Döblin. Modern language notes, Baltimore, Bd. 80; 1965; Nr. 5, S. 636—639. u. d. T. *Unpublished letters of Alfred Döblin* auch in: German Life and Letters, Bd. XXI; 1967—68; S. 18—21

D 601   *Ein Brief.* (An Hans Henny Jahnn zum 60. Geburtstag). In: Hans Henny Jahnn. Hrsg. v. Rolf Italiaander. Hamburg o. J. [1954], S. 37

D 602   *Neue Fronten bilden sich. Fünf Briefe.* (An Sascha und Ludwig Marcuse; 22. 12. 1949; Hans Henny Jahnn; 18. 6. 1951; Walter Muschg; 15. 2. und 3. 3. 1952; Johannes R. Becher; 10. 9. 1956). In: Akzente; Oktober 1970; H. 5, S. 467—478

D 603   *An Hans Henny Jahnn.* (7. 1. 1957). In: Das Einhorn. Jahrbuch der Freien Akademie der Künste in Hamburg 1957, S. 2 f

D 604   *Briefe aus dem letzten Jahr.* (Ausschnitte aus 5 Briefen von Alfred und einem von Erna Döblin an Dr. Harald Kohtz). In: FAZ; 9. 8. 1958; Nr. 282 (18. 8. 1956; 10. 10. 1956; 27. 1. 1957; 22. 3. 1957; 12. 4. 1957; 24. 5. 1957)

## F. ÜBERSETZUNGEN

### I. Die drei Sprünge des Wang-lun

D 605  *Wang-Luns Tre Spring.* — ? — Kjöbenhavn, Martins Forlog, 1926
D 606  *Wang-Loun.* — P.-E. Isler (Préf. de Félix Bertaux) — Paris, Rieder, 1932

### II. Berlin Alexanderplatz

D 607  *Frans Biberkopf's zondeval.* — ? — Utrecht, W. de Haan, 1930
D 608  *Alexanderplatz, Berlin. The story of Franz Biberkopf.* — Eugene Jolas — New York, The Viking Press; London, Secker, 1931, 2 Bde. (Neuauflage: New York, Ungar, 1960)
D 609  *Berlin Alexanderplatz.* — Alberto Spaini — Milano, Rizzoli, 1931 (Neuauflage: ebd., 1963; Introduzione di G. Dolfini)
D 610  *Berlín, Plaza de Alejandro.* — Manuel Gutiénez y Marín — Madrid, Dédalo, 1931
D 611  *Berlin Alexanderplatz.* — Zoga Motchané (Préf. de Pierre Mac Orlan) — Paris, Gallimard, 1933
D 612  *Berlin Alexanderplatz.* — Torsten Nordström (med inledn. av Sten Selander) — Stockholm, Bonnier, 1934
D 613  *Berlin Alexanderplatz.* — Soma Braun — Budapest, Nova, 1934
D 614  *Berlin Aleksanderplac. Povest' o France Biberkopfe.* — M. Alevskij — Moskva, Goslitizdat, 1935
D 615  *Berlin-Aleksanderplac.* — G. A. Zukkau — Moskva, Goslitizdat, 1961
D 616  *Berlin Alexanderplatz. Dzieje Franciszka Biberkopfa.* — Izabela Czermakowa — Warszawa, Czytelnik, 1961
D 617  *Berlin Alexanderplatz. Franz Biberkopfs historie.* — Johannes Weltzer, Ulrich Knigge — København, Martin, (Ny udg.), 1963
D 618  *Berlín-Alexandrovo nàmestie. Osydy Franza Biberkopfa.* — Ludmila Rampáková — Bratislava, Slov. spis., 1965

### III. Giganten

D 619  *Giganti.* — Cesira e Aldo Oberdorfer — Milano, Mondadori, 1934

### IV. Babylonische Wandrung oder Hochmut kommt vor dem Fall

D 620  *Voyage babylonien.* — ? — Paris, Gallimard, 1937

### V. Pardon wird nicht gegeben

D 621  *Men without mercy.* — Traver and Phyllis Blewitt — London, V. Gollancz, 1937
D 622  *Senza quartiere.* — Alessandro Scalero — Milano, Mondadori, 1937

D 623 *Poščady net.* — I. A. Gorkina — Moskva, Zurn. Gaz. Ob'edinenie, 1937
(Das gleiche bei Goslitizdat, 1937)

D 624 *Nie ma pardonu.* — Marceli Tarnowski — Warszawa, „Nowa Powieść", [1937]
(Außerdem selbständige Veröffentlichung des 3. Buches: *Kryzys,* ebd. [1937])

D 625 *No habrá perdón.* — Trad. y. prôl. de Angela Romera Vera — Ed. Rosarco de Santa Fé, 1946

VI. *Die Fahrt ins Land ohne Tod*

D 626 *Země, kde se neu míří.* — Pavel Eisner (Typograficky upravil St. Kohout. Vazbu a ochranný obal navohl Jíndřich Štyoský) — Praha, Europský literárni klub, 1938

D 627 *Prodóż do krainy wiecznego życia.* — Lucjan Szenwald (Józef Wittlin: Przedmowa) — Warszawa, „Rój", 1939

VII. *Der blaue Tiger*

D 628 *Le tigre bleu.* — J. Ruby — Paris, Calman-Lévy, 1948
D 629 *Błękitny tygrys.* — Gabriela Mycielska — Warszawa, Pax, 1957

VIII. *Bürger und Soldaten 1918*

D 630 *The chief.* (= 9. Kap.: *Der Chefarzt*). — E. B. Ashton — In: Klaus Mann/Hermann Kesten, "Heart of Europe", New York, Fischer, 1943, S. 678—684
D 631 *Civiles y soldados.* — ? — Buenos Aires, El Ateneo, 1946
D 632 *Addio al Reno.* — R. Leiser/F. Fortini — Torino, Einaudi, 1949

IX. *The living thoughts of Confucius*

D 633 *El pensamiento de Confucio.* — Luis Echávarri — Losada, ?, 1946
D 634 *Les pages immortelles de Confucius.* — Jacques Biadi — Paris, Correa, 1947
D 635 *Confucio.* — ? — Milano, Mondiale, 1949

X. *Der Oberst und der Dichter oder Das menschliche Herz*

D 636 *Il cuore dell' uomo.* — ? — Milano, ?, 1948

XI. *Hamlet oder Die lange Nacht nimmt ein Ende*

D 637 *Hamlet čiže dlhá noc sa konči.* — Ervín Mikula — Bratislava, Slov. spis., 1958
D 638 *Hamlet ali doga noč gre k koncu.* — Vital Klabus — Ljubljana, Državna založba Slovenije, 1962
D 639 *Hamlet avagy a hosszú éjszaka vége.* — Jenö Széll — Budapest, Európa Kiadó, 1964
D 640 *Hamlet czyli kres długiej nocy.* — Anna Linke — Warszawa, Państw. Instytut Wydawn, 1966

# NACHTRAG

D  28A   *Erwachen.* (Aus einem früher Prosaversuch). In: VZ; 7. 1. 1923; S. 2

D  82A   *Eine Mutter steht am Montmartre.* In: Neue deutsche Literatur, Berlin, 3. Jg., H. 8; August 1955; S. 14—22

D 172A   *Krise des Romans?* * o. O. u. J. * [ca. 1928]
Jetzt in D 576, S. 375—377

D 211A   *Regie in Berlin.* * In: PT; 24. 11. 1921 *
Jetzt in D 576, S. 317—323

D 235A   *„Kreislers Eckfenster".* Zur Überwindung des Dramas. * In: PT; 11. 4. 1923 *
Jetzt in D 576, S. 341—343

D 244A   *Chesterton und Karl Kraus.* * In: PT; 30. 3. 1924 *
Jetzt in D 576, S. 361—364

D 255A * *Das Leben Jakob Wassermanns.* (Zu Marta Karlweis, „Jakob Wassermann. Bild, Kampf und Werk"). In: Pariser Tageblatt; 19. 1. 1936; Nr. 768 *

D 291A   *„Die Ehe" und ein Krr-itiker.* (Stellungnahme zu K 148). * o. O. u. J. * [1931]
Jetzt in D 576, S. 402—410

D 305A   (Beitrag zu) *Mein Bücherkoffer für eine Südsee-Fahrt.* In: Uhu, Berlin, 6. Jg. H. 6; März 1930; S. 89
Jetzt in D 604A, S. 150

D 454A * *Ende und Wende der Emanzipation.* In: Der Ruf, Rotterdam; Juni 1934; Nr. 10, S. 3 f und Nr. 11; Juli 1934; S. 2 *
Später in D 455

D 454B* *Schicksal und Weg der Westjuden.* In: Der Ruf, Nr. 17; Oktober 1934; S. 1 f
Auf Jiddisch in: Frayland, Warschau, Nr. 1; September-Oktober 1934 *
Später in D 455

D 454C * *Territorialismus und neues Juda.* In: Der Ruf, Nr. 2; 1935; S. 1 f
Auf Jiddisch in: Frayland, Warschau, Nr. 2; November—Dezember 1934 *
Später in D 455

D 454D * *Grundsätze und Methoden eines Neuterritorialismus.* In: Freiland, Paris; Juni 1935; S. 56—82 *
(Inhaltlich wohl identisch mit D 456)

D 497A   (Erwiderung zum Thema) *Döblin, Bronnen, Brecht und Dresden. Eine Dichterreise mit Hindernissen.* In: VZ; 26. 3. 1926; Nr. 73, S. 3

D 505A   *(Zukunftspläne).* * o. O. u. J. * [1928/29]
Jetzt in D 576, S. 97

D 529A   (Beitrag zu) *Berthold Viertel zum Geburtstag.* \* In: Staatszeitung und Herold (Sonntagsblatt), New York; 29. 4. 1945; S. 6B \*
Jetzt in D 604A, S. 313 f

D 570A   *Überblick.* In: *Minotaurus. Dichtung unter den Hufen von Staat und Industrie.* Hrsg. v. Alfred Döblin. Steiner Verlag, Wiesbaden 1953, S. 5—8

D 597A   *An Theodor Heuss.* (14. 1. 1946). In: Theodor Heuss. Der Mann, das Werk, die Zeit. Eine Ausstellung (= Sonderausstellungen des Schiller-Nationalmuseums, Katalog Nr. 17). Stuttgart 1967, S. 250

D 598A   *An die Wochenzeitung „Sonntag".* \* In: Sonntag; 6. 6. 1948; Nr. 22 \*
Jetzt in D 604A S. 385 f

D 600A   *An den Oberbürgermeister von Mainz, Franz Stein.* (1953). u. d. T. *Alfred Döblin und Mainz* in: Das neue Mainz, 1. Jg., H. 2; 24. 9. 1953
Jetzt in D 604A, S. 461 f

D 604A   *Briefe.* (Ausgewählte Werke in Einzelbänden). Walter Verlag, Olten und Freiburg i. Br. 1970 (Anmerkungen und Nachwort Heinz Graber) (Enthält auch D 172, 393, 436, 439, 528, 529, 529A, 532, 545, 589, 591—594, 596, 598A, 600A, 601—603 sowie 12 Briefe aus D 595 und die 5 Briefe Alfred Döblins aus D 604)

## 2. DIE KRITISCHE LITERATUR ZU ALFRED DÖBLIN

## A. DAS ECHO BEI DEN ZEITGENOSSEN

*I. Rezensionen*

a) zu den Erstdrucken

1. Dichtungen

a) Die Ermordung einer Butterblume

K   1   Joseph ADLER, *Ein Buch von Döblin.* In: St, 4. Jg., Nr. 170/171; Juli 1913; S. 71

K   2   Kurt PINTHUS. In: Zeitschrift für Bücherfreunde, N. F., 5. Jg., H. 2; Mai 1913; Beiblatt, S. 67

b) Die drei Sprünge des Wang-lun

K   3   Adolf BEHNE. In: Die Aktion, 6. Jg., Nr. 45/46; 11. 11. 1916; Sp. 631

K   4   Arthur Friedrich BINZ. In: Der Gral, 17. Jg., H. 3; Dezember 1922; S. 120 f

K   5   Ernst BLASS, *Die neuen Erzähler. Notizen über Alfred Döblins Roman „Die drei Sprünge des Wang-lun".* In: Das junge Deutschland, Berlin, 1. Jg.; 1918; H. 11/12, S. 342—344 (Kraus Reprint, Nendeln/Liechtenstein, 1969)

K   6   Wilhelm BOLZE, *Romandichtungen.* In: Die Gegenwart, Berlin, 47. Jg., Nr. 35/36; 21. 10. 1918; S. 276—278; S. 276 f

K   7   Wolf von DEWALL. In: FZ, 61. Jg., Nr. 211; 1. 8. 1916; S. 1 f

K   8   Lion FEUCHTWANGER. In: Die Schaubühne, 12. Jg., Nr. 37; 12. 9. 1916; S. 240—242

K   9   Max FISCHER. In: März, 10. Jg., Bd. 4; Oktober—Dezember 1916; S. 155 f

K  10   Kurt GLASER. In: LE, 18. Jg.; 1915/16; Sp. 1347 f

K  11   Wilhelm HEGELER, *Neues vom Büchertisch.* In: Velhagen und Klasings Monatshefte, 38. Jg., H. 1; September 1923; S. 109—112, S. 109 f

K  12   Max HERRMANN. In: Marsyas, Berlin, 1. Jg., 3. Heft; November/Dezember 1917; S. 268

K  13   Camill HOFFMANN, *Ausblick in die Literatur.* In: Das Kunstblatt, Berlin, 2. Jg.; 1918; H. 5, S. 158—160

K  14   Karl KORN, *Via Peking zum Expressionismus.* In: Die Glocke, Berlin, 2. Jg.; 1916/17; H. 53, S. 1036—1039

K 15 Alfred LEMM. In: Die Weißen Blätter, 4. Jg., H. 1; Januar 1917; S. 82 f

K 16 Oskar LOERKE, *Vier Bücher vom Schicksal.* In: NR, 27. Jg.; 1916; Bd. I, S. 701—708, S. 701—703
Jetzt in K 504, S. 48—56

K 17 Ludwig RUBINER. In: Zeit-Echo, 3. Jg.; 1. und 2. Maiheft 1917; S. 20 (Kraus Reprint, Nendeln/Liechtenstein, 1969)

K 18 Alfred SALMONY. In: Kölner Tageblatt; 12. 11. 1916

K 19 Karl STORCK, *Aus fernen Welten. Neue Geschichtsromane.* In: Der Türmer, Stuttgart, 21. Jg., H. 14; August 1919; S. 427—431, S. 428 f

K 20 H. WETZEL. In: BBC; 14. 5. 1916

Zur französischen Übersetzung:

K 21 A. F., *Alfred Döblin, Wang-Loun, trad. par P.-E. Isler.* In: Revue germanique, Paris, 23. Jg.; 1932; S. 299

c) Die Lobensteiner reisen nach Böhmen

K 22 Kasimir EDSCHMID, *Deutsche Erzählungsliteratur.* In: FZ, 63. Jg., Nr. 197; 18. 7. 1918; S. 1

K 23 Franz HERWIG, *Neue Romane.* In: H, 17. Jg.; 1919/20; Bd. 2, S. 614—617, S. 617

d) Wadzeks Kampf mit der Dampfturbine

K 24 M. B. In: Zeitschrift für Bücherfreunde, N. F., 10. Jg., H. 12; März 1919; Beiblatt, Sp. 587

K 25 Franz HERWIG, *Neue Romane.* In: H, 16. Jg.; 1918/19; Bd. 2, S. 95—99, S. 95—97

K 26 KL. In: Geschichtsblätter für Technik und Industrie, Berlin, 6. Bd.; 1919; S. 205—207

K 27 Fr. Th. KÖRNER. In: LE, 21. Jg., H. 2; 15. 10. 1918; S. 114 f

K 28* H. G. RICHTER. In: Leipziger Tageblatt; 8. 12. 1918 *

K 29 T. In: Münchner Neueste Nachrichten, 71. Jg., Nr. 396; 8. 8. 1918; S. 2

e) Der schwarze Vorhang

K 30 Heinz MICHAELIS. In: LE, 22. Jg., H. 11; 1. 3. 1920; Sp. 688 f

K 31 Karl STRECKER, *Neues vom Büchertisch.* In: Velhagen und Klasings Monatshefte, 35. Jg., H. 10; Juni 1921; S. 425—428, S. 427 f

f) Wallenstein

K 32 Franz BLEI. In: TB, 2. Jg., H. 13; 2. 4. 1921; S. 400 f

K 33 Friedrich BURSCHELL, *Geschichte und Legende.* In: NM, 4. Jg.; 1920/21; S. 787—790

K 34 Kasimir EDSCHMID, *Erzählungsliteratur.* In: FZ, 66. Jg., Nr. 818; 3. 11. 1921; S. 1 f

K 35 Lion FEUCHTWANGER. In: WB, 17. Jg., Nr. 21; 26. 5. 1921; S. 573–576

K 36 Hans FRIEDEBERGER. In: Deutsche Allgemeine Zeitung; 22. 5. 1921; Lit. Rundschau 117

K 37 Paul FRIEDRICH, *Historische Romane.* In: LE, 23. Jg.; 1920/21; Sp. 1374 ff, Sp. 1380 f

K 38 O. E. HESSE. In: Der Tag, Berlin, 21. Jg., Nr. 219; 18. 9. 1921

K 39 Herbert IHERING. In: BBC; 20. 9. 1921; Nr. 439

K 40 Gregor KNIPPERDOLLING. In: Die Glocke, Berlin, 7. Jg., H. 19; 8. 8. 1921; S. 529–531

K 41 Max KRELL, *Roman 1920.* In: NR, 31. Jg.; 1920; Bd. II, S. 1413–1422, S. 1417–1419

K 42 Carl MÜLLER-RASTATT. In: Hamburgischer Correspondent, 43. Jg., Nr. 163; 15. 7. 1921

K 43 Ezzard NIDDEN. In: Kunstwart und Kulturwart, München, 34. Jg., H. 11; August 1921; S. 293–295

K 44 Lulu von STRAUSS UND TORNEY, *Zwei Bücher vom großen Kriege.* (Über „Wallenstein" und Peuckert, „Apokalypse 1618"). In: Die Tat, Monatsschrift für die Zukunft deutscher Kultur, Jena, 13. Jg., H. 8; November 1921; S. 618–622

K 45 Otto ZAREK. In: NR, 32. Jg.; 1921; Bd. II, S. 776–778

K 46 o. Verf., *A Wallenstein novel.* In: The Times, London, Times Literary Supplement, Bd. 22, S. 193; 27. 3. 1923

g) Lusitania. (Uraufführung Januar 1926, Darmstadt)

K 47* Kasimir EDSCHMID. In: Acht-Uhr-Abendblatt, Berlin; 19. 1. 1926 *

K 48 Hans FRANCK. In: LE, 23. Jg.; 1920/21; Sp. 1261 f (Auch zu „Lydia und Mäxchen")

K 49* W. W. GÖTTIG. In: Mannheimer Tageblatt; 20. 1. 1926 *

K 50 Ludwig MARCUSE. In: BT, 55. Jg., Nr. 30; 19. 1. 1926

K 51 W. MICHEL. In: Hessischer Volksfreund, Darmstadt; 18./19. 1. 1926

K 52 Pressestimmen in: Die deutsche Kritik, Chemnitz, 3. Jg.; 1926; S. 757: a) E. G. In: Deutsche Tageszeitung, Berlin; 20. 1. 1926 b) Z. In: Darmstädter Tagblatt; 16. 1. 1926

h) Blaubart und Miss Ilsebill

K 53 Max KRELL. In: L, 26. Jg.; S. 560; Mai 1924

i) Die Nonnen von Kemnade. (Uraufführung 21. 4. 1923, Leipzig)

K 54 Egbert DELPY. In: Leipziger Neueste Nachrichten; 23. 4. 1923; Nr. 110, S. 2

K   55* Alfred ENDER, *Ein Drama von Alfred Döblin.* In: Prager Presse;
         29. 7. 1923 *
K   56   Erich MICHAEL. In: SL, 24. Jg., Nr. 10; 15. 5. 1923; S. 198
K   57* H. NATONEK. In: Neue Leipziger Zeitung; 23. 4. 1923 *
K   58* H. G. RICHTER. In: Leipziger Tageblatt und Leipziger Volkszeitung;
         24. 4. 1923 *
K   59   Georg WITKOWSKI. In: LE, 25. Jg.; 1922/23; Sp. 901 f

## j) Berge Meere und Giganten

K   60   Hugo BIEBER. In: Deutsche Allgemeine Zeitung, 63. Jg., Nr. 563/4;
         30. 11. 1924; Welt und Werk
K   61   Ernst BLASS. In: NR, 35. Jg.; 1924; Bd. I, S. 527 f
K   62   Moritz GOLDSTEIN, *Eruption der Phantasie.* In: VZ; 30. 3. 1924; Nr. 154
K   63   Klaus HERRMANN. In: Die Neue Bücherschau, 5. Jahr, 3. Folge, 5.
         Schrift; 1925; S. 42 f
K   64   Franz HERWIG, *Neue Romane.* In: H, 22. Jg.; 1924/25; Bd. 1, S. 336—
         339, S. 338 f
K   65   Fred HILDENBRANDT. In: BT, 53. Jg., Nr. 257; 31. 5. 1924
K   66   Max KRELL. In: L, 26. Jg., S. 521—523; Mai 1924
K   67   Wilhelm RÖSSLE, *Gesicht der Zeit.* In: Die Tat, 16. Jg., H. 9; Dezem-
         ber 1924; S. 692—694, S. 693 f
K   68   E(rik) E(rnst) S(CHWABACH). In: Zeitschrift für Bücherfreunde, N. F.,
         16. Jg., H. 4; Juli/August 1924; Beibl., Sp. 173
K   69   Karl STRECKER, *Neues vom Büchertisch.* In: Velhagen und Klasings
         Monatshefte, 40. Jg., H. 1; September 1925; S. 107—110, S. 107 f
K   70   Frank WARSCHAUER. In: WB, 20. Jg., Nr. 30; 24. 7. 1924; S. 145—149
K   71   E. WENZIG. In: Die Hilfe, 31. Jg., Nr. 6; 15. 3. 1925; S. 141—143
K   72   wti. In: Neue Zürcher Zeitung, 145. Jg., Nr. 1076; 20. 7. 1924
K   73   Heinrich ZILLICH. In: Klingsor, Kronstadt, 1. Jg., H. 8; November 1924;
         S. 306 f
K   74   o. Verf., *Recent German novels.* In: The Times, London, Times Literary
         Supplement; 24. 9. 1925; S. 612

## k) Manas

K   75   H. BACHMANN. In: Germania, Berlin, 57. Jg., Werk und Wert Nr. 12;
         19. 5. 1927
K   76   Guido K. BRAND. In: L, 29. Jg.; 1926/27; S. 666
K   77   Hanns DWORSCHAK. In: Freie Welt, Gablonz, 8. Jg.; 1927; S. 93
K   78   Axel EGGEBRECHT. In: LW, 3. Jg., Nr. 24; 17. 6. 1927; S. 5
K   79   Wolfgang von EINSIEDEL. In: SL, 29. Jg., H. 1; Januar 1928; S. 33 f
         (Auch S. 286)
K   80   Moritz GOLDSTEIN, *Menschen, Götter und Dämonen.* In: Das Blaue Heft,
         Berlin, 9. Jg., Nr. 11; 1. 6. 1927; S. 324—327
K   81   Fritz LANDSBERGER. In: NR, 38. Jg.; 1927; Bd. II, S. 97—102

K 82 Oskar LOERKE. In: VZ, Unterhaltungsblatt, Nr. 120; 24. 5. 1927
K 83 Robert MUSIL, *Alfred Döblins Epos.* In: BT, 56. Jg., Nr. 271; 10. 6. 1927, und Magdeburgische Zeitung, Nr. 403; 11. 8. 1927; S. 2 f Jetzt in D 114, S. 375—381
K 84 Martin ROCKENBACH, *Zur Wiedergeburt des Versepos in der Dichtung der Gegenwart.* In: Orplid, Augsburg, 5. Jg., H. 11/12; September 1929; S. 27—46, S. 44—46
K 85* Hellmuth SCHUNKE. In: Breslauer Zeitung, Nr. 207; 1927 *
K 86 Erik-Ernst SCHWABACH, *Neue erzählende Literatur.* In: Zeitschrift für Bücherfreunde, N. F., 19. Jg., H. 5; September/Oktober 1927; Beibl., Sp. 207—212, Sp. 207 f
K 87 Wolf ZUCKER, *Döblins Epos.* In: WB, 23. Jg., Nr. 21; 24. 3. 1927; S. 832 f

## l) Berlin Alexanderplatz

K 88 E. ACKERKNECHT. In: Bücherei und Bildungspflege, Stettin, 9. Jg.; 1929; H. 6, S. 454 f
K 89 Julius BAB, *Hauptmann und Döblin.* (Zu „Berlin Alexanderplatz" und „Buch der Leidenschaft"). In: Die Hilfe, 36. Jg., Nr. 1; 4. 1. 1930; S. 17—20
K 90 Ders., *Weg der Erneuerung.* In: Der Morgen, Berlin, 5. Jg., H. 6; Februar 1930; S. 640—649, S. 642—644
K 91 Bertha BADT-STRAUSS, *Jüdische Motive in neuen Büchern.* In: Jüdische Rundschau, Berlin, 35. Jg., Nr. 30; 16. 4. 1930; S. 214
K 92 Walter BENJAMIN, *Krisis des Romans.* In: Die Gesellschaft, 7. Jg., H. 6; Juni 1930; S. 562—566
Jetzt in: Ders., *Angelus Novus.* Ausgewählte Schriften 2. Frankfurt a. M. 1966, S. 437—443
K 93 Félix BERTAUX, *Lectures allemandes.* In: La Nouvelle Revue Francaise, Bd. 35; 1930; S. 128—133, S. 130 f
K 94 Franz BLEI. In: Q, 9. Jg., H. 11; November 1929; S. 826
K 95 Bernard von BRENTANO, *Keine Erschaffung von Menschen mehr.* In: Der Scheinwerfer, Essen, 3. Jg., H. 12; März 1930; S. 15—17
K 96 Günther DEHN, *„Hammerschläge" gegen das Ich.* In: Eckart, 6. Jg.; 1930; S. 122—126
K 97 Axel EGGEBRECHT, *Alfred Döblins neuer Roman.* In: LW, 5. Jg., Nr. 45; 8. 11. 1929; S. 5 f
K 98 Fritz ENGEL. In: C.-V.-Zeitung, 8. Jg., Nr. 51; 20. 12. 1929; S. 685 f
K 99 E. Kurt FISCHER. In: Leipziger Neueste Nachrichten; 11. 12. 1929; Nr. 345, S. 2
K 100 Christian Otto FRENZEL. In: Die Tide. Niederdeutsche Heimatblätter, 6. Jg., H. 11; November 1929; S. 492
K 101 Hans E. FRIEDRICH. In: Die Christliche Welt, Gotha, 43. Jg., Nr. 24; 14. 12. 1929; Sp. 1224

K 102 Willy HAAS, *Bemerkungen zu Alfred Döblins Roman „Berlin Alexander-platz"*. In: NR, 40. Jg.; 1929; Bd. II, S. 835—843

K 103 Franz HERWIG, *Neue Romane*. In: H, 27.Jg.; 1929/30; Bd. 1, S. 262—265, S. 263 f

K 104 Herbert IHERING, *Döblins Heimkehr. Berlin Alexanderplatz*. In: BBC, Nr. 591; 1929

K 105 Hans Henny JAHNN. In: Der Kreis, Zeitschrift für künstlerische Kultur, 6. Jg., H. 12; Dezember 1929; S. 735

K 106* Hans Christoph KAERGEL, *Döblins neuer Roman*. In: Schlesische Zeitung, Nr. 639; 1929 *

K 107 Erich KÄSTNER, *Döblins Berliner Roman*. In: Das deutsche Buch, Leipzig, 9. Jg.; 1929; S. 357 f

K 108 H. W. KEIM, *Neue Prosa I*. In: Deutsche Rundschau; 1929; S. 243—248, S. 248

K 109 Ferdinand LION, *Doeblin, Berlin-Alexander-Platz (Skizze)* In: Ders., *Geheimnis des Kunstwerks*. Stuttgart/Berlin 1932, S. 68—70

K 110 Hugo MAUERHOFER. In: Der Bund, Bern, 80. Jg., Nr. 573; 8. 12. 1929

K 111 Wilhelm MICHEL. In: SL, 31. Jg., H. 4; April 1930; S. 181 f

K 112 Friedrich MUCKERMANN (S. J.). In: Der Gral, 25. Jg., H. 2; November 1930; S. 137—139

K 113 Walter MUSCHG, *Ein Stoß Bücher*. In: Schweizerische Monatshefte für Politik und Kultur, Zürich, 10. Jg. 1930/31; S. 46—49, S. 48 f

K 114 Klaus NEUKRANTZ. In: Die Linkskurve, 1. Jg.; 1929; Nr. 5, S. 30 f

K 115 Balder OLDEN. In: TB, 10. Jg., H. 45; 9. 11. 1929; S. 1880—1882 und 1887 f

K 116 Bernhard RANG. In: Hefte für Büchereiwesen, Leipzig, Bd. 13; 1929; S. 538—540

K 117 Max RYCHNER, *Anmerkungen zur Literatur*. In: Neue Schweizer Rundschau, 22. Jg.; 1929; S. 881—911, S. 906

K 118 G. K. S. In: Deutsche Republik, Berlin/Frankfurt a. M., 4. Jg., H. 7; 16. 11. 1929; S. 222 f

K 119 Fritz SCHULTE TEN HOEVEL, *Döblins „Biberkopf" oder Die Krise der Literatur*. In: Der Scheinwerfer, Essen, 3. Jg., H. 12; März 1930; S. 17—20

K 120 W. SCHWEISHEIMER. In: Münchner Neueste Nachrichten, 82. Jg., Nr. 322; 26. 11. 1929; S. 7

K 121 Hans SOCHACZEWER, *Der neue Döblin*. In: BT, 58. Jg., Nr. 492; 18. 10. 1929

K 122 S. STANG (S. J.). In: Stimmen der Zeit, Freiburg i. Br., 120. Band; 1931; S. 77 f

K 123 Karl STRECKER, *Neues vom Büchertisch*. In: Velhagen und Klasings Monatshefte, 44. Jg., H. 5; Januar 1930; S. 571—574, S. 572 f

K 124 A. VALETON. In: Schlesische Monatshefte, Breslau, 7. Jg.; 1930; S. 42 f

K 125 M. W. In: Die Stimme der Freiheit, Berlin, 2. Jg.; 1930; Nr. 2, S. 32

K 126 Lutz WELTMANN, *Hier schreibt Berlin.* (Zu D 69). In: L, 32. Jg.; 1929/30; S. 128

K 127 Bruno E. WERNER, *Magie über dem Alexanderplatz.* In: Deutsche Allgemeine Zeitung, Nr. 494/495; 1929

K 128 Wilhelm WESTECKER. In: BBC; 15. 11. 1929; Nr. 268

K 129 Friedrich WOLF, *Dokumente der Zeit.* In: L, 32. Jg.; 1929/30; S. 194 f

K 130 H. A. WYSS, *Ein neuer Roman Alfred Döblins.* In: Neue Zürcher Zeitung, 150. Jg., Nr. 2162; 8. 11. 1929

K 131 Hans-Caspar von ZOBELTITZ, *Neues vom Büchermarkt.* In: Daheim, Leipzig/Bielefeld, 66. Jg., Nr. 24; 13. 3. 1930; S. 7 f

K 132 o. Verf. In: Menorah. Jüdisches Familienblatt für Wissenschaft, Kunst und Literatur, Wien, 8. Jg.; 1930; S. 201

K 133 o. Verf. In: The Times, London, Times Literary Supplement, Bd. 29, S. 245; 20. 3. 1930

Über den Film:

K 134 Rudolf ARNHEIM, *Zwei Filme.* In: WB, 27. Jg., Nr. 41; 13. 10. 1931; S. 572 f

K 135 Herbert IHERING, *Der Alexanderplatz-Film.* In: * BBC; 9. 10. 1931 * Jetzt in K 499, Bd. III, S. 367—369

K 136 Alfred KANTOROWICZ, *Der Film vom Franz Biberkopf.* In: LW, 7. Jg., Nr. 42; 16. 10. 1931; S. 7

Zu Übersetzungen:

K 137 Nathan ASCH, *Slums of Berlin.* In: The New Republic, New York, Bd. 68, S. 184 f; 30. 9. 1931

K 138 Karl F. GEISER, *Berlin Underworld.* In: The Nation, New York, Bd. 133, Nr. 3455; 23. 9. 1931; S. 313 f

K 139 Percy HUTCHISON, *A German Experiment in Fiction.* In: The New York Times Book Review; 13. 9. 1931

K 140 L. S. In: Rassegna nazionale, Rom, 3. Folge, Bd. 14; 1931; S. 90

K 141 Michael SADLEIR, *The soul of Berlin.* In: The New Statesman and Nation, London, N.F., Bd. 2, Nr. 43; 19. 12. 1931; S. 788 f

K 142 M. L. WAGNER, *Alfred Döblins „Berlin Alexanderplatz" in italienischem Gewande.* In: Die neueren Sprachen, 40. Bd.; 1932; S. 100—106

K 143 o. Verf., *Alexanderplatz.* In: The Times, London, Times Literary Supplement, Bd. 30, S. 1024; 17. 12. 1931

m) Die Ehe. (Uraufführung 29. 11. 1930, Studio der Kammerspiele München)

K 144 Rudolf ARNHEIM, *Döblins Oratorium.* In: WB, 27. Jg., Nr. 17; 28. 4. 1931; S. 625—627

K 145 Egbert DELPY (Zur Erstaufführung in Leipzig). In: Leipziger Neueste Nachrichten; 4. 12. 1930; Nr. 338, S. 2

K  146   A. E. In: LW, 6. Jg., Nr. 8; 21. 2. 1930; S. 3
K  147   Felix Hollaender, *Lebendiges Theater.* Berlin 1932, S. 328—332
K  148   Alfred Kerr. In: BT; 18. 4. 1931; S. 2
         Jetzt in: Ders., *Die Welt im Drama.* Hrsg. v. Gerhard Hering, Köln/
         Berlin 1954, S. 220—223
K  149   Hermann Kesten, *Zum neuen Drama.* In: WB, 27. Jg., Nr. 11;
         17. 3. 1931; S. 392—394
K  150   Tim Klein, Fritz Valentin. In: Münchner Neueste Nachrichten, 83. Jg.,
         Nr. 327; 1. 12. 1930; S. 1 f
K  151   Paul Kornfeld, *Revolution mit Flötenmusik.* In: TB, 12. Jg., H. 19;
         9. 5. 1931; S. 736—742
K  152   Alfred Mayerhofer. In: NL, 32. Jg., H. 1; Januar 1931; S. 58 f
K  153   H. Natonek, *Geld zerstört die Gemeinschaft.* In: Neue Leipziger Zei-
         tung; 4. 12. 1930; Nr. 338
K  154   Hilde Obermaier-Schoch, *Um die Ehe.* In: Die Frau, Berlin, 38. Jg.,
         H. 9; Juni 1931; S. 527—531
K  155   Günther Ohlbrecht, *Theaterzensur in München.* In: Die Hilfe, 37. Jg.,
         Nr. 2; 10. 1. 1931; S. 42—44
K  156   A. E. Rutra. In: LW, 6. Jg., Nr. 50; 12. 12. 1930; S. 9
K  157   Joseph Sprengler. In: L, 33. Jg.; 1930/31; S. 279
K  158   Pressestimmen in: Das deutsche Drama, Berlin, 3. Jg.; 1931; S. 253:
         a) o. Verf. In: Berliner Börsenzeitung
         b) o. Verf. In: Münchener Zeitung

n) Giganten

K  159   Axel Eggebrecht, *Döblins neuer Giganten-Roman.* In: BT, 61. Jg.,
         Nr. 257; 1. 6. 1932
K  160   Hans Meisel, *Dichtung und Klarheit.* In: VZ; 24. 4. 1932

Zur italienischen Übersetzung:

K  161   o. Verf. In: Rassegna nazionale, Rom, 3. Folge, Bd. 20; 1934; S. 421

o) Babylonische Wandrung

K  162   Hermann Kesten. In: Die Sammlung, 1. Jg., H. 12; August 1934;
         S. 660—663
K  163   Ludwig Marcuse, *Döblin über Gott und die Welt und einiges mehr.*
         In: NTB, 2. Jg., H. 22; 2. 6. 1934; S. 523 f
K  164   Albin Stübs, *Der babylonische Narziß.* In: NDB, 1. Jg., Nr. 10; Juli
         1934; S. 639—642
K  165   Werner Türk, *Döblins Wanderung.* In: Die neue Weltbühne, Prag/
         Zürich, 30. (3.) Jg., Nr. 28; 12. 7. 1934; S. 876—879
K  166 * o. Verf. In: De Hollandsche Revue, Haag, 39. Jg.; 1934; S. 383 *

p) Pardon wird nicht gegeben

K  167   Robert MINDER, *Marxisme et Psychoanalyse chez Alfred Döblin. A propos de son dernier roman: Pardon wird nicht gegeben.* In: Revue de l'enseignement des langues vivantes, Paris, 54. Jg.; 1937; S. 209—221
K  168 * o. Verf. In: De Hollandsche Revue, Haag, 40. Jg.; 1935; S. 334 *

q) Die Fahrt ins Land ohne Tod

K  169   Kurt KERSTEN. In: Das Wort, Moskau, 3. Jg., H. 1; Januar 1938; S. 135—138
K  170   Hermann KESTEN. In: NTB, 5. Jg., H. 21; 22. 5. 1937; S. 500 f
K  171   Ferdinand LION. In: MW, 1. Jg., H. 1; September/Oktober 1937; S. 141—145

r) Der blaue Tiger

K  172   Hermann KESTEN. In: NTB, 6. Jg., H. 26; 25. 6. 1938; S. 619—621
K  173   Ferdinand LION. In: MW, 2. Jg., H. 1; September/Oktober 1938; S. 120—122
K  174 * o. Verf. In: National-Zeitung, Basel; 19. 6. 1938 *

s) November 1918

1. Bürger und Soldaten 1918

K  175   A. M.  F(REY). In: MW, 3. Jg., H. 3; März/April 1940; S. 403—405
K  176   Hermann KESTEN. In: NTB, 8. Jg., H. 2; 13. 1. 1940; S. 42 f

2. Verratenes Volk

K  177   Percy ECKSTEIN, *Verratenes Volk 1918?* In: Der Standpunkt, Meran, 3. Jg., Nr. 30; 29. 7. 1949; S. 12
K  178   r(obert) h(AERDTER), *Spiegelbild mit Flecken.* In: Die Gegenwart, Freiburg i. Br., 4. Jg., Nr. 18; 15. 9. 1949; S. 22
K  179   Horst KRÜGER, *Roman einer Revolution.* In: Badische Zeitung, Freiburg i. Br., 4. Jg., Nr. 109; 15. 9. 1949; S. 6
K  180   P. LAHNSTEIN, *Alfred Döblins „November 1918".* In: Stuttgarter Zeitung; 3. 8. 1949; Nr. 130, S. 6
K  181   Horst RÜDIGER, *Politische Epik.* In: Wiener literarisches Echo, 2. Jg., H. 1; Oktober—Dezember 1949; S. 17 f

3. Heimkehr der Fronttruppen

K  182   Percy ECKSTEIN, *Alfred Döblins 1918-Roman.* In: Der Standpunkt, Meran, 4. Jg., Nr. 7; 17. 2. 1950; S. 12
K  183   Horst RÜDIGER. In: Wiener literarisches Echo, 2. Jg., H. 3; April—Juni 1950; S. 59 f

## 4. Karl und Rosa

K 184 Percy ECKSTEIN, *Döblins Sozialisten-Roman*. In: Der Standpunkt, Meran, 4. Jg., Nr. 42; 20. 10. 1950; S. 12

K 185 Curt HOHOFF, *Neue erzählende Literatur*. In: H, 43. Jg.; 1950/51; S. 174—182, S. 176 f

K 186 Horst RÜDIGER. In: Wiener literarisches Echo, 2. Jg., H. 4; Juli— Dezember 1950; S. 90 f

K 187 Karl THIEME, *Der Christ und die Revolution*. In: Michael, Düsseldorf, 8. Jg., Nr. 24; 11. 6. 1950

K 188 Egon VIETTA, *Dichtung gut — Politik mangelhaft*. In: Die Welt, Hamburg; 29. 4. 1950; Nr. 100

## 5. Zu Band 3 und 4

K 189 r(obert) h(AERDTER), *Erzählungen eines Renegaten*. In: Die Gegenwart, Freiburg i. Br., 5. Jg., Nr. 12; 15. 6. 1950; S. 21 f

## 6. Zu Band 2—4

K 190 Georg PILTZ, *Ein Christ geht durch die Zeit*. In: Sonntag, Berlin, 7. Jg., Nr. 14; 6. 4. 1952; S. 5

K 191 Felix STÖSSINGER, *Döblins Novemberrevolution*. In: Die Tat, Zürich, 15. Jg., Nr. 335; 9. 12. 1950

## t) Der Oberst und der Dichter

K 192 Carl AUGSTEIN. In: Universitas, 6. Jg., H. 6; Juni 1951; S. 689 f

K 193 Hans Georg BECK, *Alfred Döblins Heimkehr*. (Auch zu D 365). In: H, 40. Jg.; 1947/48; S. 80—85

K 194 Heinrich BERL, *Monolog und Dialog*. (Auch zu D 365). In: Merkur, 1. Jg., H. 1; 1947; S. 156—158

K 195 Hilde HERRMANN, „*Das menschliche Herz*". In: Badische Zeitung, Freiburg i. Br.; 30. 5. 1947

K 196 Herbert PFEIFFER, *Von der Macht und der Gerechtigkeit*. In: Der Tagesspiegel, 3. Jg., Nr. 81; 6. 4. 1947

K 197 Egon VIETTA, *Rhapsodie der Versöhnung*. In: Die Zeit, 2. Jg., Nr. 5; 30. 1. 1947; S. 6

## u) Hamlet oder Die lange Nacht nimmt ein Ende

K 198 J. F. ANGELLOZ, *La destinée douloureuse d'Alfred Döblin (1878—1957)*. In: Mercure de France, Paris. Bd. 331; September—Dezember 1957; S. 310—312

K 199 P. H. BECHER, *Unruhe und Aufsehen. Alfred Döblin und sein letzter Roman. — Ein menschliches Zeugnis*. In: Echo der Zeit, Recklinghausen; 16. 2. 1958; Nr. 7, S. 11

K 200 Hans Peter BLEUEL, *Edward, der moderne Hamlet. Eine Betrachtung über das Schaffen Alfred Döblins.* In: Buch und Leben (Hrsg. v. Europäischen Buchklub), Stuttgart, 11. Jg., H. 3; März 1960; S. 4—8

K 201 Günther BLÖCKER, *Die lange Nacht der Lüge. Zu Alfred Döblins Hamlet-Roman.* In: Der Tagesspiegel, Berlin, 13. Jg., Nr. 3697; 3. 11. 1957; S. 31
Jetzt in: *Ders., Kritisches Lesebuch.* Hamburg 1962, S. 29—32

K 202 — e —, *Das Ende von Döblins „Hamlet".* In: FAZ; 13. 2. 1959

K 203 * erb., *Hamlet vom Alexanderplatz. Zum 80. Geburtstag Alfred Döblins am 10. August.* In: Wochenzeitung Kunst und Gemeinschaft, Nr. 32; August 1958; S. 13 *

K 204 Reinhard FEDERMANN, *Der Mensch in der Katastrophe. Zu drei neuen Romanen.* In: Forum, Österreichische Monatsblätter für kulturelle Freiheit, Wien, 5. Jg., H. 49; Januar 1958; S. 32 f

K 205 Walter Helmut FRITZ. In: Zeitwende, Die neue Furche, Hamburg, 29. Jg.; 1958; S. 412 f

K 206 Ch. FUNKE, *Denn ich will Redlichkeit.* In: Der Morgen, Berlin, 12. Jg., Nr. 293; 15. 12. 1956; S. 4

K 207 Fred GENSCHMER. In: Books abroad, 32. Bd., Nr. 3, S. 259 f; 1958

K 208 Wolfgang GRÖZINGER, *Der Roman der Gegenwart.* In: H, 49. Jg.; 1956/57; S. 574—582, S. 574—576

K 209 h-, *Auf dem Mond?* In: Berliner Zeitung, (Ost-)Berlin; 6. 8. 1957; Nr. 180

K 210 Karl August HORST. In: Merkur, 11. Jg.; 1957; S. 886—890

K 211 hs., *Döblins Hamlet.* In: Stuttgarter Zeitung; 26. 10. 1957

K 212 Werner ILBERG, *Optimismus — trotz alledem.* In: Neue deutsche Literatur, Berlin, 5. Jg., H. 3; März 1957; S. 141—146

K 213 J. K., *Döblins doppelter Hamlet.* In: Der Kurier, Berlin, 15. Jg., Nr. 32; 7. 2. 1959; S. 4

K 214 K. H. KRAMBERG, *Wie Hamlet geheilt wurde.* In: Süddeutsche Zeitung; 30. 6. 1957; Nr. 155

K 215 Hansgeorg MAIER, *Modell einer Nachkriegsfamilie.* In: Frankfurter Rundschau, 13. Jg., Nr. 201; 31. 8. 1957

K 216 Ludwig MARCUSE, *Alfred Döblins „Hamlet".* In: FAZ; 5. 4. 1957, und in: Rhein-Neckar-Zeitung, Heidelberg, 13. Jg., Nr. 241; 17.10. 1957; S. 9
In etwas anderer Anordnung u. d. T. *Döblins Hamlet. Und ein Rat an die Adresse des Nobelpreis-Komitees* in: Aufbau, New York; 22. 2. 1957; S. 10 und 12

K 217 DERS., *Alfred Döblins letzter Roman / Zum Tode des Dichters.* In: Stuttgarter Zeitung; 1. 7. 1957

K 218 DERS., *Döblin, Hamlet, Ost und West.* In: Die Zeit, 12. Jg., Nr. 44; 31. 10. 1957; S. 8 f

K 219 Marga E. BAUMER (Leserbrief), Ludwig MARCUSE (Antwort). In: Die Zeit, 12. Jg., Nr. 51; 19. 12. 1957; S. 24

K 220   Ludwig Marcuse, *Döblin-Fälschung? Ludwig Marcuse stellt richtig.* In: Die Zeit, 14. Jg., Nr. 13; 26. 3. 1959; S. 7

K 221   Robert Minder. In: Allemagne d'aujourd'hui, Paris; März—April 1957; Nr. 2, S. 119 f

K 222   Walter Muschg, *Alfred Döblins letzter Roman.* In: Texte und Zeichen, 3. Jg.; 1957; S. 309—315
Jetzt umgearbeitet in D 118, S. 577—582

K 223   Claus Pack, *Döblin: Es führt kein Weg zurück.* In: Wort und Wahrheit, Freiburg i. Br., 12. Jg.; 1957; S. 794

K 224   Ludwig Pesch, *Der langen Nacht ein Ende?* In: FH, 13. Jg., H. 11; November 1958; S. 804—808

K 225   Karl Rauch, *Alfred Döblins letzter Roman. Ein Meister der Tiefenpsychologie.* In: Telegraph, Berlin, Beil.: „Literatur der Zeit", 12. Jg., Nr. 274/12; 24. 11. 1957

K 226   Benno Reifenberg, *Döblin zum letztenmal.* In: Die Gegenwart, 13. Jg., S. 117 f; 22. 2. 1958

K 227   Wolfgang Rothe, (Zuschrift). In: FH, 14. Jg., H. 3; März 1959; S. 227

K 228   Wolfgang Schimming, *Er wählte Wahrheit und Einsamkeit.* In: Der Kurier, Berlin, 14. Jg., Nr. 27; 1./2. 2. 1958; S. 10

K 229   Georges Schlocker, *Nicht Hamlet — Kolumbus.* In: Neue Zürcher Zeitung, 179. Jg., Nr. 185; 8. 7. 1958; Bl. 6

K 230   A. T., *Geprüft.* (Zu K 218 und 219). In: Die Welt; 6. 2. 1959; Nr. 31, S. 6

K 231   Helmut Uhlig, *Leben, stärker als wir.* In: Der Tag, Berlin; 10. 11. 1957; S. 6, und, leicht verändert, in: Die Bücher-Kommentare, 6. Jg., Nr. 4; 20. 11. 1957; S. 1

K 232   Walter Widmer, *Von Biberkopf zu Hamlet.* In: National-Zeitung, Basel; 30. 11. 1957; Nr. 554

2. Philosophische, politische, autobiographische Schriften

a) Linke Poot, Der deutsche Maskenball

K 233   Hanns Brodnitz. In: BT; 12. 3. 1922

K 234   Moritz Goldstein, *Thomas Mann und Linke Poot.* In: VZ; 29. 1. 1922; Nr. 49

K 235   Ignaz Wrobel (= Kurt Tucholsky), *Der rechte Bruder.* In: WB, 18. Jg., Nr. 4; 26. 1. 1922; S. 104
Jetzt in K 514, Bd. I, S. 901 f

b) Staat und Schriftsteller

K 236*  Hanns Margulies, *Der Schriftsteller und der Staat.* In: Die Waage, Wien, 2. Jg.; 1921; Nr. oder S. 30 *

c) Der Geist des naturalistischen Zeitalters

K 237   F. Charitius, *Alfred Döblin und sein „naturalistisches Zeitalter".* In: Das humanistische Gymnasium, 37. Jg.; 1926; S. 19—22

d) Die beiden Freundinnen und ihr Giftmord

K 238 Erich Ebermayer. In: L, 27. Jg.; 1924/25; Sp. 632 f
K 239 Richard Euringer. In: SL, 26. Jg., Nr. 8; August 1925; S. 365 f
K 240 Gerö. In: Imago, Wien, Bd. 13; 1928; S. 524 f
K 241 Gerhart Pohl, *Außenseiter der Gesellschaft.* In: Die Neue Bücherschau, 5. Jahr, 3. Folge, 4. Schrift; 1925; S. 33—35
K 242 Hans Rubin. In: Zeitschrift für Sexualwissenschaft, Bonn/Berlin, Bd. 12, H. 3; Juni 1925; S. 98
K 243 Hans Siemsen. In: WB, 21. Jg., H. 10; 10. 3. 1925; S. 360 f
K 244 Wilhelm Stekel, *Medizinische Psychologie, Psychotherapie, Psychoanalyse und Sexualwissenschaft.* In: Medizinische Klinik, Berlin, 22. Jg., Nr. 4; 22. 1. 1926; S. 148—150, S. 148

e) Reise in Polen

K 245 M. Albin. In: Deutsche Rundschau, Bd. 208; Juli—September 1926; S. 82—84
K 246 Ernst Blass, *Döblins Polenbuch.* In: NR, 37. Jg.; 1926; Bd. I, S. 334 f
K 247 Hans Bloch, *Die Reise zu den Juden.* In: Jüdische Rundschau, Berlin, 31. Jg., Nr. 6; 22. 1. 1926; S. 44
K 248 Richard Euringer. In: SL, 28. Jg., H. 6; Juni 1927; S. 270
K 249 Alfons Hayduck. In: Der Oberschlesier, Oppeln, 10. Jg.; 1928; H. 3, S. 163—165
K 250 Walter Hoyer. In: Hefte für Büchereiwesen, Wien/Leipzig, Bd. 12; 1928; H. 3, S. 194—196
K 251 Jh. In: Deutsche Blätter in Polen, Posen, 8. Jg., H. 2; Februar 1931; S. 109 f
K 252 Hermann Rauschning. In: ebd., 3. Jg., 1926; S. 142 f
K 253 Joseph Roth, *Döblin im Osten.* In: FZ; 31. 1. 1926
K 254 Erik-Ernst Schwabach, *Erzählende Prosa.* In: Zeitschrift für Bücherfreunde, N. F., 18. Jg., H. 2; März/April 1926; Beibl., S. 62—65, S. 62 f
K 255 Hermann Sternbach. In: L, 28. Jg.; 1925/26; S. 377 f

f) Das Ich über der Natur

K 256 Bircher. In: Schweizerische Medizinische Wochenschrift, Basel, 9. Jg., Nr. 36; 8. 9. 1928; S. 908
K 257 Axel Eggebrecht. In: LW, 3. Jg., Nr. 51/52; 22. 12. 1927; S. 5
K 258 Hans Ehrenberg. In: Eckart, 4. Jg., H. 10; Oktober 1928; S. 406—410
K 259 Richard Grande. In: SL, 29. Jg., H. 10; Oktober 1928; S. 492 f
K 260 Ernst Heilborn, *Empirische Mystik.* In: L, 30. Jg.; 1927/28; S. 195 f
K 261 J. M. Lange, *Driesch und Döblin.* In: WB, 23. Jg., Nr. 51; 20. 12. 1927; S. 947 f
K 262 W. M. In: Schlesische Monatshefte, Breslau, 5. Jg.; 1928; S. 411
K 263 Werner Milch. In: BT, 56. Jg., Nr. 591; 15. 12. 1927

g) Geleitwort zu Mario von Bucovich, „Berlin"

K 264 A. H. In: LW, 5. Jg., Nr. 13/14; 28. 3. 1929; S. 8


h) Alfred Döblin. Im Buch — Zu Haus — Auf der Straße

K 265 Erich FRANZEN, *Alfred Döblin zum 50. Geburtstag. Vorgestellt von Alfred Döblin und Oskar Loerke.* In: Die Neue Bücherschau; 6. Jg.; 1928; S. 483 f


i) Wissen und Verändern!

K 266 J.-J. ANSTETT, *Le rôle social des intellectuels d'après Döblin.* In: Revue d'Allemagne, Paris, 5. Jg., Nr. 48; 15. 10. 1931; S. 947—950

K 267 Rudolf ARNHEIM, *Eine gefährliche Antwort.* In: VZ; 24. 3. 1931

K 268 Gertrud BÄUMER, *Humanismus militans.* In: Die Hilfe, 37. Jg., Nr. 32; 8. 8. 1931; S. 770 f

K 269 Richard BENZ, *Erziehung durch Bücher?* In: Kölnische Zeitung; 14. 10. 1931; Nr. 561

K 270 Félix BERTAUX, *Littérature Allemande.* In: La Nouvelle Revue Francaise, Bd. 36; 1931; S. 614—620; S. 618

K 271 Richard BIEDRZYNSKI, *Wo steht die Jugend?* In: Deutsche Zeitung, Berlin; 22. 3. 1931; Nr. 69, Beil., S. 9

K 272 Bernard von BRENTANO, *Ein gepolstertes Ruhekissen.* In: Der Scheinwerfer, Essen, 4. Jg., H. 12; März 1931; S. 19—21

K 273 Axel EGGEBRECHT, *Alfred Döblin gibt Antwort.* In: BT, 60. Jg., Nr. 98; 27. 2. 1931

K 274 * Charlotte HEINRICHS, *Ein Neuhumanist: Alfred Döblin.* In: Mitteilungen des Literarischen Bundes, 32. Jg.; November/Dezember 1931 *

K 275 Kurt HEUSER, *Der Ort des Geistigen im sozialen Kampf.* In: LW, 7. Jg., Nr. 10; 6. 3. 1931; S. 1 f

K 276 -hs-, *Wissen und Verändern. Diskussion über Döblins Buch* (Zu K 291). In: VZ; 22. 7. 1931; Nr. 173

K 277 Herbert IHERING, *Der Dichter und sein Volk.* In: BBC, Nr. 120; 1931

K 278 Armin KESSER, *Das Labyrinth des Dr. Döblin.* In: Die Linkskurve, Berlin, 3. Jg., Nr. 9; September 1931; S. 28—30

K 279 Editha KLIPSTEIN, *Geistige Aristokratie und Massengeist.* In: Kölnische Zeitung; 26. 1. 1932; Nr. 51

K 280 Siegfried KRACAUER, *Was soll Herr Hocke tun?* In: FZ, 75. Jg., Nr. 281—283; 17. 4. 1931; S. 11

K 281 Fritz LEVINGER. In: Neue Blätter für den Sozialismus, Potsdam, 2. Jg.; 1931; S. 580—582

K 282 G. M. In: Paneuropa, Wien, 7. Jg.; 1931; S. 280

K 283 H. de MAN, *Entscheidung eines Geistigen.* In: Neue Blätter für den Sozialismus, Potsdam, 2. Jg., H. 5; Mai 1931; S. 247 f

K 284 J. P. Mayer, *Romancier / Intelligenz / Sozialismus.* In: Vorwärts, 48. Jg., Nr. 216; 10. 5. 1931

K 285 Samuel Saenger, *Führer und Verführer.* In: NR, 42. Jg.; 1931; Bd. I, S. 559—567

K 286 Hermann Schafft. In: Eckart, 7. Jg., H. 11; November 1931; S. 467—477

K 287 Ernst Schwenk, *Offene Briefe an einen jungen Menschen.* In: Q, 11. Jg., H. 12; Dezember 1931; S. 860

K 288 Karl Thieme. In: Neuwerk, Kassel, 13. Jg.; 1931/32; S. 250—252

K 289 F. Wagner. In: Der Gral, 28. Jg.; 1933/34; S. 48

K 290 o. Verf. In: Zeitschrift für Bücherfreunde, N. F., 23. Jg., H. 3; Mai/Juni 1931; Beibl., Sp. 142 f

K 291 *Offene Ausspache über „Wissen und Verändern".* In: NR, 42. Jg.; 1931; Bd. II, S. 71—99

a) Herbert Blank, *Zielsetzung?,* S. 91—94

b) Ludwig Gött, *Der geistige Mensch und sein sozialer Beruf.* S. 76—82

c) Kurt Heuser, *Glauben und Verändern.* S. 86—91

d) Siegfried Kracauer, *Minimalforderung an die Intellektuellen.* S. 71—75

e) Klaus Mehnert, *Das Kollektiv auf dem Vormarsch.* S. 82—85

f) Viktor Zuckerkandl, *Alte und neue Bildung.* S. 94—99

j) Unser Dasein

K 292 Herbert Marcuse. In: Zeitschrift für Sozialforschung, Paris, 2. Jg.; 1933; H. 2, S. 273

k) Jüdische Erneuerung

K 293 Anthonie Donker. In: Gids, Amsterdam, 97. Jg.; 1933; S. 352—354

K 294 Sam. Goudsmit. In: Groot-Nederland, Amsterdam, 33. Jg.; 1935; S. 316—319

K 295 Otto Heller, *Das dritte Reich Israel.* In: NDB, 1. Jg., Nr. 5; Januar 1934; S. 304—313

K 296 Maria Lazar, *Die Infektion des Doktor Döblin.* In: NDB, 1. Jg., Nr. 6; 15. 2. 1934; S. 380—383

K 297 Heinz Raabe, *Döblins Judenbuch.* In: NTB, 1. Jg.; H. 16; 14. 10. 1933; S. 385 f

K 298 o. Verf., *Bücher zur Judenfrage.* In: Deutsche Zeitung Bohemia, Prag; 14. 1. 1934

l) Flucht und Sammlung des Judenvolks

K 299 Werner Türk, *Alfred Döblin.* In: Die Neue Weltbühne, 32. (5.) Jg.; 1936; Nr. 14, S. 432—435

m) Die deutsche Literatur (im Ausland seit 1933)

K 300 Ferdinand Lion. In: MW, 2. Jg., H. 6; Juli/August 1939; S. 854—858
K 301 Lawrence Thompson. In: Books abroad, 13. Jg.; 1939; S. 323
K 302 F. C. W. Weiskopf, *Erkenntnis und Kurzschluß.* * o. O., 1938 *
Jetzt in: Ders., *Gesammelte Werke*, Bd. VIII, Berlin 1960, S. 117—123

n) Der unsterbliche Mensch

K 303 Alfons Erb, *Un dialogue sur Dieu et sur l'homme.* In: Documents, Offenbourg en Bade, Cah. 3; 1947; Nr. 18, S. 5—12
K 304 E(ugen) K(ogon) und Reinhold Schneider. In: FH, 1. Jg., H. 9; Dezember 1946; S. 892 f und 893—895
K 305* Jacob Paludan, *Alfred Döblins Omvendelsesbog.* In: Ders., *Skribenter paa Yderposter. Redegøzelser og Debatter*, København 1949, S. 21—29 *

Vgl. auch K 193 und K 194

o) Die literarische Situation

K 306 Karlheinz Gehrmann. In: Muttersprache, Lüneburg; 1949; S. 190 f

p) Schicksalsreise

K 307 Bodo Uhse, *Notizen zu Döblins Schicksalsreise.* In: Aufbau, Berlin, 13. Jg.; 1957; H. 2, S. 160—163

q) Minotaurus

K 308 Harold von Hofe. In: Books abroad, Bd. 28; 1954; Nr. 3, S. 329
K 309 Gustav Konrad. In: Welt und Wort, Tübingen, 9. Jg.; 1954; S. 279
K 310 Peter Silens, *Dankt die Dichtung ab?* In: Telegraf, Berlin; 23. 5. 1954; Nr. 109

b) Zu Neuauflagen

a) Die Ermordung einer Butterblume (D 45)

K 311 Curt Hohoff, *Quer durch Döblins Prosa.* In: Süddeutsche Zeitung; 12./13. 1. 1963

b) Die drei Sprünge des Wang-lun (D 111)

K 312 Josef Halperin, *Alfred Döblin — ein literarhistorisches Rätsel.* In: Weltwoche, Zürich, 28. Jg.; 1960; Nr. 1393, S. 5
K 313 Karl August Horst, *„Daß ich nicht vergesse".* In: FAZ; 6. 8. 1960; Nr. 182
K 314 K. H. Kramberg, *Gefangene der Sprache.* (Auch zu D 110). In: Süddeutsche Zeitung; 7./8. 1. 1961

c) Wallenstein (D 117)

K  315  Hans-Albert WALTER, *Zwischen Marx und Mystik.* In: FH, 21. Jg.; 1966; H. 6, S. 430—432

d) Manas (D 114)

K  316  Karl August HORST, *„Tot gewesen! Wiedergekommen!"* In: FAZ; 27. 1. 1962; Nr. 23, Literaturblatt
K  317  Hans-Dietrich SANDER, *Souverän und Untertan zugleich.* In: Die Welt, Hamburg; 3. 2. 1962; Nr. 29

e) Berlin Alexanderplatz (D 112)

K  318  Hans DAIBER, *Der „Alex" als Thema und Schicksal.* In: Deutsche Zeitung mit Wirtschaftszeitung, Köln, 16. Jg., Nr. 256; 4./5. 11. 1961; Literatur-Rundschau, S. 2
K  319  Curt HOHOFF, *Alexanderplatz.* In: Süddeutsche Zeitung; 30. 9. 1961; Nr. 234

f) Pardon wird nicht gegeben (D 110)

K  320  Karl August HORST, *Unterm Hammer.* In: FAZ; 31. 12. 1960; Nr. 306
Vgl. auch K 314

g)  Südamerika-Trilogie (D 105—107)

K  321  Hanns BRAUN, *Von der Unbegreiflichkeit Gottes.* (Über Bd. 1 und 2). In: H, 41. Jg.; 1948/49; S. 93—95
K  322  Percy ECKSTEIN, *Paraguay, Alexanderplatz.* (Über Bd. 2). In: Der Standpunkt, Meran, 3. Jg., Nr. 27; 8. 7. 1949; S. 12
K  323  Hans GUMTAU. (Über Bd. 2). In: Aufbau, Berlin, 4. Jg.; 1948; H. 8, S. 718
K  324  Fritz KNÖLLER. (Über Bd. 1—3). In: Universitas, 6. Jg., H. 9; September 1951; S. 1027 f

h) Die Zeitlupe (D 572)

K  325  Karl August HORST, *Döblins Journal.* In: FAZ; 14. 7. 1962; Nr. 161

k)  Zur Neuausgabe im Walter-Verlag

K  326  Manfred DURZAK, *Literarisches WC. Zu der elfbändigen Döblin-Ausgabe.* In: Die Zeit, 23. Jg., Nr. 39; 27. 9. 1968; S. 26
K  327  Elisabeth ENDRES, *Zur neuen Döblin-Ausgabe.* In: NR; 1966; S. 653—658

## II. Geburtstagsartikel, Nachrufe, Gedenkaufsätze

a) 10. 8. 1928

K 328* Ernst Blass, *Alfred Döblins Romane.* In: Königsberger Allgemeine Zeitung; 3. 8. 1928; Nr. 361, Literaturbeilage *

K 329 * H. E. In: Junge Welt, Luxemburg, I, 4; 1928 *

K 330 Hanns Martin Elster, *Arzt, Philosoph und Dichter.* In: Hannoversches Tageblatt; 10. 8. 1928; und, etwas abgeändert, in: Braunschweigische Landeszeitung; 5. 8. 1928
* Auch in: Breslauer Zeitung; 10. 8. 1928; Kölnische Zeitung; 1928; Nr. 400, und Hartung'sche Zeitung, Königsberg; 10. 8. 1928 *

K 331 * W. Freytag. In: Ostseezeitung, Stettin; 11. 8. 1928 *

K 332 Victor Goll. In: Mecklenburgische Zeitung, Schwerin; 9. 8. 1928

K 333 * Bernard Guillemin. In: Hannoverscher Kurier; 10. 8. 1928; und BBC; 1928; Nr. 371 *

K 334 Kaspar Hauser (= Kurt Tucholsky), *Konfusion um Zeisig. Zu Linke Poots nächstem 50. Geburtstag.* In: WB, 25. Jg., Nr. 38; 18. 9. 1928; S. 451 ff
Jetzt in K 514, Bd. II, S. 1237—1240

K 335 Walter Heynen, *Döblin wird fünfzig.* In: Preußische Jahrbücher, Bd. 213; 1928; H. 3, S. 362—366

K 336 Hermann Kasack. In: LW, 4. Jg., Nr. 32; 10. 8. 1928; S. 1 f

K 337 Rudolf Kayser. In: BT, 57. Jg., Nr. 374; 9. 8. 1928

K 338 Wilhelm Meridies. In: Rhein-Mainische Volkszeitung, Frankfurt a. M.; 10. 8. 1928; Kulturelle Beilage, Nr. 23

K 339 Kurt Müno. In: Deutsche Allgemeine Zeitung, Berlin, 67. Jg., Nr. 369/70; 10. 8. 1928; Beiblatt

K 340 W. N. In: Neues Tageblatt, Stuttgart; 1928; Nr. 373

K 341 * F. Scherret. In: Volksstimme, Frankfurt a. M.; 8. 8. 1928 *

K 342 Heinz Stroh. In: Berliner Börsenzeitung; 9. 8. 1928; Nr. 185

K 343 * H. Sturm, *Döblin der Fünfzigjährige.* In: Dresdner Anzeiger; 8. 8. 1928 *

K 344 * Heinrich Taschner. In: Barmer Zeitung; 1928; Nr. 184, Literaturblatt *

K 345 * Paul Wittko. In: Hamburgischer Correspondent; 1928; Nr. 371 *

K 346 Arnold Zweig, *Alfred Döblin 50 Jahre?* In: Jüdische Rundschau, Berlin, 33. Jg., Nr. 63; 10. 8. 1928; S. 454

K 347 * o. Verf. In: Aachener Post; 7. 8. 1928 *

K 348 * o. Verf. In: Magdeburger General-Anzeiger; 10. 8. 1928 *

K 349 * o. Verf. In: Generalanzeiger für Stettin; 10. 8. 1928 *

b) 10. 8. 1938

K 350 J. G. In: Das Wort, Moskau, 3. Jg., H. 9; September 1938; S. 140

K 351 * Julius Hay. In: Deutsche Zentralzeitung, Moskau; 11. 8. 1938 *

K 352 K(urt) K(ERSTEN), *Alfred Döblin 60jährig.* In: Deutsche Volkszeitung, Paris/Prag/Kopenhagen, 3. Jg., Nr. 34; 21. 8. 1938; S. 7

K 353 Hermann KESTEN. In: NTB, 6. Jg., H. 33; 13. 8. 1938; S. 784 f
Später in K 362, S. 139—143

K 354 * Ludwig MARCUSE. In: Pariser Tageszeitung; 14. 8. 1938 *

K 355 o. Verf. In: Prager Presse; 18. 8. 1938; S. 8

c) 10. 8. 1943

K 356 Heinrich MANN, *Der Dichter Alfred Döblin.* * In: Freies Deutschland, Mexiko; Dezember 1943 *
Jetzt in: DERS., *Ausgewählte Werke in Einzelausgaben*, Bd. 13, Berlin 1962, S. 493—496
U. d. T. *Für Alfred Döblin* in K 362, S. 9—11

K 357 Thomas MANN, *An Alfred Döblin.* In: DERS., *Altes und Neues*, Frankfurt a. M. 1953, S. 778—780

d) 10. 8. 1948

K 358 Wolfgang GROTHE, *Döblin oder der Durchbruch zu Gott.* In: Hannoversche Neueste Nachrichten, 5. Jg., Nr. 90; 5. 8. 1948

K 359 Henri JOHANSEN, *Zwischen Ratio und Metaphysik.* In: Aufbau, Berlin, 4. Jg.; 1948; H. 8, S. 699—701

K 360 Hermann KESTEN, *Alfred Döblin mit 70.* In: Die Neue Zeitung, München, 4. Jg., Nr. 64; 11. 8. 1948

K 361 Ernst KREUDER, *Zum 70. Geburtstag Alfred Döblins: Schriftstellerei und Dichtung.* In: Der Dreiklang, Flensburg, 3. Jg.; 1948; S. 294—296

K 362 *Alfred Döblin zum 70. Geburtstag.* Hrsg. v. Paul E. H. LÜTH, Wiesbaden 1948

a) Johannes R. BECHER, *Gruß an Alfred Döblin.* S. 8
Jetzt in D 576, S. 5

b) Heinrich BERL, *Deutsche und Franzosen suchen sich zu verständigen.* S. 24—26

c) Wolfgang GROTHE, *Alfred Döblin und die Jugend.* S. 31—33

d) Hermann KASACK, *Begegnungen mit Alfred Döblin.* S. 18—23
Erweitert in: DERS., *Mosaiksteine*, Frankfurt a. M. 1956, S. 275—288

e) Walter von MOLO, *Erinnerung an die Akademie-Zeit.* S. 12—17

f) Gerhart POHL, *Vollendung.* S. 100 f
Auch in: Schweizer Rundschau, Einsiedeln, 48. Jg.; 1948/49; S. 357 f

g) Reinhold SCHNEIDER, *An Alfred Döblin.* (Sonett). S. 7

h) Günther WEISENBORN, *Döblin im Stroh.* S. 29 f
Erweitert u. d. T. *Alfred Döblins Rückkehr* in: Hinweise und Huldigungen, Jahrbuch der Freien Akademie der Künste in Hamburg 1964,

S. 121–123, sowie in: DERS., *Der gespaltene Horizont*. München, Wien, Basel 1964, S. 79–82

i) Wolfgang WEYRAUCH, *Über Alfred Döblin*. S. 27 f

j) Paul WIEGLER, *Alfred Döblin*. S. 34 f
Außerdem nicht auf Döblin bezügliche Beiträge von Walter A. BERENDSOHN, Walter BRUGGER, S. J., Albert EHRENSTEIN, Otto FLAKE, Wilhelm LEHMANN, Will-Erich PEUCKERT
sowie K 353, 356, 402, 417, 425, 596, 601 und D 501, 518, 293

K 363 Philipp MARTELL, *Vom Alexanderplatz zu Gott*. In: Weltkugel, Berlin, 1. Jg.; 1948; Nr. 10, S. 27 f

e) 10. 8. 1953

K 364 Martin KESSEL, *Das Wagnis Döblins*. In: Die Neue Zeitung, München, 9. Jg., Nr. 186; 8. 8. 1953

K 365 Ernst KREUDER, *Alfred Döblin — privat. Erinnerungen zu seinem 75. Geburtstag*. In: Die Neue Zeitung, München, 9. Jg., Nr. 187; 10. 8. 1953

K 366 Ludwig MARCUSE, *Gebt Alfred Döblin den Nobel-Preis! Zum 75. Geburtstag des Dichters*. In: Aufbau, New York, Bd. 19. Nr. 36; 4. 9. 1953

K 367 DERS., *Alfred Döblin at Seventy-five*. In: Books abroad, 28. Jg.; 1954; S. 179 f

K 368 Walter von MOLO, *Epiker und Ethiker. Alfred Döblin zum 75. Geburtstag*. In: Neue literarische Welt, Darmstadt, 4. Jg., Nr. 15; 10. 8. 1953

K 369 cel., *Über Kalifornien nach Mainz. Zu Alfred Döblins 75. Geburtstag*. In: Die Zeit, 8. Jg., Nr. 33; 13. 8. 1953; S. 3

f) 26. 6. 1957

K 370 Alexander BALDUS, *In Memoriam Alfred Döblin*. In: Begegnung, Köln, 12. Jg. Nr. 15/16; August 1957; S. 226 f

K 371 Richard CHRIST, *Alfred Döblin zum Gedenken*. In: Aufbau, Berlin, 13. Jg.; 1957; H. 8, S. 199–202

K 372 Helmut A. FIECHTNER, *Alfred Döblins Schicksalsreise*. In: Die Furche, Wien, 13. Jg.; 1957; Nr. 29, Beilage

K 373 Peter GOCHT, *Der reine Weg*. In: Berliner Medizin, 8. Jg., H. 16; 25. 8. 1957; S. 349–351

K 374 Werner ILBERG, *Auf der Suche nach der Wahrheit*. In: Neue deutsche Literatur, Berlin, 5. Jg.; 1957; H. 8, S. 157–159

K 375 Walter JENS, *Alfred Döblin*. In: Jahresring 1958/59, S. 305–312

K 376 Ernst JOHANN, *Die Gruppen-Seele als Romanheld*. In: FAZ; 1. 7. 1957; Nr. 148, S. 10

K 377 K. H. KRAMBERG. In: Süddeutsche Zeitung, München; 1. 7. 1957

K 378 Ernst KREUDER, *Alfred Döblin*. In: Jahrbuch der Akademie der Wissenschaften und der Literatur in Mainz, Wiesbaden 1957, S. 147–154

K 379 Ludwig MARCUSE, *Alfred Döblin — ein Porträt. Zum Tode des Dichters am 26. Juni*. In: Aufbau, New York; 5. 7. 1957; S. 7 f

K 380 Ders., *Zurück ins trächtige Chaos. Alfred Döblin, wie ich ihn kannte und liebte.* In: Die Zeit, 12. Jg., Nr. 27; 4. 7. 1957; S. 5

K 381 Robert Minder, *A propos de notre „Hommage à Alfred Döblin".* In: Allemagne d'aujourd'hui, Paris; Juli—Oktober 1957; H. 4/5, S. 250

K 382 W. K. Pfeiler, *In Memoriam Alfred Döblin.* In: Books abroad, Bd. 32; 1958; Nr. 1, S. 17

K 383 Henry Regensteiner, *Ein Wort über Alfred Döblin.* In: Monatshefte, Bd. 49, Nr. 6; November 1957; S. 330 f

K 384 Tk. (= Kurt Lothar Tank?), *Abschied vom Kollektiv.* In: Sonntagsblatt, Hamburg; 7. 7. 1957; Nr. 27, S. 6

K 385 Gertrud Weiss, *Sein Werk ist noch lange nicht ausgeschöpft.* In: Deutsche Woche, München, 7. Jg.; 1957; Nr. 28, S. 13

K 386 o. Verf., *Zum Tode Döblins.* In: Die Gegenwart, Frankfurt a. M., 12. Jg., Nr. 14; 13. 7. 1957; S. 420

g) 26. 6. 1967

K 387 Günter Grass, *Über meinen Lehrer Döblin.* In: Akzente, 14. Jg., H. 4; August 1967; S. 290—309
Jetzt in: Ders., *Über meinen Lehrer Döblin und andere Vorträge.* Berlin 1968 (LCB-Editionen 1), S. 7—26

K 388 R. Stein, *Alfred Döblins Hamlet-Roman. Zum zehnten Todestag des Berliner Arzt-Dichters.* In: Zeitschrift für ärztliche Fortbildung, Berlin, 56. Jg.; 1967; H. 6, S. 460—463

*III. Überblicke über das Werk, Würdigungen*

K 389 Achim Anders, *„Unsere Sorge — der Mensch". Zum 80. Geburtstag von Alfred Döblin am 10. August 1958.* In: Ostdeutsche Monatshefte, Stollhamm und Berlin; August 1958; S. 701 f

K 390 Ernst Blass, *Alfred Döblin.* In: Juden in der deutschen Literatur. Hrsg. v. Gustav Krojanker, Berlin 1922, S. 71—75

K 391 Hans Georg Brenner, *Alfred Döblins Werk und die Zeit.* In: Die Neue Bücherschau, Berlin, 7. Jg., 5. Folge, 1. Schrift; 1927; S. 20—24

K 392 Arnolt Bronnen, *Die Tragödie Döblin.* In: Berliner Zeitung, (Ost-) Berlin; 8. 6. 1956; Nr. 131

K 393 Richard Christ, *Zum Spätwerk Alfred Döblins.* In: Aufbau, Berlin, 13. Jg.; 1957; H. 6, S. 618—624

K 394 E. Claassen, *Alfred Döblin, geb. 1878.* In: FZ; 17. 8. 1930

K 395 Hans Daiber, *Zwischen den Linien.* In: Deutsche Rundschau, 84. Jg.; 1958; S. 754—758
u. d. T. *Trotz vorzüglicher Hochachtung. Der einsame Weg Alfred Döblins* in: Wort in der Zeit, 5. Jg.; 1959; H. 5, S. 34—38

K 396 Walthari Dietz, *Alfred Döblin und sein Werk.* In: Neue Schweizer Rundschau, 21. Jg.; 1928; Nr. 8, S. 602—609

K 397 Johannes EDFELT, *Den oförbrännelige Döblin*. In: Moderna språk, 57. Jg.; 1963; S. 417 f

K 398 Kasimir EDSCHMID, *Döblin und die Futuristen*. In: Feuer, Saarbrücken, 1. Jg., H. 9; Juni 1920; S. 681—685
Später in: DERS., *Die doppelköpfige Nymphe*, Berlin 1920, S. 129—136, und in: DERS., *Frühe Manifeste*, Hamburg 1957, S. 106—111

K 399 Axel EGGEBRECHT, *Alfred Döblin*. In: Neue Zürcher Zeitung; 22. 7. 1927; Nr. 1240

K 400 DERS., *Das Werk Alfred Döblins*. In: LW, 4. Jg., Nr. 32; 10. 8. 1928; S. 3 f

K 401 Alfred ENDLER, *Das Werk Alfred Döblins*. In: NM, 6. Jg., Nr. 6; S. 368—382; September 1922

K 402 Herbert GORSKI (S. J.), *Weg und Wandlung Alfred Döblins*. In: K 362, S. 63—83
Auch in: Stimmen der Zeit, Freiburg i. Br., 141. Band; 1947/48; H. 5, S. 345—362

K 403* Käte GRUNEWALD, *Alfred Döblin*. In: Geraer Zeitung; 21. 6. 1930; Bücherfreund 11 *

K 404 Walter HEIST, *Der Fall Döblin*. In: Neue Deutsche Hefte, 4. Jg.; 1957/58; S. 1114—1120

K 405 Hans HENNECKE, *Voraussetzungslosigkeit und Überlieferung. Alfred Döblin*. In: DERS., *Kritik*, Gütersloh 1958, S. 164—168

K 406 Klaus HERMSDORF, *Alfred Döblin — und Hamlet. Der Weg eines deutschen Romanciers*. In: Deutsche Woche, München, 7. Jg., Nr. 14; 3. 4. 1957; S. 13

K 407 Karl Jakob HIRSCH, *Das heutige Werk Alfred Döblins*. In: Die Erzählung, Konstanz, 4. Jg.; 1950; Nr. 2, S. 44

K 408 Wilhelm HÖCK, *„Es ist kein Grund zu verzweifeln". Zur Ausgabe der Werke Alfred Döblins im Walter Verlag*. In: Deutsche Rundschau, 89. Jg., H. 6; Juni 1963; S. 81—85

K 409 Curt HOHOFF, *Die Ärzte des Expressionismus*. In: Ärzteblatt für Baden-Württemberg, Stuttgart, 17. Jg.; 1962; H. 2, S. 42—45

K 410 Heinrich Eduard JACOB, *Alfred Döblin*. In: Das Schönste, München, 7. Jg., Nr. 4; April 1961; S. 61—65

K 411 Hanns JOHST, *Alfred Döblin*. In: NR, 30. Jg.; 1919; Bd. I, S. 126 f

K 412 H. K., *Alfred Döblin*. In: Petrusblatt, Berlin, 6. Jg.; 1950; Nr. 10, S. 8

K 413 Rudolf KAYSER, *Alfred Döblin*. In: Das Kunstblatt, Berlin, 9. Jg.; 1925; S. 132—134

K 414 DERS., *Alfred Döblin*. In: DERS., *Dichterköpfe*. Wien 1930, S. 148—153

K 415 Hermann KESTEN, *Alfred Döblin*. In: DERS., *Meine Freunde die Poeten*. München 1959, S. 111—122
Hier eingearbeitet die Aufsätze *Alfred Döblin* (in: Welt und Wort, Tübingen, 8. Jg.; 1953; S. 331—333) und *Esquisse pour un portrait de Doeblin* (in: Allemagne d'aujourd'hui, Paris; 1957; Nr. 3, S. 20 f)

K  416  DERS., *Alfred Döblin. „Wie lange werden wir uns noch auf unserm Floß halten?"* In: DERS., *Lauter Literaten.* Wien, München, Basel 1963, S. 405—422. — Knaur-Taschenbuch 112, München, Zürich 1966, S. 287—298

K  417  Ernst KREUDER, *Vom Wesen der Dichtkunst.* In: K 362, S. 58—62

K  418  Wolfgang LEHMANN, *Unser Schriftstellerporträt: Alfred Döblin.* In: Börsenblatt für den deutschen Buchhandel, Leipzig, 124. Jg., Nr. 2; 12. 1. 1957; S. 31 f

K  419  Karl LEMKE, *Das ewig gewandelte Antlitz. Alfred Döblin, Dichter und Helfer.* In: Deutsche Woche, München, 1. Jg.; 1951; Nr. 16, S. 11, und in: Heute und Morgen; 1953; S. 623

K  420  Ferdinand LION, *Bemerkungen über Alfred Döblin.* In: NR, 33. Jg.; 1922; Bd. II, S. 1002—1013

K  421  DERS., *Das Werk Alfred Döblins.* In: NR, 39. Jg.; 1928; Bd. I, S. 161 bis 173

K  422  DERS., *Thomas Mann und Alfred Döblin.* In: Europäische Revue, Leipzig, 6. Jg., 2. Halbband; Oktober 1930; S. 835—847

K  423  Oskar LOERKE, *Das bisherige Werk Alfred Döblins.* In: *Alfred Döblin. Im Buch — Zu Haus — Auf der Straße. Vorgestellt von Alfred Döblin und Oskar Loerke.* Berlin 1928, S. 115—177
(Hieraus auch der Aufsatz *Döblins Sprache* in: LW, 4. Jg., Nr. 32; 10. 8. 1928; S. 1)
Jetzt u. d. T. *Alfred Döblins Werk 1928. Zu seinem 50. Geburtstag* in: DERS., *Gedichte und Prosa,* Bd. II, Frankfurt a. M. 1958, S. 560—604

K  424  Paul E. H. LÜTH, *Das Spätwerk Alfred Döblins.* In: Der Bogen, Wiesbaden, 2. Jg., H. 4; April 1947; S. 24—27

K  425  DERS., *Alfred Döblins Religiosität.* In: K 362, S. 84—99

K  426  Ludwig MARCUSE, *Alfred Döblin.* In: The German Quarterly, Bd. 31, Nr. 1; Januar 1958; S. 4 f

K  427  DERS., *Berge, Meere — und ein Gigant.* In: FAZ; 9. 8. 1958; Nr. 182

K  428  DERS., *Der Arzt-Dichter Alfred Döblin.* In: Die Barmer Ersatzkasse; Juni 1959; Nr. 2, S. 88—90

K  429  DERS., *Das unruhige Leben des Alfred Döblin.* In: Stuttgarter Zeitung, 18. Jg., Nr. 10; 13. 1. 1962; Feuilleton, S. II

K  430  Hans MEISEL, *Alfred Döblin.* In: Germania, Berlin, 56. Jg., Werk und Wert Nr. 22; 23. 9. 1926

K  431  Heinrich MEYER-BENFEY, *Alfred Döblin.* In: DERS., *Welt der Dichtung.* Hrsg. v. Fritz Collatz, Hamburg-Wandsbeck 1962, S. 422—424

K  432  Robert MINDER, *Alfred Döblin. Citoyen du monde et grand écrivain allemand.* In: Allemagne d'aujourd'hui, Paris, 1. Jg.; 1953; S. 690—695

K  433  Ders., *Hommage à Alfred Döblin. Döblin en France.* In: Allemagne d'aujourd'hui; 1957; Nr. 3, S. 5—19

K  434  Ders., *Alfred Döblin.* In: Das Einhorn, Jahrbuch der Freien Akademie der Künste, Hamburg 1957, S. 3—10

K 435 Max PULVER, *Alfred Döblin*. In: Der Lesezirkel, Zürich, 15. Jg., H. 3; Dezember 1927; S. 21—23

K 436 * Erwin RAINALTER, *Alfred Döblin*. In: Radio-Wien, 7. Jg.; 1930/31; S. 22 *

K 437 Nico ROST, *Het Werk van Alfred Döblin*. In: Groot-Nederland, Amsterdam, 21. Jg.; 1923; S. 495—499

K 438 Hans-Dietrich SANDER, *„Wir fahren in die Hölle mit Pauken und Trompeten"*. In: Die Welt, Hamburg; 8. 4. 1961; Nr. 82

K 439 Paul SCHMID, *Alfred Döblin*. In: LE, 24. Jg.; 1921/22; Sp. 776—782

K 440 Anna SIEMSEN, *Zwei Dichter der jüdischen Emigration: Franz Werfel und Alfred Döblin*. In: Judaica, Zürich, 1. Jg.; 1945; S. 157—168

K 441 Joseph STRELKA, *Der Erzähler Alfred Döblin*. In: The German Quarterly, Bd. 33, Nr. 3; Mai 1960; S. 197—210

K 442 P. W., *Alfred Döblin*. In: Sonntag, Berlin, 3. Jg.; 1948; Nr. 32, S. 4

K 443 Roderich WALD, *Moderne Dichter-Ärzte. XIV. Alfred Döblin*. In: Fortschritte der Medizin, Berlin, 51. Jg., Nr. 6; 13. 2. 1933; S. 115—122
      * Auch in: Unser Pommerland, 18. Jg.; 1933; S. 92—98 *

K 444 * E. WENZIG. In: Breslauer Zeitung; 1929; Nr. 11 *


## IV. Stellungnahmen und Polemiken

K 445 Béla BALÁZS, *Die Furcht der Intellektuellen vor dem Sozialismus*. In: WB, 28. Jg., Nr. 3—6; 19. 1.—9. 2. 1932; S. 133 f, 168, 207—210

K 446 Johannes R. BECHER, *Einen Schritt weiter!* In: Die Linkskurve, Berlin, 2. Jg., Nr. 1; Januar 1930; S. 1—5
      Jetzt in K 716A, S. 175—182

K 447 Otto BIHA, *Herr Döblin verunglückt in einer „Linkskurve"*. (Antwort auf D 438). In: Die Linkskurve, 2. Jg., Nr. 6; Juni 1930; S. 21—24

K 448 W(alter) D(IRKS), *Mildernde Umstände*. In: FH, 2. Jg.; 1947; S. 615

K 449 B. F. DOLBIN, *Künstler unter sich und gegen Döblin*. In: LW, 7. Jg., Nr. 18; 1. 5. 1931; S. 7

K 450 Richard DREWS, *Döblin und die Lyriker*. In: Die Weltbühne, (Ost-) Berlin, 3. Jg.; 1948; S. 1102—1104

K 451 Ferdinand ECKHARDT, *Antwort an die Secession*. In: TB, 12. Jg.; 1931; S. 670

K 452 Axel EGGEBRECHT, *Zu Döblins Erfolg*. In: WB, 26. Jg., Nr. 6; 4. 2. 1930; S. 208—211

K 453 DERS., *Zeitschriftenschau*. (Zu Rychners Polemik, K 474). In: LW, 7. Jg., Nr. 26; 26. 6. 1931; S. 8

K 454 Hans EHRENBERG, *Brief an Alfred Döblin*. (Antwort auf D 172). In: Eckart, 4. Jg., H. 7/8; Juli/August 1928; S. 308—310

K 455 Otto FLAKE, *Über „Die Stadt des Hirns". Erwiderung auf Döblins Reform des Romans*. (Zu D 161). In: NM, 3. Jg., H. 5; August 1919; S. 353—357

K 456   Bruno FREI, *Menschlichkeit und Politik. Zu einem Vortrag Alfred Döblins.* In: Deutsche Volkszeitung, Paris/Prag/Kopenhagen, 3. Jg., Nr. 4; 23. 1. 1938; S. 5

K 457   Wenzel GOLDBAUM, *Erwiderung an Döblin.* (Zu D 420). In: WB, 17. Jg., Nr. 31; 4. 8. 1921; S. 124—127

K 458   Arnold HAHN, *An Alfred Döblin.* In: LW, 2. Jg., Nr. 13; 26. 3. 1926; S. 7

K 459   Peter HAMECHER, *Die „Sammlung" Judas. Eine Emigrantenzeitschrift.* In: LW, 9. Jg., Nr. 38; 22. 9. 1933; S. 4

K 460   Heinz HELL, *Skandalgeschichte der Nachkriegsliteratur.* In: Die Zeit, 13. Jg., Nr. 33; 15. 8. 1958; S. 18

K 461   Wieland HERZFELDE, *Briefe, die den Weg beleuchten.* In: NDB, 1. Jg., Nr. 3; 15. 11. 1933; S. 129—139

K 462   Kurt HILLER, *Dieser Döblin.* In: DERS., *Köpfe und Tröpfe.* Hamburg, Stuttgart 1950, S. 127—135

K 463   Kurt HUHN, *Brief an Alfred Döblin.* In: Aufbau, Berlin, 9. Jg., H. 2; Februar 1953; S. 104—106

K 464   Kurt HUTTEN, *Ein Dichter scheiterte.* In: Deutsches Pfarrerblatt, Essen, 54. Jg., Nr. 20; 15. 10. 1954; S. 467

K 465   Siegmund KAZNELSON, *Entgegnung.* (Zu D 592). In: Der Jude. Eine Vierteljahresschrift. Sonderheft „Judentum und Deutschtum". Berlin 1926, S. 103—106

K 466   Erwin Guido KOLBENHEYER, *Die Sektion der Dichter an der Berliner Akademie.* In: Deutsches Volkstum, Hamburg, Bd. I, H. 4; April 1931; S. 249—265, und in: Süddeutsche Monatshefte, München, 28. Jg.; April 1931; S. 519—530

K 467   Eduard KORRODI, *Döblin über Döblin.* In: Neue Zürcher Zeitung; 1932; Nr. 387

K 468   Albert LAMM, *„Außerhalb von heute". Zu Döblins Ansprache.* In: Kunst und Künstler, Berlin, 29. Jg., H. 10; Juli 1931; S. 375—378

K 469   Rudolf LEONHARD, *Selbstaufgabe der Dichtung.* (Zu D 176). In: L, 32. Jg.; 1929/30; S. 621 f

K 470   Ludwig MARCUSE, *Döblin greift ein.* In: NTB, 3. Jg., Nr. 33; 17. 8. 1935; S. 783—785

K 471   DERS., *Antwort* (auf D 457). In: NTB, 3. Jg., Nr. 42; 19. 10. 1935; S. 1004 f

K 472 * Rolf MAYR, *Alfred Döblin II.* In: Die Stimme der Freiheit, Berlin, 2. Jg.; 1930; H. 3 *

K 473   Paul RILLA, *Literatur und Lüth.* Berlin 1948 (Über Döblin: S. 61 ff)

K 474   Max RYCHNER, *Döblin warnt: Weg von den Gebildeten!* In: Neue Schweizer Rundschau, 24. Jg.; 1931; S. 321—325

K 475   DERS., *Eine Antwort Döblins.* ebd., S. 641 f

K 476   Wilhelm SCHÄFER, *Der mißglückte Versuch einer deutschen Dichterakademie.* In: LW, 7. Jg., Nr. 5; 30. 1. 1931; S. 1 und 8

K 477 Richard von SCHAUKAL, *Erbe und Besitz.* In: NL, 33. Jg.; 1932; S. 555–560, S. 558

K 478 Karl SCHEFFLER, *Berliner Frühjahrsausstellungen.* In: Kunst und Künstler, Berlin, 29. Jg., H. 9; Juni 1931; S. 362 f

K 479 Till SCHMITZ (Pseud.), *Der Zopfkünstler oder die drei Demokratien des Wang-lun. Dem Döblin der „Neuen Rundschau".* (Spottgedicht gegen D 398) In: Die Aktion, 8. Jg., H. 19/20; 18. 5. 1918; Sp. 251 f

K 480 Arthur SEGAL, *Antwort an Döblin.* In: TB, 12. Jg.; 1931; S. 628 f

K 481 Will VESPER, Herausgeberartikel in: SL (ab 32. Jg.: NL). — 27. Jg.; 1926; S. 335. 32. Jg.; 1931; S. 201, 294. 34. Jg.; 1933; S. 229, 416, 655 f. 35. Jg.; 1934; S. 726

K 482 Lutz WELTMANN, *Theorie und Praxis.* In: L, 31. Jg.; 1928/29; S. 688

K 483 Wolfgang WEYRAUCH, *Vorsicht!* (Zur Reaktion der Tagespresse auf „Karl und Rosa"). In: Alternative, Berlin, 6. Jg.; 1963; S. 92 (Auszug aus: DERS., *Die Schuld der Literatur an der Restauration in Deutschland. I. Teil. Spinnweben vom Keller bis zur Bel-Etage.* In: Aussprache, Düsseldorf, 3. Jg., H. 5; Oktober 1951; S. 343–351, S. 345 f)

K 484 o. Verf., *Alfred Döblins Sündenfall.* In: Die Stimme der Freiheit, Berlin, 2. Jg.; 1930; Nr. 2, S. 28

K 485 o. Verf., *Herr Döblin wird gestrichen.* In: Die Linkskurve, Berlin, 2. Jg., Nr. 10; Oktober 1930; S. 36

K 486 o. Verf., *Nicht jeder, der aus dem Morgenlande kommt, ist ein Weiser.* In: Heute und Morgen, Schwerin; 1947; H. 4, S. 255

## V. Kleinigkeiten

K 487 Hugo BIEBER, *Döblin, Alfred.* In: Jüdisches Lexikon, Bd. II, Berlin 1928, Sp. 171 f

K 488 BIES., *Bestätigung Döblins?* In: LW, 2. Jg., Nr. 17; 23. 4. 1926; S. 6

K 489 Arthur Friedrich BINZ, *Alfred Döblin — und das Saarland.* In: Saarbrücker Zeitung, 164. Jg., Nr. 262; 9. 10. 1924, und in: Südwestdeutsche Heimatblätter, Saarbrücken, 2. F., Nr. 3; März 1928; S. 23

K 490 Franz BLEI, *Der Döblin.* In: DERS., *Literarisches Bestiarium.* In: DERS., *Schriften in Auswahl,* München 1960, S. 560 f

K 491 Jean Richard BLOCH, *Berliner Typen.* In: Q, 9. Jg., H. 4; April 1929; S. 276–279, S. 277

K 492 Bertolt BRECHT, *Gesammelte Werke in acht Bänden.* Frankfurt a. M. 1967; Bd. VII und VIII (s. Register)

K 493 A. BUSSE, *Amerikanischer Brief.* (u. a. zum Erfolg von „Berlin Alexanderplatz" in den USA). In: L, 34. Jg.; 1931/32; S. 339

K 494 Erich FRANZEN, *Festsitzung der Akademie.* In: LW, 4. Jg., Nr. 13; 30. 3. 1928; S. 1

K 495 L. GSPANN, *Echos de l'Allemagne actuelle.* In: Les langues modernes, Paris, 40. Jg., Nr. 5; September 1946; S. 355–368

K 496  Peter HÄRTLING, *Repliken (3): Ein Chaos ohne Chausseen. Ernst Blass über Alfred Döblins „Berge, Meere und Giganten".* (Zu K 61). In: Die Zeit; 22. 4. 1966; Nr. 17

K 497  Hans HENNECKE, *Dichtung und Dasein. Gesammelte Essays.* Berlin 1950, S. 263 f (Über „Manas")

K 498  Harold von HOFE, *German literature in exile: Alfred Döblin.* (Über die Geburtstagsfeier 1943). In: The German Quarterly, 17. Jg.; 1944; Sp. 28—31

K 499  Herbert IHERING, *Von Reinhardt bis Brecht.* Bd. I, Berlin 1958, S. 363. Bd. II; 1959; S. 58, 178 f, 447 f, 523. Bd. III; 1961; S. 127 (Enthält auch K 135)

K 500  Hermann KESTEN, *Der Geist der Unruhe. Literarische Streifzüge.* Köln/ Berlin 1959 (s. Register)

K 501  Siegfried KRACAUER, *Von Caligari bis Hitler. Ein Beitrag zur Geschichte des deutschen Films.* Hamburg 1958 (rde 63), S. 145 f (Zum Film „Berlin Alexanderplatz").

K 502  Rudolf LEONHARD, *Marinetti in Berlin 1913.* In: Expressionismus. Aufzeichnungen und Erinnerungen der Zeitgenossen. Hrsg. v. Paul Raabe. Olten und Freiburg i. Br. 1965, S. 121—124, S. 122

K 503  Oskar LOERKE, *Der Bücherkarren. Besprechungen im Berliner Börsen-Courier 1920—1928.* Unter Mitarbeit von Reinhard Tgahrt hrsg. v. Hermann Kasack. Heidelberg/Darmstadt 1965, S. 206, 249, 255, 405

K 504  DERS., *Literarische Aufsätze aus der „Neuen Rundschau" 1909—1941.* Hrsg. v. Reinhard Tgahrt. Heidelberg/Darmstadt 1967, S. 356, 361 f, 380, 398, 445 (Enthält auch K 16)

K 505  -m, *Das letzte Bild Döblins.* (Zu einem Leseabend). In: Telegraf, Berlin, 14. Jg., Nr. 30; 5. 2. 1959; S. 7

K 506  Thomas MANN, [Vorwort zu dem Katalog ‚Utländska Böcker 1929']. In: *Reden und Aufsätze I.* Frankfurt a. M. 1965, S. 361—366, S. 363

K 507  Wilhelm MICHEL, *Dichtung und Gegenwart.* In: NR, 42. Jg.; 1931; Bd. II, S. 120—127, S. 123

K 508  Walter MUSCHG, *Dichtung des Schweigens.* In: LW, 8. Jg., Nr. 44; 28. 10. 1932; S. 1 f

K 509  Alfred POLGAR, *Haus-Stücke.* In: WB, 26. Jg., Nr. 9; 25. 2. 1930; S. 321—325, S. 322

K 510  Maria PRIGGE-KRUHOEFFER, *Der wissenschaftliche Mensch in der dichterischen Darstellung.* In: L, 31. Jg.; 1928/29; S. 579—581

K 511  Max RYCHNER, *Dichtervorlesungen.* In: Neue Schweizer Rundschau, 21. Jg.; 1928, S. 81 f

K 512  Hermann STERNBACH, *Polnischer Brief.* (u. a. über den Erfolg von „Reise in Polen"). In: L, 29. Jg.; 1926/27; S. 105—108; S. 108

K 513  Kurt Lothar TANK, *Hörspiel — Stimme der Moralisten. Von Döblin zu Eich.* (u. a. über das Hörspiel „Berlin Alexanderplatz"). In: Sonntagsblatt, Hamburg; 8. 3. 1959; Nr. 10, S. 7

K 514  Kurt Tucholsky, *Gesammelte Werke*. Bd. I, Hamburg 1960, S. 869.
Bd. II; 1961; S. 1282. Bd. III; 1961; S. 393, 860 f.
(Enthält auch K 235 und K 334)

K 515  Oskar Walzel, *Bücher*. In: TB, 1. Jg., H. 48; 11. 12. 1920; S. 1528 bis
1531, S. 1529 f (Zu „Wallenstein")

K 516  o. Verf. (Wohl Siegfried Jacobsohn), *Antworten*. (Zu D 523). In: WB,
16. Jg., Nr. 50; 9. 12. 1920; S. 689 f

K 517  o. Verf., *Antworten*. In: WB, 27. Jg., Nr. 39; 29. 9. 1931; S. 499

## VI. Parodien

K 518  Robert Neumann, *Schluß der Novelle „Der Wald von Tang"*. *Nach
Alfred Döblin*. In: Ders., *Mit fremden Federn*. Parodien. Stuttgart
1928, S. 112 f

K 519  Ders., *Berlin Alexanderplatz. Nach Alfred Döblin*. In: Ders., *Unter falscher Flagge. Ein Lesebuch der deutschen Sprache für Fortgeschrittene.
Neue Parodien*. Berlin/Wien/Leipzig 1932, S. 163–167

K 520  Kurt Reinhold, *Hier schreibt Berlin. Berlin Gedächtniskirche von Alfred
Döblin*. In: Q, 10. Jg., H. 2; Februar 1930; S. 119 f

## VII. Erinnerungen, Erwähnung in Autobiographien, Tagebüchern und Briefen

K 521  Gottfried Benn, *Ausgewählte Briefe*. Wiesbaden 1957, S. 173, 176, 182,
297

K 522  Gottfried Bermann Fischer, *Bedroht — Bewahrt. Weg eines Verlegers*.
Frankfurt a. M. 1967, S. 53 f u. ö.
(Enthält auch D 594)

K 523  Hans Friedrich Blunck, *Unwegsame Zeiten. Lebensbericht*. Bd. 2,
Mannheim 1952, S. 151

K 524  Arnolt Bronnen, *Arnolt Bronnen gibt zu Protokoll*. Hamburg 1954,
S. 158–160, 223 f

K 525  Kasimir Edschmid, *Lebendiger Expressionismus*. Wien/München/Basel
1961, S. 201, 312–314

K 526  Paul Fechter, *Menschen auf meinen Wegen*. Gütersloh 1955, S. 308–314

K 527  Otto Flake, *Es wird Abend. Bericht aus einem langen Leben*. Gütersloh
1960, S. 552 f, 561, 568

K 528  Georg Fröschel, *Döblin in Hollywood*. In: Die Zeit, 17. Jg., Nr. 24;
15. 6. 1962; S. 14

K 529  Gustav René Hocke, *Über „Wissen und Verändern"*. Ungedruckt, im
Besitz des Verf.

K 530  Gustav Janouch, *Gespräche mit Kafka. Erinnerungen und Aufzeichnungen*. Frankfurt a. M. 1951, S. 51 f, 135

K 531  Alfred Kantorowicz, *Deutsches Tagebuch*. 2. Teil, München 1961,
S. 562

K 532    Erwin Guido KOLBENHEYER, *Sebastian Karst über sein Leben und seine Zeit.* Gartenberg b. Wolfratshausen 1957–1958. Teil I, S. 528; Teil II, S. 195; Teil III, S. 89–93

K 533    Ernst KREUDER, *Ohne Schleife und Lorbeer. Alfred Döblin, wie ich ihn kannte.* In: Die Lesestunde (Deutsche Buchgemeinschaft), Darmstadt; 1962; H. 3, S. 18 f

K 534    Oskar LOERKE, *Tagebücher 1903–1939.* Hrsg. v. Hermann Kasack. Heidelberg/Darmstadt 1955, S. 64, 149, 164, 171–176, 180 f, 184, 187, 189, 193, 196 f, 199, 204 f, 212, 214, 217, 219, 229 f, 239, 259, 262, 272, 278, 294.

K 535    Paul LÜTH, *Erinnerungen an Alfred Döblin.* In: Die Waage, Stolberg, Bd. 1; 1959; S. 155–158

K 536    DERS., *Brief an Max Niedermayer.* (2. 3. 1960). In: Briefe an einen Verleger. Max Niedermayer zum 60. Geburtstag. Wiesbaden 1965, S. 244 f

K 537    Thomas MANN, *Die Entstehung des Doktor Faustus.* Berlin 1949, S. 48, 71, 100

K 538    DERS., *Briefe.* Hrsg. v. Erika Mann. Frankfurt a. M. 1962, 1963, 1965. Bd. I (1889–1936), S. 171, 248, 379. Bd. II. (1937–1947), S. 38, 156, 211, 325–327, 330, 508 f. Bd. III (1948–1955 und Nachlese), S. 34 f.

K 539    Thomas MANN — Heinrich MANN, *Briefwechsel 1900–1949.* Hrsg. v. Hans Wysling. o. O. 1968, S. 136–142, 314, 319, 320

K 540    Ludwig MARCUSE, *Mein zwanzigstes Jahrhundert.* München 1960, S. 59, 275, 277 f

K 541    Robert MINDER, *Begegnungen mit Alfred Döblin in Frankreich.* In: TK, Nr. 13/14; Juni 1966; S. 57–64

K 542    Walter von MOLO, *So wunderbar ist das Leben.* Stuttgart 1957, S. 293, 299, 319, 432 f

K 543    Robert MUSIL, *Tagebücher, Aphorismen, Essays und Reden.* Hamburg 1957, S. 204, 207, 458

K 544    Robert NEUMANN, *Ein leichtes Leben.* Wien/München/Basel 1963, S. 386–389

K 545    Max NIEDERMAYER, *Pariser Hof.* Wiesbaden 1965, S. 23, 25, 33–41, 68

K 546    Wilhelm SCHMIDTBONN, *Die unerschrockene Insel.* München 1925, S. 105 f

K 547    August SCHOLTIS, *Ein Herr aus Bolatitz.* München 1959, S. 321

K 548    Max TAU, *Das Land das ich verlassen mußte.* Hamburg 1961, S. 203 f

K 549    Kurt TUCHOLSKY, *Ausgewählte Briefe 1913–1935.* Hamburg 1962, S. 274

K 550    *Deutsche Literatur im Exil. Briefe europäischer Autoren.* Hrsg. v. Hermann KESTEN. Wien/München/Basel 1964, S. 59 (Franz Schoenberner an K., 6. 9. 1933), S. 70 (Fritz Landshoff an K., 26. 2. 1934), S. 85 (K. an Landauer, 3. 11. 1938), S. 289 (Thomas Mann an K., 1. 11. 1946), S. 289 (Ferdinand Lion an K., 12. 8. 1947); S. 319 f und 371 f (K. an Döblin, 6. 10. 1947 und 15. 12. 1949). (Enthält auch D 595)

# B. DER BEITRAG DER WISSENSCHAFT

## I. Bibliographien

K 551 Karin HAMELAU, *Auswahlbibliographie zu Alfred Döblin.* In: TK, Nr. 13/14; Juni 1966; S. 69—75

K 552 Dass., wesentlich erweitert, in D 113, S. 523—554

K 553 Gerhard KÜNTZEL, *Alfred Döblin, Schriftenverzeichnis.* In: Jahrbuch der Akademie der Wissenschaften und der Literatur in Mainz, Wiesbaden 1957, S. 154—161

K 554 Wolfgang PEITZ, *Alfred Döblin Bibliographie 1905—1966.* Freiburg i. Br. 1968
(Rez.: Dietrich SEGEBRECHT, *Döblin, bibliographisch. Ein Verzeichnis und seine Fehler.* In: FAZ; 9. 8. 1968; Nr. 183
Klaus MÜLLER-SALGET. In: Zeitschrift für deutsche Philologie, Bd. 88; 1969; S. 635—638)

## II. Gesamtdarstellungen

K 555 Timothy Joseph CASEY, *Alfred Döblin.* In: Expressionismus als Literatur. Hrsg. v. Wolfgang Rothe. Bern und München 1969, S. 637—655

K 556 Otmar HERSCHE, *Über Alfred Döblin.* In: Schweizer Rundschau, Solothurn, 66. Jg., H. 12; Dezember 1967; S. 682—692

K 557 Walter JENS, *Alfred Döblin.* In: DERS., *Zueignungen.* München 1962, S. 7—17

K 558 Roland LINKS, *Alfred Döblin. Leben und Werk* (Schriftsteller der Gegenwart). (Ost-)Berlin 1965

K 559 Fritz MARTINI, *Alfred Döblin.* In: Deutsche Dichter der Moderne. Hrsg. v. Benno von Wiese. Berlin 1965, S. 321—360

K 560 Robert MINDER, *Alfred Döblin.* In: Deutsche Literatur im 20. Jahrhundert. Strukturen und Gestalten. Hrsg. v. H. Friedmann und O. Mann. Heidelberg 1954, S. 249—268. 4. Aufl.; 1961; Bd. II, S. 140—160. 5. Aufl., Bern und München 1967, Bd. II, S. 126—150

K 561 DERS., *Alfred Döblin zwischen Osten und Westen.* In: DERS., *Dichter in der Gesellschaft.* Frankfurt a. M. 1966, S. 155—190
(= K 560, 5. Aufl., erweitert um 32 Anmerkungen)

K 562 Walter MUSCHG, *Ein Flüchtling. Alfred Döblins Bekehrung.* In: DERS., *Die Zerstörung der deutschen Literatur.* 3. Aufl., Bern 1958; S. 110—140

K 563 DERS., *Alfred Döblin heute.* In: TK, Nr. 13/14; Juni 1966; S. 1—4
Jetzt in: DERS., *Pamphlet und Dichtung.* Olten und Freiburg i. Br. 1968, S. 383—390

K 564 Carlos TINDEMANS, *Alfred Döblin: De lange tocht naar het licht.* In: Dietsche Warande en Belfort, Antwerpen, 109. Jg.; 1964; S. 665—674

K 565 Hans-Albert WALTER, *Alfred Döblin. Wege und Irrwege. Hinweise auf ein Werk und eine Edition.* In: FH, 19. Jg.; 1964; S. 866—878

K 566 Dieter BAACKE, *Erzähltes Engagement. Antike Mythologie in Döblins Romanen.* In: TK, Nr. 13/14; Juni 1966; S. 22—31

K 567 Manfred DURZAK, *Flake und Döblin. Ein Kapitel in der Geschichte des polyhistorischen Romans.* In: Germanisch-romanische Monatsschrift, NF, Bd. 20, H. 3; August 1970; S. 286—305

K 568 Hansjörg ELSHORST, *Mensch und Umwelt im Werk Alfred Döblins.* Diss., München 1966

K 569 Elisabeth ENDRES, *Döblin als Journalist.* In: TK, Nr. 13/14; Juni 1966; S. 65—68

K 570* Winifred J. FERRIS, *Döblin's concept of man.* Diss., Stanford 1952 *

K 571 John R. FREY, *Author-intrusion in the narrative. German theory and some modern examples.* In: The Germanic Review, New York, Bd. 23; 1948; S. 274—289

K 572 Wolfgang GROTHE, *Die Neue Rundschau des Verlages S. Fischer.* In: Börsenblatt für den Deutschen Buchhandel, Frankfurter Ausgabe, 17. Jg., H. 99a; 14. 12. 1961; S. 2171—2264. S. 2228 ff

K 573 DERS., *Die Theorie des Erzählens bei Alfred Döblin.* In: TK, Nr. 13/14; Juni 1966; S. 5—21

K 574 * Otmar HERSCHE, *Die Konversion Alfred Döblins.* In: Die Ostschweiz, St. Gallen, 87. Jg.; Nr. 362, Abendbl.; 5. 8. 1960 *

K 575 Anne Liard JENNINGS, *Alfred Döblin's quest for spiritual orientation, with special reference to the novels „Die drei Sprünge des Wang-lun", „Berlin Alexanderplatz" and „Babylonische Wandrung".* Diss., University of Illinois 1959

K 576 * Robert Bruce KIMBER, *Alfred Döblin's godless mysticism.* Diss., Princeton University 1965 *
(Inhaltsangabe: DA 26, S. 3955 f)

K 577 * Wolfgang KORT, *Das Bild des Menschen im Romanwerk Alfred Döblins.* Diss. (masch.-schr.),MacGill University Montreal 1969 *
(Inhaltsangabe: DA 30, S. 3012A)
Jetzt gedruckt u. d. T. *Alfred Döblin. Das Bild des Menschen in seinen Romanen.* Bonn 1970

K 578 Leo KREUTZER, *Abläufe oder Geschichten. Über das Romanwerk Alfred Döblins.* In: Akzente, 14. Jg., H. 4; August 1967; S. 310—325

K 579 Henry REGENSTEINER, *Die Bedeutung der Romane Alfred Döblins von „Die drei Sprünge des Wang-lun" bis „Berlin Alexanderplatz".* Diss., University of New York 1954

K 580 Ernst RIBBAT, *Die Wahrheit des Lebens im frühen Werk Alfred Döblins.* (Münstersche Beiträge zur deutschen Literaturwissenschaft, Bd. 4). Münster 1970
(Rez.: Klaus MÜLLER-SALGET. In: Zeitschrift für deutsche Philologie, Bd. 90; 1971; S. 301—308)

K 581 Anthony W. RILEY, *The professing christian and the ironic humanist. A comment on the relationship of Alfred Döblin and Thomas Mann after 1933.* In: Essays on German literature, in honor of G. Joyce Hallamore. University of Toronto 1968, S. 177—194

K 582 Gerhard SCHMIDT-HENKEL, *Der Dichter als Demiurg: Alfred Döblin.* In: DERS., *Mythos und Dichtung.* Bad Homburg v. d. H., Berlin, Zürich 1967, S. 156—187

K 583 Helmut SCHWIMMER, *Erlebnis und Gestaltung der Wirklichkeit bei Alfred Döblin.* Diss., München 1960

K 584* H. SZULANSKI, *Eine Parallele zwischen James Joyce und Alfred Döblin.* Diss., Brüssel 1949/50 *

K 585 Monique WEYEMBERGH-BOUSSART, *A. Döblin et F. M. Dostoievski: Influence et analogie.* In: Revue des langues vivantes, 35. Jg.; 1969; Nr. 4, S. 381—404, und Nr. 5, S. 505—530

K 586 DIES., *Alfred Döblin. Seine Religiosität in Persönlichkeit und Werk.* (Abhandlungen zur Kunst-, Musik- und Literaturwissenschaft, Bd. 76). Bonn 1970
(Rez.: Klaus MÜLLER-SALGET. In: Zeitschrift für deutsche Philologie, Bd. 90; 1971, S. 301—308)

K 587 Viktor ŽMEGAČ, *Alfred Döblins Poetik des Romans.* In: Deutsche Romantheorien. Hrsg. v. Reinhold Grimm. Frankfurt a. M. und Bonn 1968, S. 297—320

## IV. Untersuchungen zu einzelnen Werken

### a) Die Ermordung einer Butterblume

#### 1. Zur Sammlung von 1913

K 588* Morithosi HAYASAKI, *Shoki-Hyôgenshugi no Sambun-Geijutsu.* (Interpretationen frühexpressionistischer Prosakunst. Drei Versuche über Benn, Heym und Döblin). In: Doitsu Hyôgenshugi (Der deutsche Expressionismus. Hrsg. v. der Studiengruppe für Expressionismus im Deutschen Seminar der Universität Kyôto), Tôkyô, H. 1; 1964; S. 100—112 *

K 589 Helmut LIEDE, *Stiltendenzen expressionistischer Prosa. Untersuchungen zu Novellen von Alfred Döblin, Carl Sternheim, Kasimir Edschmid, Georg Heym und Gottfried Benn.* Diss. (masch.schr.), Freiburg i. Br. 1960, S. 1—63

#### 2. Zur Titelerzählung

K 590 Charlotte HAEFELIN. In: Kindlers Literatur-Lexikon, Bd. 2, 1966; Sp. 2307 f

K 591 Werner ZIMMERMANN, *Deutsche Prosadichtungen unseres Jahrhunderts.* Neufassung, Bd. I. Düsseldorf 1966, S. 177—188

### 3. Die Segelfahrt

K 592 Robert MINDER, „Die Segelfahrt" von Alfred Döblin. Struktur und Erlebnis. Mit unbekanntem biographischen Material. In: Gestaltungsgeschichte und Gesellschaftsgeschichte. Literatur-, kunst- und musikwissenschaftliche Studien. In Zusammenarbeit mit Käte Hamburger hrsg. v. Helmut Kreuzer. (Festschrift für Fritz Martini). Stuttgart 1969, S. 461—486

### b) Die drei Sprünge des Wang-lun

K 593 Ludwig DIETZ. In: Kindlers Literatur-Lexikon, Bd. 2, 1966; Sp. 1616—1618

K 594 * Francis LIDE, The episode of the three leaps in Alfred Döblin's „Die drei Sprünge des Wang-Lun". In: Studies in German. In memory of Andrew Louis. Ed.: Robert L. Kahn. Rice University 1969 (= Rice University Studies 55, Nr. 3), S. 143—147 *

### c) Wallenstein

K 595 * Martha FRIED, Der dreißigjährige Krieg in der modernen deutschen Literatur, dargestellt an einer vergleichenden Analyse des Werkes von Ricarda Huch und Alfred Döblin. New York 1936 *

K 596 Wolfdietrich RASCH, Döblins „Wallenstein" und die Geschichte. In: K 362, S. 36—47
Jetzt in: Ders., Zur deutschen Literatur seit der Jahrhundertwende. Gesammelte Aufsätze. Stuttgart 1967, S. 228—242

K 597 Charlotte SOMMER, Die dichterische Gestaltung des Wallensteinstoffes seit Schiller. Diss. (masch.schr.), Breslau 1923

K 598 Paul WALLENSTEIN, Die dichterische Gestaltung der historischen Persönlichkeit, gezeigt an der Wallensteinfigur. (Diss. Bonn), Würzburg 1934, S. 69—75

### d) Berge Meere und Giganten

K 599 Ludwig DIETZ, Der Zukunftsroman als Jugendlektüre. In: Der Deutschunterricht, 13. Jg.; 1961; H. 6, S. 79—98. S. 90—95

K 600 DERS. In: Kindlers Literatur-Lexikon, Bd. I; 1965; Sp. 1507 f

K 601 Max HERCHENRÖDER. In: K 362, S. 48—57

K 602 Gerhard STORZ, Sprache und Dichtung. München 1957, S. 261—270

### e) Manas

K 603 Heinz GRABER, Zum Stil des „Manas". In: TK, Nr. 13/14; Juni 1966; S. 32—41

K 604 DERS., Alfred Döblins Epos „Manas". (Basler Studien zur deutschen Sprache und Literatur, Heft 34). Bern 1967
(Rez.: Francis LIDE. In: Journal of English and Germanic philology, Bd. 67; 1968; S. 503—505.
M. F. R. PRANGEL. In: Neophilologus, Bd. 52; 1968; S. 453 f)

## f) Berlin Alexanderplatz

K 605  Günther ANDERS, *Der verwüstete Mensch. Über Welt- und Sprach-losigkeit in Döblins „Berlin Alexanderplatz".* (geschrieben um 1930). In: Festschrift zum achtzigsten Geburtstag von Georg Lukács. Hrsg. v. Frank Benseler. Neuwied/Berlin o. J. [1966], S. 420—442

K 606  Hans-Peter BAYERDÖRFER, *Der Wissende und die Gewalt. Alfred Döb-lins Theorie des epischen Werkes und der Schluß von „Berlin Alex-anderplatz".* In: DVjs., 44. Jg., H. 2; Juni 1970; S. 318—353

K 607  Helmut BECKER, *Untersuchungen zum epischen Werk Alfred Döblins am Beispiel seines Romans „Berlin Alexanderplatz".* Diss., Marburg 1962

K 608  Heinrich BODENSIECK, *„Wiedersehen auf dem Alex". Über die unter-richtliche Auswertung eines Kapitels aus Döblins Roman „Berlin Alexanderplatz".* In: Die Pädagogische Provinz, 15. Jg.; 1961; S. 361—370

K 609  Bastian BRANT. In: Kindlers Literatur-Lexikon, Bd. I; 1965; Sp. 1514—1516

K 610  Joris DUYTSCHAEVER, *Eine Hebbelsatire in Döblins „Berlin Alexander-platz".* In: Etudes Germaniques, 24. Jg., Nr. 4; Oktober—Dezember 1969; S. 536—552

K 611  Godfrey EHRLICH, *Der kaleidoskopische Stil von Döblins „Berlin Alex-anderplatz".* In: Monatshefte, 26. Jg., Nr. 8; Dezember 1934; S. 246—253

K 612 * Moritoshi HAYASAKI, (Döblins Roman „Berlin Alexanderplatz"). (Jap.). In: Doitsu Hyôgenshugi (Der deutsche Exppessionismus. Hrsg. v. der Studiengruppe für Expressionismus im Deutschen Seminar der Universität Kyôto), Tôkyô, H. 3; 1967; S. 83—92 *

K 613  Erich HÜLSE. In: Möglichkeiten des modernen deutschen Romans. Hrsg. v. Rolf Geißler. Frankfurt a. M./Berlin/Bonn 1962, S. 45—101

K 614  Wolfgang KELSCH, *Döblins Roman „Berlin Alexanderplatz" auf der Oberstufe.* In: Der Deutschunterricht 20; 1968; H. 1, S. 24—42

K 615  Volker KLOTZ, *Agon Stadt. Alfred Döblins „Berlin Alexanderplatz".* In: DERS., *Die erzählte Stadt. Ein Sujet als Herausforderung des Ro-mans von Lesage bis Döblin.* München 1969, S. 372—418

K 616 * Francis Pugh LIDE, *Berlin Alexanderplatz in context. Alfred Döblin's literary practise.* Diss., University of Illinois 1966 * (Inhaltsangabe: DA 27; 1967; S. 2154/55A)

K 617 * Jan Keith MAC GILL, *A critical examination of experimental aspects of Alfred Döblin's early work, with particular reference to „Berlin Alexanderplatz".* Diss. (masch.schr.), University of New England, Armidale 1963 *

K 618  Fritz MARTINI, *Das Wagnis der Sprache.* Stuttgart 1954, 5. Aufl. 1964, S. 336—372

K 619 Ernst NEF, *Die Zufälle der „Geschichte vom Franz Biberkopf".* In: Wirkendes Wort, 18. Jg.; 1968; H. IV, S. 249—258
Jetzt in: DERS., *Der Zufall in der Erzählkunst.* Bern und München 1970, S. 97—108

K 620 James H. REID, *„Berlin Alexanderplatz" — A political novel.* In: German Life and Letters, Bd. 21; 1967—1968; S. 214—223

K 621 Albrecht SCHÖNE. In: Der deutsche Roman. Hrsg. v. Benno von Wiese. Düsseldorf 1963, Bd. II, S. 291—325

K 622 Elisabeth SEIDLER-von HIPPEL. In: Die Pädagogische Provinz, 17. Jg.; 1963; S. 268—274

K 623 Harry SLOCHOWER, *Franz Werfel and Alfred Döblin: The problem of individualism versus collectivism in „Barbara" and in „Berlin Alexanderplatz".* In: Journal of English and Germanic philology, Bd. 33; 1934; S. 103—112

K 624 Jürgen STENZEL, *Zeichensetzung. Stiluntersuchungen an deutscher Prosadichtung.* (Palaestra, Bd. 241). Göttingen 1966, S. 117—130

K 625 DERS., *Mit Kleister und Schere. Zur Handschrift von „Berlin Alexanderplatz".* In: TK, Nr. 13/14; Juni 1966; S. 41—44

K 626 Theodore ZIOLKOWSKI, *Dimensions of the modern novel. German texts and European contexts.* Princeton, New Jersey 1969, S. 99—137 u.ö.

g) Pardon wird nicht gegeben

K 627 Roland LINKS, *Roman des „Leidens an Deutschland".* In: Neue deutsche Literatur, Berlin, 10. Jg.; 1962; Nr. 2, S. 117—124

i) November 1918

K 628 Heinz D. OSTERLE, *Alfred Döblins Revolutionstrilogie „November 1918".* In: Monatshefte, Bd. 62, Nr. 1; Frühjahr 1970; S. 1—23

j) Der Oberst und der Dichter

K 629 Rainer KABEL, *Orpheus in der deutschen Dichtung der Gegenwart.* Diss. (masch.schr.), Kiel 1964, S. 141—143, 245

k) Hamlet oder Die lange Nacht nimmt ein Ende

K 630 Stefanie MOHERNDL, *Alfred Döblin: Hamlet oder Die lange Nacht nimmt ein Ende.* Diss. (masch.schr.), Graz 1963

K 631 Wilfried F. SCHOELLER. In: Kindlers Literatur-Lexikon, Bd. III; 1967; Sp. 1420—1422

V. *Behandlung in Literaturgeschichten und -lexika, sonstigen Untersuchungen allgemeiner Art sowie in Monographien über andere (Auswahl)*

K 632 R. M. ALBÉRÈS, *Geschichte des modernen Romans.* Übersetzt und bearbeitet von Karl August HORST. Düsseldorf/Köln 1964, S. 121, 153 f

K 633    Armin ARNOLD, *Die Literatur des Expressionismus*. Stuttgart/Berlin/
Köln/Mainz 1966, S. 80—107

K 634    Hans Jürgen BADEN, *Literatur und Bekehrung*. Stuttgart 1968, S. 162—197

K 635    Joseph Warren BEACH, *The twentieth century novel*. New York 1932,
S. 512—515

K 636    Walter A. BERENDSOHN, *Die humanistische Front. Einführung in die
deutsche Emigranten-Literatur*. Teil I. Zürich 1946 (s. Register)

K 637    Félix BERTAUX, *Panorama de la littérature allemande contemporaine*.
Paris 1928, S. 218—222

K 638    Albert BETTEX, *Die moderne Literatur*. In: Deutsche Literaturgeschichte
in Grundzügen. Hrsg. v. Bruno Boesch. 2. Aufl., München 1961,
S. 373 ff; S. 414 und 429—431

K 639    Alfred BIESE, *Deutsche Literaturgeschichte*. 24. Aufl., München 1930,
Bd. 3, S. 758—761

K 640    Jethro BITHELL, *Modern German Literature. 1880—1950*. 3. Aufl., London 1963, S. 367—369

K 641    Maurice BOUCHER, *Le roman allemand (1914—1933) et la crise de l'esprit*.
Paris 1961, S. 122—129

K 642    Guido K. BRAND, *Werden und Wandlung. Eine Geschichte der deutschen
Literatur von 1880 bis heute*. Berlin 1933, S. 520—523

K 643    Richard BRINKMANN, *Expressionismus-Probleme. Die Forschung der
Jahre 1952 bis 1958*. In: DVjs., 33. Jg.; 1959; S. 104—181; S. 112, 177

K 644    Hans BÜRGIN, Hans-Otto MAYER, *Thomas Mann — Eine Chronik
seines Lebens*. Frankfurt a. M. 1965, S. 81, 150, 174 f u. ö.

K 645    Horst DENKLER, *Drama des Expressionismus. Programm Spieltext Theater*. München 1967, S. 38—42 u. ö.

K 646    Wilhelm DUWE, *Deutsche Dichtung des 20. Jahrhunderts*. Bd. 2, Zürich
1960, S. 20—34

K 647    Horst ECKERT, *Die Beiträge der deutschen emigrierten Schriftsteller in
der „Neuen Weltbühne" von 1934—1939. Ein Beitrag zur Untersuchung
der Beziehungen zwischen Volksfrontpolitik und Literatur*. Diss.,
Humboldt-Universität, Berlin 1962, S. 142—147

K 648    Arthur ELOESSER, *Die deutsche Literatur vom Barock bis zur Gegenwart*.
Bd. 2, Berlin 1931, S. 611 f

K 649    Hansjörg ELSHORST, *Alfred Döblin*. In: Handbuch der deutschen Gegen-
wartsliteratur. Hrsg. v. Hermann Kunisch. München 1965, S. 162—165

K 650    Wilhelm EMRICH, *Protest und Verheißung. Studien zur klassischen und
modernen Dichtung*. Frankfurt a. M./Bonn 1960, S. 114, 130, 151

K 651    DERS., *Polemik. Streitschriften, Pressefehden und kritische Essays um
Prinzipien, Methoden und Maßstäbe der Literaturkritik*. Frankfurt
a. M./Bonn 1968 (s. Register)

K 652    DERS., *Von Georg Büchner zu Samuel Beckett*. In: Aspekte des Ex-
pressionismus. Periodisierung — Stil — Gedankenwelt. Die Vorträge des
Ersten Kolloquiums in Amherst/Massachusetts. Hrsg. v. Wolfgang
Paulsen. Heidelberg 1968, S. 11 ff; S. 23

K 653 Martin Esslin, *Brecht. Das Paradox des politischen Dichters.* Frankfurt a. M./Bonn 1962 (s. Register)

K 654 *Expressionismus. Gestalten einer literarischen Bewegung.* Hrsg. v. Hermann Friedmann und Otto Mann. Heidelberg 1956, S. 15, 16, 24, 209, 334—336

K 655 *Expressionismus als Literatur. Gesammelte Studien.* Hrsg. v. Wolfgang Rothe. Bern und München 1969 (s. Register)
(Enthält auch K 555)

K 656 Paul Fechter, *Deutsche Dichtung der Gegenwart.* Leipzig 1929 (Reclams Universal-Bibliothek 6984), S. 33—35

K 657 Ders., *Dichtung der Deutschen.* Berlin 1932, S. 792 f

K 658 Ders., *Geschichte der deutschen Literatur.* Gütersloh 1952, S. 623—628

K 659 Otto Forst de Battaglia, *Der Kampf mit dem Drachen. Zehn Kapitel von der Gegenwart des deutschen Schrifttums und von der Krise des deutschen Geisteslebens.* Berlin 1931, S. 98—100, 113, 122, 126 f

K 660 Ders., (O. F.-B.), *Deutsche Prosa seit dem Weltkriege.* Leipzig 1933, S. 22, 491

K 661 Gerhard Fricke und Volker Klotz, *Geschichte der deutschen Dichtung.* 10. Aufl., Hamburg und Lübeck 1964, S. 417—421

K 662 Wilhelm Grenzmann, *Deutsche Dichtung der Gegenwart.* Frankfurt a. M. 1953, S. 257 f

K 663 Karl August Horst, *Kritischer Führer durch die deutsche Literatur der Gegenwart.* München 1962 (s. Register)

K 664 Gerhard Irle, *Der psychiatrische Roman.* Stuttgart 1965, S. 43, 54 f, 62 f

K 665 Klaus Jarmatz, *Literatur im Exil.* (Ost-)Berlin 1966, S. 118 f

K 666 Walter Jens, *Statt einer Literaturgeschichte.* Pfullingen 1957, S. 54—57

K 667 Erich von Kahler, *Die Prosa des Expressionismus.* In: Der deutsche Expressionismus. Formen und Gestalten. Hrsg. v. Hans Steffen. Göttingen 1965, S. 157—178; S. 165 f, 174, 178

K 668 Klabund, *Deutsche Literaturgeschichte in einer Stunde.* Leipzig 1923, S. 91

K 669 Alfred Kleinberg, *Die deutsche Dichtung in ihren sozialen, zeit- und geistesgeschichtlichen Bedingungen. — Eine Skizze.* Berlin 1927, S. 412 f

K 670 Ernst Kreuder und Carl Mumm, *A quarter century of German literature.* In: Books abroad, Bd. 28; 1954; Nr. 1, S. 5—14

K 671 Hans-Jürgen Krysmanski, *Die utopische Methode. Eine literatur- und wissenssoziologische Untersuchung deutscher utopischer Romane des 20. Jahrhunderts.* (Dortmunder Schriften zur Sozialforschung, Bd. 21). Köln/Opladen 1963, S. 30, 45—50

K 672 Friedrich Kummer, *Deutsche Literaturgeschichte des 19. und 20. Jahrhunderts.* 13.—16. Aufl., Dresden 1922, Bd. II, S. 522

K 673 Hermann Kunisch, *Die deutsche Gegenwartsdichtung. Kräfte und Formen.* München 1968 (s. Register)

K 674 Stanley J. KUNITZ and Howard HAYCRAFT, *Twentieth century authors.* New York 1942, S. 389 f

K 675 Karl August KUTZBACH, *Autorenlexikon der Gegenwart. Schöne Literatur in deutscher Sprache.* Bonn 1950, S. 72—75

K 676 Victor LANGE, *Modern German literature 1870—1940.* Ithaca, New York 1945, S. 86 f

K 677 Hermann LECHNER, *Grundzüge der Literaturgeschichte.* Erweiterte Aufl., Innsbruck/Wien 1950, S. 358 f

K 678 Karl LEHMANN, *Der Roman unserer Tage.* Leipzig 1925, S. 14—16

K 679 Franz LENNARTZ, *Deutsche Dichter und Schriftsteller unserer Zeit.* 8. Aufl., Stuttgart 1959, S. 157—160

K 680 Friedrich von der LEYEN, *Deutsche Dichtung in neuer Zeit.* Jena 1922, S. 305

K 681 Ferdinand LION, *Thomas Mann — Leben und Werk.* Zürich 1947, S. 77—79

K 682 Paul E. H. LÜTH, *Literatur als Geschichte.* Wiesbaden 1947, S. 257 und 429—449

K 683 Georg LUKÁCS, *Der historische Roman.* Berlin 1955, S. 296 f, 308 f u. ö. (geschrieben 1936/37)

K 684 DERS., *Skizze einer Geschichte der neueren deutschen Literatur.* Neuwied 1963, S. 207 (geschrieben 1944)

K 685 DERS., *Deutsche Literatur im Zeitalter des Imperialismus.* Berlin 1946, S. 56

K 686 Werner MAHRHOLZ, *Deutsche Literatur der Gegenwart.* Durchgesehen und erweitert von Max WIESER. Berlin 1930, S. 425—427

K 687 Ludwig MARCUSE (Hrsg.), *Weltliteratur der Gegenwart. Bd.: Deutschland.* Berlin/Leipzig/Wien/Bern 1924. Teil I, S. 350 f (KNOBLAUCH); Teil II, S. 42—46 (Max KRELL)

K 688 Kurt MARTENS, *Die deutsche Literatur unserer Zeit.* München 1921, S. 411

K 689 Fritz MARTINI, *Wandlungen und Formen des gegenwärtigen Romans.* In: Der Deutschunterricht; 1951; H. 3, S. 5—28; S. 18

K 690 DERS., *Deutsche Literaturgeschichte.* 10. Aufl., Stuttgart 1960, S. 538—540

K 691 Hans MAYER, *Zur deutschen Literatur der Zeit. Zusammenhänge Schriftsteller Bücher.* Hamburg 1967, S. 39 f, 52, 140, 269 u. ö.

K 692 Peter de MENDELSSOHN, *S. Fischer und sein Verlag.* Frankfurt a. M. 1970, S. 799—809, 1172—1177 u. ö.

K 693 Hermann MEYER, *Das Zitat in der Erzählkunst.* Stuttgart 1961, S. 25 f

K 694 MIELKE-HOMANN, *Der deutsche Roman des 19. und 20. Jahrhunderts.* 6. Aufl., Dresden 1920, S. 516

K 695 Robert MINDER, *Alfred Döblin.* In: Lexikon der Weltliteratur im 20. Jahrhundert. Bd. I, Freiburgi.Br./Basel/Wien 1960, Sp. 461—465

K 696 Walter MUSCHG, *Der Zauber der Abstraktion in der Dichtung.* In: Euphorion, Bd. 58; 1964; S. 225—242; S. 232 f und 236—238

K 697 Josef NADLER, *Literaturgeschichte des Deutschen Volkes.* 4. Aufl. Bd. 4, Berlin 1941, S. 228 f

K 698  Hans NAUMANN, *Die deutsche Dichtung der Gegenwart vom Naturalismus bis zum Expressionismus.* 3. Aufl., Stuttgart 1927, S. 162, 218, 223. 6. Aufl.; 1933; S. 169, 222

K 699  Wolfgang PAULSEN, *Expressionismus und Aktivismus. Eine typologische Untersuchung.* Berlin/Leipzig 1935 (s. Register)

K 700  Ludwig PESCH, *Die romantische Rebellion in der modernen Literatur und Kunst.* München 1962, S. 166

K 701  Robert PETSCH, *Wesen und Formen der Erzählkunst.* 2. Aufl., Halle a. d. Saale 1942 (s. Register)

K 702  W. K. PFEILER, *German literature in exile.* University of Nebraska/Lincoln 1957, S. 10—14
(Rez.: Hans MAYER. In: Deutsche Literaturzeitung, Berlin, 80. Jg., H. 6; Juni 1959; S. 514 f)

K 703  Hermann PONGS, *Das Bild in der Dichtung.* Bd. I, Marburg 1927, S. 404

K 704  DERS., *Vom Naturalismus zur Neuen Sachlichkeit.* In: Aufriß der deutschen Literaturgeschichte. Hrsg. v. H. A. Korff und W. Linden, Leipzig/Berlin 1930, S. 192 ff; S. 217

K 705  DERS., *Im Umbruch der Zeit. Das Romanschaffen der Gegenwart.* Göttingen 1952, S. 50—53

K 706  DERS., *Dichtung im gespaltenen Deutschland.* Stuttgart 1966, S. 402—406

K 707  Bernhard RANG, *Der Roman.* Freiburg i. Br. 1950, S. 49

K 708  Walter RAUSCH, *Darstellung jugendlicher Religiosität in neuerer deutscher Dichtung.* (Diss. Bonn) Würzburg 1934, S. 16 f

K 709  Hans RÖHL, *Geschichte der deutschen Dichtung.* Leipzig/Berlin, 8. Aufl., 1931, S. 354 f

K 710  Günther RÜHLE, *Theater für die Republik 1917—1933. Im Spiegel der Kritik.* Frankfurt a. M. 1967, S. 691 f, 956

K 711  Anselm SALZER, *Illustrierte Geschichte der deutschen Literatur von den ältesten Zeiten bis zur Gegenwart.* 2. Aufl., Bd. 5, Teil II, Regensburg 1932, S. 2281—2285

K 712  Richard SAMUEL und R. Hinton THOMAS, *Expressionism in German life, literature and the theatre.* Cambridge 1939 (s. Register)

K 713  Hans SCHWERTE, *Der Weg ins zwanzigste Jahrhundert. 1889—1945.* In: Annalen der deutschen Literatur. Hrsg. v. Heinz Otto Burger. Stuttgart 1952, S. 719 ff; S. 804 f

K 714  Heinz SCHWITZKE, *Das Hörspiel. Dramaturgie und Geschichte.* Köln, Berlin 1963, S. 147—150 u. ö.

K 715  Helmut SEMBDNER, *Der Kleist-Preis 1912—1932. Eine Dokumentation.* (Jahresgabe der Heinrich-von-Kleist-Gesellschaft 1967). Berlin 1968 (s. Register)
(Enthält auch D 272)

K 716  Albert SOERGEL, *Dichtung und Dichter der Zeit. N. F.: Im Banne des Expressionismus.* Leipzig 1925, S. 871—885

K 717  Peter STEHLIN, *Zum Goethe-Bild des literarischen Expressionismus.* (Diss. Basel 1966). Zürich 1967, S. 25—32

K 718  Th. C. van STOCKUM und J. van DAM, *Geschichte der deutschen Literatur.* 2. Aufl., Bd. 2, Groningen/Djakarta 1954 (s. Register)

K 719  Frank TROMMLER, *Roman und Wirklichkeit.* (Sprache und Literatur 30). Stuttgart/Berlin/Köln/Mainz 1966, S. 36 f

K 720  Eduard von TUNK, *Illustrierte Weltliteraturgeschichte.* Zürich 1955, Bd. 3, S. 485 f, 493

K 721  H. M. WAIDSON, *The modern German novel. A mid-twentieth century survey.* London/New York/Toronto 1959, S. 20—22

K 722  Hans-Albert WALTER, *Der Streit um die „Sammlung". Porträt einer Literaturzeitschrift im Exil (I).* In: FH, 21. Jg.; 1966; H. 12, S. 850—860

K 723  Oskar WALZEL, *Die deutsche Dichtung seit Goethes Tod.* 2. Aufl., Berlin 1920 (s. Register)

K 724  DERS., *Deutsche Dichtung von Gottsched bis zur Gegenwart.* Bd. II, Potsdam 1930, S. 350—353

K 725  DERS., *Gehalt und Gestalt im Kunstwerk des Dichters.* In: Euphorion, Bd. 32; 1931; S. 441—453; S. 448—450

K 726  Matthias WEGNER, *Exil und Literatur. Deutsche Schriftsteller im Ausland 1933—1945.* Frankfurt a. M./Bonn 1967

K 727  F. C. WEISKOPF, *Unter fremden Himmeln. Ein Abriß der deutschen Literatur im Exil 1933—1947.* (Ost-)Berlin 1948

K 728  Werner WELZIG, *Der deutsche Roman im 20. Jahrhundert.* Stuttgart 1967, S. 114—121, 174—176, 281—284

K 729  Wolfgang WENDLER, *Carl Sternheim. Weltvorstellung und Kunstprinzipien.* Frankfurt a. M./Bonn 1966, S. 257 f

K 730  Wilfried van der WILL, *Pikaro heute. Metamorphosen des Schelms bei Thomas Mann, Döblin, Brecht, Grass.* Stuttgart/Berlin/Köln/Mainz 1967, S. 42—44 u. ö.

K 731  Joseph WULF, *Literatur und Dichtung im Dritten Reich. Eine Dokumentation.* Gütersloh 1963. Rowohlt-Taschenbuch 809—811, Hamburg 1966 (s. Register)

# NACHTRAG

K  44A  Hans von WEBER, *Schöne Literatur I*. In: Der Zwiebelfisch, 12. Jg.; 1921; S. 91—95; S. 92

K 125A  F. C. WEISKOPF, *Döblin, der deutsche Normaleinheits-Joyce*. In: Berlin am Morgen; 2. 2. 1930; Nr. 28; S. 5

K 145A* Alfred DURUS. In: Die Rote Fahne, Berlin, 14. Jg., Nr. 31; 19. 4. 1931 *

K 229A  Robert Wolfgang SCHNELL, *„Der Tod hat es leicht auf der Welt"*. In: Panorama. München, 1. Jg.; 1957; S. 11

K 232A  o. Verf. *Hamlet bei Nacht*. In: Der Spiegel, 11. Jg., Nr. 34; 21. 8. 1957; S. 51 f

K 234A  Hans von WEBER, *Essays*. In: Der Zwiebelfisch, 13. Jg.; 1924; H. 4/6, S. 46 f; S. 47

K 248A  Moritz GOLDSTEIN, *Döblin reist in Polen*. In: VZ; 28. 2. 1926; Lit. Umschau

K 271A  O. BIHA, *Die Ideologen des Kleinbürgertums und die Krise. Ein Beitrag zur Analyse des Faschisierungsprozesses in der Literatur.* (Zu: Werfel: „Realismus und Innerlichkeit", Benn: „Fazit der Perspektiven", Döblin: „Wissen und Verändern!"). In: Internationale Literatur, Moskau, 2. Jg.; 1932; H. 2, S. 108—112

K 289A  F. C. WEISKOPF, *Gute Ratschläge für Herrn Hocke — oder: Alfred Döblins Deutung der deutschen Intellektuellen.* In: Der Rote Aufbau, Berlin; 1931; Nr. 11, S. 514—517
Jetzt in K 716A, S. 337—341

K 303A  Wilhelm HAUSENSTEIN. In: Süddeutsche Zeitung; 1. 2. 1947; Nr. 14, S. 5

K 314A  Wolfgang SCHLÜTER. In: Hannoversche Presse; 2. 12. 1960


(Zu c) Wallenstein:)
K 314B  Christoph KUHN. In: Tagesanzeiger, Zürich; 26. 1. 1966


(Zu d) Pardon wird nicht gegeben:)
K 320A  Karl RAUCH, *Döblins zweiter Berlin-Roman*. In: Telegraf, Berlin; 18. 12. 1960


i)  Aufsätze zur Literatur (D 573)
K 325A  Dietrich WIELAND, *Essays von Döblin*. In: Allgemeine Wochenzeitung der Juden in Deutschland, Düsseldorf; 11. 9. 1964

j)  Briefe (D 604A)

K 325B    Marcel REICH-RANICKI, *Mißverständlicher Mißverstandener*. In: Die
          Zeit, 26. Jg., Nr. 1; 1. 1. 1971; S. 20
K 325C    o. Verf., *Totalement solo*. In: Der Spiegel, 24. Jg., Nr. 49; 30. 11.
          1970; S. 204—207


K 400A    Albert EHRENSTEIN, *Analytische Dichter der Dämmerung*. (Über Peter
          Baum und Döblin). In: BT; 11. 8. 1913; Nr. 32; Beilage: „Der Zeit-
          geist", S. 1—3
K 400B*   DERS., *Ärzte*. (Über Döblin, Schnitzler und Benn). In: Der Kritiker,
          Berlin, 1. Jg., Nr. 29; 20. 9. 1919; S. 9 f *
K 469A    I(sidor) D. L(IFSCHITZ), *Jüdische Erneuerung?* (u. a. zu D 454). In:
          Der Bund, Bern; 12. 7. 1934; Nr. 319
K 469B    Thomas MANN und Hans FRIEDRICH (im Namen des Schutzverbandes
          Deutscher Schriftsteller, Gau Bayern), *Erklärung*. (Zum Verbot der
          „Ehe" in München). In: Der Schriftsteller, 19. Jg., H. 1; Januar 1931;
          S. 21
K 528A    Adolf GRIMME, *Briefe*. Hrsg. v. Dieter Sauberzweig unter Mitwir-
          kung von Ludwig Fischer. Heidelberg 1967, S. 189 (Brief an Döblin
          vom 6. 8. 1954)
K 528B    Theodor HEUSS, *Erinnerungen 1905—1933*. Tübingen 1963, S. 340 f
K 540A    Hans MAYER, *Fahrt zu Döblin*. In: literarium (Hauszeitschrift des
          Walter Verlags) 14; 1966; S. 3 f
K 547A    Fritz STERNBERG, *Der Dichter und die Ratio. Erinnerungen an Bertolt
          Brecht*. Göttingen 1963, S. 16 f und 19
K 557A    Leo KREUTZER, *Alfred Döblin. Sein Werk bis 1933*. (Sprache und Litera-
          tur 66). Stuttgart Berlin Köln Mainz 1970
K 570A*   Eugene Patrick FINNEGAN, *Biblical themes in the novels of Alfred
          Döblin*, Diss., Northwestern University 1967 *
          (Inhaltsangabe: DA 28, S. 4171/72A)
K 571A *  Mark GOLDBERG, *The Individual and Society in the Novels of Alfred
          Doeblin*. Diss., New York University 1969 *
          (Inhaltsangabe: DA 30, S. 3942A f)
K 584A*   Karl-Ludwig de VRIES, *Moderne Gestaltelemente im Romanwerk Al-
          fred Döblins und ihre Grundlagen. Ein Beitrag zur Morphologie des
          modernen Romans*. Diss., Hamburg 1968 *
K 593A    Walter FALK, *Der erste moderne deutsche Roman: „Die drei Sprünge
          des Wang-lun" von Alfred Döblin*. In: Zeitschrift für deutsche Philo-
          logie, Bd. 89; 1970; S. 510—531
K 594A    Ingrid SCHUSTER, *Alfred Döblins „Chinesischer Roman"*. In: Wirken-
          des Wort, 20. Jg., H. 5; September/Oktober 1970; S. 339—346
K 604A    H. J. SCHUELER, *Initiatory Patterns and Symbols in Alfred Döblin's
          „Manas" and Hermann Kasack's „Die Stadt hinter dem Strom"*. In:
          German Life and Letters, N. F., Bd. 24, Nr. 2; Januar 1971; S. 182—192

h) Amazonas

K 627A\* Jacob ERHARDT, *Alfred Döblin. Eine kritische Untersuchung seines Romans ‚Amazonas'*. Diss., Case Western Reserve University 1968 \* (Inhaltsangabe: DA 29, S. 4483A)

K 716A *Zur Tradition der sozialistischen Literatur in Deutschland. Eine Auswahl von Dokumenten.* Hrsg. u. kommentiert von der Deutschen Akademie der Künste zu Berlin, Sektion Dichtkunst und Sprachpflege, Abteilung Geschichte der sozialistischen Literatur. 2., durchgesehene und erweiterte Aufl., Berlin und Weimar 1967 (s. Register)
Enthält auch K 289A

REGISTER

(Um Großbuchstaben erweiterte Ziffern beziehen sich auf die beiden Nachträge)

a) Zeitungen und Zeitschriften

Aachener Post.  K 347
Acht-Uhr-Abendblatt, Berlin.  K 47
Ärzteblatt für Baden-Württemberg, Stuttgart.  K 409
Die Aktion, hrsg. v. Franz Pfemfert, Berlin.  K 3, 479
Akzente, Zeitschrift für Dichtung, München.  D 602; K 387, 578
Allemagne d'aujourd'hui, Paris.  K 221, 381, 415, 432, 433
Allgemeine Wochenzeitung der Juden in Deutschland, Düsseldorf.
  K 325A
Allgemeine Zeitschrift für Psychiatrie und psychisch-gerichtliche Me-
  dizin, Berlin.  D 136, 137
Alternative, Berlin.  K 483
Archiv für Psychiatrie und Nervenkrankheiten, Berlin.  D 138, 141
Aufbau, Berlin.  D 264, 599; K 307, 323, 359, 371, 393, 463
Aufbau, New York.  K 216, 366, 379
Aussprache, Eine Europäische Zeitschrift, Düsseldorf.  K 483

Baden-Badener Bühnenblatt.  D251
Badische Zeitung, Freiburg i. Br.  D 466, 515; K 179, 195
Die Barmer Ersatzkasse, Wuppertal-Barmen.  K 428
Barmer Zeitung.  K 344
Begegnung, Köln.  K 370
Berlin am Morgen.  K 125A
BBC  Berliner Börsen-Courier.  D 29, 84, 343, 436, 498; K 20, 39, 104, 128,
  135, 277, 333, 503
Berliner Börsenzeitung.  K 158a, 342
Berliner klinische Wochenschrift.  D 145, 147, 149, 150, 153
Berliner Medizin.  K 373
BT  Berliner Tageblatt.  D 131, 133, 273, 288, 291, 304, 431, 433, 451, 471,
  472, 486, 487, 499, 500, 503, 543; K 50, 65, 83, 121, 148, 159, 233,
  263, 273, 337, 400A
Berliner Volks-Zeitung.  D 502
Berliner Zeitung, (Ost-)Berlin.  K 209, 392
Biochemische Zeitschrift, Berlin.  D 143, 144
Das Blaue Heft, Theater-Kunst-Politik, hrsg. v. Max Epstein, Berlin.
  K 80
Börsenblatt für den deutschen Buchhandel, Frankfurt.  K 572
Börsenblatt für den deutschen Buchhandel, Leipzig.  K 418
Die Böttcherstraße, Bremen.  D 303, 357
Der Bogen, Wiesbaden.  K 424

Books abroad, Norman, Oklahoma.   K 207, 301, 308, 367, 382, 670
Braunschweigische Landeszeitung.   K 330
Breslauer Zeitung.   K 85, 330, 444
Buch und Leben, Stuttgart.   K 200
Bücherei und Bildungspflege, Stettin.   K 88
Die Bücher-Kommentare, Stuttgart/Berlin.   K 231
Der Bund, Bern.   K 110, 469A


Die Christliche Welt, Gotha.   K 101
C.(entral)-V.(ereins)-Zeitung, Blätter für Deutschtum und Judentum, Berlin.   D 434; K 98


Daheim, Leipzig/Bielefeld.   K 131
Darmstädter Tagblatt.   K 52b
Deutsche Allgemeine Zeitung, Berlin.   K 36, 60, 127, 339
Deutsche Blätter in Polen, Posen.   K 251, 252
Das deutsche Buch, Leipzig.   D 276; K 107
Das deutsche Drama, Berlin.   K 158
Die deutsche Kritik, Chemnitz.   K 52
Deutsche Literaturzeitung, Berlin.   K 702
Deutsche medizinische Wochenschrift, Leipzig.   D 139, 142
Deutsches Pfarrerblatt, Essen.   K 464
Deutsche Presse, Berlin.   D 541
Deutsche Republik, Berlin/Frankfurt a. M.   K 118
Deutsche Rundschau, Berlin.   K 108, 245, 395, 408
Deutsche Tageszeitung.   K 52a
DVjs.   Deutsche Vierteljahrsschrift für Literaturwissenschaft und Geistesgeschichte, Stuttgart.   K 606, 643
Deutsches Volkstum, Hamburg.   K 466
Deutsche Volkszeitung, Paris/Prag/Kopenhagen.   K 352, 456
Deutsche Woche, München.   K 385, 406, 419
Deutsche Zeitung, Berlin.   K 271
Deutsche Zeitung Bohemia, Prag.   D 481; K 298
Deutsche Zeitung mit Wirtschaftszeitung, Köln.   K 318
Deutsche Zentralzeitung, Moskau.   K 351
Der Deutschenspiegel, Berlin.   D 579
Deutsch-französische Rundschau, Berlin.   D 508
Der Deutschunterricht, Stuttgart.   K 599, 614, 689
Dietsche Warande en Belfort, Antwerpen.   K 564
Documents, Revue mensuelle publiée par le centre d'études culturelles, économiques et sociales, Offenbourg en Bade.   D 588; K 303
Das Dreieck, Monatszeitschrift für Wissenschaft, Kunst und Kritik, Berlin.   D 51
Der Dreiklang, Flensburg.   K 361
Dresdner Anzeiger.   K 343

Echo der Zeit, Recklinghausen.   K 199
Eckart, Blätter für evangelische Geisteskultur, Berlin-Steglitz.   D 172;
    K 96, 258, 286, 454
Die Erzählung, Konstanz.   K 407
Etudes Germaniques, Paris.   K 610
Euphorion, Heidelberg.   K 696, 725
Europäische Revue, Leipzig.   D 445; K 422

Die Fachpresse, Fachblatt für das gesamte Fachzeitschriftenwesen, Hei-
    delberg.   D 538
Feuer, Illustrierte Monatsschrift für Kunst und künstlerische Kultur,
    Saarbrücken.   D 61; K 398
Der Feuerreiter, Berlin.   D 270
Der Film, Berlin.   D 443
Film-Kurier, Berlin.   D 580
Fortschritte der Medizin, Berlin.   D 512; K 443
Forum, Österreichische Monatsblätter für kulturelle Freiheit, Wien.
    K 204
FAZ   Frankfurter Allgemeine Zeitung, Frankfurt a. M.   D 604; K 202, 216,
    313, 316, 320, 325, 376, 427, 554
FH   Frankfurter Hefte, Frankfurt a. M.   K 224, 227, 304, 315, 448, 565, 722
     Frankfurter Rundschau, Frankfurt a. M.   K 215
FZ   Frankfurter Zeitung, Frankfurt a. M.   D 68, 374, 388, 488; K 7, 22, 34,
    253, 280, 394
Die Frau, Berlin.   K 154
Frayland, Warschau.   D 454B, 454C
Freies Deutschland, Mexiko.   K 356
Freie Welt, Gablonz.   K 77
Freiland, Zeitschrift für jüdische Großkolonisation/Territorialismus,
    Paris.   D 454D
Funkwelt, Die Illustrierte des Hörers, Baden-Baden.   D 469
Die Furche, Wien.   K 372

Die Gegenwart, Berlin.   K 6
Die Gegenwart, Freiburg i. Br./Frankfurt a. M.   K 178, 189, 226, 386
Generalanzeiger für Stettin.   D 540, 542; K 349
Genius, Zeitschrift für werdende und alte Kunst, München.   D 83
Geraer Zeitung.   K 403
German Life and Letters, Oxford.   D 600; K 604A, 620
The German Quarterly, Appleton/Wisconsin.   K 426, 441, 498
Germania, Berlin.   K 75, 430
The Germanic Review, New York.   K 571
Germanisch-romanische Monatsschrift, Heidelberg.   K 567
Geschichtsblätter für Technik und Industrie, Berlin.   K 26
Die Gesellschaft, Internationale Revue für Sozialismus und Politik, Ber-
    lin.   K 92

Gids, Amsterdam.   K 293

Die Glocke, Berlin.   D 65, 164; K 14, 40

GT   Das Goldene Tor, hrsg. v. Alfred Döblin, Lahr; Baden-Baden.   D 73—
     79, 182, 184, 263—268, 279—281, 283, 310—327, 367, 467, 516, 548—
     567

Der Gral, Essen.   K 4, 112, 289

Groot-Nederland, Amsterdam.   K 294, 437


Hamburger Fremdenblatt.   D 382; K 430

Hamburgischer Correspondent.   K 42, 345

Hannoversche Neueste Nachrichten.   K 358

Hannoverscher Kurier.   D 496; K 333

Hannoversche Presse.   K 314A

Hannoversches Tageblatt.   K 330

Hartung'sche Zeitung, Königsberg.   D 485; K 330

Hefte für Büchereiwesen, Wien/Leipzig.   K 116, 250

Hessischer Volksfreund, Darmstadt.   K 51

Heute und Morgen, hrsg. v. Willi Bredel, Schwerin.   K 419, 486

Die Hilfe, Berlin.   K 71, 89, 155, 268

H   Hochland, Kempten und München.   D 369; K 23, 25, 64, 103, 185, 193,
    208, 321

De Hollandsche Revue, Haag.   D 307; K 166, 168

Das humanistische Gymnasium, Leipzig/Berlin.   K 237


Imago, Wien.   K 240

Internationale Literatur, Moskau.   K 217A


Jahresring.   K 375

Journal of English and Germanic philology, Bloomington.   K 604, 623

Judaica, Zürich.   K 440

Der Jude, Berlin.   D 592; K 465

Jüdische Rundschau, Berlin.   K 91, 247, 346

Das junge Deutschland, Berlin.   D 58; K 5

Junge Welt, Luxemburg.   K 329


Klingsor, Kronstadt.   K 73

Kölner Tageblatt.   K 18

Kölnische Zeitung.   K 269, 279, 330

Königsberger Allgemeine Zeitung.   K 328

Der Kreis, Zeitschrift für künstlerische Kultur, Hamburg.   K 105

Der Kritiker, Wochenschrift für Politik, Kunst und Wissenschaft, Berlin.   K 400B

Kunst und Künstler, Illustrierte Monatsschrift für bildende Kunst,
Berlin.   K 468, 478

Das Kunstblatt, hrsg. v. Paul Westheim, Berlin.   D 85, 165, 168;
K 13, 413

Kunstwart und Kulturwart, München.   K 43

Der Kurier, Berlin.   K 213, 228
Les langues modernes, Paris.   K 495
Leipziger jüdische Zeitung.   D 248
Leipziger Neueste Nachrichten.   D 270; K 54, 99, 145
Leipziger Tageblatt.   D 235, 245, 249, 478, 495; K 28, 58
Leipziger Volkszeitung.   K 58
Die Lesestunde, hrsg. v. der Deutschen Buchgemeinschaft, Darmstadt.
    K 533
Der Lesezirkel, Zürich.   D 292, 354, 501; K 435
Die Linkskurve, hrsg. v. Johannes R. Becher, Berlin.   D 438; K 114,
    278, 446, 447, 485
LE   Das literarische Echo.   D 493; K 10, 27, 30, 37, 48, 59, 439
    (Fortsetzung : Die Literatur)
LW   Die literarische Welt, hrsg. v. Willy Haas, Berlin.   D 53, 54, 67, 134,
    171, 174, 275, 277, 287, 299, 300, 302, 449, 452, 489, 501, 505, 510,
    511, 525, 527, 545, 577, 581; K 78, 97, 136, 146, 156, 257, 264, 275,
    336, 400, 423, 449, 453, 458, 459, 476, 488, 494, 508
    literarium (Hauszeitschrift des Walter-Verlages), Olten und Freiburg
    i. Br.   K 540A
L   Die Literatur (Fortsetzung von: Das literarische Echo).   D 167, 272; K 53,
    66, 76, 126, 129, 157, 238, 255, 260, 469, 482, 493, 510, 512
    Das Luxemburger Wort.   D 585

    März, Eine Wochenschrift, hrsg. v. Theodor Heuss, Berlin/München.
    K 9
    Das Magazin, Monatsschrift für Literatur, Musik, Kunst und Kultur,
    hrsg. v. Herwarth Walden, Leipzig.   D 1
    Magdeburger General-Anzeiger.   K 348
    Magdeburgische Zeitung.   D 384; K 83
    Mannheimer Tageblatt.   K 49
    Marsyas, hrsg. v. Theodor Tagger, Berlin.   D 21, 159; K 12
MW   Maß und Wert, Zweimonatsschrift für freie deutsche Kultur, hrsg. v.
    Thomas Mann und Konrad Falke, Zürich.   D 363; K 171, 173, 175,
    300
    Mecklenburgische Zeitung, Schwerin.   K 332
    Medizinische Klinik, Berlin.   D 154; K 244
    Melos, Halbmonatsschrift für Musik, Berlin.   D 162, 298, 340, 341
    Menorah, Jüdisches Familienblatt für Wissenschaft, Kunst und Litera-
    tur, Wien.   K 132
    Die Menschenrechte, Berlin.   D 526
    Mercure de France, Paris.   K 198
    Merkur, Deutsche Zeitschrift für europäisches Denken, Stuttgart.
    K 194, 210
    Michael, Düsseldorf.   D 38, 294; K 187
    Mitteilungen des Literarischen Bundes.   K 274
    Modern language notes.   D 600

Moderna språk. K 397

Monatshefte für deutschen Unterricht, Madison, Wisconsin. K 383, 611, 628

Morgen, Wochenschrift für deutsche Kultur, hrsg. v. Herwarth Walden, Berlin. D 371

Der Morgen, Berlin. K 90, 206

Münchener medizinische Wochenschrift. D 148

Münchener Zeitung. K 158b

Münchner Neueste Nachrichten. K 29, 120, 150

Die Musikpflege, Leipzig. D 177

Muttersprache, Lüneburg. K 306


The Nation, New York. K 138

National-Zeitung, Basel. K 174, 232

Neophilologus, Groningen. K 604

Neue Blätter für den Sozialismus, Potsdam. K 281, 283

Die Neue Bücherschau, Berlin. K 63, 241, 265, 391

NDB Neue deutsche Blätter, Prag/Wien/Zürich/Paris/Amsterdam. K 164, 295, 296, 461

Neue deutsche Hefte, Gütersloh. K 404

Neue deutsche Literatur, Berlin. D 82A; K 212, 374, 627

Neue Leipziger Zeitung. K 57, 153

Neue literarische Welt, Darmstadt. K 368

NL Die neue Literatur (Fortsetzung von: Die schöne Literatur), Leipzig. K 152, 477, 481

Das neue Mainz. D 600A

NM Der Neue Merkur, hrsg. v. Efraim Frisch, München. D 13, 16, 49, 60, 62, 161, 211, 285, 347, 400, 401, 415, 422; K 33, 401, 455

NR Die Neue Rundschau, Berlin. D 18, 20, 27, 34, 63, 66, 158, 160, 173, 209, 210, 286, 342, 346, 348, 350—352, 359, 361, 373, 378, 387, 396—399, 402—409, 411—414, 416—419, 423—425, 430, 447, 448, 479, 491, 515, 528, 530; K 16, 41, 45, 61, 81, 102, 246, 285, 291, 327, 411, 420, 421, 504, 507, 572

Neue Schweizer Rundschau, Zürich. K 117, 396, 474, 475, 511

Neues Tageblatt, Stuttgart. K 340

NTB Das Neue Tagebuch (Fortsetzung von: Das Tagebuch), hrsg. v. Leopold Schwarzschild, Paris/Amsterdam. D 33, 258—262, 390, 457, 459—462; K 163, 170, 172, 176, 297, 353, 470, 471

Der neue Weg, hrsg. v. Herwarth Walden, Berlin. D 155

Die neue Weltbühne (Fortsetzung von: Die Weltbühne), Prag/Zürich. K 165, 299, 647

Die Neue Zeitung, München. D 465, 583; K 360, 364, 365

Neue Zürcher Zeitung. K 72, 130, 229, 399, 467

Die neueren Sprachen. Marburg a. L./Frankfurt a. M. K 142

Neuwerk, Kassel. K 288

The New Republic, New York.   K 137
The New Statesman and Nation, London.   K 141
The New York Times Book Review.   K 139
La Nouvelle Revue Francaise, Paris.   K 93, 270

Der Oberschlesier, Oppeln.   K 249
Orplid, hrsg. v. Martin Rockenbach, Augsburg.   K 84
Ostdeutsche Monatshefte, Stollhamm/Berlin.   K 389
Die Ostschweiz, St. Gallen.   K 574
Ostseezeitung, Stettin.   K 331
Ostwart-Jahrbuch, Breslau.   D 169

Die Pädagogische Provinz.   K 608, 622
Paneuropa, Wien.   K 282
Panorama, Prag.   D 290
Panorama, Eine deutsche Zeitung für Literatur und Kunst, München.
   K 229A
Pariser Tageblatt.   D 178, 255—257, 255A
Pariser Tageszeitung.   D 180, 458; K 354
Pegasus, Pressig-Rothenkirchen (Ofr.).   D 187
Petrusblatt, Berlin.   K 412
Der Piperbote für Kunst und Literatur, München.   D 349
Die Post, Berlin.   D 410
Prager Presse.   K 55, 355
PT    Prager Tageblatt.   D 211A, 212—226, 228—234, 235A, 236—247, 244A
Preußische Jahrbücher.   K 335

Q     Der Querschnitt, Berlin.   D 253, 360, 437, 450; K 94, 287, 491, 520

Radio-Wien.   K 436
Rassegna nazionale, Rom.   K 140, 161
Revue d'Allemagne, Paris.   K 266
Revue de l'enseignement des langues vivantes, Paris.   D 514; K 167
Revue germanique, Paris.   K 21
Revue des langues vivantes, Paris.   K 585
Rhein-Mainische Volkszeitung, Frankfurt a. M.   K 338
Der Rheinische Merkur.   D 586
Rhein-Neckar-Zeitung, Heidelberg.   K 216
Der Rote Aufbau, Berlin.   K 289A
Die Rote Fahne, Berlin.   K 145A
Der Ruf, Unabhängige jüdische Zeitung, Rotterdam.   D 454A—C
Die Rundfunkwoche, Berlin.   D 578

Saarbrücker Zeitung.   D 388; K 489
Die Sammlung, hrsg. v. Klaus Mann, Amsterdam.   D 254, 453, 529;
   K 162, 459, 722

Die Schaubühne, hrsg. v. Siegfried Jacobsohn, Berlin.   K 8
   (Fortsetzung: Die Weltbühne)
Der Scheinwerfer, Essen.   K 95, 119, 272
Schlesische Monatshefte, Breslau.   K 124, 262
Schlesische Zeitung, Breslau.   K 106
Schleswig-Holsteinische Volkszeitung, Rendsburg.   D 301
SL      Die schöne Literatur, Leipzig.   K 56, 79, 111, 239, 248, 259, 481
   (Fortsetzung: Die neue Literatur)
Die schöne Rarität, Kiel.   D 11
Das Schönste, München.   K 410
Der Schriftsteller, Zeitschrift des Schutzverbandes Deutscher Schrift-
   steller.   D 432; K 469B
Schule und Elternhaus, Berlin.   D 507
Schweizer Annalen, Aarau.   D 587
Schweizer Rundschau, Einsiedeln; Solothurn.   K 362f, 556
Schweizerische Medizinische Wochenschrift, Basel.   K 256
Schweizerische Monatshefte für Politik und Kultur, Zürich.   K 113
Sinn und Form, Berlin.   D 81, 82, 370, 535
Sonntag, Berlin.   D 598A; K 190, 442
Sonntagsblatt, Hamburg.   K 384, 513
Der Spiegel, Hamburg.   K 232A, 325C
Staatszeitung und Herold, New York.   D 529A
Der Standpunkt, Meran.   K 177, 182, 184, 322
Der Standpunkt, Stuttgart.   D 582
Die Stimme der Freiheit, Berlin.   K 125, 472, 484
Stimmen der Zeit, Freiburg i. Br.   K 122, 402
St      Der Sturm, hrsg. v. Herwarth Walden, Berlin.   D 2—11, 14, 15, 17, 19,
   57, 156, 157, 202—207, 297, 329—339, 344, 372, 391—395, 470, 521,
   522, 537; K 1
Stuttgarter Zeitung.   K 180, 211, 217, 429
Süddeutsche Monatshefte, München.   K 466
Süddeutsche Zeitung, München.   K 214, 303A, 311, 314, 319, 377
Südwestdeutsche Heimatblätter, Saarbrücken.   K 489

Der Tag, Berlin.   K 38, 231
TB     Das Tagebuch, hrsg. v. Stefan Großmann; Leopold Schwarzschild, Berlin.
   D 163, 176, 305, 306, 308, 309, 389, 438—442, 541; K 32, 115, 151,
   451, 480, 515
   (Fortsetzung: Das Neue Tagebuch)
Tagesanzeiger, Zürich.   K 314B
Der Tagesspiegel, Berlin.   K 196, 201
Die Tat, Monatsschrift für die Zukunft deutscher Kultur, Jena.
   K 44, 67
Die Tat, Zürich.   K 191
Telegraph (Telegraf), Berlin.   K 225, 310, 320A, 505

TK      Text + Kritik, Zeitschrift für Literatur, hrsg. v. Heinz Ludwig Arnold, Aachen.  D 379, 589, 596; K 541, 551, 563, 566, 569, 573, 603, 625

Texte und Zeichen.  K 222

Th      Das Theater, hrsg. v. Herwarth Walden, Berlin/Wien.  D 188—201, 328

Therapeutische Monatshefte, Berlin.  D 146

Die Tide, Niederdeutsche Heimatblätter, Bremen.  K 100

The Times, London.  K 46, 74, 133, 143

Der Türmer, Stuttgart.  K 19


Uhu, Berlin.  D 305A

Universitas, Stuttgart.  K 192, 324

Unser Pommerland.  K 443


Velhagen und Klasings Monatshefte, Berlin/Bielefeld/Leipzig/Wien.  D 64; K 11, 31, 69, 123

Volksstimme, Frankfurt a. M.  K 341

Vorwärts, Berlin.  K 284

VZ      Vossische Zeitung, Berlin.  D 28A, 132, 227, 355, 376, 377, 381, 383, 385, 386, 444, 473—477, 482, 492, 494, 497A, 506; K 62, 82, 160, 234, 248A, 267, 276


Die Waage, Stolberg.  K 535

Die Waage, Wien.  K 236

Die Weißen Blätter, hrsg. v. René Schickele, Zürich/Leipzig.  D 523; K 15

Die Welt, Hamburg.  D 584; K 188, 230, 317, 438

Die Welt am Abend, Berlin.  D 541

Welt und Wort, Tübingen.  D 520; K 309, 415

WB      Die Weltbühne (Fortsetzung von: Die Schaubühne), hrsg. v. Siegfried Jacobsohn; Carl v. Ossietzky; Kurt Tucholsky, Berlin.  D 250, 252, 420, 421, 427, 428, 435, 483; K 35, 70, 87, 134, 144, 149, 235, 243, 261, 334, 445, 452, 457, 509, 516, 517

(Fortsetzung: Die neue Weltbühne)

Die Weltbühne, (Ost-)Berlin.  K 450

Weltkugel, Berlin.  K 363

Weltwoche, Zürich.  K 312

Weser Zeitung, Bremen.  D 379, 473

Wiener literarisches Echo.  K 181, 183, 186

Wirkendes Wort, Düsseldorf.  K 594A, 619

Wochenzeitung Kunst und Gemeinschaft.  K 203

Das Wort, hrsg. v. Bertolt Brecht, Willi Bredel, Lion Feuchtwanger, Moskau.  D 179, 458, 513; K 169, 350

Wort und Wahrheit, Freiburg i. Br.  K 223

Wort in der Zeit, Österreichische Literaturzeitschrift.  K 395

Die Zeit, Hamburg.  D 517; K 197, 218–220, 325B, 326, 369, 380, 460, 496, 528

Zeit-Echo, hrsg. v. Ludwig Rubiner, Bümpliz-Bern/Leipzig.  D 208; K 17

Zeitschrift für Bücherfreunde.  K 2, 24, 68, 86, 254, 290

Zeitschrift für ärztliche Fortbildung, Berlin.  K 388

Zeitschrift für Immunitätsforschung und experimentelle Therapie, Jena. D 140

Zeitschrift für klinische Medizin, Berlin.  D 151, 152

Zeitschrift für deutsche Philologie, Berlin.  K 554, 580, 586, 593A

Zeitschrift für Sexualwissenschaft, Bonn/Berlin.  K 242

Zeitschrift für Sozialforschung, Paris.  K 292

Zeitwende, Die neue Furche, Hamburg.  K 205

Die Zukunft, hrsg. v. Willi Münzenberg, Paris/Straßburg.  D 463

Zurnal-no-gazetnoe ob'edinenie, Moskau.  D 547, 623

Der Zwiebelfisch, Eine kleine Zeitschrift über Bücher und andere Dinge, München.  K 44A, 234A

## b) Namen

Ackerknecht, E.   K 88
Adler, Joseph.   K 1
Albérès, R. M.   K 632
d'Albert, Eugen.   D 196
Albin, M.   K 245
Alevskij, M.   D 614
Anders, Achim.   K 389
Anders, Günther.   K 605
Angelloz, J. F.   K 198
Anstett, J.-J.   K 266
Arnau, Frank.   D 134
Arnheim, Rudolf.   K 134, 144, 267
Arnold, Armin.   K 633
Asch, Nathan.   K 137
Ashton, E. B.   D 630
Augstein, Carl.   K 192
Avenarius, Ferdinand.   D 524
Aymé, Marcel.   D 264

Baacke, Dieter.   K 566
Bab, Julius.   K 89, 90
Bachmann, H.   K 75
Baden, Hans Jürgen.   D 266; K 634
Badt-Strauß, Bertha.   K 91
Bahr, Hermann.   D 244
Balázs, Béla.   K 445
Baldus, Alexander.   K 370
Balthazar.   D 290
Bargatzky, Eugen.   D 44
Bargatzky, Walter.   D 263
Barlach, Ernst.   D 237
Barrison, Gertrude.   D 336
Bäumer, Gertrud.   K 268
Baudoin, Charles.   D 373
Baum, Peter.   K 400A
Baumer, Marga E.   K 219
Bayerdörfer, Hans-Peter.   K 606
Beach, Joseph Warren.   K 635
Becher, Johannes R.   D 263, 532, 602;
   K 362a, 446

Becher, P. H.   K 199
Beck, Hans Georg.   K 193
Becker, Helmut.   K 607
Beckett, Samuel.   K 652
Behm, Hans Wolfgang.   D 378
Behne, Adolf.   K 3
Benjamin, Walter.   K 92
Benn, Gottfried.   K 271A, 400B, 521
   588, 589
Benseler, Frank.   K 605
Benz, Richard.   K 269
Berendsohn, Walter A.   K 362, 636
Bergel, Violante.   D 582
Berl, Heinrich.   K 194, 362b
Bermann Fischer, Gottfried.   D 594;
   K 522
Bernstein, Eduard.   D 393
Bertaux, Félix.   D 606; K 93, 270, 637
Bettex, Albert.   K 638
Beyer, Manfred.   D 576
Biadi, Jacques.   D 634
Bieber, Hugo.   K 60, 487
Biedrzynski, Richard.   K 271
Biernath.   D 147
Biese, Alfred.   K 639
Biha, Otto.   K 271A, 447
Binz, Arthur Friedrich.   K 4, 489
Bircher.   K 256
Bithell, Jethro.   K 640
Blank, Herbert.   K 291a
Blass, Ernst.   K 5, 61, 246, 328, 390,
   496
Blei, Franz.   K 32, 94, 490
Bleuel, Hans Peter.   K 200
Blewitt, Phyllis und Traver.   D 621
Bloch, Hans.   K 247
Bloch, Jean Richard.   K 491
Blöcker, Günther.   K 201
Blunck, Hans Friedrich.   K 523
Bodensieck, Heinrich.   K 608
Boesch, Bruno.   K 638
Bolze, Wilhelm.   K 6
Borst.   D 461

Bott, Hans.  D 536
Boucher, Maurice.  K 641
Brand, Guido K.  K 76, 642
Brandt, Willy.  D 56
Brant, Bastian.  K 609
Braun, Alfred.  D 578
Braun, Hanns.  K 321
Braun, Harald.  D 509
Braun, Soma.  D 613
Brecht, Bertolt.  D 229, 249, 497A;
  K 492, 547A, 653, 730
Bredow, Hans.  D 175
Brenner, Hans Georg.  K 391
Brentano, Bernard v.  K 95, 272
Brinkmann, Richard.  K 643
Brion, Friederike.  D 314
Brod, Max.  D 216
Brodnitz, Hanns.  K 233
Bronnen, Arnolt.  D 219, 245, 497A;
  K 392, 524
Brugger, Walter.  K 362
Brunner, Karl.  D 427
Bucovich, Mario v.  D 484
Büchner, Georg.  D 264; K 652
Bürgel, Bruno G.  D 360
Bürgin, Hans.  K 644
Burger, Heinz Otto.  K 713
Burschell, Friedrich.  K 33
Busse, A.  K 493

Caroll, Lewis.  D 267
Casey, Timothy Joseph.  K 555
Charitius, F.  K 237
Chesterton, Gilbert Keith.  D 244A
Christ, Richard.  K 371, 393
Claassen, E.  K 394
Clauß, L. F.  D 434
Collatz, Fritz.  K 431
Confucius.  D 364
Coster, Charles de.  D 278
Czermakowa, Izabela.  D 616

Daiber, Hans.  D 37; K 318, 395
Dam, J. van.  K 718
Dehmel, Richard.  D 189
Dehn, Günther.  K 96
Delpy, Egbert.  K 54, 145
Denkler, Horst.  D 47; K 645
Dewall, Wolf v.  K 7
Dietz, Ludwig.  K 593, 599, 600
Dietz, Walthari.  K 396
Dirks, Walter.  K 448

Döblin, Erna (geb. Reiss).  D 8, 604
Dolbin, B. F.  K 449
Dolfini, G.  D 609
Donker, Anthonie.  K 293
Dostojewskij, Fjodor M.  D 269, 270,
  281; K 585
Drews, Richard.  K 450
Driesch, Hans.  K 261
Durus, Alfred.  K 145A
Durzak, Manfred.  K 326, 567
Duwe, Wilhelm.  K 646
Duytschaever, Joris.  K 610
Dworschak, Hanns.  K 77

Ebermayer, Erich.  D 134; K 238
Echávarri, Luis.  D 633
Eckert, Horst.  K 647
Eckhardt, Ferdinand.  K 451
Eckstein, Percy.  K 177, 182, 184, 322
Edfelt, Johannes.  K 397
Edschmid, Kasimir.  D 264, 523, 593,
  598; K 22, 34, 47, 398, 525, 589
Eggebrecht, Axel.  D 577; K 78, 97,
  159, 257, 273, 399, 400, 452, 453
Ehrenberg, Hans.  K 258, 454
Ehrenstein, Albert.  D 48, 205, 208;
  K 362, 400A, 400B
Ehrlich, Godfrey.  K 611
Eich, Günter.  K 513
Einsiedel, Wolfgang v.  K 79
Eisner, Pavel.  D 626
Eloesser, Arthur.  K 648
Elshorst, Hansjörg.  K 568, 649
Elster, Hanns Martin.  K 330
Emrich, Wilhelm.  K 650—652
Ender, Alfred.  K 55
Endler, Alfred.  K 401
Endres, Elisabeth.  K 327, 569
Engel, Fritz.  K 98
Erb, Alfons.  K 303
Erhardt, Jacob.  K 627A
Esslin, Martin.  K 653
Eulenberg, Herbert.  D 131, 132
Euringer, Richard.  K 239, 248

Falk, Walter.  K 593A
Fechter, Paul.  K 526, 656—658
Federmann, Reinhard.  K 204
Feist, Hans.  D 587
Ferris, Winifred J.  K 570
Feuchtwanger, Lion.  D 529; K 8, 35

Fiechtner, Helmut A.   K 372
Finnegan, Eugene Patrick.   K 570A
Fischer, E. Kurt.   K 99
Fischer, Ludwig.   K 528A
Fischer, Max.   K 9
Fischer, Samuel.   K 692
Flake, Otto.   D 227, 263; K 362, 455, 527, 567
Fleischmann, P.   D 151, 152
Forst de Battaglia, Otto.   K 659, 660
Fortini, F.   D 632
Franck, Hans.   K 48
Frank, Bruno.   D 260
Franzen, Erich.   K 265, 494
Frei, Bruno.   K 456
Frenzel, Christian Otto.   K 100
Freud, Sigmund.   D 373, 376, 378, 381, 385
Frey, A. M.   K 175
Frey, John R.   K 571
Freytag, W.   K 331
Fricke, Gerhard.   K 661
Fried, Martha.   K 595
Friedeberger, Hans.   K 36
Friedell, Egon.   D 252
Friedmann, Hermann.   K 560, 654
Friedrich, Hans.   K 469B
Friedrich, Hans E. K 101
Friedrich, Paul.   K 37
Frisch, Efraim.   D 445
Fritz, Walter Helmut.   K 205
Fröschel, Georg.   K 528
Fuhrmann, Ernst.   D 385
Funke, Ch.   K 206

Gehrmann, Karlheinz.   K 306
Geiser, Karl F.   K 138
Geißler, Rolf.   K 613
Genschmer, Fred.   K 207
Gerö.   K 240
Glaser, Kurt.   K 10
Gocht, Peter.   K 373
Goerres, Ida Friedrike.   D 266
Goethe, Johann Wolfgang v.   D 269, 270, 279, 281, 468; K 717
Gött, Ludwig.   K 291b
Göttig, W. W.   K 49
Goldbaum, Wenzel.   D 421; K 457
Goldberg, Mark.   K 571A
Goldstein, Moritz.   K 62, 80, 234, 248A
Goll, Victor.   K 332

Gorkina, I. A.   D 623
Gorski, Herbert.   K 402
Goudsmit, Sam.   K 294
Graber, Heinz.   D 118, 575, 604A; K 603, 604
Graf, Oskar Maria.   D 260
Grande, Richard.   K 259
Grass, Günter.   K 387, 730
Grenzmann, Wilhelm.   K 662
Grimm, Reinhold.   K 587
Grimme, Adolf.   K 528A
Groddek, Georg.   D 373
Grözinger, Wolfgang.   K 208
Grote, L. R.   D 149
Grothe, Wolfgang.   K 358, 362c, 572, 573
Grunewald, Käte.   K 403
Gspann, L.   K 495
Günther, Herbert.   D 69
Guilbeaux, Henri.   D 526
Guillemin, Bernard.   K 333
Gumtau, Hans.   K 323
Gutiénez y Marín, Manuel.   D 610

Haas, Willy.   D 578; K 102
Haefelin, Charlotte.   K 590
Haerdter, Robert.   K 178, 189
Härtling, Peter.   K 496
Hahn, Arnold.   K 458
Hallamore, G. Joyce.   K 581
Halperin, Josef.   K 312
Hamburger, Käte.   K 592
Hamecher, Peter.   K 459
Hamelau, Karin.   K 551, 552
Hamsun, Knut.   D 235, 527
Haringer, Jakob.   D 274
Harms, Adolf.   D 11
Hauptmann, Gerhart.   D 307; K 89
Hausenstein, Wilhelm.   K 303A
Hausmann, Manfred.   D 134
Hay, Julius.   K 351
Hayasaki, Moritoshi.   K 588, 612
Haycraft, Howard.   K 674
Hayduck, Alfons.   K 249
Hebbel, Friedrich.   K 610
Hegeler, Wilhelm.   K 11
Heilborn, Ernst.   K 260
Heim-Loos, Irma.   D 598
Heine, Heinrich.   D 271
Heinrichs, Charlotte.   K 274
Heist, Walter.   K 404

Hell, Heinz.   K 460
Heller, Otto.   K 295
Hennecke, Hans.   K 405, 497
Herchenröder, Max.   K 601
Hering, Gerhard.   K 148
Hermann, Georg.   D 132, 256
Hermsdorf, Klaus,   D 129, 130; K 406
Herrmann, Hilde.   K 195
Herrmann, Klaus.   K 63
Herrmann(-Neiße), Max.   K 12
Hersche, Otmar.   K 556, 574
Herwig, Franz.   K 23, 25, 64, 103
Herzfelde, Wieland.   K 461
Herzog.   D 461
Herzog, Paul.   D 578
Hesse, Hermann.   D 266
Hesse, Max René.   D 253
Hesse, O. E.   K 38
Heuser, Kurt.   D 134; K 275, 291c
Heuss, Theodor.   D 536, 597A; K 528B
Heym, Georg.   K 588, 589
Heymann, Fritz.   D 258
Heynen, Walter.   D 591
Heynen, Walter.   K 335
Hildenbrandt, Fred.   K 65
Hiller, Kurt.   D 266; K 462
Hirsch, Karl Jakob.   K 407
His.   D 299
Hocke, Gustav René.   K 280, 289A, 529
Höck, Wilhelm.   K 408
Hofe, Harold v.   K 308, 498
Hoffmann, Camill.   K 13
Hohoff, Curt.   K 185, 311, 319, 409
Hollaender, Felix.   K 147
Holz, Anita.   D 282
Holz, Arno.   D 265, 277, 282, 284, 311, 524
Hopkins, Gerald Manley.   D 265
Horst, Karl August.   K 210, 313, 316, 320, 325, 632, 663
Horvath, Oedön v.   D 260
Hoyer, Walter.   K 250
Huch, Ricarda.   D 320; K 595
Hülse, Erich.   K 613
Huelsenbeck, Richard.   D 134
Huhn, Kurt.   K 463
Hutchinson, C. R.   D 262
Hutchison, Percy.   K 139
Hutten, Kurt.   K 464

Ihering, Herbert.   K 39, 104, 135, 277, 499

Ilberg, Werner.   K 212, 374
Infield, Doris A.   D 364
Irle, Gerhard.   K 664
Isler, P.-E.   D 606; K 21
Italiaander, Rolf.   D 601

Jacob, Heinrich Eduard.   K 410
Jacobsohn, Siegfried.   K 516
Jäger, Hans.   D 227
Jahnn, Hans Henny.   D 239, 601—603; K 105
Janouch, Gustav.   K 530
Jarmatz, Klaus.   K 665
Jennings, Anne Liard.   K 575
Jens, Walter.   K 375, 557, 666
Ježower, Ignaz.   D 429
Johann, Ernst.   K 376
Johansen, Henri.   K 359
Johst, Hanns.   K 411
Jolas, Eugene.   D 608
Josephson, Richard.   D 83
Joyce, James.   D 276; K 125A, 584

Kabel, Rainer.   K 629
Kaergel, Hans Christoph.   K 106
Kästner, Erich.   K 107
Kafka, Franz.   D 275; K 530
Kahler, Erich v.   K 667
Kahn, Fritz.   D 373
Kahn, Harry.   D 523
Kahn, Robert. L.   K 594
Kaiser, Georg.   D 241, 310
Kalidasa.   D 249
Kandinsky, Wassili.   D 522
Kantorowicz, Alfred.   K 136, 531
Kapp, Wolfgang.   D 428
Karlweis, Marta.   D 255A
Kasack, Hermann.   K 336, 362d, 503, 534, 604A
Kayser, Rudolf.   K 337, 413, 414
Kaznelson, Siegmund.   K 465
Keim, H. W.   K 108
Kellermann, Bernhard.   D 211, 533
Kelsch, Wolfgang.   K 614
Kerényi, Karl.   D 283
Kerr, Alfred.   D 578; K 148
Kersten, Kurt.   D 70; K 169, 352
Kessel, Martin.   K 364
Kesser, Armin.   K 278
Kesten, Hermann.   D 259, 595, 630; K 149, 162, 170, 172, 176, 353, 360, 415, 416, 500, 550

Kienzl, Hermann.  D 235
Kimber, Robert Bruce.  K 576
Kirchner, Ernst Ludwig.  D 1
Klabund.  D 131; K 668
Klabus, Vital.  D 638
Klein, Ruth.  D 267
Klein, Tim.  K 150
Kleinberg, Alfred.  K 669
Kleist, Heinrich v.  D 232
Klinger, Friedrich Maximilian.  D 314
Klipstein, Editha.  K 279
Klöpfer, Eugen.  D 578
Klotz, Volker.  K 615, 661
Knigge, Ulrich.  D 617
Knipperdolling, Gregor.  K 40
Knoblauch, Adolf.  D 297; K 687
Knöller, Fritz.  K 324
Körner, Fr. Th.  K 27
Koeppen, Edlef.  D 134
Kogon, Eugen.  K 304
Kohout, St.  D 626
Kohtz, Harald.  D 604
Kolbenheyer, Erwin Guido.  K 466, 532
Konrad, Gustav.  K 309
Korff, Hermann August.  D 283; K 704
Korn, Karl.  K 14
Kornfeld, Paul.  K 151
Korrodi, Eduard.  D 256; K 467
Kort, Wolfgang.  K 577
Kracauer, Siegfried.  K 280, 291d, 501
Kramberg, K. H.  K 214, 314, 377
Kraus, Karl.  D 244A
Krell, Max.  K 41, 53, 66, 687
Kretschmer, Ernst.  D 373
Kreuder, Ernst.  K 361, 365, 378, 417, 533, 670
Kreutzer, Leo.  K 557A, 578
Kreuzer, Helmut.  K 592
Krieger, Arnold.  D 265
Krojanker, Gustav.  K 390
Krüger, Horst.  K 179
Krysmanski, Hans-Jürgen.  K 671
Küntzel, Gerhard.  K 553
Küppers, Paul Erich.  D 59
Kuhn, Christoph.  K 314B
Kummer, Friedrich.  K 672
Kunisch, Hermann.  K 649, 673
Kunitz, Stanley.  K 674
Kutzbach, Karl August.  K 675

Laehr, Hans.  D 136
Lahnstein, P.  K 180
Lamartine, M. R. L. de.  D 264
Lamm, Albert.  K 468
Landauer, Gustav  D 400
Landauer, Walter.  K 550
Landsberger, Fritz.  K 81
Landshoff, Fritz.  K 550
Lange, J. M.  K 261
Lange, Victor.  K 676
Langheinrich-Anthos.  D 579
Lasker-Schüler, Else.  D 589
Lauckner, Rolf.  D 249
Lautensack, Heinrich.  D 212
Laven, Paul.  D 578
Lazar, Maria.  K 296
Lechner, Hermann.  K 677
Léhar, Franz.  D 201
Lehmann, Karl.  K 678
Lehmann, Wilhelm.  D 272; K 362
Lehmann, Wolfgang.  K 418
Leins, Hermann.  D 536
Leiser, R.  D 632
Lemke, Karl.  K 419
Lemm, Alfred.  K 15
Lenin.  D 431
Lennartz, Franz.  K 679
Lenz, Jakob Michael Reinhold.  D 314
Leonhard, Rudolf.  D 380; K 469, 502
Levinger, Fritz.  K 281
Leyen, Friedrich v. d.  K 680
Lichnowsky, Mechthilde.  D 132
Lide, Francis Pugh.  K 594, 604, 616
Liebermann, Max.  D 524
Liede, Helmut.  K 589
Lifschitz, Isidor.  K 469A
Linden, Walther.  K 704
Linke, Anna.  D 640
Links, Roland.  D 46; K 558, 627
Lion, Ferdinand.  K 109, 171, 173, 300, 420—422, 550, 681
Löckel.  D 461
Loerke, Oskar.  D 504; K 16, 82, 265, 423, 503, 504, 534
Louis, Andrew.  K 594
Ludwig, Emil.  D 255, 260
Lüth, Paul E. H.  D 86; K 362, 424, 425, 473, 535, 536, 682
Lukács, Georg.  K 605, 683—685
Luxemburg, Rosa.  D 268

Mac Gill, Jan Keith.  K 617
Mac Orlan, Pierre.  D 611
Mahrholz, Werner.  K 686
Maier, Hansgeorg.  K 215
Man, H. de.  K 283
Mann, Erika.  K 538
Mann, Heinrich.  D 578; K 356, 539
Mann, Klaus.  D 630
Mann, Otto.  K 560, 654
Mann, Thomas.  D 34, 315, 530; K 234, 357, 469B, 506, 537—539, 550, 581, 644, 681, 730
Marcuse, Herbert.  K 292
Marcuse, Ludwig.  D 602; K 50, 163, 216—220, 354, 366, 367, 379, 380, 426—429, 470, 471, 540, 687
Margulies, Hanns.  K 236
Marinetti, F. T.  D 156; K 502
Martell, Philipp.  K 363
Martens, Kurt.  K 688
Martini, Fritz.  K 559, 592, 618, 689, 690
Masereel, Frans.  D 464
Massary, Fritzi.  D 223
Matthias, Leo.  D 250
Mauerhofer, Hugo.  K 110
Mauthner, Fritz.  D 344, 378
Mayer, Hans.  K 540A, 691, 702
Mayer, Hans-Otto.  K 644
Mayer, J. P.  K 284
Mayerhofer, Alfred.  K 152
Mayr, Rolf.  K 472
Mehnert, Klaus.  K 291e
Mehring, Walter.  D 259
Meisel, Hans.  K 160, 430
Mendelssohn, Peter de.  K 692
Meridies, Wilhelm.  K 338
Meyer, Herman.  K 693
Meyer-Benfey, Heinrich.  K 431
Michael, Erich.  K 56
Michaelis, Edgar.  D 385
Michaelis, Heinz.  K 30
Michel, W.  K 51
Michel, Wilhelm.  K 111, 507
Mielke-Homann.  K 694
Miethe.  D 299
Mikula, Ervín.  D 637
Milch, Werner.  K 263
Minder, Robert.  D 597; K 167, 221, 381, 432—434, 541, 560, 561, 592, 695

Moherndl, Stefanie.  K 630
Molo, Walter v.  D 131, 264, 531; K 362e, 368, 542
Motchané, Zoga.  D 611
Mounier, Emmanuel.  D 266
Muckermann, Friedrich.  K 112
Müller-Freienfels, Richard.  D 266
Müller-Rastatt, Carl.  K 42
Müller-Salget, Klaus.  K 554, 580, 586
Müno, Kurt.  K 339
Mumm, Carl.  K 670
Muschg, Walter.  D 45, 110—112, 114—117, 572—574, 602; K 113, 222, 508, 562, 563, 696
Musil, Robert.  D 242, 272, 273; K 83, 543
Mussolini.  D 431
Mycielska, Gabriela.  D 629

Nadler, Josef.  K 697
Natonek, H.  K 57, 153
Naumann, Hans.  K 698
Nef, Ernst.  K 619
Nestroy, Johannes Nepomuk.  D 241
Neukrantz, Klaus.  K 114
Neumann, Alfred.  D 257
Neumann, Robert.  K 518, 519, 544
Neumann, Therese.  D 542
Nidden, Ezzard.  K 43
Niedermayer, Max.  K 536, 545
Niese, Hansi.  D 193
Nordström, Torsten.  D 612

Oberdorfer, Aldo und Cesira.  D 619
Obermaier-Schoch, Hilde.  K 154
Ohlbrecht, Günther.  K 155
Olden, Balder.  K 115
O'Neill, Eugene.  D 243, 244
Osterle, Heinz D.  K 628
Otten, Ellen.  D 590

Pack, Claus.  K 223
Paludan, Jacob.  K 305
Pange, de.  D 283
Paquet, Alfons.  D 246
Paulsen, Wolfgang.  K 652, 699
Peitz, Wolfgang.  K 554
Pellegrini, A. H.  D 21
Pesch, Ludwig.  K 224, 700
Petsch, Robert.  K 701
Peuckert, Will-Erich.  K 44, 362

Pfeiffer, Herbert. K 196
Pfeiler, William K. K 382, 702
Piltz, Georg. K 190
Pinner, E. D 83
Pinthus, Kurt. K 2
Pohl, Gerhart. K 241, 362f
Polgar, Alfred. K 509
Pongs, Hermann. K 703—706
Ponten, Josef. D 131
Prangel, M. F. R. K 604
Prigge-Kruhoeffer, Maria. K 510
Pulver, Max. K 435

Raabe, Heinz. K 297
Raabe, Paul. K 502
Rabus, Carl. D 42
Rainalter, Erwin. K 436
Rampáková, Ludmila. D 618
Rang, Bernhard. K 116, 707
Rasch, Wolfdietrich. K 596
Rauch, Karl. K 225, 320A
Rausch, Walter. K 708
Rauschning, Hermann. K 252
Regensteiner, Henry. D 600; K 383, 579
Reich-Ranicki, Marcel. K 325B
Reid, James H. K 620
Reifenberg, Benno. K 226
Reik, Theodor. D 360, 377, 378
Reinhardt. Max. D 213
Reinhold. Kurt. K 520
Reiss, Erna. s. Döblin, Erna.
Ribbat, Ernst. K 580
Richter, H. G. K 28, 58
Riley, Anthony W. K 581
Rilla, Paul. K 473
Rockenbach, Martin. D 83; K 84
Röhl, Hans. K 709
Rößle, Wilhelm. K 67
Romera Vera, Angela. D 625
Rona, P. D 143, 144
Rosin, Arthur und Elvira. D 596
Rost, Nico. K 437
Roth, Joseph. K 253
Rothe, Wolfgang. K 227, 555, 655
Rubin, Hans. K 242
Rubiner, Ludwig. K 17
Ruby, J. D 628
Rüdiger, Horst. K 181, 183, 186
Rühle, Günther. K 710
Rutra, A. E. K 156

Rychner, Max. K 117, 453, 474, 475, 511

Sadleir, Michael. K 141
Saenger, Samuel. K 285
Salmony, Alfred. K 18
Salzer, Anselm. K 711
Samuel, Richard. K 712
Sander, August. D 358
Sander, Hans-Dietrich. K 317, 438
Sauberzweig, Dieter. K 528A
Savigny, Hans v. D 265
Scalero, Alessandro. D 622

Schäfer, Wilhelm. K 476
Schaffner, Jakob. D 131
Schafft, Hermann. K 286
Schaukal, Richard v. K 477
Scheffler, Karl. K 478
Scherret, F. K 341
Schickele, René. D 593
Schiller, Friedrich. K 597
Schillings, Max v. D 524
Schimming, Wolfgang. K 228
Schlocker, Georges. K 229
Schluderpacher, C. D 539
Schlüter, Wolfgang. K 314A
Schmid, Carlo. D 263
Schmid, Paul. K 439
Schmidtbonn, Wilhelm. D 131, 223; K 546
Schmidt-Henkel, Gerhard. K 582
Schmitz, Oskar A. H. D 373
Schmitz, Till. K 479
Schneider, Reinhold. K 304, 362g
Schneider, Wilhelm. D 166
Schnell, Robert Wolfgang. K 229 A
Schnitzler, Arthur. K 400B
Schoeller, Wilfried F. K 631
Schönberg, Arnold. D 339
Schoenberner, Franz. K 550
Schöne, Albrecht. K 621
Scholtis, August. K 547
Scholz. D 263
Schueler, H. J. K 604A
Schulte ten Hoevel, Fritz. K 119
Schulte-Vaerting, Hermann. D 378
Schunke, Hellmuth. K 85
Schuster, Ingrid. K 594A
Schwabach, Erik-Ernst. K 68, 86, 254

Schwarz, Egon.  D 597
Schweisheimer, W.  K 120
Schwenk, Ernst.  K 287
Schwerte, Hans.  K 713
Schwimmer, Helmut.  K 583
Schwitzke, Heinz.  D 56; K 714

Segal, Arthur.  K 480
Segebrecht, Dietrich.  K 554
Seidler-von Hippel, Elisabeth.  K 622
Selander, Sten.  D 612
Sembdner, Helmut.  K 715
Shakespeare, William.  D 226
Shaw, George Bernard.  D 211
Siemsen, Anna.  K 440
Siemsen, Hans.  D 261; K 243
Silens, Peter.  K 310
Slochower, Harry.  K 623
Sochaczewer, Hans.  K 121
Soergel, Albert.  D 546; K 716
Sommer, Charlotte.  K 597
Spaini, Alberto.  D 609
Speyer, Wilhelm.  D 534
Sprengler, Joseph.  K 157
Stang, S.  K 122
Steffen, Hans.  K 667
Stehlin, Peter.  K 717
Stein, Franz.  D 600A
Stein, R.  K 388
Steinheil, Marguerite.  D 371
Stekel, Wilhelm.  K 244
Stemplinger, Eduard.  D 267
Stenzel, Jürgen.  K 624, 625
Sternbach, Hermann.  K 255, 512
Sternberg, Fritz.  K 547A
Sternheim, Carl.  K 589, 729
Stockum, Th. C. van.  K 718
Stößinger, Felix.  K 191
Storck, Karl.  K 19
Storz, Gerhard.  K 602
Strauß, Richard.  D 329
Strauß und Torney, Lulu v.  K 44
Strecker, Karl.  K 31, 69, 123
Streich, Hermann.  D 266
Strelka, Joseph.  K 441
Strindberg, August.  D 206
Stroh, Heinz.  K 342
Stübs, Albin.  K 164
Sturm, H.  K 343
Štyoský, Jíndřich.  D 626
Sudermann, Hermann.  D 200

Széll, Jenö.  D 639
Szenwald, Lucjan.  D 627
Szulanski, H.  K 584

Tagger, Theodor.  D 21
Tank, Kurt Lothar.  K 384, 513
Tappert, Georg.  D 11
Tarnowski, Marceli.  D 624
Taschner, Heinrich.  K 344
Tau, Max.  K 548
Tergit, Gabriele.  D 134
Tgahrt, Reinhard.  K 503, 504
Thieme, Karl.  K 187, 288
Thomas, R. Hinton.  K 712
Thompson, Lawrence.  K 301
Thurber, James.  D 264, 267
Tieffenbach, E. W.  D 83
Tindemans, Carlos.  K 564
Toller, Ernst.  D 220
Torberg, Friedrich.  D 260
Tritsch, Walter.  D 581
Trommler, Frank.  K 719
Tucholsky, Kurt.  D 132 (Peter Panter);
    K 235 (Ignaz Wrobel), 334 (Kaspar
    Hauser),  514, 549
Türk, Werner.  K 165, 299
Tunk, Eduard v.  K 720

Uhlig, Helmut.  K 231
Uhse, Bodo.  K 307
Ulitz, Arnold.  D 131
Uytvanck, Marianne van.  D 586

Valeton, A.  K 124
Valentin, Fritz.  K 150
Vesper, Will.  K 481
Viertel, Berthold.  D 529 A
Vietta, Egon.  K 188, 197
Voronoff.  D 383
de Vries, Karl-Ludwig.  K 584 A

Wagner, Christian.  D 265
Wagner, F.  K 289
Wagner, M. L.  K 142
Waidson, H. M.  K 721
Wald, Roderich.  K 443
Walden, Herwarth.  D 204, 591
Wallenstein, Paul.  K 598
Walter, Hans-Albert.  K 315, 565, 722
Walzel, Oskar.  K 515, 723—725
Warschauer, Frank.  K 70

Wassermann, Jakob.  D 254, 255A, 528
Wauer, William.  D 204
Weber, Hans v.  K 44A, 234A
Wedekind, Frank.  D 313
Wegner, Armin T.  D 131
Wegner, Matthias.  D 597; K 726
Weisenborn, Günther.  K 362h
Weiskopf, F. C.  K 125A, 289A, 302, 727
Weiss, Ernst.  D 235, 257
Weiss, Gertrud.  K 385
Weltmann, Lutz.  K 126, 482
Weltzer, Johannes.  D 617
Welzig, Werner.  K 728
Wendler, Wolfgang.  K 729
Wenzig, E.  K 71, 444
Werfel, Franz.  K 271A, 440, 623
Werner, Bruno E.  K 127
Westecker, Wilhelm.  K 128
Wetzel, H.  K 20
Weyembergh-Boussart, Monique.  K 585, 586
Weyrauch, Wolfgang.  D 428; K 362i, 483
Whitman, Walt.  D 265
Widmer, Walter.  K 232
Wiegler, Paul.  K 362j

Wieland, Dietrich.  K 325A
Wiese, Benno v.  K 559, 621
Wieser, Max.  K 686
Will, Wilfried van der.  K 730
Wisbrunn, Gustav.  D 83
Wiss, Antoine.  D 588
Witkowski, Georg.  K 59
Wittko, Paul.  K 345
Wittlin, Józef.  D 627
Wolf, Friedrich.  K 129
Wolfenstein, Alfred.  D 28, 345
Wolff, Kurt.  D 590
Wulf, Joseph.  K 731
Wysling, Hans.  K 539
Wyß, H. A.  K 130

Zarek, Otto.  K 45
Zeller, Bernhard.  D 590
Zillich, Heinrich.  K 73
Zimmermann, Werner.  K 591
Ziolkowski, Theodore.  K 626
Žmegač, Viktor.  K 587
Zobeltitz, Hans-Caspar v.  K 131
Zucker, Wolf.  K 87
Zuckerkandl, Victor.  K 291f
Zuckmayer, Carl.  D 132
Zukkau, G. A.  D 615
Zweig, Arnold.  D 535; K 346

515

HELMUT ARNTZEN
Satirischer Stil — Zur Satire Robert Musils im „Mann ohne Eigenschaften"
2. erg. Aufl. 1970, XII, 224 S., kt. DM 29,80; ISBN 3 416 00184 2
Abhandlungen zur Kunst-, Musik- und Literaturwissenschaft, Band 9

TIMM COLLMANN
Zeit und Geschichte in Hermann Brochs Roman „Der Tod des Vergil"
1967, 180 S., kt. DM 19,50; ISBN 3 416 00418 3
Abhandlungen zur Kunst-, Musik- und Literaturwissenschaft, Band 44

WOLFGANG KORT
Alfred Döblin — Das Bild des Menschen in seinen Romanen
1970, X, 149 S., kt. DM 22,—; ISBN 3 416 00692 5
Studien zur Germanistik, Anglistik und Komparatistik, Band 8

HERMANN KRAPOTH
Dichtung und Philosophie — Eine Studie zum Werk Hermann Brochs
1971, X, 204 S., kt. DM 28,50; ISBN 3 416 00695 x
Literatur und Wirklichkeit, Band 8

DIETER KÜHN
Analogie und Variation — Zur Analyse von Robert Musils Roman „Der Mann
ohne Eigenschaften"
1965, 164 S., kt. DM 18,50; ISBN 3 416 00324 1
Bonner Arbeiten zur deutschen Literatur, Band 13

STEPHAN REINHARDT
Antinomie von Intellekt und Gefühl in Musils „Mann ohne Eigenschaften"
1969, VI, 208 S., kt. DM 28,50; ISBN 3 416 00573 2
Abhandlungen zur Kunst-, Musik- und Literaturwissenschaft, Band 80

ANNIE RENIERS-SERVRANCKX
Robert Musil — Konstanz und Entwicklung von Themen, Motiven und Strukturen in den Dichtungen
1972, VIII, 318 S., kt. DM 48,—; ISBN 3 416 00782 4
Abhandlungen zur Kunst-, Musik- und Literaturwissenschaft, Band 110

MANFRED SERA
Utopie und Parodie bei Musil, Broch und Thomas Mann
1969, VI, 203 S., kt. DM 26,80; ISBN 3 416 00619 4
Bonner Arbeiten zur deutschen Literatur, Band 19

HARTMUT STEINECKE
Hermann Broch und der polyhistorische Roman
1968, 221 S., kt. DM 28,50; ISBN 3 416 00478 7
Bonner Arbeiten zur deutschen Literatur, Band 17

MONIQUE WEYEMBERGH-BOUSSART
Alfred Döblin — Seine Religiösität in Persönlichkeit und Werk
1970, XIV, 426 S., kt. DM 56,—; ISBN 3 416 00613 5
Abhandlungen zur Kunst-, Musik- und Literaturwissenschaft, Band 76

BOUVIER VERLAG HERBERT GRUNDMANN · BONN